SELECT ORATIONS OF CICERO

(ALLEN & GREENOUGH'S EDITION)

REVISED BY

J. B. GREENOUGH AND G. L. KITTREDGE

WITH A

SPECIAL VOCABULARY

BY

J. B. GREENOUGH

GINN AND COMPANY
BOSTON · NEW YORK · CHICAGO · LONDON
ATLANTA · DALLAS · COLUMBUS · SAN FRANCISCO

622.8

The Athenæum Press
GINN AND COMPANY · PRO-
PRIETORS · BOSTON · U.S.A.

CICERO

(Bust in the Galleria degli Uffizi, Florence)

PREFACE

The present volume, though a revision of Allen & Greenough's Cicero (edition of 1886), following in general the same lines, is practically an entirely new work, since the notes have been almost wholly rewritten, and very extensive additions have been made. The revising editors have kept constantly in mind the original design, which gave prominence to matters of historical and political interest. They have, however, for lack of room, reluctantly omitted the Oration for Sestius as that least read by pupils of the age for whom this book must be intended. Though in pursuance of the original design the orations are arranged in chronological order, yet, by the fuller annotation of Roscius and the Catilines, care has been taken to enable teachers to begin with either, according to their judgment or habit.

The revisers hope that in many respects the new edition will be found superior to the old. The admirable historical and political work of the late Professor W. F. Allen has not been reduced, but collected into introductory chapters for convenience of continued reading and reference. The grammatical discussions have been very much increased, the revisers having found, by instructive experience, that in order to profit by a book the pupil must be able to read it, and for this a knowledge of the usages of the language is indispensable.

The treatment of the orations rhetorically and logically has been very much extended, with the hope of making the book more useful, not only for the study of Latin, but also for the study of rhetorical composition generally. The very numerous illustrations have not been inserted merely to make a picture-book, but to give the pupil some sense of the reality of the orations as a part of history. Teachers and others who take a more intelligent interest in these ancient memorials, will find much explanatory and critical comment in the numbered list of illustrations. A very large increase of introductory matter has seemed desirable in view of the growing interest in the study of the history of civilization.

As in the previous edition, the text of BAITER and KAYSER has been strictly followed, as a recent *textus receptus*, even where the revisers would personally prefer a different reading. They have, however, rejected the doubled *i* in the genitive of the second declension, which must have been unknown to Cicero.

It is hoped that the new and improved features will commend themselves to teachers and tend to improve Latin scholarship in this country.

J. B. G.
G. L. K.

CAMBRIDGE, MASS., JULY, 1896.

In this new impression maps have been added, and a plan of the Forum exhibiting the very important excavations made since 1899. This plan is taken from Richter's *Topographie der Stadt Rom* and shows the newly excavated Comitium, Basilica Aemilia, and Sanctuary of Juturna.

MARCH, 1905.

CONTENTS

LIST OF MAPS

IN THE NOTES

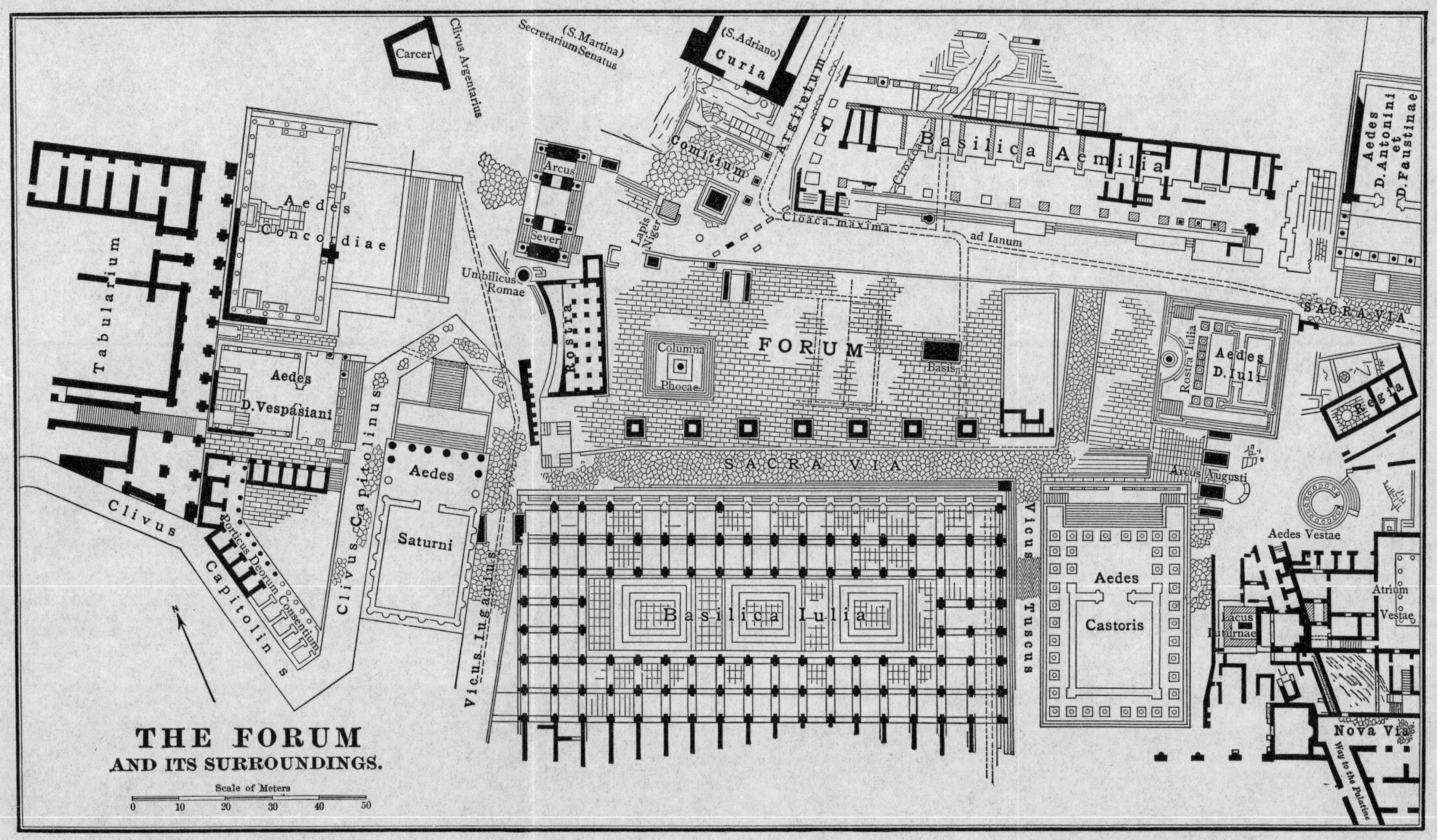
Carcer
Clivus Argentarius
Secretarium Senatus
(S. Martina)
(S. Adriano)
Curia
Argiletum
Comitium
Basilica Aemilia
Cloaca
Aedes D. Antonini et D. Faustinae
Tabularium
Aedes Concordiae
Arcus Severi
Lapis Niger
Cloaca maxima
ad Ianum
Umbilicus Romae
Rostra
Columna Phocae
FORUM
Basis
SACRA VIA
Rostra Iulia
Aedes D. Iuli
Regia
Aedes D. Vespasiani
Clivus Capitolinus
Aedes Saturni
Arcus Augusti
Clivus Capitolinus
Porticus Deorum Consentium
Vicus Iugarius
Basilica Iulia
Vicus Tuscus
Aedes Castoris
Aedes Vestae
Atrium Vestae
Lacus Iuturnae
Nova Via
Way to the Palatine
N
Scale of Meters
0 10 20 30 40 50

THE FORUM
AND ITS SURROUNDINGS.

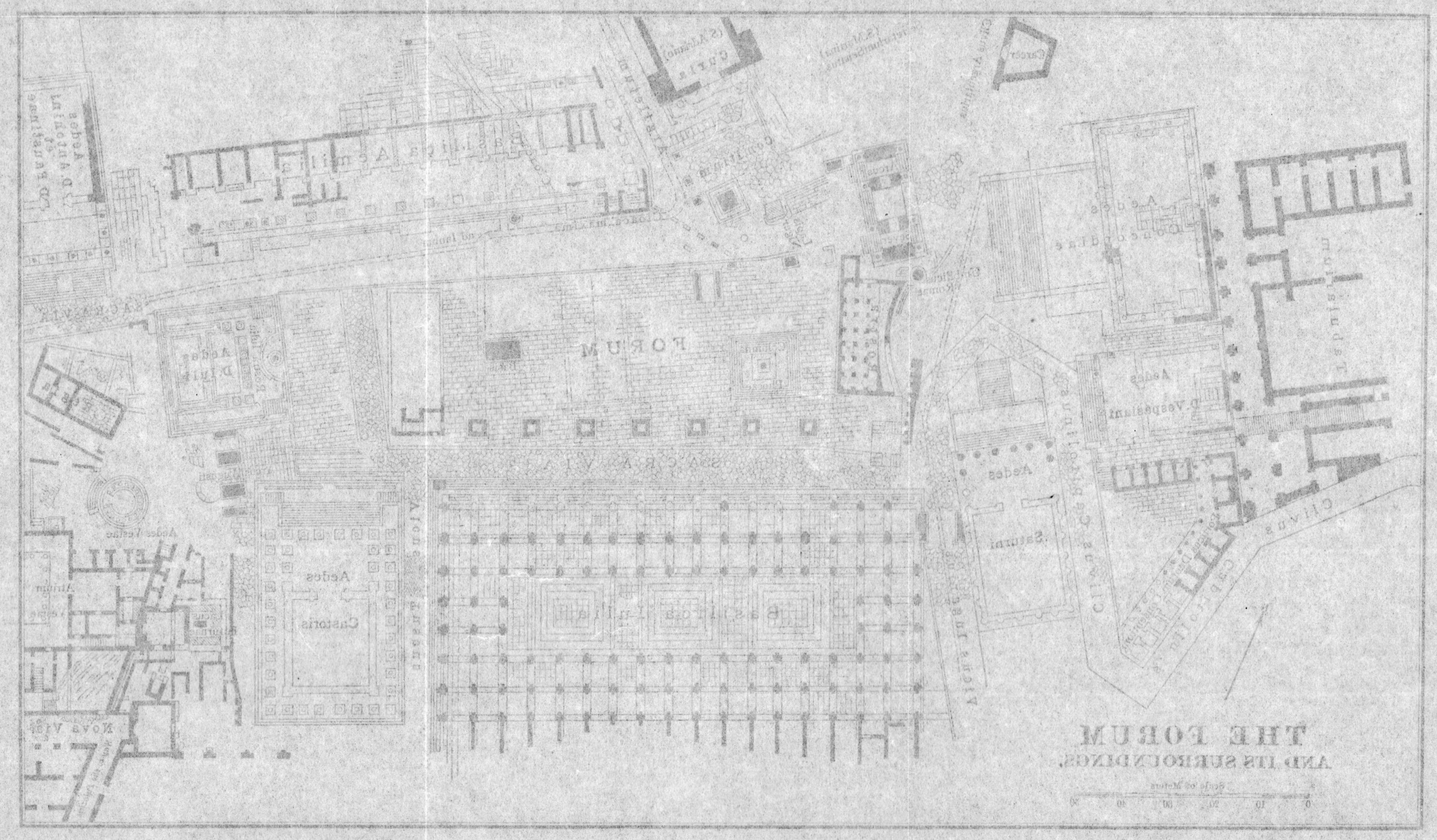

Explanation of the View of the Forum

The background shows the southeasterly side of the Capitoline hill. The blank wall in the centre is the rear of the *Palazzo dei Senatori*, which stands on the saddle between the two summits (*inter duos lucos*). The lower part of this wall is very old, and is commonly supposed to be the wall of the *Tabularium*, or Record Office.

The modern buildings on the right occupy the site of the ancient Citadel (*Arx*); those on the left, that of the *Capitolium*. In front, projected against the wall of the *Tabularium*, is, on the right, the Column of Phocas, a late monument of slight importance; at the left of that are the ruins of the Temple of Vespasian (three Corinthian columns, of which only two show in the view); farther to the left is a ruin with eight Ionic columns,— the Temple of Saturn, built in the time of the Empire on the site of the earlier Temple of Saturn, which served during the Republic as the *Aerarium*, or Treasury. Below, at the right of the picture, is the Arch of Septimius Severus: this probably occupies part of the space of the earlier *Senaculum*, or gathering-place of the Senators. Below the Temple and in front of the Arch is the open space of the Forum, distinguishable by the flagging: here stood the *Rostra*. To the left, below the Temple of Saturn, are the ruins of the *Basilica Julia*. At the extreme left of the picture, in the foreground, are three Corinthian columns, the only remains of the famous Temple of Castor. Near the point where the spectator is supposed to stand are the ruins of the *Atrium Vestae* and the *Regia*.

The Plan of the Forum (facing x) shows more recent excavations than the View. It is taken from Richter's *Topographie der Stadt Rom*, 1901.

RUINS OF THE ROMAN FORUM.

(From a Photograph.)

INTRODUCTION

I. LIFE OF CICERO

MARCUS TULLIUS CICERO, partly on account of his natural abilities and partly on account of the times in which he lived, has left a name associated with some of the most important events in the history of the world, as well as with some of the most potent forces in our civilization. Few men have made so distinct an impression on modern literature and thought. He touched many things which he did not adorn, but there is hardly any kind of intellectual activity that is not conspicuously indebted to his precepts or his example.

I. CICERO'S LIFE FROM HIS BIRTH TO THE OPENING OF HIS POLITICAL CAREER (B.C. 106–76)

Cicero was born at Arpinum, a city with the Roman franchise (which was also the birthplace of Marius), Jan. 3, B.C. 106, of an equestrian family. His grandfather, who had a small estate in that region, was of Volscian stock, and thus belonged to the old virile country people of the republic. His grandmother was a Gratidia, closely connected by adoption with the great Marius and with prominent Roman politicians. His father, who was the eldest son, had increased the family estate by agriculture and by the profits of a fulling-mill, so that he was among the richest of his townsmen, and possessed the census of a Roman knight. By his marriage with Helvia, a woman of the nobility, he became connected with many senatorial families. She was a woman of great economic and domestic virtues, and a strong support to her husband, who was of a somewhat weak constitution. The father was a man of cultivated mind and devoted himself to the education of his two sons, Marcus, afterwards the orator, and the younger brother Quintus. For this purpose he removed to the city. His ambition, like that of every Roman of fortune, was to have his sons enter politics and so to establish a senatorial family. He lived to see both of them succeed in this career, and the elder become one of the most distinguished men in Rome.

Cicero himself was early stimulated by the success of Marius and the general atmosphere of Roman ambition to desire a prominent place in the state.[1] His father's connections with men and women of rank brought the boy into contact with the great orators M. Antonius and L. Crassus,[2] who interested themselves in his education.[3] Among his companions were the sons of Aculeo, Lucius Cicero, his cousin, his intimate friend Atticus, L. Torquatus, C. Marius the younger, and L. Ælius Tubero. His instructors were Greeks; but, as he had already formed the purpose of attaining office through the power of oratory, he did not confine himself to theoretical or technical learning. He frequented the Forum to hear the great orators of his day, especially Antonius and Crassus, who discoursed with him on literary subjects, so that they became in a manner his teachers. He received instruction from Archias[4]; he sought the society of L. Accius, the poet, and he studied the art of delivery in the theatre, becoming intimately acquainted with the great actors Roscius and Æsopus. He practised

[1] πολλὸν ἀριστεύειν καὶ ὑπείροχος ἔμμεναι ἄλλων. *Ad Quintum Fratrem*, iii. 5, 6.

[2] See p. xxxvii.

[3] This debt he amply repays by his tribute to them in the *De Oratore*.

[4] See Defence of Archias, ch. i.

many kinds of composition, but his most important means of education, as he tells us, was translation from the Greek.

At the age of sixteen (B.C. 90), Cicero received the *toga virilis* (the "coming out" of a Roman boy), and from that time he devoted himself to law and statesmanship as well as oratory. For this purpose he was put under the charge of Mucius Scævola, the augur, and later he attached himself to the no less celebrated Pontifex of the same name. In B.C. 89 he served one campaign in the army under Cn. Pompeius Strabo. After this short military experience, he returned with still greater vigor to his literary and political studies. He studied philosophy under Phædrus and Philo, oratory under Molo of Rhodes, and all the branches of a liberal education under Diodotus the Stoic.

When about twenty-five years of age, Cicero began his active career. It was customary to win one's spurs by attacking some political opponent; but this was contrary to Cicero's pacific nature, and throughout his life he prided himself on always taking the side of the defence. His first oratorical efforts have not been preserved to us. The earliest of his orations which we possess is his defence of P. Quinctius in a civil action (B.C. 81). This suit involved no political question; but no case at that time could be entirely free from politics in one form or another, and nothing is more significant of Cicero's character than the skill with which he constantly used political bias for his client's advantage without seeming to take sides. To defend Quinctius was a bold undertaking for a young advocate; for the opposing counsel was the great orator Hortensius,[1] backed by powerful influence on behalf of the plaintiff. The case, too, was a somewhat dry one; but Cicero's skill as an advocate is shown by the fact that he raises it above the ordinary business and technical level into a question of universal justice and the rights of common humanity.

[1] See p. xxxix.

Next year occurred the trial of Sextus Roscius of Ameria for parricide (B.C. 80), a case growing out of the abuses of Sulla's dictatorship.[1] Cicero showed his courage by undertaking the defence, and his forensic skill by converting his plea into a powerful attack on the accusers in the regular manner of Roman invective. In B.C. 79 he came into still more daring antagonism with Sulla in the case of a woman of Arretium. The oration has not come down to us, but from its boldness it must have added greatly to the orator's fame. The same year — either on account of his health or, less probably, from fear of Sulla — he went to Greece and the East to continue his studies; for at that time such a journey was like "going to Europe" among us. He visited the greatest orators, rhetoricians, and philosophers of the East, especially at Rhodes, then a seat of the highest culture. After an absence of two years, he returned to Rome, with an improved style of oratory, and again engaged in law cases, in which he had as opponents his two great rivals Hortensius and Cotta.

II. From the Quæstorship in Sicily to the Consulship (B.C. 75–64)

In B.C. 76 Cicero began his political career, becoming candidate for the quæstorship (the lowest grade of the *cursus honorum*),[2] while Cotta was candidate for the consulship and Hortensius for the prætorship. All three were elected, and Cicero's lot[3] assigned him to the province of Sicily under Sextus Peducæus. It was in this administration that his ability and honesty gained the favor of the Sicilians, which gave him the great opportunity of his life in the impeachment of Verres, in B.C. 70.[4] This prosecution he undertook in the interests of his own ambition, in spite of the fact that the

[1] See pp. 1, 2, below (Introduction to the Oration).

[2] See p. lix. [3] See p. lix. [4] See pp. 26–28, below.

Senate was as a class on the side of the accused, who was also supported by many of the most influential men of the state. But it was, on the other hand, a popular cause, and many of the most decent of the nobility favored it. The orator's success, by force of talent and honest industry, against the tricks of Verres and his counsel Hortensius broke the domination of this rival in the courts,[1] and made Cicero the first advocate of his time.

In B.C. 69 Cicero became curule ædile, and in B.C. 67 he was elected prætor with great unanimity. In the latter year began the agitation for the Manilian Law,[2] by his advocacy of which Cicero endeared himself to the people and gained the favor of Pompey, whose powerful support was a kind of bulwark against the envious and exclusive nobility. In his prætorship (B.C. 66) he was allotted to the presidency of the Court for Extortion,[3] and in this, as in all his public offices, he was honest and unselfish. During all these years he had continued his career as an advocate, engaging in such cases as seemed likely to extend his political influence and advance him most rapidly in the regular succession of curule offices. After his prætorship he refused a province[4] in order to remain at home and canvass for his consulship.

III. Consulship (B.C. 63)

For the consulship of B.C. 63 there were six candidates, but of these only Cicero, Catiline, and C. Antonius were prominent. The contest was not merely one of personal ambition. The first and second conspiracies of Catiline, as well as his notorious character, could have left no doubt that his aims were treasonable. Antonius had combined with him for mutual support in securing election by illegal means, and was himself a weak and

[1] See p. 303, below.
[2] See p. 66, below.
[3] See p. lxv, N.1
[4] See p. lxi.

unprincipled man. On the other hand, Cicero was a *novus homo*,[1] a champion of the *Equites* (though without being an enemy of the senatorial order), and had had an unusually clean record in his office as well as in the Forum. Thus the cause of Cicero's ambition was, at the same time, the cause of good government against both the worthless and debauched members of the senatorial order on the one hand, and the dregs of the people on the other. It was also the cause of the great middle class against the patricians and the official nobility, who were so entrenched in power that for many years no *novus homo* had been elected consul. The success of Cicero unquestionably prolonged the existence of the already doomed republic. Antonius, the less dangerous of his two rivals, was elected as his colleague.

Cicero had now reached the goal for which he had striven from his earliest youth. His administration is famous for the overthrow of the Catilinarian conspiracy, which has cast into obscurity all his other consular acts. These, however, were of such a character, in relation to the needs of the times, as to be unimportant. By birth an *eques*, but by virtue of his offices a member of the senatorial order, Cicero had always been eager to reconcile and unite these, the two upper classes in Roman society and politics.[2] He failed to see that the real needs of the commonwealth, as well as its real strength, centred in the interests of the common people. His association with Pompey, and his own rise in official rank, made him incline more and more to the side of the Senate, and he seems to have thought it his mission to restore that body, now thoroughly effete, to its former purity and political importance. The minor acts of his administration [3] were dictated by such sentiments as these,

[1] See p. 50, below.

[2] On the strife between the Senate and the *Equites*, see p. lxv.

[3] Such were his opposition to the agrarian law proposed by the tribune Rullus, his support of the *Lex Roscia*, which gave the *equites* fourteen rows of seats in the theatre, and his laws against bribery at elections.

and are significant only as illustrating his character and opinions.

The history of Catiline's conspiracy is given in the Introduction to the four Orations against Catiline,[1] and need not be repeated here. The conspirators were completely thwarted, and five of them were, in accordance with a resolution of the Senate, put to death by the consul without a trial. This victory was the climax of Cicero's career, and he always regarded it as one of the greatest of human achievements. In fact, however, it marked the beginning of his downfall.

IV. Consulship to Banishment (B.C. 63–58)

The execution of the conspirators without the forms of law was a blunder, and grievously did Cicero answer for it. He had distinctly violated the constitution, and thus he had laid himself open to the attacks of his enemies. At the end of his consulate, one of the tribunes, Q. Metellus Nepos, prevented him from making the customary speech to the people "because he had put to death Roman citizens without a trial." The next year, when he was defending P. Sulla, the accuser (L. Torquatus) upbraided him as a tyrant, "the third foreign *king* of Rome." A year later P. Clodius [2] began to speak of him in the same terms. Clodius, indeed, continued to pursue him till he accomplished his banishment and the confiscation of his property. Almost the whole time from his consulship till the year of his banishment was spent in seeking support against his enemies. He attached himself more closely to Pompey, and pleaded causes of all kinds to win friends, but his efforts were useless.

In B.C. 60 Roman politics took a turn extremely unfavorable to Cicero. Pompey, who on his return from the East had been

[1] See pp. 98, 113, 126, 141, below.

[2] For the character of Clodius, see p. 169, below.

unfairly treated by the extreme senatorial party, allied himself with the democratic leaders, Cæsar and Crassus, in a coalition often called the First Triumvirate. As a result, the Senate became for a time almost powerless, and everything was in the hands of the popular party. The next year, Cæsar, as consul, procured the passage of an iniquitous law for dividing the fertile and populous territory of Campania among needy citizens of Rome. Cicero refused to serve on the board appointed to execute this law. Thus he not only exasperated the mob, but brought down upon himself the resentment of the triumvirs, who, though two of them, Cæsar and Pompey, still professed to be his personal friends, refused to protect him against the attacks of his enemies. Accordingly, in B.C. 58, Clodius, then tribune,[1] brought forward a law that whoever had put to death a Roman citizen, without trial, "should be denied the use of fire and water" (the Roman formula for banishment). This bill was obviously aimed at Cicero's action in the case of the Catilinarians. Cicero at once took alarm, and after appealing in vain to the consuls of the year, L. Calpurnius Piso and A. Gabinius, as well as to Pompey, left Rome about March 20, just as the affair was coming to blows. Immediately after his departure, Clodius procured the passage of a special bill against him, forbidding him, *by name*, the use of fire or water anywhere within four hundred miles of Rome. At the same time his house on the Palatine[2] and his Tusculan[3] villa were pillaged and destroyed by a mob. Upon receiving news of these proceedings, Cicero prepared to leave Italy altogether. He embarked from Brundisium, April 29, and arrived at Thessa-

[1] In order to be eligible for this office, Clodius, by birth a patrician, had procured his adoption into a plebeian family. His express purpose in the whole transaction was to accomplish the ruin of Cicero. For the cause of his animosity, see note on Defence of Milo, sect. 13 (p. 176, l. 14).

[2] See note on Cat. i., sect. 1, p. 99, l. 4.

[3] Cf. note on Plunder of Syracuse, sect. 12, p. 54, l. 27.

lonica on the 23d of May.[1] Here he remained as the guest of his friend Plancius, then quæstor of Macedonia, until November, when he removed to Dyrrachium. His friends at Rome were constantly agitating for his recall, but without success.

The next year, however, B.C. 57, it suited the designs of Pompey, then once more inclining to the senatorial party, to allow his return. His influence with the nobility as well as with the equestrian order, was a point to be secured in the great game of politics. On the 1st of January, the consul L. Cornelius Lentulus Spinther brought forward a bill for his recall. This was vetoed by a tribune. Other attempts were made by his friends, which resulted only in riot and disorder. Finally, partly through the efforts of T. Annius Milo, who met the violence of Clodius with opposing violence, partly through the partisanship of Pompey and the Senate, which brought to the city the citizens of the *Municipia* and the Italian colonies ("the country members"),[2] a law was passed, Aug. 4, B.C. 57, revoking the decree of exile. Cicero arrived in Rome September 4. His journey through Italy was like a continuous triumphal procession, and to his exalted imagination, freedom, which had departed with him, was now returned to Rome. But in fact his restoration had been merely a piece of selfish policy on the part of the great leaders. He remained the most consummate rhetorician of all time, but his prominence in the state was gone forever. He had never been a statesman, and now he had not the chance to be even a politician.

[1] For the exact chronology of Cicero's flight, see C. L. Smith, *Harvard Studies in Classical Philology*, VII. 65 ff.

[2] See p. liii.

V. From Cicero's Recall to the Breaking out of the Civil War (b.c. 56–49)

Upon his return he delivered two famous speeches[1] (one in the Senate and one before the people), in which he thanked the state for restoring him, and lauded Pompey to the skies. The "triumvirs" were still all-powerful at Rome, and Cicero, like the rest, was forced to conform to their wishes and designs. In this same year he proposed a measure which gave Pompey extraordinary powers over the provincial grain market, for the purpose of securing the city against scarcity of provisions. Next year (b.c. 56) he spoke strongly in favor of continuing Cæsar's proconsular authority in Gaul.[2] With Crassus, the third "triumvir," Cicero had never been on good terms, but, at the request of the other two triumvirs, he became reconciled with him in b.c. 55, shortly before the latter set out on his fatal expedition against the Parthians.

During these years, becoming less and less important in politics, Cicero began to devote himself more to literature, and wrote the *De Oratore*, the *Republic*, and the treatise *De Legibus*. He also continued his activity at the bar on his own behalf and that of his friends, as well as at the request of the powerful leaders. He secured the restoration of his property,[3] and defended Sestius,[4] who had been active in his recall. Toward the end of this period he also defended Milo for the murder of Clodius.[5] His defence of Gabinius and Vatinius (b.c. 54), creatures of Pompey and Cæsar respectively, was less honorable to him; but he was hardly a free agent in these matters. "I am distressed," he writes to his brother Quintus, "I am

[1] *Post Reditum:* i. (*in Senatu*); ii. (*ad Quirites*).

[2] See the oration *De Consularibus Provinciis*.

[3] *Pro Domo Sua* (b.c. 57).

[4] *Pro P. Sestio*, on a charge of assault (b.c. 56).

[5] b.c. 52. For the circumstances, see pp. 169, 170, below.

distressed that there is no longer any government nor any courts, and that this time of my life, which ought to be brilliant with the prestige of a Senator, is either worn out in the labors of the Forum, or made endurable by literature at home. Of my enemies, some I do not oppose, and others I even defend. I am not only not free to think as I will, but not even to hate as I will." [1]

The disturbances following the death of Clodius led to the appointment of Pompey as consul without colleague[2] (practically dictator), in B.C. 52. One of his acts was to pass a law postponing the provincial administration of consuls and prætors until five years after their year of office. The interval was to be filled by such former magistrates as had never held a province. Among these was Cicero, who therefore had to submit to the lot. He drew Cilicia, in which an inroad of the Parthians was expected.

About May 1, B.C. 51, he set out for this province. His administration was in accord with the principles expressed in his writings, — clean and honest, — a thing worthy of notice in an age of corruption and greed. He had the good fortune to escape the test of a formidable war, but he was successful in overcoming some tribes of plundering mountaineers. For this he was hailed as *imperator*, according to custom, and he even hoped for the honor of a triumph, the highest conventional distinction which a Roman could obtain. He returned to Rome late in B.C. 50, and was still endeavoring to secure permission to celebrate his triumph [3] when the great Civil War between Cæsar and Pompey broke out (B.C. 49).

1 *Ad Quintum Fratrem*, iii. 5 (6).
2 See p. 170, below.
3 These efforts were unsuccessful.

VI. From the Beginning of the Civil War to the Murder of Cæsar (B.C. 49–44)

Cicero was now in a very difficult position. It became necessary for every man of importance to take sides; yet he could not see his way clear to join either party. For some time he vacillated, while both Cæsar and Pompey made earnest efforts to secure his support. His great hope was to mediate between them; and, after Pompey had left Italy, he remained behind with this end in view. Finally, however, he decided for Pompey as the champion of the senatorial party, and set out, though with great reluctance, to join him at Dyrrachium (June 11, B.C. 49). In the camp he found things even worse than he had expected, and he gave up the cause of the Republic for lost.[1] On account of illness he was not present at the Battle of Pharsalia (Aug. 9, B.C. 48). After the fate of the contest was decided, he refused to continue the struggle or to follow the adherents of the lost cause to Africa, but returned to Italy (September, B.C. 48), to make terms with the conqueror. He remained at Brundisium until Cæsar's return from Egypt in September, B.C. 47, when he at once sought an interview. Cæsar received him with great kindness and respect, and allowed him once more to return to Rome.

From this time until the assassination of Cæsar in B.C. 44, Cicero remained for the most part in retirement at his Tusculan villa, absorbed in literary pursuits, though in B.C. 46 he delivered his *Oration for Marcellus*[2] (remarkable for its praise of Cæsar), and his *Defence of Ligarius*,[3] and, in the following year, his *Defence of King Deiotarus* of Galatia, charged with attempting the murder of Cæsar. The chief literary fruits of this period of leisure were three works on oratory (*De Claris Orato-*

[1] See the passages from Cicero's letters quoted in note to The Pardon of Marcellus, sect. 16 (p. 219, l. 4).

[2] See pp. 213 ff., below.

[3] See pp. 225 ff., below.

ribus, *Orator*, and *De Partitione Oratoria*), and several philosophic works (*De Finibus Bonorum et Malorum*, *Academica*, *Tusculanae Quaestiones*, *De Natura Deorum*, *De Senectute*). Meantime his domestic relations were far from happy. In B.C. 46 he had divorced his wife Terentia and married his rich young ward Publilia, from whom, however, he separated in the following year. In B.C. 45 his daughter Tullia died suddenly. Cicero was tenderly attached to her, and it was in part as a distraction from his grief that he wrote some of the works just mentioned. He now seemed to be thoroughly given over to a life of dignified literary retirement, when the murder of Cæsar (March 15, B.C. 44) once more plunged the state into a condition of anarchy.

VII. From the Murder of Cæsar to the Death of Cicero (B.C. 44–43)

Though Cicero had no share in the conspiracy against Cæsar, his sympathy was counted on by Brutus and Cassius, and he hailed the death of the Dictator as the restoration of the republic. But the conspirators had made no adequate provision for carrying on the government, and Cicero soon felt that his hopes were doomed to disappointment. Bitterly chagrined by the disorderly scenes that followed, he retired once more to the country,[1] and in July, B.C. 44, set out for a journey to Greece, but, changing his plans in consequence of better news from Rome, he returned to the city in the following month. The chief power was now in the hands of the surviving consul, Mark Antony, whose principal rival was Octavianus (afterwards the Emperor Augustus), Cæsar's adopted son.[2] Cicero appeared

[1] About this time were written the *De Divinatione*, *De Fato*, *De Amicitia*, and *De Officiis*.

[2] For further details see Introduction to the *Fourteenth Philippic*, pp 239–241, below.

again in the Senate and began his celebrated series of orations against Antony with the First Philippic (Sept. 2). Once more he took an active part in politics, apparently assuming his old position as leader, and speaking with all the charm and effectiveness of his earlier days. But he had fallen upon evil times; arms could no longer yield to the gown, and it soon became clear that there could be no peace except by the complete victory of a single aspirant for the supremacy.

Octavianus at first joined with the Senate against Antony, but he soon broke with the constitutional authorities, and, in B.C. 43, formed with Antony and Lepidus the coalition known as the Second Triumvirate. A merciless proscription at once began. Octavianus had every reason to be grateful to Cicero, but he was of a cold and ungenerous nature, and when Antony demanded his death he made no objection. Cicero's name was accordingly placed on the list of proscribed citizens. Cicero was at this time at his Tusculan villa. He made a half-hearted attempt to escape from Italy, but was overtaken near his villa at Formiæ by the soldiers of the triumvirs, and met his death with firmness (Dec. 7, B.C. 43). Antony satisfied his hatred by indignities to the mangled remains.

The career of Cicero is a remarkable example of a sudden rise, followed by an utter collapse and fall. His rise was the natural result of his own ability, industry, and ambition; his fall was as naturally caused by his defects, coupled with his good qualities, — a mixture that produced a certain weakness of character. Had he been less timid or less scrupulous, or, on the other hand, had he been more far-sighted, he might have remained on the pedestal to which he was proud to have raised himself and on which he was ambitious to stand. But the times needed a different kind of man, and others, far less worthy, but able and willing to cope with the contending forces in the state, supplanted him. One quality was particularly instrumental both in his rise and his fall. He excelled in forcible and witty abuse. He dearly loved a bitter jest, and he lived among a people that were constitutionally inclined to abusive language. No doubt it was this talent for invective that made him popular when it happened to be directed in accordance with the people's taste. But it also alienated his friends, and embittered his enemies. He was called a *Scurra* and a Cynic, and it was perhaps a pun that cost him the favor of Octavianus; certainly it was his abuse of Antony and Fulvia that cost him his life. But he was the first orator of all time, a literary worker of the rarest gifts, and according to his lights a lover and servant of the state.

The following list gives the titles and subjects of all of Cicero's orations (except fragments) which have survived:

B.C. 81. Pro P. QUINCTIO: Defence of Quinctius in a prosecution by Sex. Nævius, to recover the profits of a partnership in some land in Gaul, inherited from his brother C. Quinctius.

B.C. 80. Pro SEX. ROSCIO AMERINO: Defence of Roscius on a charge of parricide brought by Erucius as professional prosecutor, at the instigation of Chrysogonus.

B.C. 76 (?). Pro Q. ROSCIO COMOEDO: Defence of the actor Roscius from the claim of C. Fannius Chærea to half the profits of certain lands taken as the value of a slave held by them in partnership, and killed by C. Flavius.

B.C. 72 (or 71). Pro M. TULLIO: Plea for damages for an assault made by a rival claimant on Tullius' estate.

B.C. 70. In CAECILIUM ("Divinatio"): Plea on the technical right of Cicero to conduct the prosecution against Verres.

—— In C. VERREM: Impeachment of Verres for plunder and oppression in Sicily. Six Orations. — (1) The general charge ("*Actio Prima*"); (2) *De Praetura Urbana*: earlier political crimes of Verres; (3) *De Jurisdictione Siciliana*: his administration in Sicily; (4) *De Frumento*: peculation and fraud as to the supplies of grain;

(5) *De Signis:* the plunder of works of art; (6) *De Suppliciis:* cruelties of his government.

B.C. 69. Pro M. FONTEIO: Defence of Fonteius' administration of Gaul during Pompey's campaign against Sertorius, about B.C. 75.

—— Pro A. CAECINA: Defence against Æbutius of Cæcina's right to an estate received by inheritance from his wife Cæsennia, widow of a rich money-lender, M. Fulcinius.

B.C. 66. Pro LEGE MANILIA, *vel* De IMPERIO CN. POMPEI: Defence of the proposal of Manilius to invest Pompey with the command of the war against Mithridates.

—— Pro A. CLUENTIO HABITO: Defence of Cluentius against the charge of poisoning his stepfather Oppianicus, brought by the younger Oppianicus, instigated by Sassia, the mother of Cluentius.

B.C. 63. De LEGE AGRARIA: Against the Agrarian Law of Rullus. Three orations: the first delivered in the Senate and the others before the people.

—— Pro C. RABIRIO: Defence of Rabirius on the charge of killing Saturninus, about B.C. 100.

—— In L. CATILINAM: On the Conspiracy of Catiline. Four orations: the first and last delivered in the Senate, the second and third before the people.

—— Pro L. MURENA: Defence of Murena on a charge of bribery brought by Sulpicius, the defeated candidate for the consulship. (Following previous orations on the same side by Hortensius and Crassus.)

B.C. 62. Pro P. CORNELIO SULLA: Defence of Sulla from the charge of sharing in Catiline's conspiracy.

—— Pro A. LICINIO ARCHIA; Defence of the claim of the poet Archias to Roman citizenship.

B.C. 59. Pro L. VALERIO FLACCO: Defence of Flaccus on a charge of maladministration as proprætor in Asia.

B.C. 57. POST REDITUM: Thanks for Cicero's recall from exile. Two orations: (1) *In Senatu;* (2) *Ad Quirites.*

—— Pro DOMO SUA: Appeal to the *pontifices* against the alienation of Cicero's estate by Clodius.

—— De HARUSPICUM RESPONSIS: Invective against the impieties of Clodius.

B.C. 56. Pro P. SESTIO: Defence of Sestius, a partisan of Cicero, on a charge of assault, the attack having been made on Sestius by the dependants and partisans of Clodius.

—— In P. VATINIUM ("Interrogatio"): A personal attack on Vatinius, one of the witnesses against Sestius.

—— Pro M. CAELIO: Defence of the character of Cælius (a dissolute young friend of Cicero) against a vindictive charge of stealing and poisoning, brought by Atratinus, at the instigation of Clodia.

—— De PROVINCIIS CONSULARIBUS: Advocating the recall of Piso and Gabinius, and the retaining of Cæsar in the proconsulate of Gaul.

—— Pro CORNELIO BALBO: Defence of Balbus (a citizen of Gades) in his right of Roman citizenship, granted by Pompey.

B.C. 55. In L. CALPURNIUM PISONEM: Retaliation for an attack made by Piso after his return from the proconsulate of Macedonia.

B.C. 54. Pro CN. PLANCIO: Defence of Plancius on the charge of corrupt political bargaining, brought by M. Junius Laterensis, the defeated candidate for ædile.

—— Pro C. RABIRIO POSTUMO: Defence of Rabirius, in a prosecution to recover money alleged to have been received from Ptolemy, King of Egypt, in corrupt partnership with Gabinius.

B.C. 52. Pro T. ANNIO MILONE: Defence of Milo on the charge of the murder of Clodius.

B.C. 46. Pro M. MARCELLO: Speech of thanks to Cæsar for the pardon of Marcellus.

—— Pro Q. LIGARIO: Petition of pardon for Ligarius, charged with conducting the war in Africa against Cæsar.

B.C. 45. Pro REGE DEIOTARO: Defence of Deiotarus, King of Galatia, charged with attempting the murder of Cæsar.

B.C. 44–43. In M. ANTONIUM: *Orationes Philippicae XIV.*—B.C. 44. (1) (Sept. 2) Reply to an invective of Antony: exhortation to the consuls Antony and Dolabella; (2) Reply to a bitterer invective: a review of Antony's public and private life; (3) (Dec. 20) Urging the support of Octavianus (Augustus) and D. Brutus against Antony, now in Hither Gaul; (4) (Dec. 20) Exposition to the people of the acts of the Senate, and praise of D. Brutus, B.C. 43; (5) (Jan.

1) Protest against treating with Antony: he should be declared a public enemy; (6) (Jan. 4) Appeal to the people: the embassy to Antony would be in vain; (7) (end of January) Protest against those who clamored for peace: Antony must not be suffered to escape; (8) (February) The war against Antony is *justum bellum:* his partisans should be required to submit before the 1st of March; (9) (February) Eulogy of Sulpicius, who had died while on the mission to Antony; (10) (February) Thanks to Pansa, and praise of M. Brutus; (11) (about March) That Asia should be assigned to Cassius, to conduct the war against Trebonius; (12) (about March) Declining to serve, with P. Servilius, on an embassy to Antony; (13) (March 20) There can be no peace with Antony: praise of Sex. Pompey; (14) (April 22) Thanksgiving proposed, and honors to the dead, after the defeat of Antony at Bononia.

The titles of Cicero's other writings (exclusive of some fragments and lost works) are as follows:

B.C.

(?) PHAENOMENA. (Translation from Aratus, in verse.)
84. DE INVENTIONE RHETORICA, 2 Books.[1]

[1] The *Rhetorica ad C. Herennium* (in four Books), once ascribed to Cicero, is certainly not from his hand.

55. DE ORATORE, 3 Books.
54–52. DE RE PUBLICA.
52 (and later). DE LEGIBUS.
46. DE CLARIS ORATORIBUS (*Brutus*).
46. PARADOXA. (A treatment of six Stoic paradoxes in the manner of that school.)
46. ORATOR.
46 (or 45). DE PARTITIONE ORATORIA.
45. DE FINIBUS BONORUM ET MALORUM, 5 Books. (On the ultimate foundations of ethics.)
45. ACADEMICA, 2 Books. (Defence of the philosophy of the New Academy.)
45–44. TUSCULANAE QUAESTIONES, 5 Books. (Incidental questions concerning ethics.)

B.C.

45 (or 44). TIMAEUS. (Free translation from Plato.)
45–44. DE NATURA DEORUM, 3 Books.
45 (or 44). DE SENECTUTE (*Cato Major*).
44. DE DIVINATIONE, 2 Books.
44. DE FATO.
44. TOPICA.
44. DE AMICITIA (*Laelius*).
44. DE OFFICIIS, 3 Books. (A treatise on practical ethics.)
44 (?). DE OPTIMO GENERE ORATORUM. (On the Attic and the Asiatic style.)
62–43. EPISTOLAE AD FAMILIARES (*Ad Diversos*), 16 Books.
60–54. " AD QUINTUM FRATREM, 3 Books.
68–43. " AD ATTICUM, 16 Books.

CHRONOLOGICAL TABLE

B.C.

106. **Birth of Cicero** (Jan. 3). Birth of Pompey (Sept. 30). Marius finishes the Jugurthine War.
102. Birth of Quintus Cicero. The Teutones defeated by Marius at Aquæ Sextiæ.
101. The Cimbri defeated by Marius at Vercellæ.
100 (perhaps 102). Birth of Cæsar (July 12).
99. Death of Saturninus and Glaucia.
91. Murder of M. Livius Drusus. Social (or Marsic) War begins.
90. **Cicero assumes the toga virilis.**
89. **Cicero serves under Cn. Pompeius Strabo in the Social War.**
88. First Civil War begins. Flight of Marius. First Mithridatic War begins (ends 84). Massacre of Roman citizens by Mithridates. Sulla leaves Rome for the East.
87. Conflict between Cinna and Octavius. Marius returns to Rome. Massacre of the senatorial party.
86. Marius consul for the seventh time. Death of Marius. Rome in the hands of Cinna.
84. Sulla ends the First Mithridatic War. Murder of Cinna.
83. Sulla returns to Italy. Second Mithridatic War (ends 82).
82. Sulla overthrows the Marian party. The Proscription (ends June 1, 81). Sulla appointed Dictator.

B.C.

81. Reforms of Sulla: the courts reorganized, etc. **Cicero's Defence of P. Quinctius** (his first extant oration).

80. Sulla's constitution goes into effect. The courts re-opened. **Cicero's Defence of Roscius of Ameria.** Pompey celebrates his first triumph.

79. Sulla resigns the dictatorship. **Cicero goes to Greece.**

78. **Cicero in Athens and Asia.** Death of Sulla. Civil War of Lepidus and Catulus.

77. **Cicero returns from Greece.** He marries Terentia (perhaps earlier).

76. War with Sertorius (ends 72).

75. **Cicero quæstor in Sicily.**

74. Third Mithridatic War begins. Lucullus goes to the East. **Cicero returns from Sicily to Rome.**

73. War with Spartacus (ends with the death of Spartacus, 71). Successes of Lucullus against Mithridates.

72. End of the Sertorian War in Spain (Pompey defeats Perperna).

70. First consulship of Pompey and Crassus. **Cicero's Impeachment of Verres.** Courts restored to the *equites*. Tribunician power re-established.

69. **Cicero curule ædile.** Lucullus defeats Tigranes at Tigranocerta.

68. Successes of Mithridates against the lieutenants of Lucullus.

67. Glabrio appointed to supersede Lucullus. Gabinian Law. Pompey takes command against the Pirates.

66. **Cicero prætor. His Defence of Cluentius.** The Piratic War successfully ended by Pompey. **Manilian Law (advocated by Cicero).** Pompey takes command against Mithridates.

65. **Birth of Cicero's only son, Marcus.** First Conspiracy of Catiline.

63. **Cicero and C. Antonius consuls. Second Conspiracy of Catiline suppressed. Four Orations against Catiline.** Birth of Augustus (Sept. 23).

62. Return of Pompey from the East. **Cicero's Defence of Archias.**

61. Trial of Clodius for violating the mysteries. **Cicero's strife with him in the Senate.**

B.C.

60. The First Triumvirate (coalition of Cæsar, Pompey, and Crassus).
59. First consulship of Cæsar (with Bibulus). Clodius is chosen tribune.
58. Tribunate of Clodius. His legislation. **Cicero driven into exile.** Beginning of Cæsar's conquest of Gaul (finished in 51).
57. **Cicero recalled from exile** (law passed Aug. 4).
56. **Cicero's Defence of Sestius.**
55. Second consulship of Pompey and Crassus. Cæsar's command in Gaul renewed. His first invasion of Britain.
54. Cæsar's second invasion of Britain.
53. **Cicero made augur.** Crassus and his army destroyed by the Parthians (Battle of Carrhæ).
52. Clodius killed (Jan. 20). Burning of the Senate-house. Pompey elected consul without colleague (Feb. 25). **Cicero's Defence of Milo.**
51. **Cicero proconsul in Cilicia.** His successful campaign against the mountaineers.
50. **Cicero returns to Italy.**
49. Cæsar crosses the Rubicon. Beginning of the Great Civil War (ends 46). **Cicero's efforts for peace. Pompey retires to Epirus, where Cicero joins him.** Cæsar acquires Spain. Cæsar dictator.
48. Battle of Pharsalia. Death of Pompey. Cæsar in Africa (Alexandrine War). Cæsar re-appointed dictator.
47. Cæsar returns to Rome. **He pardons Cicero.** He sails for Africa against the Pompeians.
46. Battle of Thapsus. Cato kills himself at Utica. Cæsar returns to Rome, undisputed master of the Empire. He is made dictator for ten years. His reform of the calendar. Revolt of the sons of Pompey in Spain. **Cicero divorces Terentia and marries Publilia. Cicero's Oration for Marcellus; for Ligarius.**
45. Cæsar defeats the sons of Pompey (Battle of Munda). **Death of Cicero's daughter, Tullia. Tusculan Questions, etc.**

B.C.

Cicero divorces Publilia. Cæsar appointed dictator for ten years.

44. Cæsar appointed dictator for life. Assassination of Cæsar (March 15). Octavianus in Rome. Struggle between Mark Antony and the Senate begins. **Cicero's first four Philippics (against Antony).**

43. **Cicero's Philippics V.–XIV.** The Mutina War. The Second Triumvirate (Octavianus, Antony, and Lepidus). Proscription. **Murder of Cicero (Dec. 7).**

42. Battle of Philippi.

II. ROMAN ORATORY

From the earliest times of which we have historical knowledge, up to the establishment of the Empire as the result of Civil War, the constitution of Rome was republican, in so far that all laws were passed and all magistrates elected by a vote of all the citizens. The principle of "representation," however, which to us seems inseparable from republican institutions, was unknown to the Romans. All laws were passed, and all officers were elected, at what we should call a mass meeting of the entire body of citizens, convened at the central seat of government. The absence of newspapers, also, made a distinct difference between ancient political conditions and those of our own times. Conversation and public addresses were the only means of disseminating political ideas. And even the scope of public addresses was much limited; for meetings could be called by a magistrate only, and could be addressed by only such persons as the presiding magistrate would permit. Obviously, under such a *régime*, public speaking, which even now has a distinct potency in state affairs, must have been far more efficacious as a political instrument than it is to-day.

To this must be added the fact that under Roman polity

the only means of *social advancement* was success in a *political career*. The Senate, the Roman peerage,[1] consisted practically only of persons who had been elected to one or more of the three graded magistracies, quæstorship, prætorship, consulship (the *cursus honorum*).[2] Hence every ambitious Roman, of high or low estate, had to become a politician and follow the regular course of office-holding. The curule magistrates were at once generals, judges, and statesmen. To achieve success, therefore, a politician had to show ability in all of these directions. Occasionally, to be sure, a man succeeded by virtue of a single talent, — like Marius, who owed his advancement solely to his valor and military skill; but such instances were rare. Next to military fame, the strongest recommendation to the favor of the people was oratorical ability. Then, as now, the orator's power to move the multitude in public affairs was the readiest means of advancement. Further, political prosecutions, and private suits prompted by political motives, were of the commonest occurrence, and these afforded an eloquent advocate abundant opportunity to make himself known and to secure the favor of large bodies of supporters. Again, the Senate was a numerous and somewhat turbulent body, always more or less divided in a partisan sense; and, though it had no legislative functions, it still exercised a very strong influence on politics. To be able to sway this large assembly by force of oratory was of great moment to an aspiring Roman. Finally, though the contention for office ceased with the consulship, there still continued among the *consulares*, who formed almost a distinct class in society and public life, a vehement rivalry to be regarded as the leading man in the state.[3] For all these reasons, the art of oratory was perhaps more highly esteemed and of greater practical value in the later period of the Roman Republic than at any other time in the history of the world.

[1] See p. l. [2] See p. liv.
[3] See p. 473, below (note on p. 248, l. 13).

But even from the very establishment of the commonwealth, oratory was highly prized, and Cicero gives a long roll of distinguished orators from the First Secession of the Plebs (B.C. 494) to his own time. The most eminent of those whose art was still uninfluenced by Greek rhetoric, was Cato the Censor (died B.C. 149), who may be called the last of the natural Roman orators. His speeches are lost, but more than a hundred and fifty of them were known to Cicero, who praises them as *acutae*, *elegantes*, *facetae*, *breves*.

It was in Cato's lifetime that the introduction of Greek art and letters into Rome took place; and oratory, like all other forms of literature, felt the new influence at once. The oration, though still valued most for its effectiveness, soon came to be looked on as an artistic work as well. The beginning of this tendency is seen in Ser. Sulpicius Galba (consul B.C. 144) and M. Lepidus (consul B.C. 137). Galba, in the words of Cicero, "was the first of the Latins to employ the peculiar arts of the orator, — digressions to introduce ornament, the art of captivating the minds of his hearers, of moving them with passion, of exaggerating a case, of appealing to pity, and the art of introducing *commonplaces*.[1] It was in Lepidus, however, that the full effect of Greek art first manifested itself, not to such a degree as to destroy originality, but sufficiently to foster native talent and develope a truly national school of speaking. Cicero, who had many of his orations, declares that he was "the first Roman orator to show Greek smoothness and the unity of the period."[2] His influence was particularly felt by C. Papirius Carbo (consul B.C. 120), the best advocate of his time, Tiberius Gracchus, the illustrious tribune, and Caius Gracchus, his younger brother. Of the last mentioned, Cicero speaks with great admiration as a man "of sur-

[1] That is, digressions on general subjects which would fit any particular oration when a point of the kind arose.

[2] For the Latin period, see p. xlvi.

passing genius" and of unequalled excellence, whose early death was a heavy loss to Latin literature.[1]

In the generation immediately preceding Cicero, in which oratory was enthusiastically cultivated and carried to a high pitch of perfection, two figures tower above all others, Marcus Antonius (the grandfather of Mark Antony) and L. Crassus. Both were Cicero's masters in his youth,[2] and he finds it hard to prefer one to the other; but, on the whole, he seems to regard Crassus as the greater orator. "The lofty earnestness and dignity of his nature were relieved by the brightest humor and the wittiest vein of genius. His diction was as choice and elegant as it was free and unaffected, and with the mastery of tasteful exposition he united the clearest logical development of thought."[3]

Crassus appears in the *De Oratore* as the exponent of Cicero's own views of the aim, function, appointments, and preparation of the orator. To Crassus the orator was no mere handicraftsman, confined to manipulating juries and popular assemblies, but statesman and philosopher as well, requiring for his equipment all the knowledge that could be gained on the highest subjects that interest mankind. He was himself familiar with all the ancient systems of philosophy as expounded by the wise from Plato to Diodorus, and had discussed the nature and functions of oratory with the philosophers of his time in person at Athens. This ideal of the orator, contrasted with Cato's definition *vir bonus dicendi peritus*, shows the

1 A little fragment of one of his speeches became classic at Rome and used to be learned by heart. "Wretched man that I am! Whither shall I go? In what direction shall I turn? To the Capitol? But it is reeking with the blood of my brother. To my home? To see there my mother crushed with grief and lamentation?"—"These words," says Cicero, "were delivered in such a way, by the help of eyes, voice, and gesture, that even his enemies could not restrain their tears."

2 See p. xiv.

3 Cicero's testimony, as summed up by Piderit.

advance of the art as such between the earliest times and those of Cicero.

Yet in the Roman orations, addressed as they were to an intensely practical people, matter had always been more attended to than manner, effective force than artistic elegance. Even Cicero himself, in his public addresses, conceals, and even disparages, his knowledge of Greek art, philosophy, and literature. But in his time the study of oratory as an art began to be pursued for a definite end, — the acquiring of a distinct style. And in this study two different styles offered themselves to the choice of the aspiring young Roman, — namely, the *Asiatic* and the *Attic*.

The precise difference between the two styles cannot be exactly determined; but from the middle of the first century B.C., both were advocated and practised by enthusiastic partisans in a controversy like that between realism and romanticism, or Wagnerism and classicism.

It would seem, in a general way, that Atticism stood for directness, force, and naturalness, while Asiaticism (or Asianism) represented display and affectation in all its forms. Cicero says in one place,[1] "The styles of Asiatic oratory are two, — one epigrammatic and pointed, full of fine ideas which are not so weighty and serious as neat and graceful; the other with not so many sententious ideas, but voluble and hurried in its flow of language, and marked by an ornamented and elegant diction." From these hints, as well as from the practice of imperial times (in which this style had full sway), we may gather that the "Asiatic" orators sought the applause of the audience and a reputation for smartness, and were overstrained and artificial.[2]

About Cicero's time a reaction had set in, and a school had

[1] *Brutus*, xcv, 325.

[2] This Asiatic oratory was the decayed development of the highly ornamented style cultivated by Isocrates (B.C. 436–338).

arisen which called itself *Attic*, and attempted to return to the simplicity of Xenophon and Lysias. But in avoiding the Eastern exaggeration, it had fallen into a meagreness and baldness very different from the direct force of Demosthenes. Probably this tendency was really no more sincere than the other, for both styles alike aimed to excite the admiration of the hearer rather than to influence his mind or feelings by the effective presentation of ideas.

Hortensius, the great contemporary and rival of Cicero, was a special example of the Asiatic school. He was a somewhat effeminate person, with a dandified air both in composition and delivery. "His voice," we read, "was resonant and sweet, his motions and gestures had even more art than is suitable for an orator."[1]

The extreme Attic school was represented by C. Licinius Calvus.[2] "Though he handled his style with knowledge and good taste," writes Cicero, "yet being too critical of himself, and fearing to acquire unhealthy force, he lost even real vitality. Accordingly, his speaking, repressed by too great scrupulousness, was brilliant to the learned and those who listened to him attentively, but by the crowd and the Forum it was swallowed like a pill."[3]

It is important to settle Cicero's own position in this contest. He himself fancied that he followed the true and best form of Atticism. We see by his oratorical works that his ideas were formed on the best models; that he was familiar with all the rhetorical systems of the Greeks of the best period, and fully appreciated all the excellencies of the earlier Roman orators, as well as the simplicity and directness of Demosthenes. But taste had declined, and everything had to be overdone to satisfy the public. Cicero seems to have taken a

1 *Brutus*, xcv, 326.
2 Born May 28, B.C. 82; died before B.C. 47.
3 *Brutus*, lxxxii, 284.

middle course, following the style of the *Rhodian* school, a branch or outgrowth of the Asiatic, with strong Attic tendencies. It professed to abhor the luxuriance and affectation of Asianism and to aim at the old directness and true feeling; but Cicero was assailed in his own time for exaggeration, false pathos, and artificial rhetoric, such as were characteristic of Asianism. Nor could we expect anything else. He could not restore a style which the age could not appreciate, nor rise to a height for which his native genius was insufficient. With him, however, Latin oratory reached the acme of its development.

Immediately after Cicero, came the Empire with its suppression of free thought, and in this the extreme style of Asiatic exaggeration and posing became the rage. Many literary men endeavored to stem this tide, but in vain. The younger Pliny attempted to take Cicero as his model, but the only oration of his that we possess is merely a fulsome rhetorical exercise. Quintilian wrote a treatise on the education of the orator, full of sound learning and good sense. Oratory was the favorite study of all literary men, and even emperors entered the lists to contend for pre-eminence. But "art for art's sake" had become the aim in literature generally; and oratory, now divorced from real feeling, could not but end in affected brilliancy and false emotion, such as mark all we know of later Roman work.

Before the Romans came into contact with Greek oratory, that art had been reduced to a very elaborate and even pedantic science. All the principles by which a public speaker could proceed had been formulated into rules which even to this day, with or without the speaker's knowledge, guide all discussion. Without going into the minute details of the system, one may well notice the scientific principles which had been carefully mastered by Cicero, and which formed the basis of his skill as an orator.

Naturally the first matter to be attended to was the settlement of the question at issue (*constitutio causae*). As the ancient science of rhetoric had to do with discourse of every kind, all questions that might arise were divided into two classes: those whose discussion was directed to acquiring knowledge merely (*quaestiones cognitionis*), and those directed to determining what action should be taken as the result of the enquiry (*quaestiones actionis*). With the former we have nothing to do here. They are confined to philosophical discussion only, and the orations of Cicero are all on practical subjects.

The practical questions included under the *quaestiones actionis* were of several different kinds: they might be judicial questions coming before some form of court (*genus judiciale*); they might be deliberative and come before an assembly or senate (*genus deliberativum*); or they might be questions of praise or blame in reference to some particular person or act not under judicial investigation (*genus demonstrativum*). The last class would include eulogies and the like.

The oration itself had also its divisions, which were established particularly in regard to the *genus judiciale* as the most important of the three kinds. The *exordium* contained necessary preliminary remarks and the approach to the subject. The *narratio* gave the facts on which the argument was founded. The *propositio* was the statement of the theme or view to be maintained, and often contained a *partitio* or division of the proposition. The *argumentatio* embraced the *confirmatio* or arguments for the main thesis, and the *confutatio* (*refutatio*) or refutation of real or supposed arguments of the opponent. The address ended with the *peroratio*, the place for such application of the argument, or appeal to the hearers, or general remarks, as were suitable to the occasion. Naturally, as the art of speaking came before the science, and was at all times more or less free from scientific trammels, these divisions could not well cover the whole ground, and each of them was accordingly subdivided into several smaller parts, which varied according to the character of the oration. Thus the *exordium* contained a *principium* and an *insinuatio* (the suggestions to be made in order to gain the favorable attention of the hearer), and all the various forms of proof had their place as well as their names in the *confirmatio*. Even the main divisions are not all clearly marked, but generally they can be made out in Cicero's speeches. For examples, see the summary and the running analysis of each oration in the notes.

With the same particularity were the necessary duties of the orator divided, and furnished each with its technical name: *inventio*, the gathering of material; *dispositio*, the arrangement; *elocutio*, the suitable expression in language; *memoria*, the committing to memory; *actio*, the delivery. Under each of these, again, was a body of lore with its technical phrases. *Elocutio* embraced the whole doctrine of what we should call *style*, and the use of all rhetorical devices, ornaments (*lumina*), and forms of speech. So that no science was ever more completely digested and labelled than this of oratory.

Of the orations in the present edition, *Roscius*, *Verres*, *Archias*, *Milo*, and *Ligarius* belong purely to the *genus judiciale;* the *Manilian Law* and the four *Orations against Catiline* belong to the *genus deliberativum;* the *Fourteenth Philippic* belongs, in the first part, to the *genus deliberativum*, but in the eulogy on the generals and their soldiers it gives a specimen of the *genus demonstrativum;* and the *Marcellus* belongs almost entirely to this last class.

III. CICERO AS AN ORATOR

CICERO'S success as an orator was due more than anything else to his skill in effectively presenting the strong points of a case and cleverly covering the weak ones. For this he had extraordinary natural talents, increased by very diligent study and practice, and never, even in his greatest success, did he relax the most careful study of his cases to this end. Attention is called throughout the notes to his felicities in this branch of his art, which, because it is not strictly literary, is likely to be overlooked, and all the more because such art must always be carefully concealed. It is sufficient, however, to call attention to it here generally, referring the student to the notes for details.

On the literary side of oratory, Cicero's only rival is Demosthenes, to whom he is superior in everything except moral earnestness and the power that comes from it, a quality which belongs to the man rather than the orator. Teuffel (*Gesch. der Röm. Lit.*) ascribes to him an extraordinary activity of intellect, a lively imagination, quickness and warmth of feeling, a marvellous sense of form, an inexhaustible fertility of expression, an incisive and diverting wit, with the best physical advantages. As to his "form," he speaks of it as "clear, choice, clean, copious, appropriate, attractive, tasteful, and harmonious." The whole range of tones from light jest even to tragic vehemence was at his command, and especially did he excel in an appearance of conviction and emotion, which he increased by an impassioned delivery. Of course he is not always at his best, but it is never safe to criticise his compositions without a careful study of the practical necessities of the occasion.

Thus Cicero's style is often criticised as redundant and tautological, a criticism which must proceed either from ignorance or inattention. One of the great arts of the public speaker is to keep before his audience a few points in such a way that they cannot be lost sight of. To accomplish this, these points must be repeated as many times as possible, but with such art that the fact of repetition shall not be noticed. Hence the same thing must often be said again and again, or else dwelt upon with a profusion of rhetoric, in order to allow time for the idea to gain a lodgement. It was to this art that the late Rufus Choate owed his success as an advocate, though the literary critic would fain reduce his speeches to one-half their length. Literary tautology is in fact a special oratorical virtue. A spoken word you hear but once unless it is repeated, and there are things which have to be heard many times before they can have their effect.

Again, apart from "repetitional" tautology, it must be remembered that the Latin language was in a sense a rude tongue, lacking in nice distinctions. Such distinctions must be wrought out by a long-continued effort to express delicate shades of thought. Hence it often becomes necessary in Latin to point the exact signification of a word or phrase capable of several meanings, either by contrasting it with its opposite, or else by adding another word which has an equally general meaning, but which, like a stereoscopic view, gives the other side of the same idea, and so rounds out and limits the vagueness of the first. Thus the two together often produce as refined distinctions as any language which has a larger and more precise vocabulary.

In the oration for the Manilian Law (i. 3), for instance, we have *singulari eximiaque virtute.* Here *singulari* might mean simply *odd* (not found in others). This of itself is not necessarily a compliment any more than *peculiar* is in English, but when Cicero adds *eximia* the two words together convey the idea that the *virtus* is not only peculiar to Pompey, but exemplary and of surpassing merit. At the same time the two words allow the orator to dwell longer on a point that he wishes to emphasize.

In the same oration (v. 12) the words *periculum et discrimen* occur. In a treatise on synonyms it would be impossible to distinguish between these two, because each is very often used for the other with precisely the same meaning. But when the two are used together, as in this passage, they are not tautological, as would at first appear to a microscopic critic. The first refers to the immediate moment of doubt, the question whether it (the *salus*) shall be preserved or not; the second, to the ultimate decisive moment, which determines that doubt and finally decides. In English we should ordinarily put the whole into one (modified) idea, and say "most dangerous crisis," or the like. But the Latin has a habit of dividing the two parts of an idea and stating each separately. Hence we have the figure that we call *hendiadys*, which simply means that one language, or age, states separately and co-ordinately what another language, or age, unites into one complex.

In *gloriam . . . tueri et conservare* (the same oration, v. 12), *tueri*, the first word, refers to the action of the subject, the effort to maintain; *conservare*, the second, to the result [to be] attained, the preservation of the glory. To complete the idea both are necessary, because from the general turn of the thought both the effort and the result are alike important. In this way the same general idea can be artfully repeated from two different points of view without the hearer's suspecting a repetition.

To such causes as these is to be attributed the frequent use of words in a manner often called tautological.

IV. LATIN AND ENGLISH STYLE

Two differences between Latin and English prose are noticeable. Latin prose is periodic in its structure ; i.e. the main idea, instead of being expressed at once, briefly followed or preceded by its modifications, all in short detached sentences (as in English), is so put as to embrace all its modifying clauses with itself in one harmonious whole. This is also done at times in formal discourse in English, but in Latin it was the prevailing style. Though this method of presentation seems to us involved, yet it is after all only an artistic elaboration of the loose parenthetical way of speaking habitual with unlettered persons, or, in other words, it simply follows the natural processes of the human mind. But when developed it allows and stimulates an antithetic balance of thought both in sound and sense, so that each element of an idea is brought into notice by an opposing one, or is so embroidered on the level surface of the main idea or injected into it that it cannot fail to get its true effect at the instant when that effect is required.[1]

If we take the opening period of the oration for Roscius (p. 2), the main clause is *credo ego;* the rest of the sentence is all the object of *credo* in the indirect discourse. The main verb of the indirect discourse is *mirari* (changed from *miramini*), with *vos* in the accusative as its subject. The object of *mirari* is the indirect question *quid sit quod*, etc., embracing all the rest (changed from a direct question *quid est quod*, etc.). Again, the subject of *sit* is all that follows, being a clause with *quod*, of which *surrexerim* is the main verb and all the other clauses are modifiers. The clause *cum . . . sedeant* is a kind of adverbial modifier of *surrexerim*, while the clause *qui . . . sim . . . comparandus* is a kind of adjective modifier of *ego* the subject of *surrexerim*, and *qui sedeant* is a kind of adjective modifier of *his.*

[1] See A. S. Hill's *Foundations of Rhetoric*, pp. 220–222.

Omnes hi, etc., is an independent sentence, but is connected in thought with the preceding, and explains the fact at which the jurors are supposed to be surprised, i.e. *I suppose you wonder*, etc., *but the fact is*, etc.

In another sentence, the beginning of the Manilian Law, we have a good example of the antithetic balancing of one word or clause against another which marks the Latin periodic style. The sentence consists of two parts, — the first concessive, introduced by *quamquam;* the second adversative, introduced by *tamen*. So, in the first, *conspectus* balances *locus*, which is brought into relief by *autem* ("and again"); while *ad agendum amplissimus* and *ad dicendum ornatissimus* are balanced in like manner against each other. In the second part, the relative clause *qui . . . patuit* (virtually concessive) is, as usual, embodied in the main clause, bringing the relative as near as possible to its antecedent *aditu; voluntas* and *rationes* are set in antithesis by *sed;* while the main verb, *prohibuerunt*, comes last as usual. The logical form of the whole is, "Though political speaking has its advantages, yet I have been prevented," etc.

By stating first the leading thought (*hoc aditu*, etc.), and putting the verb at the end, Latin is able to make the main clause active, thus partly disguising the art of the antithesis. Here, as elsewhere, it is of great help in reading to observe these two rules: (1) that Latin puts first the main idea, the key to the whole; and (2) that it constantly deals in antitheses, often forcing them when they do not naturally occur (as in *amplissimus* and *ornatissimus*), each thought or expression having its pendant, like ornaments which go in pairs.

The second main difference between Latin and English prose style is that in English the emphasis gravitates towards the end, while in Latin the more emphatic word always comes first. This is not, like the corresponding usage in English, a mere tendency, but a universal practice, which can be and is managed by the writer with exquisite skill, so that a Latin prose sentence bears on its face its own emphasis, giving the same effect to the eye that the best reader or speaker in English can to the ear.

Thus the first paragraph of the oration for Roscius (above cited) shows its emphasis as follows: "I SUPPOSE (conceding something he will presently contradict or explain) YOU (who do not, as I do, know or think of the state of things) *wonder* why it is that, etc., but the fact is (implied as the antithesis of the emphatic *credo*)," etc. Again, *omnes* is emphatic, i.e. "I am not the only one, but *all* would speak were it not for circumstances," which he proceeds to mention. Even *videtis* has an emphatic position: "who, *as you see*, are in attendance." Again, *putant oportere defendi*, i.e. "THINK (though they do nothing) *ought* to be averted by a defence, but *to make the defence themselves*," etc.

If we take the beginning of the oration for Milo, there is the same artistic arrangement: "Though I am AFRAID,[1] gentlemen, that it is not quite BECOMING, when I get up to speak for a *very brave man*, to be alarmed, and that it is *particularly* unbecoming, when TITUS ANNIUS himself is more alarmed for the welfare of the *state* than for *his own*, that *I* in his case cannot show an *equally* lofty spirit, nevertheless this *strange* form of a *strange court* terrifies me as I gaze on it, for *wherever my eyes fall* they miss the *customary appearance* of the Forum and the *old established* style of courts."

It is only by attention to this feature of Latin style that the full force of the author, with all the implications, connotations, and hints, can be clearly seen.

[1] As we might say, "I am *afraid* you won't like it, but I have done so and so."

V. DELIVERY

THE delivery of a Latin oration was marked by a fire and force of which we have small conception. Though the Romans were an extremely dignified and formal race, yet beneath the surface they had all the violent emotions which we in modern times associate with the Mediterranean nations. The *actio* or delivery occupies one of the first places in ancient treatises on oratory (*actio in dicendo una dominatur*, de Or. III, lvi, 213). The range of expressed emotion was much wider than is usual with us, not only in pitch of voice and inflection of tone, but also in bodily activity, sometimes going beyond what the best orators of the time regarded as becoming. Violent movements of the arms, stamping of the feet, changes of position, gestures of the whole body, so that sometimes the knee would touch the ground, were not infrequent. The Latin language, however, did not have that violent and sudden stress with which we are familiar, and on which we depend for spasmodic force. It had instead a more sustained and singing tone, capable of infinite variations. The syllabic accent, too, was very slight, and almost merged in a kind of rhythmic ictus depending on the quantity of the syllables.

Hence particular attention was paid to the *numerus*, or succession of long and short syllables, so as to give, along with varying tones of emphasis, an agreeable musical cadence which is foreign to the spirit of most modern languages. The most emphatic words were indicated by an intensity of tone throughout, as in modern music, and the less emphatic, coming at the end, were pronounced with a full, orotund utterance, so as to round out the period, but with a descending stress rather than with a rising one such as we have in English. Such a close as *tĕmĕrĭtās fīlī cōmprŏbāvĭt* was regarded as especially effective. So *quīn ējūsdĕm hŏmĭnĭs sīt quī īmprŏbōs prŏbēt prŏbōs īmprŏbārĕ* is praised by Cicero as an ideal cadence.

VI. THE ROMAN CONSTITUTION

In the time of Cicero the Roman "State" had technically a republican constitution, that is, every citizen had a share in the government. But not every citizen had an equal share, partly from fixed constitutional principles, and partly from differentiations in social prominence which affected constitutional rights.

I. CITIZENSHIP AND ORDERS IN THE STATE

Accordingly there were among Roman citizens three social (and in a manner political) ranks (*ordines*): the Senatorial Order (*ordo senatorius*), the Equestrian Order (*ordo equestris*), and the People (*populus*, in the narrower sense). The first two of these made up the Roman aristocracy.

I. Senatorial Order. — The *Ordo Senatorius* was strictly speaking only another name for the Senate, the members of which, by virtue of their life tenure of office, their privileges and insignia, and their *esprit de corps*, formed a kind of Peerage. The list of Senators, regularly numbering 300, was in early times made up by the Censors at their discretion from among those who had held high magistracies. But after the reforms of Sulla (B.C. 80) every person who had held the quæstorship — the lowest grade of the regular magistracy (see below, p. lix) — was lawfully entitled to a seat in the Senate. This aristocracy was therefore an official or bureaucratic class. Their number fluctuated, running up to five or six hundred.

Nobility, however, did not really depend on holding offices oneself, but on being descended from an ancestor who had held a curule office.[1] When any person not so descended was chosen a magistrate, he was called a *novus homo*,[2] and, though he of course became a member of the Senatorial Order, he was not regarded as a noble. His posterity, however, would belong to the nobility. But such instances were very uncommon; for the Senate and the magistrates had such control over the elections that it was very difficult for any person not already a member of the nobility to be chosen to any office entitling him to enter the Senate. Hence the Senatorial Order and the Nobility were practically identical, and "new men"

[1] Whoever held any curule office — that is, dictator, consul, interrex, prætor, magister equitum, or curule ædile — secured to his posterity the *jus imaginum*; that is, the right to place in the hall and carry at funeral processions a wax mask of this ancestor, as well as of any other deceased members of the family of curule rank. (See Def. of Milo, sect. 33, p. 185, l. 14.)

[2] Examples are Cato the Censor, Marius, and Cicero.

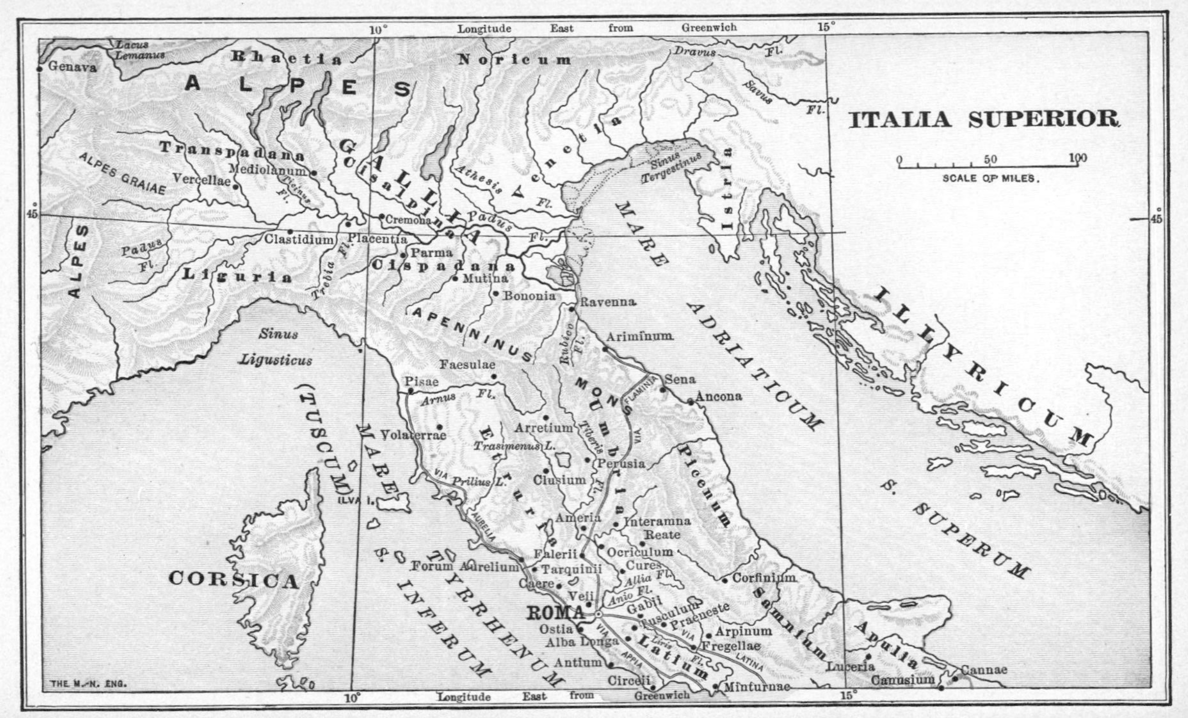
ITALIA SUPERIOR
0
50
100
SCALE OF MILES.
Longitude East from Greenwich
10°
15°
45°
Lacus Lemanus
Genava
Rhaetia
Noricum
ALPES
Dravus Fl.
Savus Fl.
Transpadana
Mediolanum
Vercellae
ALPES GRAIAE
Ticinus Fl.
GALLIA Cisalpina
Venetia
Athesis Fl.
Sinus Tergestinus
Istria
Cremona
Padus Fl.
Clastidium
Placentia
Parma
Cispadana
Mutina
Bononia
Liguria
Trebia Fl.
Padus Fl.
ALPES
Ravenna
APENNINUS
MARE ADRIATICUM
ILLYRICUM
Ariminum
Rubico Fl.
Sinus Ligusticus
Faesulae
Pisae
Arnus Fl.
MONS
Sena
Ancona
FLAMINIA VIA
Umbria
Arretium
Tiberis Fl.
Volaterrae
Etruria
Trasimenus L.
Perusia
Clusium
Prilius L.
VIA AURELIA
(TUSCUM)
MARE
ILVA I.
Picenum
S. SUPERUM
Ameria
Interamna
Reate
Ocriculum
Falerii
Forum Aurelium
Tarquinii
Cures
Allia Fl.
Caere
Veii
Anio Fl.
Gabii
Corfinium
CORSICA
S. TYRRHENUM INFERUM
ROMA
Ostia
Tusculum
Praeneste
Alba Longa
Arpinum
Samnium
Apulia
VIA APPIA
Latium
Liris Fl.
VIA LATINA
Fregellae
Antium
Circeii
Minturnae
Luceria
Cannae
Canusium
THE M. N. ENG.

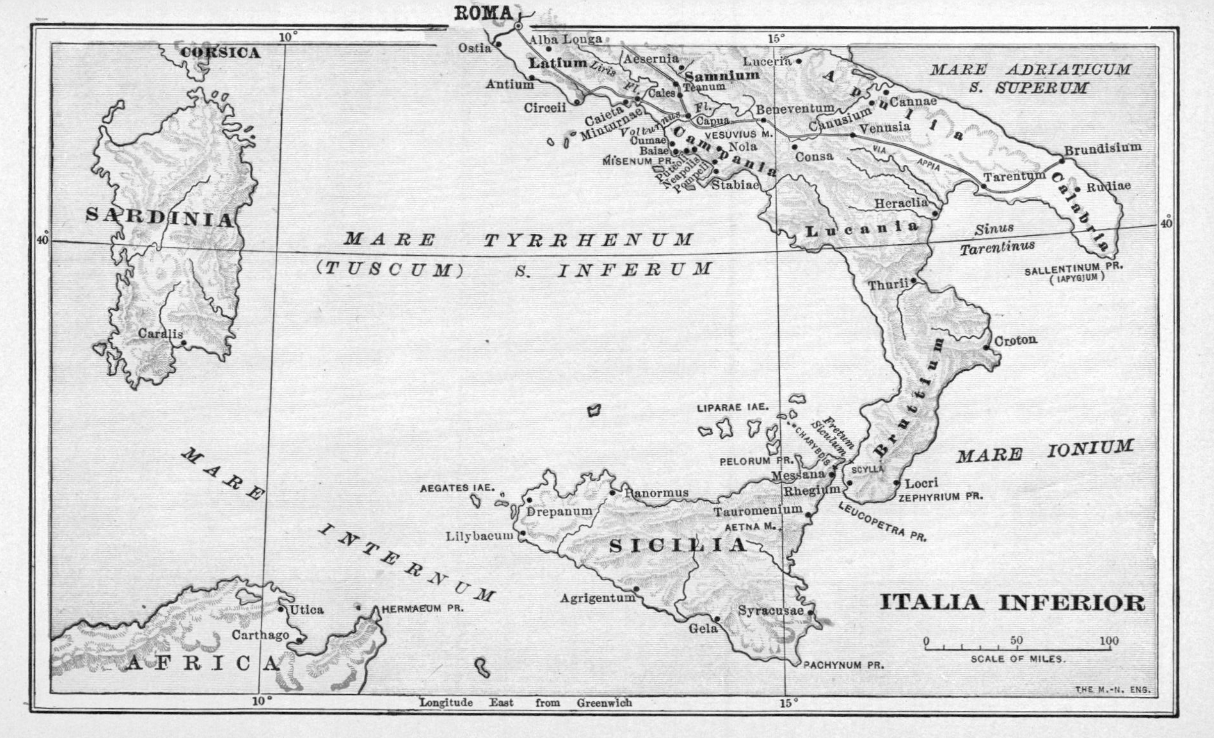
ITALIA INFERIOR
ROMA
Ostia
Alba Longa
Latium
Antium
Circeii
Liris Fl.
Aesernia
Samnium
Teanum
Cales
Caieta
Minturnae
Volturnus Fl.
Capua
Campania
VESUVIUS M.
Cumae
Baiae
MISENUM PR.
Puteoli
Neapolis
Pompeii
Nola
Stabiae
Beneventum
Luceria
Apulia
Cannae
Canusium
Venusia
Consa
VIA APPIA
Brundisium
Tarentum
Calabria
Rudiae
Heraclia
Lucania
Sinus Tarentinus
SALLENTINUM PR. (IAPYGIUM)
Thurii
Croton
Bruttium
MARE ADRIATICUM
S. SUPERUM
MARE IONIUM
Locri
ZEPHYRIUM PR.
SCYLLA
Fretum Siculum
CHARYBDIS
PELORUM PR.
Messana
Rhegium
LEUCOPETRA PR.
LIPARAE IAE.
Tauromenium
AETNA M.
SICILIA
Panormus
Drepanum
Lilybaeum
AEGATES IAE.
Agrigentum
Gela
Syracusae
PACHYNUM PR.
MARE TYRRHENUM
(TUSCUM) S. INFERUM
CORSICA
SARDINIA
Caralis
MARE INTERNUM
AFRICA
Utica
Carthago
HERMAEUM PR.
10°
15°
40°
0 50 100
SCALE OF MILES.
Longitude East from Greenwich
THE M.-N. ENG.

became necessarily identified with the class to which their posterity would belong, rather than that from which they themselves had come. This double relation of Cicero — a member of the Senate, but sprung from the Equestrian Order — goes a great way to explain what is inconsistent and vacillating in his political career.

II. EQUESTRIAN ORDER. — The title *Equites* was originally applied to the members of the eighteen centuries *equitum equo publico* under the Servian constitution, to whom a horse was assigned by the state, together with a certain sum of money yearly for its support, and who constituted the old Roman cavalry. Those who served *equo publico* had to have the equestrian census,[1] i.e. possess a fortune of 400,000 sesterces ($20,000); and the horses were assigned by the Censors, as a rule, to the young men of senatorial families. These *centuriae equitum* were therefore composed of young noblemen. When they entered the Senate, they were (in the later years of the republic) obliged to give up the public horse. Therefore, on becoming Senators, they voted in the centuries of the first class, not with the Equites (see p. lv, below). This aristocratic body had, however, long before Cicero's time, ceased to serve in the field; they formed a parade corps (somewhat like the Royal Guards in England), from which active officers of the legion, *tribuni militum*, were taken.[2]

During the time that the *equites equo publico* still served in the field as cavalry, another body grew up by their side, consisting of *equites equo privato:* that is, persons of the equestrian census (having a property of 400,000 sesterces), who had not received a horse from the state, but who volunteered with horses of their own. This body consisted mainly of young men of wealth who did not belong to noble (that is, senatorial) families. No very distinct line was, however, drawn between the two classes until the *Lex Judiciaria* of C. Gracchus (B.C. 123), which prescribed that the *judices* should not, as heretofore, be taken from the Senators (see p. lxv), but from those who possessed the equestrian census, and at the same time were not members of the Senate. This law did not formally exclude nobles who were not members of the Senate; but the entire body of nobility was so far identified in spirit and interest with the Senate, that an antagonism immediately grew up between them and this new judicial class. A principal cause of the antagonism was that members of the Senate were prohibited from being engaged in any trade or business;

[1] This requirement grew up only after the establishment of the *equites equo privato.*

[2] When the Roman *equites* ceased to serve as cavalry, troops of horse were demanded of the allies; and in the time of Cæsar we find that the Roman legion consisted exclusively of infantry, the cavalry being made up of such auxiliaries.

while, as has been shown above, the Senate, by its control over the elections, virtually filled its own vacancies, of course from the ranks of the nobility. Hence, as rich men of non-senatorial families were excluded from a political career, and so from the nobility, while Senators were excluded from a business life, there were formed during the last century of the republic two powerful aristocracies, — the nobles, or Senatorial Order, a governing aristocracy of rank, and the Equestrian Order, an aristocracy of wealth, corresponding to the moneyed aristocracy of our day. The name *Ordo Equestris* was given to the latter body because its members possessed the original equestrian census: that is, that amount of property which would have entitled them to a public horse. From the ranks of the nobility were taken the oppressive provincial governors: the Equestrian Order, on the other hand, furnished the *publicani*, the equally oppressive tax-gatherers.

The Equestrian Order, *Ordo Equestris*, is therefore not merely distinct from the *centuriae equitum*, but strongly contrasted with them. The former is the wealthy middle class, the latter are the young nobility. The term *equites* is sometimes applied to both indiscriminately, although the strictly correct term for the members of the Equestrian Order was *judices*.

III. POPULUS. — Below these two aristocratic orders, in estate and so in social position, were all the rest of the free-born citizens not possessing a *census* of 400,000 sesterces. Among these there was naturally great variety in fortune, cultivation, and respectability; but they all had a status superior to that of the *libertini* (freedmen) and the foreign residents. It was this third class which was under the control of the *tribuni plebis* and which by its turbulence brought on all the disturbances which ultimately resulted in the overthrow of the republic. It must not be supposed, however, that these humbler citizens were debarred from political preferment except by their want of money, and in fact many of them rose to positions of wealth and influence.

The *populus* (in the narrower sense) was often confounded with the *plebs*, but in reality the distinction between the *plebs* and the *patricians* was in Cicero's time historical rather than political. The patricians had been originally a privileged class of hereditary nobility, entirely different from the later senatorial nobility; but only a few patrician families remained, and these, though still proud of their high birth, had no special privileges and had been practically merged in the Senatorial Order. Opposed to the patricians had been originally the *plebs*, a class of unknown origin (probably foreign residents) destitute of all political rights. These had gradually, in the long controversies of the earlier Republican times, acquired all the rights and privileges of full citizens, and a majority of the Senatorial and Equestrian Orders were of plebeian origin. In time *plebs* in an enlarged sense and *populus* in its narrower acceptation had become synonymous, meaning the "third estate" or, in other words, all citizens not Senators or *equites*. Officially, however, *Populus* (in its wider sense) includes all Roman citizens.[1]

ROMAN CITIZENSHIP. — Roman citizenship, like all rights that have grown up in a long period of time, included many minute details. The important points, however, may be included under two heads: (i) political rights, including those of voting (*jus suffragii*) and holding office (*jus honorum*), and (ii) civil rights, especially those securing personal freedom by the right of appeal (*jus provocationis*), etc., and by other privileges limiting the arbitrary power of magistrates (see remarks on the *imperium*, p. lviii, below). Among the civil rights were those of trade (*commercii*), intermarriage (*connubii*), making a will (*testamenti*), and others, which, though affecting the status of a man before the law, were unimportant in comparison with the great political and civil privileges first mentioned. Full citizens of Rome (*cives optimo jure*) enjoyed not only all the civil rights referred to, but also the *jus suffragii et honorum*; but many persons, not *cives optimo jure*, had important civil rights without being entitled to vote or hold office. The *jus provocationis* was especially sought after by foreigners as affording a powerful protection all over the world in times when the rights of common humanity were scantily recognized.

ITALIAN TOWNS. — Roman citizenship was originally restricted to the inhabitants of the city and a small amount of adjacent territory. But as Rome enlarged her boundaries the rights of citizenship were extended, in different degrees, to the conquered Italians.

A native Italian town which lost its original independence and was absorbed in the Roman state, ceased to be a separate *civitas*, and became a *municipium*; its citizens now possessed Roman citizenship as well as that of their own town. This Roman citizenship was possessed in various degrees. Some *municipia* lost all rights of self-government, without receiving any political rights at Rome in their place: that is, their political existence was extinguished, and their citizens became mere passive citizens of Rome, with civil rights, but no political ones. A second class of towns retained their corporate existence, with the right of local self-government, but without the Roman franchise. The condition thus established was called *jus Caeritum*, because the Etruscan town of Cære was taken as the type. The most favored class of *municipia* retained all powers of self-government, with magistrates of their own election, at the same time being full citizens of Rome. If, as happened in many cases, colonists were sent from Rome (or Latium) to occupy the conquered territory, these retained

[1] So in the formula for the Roman government: *Senatus Populusque Romanus.*

their full Roman citizenship though living at a distance from the city. Thus a class of towns called *coloniae*, possessing special privileges, grew up.

After the Social War, which resulted (B.C. 90) in giving full Roman citizenship to the inhabitants of all the Italian towns not already enjoying it, there were practically but three classes of such towns: *coloniae*, *municipia*, and *praefecturae*. There was no longer any real distinction between the *coloniae* and the *municipia*, though the former were looked upon with more respect. The *praefecturae*, however, had not full rights of self-government, for the administration of justice was in the hands of prefects (*praefecti*) sent from the capital.

PROVINCIALS. — The foreign conquests of Rome were organized as fast as possible as provinces (*provinciae*). The native inhabitants of these would not be Roman citizens at all, unless citizenship, usually of the lowest grade, was specially conferred upon them. Thus St. Paul was a free-born citizen of Tarsus, for his father had in some way secured the lesser Roman citizenship, which conferred civil rights but did not carry with it the right of suffrage or any other political privileges (see p. liii, above).

FREEDMEN. — Besides the free-born citizens (*ingenui*), the Roman state included a large class of *libertini* or freedmen. Manumitted slaves became citizens, but their exact status was a standing subject of controversy in politics. In Cicero's time they voted in the four city tribes, though there had been various attempts to make them eligible for membership in all the tribes so that their suffrages might count for more (see under Assemblies, p. lv, below). Throughout the history of the republic, there was a constant tendency to extend the suffrage, in spite of the efforts of the upper classes.

The government of this complex assemblage of citizens was in the hands of a still more complex system of magistrates and assemblies. As in our own day, we must distinguish the *Legislative*, the *Executive*, and the *Judicial*, though these various branches of the state authority were not so scrupulously kept separate as with us.

II. THE PUBLIC ASSEMBLIES

The *Legislative* (or law-making) power proper resided in the Public Assemblies (*comitia*). There were, in Cicero's time, two principal assemblies, both of them having as their basis the thirty-five local tribes into which the whole people were divided for administrative purposes.

I. COMITIA CENTURIATA. — The *Comitia Centuriata*, or great comitia, was the military organization of Servius Tullius endowed with new political powers at the foundation of the republic. Later it was reorganized upon the basis of the thirty-five tribes. There is no precise statement as to either the time or the manner of this reorganization. It must, however, have taken place between the First and Second Punic Wars, and, according to one theory, was carried out in the following manner. The old division of the people into five classes (according to wealth) [1] being retained, for each tribe there were now formed two centuries of each class, one of *seniores* (above 45), one of *juniores*, making in all 350 centuries. To these were added 18 centuries of *equites* (the young men of senatorial families, see p. li), guilds of smiths, carpenters, hornblowers, and trumpeters, and a century of freedmen and *capite censi* (those who had no property) — 373 in all. Each century had one vote, determined by the majority of its voters. These *comitia* were regularly presided over by the consul; they elected all the higher magistrates, and had full power of making laws, as well as jurisdiction in criminal cases so far as this had not been transferred to the *Quaestiones Perpetuae*.[2]

II. Comitia Tributa. — Legislation had, before Cicero's time, however, practically passed into the hands of the tribal assembly (*Comitia Tributa*). There were two distinct assemblies which passed under this name:

(*a*) The *Comitia Tributa* proper, an assembly of the entire people according to the thirty-five tribes (each tribe having one vote), which elected the inferior magistrates (curule ædile, quæstor, etc.), and was presided over by the prætor.

(*b*) The far more important tribal assembly of the plebeians exclusively, presided over by the Tribune of the People. Strictly speaking, this latter was not *comitia*, inasmuch as it was not composed of the whole people, *populus*, — the patricians being excluded from it. But these were now reduced to a few noble families, whose members would not have cared to take part in this democratic assembly even if they had been permitted; and by the Hortensian Law (B.C. 287) acts of this assembly, *plebiscita*, had received the validity of laws. This plebeian assembly elected the plebeian magistrates (tribunes, plebeian ædiles) It was also the principal organ for making laws.

The *Comitia Centuriata*, which elected the higher magistrates, being originally a military organization, could only be convened outside the city, and accordingly met in the Campus Martius or parade-ground. The *Comitia Tributa*, however, being purely a civil assembly, usually met in the Forum, but could be convened in any suitable place.

III. Comitia Curiata. — A third assembly, the *Comitia Curiata*, more ancient than the other two, retained only certain formal functions,

[1] See p. lxii. [2] See p. lxv.

especially that of ceremonially investing the consuls with the *imperium* or military authority (see p. lviii, below).[1] It had no longer any real power or political importance. Membership in the *comitia curiata* was originally confined to patricians, but it is not clear whether this restriction was continued in Cicero's time.

CONTIO. — Besides these assemblies, there were meetings, theoretically for discussion, called *contiones*. A *contio* could be called by any magistrate who had a matter to lay before the people, and was held regularly in the *Comitium* or the Forum.[2] After a *rogatio* (proposition of a law) had been offered, such a meeting was regularly convened in order that the voters might hear the arguments on both sides. After that, on the same or a subsequent occasion, the *comitia* voted on the bill, Yes or No, at a regular meeting for that purpose.

III. THE SENATE

The Roman Senate (*senatus*), as its name indicates, was originally the "council of elders" (cf. the Homeric βουλὴ γερόντων), advisers of the king. It had, therefore, strictly speaking, no authority to make laws or to enforce their execution, and its votes were simply *consulta*, i.e. matters agreed upon as advisable, and its power was *auctoritas*. When annual magistracies succeeded the regal power, this advisory function continued, but the influence of the Senate increased, and the increase went on until, in the third century B.C., this body came to be the actual (though not formal) governing power in the state, and its *consulta* became *ordinances*, by which the Senate directed the administration of the whole state, though it still had no power to pass laws, and was itself subject to the laws. The organization of a new province, for example, was an executive measure, put in force not by a law of the people, but by an ordinance of the Senate; and in this ordinance was embodied the entire authority of Rome over the province, except so far as this was defined by general laws passed by the whole people.

It will thus be seen that the Senate, though originally a "council," had by the time of Cicero absorbed a great part of the legislative as well as the executive power in the state.

For membership in the Senate, see p. l, above.

The Senate could only be called together by some magistrate regularly

[1] This was done annually by passing a law called *lex curiata de imperio*. On such occasions the thirty *curiae* were represented by bailiffs (*lictores*).

[2] For an example of an address at such a meeting see the Oration for the Manilian Law.

possessing the *imperium* (usually the Consul), or by the tribunes of the people (*tribuni plebis*): the magistrate who summoned it also presided, and laid before it (*referre*) the business for which it was convened. He might at this point give his own judgment. He then proceeded to ask (*rogare*) the Senators individually their opinions (*sententiae*). The order was to ask in their turns the *consulares*, *praetorii*, and *aedilicii* (that is, those who sat in the Senate by virtue of having held these offices respectively). It has been disputed whether the *senatores pedarii* — i.e. those who had held no curule office — had the *jus sententiae*, or right to debate. There are, however, numerous instances of their having taken part in discussion. If the annual election had already taken place, — which was usually in July, six months before the new magistrates assumed their offices, — the magistrates elect (*designati*) were called upon before their several classes. The *princeps Senatus* (see note, Cat. iii., sect. 10) was called upon first of all, when there were no *consules designati*. The presiding officer, however, had it in his power to vary the order, and honor or slight any Senator by calling upon him *extra ordinem*. For a deliberative oration, delivered in the Senate, see Catiline iv.

As the Senate was primarily a body of councillors, its business was as a rule laid before it in general terms, not in any special form for action: each Senator could, as he chose, give his judgment in full, by argument (*sententiam dicere*), or by simply expressing his assent to the judgment of another (*verbo adsentiri*). No Senator had a right to introduce any matter formally by motion, as with us, but it was possible for a Senator, when called on, to give his opinion on any subject not included in the questions referred. The vote was taken by a division (*discessio*), i.e. the Senators went to one side or the other of the house. When a majority had decided in favor of any *sententia*, it was written out in proper form by the secretaries (*scribae*), under the direction of the presiding magistrate, in the presence of some of its principal supporters (*adesse scribundo*), and promulgated. Cf. the closing sections of the Fourteenth Philippic (pp. 255, 256, below).

IV. THE EXECUTIVE

THE CONSULS. — After the expulsion of the kings, their absolute authority (*imperium*), both in peace and war, was vested in two Consuls (originally *praetores*). Gradually, however, these autocratic powers were limited by various checks, so that in one sense a Consul had no more power than the president of a modern republic. He could, it is true, do *anything* in his year of office without lawful question from anybody; yet, as he could be called to account at the end of his term, any violation of the constitution was extremely dangerous. Particularly was this true in regard to objections from any one of the ten tribunes.[1] The danger of transgressing this limitation was so immediate that it was rarely incurred, and practically in almost all cases the "veto" (*intercessio*) of a tribune was sufficient to stop any action on the part of the curule magistrates. Another limitation on the consular power came from the curious Roman arrangement of co-ordinate magistrates or "colleagues." The objection of one consul was sufficient to annul any act of the other. This principle also applied to other magistracies, so that the wheels of government could be stopped by any colleague of equal rank. To override such an objection was an act of unconstitutional violence, which, however, was often practised when public opinion could be relied on to sustain the illegal action. In practice, the two consuls either took turns in the administration (sometimes alternating month by month) or agreed upon a division of functions.

The consuls were regularly elected in July and entered upon their office on the first day of the following January. They possessed two kinds of authority, — *potestas*, or power in general (which all magistrates had in some degree), and *imperium*,[2] military or sovereign power, as of a general in the field. This *imperium* was originally exercised by the consuls, not only in the army but in the city, so that they had absolute authority of life or death; but this was limited, early in the history of the republic, by the *Lex Valeria*, which gave every citizen the right of appeal (*jus provocationis*) to the *comitia centuriata* (see p. 321, below) against a sentence of capital or corporal punishment, and later by the *Lex Porcia*, which forbade the scourging of citizens. By the *Lex Sempronia* of Caius Gracchus the right of appeal in capital cases was established even against the military *imperium*.[3] In other respects, however, the military *imperium* remained practically absolute, but it could not be exercised inside the walls, except by virtue of the *senatus consultum*, "Dent operam consules ne quid res publica detrimenti capiat," which revived the ancient powers of the consuls and was equivalent to a declaration of martial law.[4] After the Sullan reforms (B.C. 80) the consuls did not receive the military *imperium* until their year of office had expired and they were about to set out for their provinces.[5] The civil powers of the consuls were analogous to those of any chief

[1] See p. lxii.

[2] Of the other regular magistrates only the prætors possessed the *imperium* (see p. lix). The *imperium* was formally conferred on the consuls by the *comitia curiata* (see p. lvi).

[3] Cf. Crucifixion of a Roman Citizen, sect. 6.

[4] See note on Cat. i., sect. 2 (p. 100, l. 12).

[5] See p. lxi.

magistrate. Most important among them were the right to call together, consult, and preside over the Senate, and the right to convene the *comitia centuriata* and preside over the election of the higher curule magistrates. For the consular *auspicia*, see p. lxiii, below.

PRÆTORS. — *Praetor* was the original Italic title of the consuls, but, as the result of the agitation for the Licinian Laws, in B.C. 366, a special magistrate of that name was elected "who administered justice, a colleague of the consuls and elected under the same auspices."[1] Gradually other prætors were added, until in the time of Cicero there were eight. They were essentially judicial officers, and their functions were assigned by lot.[2] As curule magistrates, however, they could on occasion command armies or assist the consuls in emergencies (see Cat. iii. 5), and were assigned as *proprætors* to provinces abroad after their year of office.[3] Like the consuls, they were regularly elected at the *comitia centuriata* in July and began to serve on the first of the following January.

QUÆSTORS. — The quæstors (*quaestores*), or public treasurers, were in Cicero's time twenty in number. Two (called *quaestores urbani*) had charge of the treasury and archives at Rome, while the others were assigned to the several military commanders and provincial governors, to serve as quartermasters and paymasters. The quæstors entered upon office on Dec. 5, when they drew lots to determine their respective places of service.[4]

CURSUS HONORUM. — No one could be chosen prætor until he had been quæstor, or consul until he had been prætor. These three magistracies, then, formed a career of office — the so-called *cursus honorum* — which it was the aim of every ambitious Roman to complete as soon as possible. To be elected quæstor a man had to be at least 30 years old,[5] and the lowest legal ages for the prætorship and the consulship were 40 and 43 respectively. The consulship could in no case be held until three years after the prætorship. Consuls and prætors were curule magistrates, but this was not the case with the quæstor. The office of curule ædile (see below) was often held between the quæstorship and the prætorship, but it was not a necessary grade in the *cursus honorum*. The minimum age for this office was the twenty-seventh year.

[1] He was, however, inferior in rank to the consul, who had *major potestas*.

[2] See p. lxv.

[3] See p. lxi.

[4] They were originally appointed by the consuls, but in Cicero's time were elected by the *comitia tributa*. The practical management of the treasury was with the clerks (*scribae quaestorii*), as in our modern civil service. These formed a permanent and powerful corporation. Cf. Cat. iv., sect. 15 (p. 149, ll. 10, 11).

[5] In the time of the Gracchi the age was 27.

ÆDILES. — The ædiles (from *aedes*, a temple) were four magistrates, who had the general superintendence of the police of the city, criminal jurisdiction with the power of imposing fines, the care of the games, public buildings, etc. They did not form a board (*collegium*), but were of two grades, two being necessarily plebeians, while the other two, the *curule ædiles*, who ranked with the higher magistrates, might be patricians. The ædileship was not a necessary step in a political career, but it was eagerly sought, between the quæstorship and the prætorship, by ambitious men, for the reason that the superintendence of the public games gave great opportunity for gaining popular favor. A certain sum was appropriated from the public treasury for these games ; but an ædile who wished to rise to higher positions, and not to be thought mean, took care to add a good sum from his own pocket.[1]

LICTORS, INSIGNIA, etc. — The consuls and prætors were accompanied by special officers called lictors (*lictores*), who were at the same time a symbol of the supreme power and the immediate ministers of the will of the magistrates. They carried a bundle of rods and an axe bound together (the *fasces*),[2] to inflict the punishment of flogging and death according to the regular Roman mode of execution. Each consul had twelve lictors, each prætor had six. After the right of appeal was established (see p. lviii, above), the lictors did not carry the axe inside the city. Besides the "imperial" lictors, all magistrates were attended by ministers of various kinds, *viatores* (summoners), *praecones* (criers), and slaves. All the curule magistrates wore as a mark of authority the *toga praetexta* (white with a crimson border), and the *latus clavus* (or broad stripe of crimson) on the front of the tunic. As commanders of armies, they wore instead of the toga the *paludamentum*, a kind of cloak entirely of crimson. In fact, the majesty of the law was symbolized in the most striking manner in the case of all magistrates except the tribunes,[3] who, as champions of the *plebs*, wore no distinguishing dress, the quæstors and the plebeian ædiles.

PROCONSULS and PROPRÆTORS. — All the magistrates so far mentioned were elected annually. When it was desired to retain the services of a consul or a prætor after his term had expired, his *imperium* was extended (*prorogatum*) by the Senate, and he was known as a *proconsul* or *proprætor*. It was only the military *imperium* that was thus prorogued,[4] not the civil

[1] Cf. Impeachment of Verres, sects. 37–40 (pp. 41, 42) ; Plunder of Syracuse, sect. 19 (p. 58, ll. 2–5).

[2] See Fig. 25, p. 340, below.

[3] See p. lxii.

[4] Sometimes a private citizen was invested with the *imperium* and called proconsul (see Manil. Law, sect. 62).

power. Thus the proconsul had no authority within the city, and could not, like the consul, call together the Senate or an assembly of the people.

As the "state" grew, it became customary to commit the government of conquered provinces to proconsuls and proprætors, and to this end the prorogation of the *imperium* for a second year became regular. After the time of Sulla, all provinces were so governed,[1] one of his laws providing that the consuls and prætors should set out for their provinces immediately on the expiration of their term of office in the city.[2] No difference was made between the power of a proconsul and that of a proprætor. Both officers had the full military and civil command and were almost absolute monarchs, except for their liability to be afterwards called to account (cf. p. lvii, above). Their opportunities for plunder were almost unlimited.[3] Their power, however, did not extend to the city itself, in which they were mere private citizens. Hence it often happened that a commander, on returning from his province, remained outside the city so as to retain his military *imperium* for some reason or other.

CENSORS. — The censors (*censores*) were two in number, elected from men of consular dignity (*consulares*), originally at a minimum interval of four years, afterwards once in five years, — the interval called a *lustrum*, — and holding office for eighteen months. They ranked as *magistratus majores*, but did not possess the *imperium*, and had no power to convene either the Senate or an assembly of the people. Their functions were — (1) to inspect the registry of citizens of every class and order; (2) to punish immorality, by removal from the Senate, the equestrian centuries, or the Tribe (*nota censoria, infamia, ignominia*); (3) to superintend the finances (giving out contracts for collecting the revenues) and the public works. In the intervals of the censorship, these last were under the care of the ædiles (see p. lx, above). Sulla tactily abolished the office of censor, but it was revived in the consulship of Pompey and Crassus, B.C. 70.

The property registration, of which the censors had charge, was called *census*, and on it depended not only taxation but the position of a citizen in the *centuriae* (see p. lv, above, on the *comitia centuriata*). The classes under the *census* were divided as follows:

1 After the Sullan reforms (B.C. 80) the military *imperium* was not enjoyed by the consuls and prætors until their year of civil magistracy had expired.

2 This arrangement was changed by a law of Pompey (B.C. 52) which provided that five years should intervene between the magistracy and the provincial government. See Life of Cicero, p. xxiii, above.

3 Cf. Impeachment of Verres.

First class:	having	property	valued	at	100,000	asses	or	more.
Second class:	"	"	"	"	75,000	"	"	"
Third class:	"	"	"	"	50,000	"	"	"
Fourth class:	"	"	"	"	25,000	"	"	"
Fifth class:	"	"	"	"	11,000	"	"	"

The *census* of a Roman *eques* was, in Cicero's time, 400,000 sesterces, and this provision was one of long standing.

TRIBUNI PLEBIS. — Side by side with the "kingly" magistrates there had arisen a class of magistrates of the people whose only privileges originally were prohibitive, but who had come to have great power in the state.

The *Tribuni Plebis* (or *Plebi*), ten in number and elected by the *Comitia Tributa*, were the magistrates of that portion of the people (a state within the state) known as the *Plebs*. The plebeians at this epoch, however, composed the whole people, with the exception of the few families of the patrician aristocracy (such *gentes* as the Cornelian, Julian, Æmilian, Claudian).[1] Not being technically magistrates of the city or the whole people, but only of a single class, the tribunes did not possess the *imperium*, but only *potestas*, had no real executive power, and indeed were not magistrates at all in the strict sense of the term. On the other hand, their persons were held sacred, and they had two very important and wide-reaching functions: 1. The right of interfering, *jus intercedendi* ("veto"), to arrest almost any act of another magistrate. (This right practically extended to a veto on legislation, elections, and ordinances of the Senate, these being all under the direction of magistrates.) 2. The right to hold the assembly of the *plebs*, organized by tribes. In this assembly, known as *comitia tributa*, the plebeian magistrates (tribunes and plebeian ædiles)[2] were chosen, and laws were passed, *plebiscita*, which of course were originally binding only upon the *plebs*, but which, by the Hortensian Law (B.C. 287), received the force of *leges* (see p. lv, above); fines were likewise imposed by this assembly.

Out of these original powers had been developed a very extensive criminal jurisdiction, which made the tribunes and ædiles the chief prosecuting officers of the republic, the tribunes acting in cases of a political character. This order of things continued until the time of Sulla, when the administration of criminal justice was entrusted to the standing courts, *quaestiones perpetuae*, established by him (see p. lxv, below). But Sulla's provisions were abolished by Pompey (B.C. 70), the people fancying that the corruptions of the courts could be remedied by restoring this power to

[1] See p. lii. [2] See p. lx.

the tribunes. The tribunes also had authority to convene the Senate and bring business before it, preside, and take part in debate. These privileges they acquired very early, by irregular practice passing into custom, rather than by any special enactment.

THE AUSPICES.—The absolute continuity of the government, which was more necessary at Rome than elsewhere, on account of a kind of theocratic idea in the constitution, was secured by a curious contrivance. The "regular succession" in Roman magistrates was as rigid as later in the Church. The welfare of the state was supposed to depend upon the favor of the gods, and this could only be transferred from one officer to another by an election which was practically a religious ceremony in which both officers took part. This favor, technically known as the *auspicia*, would lapse unless the election and inauguration were rightly performed. The ceremony consisted in taking the *auspices*, a regular process of religious divination by the flight of birds, etc., according to a very antiquated ritual (see below).

AUGURS.—The magistrates alone were authorized to consult the auspices, that is, to observe the various signs by which the gods were supposed to declare their will with regard to the state. The interpretation of the auspices, however, which had been developed into an extremely technical science (*jus augurium*), was in the hands of a much honored body (*collegium*) of distinguished citizens, called augurs (*augures*). These were not themselves magistrates,[1] but simply the official interpreters of the *jus augurium*, which they alone were supposed to know. Since all important public acts (especially the holding of the *comitia*) were done *auspicato* (i.e., under authority of the auspices), the augurs naturally came to have great political influence. Their interpretation and advice could be disregarded, but such disregard was at the risk of the magistrate and was almost sure to affect his popularity, especially if misfortune followed. The augurs held office for life. Originally they had the right to fill vacancies on their board, but later such vacancies were sometimes filled by election by the people.[2] Cicero himself became an augur, B.C. 53.

INTERREX.—Whenever there was a suspension of legal authority, by vacancy of the chief magistracy, it was understood that the *auspicia*—which were regularly in possession of the magistrates—were lodged (in accordance with the most ancient custom) with the patrician members of the Senate until new magistrates should be inaugurated. The renewal of the regular order of things was begun by the patrician senators coming together and appointing one of their own number as *interrex*. He held

[1] See Philippic xiv., sect. 14, and note.

[2] The rule in this matter was several times changed by law.

office for five days, as chief magistrate of the commonwealth and possessor of the *auspicia*; then he created a successor, who might hold the *comitia* for the election of consuls, but who usually created another successor for that purpose.

DICTATOR. — The dictator was an extraordinary magistrate, possessing absolute power, appointed by the consuls, at the instance of the Senate, in times of great public danger. Properly he held office for but six months. The laws of appeal, and other safeguards of individual liberty, had at first no force against this magistrate. In later times (after B.C. 202) dictators were no longer appointed, but instead the Senate, when occasion arose, invested the consuls with dictatorial power.[1] Sulla, and afterwards Cæsar, revived the name and authority of the dictatorship; but in their case the office became equivalent to absolute sovereignty, since each of them was appointed dictator for life (*perpetuo*). The *Magister Equitum*, appointed by the Dictator, stood next in command to him and also had the *imperium*.

V. THE COURTS

Our division of legal business into *civil* and *criminal*, though not exactly corresponding to the Roman classification of cases as *causae privatae* and *causae publicae*, still affords the most convenient basis for an understanding of the ancient courts.

In CIVIL CASES between individual citizens as well as foreign residents, the jurisdiction, originally belonging to the king, was, on the establishment of the Republic transferred to the consuls, but in the times with which we are especially concerned, it rested with the prætors. The *praetor urbanus* had charge of all civil cases between Roman citizens; the *praetor peregrinus*, of all civil suits to which an alien was a party. Civil processes were various and complicated, and, since none of the orations in this edition were spoken in such cases, they may be left out of account here.

CRIMINAL JURISDICTION also originally rested with the king, and, later, with the magistrates (consuls, etc.) who succeeded him. But by the various laws concerning appeal, the trial of all important offences was transferred to the assemblies of the people. In accordance with its origin the jurisdiction of these bodies was always theoretically an appellant jurisdiction. The case was supposed first to be decided by the magistrate, who, having given notice (*diem dicere*) to the defendant (*reus*), brought forward a bill (*rogatio*) enacting the punishment. If the case was a capital one, i.e. involving the life or status of a Roman citizen, it was brought before the *comitia centuriata* convened by the magistrate for the purpose, and decided like any other question. It would appear that any curule magistrate as

[1] See p. lviii.

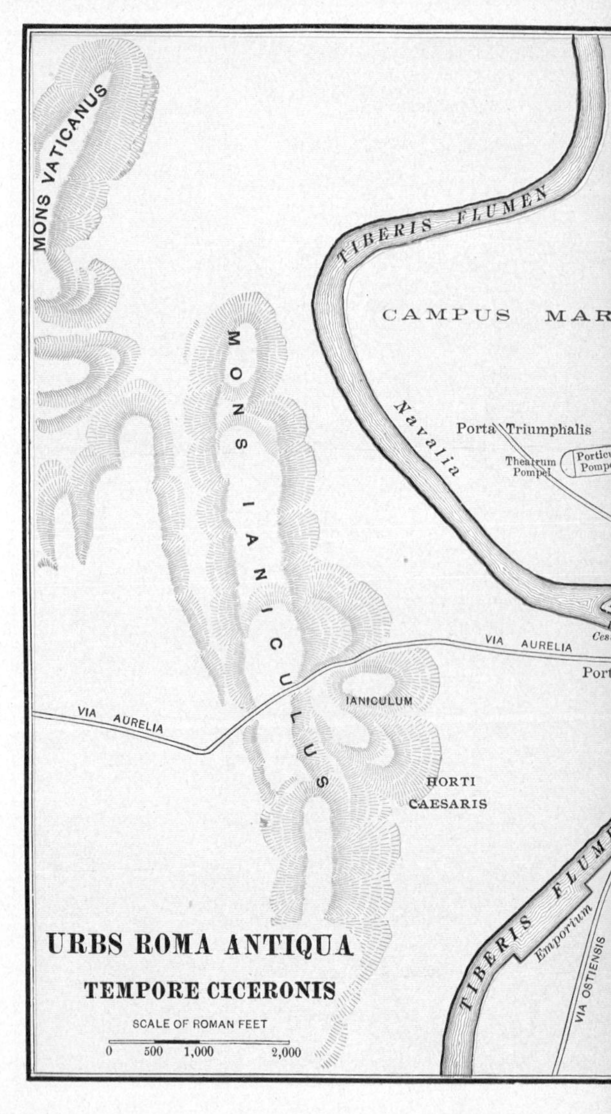
MONS VATICANUS
MONS IANICULUS
TIBERIS FLUMEN
CAMPUS
Navalia
Porta Triumphalis
Theatrum Pompei
VIA AURELIA
IANICULUM
VIA AURELIA
HORTI CAESARIS
TIBERIS
Emporium
VIA OSTIENSIS
URBS ROMA ANTIQUA
TEMPORE CICERONIS
SCALE OF ROMAN FEET
0 500 1,000 2,000

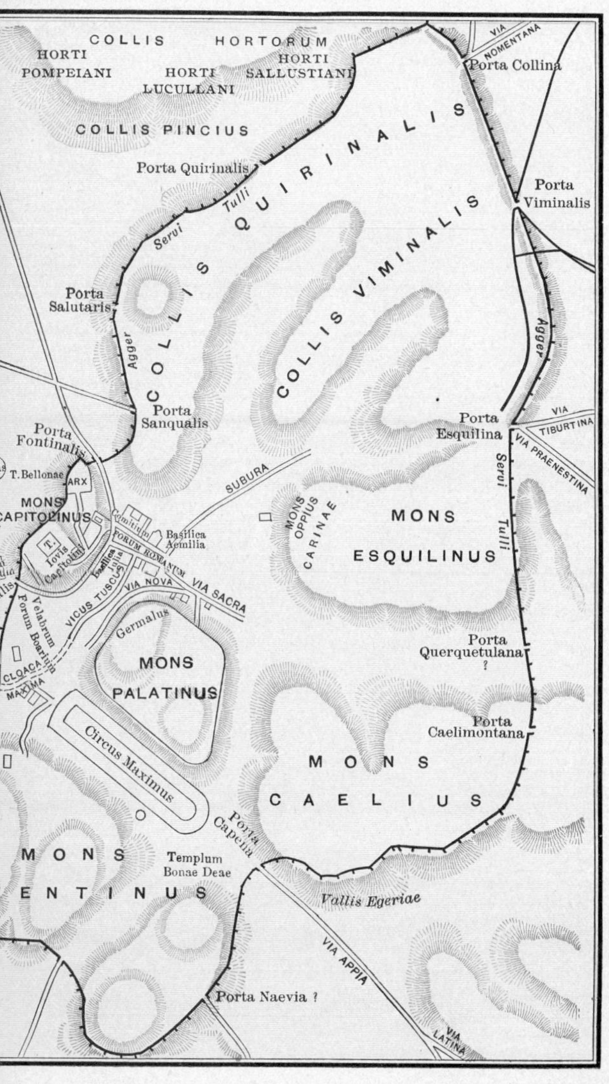
COLLIS HORTORUM
HORTI POMPEIANI
HORTI LUCULLANI
HORTI SALLUSTIANI
COLLIS PINCIUS
VIA NOMENTANA
Porta Collina
Porta Quirinalis
COLLIS QUIRINALIS
Servi Tulli
Porta Viminalis
COLLIS VIMINALIS
Porta Salutaris
Agger
Porta Sanqualis
Porta Fontinalis
Porta Esquilina
VIA TIBURTINA
VIA PRAENESTINA
T. Bellonae
ARX
MONS CAPITOLINUS
SUBURA
Comitium
Basilica Aemilia
FORUM ROMANUM
T. Iovis Capitolini
Basilica Iulia
MONS OPPIUS CARINAE
MONS ESQUILINUS
VIA NOVA
VIA SACRA
VICUS TUSCUS
Velabrum
Forum Boarium
Germalus
MONS PALATINUS
CLOACA MAXIMA
Porta Querquetulana ?
Porta Caelimontana
Circus Maximus
MONS CAELIUS
Porta Capena
MONS ENTINUS
Templum Bonae Deae
Vallis Egeriae
VIA APPIA
Porta Naevia ?
VIA LATINA

well as the tribunes could take such action. If the case involved only a fine, it was tried before the *comitia tributa* by an ædile or tribune.

These methods of trial were practically superseded after the time of Sulla by the establishment of the standing courts (see below). They were, however, sometimes revived, as in Cicero's own case.

It had always been competent for the people to establish a *quaestio* or investigation to try persons suspected of crimes (*quaestiones extraordinariae*). After the analogy of this proceeding, Sulla established standing courts (*quaestiones perpetuae*) differing from previous *quaestiones* only in that they were continuous instead of being appointed upon any particular occasion. It was before these that most crimes were tried.[1] Examples of such trials are found in Rosc. Am. (p. 1) and Verres (p. 26).

Such a court consisted of a presiding judge, *quaesitor* (*praetor*, or *judex quæstionis*), who caused a jury (*judices*) to be impanelled and sworn (hence called *jurati*), varying in number in the different courts and at different times, to try the case under his presidency. These *judices* were drawn by lot from a standing body (*judices selecti*), the exact number of which is unknown,[2] and a right of challenging existed as with us. This body was originally made up from the Senatorial Order, but a law of C. Gracchus (B.C. 123) provided that the *judices* should be taken from non-Senators who possessed the equestrian *census* (see p. lxii, above). From this time the Senators and the *Equites* contended for the control of the courts. Sulla restored to the Senators the exclusive privilege of sitting as *judices* (B.C. 80), but the Aurelian Law (B.C. 70) provided that the jurors should be taken, one-third from the Senators and two-thirds from the Equestrian Order, and that one-half of the *Equites* chosen (i.e. one-third of the whole number of *judices*) should have held the office of *Tribunus Aerarius* (i.e. president of one of the thirty-five local tribes, see p. liv, above). This regulation remained in force until the dictatorship of Cæsar, B.C. 45, when this *decuria* of *Tribuni Aerarii* was abolished. A majority of the jurors decided the verdict. The president had no vote, nor did he decide the law of the case: he had merely charge of the proceedings as a presiding magistrate. (Cf. Verr. i. 32, for a hint at his powers.) For the method of voting, see note on Defence of Milo, p. 177, l. 19.

[1] Sulla's *quaestiones perpetuae* were eight or ten in number. Six of these—*Repetundae* (extortion), *Ambitus* (bribery), *Peculatus* (embezzlement), *Majestas* (treason), *de Sicariis et Veneficis* (murder), and probably *Falsi* (counterfeiting and fraud)—were presided over by six of the eight prætors. For the other two (or four), ex-ædiles (*aedilicii*) were appointed to preside as *judices quaestionis*.

[2] For cases of extortion the number was specially fixed by the *Lex Acilia* at four hundred and fifty, from whom fifty were chosen as jurors.

THE FORUM

(Restored)

SELECT ORATIONS OF CICERO

DEFENCE OF ROSCIUS

(*Pro Sex. Roscio Amerino*)

B.C. 80

SEXTUS ROSCIUS was a rich and respected citizen of Ameria, an Umbrian town (*municipium*) about fifty miles north of Rome. He had a taste for city life, and spent most of his time at the capital, where he was on intimate terms with some of the highest families, especially the Metelli and Scipios. Meantime his son Sextus, who certainly lacked his father's cultivated tastes, and who was accused by his enemies of rudeness and clownishness, had charge of the extensive family estates at Ameria.

Sometime during the dictatorship of Sulla (probably in the autumn of 81 B.C.) the elder Roscius was murdered one evening as he was returning from a dinner party. The murder was no doubt procured, or at least connived at, by one Titus Roscius Magnus, his fellow-townsman and enemy. However that may be, the name of the murdered man was put upon the proscription-list by a freedman and favorite of Sulla, one Chrysogonus, who bought his confiscated estates at auction at a nominal price. Three of these estates (there were thirteen in all) he transferred to a certain Titus Roscius Capito, another townsman and enemy of the deceased, and a leading man at Ameria; the remainder he put in charge of Magnus as his agent. The younger Sextus, a man of forty, thus robbed of his patrimony, had recourse to his father's friends in Rome for protection and help. The three conspirators, fearing that they might be compelled to disgorge, resolved to secure themselves by accusing him of his father's murder. This they did through a professional prosecutor (*accusator*) named Erucius, who undertook the legal formalities of the prosecution.

The aristocratic friends of Roscius, not daring to brave the creature of the dictator, but unwilling to leave their guest-friend (*hospes*) undefended, prevailed upon Cicero, then young and ambitious, to undertake the case. To oppose Chrysogonus was an act that called for disinterested courage, and nothing in Cicero's career is more to his credit. By his successful conduct of the case he obtained the well-merited rank of a leader among the rising advocates of Rome. The Defence of Roscius was the first of Cicero's public orations or pleas; and it is criticised by the author himself in his *Orator*, ch. 30.

Cicero's Apology for Appearing in the Defence

CREDO ego vos, judices, mirari quid sit quod, cum tot summi oratores hominesque nobilissimi sedeant, ego potissimum surrexerim, qui neque aetate neque ingenio neque auctoritate sim cum his, qui sedeant, comparandus. Omnes hi, quos videtis adesse, in hac causa injuriam novo scelere conflatam putant oportere defendi, defendere ipsi propter iniquitatem temporum non audent; ita fit ut adsint propterea quod officium sequuntur, taceant autem idcirco quia periculum vitant.

2. Quid ergo? Audacissimus ego ex omnibus? Minime. At tanto officiosior quam ceteri? Ne istius quidem laudis ita sim cupidus, ut aliis eam praereptam velim. Quae me igitur res praeter ceteros impulit, ut causam Sex. Rosci reciperem? Quia, si quis horum dixisset, quos videtis adesse, in quibus summa auctoritas est atque amplitudo, si verbum de re publica fecisset, — id quod in hac causa fieri necesse est, — multo plura dixisse quam dixisset puta-

retur: 3. ego etiamsi omnia quae dicenda sunt libere dixero, nequaquam tamen similiter oratio mea exire atque in volgus emanare poterit. Deinde, quod ceterorum neque dictum obscurum potest esse, propter nobilitatem et amplitudinem, neque temere dicto concedi, propter aetatem et prudentiam: ego si quid liberius dixero, vel occultum esse, propterea quod nondum ad rem publicam accessi, vel ignosci adulescentiae poterit, — tametsi non modo ignoscendi ratio, verum etiam cognoscendi consuetudo jam de civitate sublata est.

4. Accedit illa quoque causa, quod a ceteris forsitan ita petitum sit ut dicerent, ut utrumvis salvo officio facere se posse arbitrarentur: a me autem ei contenderunt, qui apud me et amicitia et beneficiis et dignitate plurimum possunt, quorum ego nec benevolentiam erga me ignorare, nec auctoritatem aspernari, nec voluntatem neglegere debeam. His de causis ego huic causae patronus exstiti, non electus unus qui maximo ingenio, sed relictus ex omnibus qui minimo periculo possem dicere; neque uti satis firmo praesidio defensus Sex. Roscius, verum uti ne omnino desertus esset.

Character of the Elder Roscius, the Murdered Man

VI. 5. Sex. Roscius, pater hujusce, municeps Amerinus fuit, cum genere et nobilitate et pecunia non modo sui municipi verum etiam ejus vicinitatis facile primus, tum gratia atque hospitiis florens hominum nobilissimorum. Nam cum Metellis, Serviliis, Scipionibus erat ei non modo hospitium, verum etiam domesticus usus et consuetudo; quas (ut aequum est) familias honestatis amplitudinisque gratia nomino. Itaque ex omnibus suis commodis hoc solum filio reliquit: nam patrimonium domestici praedones vi ereptum possident, fama et vita innocentis ab hospitibus amicisque paternis defenditur. 6. Is cum omni tempore nobilitatis fautor fuisset, tum hoc tumultu proximo, cum omnium nobilium dignitas et salus in discrimen veniret, praeter ceteros in ea vicinitate eam partem causamque opera, studio, auctoritate defendit: etenim rectum putabat pro eorum honestate se pugnare, propter quos ipse honestissimus inter suos numerabatur. Posteaquam victoria constituta est, ab armisque recessimus, — cum proscriberentur homines, atque ex omni regione caperentur ei qui adversarii fuisse putabantur, — erat ille Romae frequens; in foro et in ore omnium cotidie versabatur, magis ut exsultare victoria nobilitatis videretur, quam timere ne quid ex ea calamitatis sibi accideret.

His Old Feud with the Titi Roscii

7. Erant ei veteres inimicitiae cum duobus Rosciis Amerinis, quorum alterum sedere in accusatorum subselliis video, alterum tria hujusce praedia possidere audio. Quas inimicitias si tam cavere potuisset, quam metuere solebat, viveret. Neque enim, judices, injuria metuebat. Nam duo isti sunt T. Roscii, quorum alteri Capitoni cognomen est, iste qui adest Magnus vocatur, homines hujus modi: alter plurimarum palmarum vetus ac nobilis gladiator habetur, hic autem nuper se ad eum lanistam contulit; quique ante hanc pugnam tiro esset, [quod sciam,] facile ipsum magistrum scelere audaciaque superavit.

The Murder

VII. **8.** Nam cum hic Sex. Roscius esset Ameriae, T. autem iste Roscius Romae, — cum hic filius adsiduus in praediis esset, cumque se voluntate patris rei familiari vitaeque rusticae dedisset, iste autem frequens Romae esset, — occiditur ad balneas Palacinas rediens a cena Sex. Roscius. Spero ex hoc ipso non esse obscurum, ad quem suspicio malefici pertineat: verum id, quod adhuc est suspiciosum, nisi perspicuum res ipsa fecerit, hunc adfinem culpae judicatote.

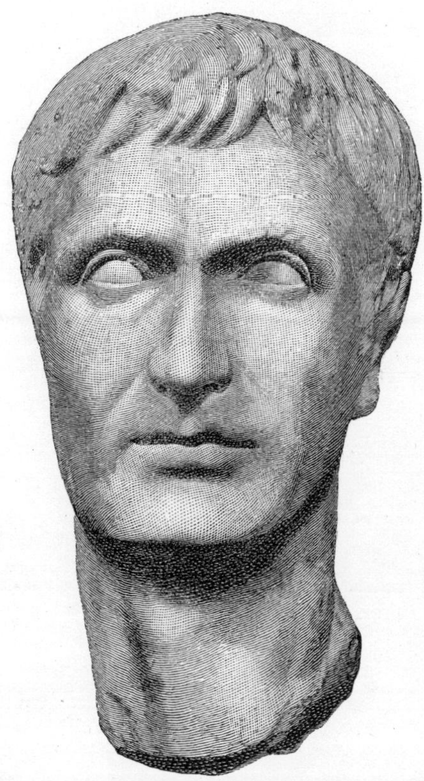

SULLA

(Bust in the Vatican)

The News Brought to his Enemies at Ameria

9. Occiso Sex. Roscio, primus Ameriam nuntiat Mallius Glaucia quidam, homo tenuis, libertinus, cliens et familiaris istius T. Rosci, et nuntiat domum non fili, sed T. Capitonis inimici; et cum post horam primam noctis occisus esset, primo diluculo nuntius hic Ameriam venit. Decem horis nocturnis sex et quinquaginta milia passuum cisiis pervolavit, non modo ut exoptatum inimico nuntium primus adferret, sed etiam cruorem inimici quam recentissimum telumque paulo ante e corpore extractum ostenderet.

The Conspiracy to Seize his Property

10. Quadriduo quo haec gesta sunt, res ad Chrysogonum in castra L. Sullae Volaterras defertur. Magnitudo pecuniae demonstratur; bonitas praediorum (nam fundos decem et tris reliquit, qui Tiberim fere omnes tangunt), hujus inopia et solitudo commemoratur. Demonstrant, cum pater hujusce Sex. Roscius, homo tam splendidus et gratiosus, nullo negotio sit occisus, perfacile hunc hominem incautum et rusticum, et Romae ignotum, de medio tolli posse. Ad eam rem operam suam pollicentur. Ne diutius teneam, judices, societas coitur. VIII. 11. Cum nulla proscriptionis mentio fieret, cum etiam qui antea metuerant redirent, ac jam defunctos sese periculis arbitrarentur, nomen refertur in tabulas Sex. Rosci, studiosissimi nobilitatis. Manceps fit Chrysogonus. Tria praedia vel nobilissima Capitoni propria traduntur, quae hodie possidet; in reliquas omnes fortunas iste T. Roscius, nomine Chrysogoni, quemadmodum ipse dicit, impetum facit. [Haec bona emuntur duobus milibus nummum.]

Sulla not Implicated

12. Haec omnia, judices, imprudente L. Sulla facta esse certo scio; neque enim mirum — cum eodem tempore et ea quae praeterita sunt et ea quae videntur instare praeparet,

cum et pacis constituendae rationem et belli gerendi potestatem solus habeat, cum omnes in unum spectent, unus omnia gubernet, cum tot tantisque negotiis distentus sit ut respirare libere non possit — si aliquid non animadvertat, cum praesertim tam multi occupationem ejus observent tempusque aucupentur, ut, simul atque ille despexerit, aliquid hujusce modi moliantur. Huc accedit, quod quamvis ille felix sit, sicut est, tamen [in] tanta felicitate nemo potest esse, in magna familia qui neminem neque servum neque libertum improbum habeat.

The Younger Roscius Dispossessed

13. Interea iste T. Roscius, vir optimus, procurator Chrysogoni, Ameriam venit; in praedia hujus invadit; hunc miserum, luctu perditum, qui nondum etiam omnia paterno funeri justa solvisset, nudum eicit; domo atque focis patriis disque penatibus praecipitem, judices, exturbat; ipse amplissimae pecuniae fit dominus. Qui in sua re fuisset egentissimus, erat, ut fit, insolens in aliena. Multa palam domum suam auferebat, plura clam de medio removebat; non pauca suis adjutoribus large effuseque donabat; reliqua constituta auctione vendebat; quod Amerinis usque eo visum est indignum, ut urbe tota fletus gemitusque fieret.

Protest by Delegates of Ameria

IX. **14.** Etenim multa simul ante oculos versabantur: mors hominis florentissimi Sex. Rosci crudelissima, fili autem ejus egestas indignissima, cui de tanto patrimonio praedo iste nefarius ne iter quidem ad sepulcrum patrium reliquisset, bonorum emptio flagitiosa, possessio, furta, rapinae, donationes. Nemo erat qui non ardere *illa* omnia mallet, quam videre in Sex. Rosci viri optimi atque honestissimi bonis jactantem se ac dominantem T. Roscium. **15.** Itaque decurionum decretum statim fit, ut decem primi proficiscantur ad L. Sullam, doceantque eum qui vir Sex. Roscius fuerit; conquerantur de istorum scelere et injuriis; orent ut et illius mortui famam et fili innocentis fortunas conservatas velit. Atque ipsum decretum, quaeso, cognoscite. [*Decretum Decurionum.*]

The Delegates Hoodwinked by the Conspirators

Legati in castra veniunt. Intellegitur, judices, id quod jam ante dixi, imprudente L. Sulla scelera haec et flagitia fieri. Nam statim Chrysogonus et ipse ad eos accedit et homines nobilis adlegat, *ab* eis qui peterent ne ad Sullam adirent, et omnia Chrysogonum quae vellent esse facturum pollicerentur. **16.** Usque adeo autem ille pertimuerat, ut mori mallet quam de his rebus Sullam doceri. Homines antiqui, qui ex sua natura ceteros fingerent, cum ille confirmaret sese nomen Sex. Rosci de tabulis exempturum, praedia vacua filio traditurum, cumque id ita futurum T. Roscius Capito, qui in decem legatis erat, appromitteret, crediderunt: Ameriam re inorata reverterunt. Ac primo rem differre cotidie ac procrastinare isti coeperunt; deinde aliquanto lentius, nihil agere atque deludere; postremo — id quod facile intellectum est — insidias vitae hujusce [Sex. Rosci] parare, neque sese arbitrari posse diutius alienam pecuniam domino incolumi obtinere.

The Younger Roscius Takes Refuge with Friends at Rome

X. **17.** Quod hic simul atque sensit, de amicorum cognatorumque sententia Romam confugit, et sese ad Caeciliam [Nepotis filiam], quam honoris causa nomino, contulit, qua pater usus erat plurimum; in qua muliere, judices, etiam nunc (id quod omnes semper existimaverunt) quasi exempli causa vestigia antiqui offici remanent. Ea Sex. Roscium inopem, ejectum domo atque expulsum ex suis bonis, fugientem latronum tela et minas, recepit domum, hospitique oppresso jam desperatoque ab omnibus opitulata est. Ejus virtute, fide, diligentia factum est, ut hic potius vivus in reos quam occisus in proscriptos referretur.

A Trumped-up Charge of Parricide is Brought

18. Nam postquam isti intellexerunt summa diligentia vitam Sex. Rosci custodiri, neque sibi ullam caedis faciundae potestatem dari, consilium ceperunt plenum sceleris et audaciae, ut nomen hujus de parricidio deferrent, ut ad eam rem aliquem accusatorem veterem compararent, qui de ea re posset dicere aliquid, in qua re nulla subesset suspicio; denique ut, quoniam crimine non poterant, tempore ipso pugnarent. Ita loqui homines: quod judicia tam diu facta non essent, condemnari eum oportere, qui primus in judicium adductus esset; huic autem patronos propter Chrysogoni gratiam defuturos; de bonorum venditione et de ista societate verbum esse facturum neminem; ipso nomine parricidi et atrocitate criminis, fore ut hic nullo negotio tolleretur, cum ab nullo defensus esset. Hoc consilio atque adeo hac amentia impulsi, quem ipsi cum cuperent non potuerunt occidere, eum jugulandum vobis tradiderunt.

Wretched Condition of the Defendant

XI. **19.** Quid primum querar? aut unde potissimum, judices, ordiar? aut quod aut a quibus auxilium petam? Deorumne immortalium, populine Romani, vestramne, qui summam potestatem habetis, hoc tempore fidem implorem? Pater occisus nefarie, domus obsessa ab inimicis, bona adempta, possessa, direpta, fili vita infesta, saepe ferro atque insidiis appetita, — quid ab his tot maleficiis sceleris abesse videtur? Tamen haec aliis nefariis cumulant atque adaugent: crimen incredibile confingunt, testis in hunc et accusatores hujusce pecunia comparant. Hanc condicionem misero ferunt, ut optet, utrum malit cervices Roscio dare, an, insutus in culeum, per summum dedecus vitam amittere. Patronos huic defuturos putaverunt: desunt: qui libere dicat, qui cum fide defendat, — id quod in hac causa est satis, — quoniam quidem suscepi, non deest profecto, judices.

Three Things Make against the Defendant

XIII. **20**. Tres sunt res, quantum ego existimare possum, quae obstent hoc tempore Sex. Roscio: crimen adversariorum, et audacia, et potentia. Criminis confictionem accusator [Erucius] suscepit; audaciae partis Roscii sibi poposcerunt; Chrysogonus autem, is qui plurimum potest, potentia pugnat. De hisce omnibus rebus me dicere oportere intellego. Quid igitur est? Non eodem modo de omnibus, ideo quod prima illa res ad meum officium pertinet, duas autem reliquas vobis populus Romanus imposuit. Ego crimen oportet diluam; vos et audaciae resistere, et hominum ejus modi perniciosam atque intolerandam potentiam primo quoque tempore exstinguere atque opprimere debetis.

Enormity of the Charge

21. Occidisse patrem Sex. Roscius arguitur. Scelestum, di immortales! ac nefarium facinus, atque ejus modi, quo uno maleficio scelera omnia complexa esse videantur. Etenim si, id quod praeclare a sapientibus dicitur, voltu saepe laeditur pietas, quod supplicium satis acre reperietur in eum qui mortem obtulerit parenti, pro quo mori ipsum, si res postularet, jura divina atque humana cogebant? In hoc tanto, tam atroci, tam singulari maleficio, quod ita raro exstitit ut, si quando auditum sit, portenti ac prodigi simile numeretur, quibus tandem tu, C. Eruci, argumentis accusatorem censes uti oportere? Nonne et audaciam ejus qui in crimen vocetur singularem ostendere, et mores feros, immanemque naturam, et vitam vitiis flagitiisque omnibus deditam,

[et] denique omnia ad perniciem profligata atque perdita? quorum tu nihil in Sex. Roscium, ne obiciendi quidem causa, contulisti.

Improbability from the Character of the Defendant

XIV. **22.** 'Patrem occidit Sex. Roscius.' Qui homo? Adulescentulus corruptus et ab hominibus nequam inductus? annos natus major quadraginta. Vetus videlicet sicarius, homo audax et saepe in caede versatus? at hoc ab accusatore ne dici quidem audistis. Luxuries igitur hominem nimirum, et aeris alieni magnitudo, et indŏmitae animi cupiditates ad hoc scelus impulerunt? De luxuria purgavit Erucius, cum dixit hunc ne in convivio quidem ullo fere interfuisse. Nihil autem umquam *cuiquam* debuit. Cupiditates porro quae possunt esse in eo qui, ut ipse accusator objecit, ruri semper habitarit, et in agro colendo vixerit? — quae vita maxime disjuncta a cupiditate est, et cum officio conjuncta.

Absence of Motive

23. Quae res igitur tantum istum furorem Sex. Roscio objecit? 'Patri' inquit 'non placebat.' Quam ob causam? Necesse est enim eam quoque justam et magnam et perspicuam fuisse: nam, ut illud incredibile est, mortem oblatam esse patri a filio sine plurimis et maximis causis, sic hoc veri simile non est, odio fuisse parenti filium, sine causis multis et magnis et necessariis. Rursus igitur eodem revertamur, et quaeramus quae tanta vitia fuerint in unico filio, quare is patri displiceret. At perspicuum est nullum fuisse. Pater igitur amens, qui odisset eum sine causa quem procrearat. At is quidem fuit omnium constantissimus. Ergo illud jam perspicuum profecto est, si neque amens pater neque perditus filius fuerit, neque odi causam patri neque sceleris filio fuisse.

Necessity of Showing a Motive

XXII. **24**. De parricidio causa dicitur: ratio ab accusatore reddita non est, quam ob causam patrem filius occiderit. Quod in minimis noxiis, et in his levioribus peccatis quae magis crebra et jam prope cotidiana sunt, maxime et primum quaeritur, — quae causa malefici fuerit, — id Erucius in parricidio quaeri non putat oportere. In quo scelere, judices, etiam cum multae causae convenisse unum in locum atque inter se congruere videntur, tamen non temere creditur, neque levi conjectura res penditur, neque testis incertus auditur, neque accusatoris ingenio res judicatur: cum multa antea commissa maleficia, cum vita hominis perditissima, cum singularis audacia ostendatur necesse est, neque audacia solum, sed summus furor atque amentia.

Necessity of Direct Evidence

25. Haec cum sint omnia, tamen exstent oportet expressa sceleris vestigia, — ubi, qua ratione, per quos, quo tempore maleficium sit admissum; quae nisi multa et manifesta sunt, profecto res tam scelesta, tam atrox, tam nefaria credi non potest. Magna est enim vis humanitatis; multum valet communio sanguinis; reclamitat istius modi suspicionibus ipsa natura; portentum atque monstrum certissimum est, esse aliquem humana specie et figura, qui tantum immanitate bestias vicerit, ut propter quos hanc suavissimam lucem aspexerit, eos indignissime luce privarit, cum etiam feras inter sese partus atque educatio et natura ipsa conciliet.

Examples from Other Cases

XXIII. **26**. Non ita multis ante annis, aiunt T. Caelium quendam Tarracinensem, hominem non obscurum, cum cenatus cubitum in idem conclave cum duobus adulescentibus filiis isset, inventum esse mane jugulatum. Cum neque servus quisquam reperiretur, neque liber, ad quem ea suspicio pertineret, id aetatis autem duo filii propter cubantes ne sensisse quidem se dicerent, nomina filiorum de parricidio delata sunt. Quid poterat tam esse suspiciosum? Neutrumne sensisse? Ausum autem esse quemquam se in id conclave committere, eo potissimum tempore, cum ibidem essent duo adulescentes filii, qui et sentire et defendere facile possent? **27.** Erat porro nemo in quem ea suspicio conveniret. Tamen cum planum judicibus esset factum, aperto ostio dormientis eos repertos esse, judicio absoluti adulescentes et suspicione omni liberati sunt. Nemo enim putabat quemquam esse, qui, cum omnia divina atque humana jura scelere nefario polluisset, somnum statim capere potuisset; propterea quod, qui tantum facinus commiserunt, non modo sine cura quiescere, sed ne spirare quidem sine metu possunt.

Need of Strongest Proof Shown by the Severity of the Penalty

28. Quare hoc quo minus est credibile nisi ostenditur, eo magis est, si convincitur, vindicandum. Itaque cum multis ex rebus intellegi potest majores nostros non modo armis plus quam ceteras nationes, verum etiam consilio sapientiaque potuisse, tum ex hac re vel maxime, quod in impios singulare supplicium invenerunt: insui voluerunt in culeum vivos, atque in flumen deici. O singularem sapientiam, judices! Nonne videntur hunc hominem ex rerum natura sustulisse et eripuisse, cui repente caelum, solem, aquam terramque ademerint: ut qui eum necasset, unde ipse natus esset, careret eis rebus omnibus, ex quibus omnia nata esse dicuntur? **29.** Noluerunt feris corpus obicere, ne bestiis quoque, quae tantum scelus attigissent, immanioribus uteremur: non sic nudos in flumen deicere, ne, cum delati essent in mare, ipsum polluerent, quo cetera, quae violata sunt, expiari putantur. Denique nihil tam vile neque tam volgare est cujus partem ullam reliquerint. Etenim quid est tam commune quam spiritus vivis, terra mortuis, mare fluctuantibus, litus ejectis? Ita vivunt, dum possunt, ut ducere animam de caelo non queant. Ita moriuntur, ut eorum ossa terra non tangat. Ita jactantur fluctibus, ut numquam adluantur. Ita postremo eiciuntur, ut ne ad saxa quidem mortui conquiescant. **30.** Tanti malefici crimen, cui maleficio tam insigne supplicium est constitutum, probare te, Eruci, censes posse talibus viris, si ne causam quidem malefici protuleris? Si hunc apud bonorum emptores ipsos accusares, eique judicio Chrysogonus praeesset, tamen diligentius paratiusque venisses. Utrum quid agatur non vides, an apud quos agatur? Agitur de parricidio, quod sine multis causis suscipi non potest; apud homines autem prudentissimos agitur, qui intellegunt neminem ne minimum quidem maleficium sine causa admittere.

No Opportunity to Commit the Crime

XXVII. **31.** Esto: causam proferre non potes. Tametsi statim vicisse debeo, tamen de meo jure decedam, et tibi quod in alia causa non concederem in hac concedam, fretus hujus innocentia. Non quaero abs te qua re patrem Sex. Roscius occiderit: quaero quo modo occiderit. Ita quaero abs te, C. Eruci, quo modo; et sic tecum agam, ut meo loco vel respondendi vel interpellandi tibi potestatem faciam, vel etiam, si quid voles, interrogandi.

32. Quo modo occidit? Ipse percussit, an aliis occidendum dedit? Si ipsum arguis, Romae non fuit: si per alios fecisse dicis, quaero servosne an liberos? *si per* liberos, quos homines? indidemne Ameria, an hosce ex urbe sicarios? si Ameria, qui sunt hi? cur non nominantur? si Roma, unde eos noverat Roscius, qui Romam multis annis non venit, neque umquam plus triduo fuit? ubi eos convenit? quicum locutus est? quo modo persuasit? 'Pretium dedit.' Cui dedit? per quem dedit? unde aut quantum dedit? Nonne his vestigiis ad caput malefici perveniri solet? Et simul tibi in mentem veniat facito, quem ad modum vitam hujusce depinxeris: hunc hominem ferum atque agrestem fuisse; numquam cum homine quoquam conlocutum esse; numquam in oppido constitisse.

33. Qua in re praetereo illud, quod mihi maximo argumento ad hujus innocentiam poterat esse, in rusticis moribus, in victu arido, in hac horrida incultaque vita, istius modi maleficia gigni non solere. Ut non omnem frugem neque arborem in omni agro reperire possis, sic non omne facinus in omni vita nascitur. In urbe luxuries creatur; ex luxuria exsistat avaritia necesse est, ex avaritia erumpat audacia; inde omnia scelera ac maleficia gignuntur. Vita autem haec rustica, quam tu agrestem vocas, parsimoniae, diligentiae, justitiae magistra est.

No Agents Available

34. Verum haec missa facio. Illud quaero,—is homo, qui, ut tute dicis, numquam inter homines fuerit, per quos homines hoc tantum facinus tam occulte, absens praesertim, conficere potuerit. Multa sunt falsa, judices, quae tamen argui suspiciose possunt; in his rebus si suspicio reperta erit, culpam inesse concedam. Romae Sex. Roscius occiditur, cum in agro Amerino esset filius. Litteras, credo, misit alicui sicario, qui Romae noverat neminem. 'Arcessivit aliquem.' Quem aut quando? 'Nuntium misit.' Quem aut ad quem? 'Pretio, gratia, spe, promissis induxit aliquem.' Nihil horum ne confingi quidem potest, et tamen causa de parricidio dicitur!

If Committed by Slaves,—by whose Slaves

35. Reliquum est ut per servos id admiserit. O di immortales! rem miseram et calamitosam, quod in tali crimine quod innocenti saluti solet esse, ut servos in quaestionem polliceatur, id Sex. Roscio facere non licet. Vos, qui hunc accusatis, omnis ejus servos habetis. Unus puer, victus cotidiani minister, ex tanta familia Sex. Roscio relictus non est. Te nunc appello, P. Scipio, te, Metelle. Vobis advocatis, vobis agentibus, aliquotiens duos servos paternos in quaestionem ab adversariis Sex. Roscius postulavit. Meministisne T. Roscium recusare? Quid? ei servi ubi sunt? Chrysogonum, judices, sectantur: apud eum sunt in honore et pretio. Etiam nunc ut ex eis quaeratur ego postulo, hic orat atque obsecrat. Quid facitis? cur recusatis? Dubitate etiam nunc, judices, si potestis, a quo sit Sex. Roscius occisus, — ab eone, qui propter illius mortem in egestate et *in* insidiis versatur, cui ne quaerendi quidem de morte patris potestas permittitur, an ab eis qui quaestionem fugitant, bona possident, in caede atque ex caede vivunt.

Sulla's Favorite, Chrysogonus, Implicated

XLIII. **36**. Venio nunc ad illud nomen aureum [Chrysogoni], sub quo nomine tota societas latuit: de quo, judices, neque quo modo dicam neque quo modo taceam reperire possum. Si enim taceo, vel maximam partem relinquo; sin autem dico, vereor ne non ille solus, id quod ad me nihil attinet, sed alii quoque plures laesos se esse putent. Tametsi ita se res habet, ut mihi in communem causam sectorum dicendum nihil magno opere videatur; haec enim causa nova profecto et singularis est.

He is the Purchaser of the Property

37. Bonorum Sex. Rosci emptor est Chrysogonus. Primum hoc videamus: ejus hominis bona qua ratione venierunt, aut quo modo venire potuerunt? Atque hoc non ita quaeram, judices, ut id dicam esse indignum, hominis innocentis bona venisse; si enim haec audientur ac libere dicentur, non fuit tantus homo Sex. Roscius in civitate, ut de eo potissimum conqueramur. Verum [ego] hoc quaero: qui potuerunt ista ipsa lege, quae de proscriptione est, — sive Valeria est, sive Cornelia, non enim novi nec scio, — verum ista ipsa lege bona Sex. Rosci venire qui potuerunt? Scriptum enim ita dicunt esse, *ut eorum bona veneant, qui proscripti sunt* — quo in numero Sex. Roscius non est — *aut eorum qui in adversariorum praesidiis occisi sunt.* Dum praesidia ulla fuerunt, in Sullae praesidiis fuit; postea quam ab armis recessum est, in summo otio rediens a cena Romae occisus est. Si lege, bona quoque lege venisse fateor; sin autem constat, contra omnis non modo veteres leges verum etiam novas occisum esse, bona quo jure aut quo more aut qua lege venierint quaero.

XLIV. 38. In quem hoc dicam quaeris, Eruci? Non in eum quem vis et putas; nam Sullam et oratio mea ab initio et ipsius eximia virtus omni tempore purgavit. Ego haec omnia Chrysogonum fecisse dico, ut ementiretur, ut malum civem Roscium fuisse fingeret, ut eum apud adversarios occisum esse diceret, ut his de rebus a legatis Amerinorum doceri L. Sullam passus non sit. Denique etiam illud suspicor, omnino haec bona non venisse: id quod postea, si per vos, judices, licitum erit, aperietur.

The Sale by Proscription Illegal

39. Opinor enim esse in lege, quam ad diem proscriptiones venditionesque fiant: [nimirum] *Kalendas Junias.* Aliquot post mensis et homo occisus est, et bona venisse dicuntur. Profecto aut haec bona in tabulas publicas nulla redierunt, nosque ab isto nebulone facetius eludimur quam putamus; aut, si redierunt, tabulae publicae corruptae aliqua ratione sunt: nam lege quidem bona venire non potuisse constat. Intellego me ante tempus, judices, haec scrutari, et prope modum errare, qui, cum capiti Sex. Rosci mederi debeam, reduviam curem. Non enim laborat de pecunia;

non ullius rationem sui commodi ducit; facile egestatem suam se laturum putat, si hac indigna suspicione et ficto crimine liberatus sit.

40. Verum quaeso a vobis, judices, ut haec pauca quae restant ita audiatis, ut partim me dicere pro me ipso putetis, partim pro Sex. Roscio. Quae enim mihi indigna et intolerabilia videntur, quaeque ad omnis, nisi providemus, arbitror pertinere, ea pro me ipso ex animi mei sensu ac dolore pronuntio; quae ad hujus vitae [casum] causam[que] pertineant, et quid hic pro se dici velit, et qua condicione contentus sit, jam in extrema oratione nostra, judices, audietis. XLV. **41.** Ego haec a Chrysogono, mea sponte, remoto Sex. Roscio, quaero: primum, qua re civis optimi bona venierint; deinde, qua re hominis ejus, qui *neque proscriptus* neque apud adversarios occisus est, bona venierint, cum in eos solos lex scripta sit; deinde, quare aliquanto post eam diem venierint, quae dies in lege praefinita est; deinde, cur tantulo venierint. Quae omnia si, quem ad modum solent liberti nequam et improbi facere, in patronum suum voluerit conferre, nihil egerit: nemo est enim qui nesciat propter magnitudinem rerum multa multos furtim imprudente L. Sulla commisisse.

Sulla not Responsible

42. Placet igitur in his rebus aliquid imprudentia praeteriri? Non placet, judices, sed necesse est. Etenim si Juppiter optimus maximus, cujus nutu et arbitrio caelum terra mariaque reguntur, saepe ventis vehementioribus aut immoderatis tempestatibus aut nimio calore aut intolerabili frigore hominibus nocuit, urbis delevit, fruges perdidit, quorum nihil pernicii causa divino consilio, sed vi ipsa et magnitudine rerum factum putamus; at contra, commoda quibus utimur lucemque qua fruimur spiritumque quem ducimus ab eo nobis dari atque impertiri videmus, — quid miramur L. Sullam, cum solus rem publicam regeret, orbemque terrarum gubernaret, imperique majestatem quam armis

JUPITER

receperat legibus confirmaret, aliqua animadvertere non potuisse? Nisi hoc mirum est, quod vis divina adsequi non possit, si id mens humana adepta non sit.

The Cause of the Nobility not Involved

43. Vereor, judices, ne quis imperitior existimet me causam nobilitatis victoriamque voluisse laedere: tametsi meo jure possum, si quid in hac parte mihi non placeat, vituperare; non enim vereor ne quis alienum me animum habuisse a causa nobilitatis existimet. XLVII. Sciunt ei qui me norunt, me pro mea tenui infirmaque parte, — postea quam id quod maxime volui fieri non potuit, ut componeretur, — id maxime defendisse, ut ei vincerent qui vicerunt. Quis enim erat, qui non videret humilitatem cum [dignitate de] amplitudine contendere? Quo in certamine perditi civis erat non se ad eos jungere, quibus incolumibus, et domi dignitas et foris auctoritas retineretur. Quae perfecta esse et suum cuique honorem et gradum redditum gaudeo, judices, vehementerque laetor; eaque omnia deorum voluntate, studio populi Romani, consilio et imperio et felicitate L. Sullae, gesta esse intellego.

44. Quod animadversum est in eos qui contra omni ratione pugnarunt, non debeo reprehendere; quod viris fortibus, quorum opera eximia in rebus gerendis exstitit, honos habitus est, laudo. Quae ut fierent, idcirco pugnatum esse arbitror, meque in eo studio partium fuisse confiteor. Sin autem id actum est, et idcirco arma sumpta sunt, ut homines postremi pecuniis alienis locupletarentur, et in fortunas uniuscujusque impetum facerent, et id non modo re prohibere non licet, sed ne verbis quidem vituperare, tum vero in isto bello non recreatus neque restitutus, sed subactus oppressusque populus Romanus est. Verum longe aliter est; nihil horum est, judices: non modo non laedetur causa nobilitatis, si istis hominibus resistetis, verum etiam ornabitur.

Chrysogonus' Cause not that of the Nobility

XLVIII. **45.** Quapropter desinant aliquando dicere male aliquem locutum esse, si qui vere ac libere locutus sit;

desinant suam causam cum Chrysogono communicare; desinant, si ille laesus sit, de se aliquid detractum arbitrari; videant ne turpe miserumque sit eos, qui equestrem splendorem pati non potuerunt, servi nequissimi dominationem ferre posse. Quae quidem dominatio, judices, in aliis rebus antea versabatur; nunc vero quam viam munitet, quod iter adfectet videtis, — ad fidem, ad jusjurandum, ad judicia vestra, ad id, quod solum prope in civitate sincerum sanctumque restat. Hicine etiam sese putat aliquid posse Chrysogonus? Hic etiam potens esse volt? O rem miseram atque acerbam! Neque, mehercules, hoc indigne fero, quod verear ne quid possit; verum quod ausus est, quod speravit sese apud talis viros aliquid posse ad perniciem innocentis, id ipsum queror.

XLIX. **46.** Idcircone exspectata nobilitas armis atque ferro rem publicam reciperavit, ut ad libidinem suam liberti servolique nobilium bona, fortunas *possessiones*que nostras vexare possent? Si id actum est, fateor me errasse qui hoc maluerim; fateor insanisse qui cum illis senserim. Tametsi inermis, judices, sensi. Sin autem victoria nobilium ornamento atque emolumento rei publicae populoque Romano debet esse, tum vero optimo et nobilissimo cuique meam orationem gratissimam esse oportet. Quod si quis est qui et se et causam laedi putet cum Chrysogonus vituperetur, is causam ignorat; se ipsum probe novit. Causa enim splendidior fiet, si nequissimo cuique resistetur. Ille improbissimus Chrysogoni fautor, qui sibi cum illo rationem communicatam putat, laeditur, cum ab hoc splendore causae separatur.

The Attack on Chrysogonus is Cicero's: Roscius Asks only for Life

47. Verum haec omnis oratio, ut jam ante dixi, mea est, qua me uti res publica et dolor meus et istorum injuria coëgit. Sex. Roscius horum nihil indignum putat, neminem accusat, nihil de suo patrimonio queritur. Putat homo imperitus morum, agricola et rusticus, ista omnia, quae vos per Sullam gesta esse dicitis, more, lege, jure gentium facta. Culpa liberatus et crimine nefario solutus, cupit a vobis discedere. Si hac indigna suspicione careat, animo aequo se carere suis omnibus commodis dicit. Rogat oratque te, Chrysogone, si nihil de patris fortunis amplissimis in suam rem convertit, si nulla in re te fraudavit, si tibi optima fide sua omnia concessit, adnumeravit, appendit, si vestitum quo ipse tectus erat, anulumque de digito suum tibi tradidit, si ex omnibus rebus se ipsum nudum neque praeterea quicquam excepit, ut sibi per te liceat innocenti amicorum opibus vitam in egestate degere. L. **48.** 'Praedia mea tu possides, ego aliena misericordia vivo: concedo, et quod animus aequus est, et quia necesse est. Mea domus tibi patet, mihi clausa est: fero. Familia mea maxima tu uteris, ego servum habeo nullum: patior et ferendum puto. Quid vis amplius? Quid insequeris? Quid oppugnas? Qua in re tuam voluntatem laedi a me putas? Ubi tuis commodis officio? Quid tibi obsto?' Si spoliorum causa vis hominem occidere, quid quaeris amplius? Si inimicitiarum, quae sunt tibi inimicitiae cum eo, cujus ante praedia possedisti quam ipsum cognovisti? Si metus, ab eone aliquid metuis, quem vides ipsum ab se tam atrocem injuriam propulsare non posse? Sin quod bona quae Rosci fuerunt tua facta sunt, idcirco hunc illius filium studes perdere, nonne ostendis id te vereri, quod praeter ceteros tu metuere non debeas, ne quando liberis proscriptorum bona patria reddantur?

Pretended Appeal to Chrysogonus for Mercy

49. Facis injuriam, Chrysogone, si majorem spem emptionis tuae in hujus exitio ponis, quam in eis rebus quas L. Sulla gessit. Quod si tibi causa nulla est cur hunc miserum tanta calamitate adfici velis, si tibi omnia sua praeter animam tradidit, nec sibi quicquam paternum ne monumenti quidem causa clam reservavit, per deos immortalis, quae ista tanta crudelitas est? Quae tam fera immanisque natura? Quis umquam praedo fuit tam nefarius, quis pirata tam barbarus, ut, cum integram praedam sine sanguine habere posset, cruenta spolia detrahere mallet? **50**. Scis hunc nihil habere, nihil audere, nihil posse, nihil umquam contra rem tuam cogitasse; et tamen oppugnas eum quem neque metuere potes, neque odisse debes, nec quicquam jam habere reliqui vides quod ei detrahere possis. Nisi hoc indignum putas, quod vestitum sedere in judicio vides, quem tu e patrimonio tamquam e naufragio nudum expulisti; quasi vero nescias hunc et ali et vestiri a Caecilia, [Baliarici filia, Nepotis sorore,] spectatissima femina, quae cum clarissimum patrem, amplissimos patruos, ornatissimum fratrem haberet, tamen, cum esset mulier, virtute perfecit ut, quanto honore ipsa ex illorum dignitate adficeretur, non minora illis ornamenta ex sua laude redderet.

Powerful Friends of the Defendant

LI. **51**. An quod diligenter defenditur, id tibi indignum facinus videtur? Mihi crede, si pro patris hujus hospitiis et gratia vellent omnes hujus hospites adesse, et auderent libere defendere, satis copiose defenderetur; sin autem pro magnitudine injuriae, proque eo quod summa res publica in hujus periculo temptatur, haec omnes vindicarent, consistere mehercule vobis isto in loco non liceret. Nunc ita defenditur, non sane ut moleste ferre adversarii debeant, neque ut se potentia superari putent. **52**. Quae domi gerenda sunt, ea per Caeciliam transiguntur; fori judicique rationem M. Messala, ut videtis, judices, suscepit. Qui, si jam satis aetatis atque roboris haberet, ipse pro Sex. Roscio diceret: quoniam ad dicendum impedimento est aetas et pudor qui ornat aetatem, causam mihi tradidit, quem sua causa cupere ac debere intellegebat; ipse adsiduitate, consilio, auctoritate, diligentia perfecit, ut Sex. Rosci vita, erepta de manibus sectorum, sententiis judicum permitteretur. Nimirum, judices, pro hac nobilitate pars maxima civitatis in armis fuit; haec acta res est, ut ei nobiles restituerentur in civitatem, qui hoc facerent quod facere Messalam videtis, — qui caput innocentis defenderent, qui injuriae resisterent, qui quantum possent in salute alterius quam in exitio mallent ostendere; quod si omnes qui eodem loco nati sunt facerent, et res publica ex illis et ipsi ex invidia minus laborarent.

Appeal to the Court against Chrysogonus

LII. **53**. Verum si a Chrysogono, judices, non impetramus, ut pecunia nostra contentus sit, vitam ne petat, — si ille adduci non potest, ut, cum ademerit nobis omnia quae nostra erant propria, ne lucem quoque hanc, quae communis est, eripere cupiat, — si non satis habet avaritiam suam pecunia explere, nisi etiam crudelitati sanguis praebitus sit, — unum perfugium, judices, una spes reliqua est Sex. Roscio, eadem quae rei publicae, vestra pristina bonitas et misericordia. Quae si manet, salvi etiam nunc esse possumus; sin ea crudelitas, quae hoc tempore in re publica versata est, vestros quoque animos — id quod fieri profecto non potest — duriores acerbioresque reddidit, actum est, judices: inter feras satius est aetatem degere, quam in hac tanta immanitate versari. **54**. Ad eamne rem vos reservati estis, ad eamne rem delecti, ut eos condemnaretis, quos sectores ac sicarii jugulare non potuissent? Solent hoc boni imperatores facere, cum proelium committunt, ut in eo loco quo fugam hostium fore arbitrentur milites conlocent, in quos, si qui ex acie fugerint, de improviso incidant. Nimirum similiter arbitrantur isti bonorum emptores, — vos hic, talis viros, sedere, qui excipiatis eos qui de suis manibus effugerint. Di prohibeant, judices, ut hoc, quod majores consilium publicum vocari voluerunt, praesidium sectorum existimetur.

Real Danger to Roscius Comes from Greed of Dominant Party

55. An vero, judices, vos non intellegitis nihil aliud agi nisi ut proscriptorum liberi quavis ratione tollantur, et ejus rei initium in vestro jurejurando atque in Sex. Rosci periculo quaeri? Dubiumne est ad quem maleficium pertineat, cum videatis ex altera parte sectorem, inimicum, sicarium eundemque accusatorem hoc tempore; ex altera parte egentem, probatum suis filium, in quo non modo culpa nulla, sed ne suspicio quidem potuit consistere? LIII. **56.** Numquid huic aliud videtis obstare [Roscio], nisi quod patris bona venierunt? Quodsi id vos suscipitis, et eam ad rem operam vestram profitemini, si idcirco sedetis, ut ad vos adducantur eorum liberi quorum bona venierunt, cavete, per deos immortalis, judices, ne nova et multo crudelior per vos proscriptio instaurata esse videatur. Illam priorem, quae facta est in eos qui arma capere potuerunt, tamen senatus suscipere noluit, ne quid acrius quam more majorum comparatum esset publico consilio factum videretur. Hanc vero, quae ad eorum liberos atque ad infantium puerorum incunabula pertinet, nisi hoc judicio a vobis reicitis et aspernamini, videte, per deos immortalis, quem in locum rem publicam perventuram putetis.

The Court Implored to Rescue him

57. Homines sapientes et ista auctoritate et potestate praeditos, qua vos estis, ex quibus rebus maxime res publica laborat, eis maxime mederi convenit. Vestrum nemo est quin intellegat populum Romanum, qui quondam in hostis lenissimus existimabatur, hoc tempore domestica crudelitate laborare. Hanc tollite ex civitate, judices.

Hanc pati nolite diutius in hac re publica versari. Quae non modo id habet in se mali, quod tot civis atrocissime sustulit, verum etiam hominibus lenissimis ademit misericordiam consuetudine incommodorum. Nam cum omnibus horis aliquid atrociter fieri videmus aut audimus, etiam qui natura mitissimi sumus, adsiduitate molestiarum sensum omnem humanitatis ex animis amittimus.

IMPEACHMENT OF VERRES

(*In C. Verrem*)

B.C. 70

CAIUS VERRES, a man of noble birth, but notorious for his crimes and exactions in the civil war and in the offices he had held since, was city prætor (*praetor urbanus*) B.C. 74. At the close of his term of office, he went, in accordance with the law, as proprætor, to govern the province of Sicily. By reason of the disturbed condition of Italy, from the revolt of Spartacus, he was not relieved at the end of a year, as the law required, but continued two years longer in the government of the province, when he was succeeded by Lucius Cæcilius Metellus. During these three years he was guilty of the most abominable oppressions and exactions; and the Sicilians, as soon as they were relieved of his presence, brought suit against him in the court of *Repetundae* (that for the trial of cases of Extortion), then presided over by the prætor Manius Acilius Glabrio. To conduct the prosecution they had recourse to Cicero, who already stood high among Roman advocates, and who was personally known and trusted by the Sicilians on account of his honorable administration of the quæstorship in their island in B.C. 77. Cicero willingly took charge of the case, the more so as the counsel for Verres was Hortensius, the leading lawyer of the time, against whom he was eager to measure his strength.

Although the cruelty and rapacity of Verres were notorious, yet his relations to the Roman nobility insured him the same kind of support at home which recently, under somewhat similar circumstances, was afforded to Governor Eyre in England, on his return from Jamaica: not only Hortensius, but Curio, a man of excellent reputation, with members of the eminent families of Scipio and Metellus, stood firmly by him. The only hope of Verres lay in preventing a fair and speedy trial. First he tried to obtain a prosecutor who should be in collusion with him, and would not push him too hard. For this purpose one Cæcilius was put forward, an insignificant person, but a native of Sicily. Cicero's first speech in the case (*In Q. Caecilium*) was therefore a preliminary argument before the prætor Glabrio in person, to show that he, rather than Cæcilius, should be allowed to conduct the case. This it was not hard to do, and he set out at once for Sicily to collect evidence, for which purpose he was allowed one hundred and ten days.

To consume time the opposition had planned to bring before the same court a trumped-up action against another provincial governor which should have precedence of the trial of Verres. To this end they had procured for the prosecutor in the rival suit an allowance of one hundred and eight days for collecting evidence in Achaia — or two days less than the time which Cicero was expected to need. This intrigue was foiled by Cicero's industry and skill. He used not quite half of the time allowed him, arriving in Rome, with ample evidence, not only before the prosecutor in the rival case was ready, but even before the latter had left Italy on his pretended tour of investigation. The trial of Verres was now fixed for Aug. 5, B.C. 70 (consulship of Pompey and Crassus).

Meantime (in the latter part of July) the elections were held for the next year. As was the custom in Rome, these occurred several months before the newly elected magistrates were to enter upon their offices. The successful candidates, under the title of *designati*, enjoyed a dignity almost equal to that of the actual magistrates, although with no real power (see ch. ix.). In these elections Cicero was designated ædile; but his rival Hortensius was chosen consul, with Quintus Metellus Creticus, Verres' fast friend, as his colleague. More than this, Marcus Metellus, brother of Quintus, was chosen prætor, and the lot fell to him to preside the next year in the court of *Repetundae*. If now the trial could be put over till the next year, when Hortensius and the two Metelli would be in the three most influential positions in the

State, Verres felt quite sure of getting clear. Neither did it seem as if this would be very hard to bring about; for the last six months of the Roman year were so full of festivals and other days on which the court could not sit, that the case would be liable to constant interruptions and delays. The postponement would have disappointed Cicero sorely, for, by good luck in drawing the names, and sagacity in challenging, he had a jury that he could trust, and he was not willing to run the risk of a change.

Under these circumstances Cicero made the second speech of the Verrine group — that which is known as the *Actio Prima* (included in the present edition, pp. 28–47 below). In this oration he declared his intention of departing from the usual course of procedure in order to push the trial through before the New Year. It was customary for the prosecutor, after opening the case (as in the present speech), to present his proofs and arguments in a long connected oration (or a series of orations); there followed a reply from the defendant's counsel, and then the witnesses were introduced. Cicero, omitting the long statement just described, proceeded to bring forward his witnesses immediately. Since the only hope of the defence lay in putting off the trial, Cicero's promptitude was decisive: Hortensius soon threw up his case, and Verres went into exile, with a name forever associated with extortion and misgovernment. Full restitution of the plunder was, however, not obtained: a compromise was made, by which a less sum was paid in satisfaction of the claims. The five speeches known as the "Accusation" proper (*Actio Secunda*) were never delivered, but were written out and published in order to put on record the facts which Cicero had gathered with so much pains, and to give a specimen of his powers in the way of forensic composition.

The Senatorial Jurors have a Chance to Retrieve their Reputation

QUOD erat optandum maxime, judices, et quod unum ad invidiam vestri ordinis infamiamque judiciorum sedandam maxime pertinebat, id non humano consilio, sed prope divinitus datum atque oblatum vobis summo rei publicae tempore videtur. Inveteravit enim jam opinio perniciosa rei publicae, vobisque periculosa, quae non modo apud populum Romanum, sed etiam apud exteras nationes, omnium sermone percrebruit: his judiciis quae nunc sunt, pecuniosum hominem, quamvis sit nocens, neminem posse damnari. **2.** Nunc, in ipso discrimine ordinis judiciorumque vestrorum, cum sint parati qui contionibus et legibus hanc invidiam senatus inflammare conentur, [reus] in judicium adductus est [C. Verres], homo vita atque factis omnium jam opinione damnatus, pecuniae magnitudine sua spe et praedicatione absolutus.

Huic ego causae, judices, cum summa voluntate et exspectatione populi Romani, actor accessi, non ut augerem invidiam ordinis, sed ut infamiae communi succurrerem. Adduxi enim hominem, in quo reconciliare existimationem judiciorum amissam, redire in gratiam cum populo Romano, satis facere exteris nationibus, possetis; depeculatorem aerari, vexatorem Asiae atque Pamphyliae, praedonem juris urbani, labem atque perniciem provinciae Siciliae. **3.** De quo si vos vere ac religiose judicaveritis, auctoritas ea, quae in vobis remanere debet, haerebit; sin istius ingentes divitiae judiciorum religionem veritatemque perfregerint, ego hoc tamen adsequar, ut judicium potius rei publicae, quam aut reus judicibus, aut accusator reo, defuisse videatur.

Bribery the Defendant's Only Hope

II. Equidem, ut de me confitear, judices, cum multae mihi a C. Verre insidiae terra marique factae sint, quas partim mea diligentia devitarim, partim amicorum studio officioque repulerim; numquam tamen neque tantum periculum mihi adire visus sum, neque tanto opere pertimui, ut nunc in ipso judicio. **4.** Neque tantum me exspectatio accusationis meae, concursusque tantae multitudinis (quibus ego rebus vehementissime perturbor) commovet, quantum istius insidiae nefariae, quas uno tempore mihi, vobis, M'. Glabrioni, populo Romano, sociis, exteris nationibus, ordini, nomini denique senatorio, facere conatur: qui ita dictitat, eis esse metuendum, qui quod ipsis solis satis esset surripuissent; se tantum eripuisse, ut id multis satis esse possit; nihil esse tam sanctum quod non violari, nihil tam munitum quod non expugnari pecunia possit.

His Designs Patent

5. Quod si quam audax est ad conandum, tam esset obscurus in agendo, fortasse aliqua in re nos aliquando fefellisset. Verum hoc adhuc percommode cadit, quod cum incredibili ejus audacia singularis stultitia conjuncta est. Nam, ut apertus in corripiendis pecuniis fuit, sic in spe corrumpendi judici, perspicua sua consilia conatusque omnibus fecit. Semel, ait, se in vita pertimuisse, tum cum primum a me reus factus sit; quod, cum e provincia recens esset, invidiaque et infamia non recenti, sed vetere ac diuturna flagraret, tum, ad judicium corrumpendum, tempus alienum offenderet. 6. Itaque, cum ego diem in Siciliam inquirendi perexiguam postulavissem, invenit iste, qui sibi in Achaiam biduo breviorem diem postularet,—non ut is idem conficeret diligentia et industria sua quod ego meo labore et vigiliis consecutus sum, etenim ille Achaicus inquisitor ne Brundisium quidem pervenit; ego Siciliam totam quinquaginta diebus sic obii, ut omnium populorum privatorumque literas injuriasque cognoscerem; ut perspicuum cuivis esse posset, hominem ab isto quaesitum esse, non qui reum suum adduceret, sed qui meum tempus obsideret.

He is Intriguing for Postponement

III. 7. Nunc homo audacissimus atque amentissimus hoc cogitat. Intellegit me ita paratum atque instructum in judicium venire, ut non modo in auribus vestris, sed in oculis omnium, sua furta atque flagitia defixurus sim. Videt senatores multos esse testis audaciae suae; videt multos equites Romanos frequentis praeterea civis atque socios, quibus ipse insignis injurias fecerit. Videt etiam tot tam gravis ab amicissimis civitatibus legationes, cum publicis auctoritatibus convenisse. **8.** Quae cum ita sint, usque eo de omnibus bonis male existimat, usque eo senatoria judicia perdita profligataque esse arbitratur, ut hoc palam dictitet, non sine causa se cupidum pecuniae fuisse, quoniam in pecunia tantum praesidium experiatur esse: sese (id quod difficillimum fuerit) tempus ipsum emisse judici sui, quo cetera facilius emere postea posset; ut, quoniam criminum vim subterfugere nullo modo poterat, procellam temporis devitaret.

But the Court is Incorruptible

9. Quod si non modo in causa, verum in aliquo honesto praesidio, aut in alicujus eloquentia aut gratia, spem aliquam conlocasset, profecto non haec omnia conligeret atque aucuparetur; non usque eo despiceret contemneretque ordinem senatorium, ut arbitratu ejus deligeretur ex senatu, qui reus fieret; qui, dum hic quae opus essent compararet, causam interea ante eum diceret. **10.** Quibus ego rebus quid iste speret et quo animum intendat, facile perspicio. Quam ob rem vero se confidat aliquid perficere posse, hoc praetore, et hoc consilio, intellegere non possum. Unum illud intellego (quod populus Romanus in rejectione judicum judicavit), ea spe istum fuisse praeditum ut omnem rationem salutis in pecunia constitueret; hoc erepto praesidio, ut nullam sibi rem adjumento fore arbitraretur.

Earlier Crimes of Verres

IV. Etenim quod est ingenium tantum, quae tanta facultas dicendi aut copia, quae istius vitam, tot vitiis flagitiisque convictam, jampridem omnium voluntate judicioque damnatam, aliqua ex parte possit defendere? **11.** Cujus ut adulescentiae maculas ignominiasque praeteream, quaestura [primus gradus honoris] quid aliud habet in se, nisi [Cn. Carbonem spoliatum] a quaestore suo pecunia publica nudatum et proditum consulem? desertum exercitum? relictam provinciam? sortis necessitudinem religionemque violatam? Cujus legatio exitium fuit Asiae totius et Pamphyliae: quibus in provinciis multas domos, plurimas urbis, omnia fana depopulatus est, tum cum [in Cn. Dolabellam] suum scelus illud pristinum renovavit et instauravit quaestorium; cum eum, cui et legatus et pro quaestore fuisset, et in invidiam suis maleficiis adduxit, et in ipsis periculis non solum deseruit, sed etiam oppugnavit ac prodidit. **12.** Cujus praetura urbana aedium sacrarum fuit publicorumque operum depopulatio; simul in jure dicundo, bonorum possessionumque, contra omnium instituta, addictio et condonatio.

His Reckless Career in Sicily

Jam vero omnium vitiorum suorum plurima et maxima constituit monumenta et indicia in provincia Sicilia; quam iste per triennium ita vexavit ac perdidit ut ea restitui in antiquum statum nullo modo possit; vix autem per multos annos, innocentisque praetores, aliqua ex parte recreari aliquando posse videatur. **13.** Hoc praetore, Siculi neque suas leges, neque nostra senatus-consulta, neque communia jura tenuerunt. Tantum quisque habet in Sicilia, quantum hominis avarissimi et libidinosissimi aut imprudentiam subterfugit, aut satietati superfuit.

V. Nulla res per triennium, nisi ad nutum istius, judicata est: nulla res cujusquam tam patria atque avita fuit, quae non ab eo, imperio istius, abjudicaretur. Innumerabiles pecuniae ex aratorum bonis novo nefarioque instituto coactae; socii fidelissimi in hostium numero existimati; cives Romani servilem in modum cruciati et necati; homines nocentissimi propter pecunias judicio liberati; honestissimi atque integerrimi, absentes rei facti, indicta causa damnati et ejecti; portus munitissimi, maximae tutissimaeque urbes piratis praedonibusque patefactae; nautae militesque Siculorum, socii nostri atque amici, fame necati; classes optimae atque opportunissimae, cum magna ignominia populi Romani, amissae et perditae. **14**. Idem iste praetor monumenta antiquissima, partim regum locupletissimorum, quae illi ornamento urbibus esse voluerunt, partim etiam nostrorum imperatorum, quae victores civitatibus Siculis aut dederunt aut reddiderunt, spoliavit, nudavitque omnia. Neque hoc solum in statuis ornamentisque publicis fecit; sed etiam delubra omnia, sanctissimis religionibus consecrata, depeculatus est. Deum denique nullum Siculis, qui ei paulo magis adfabre atque antiquo artificio factus videretur, reliquit. In stupris vero et flagitiis, nefarias ejus libidines commemorare pudore deterreor: simul illorum calamitatem commemorando augere nolo, quibus liberos conjugesque suas integras ab istius petulantia conservare non licitum est.

His Guilt is Notorious

15. At enim haec ita commissa sunt ab isto, ut non cognita sint ab hominibus? Hominem arbitror esse neminem, qui nomen istius audierit, quin facta quoque ejus nefaria commemorare possit; ut mihi magis timendum sit, ne multa crimina praetermittere, quam ne qua in istum fingere, existimer. Neque enim mihi videtur haec multitudo, quae ad audiendum convenit, cognoscere ex me causam voluisse, sed ea, quae scit, mecum recognoscere.

Hence he Trusts in Bribery Alone

VI. Quae cum ita sint, iste homo amens ac perditus alia mecum ratione pugnat. Non id agit, ut alicujus eloquentiam mihi opponat; non gratia, non auctoritate cujusquam, non potentia nititur. Simulat his se rebus confidere, sed video quid agat (neque enim agit occultissime): proponit inania mihi nobilitatis, hoc est, hominum adrogantium, nomina; qui non tam me impediunt quod nobiles sunt, quam adjuvant quod noti sunt. Simulat se eorum praesidio confidere, cum interea aliud quiddam jam diu machinetur.

Previous Attempts at Bribery

16. Quam spem nunc habeat in manibus, et quid moliatur, breviter jam, judices, vobis exponam: sed prius, ut ab initio res ab eo constituta sit, quaeso, cognoscite. Ut primum e provincia rediit, redemptio est hujus judici facta grandi pecunia. Mansit in condicione atque pacto usque ad eum finem, dum judices rejecti sunt. Postea quam rejectio judicum facta est — quod et in sortitione istius spem fortuna populi Romani, et in reiciendis judicibus mea diligentia, istorum impudentiam vicerat — renuntiata est tota condicio. **17.** Praeclare se res habebat. Libelli nominum vestrorum, consilique hujus, in manibus erant omnium. Nulla nota, nullus color, nullae sordes videbantur his sententiis adlini posse: cum iste repente, ex alacri atque laeto, sic erat humilis atque demissus, ut non modo populo Romano, sed etiam sibi ipse, condemnatus videretur.

The Election Gives him Fresh Courage

Ecce autem repente, his diebus paucis comitiis consularibus factis, eadem illa vetera consilia pecunia majore repetuntur; eaedemque vestrae famae fortunisque omnium insidiae per eosdem homines comparantur. Quae res primo, judices, pertenui nobis argumento indicioque patefacta est: post, aperto suspicionis introitu, ad omnia intima istorum consilia sine ullo errore pervenimus.

VII. **18.** Nam, ut Hortensius, consul designatus, domum reducebatur e Campo, cum maxima frequentia ac multitudine fit obviam casu ei multitudini C. Curio; quem ego hominem honoris [potius quam contumeliae] causa nominatum volo.

Etenim ea dicam, quae ille, si commemorari noluisset, non tanto in conventu, tam aperte palamque dixisset: quae tamen a me pedetentim cauteque dicentur; ut et amicitiae nostrae et dignitatis illius habita ratio esse intellegatur.

19. Videt ad ipsum fornicem Fabianum in turba Verrem: appellat hominem, et ei voce maxima gratulatur: ipsi Hortensio, qui consul erat factus, propinquis necessariisque ejus, qui tum aderant, verbum nullum facit: cum hoc consistit; hunc amplexatur; hunc jubet sine cura esse. 'Renuntio,' inquit, 'tibi, te hodiernis comitiis esse absolutum.' Quod cum tam multi homines honestissimi audissent, statim ad me defertur: immo vero, ut quisque me viderat, narrabat. Aliis illud indignum, aliis ridiculum, videbatur: ridiculum eis qui istius causam in testium fide, in criminum ratione, in judicum potestate, non in comitiis consularibus, positam arbitrabantur: indignum eis, qui altius aspiciebant, et hanc gratulationem ad judicium corrumpendum spectare videbant. **20.** Etenim sic ratiocinabantur, sic honestissimi homines inter se et mecum loquebantur: aperte jam et perspicue nulla esse judicia. Qui reus pridie jam ipse se condemnatum putabat, is, postea quam defensor ejus consul est factus, absolvitur! Quid igitur? quod tota Sicilia, quod omnes Siculi, omnes negotiatores, omnes publicae privataeque litterae Romae sunt, nihilne id valebit? nihil, invito consule designato! Quid? judices non crimina, non testis, non existimationem populi Romani sequentur? Non: omnia in unius potestate ac moderatione vertentur.

His Friend Metellus is to be Judge Next Year

VIII. Vere loquar, judices: vehementer me haec res commovebat. Optimus enim quisque ita loquebatur: iste quidem tibi eripietur: sed nos non tenebimus judicia diutius. Etenim quis poterit, Verre absoluto, de transferendis judiciis recusare? **21.** Erat omnibus molestum: neque eos tam istius hominis perditi subita laetitia, quam hominis amplissimi nova gratulatio, commovebat. Cupiebam dissimulare me id moleste ferre: cupiebam animi dolorem vultu tegere, et taciturnitate celare. Ecce autem, illis ipsis diebus, cum praetores designati sortirentur, et M. Metello obtigisset, ut is de pecuniis repetundis quaereret, nuntiatur mihi tantam isti gratulationem esse factam, ut is domum quoque pueros mitteret, qui uxori suae nuntiarent.

Attempt to Defeat Cicero's Election as Ædile

22. Sane ne haec quidem mihi res placebat: neque *tamen*, tanto opere quid in hac sorte metuendum mihi esset, intellegebam. Unum illud ex hominibus certis, ex quibus omnia comperi, reperiebam: fiscos compluris cum pecunia Siciliensi, a quodam senatore ad equitem Romanum esse translatos: ex his quasi decem fiscos ad senatorem illum relictos esse, comitiorum meorum nomine: divisores omnium tribuum noctu ad istum vocatos. **23**. Ex quibus quidam, qui se omnia mea causa debere arbitrabatur, eadem illa nocte ad me venit: demonstrat, qua iste oratione usus esset: commemorasse istum, quam liberaliter eos tractasset [etiam] antea, cum ipse praeturam petisset, et proximis consularibus praetoriisque comitiis: deinde continuo esse pollicitum, quantam vellent pecuniam, si me aedilitate dejecissent. Hic alios negasse audere; alios respondisse, non putare id perfici posse: inventum tamen esse fortem amicum, ex eadem familia, Q. Verrem, Romilia, ex optima divisorum disciplina, patris istius discipulum atque amicum, qui, HS quingentis milibus depositis, id se perfecturum polliceretur: et fuisse tum non nullos, qui se una facturos esse dicerent. Quae cum ita essent, sane benevolo animo me, ut magno opere caverem praemonebat.

Cicero Made Anxious, but Finally Elected

IX. **24.** Sollicitabar rebus maximis uno atque eo perexiguo tempore. Urgebant comitia; et in his ipsis oppugnabar grandi pecunia. Instabat judicium: ei quoque negotio fisci Sicilienses minabantur. Agere quae ad judicium pertinebant libere, comitiorum metu deterrebar: petitioni toto animo servire, propter judicium non licebat. Minari denique divisoribus ratio non erat, propterea quod eos intellegere videbam me hoc judicio districtum atque obligatum futurum. **25.** Atque hoc ipso tempore Siculis denuntiatum esse audio, primum ab Hortensio, domum ad illum ut venirent: Siculos in eo sane liberos fuisse; qui quam ob rem arcesserentur cum intellegerent, non venisse. Interea comitia nostra, quorum iste se, ut ceterorum hoc anno comitiorum, dominum esse arbitrabatur, haberi coepta sunt. Cursare iste homo potens, cum filio blando et gratioso, circum tribus: paternos amicos, hoc est divisores, appellare omnes et convenire. Quod cum esset intellectum et animadversum, fecit animo libentissimo populus Romanus, ut cujus divitiae me de fide deducere non potuissent, ne ejusdem pecunia de honore deicerer.

Consuls Elect Intrigue for Postponement

26. Postea quam illa petitionis magna cura liberatus sum, animo coepi multo magis vacuo ac soluto, nihil aliud nisi de judicio agere et cogitare. Reperio, judices, haec ab istis consilia inita et constituta, ut, quacumque posset ratione, res ita duceretur, ut apud M. Metellum praetorem causa diceretur. In eo esse haec commoda: primum M. Metellum amicissimum; deinde Hortensium consulem non * [solum, sed] etiam Q. Metellum, qui quam isti sit amicus attendite: dedit enim praerogativam suae voluntatis ejus modi, ut isti pro praerogativis eam reddidisse videatur.

27. An me taciturum tantis de rebus existimavistis? et me, in tanto rei publicae existimationisque meae periculo, cuiquam consulturum potius quam officio et dignitati meae? Arcessit alter consul designatus Siculos: veniunt non nulli, propterea quod L. Metellus esset praetor in Sicilia. Cum iis ita loquitur: se consulem esse; fratrem suum alterum Siciliam provinciam obtinere, alterum esse quaesiturum de pecuniis repetundis; Verri ne noceri possit multis rationibus esse provisum.

X. **28**. Quid est, quaeso, Metelle, judicium corrumpere, si hoc non est? testis, praesertim [Siculos], timidos homines et adflictos, non solum auctoritate deterrere, sed etiam consulari metu, et duorum praetorum potestate? Quid faceres pro innocente homine et propinquo, cum propter hominem perditissimum atque alienissimum de officio ac dignitate decedis, et committis, ut, quod ille dictitat, alicui, qui te ignoret, verum esse videatur?

Next Year a more Pliable Court

29. Nam hoc Verrem dicere aiebant, te non fato, ut ceteros ex vestra familia, sed opera sua consulem factum. Duo igitur consules et quaesitor erunt ex illius voluntate. 'Non solum effugiemus' inquit 'hominem in quaerendo nimium diligentem, nimium servientem populi existimationi, M'. Glabrionem: accedet etiam nobis illud. Judex est M. Caesonius, conlega nostri accusatoris, homo in rebus judicandis spectatus et cognitus, quem minime expediat esse in eo consilio quod conemur aliqua ratione corrumpere: propterea quod jam antea, cum judex in Juniano consilio fuisset, turpissimum illud facinus non solum graviter tulit, sed etiam in medium protulit. Hunc judicem ex Kal. Januariis non habebimus. **30**. Q. Manlium, et Q. Cornificium, duos severissimos atque integerrimos judices, quod tribuni plebis tum erunt, judices non habebimus. P. Sulpicius, judex tristis et integer, magistratum ineat oportet Nonis Decembribus. M. Crepereius, ex acerrima illa equestri familia et disciplina; L. Cassius ex familia cum ad ceteras res tum ad judicandum severissima; Cn. Tremellius, homo summa religione et diligentia, — tres hi, homines veteres, tribuni militares sunt designati: ex Kal. Januariis non judicabunt. Subsortiemur etiam in M. Metelli locum, quoniam is huic ipsi quaestioni praefuturus est. Ita secundum Kalendas Januarias, et praetore et prope toto consilio commutato, magnas accusatoris minas, magnamque exspectationem judici, ad nostrum arbitrium libidinemque eludemus.'

Remainder of this Year dangerously Short

31. Nonae sunt hodie Sextiles: hora VIII. convenire coepistis. Hunc diem jam ne numerant quidem. Decem dies sunt ante ludos votivos, quos Cn. Pompeius facturus est. Hi ludi dies quindecim auferent: deinde continuo Romani consequentur. Ita prope XL. diebus interpositis, tum denique se ad ea quae a nobis dicta erunt responsuros esse arbitrantur: deinde se ducturos, et dicendo et excusando, facile ad ludos Victoriae. Cum his plebeios esse conjunctos; secundum quos aut nulli aut perpauci dies ad agendum futuri sunt. Ita defessa ac refrigerata accusatione, rem integram ad M. Metellum praetorem esse venturam: quem ego hominem, si ejus fidei diffisus essem, judicem non retinuissem. **32.** Nunc tamen hoc animo sum, ut eo judice quam praetore hanc rem transigi malim; et jurato suam quam injurato aliorum tabellas committere.

Cicero's Plan for Despatch

XI. Nunc ego, judices, jam vos consulo, quid mihi faciendum putetis. Id enim consili mihi profecto taciti dabitis, quod egomet mihi necessario capiendum intellego. Si utar ad dicendum meo legitimo tempore, mei laboris, industriae, diligentiaeque capiam fructum; et [ex accusatione] perficiam ut nemo umquam post hominum memoriam paratior, vigilantior, compositior ad judicium venisse videatur. Sed, in hac laude industriae meae, reus ne elabatur summum periculum est. Quid est igitur quod fieri possit? Non obscurum, opinor, neque absconditum. **33**. Fructum istum laudis, qui ex perpetua oratione percipi potuit, in alia tempora reservemus: nunc hominem tabulis, testibus, privatis publicisque litteris auctoritatibusque accusemus. Res omnis mihi tecum erit, Hortensi. Dicam aperte: si te mecum dicendo ac diluendis criminibus in hac causa contendere putarem, ego quoque in accusando atque in explicandis criminibus operam consumerem; nunc, quoniam pugnare contra me instituisti, non tam ex tua natura quam ex istius tempore et causa [malitiose], necesse est istius modi rationi aliquo consilio obsistere. **34**. Tua ratio est, ut secundum binos ludos mihi respondere incipias; mea, ut ante primos ludos comperendinem. Ita fit ut tua ista ratio existimetur astuta, meum hoc consilium necessarium.

Corrupt Influence of Hortensius Dangerous

XII. Verum illud quod institueram dicere, mihi rem tecum esse, hujus modi est. Ego cum hanc causam Siculorum rogatu recepissem, idque mihi amplum et praeclarum existimassem, eos velle meae fidei diligentiaeque periculum facere, qui innocentiae abstinentiaeque fecissent; tum suscepto negotio, majus quiddam mihi proposui, in quo meam in rem publicam voluntatem populus Romanus perspicere posset. **35**. Nam illud mihi nequaquam dignum industria conatuque meo videbatur, istum a me in judicium, jam omnium judicio condemnatum, vocari, nisi ista tua intolerabilis potentia, et ea cupiditas qua per hosce annos in quibusdam judiciis usus es, etiam in istius hominis desperati causa interponeretur. Nunc vero, quoniam haec te omnis

HORTENSIUS

(Bust in the Villa Albani, Rome)

dominatio regnumque judiciorum tanto opere delectat, et sunt homines quos libidinis infamiaeque suae neque pudeat neque taedeat, — qui, quasi de industria, in odium offensionemque populi Romani inruere videantur, — hoc me profiteor suscepisse, magnum fortasse onus et mihi periculosissimum, verum tamen dignum in quo omnis nervos aetatis industriaeque meae contenderem.

36. Quoniam totus ordo paucorum improbitate et audacia premitur et urgetur infamia judiciorum, profiteor huic generi hominum me inimicum accusatorem, odiosum, adsiduum, acerbum adversarium. Hoc mihi sumo, hoc mihi deposco, quod agam in magistratu, quod agam ex eo loco ex quo me populus Romanus ex Kal. Januariis secum agere de re publica ac de hominibus improbis voluit: hoc munus aedilitatis meae populo Romano amplissimum pulcherrimumque polliceor. Moneo, praedico, ante denuntio; qui aut deponere, aut accipere, aut recipere, aut polliceri, aut sequestres aut interpretes corrumpendi judici solent esse, quique ad hanc rem aut potentiam aut impudentiam suam professi sunt, abstineant in hoc judicio manus animosque ab hoc scelere nefario.

This Influence must be Met by Proofs of Corruption

XIII. **37.** Erit tum consul Hortensius cum summo imperio et potestate; ego autem aedilis, hoc est, paulo amplius quam privatus. Tamen hujus modi haec res est, quam me acturum esse polliceor, ita populo Romano grata atque jucunda, ut ipse consul in hac causa prae me minus etiam (si fieri possit) quam privatus esse videatur. Omnia non modo commemorabuntur, sed etiam, expositis certis rebus, agentur, quae inter decem annos, postea quam judicia ad senatum translata sunt, in rebus judicandis nefarie flagitioseque facta sunt. **38.** Cognoscet ex me populus Romanus quid sit, quam ob rem, cum equester ordo judicaret, annos prope quinquaginta continuos, in nullo judice [equite Romano judicante] ne tenuissima quidem suspicio acceptae pecuniae ob rem judicandam constituta sit: quid sit quod, judiciis ad senatorium ordinem translatis, sublataque populi Romani in unum quemque vestrum potestate, Q. Calidius damnatus dixerit, minoris HS triciens praetorium hominem honeste non posse damnari: quid sit quod, P. Septimio senatore damnato, Q. Hortensio praetore, de pecuniis repetundis lis aestimata sit eo nomine, quod ille ob rem judicandam pecuniam accepisset; **39**. quod in C. Herennio, quod in C. Popilio, senatoribus, qui ambo peculatus damnati sunt; quod in M. Atilio, qui de majestate damnatus est, hoc planum factum sit, eos pecuniam ob rem judicandam accepisse; quod inventi sint senatores, qui, C. Verre praetore urbano sortiente, exirent in eum reum, quem incognita causa condemnarent; quod inventus sit senator, qui, cum judex esset, in eodem judicio et ab reo pecuniam acciperet quam judicibus divideret, et ab accusatore, ut reum condemnaret. **40**. Jam vero quo modo illam labem, ignominiam, calamitatemque totius ordinis conquerar? hoc factum esse in hac civitate, cum senatorius ordo judicaret, ut discoloribus signis juratorum hominum sententiae notarentur? Haec omnia me diligenter severeque acturum esse, polliceor.

Acquittal of Verres Subversive of Whole Judicial System

XIV. Quo me tandem animo fore putatis, si quid in hoc ipso judicio intellexero simili aliqua ratione esse violatum atque commissum? cum planum facere multis testibus possim, C. Verrem in Sicilia, multis audientibus, saepe dixisse, 'se habere hominem potentem, cujus fiducia provinciam spoliaret: neque sibi soli pecuniam quaerere, sed ita triennium illud praeturae Siciliensis distributum habere, ut secum praeclare agi diceret, si unius anni quaestum in rem suam converteret; alterum patronis et defensoribus traderet; tertium illum uberrimum quaestuosissimumque annum totum judicibus reservaret.'

41. Ex quo mihi venit in mentem illud dicere (quod apud M'. Glabrionem nuper cum in reiciundis judicibus commemorassem, intellexi vehementer populum Romanum commoveri), me arbitrari, fore uti nationes exterae legatos ad populum Romanum mitterent, ut lex de pecuniis repetundis judiciumque tolleretur. Si enim judicia nulla sint, tantum unum quemque ablaturum putant, quantum sibi ac liberis suis satis esse arbitretur: nunc, quod ejus modi judicia sint, tantum unum quemque auferre, quantum sibi, patronis, advocatis, praetori, judicibus, satis futurum sit: hoc profecto infinitum esse: se avarissimi hominis cupiditati satisfacere posse, nocentissimi victoriae non posse.

42. O commemoranda judicia, praeclaramque existimationem nostri ordinis! cum socii populi Romani judicia de pecuniis repetundis fieri nolunt, quae a majoribus nostris sociorum causa comparata sunt. An iste umquam de se bonam spem habuisset, nisi de vobis malam opinionem animo imbibisset? Quo majore etiam (si fieri potest) apud vos odio esse debet, quam est apud populum Romanum, cum in avaritia, scelere, perjurio, vos sui similis esse arbitretur.

Jurors Urged to Vindicate the Courts

XV. **43.** Cui loco (per deos immortalis!), judices, consulite ac providete. Moneo praedicoque — id quod intellego — tempus hoc vobis divinitus datum esse, ut odio, invidia, infamia, turpitudine, totum ordinem liberetis. Nulla in judiciis severitas, nulla religio, nulla denique jam existimantur esse judicia. Itaque a populo Romano contemnimur, despicimur: gravi diuturnaque jam flagramus infamia. **44.** Neque enim ullam aliam ob causam populus Romanus tribuniciam potestatem tanto studio requisivit; quam cum poscebat, verbo illam poscere videbatur, re vera judicia poscebat. Neque hoc Q. Catulum, hominem sapientissimum atque amplissimum, fugit, qui (Cn. Pompeio, viro fortissimo et clarissimo, de tribunicia potestate referente), cum esset sententiam rogatus, hoc initio est summa cum auctoritate usus: 'Patres conscriptos judicia male et flagitiose tueri: quod si in rebus judicandis, populi Romani existimationi satis facere voluissent, non tanto opere homines fuisse tribuniciam potestatem desideraturos.' **45.** Ipse denique Cn. Pompeius, cum primum contionem ad urbem consul designatus habuit, ubi (id quod maxime exspectari videbatur) ostendit se tribuniciam potestatem restituturum, factus est in eo strepitus, et grata contionis admurmuratio. Idem in eadem contione cum dixisset 'populatas vexatasque esse provincias; judicia autem turpia ac flagitiosa fieri; ei rei se providere ac consulere velle;' tum vero non strepitu, sed maximo clamore, suam populus Romanus significavit voluntatem.

All Rome is on the Watch

XVI. **46.** Nunc autem homines in speculis sunt: observant quem ad modum sese unus quisque nostrum gerat in retinenda religione, conservandisque legibus. Vident adhuc, post legem tribuniciam, unum senatorem hominem vel tenuissimum esse damnatum: quod tametsi non reprehendunt, tamen magno opere quod laudent non habent. Nulla est enim laus, ibi esse integrum, ubi nemo est qui aut possit aut conetur corrumpere. **47.** Hoc est judicium, in quo vos de reo, populus Romanus de vobis judicabit. In hoc homine statuetur, possitne, senatoribus judicantibus, homo nocentissimus pecuniosissimusque damnari. Deinde est ejus modi reus, in quo homine nihil sit, praeter summa peccata maximamque pecuniam; ut, si liberatus sit, nulla alia suspicio, nisi ea quae turpissima est, residere possit. Non gratia, non cognatione, non aliis recte factis, non denique aliquo mediocri vitio, tot tantaque ejus vitia sublevata esse videbuntur.

Corruption Sure to be Detected

48. Postremo ego causam sic agam, judices: ejus modi res, ita notas, ita testatas, ita magnas, ita manifestas proferam, ut nemo a vobis ut istum absolvatis per gratiam conetur contendere. Habeo autem certam viam atque rationem, qua omnis illorum conatus investigare et consequi possim. Ita res a me agetur, ut in eorum consiliis omnibus non modo aures hominum, sed etiam oculi [populi Romani] interesse videantur. **49.** Vos aliquot jam per annos conceptam huic ordini turpitudinem atque infamiam delere ac tollere potestis. Constat inter omnis, post haec constituta judicia, quibus nunc utimur, nullum hoc splendore atque hac dignitate consilium fuisse. Hic si quid erit offensum, omnes homines non jam ex eodem ordine alios magis idoneos (quod fieri non potest), sed alium omnino ordinem ad res judicandas quaerendum arbitrabuntur.

XVII. **50.** Quapropter, primum ab dis immortalibus, quod sperare mihi videor, hoc idem, judices, opto, ut in hoc judicio nemo improbus praeter eum qui jampridem inventus est reperiatur: deinde si plures improbi fuerint, hoc vobis, hoc populo Romano, judices, confirmo, vitam (mehercule) mihi prius, quam vim perseverantiamque ad illorum improbitatem persequendam defuturam.

Glabrio Urged to Stand Firm

51. Verum, quod ego laboribus, periculis, inimicitiisque meis, tum cum admissum erit dedecus severe me persecuturum esse polliceor, id ne accidat, tu tua auctoritate, sapientia, diligentia, M'. Glabrio, potes providere. Suscipe causam judiciorum: suscipe causam severitatis, integritatis, fidei, religionis: suscipe causam senatus, ut is, hoc judicio probatus, cum populo Romano et in laude et in gratia esse possit. Cogita qui sis, quo loco sis, quid dare populo

Romano, quid reddere majoribus tuis, debeas: fac tibi paternae legis [Aciliae] veniat in mentem, qua lege populus Romanus de pecuniis repetundis optimis judiciis severissimisque judicibus usus est. **52.** Circumstant te summae auctoritates, quae te oblivisci laudis domesticae non sinant; quae te noctis diesque commoneant, fortissimum tibi patrem, sapientissimum avum, gravissimum socerum fuisse. Qua re si [Glabrionis] patris vim et acrimoniam ceperis ad resistendum hominibus audacissimis; si avi [Scaevolae] prudentiam ad prospiciendas insidias, quae tuae atque horum famae comparantur; si soceri [Scauri] constantiam, ut ne quis te de vera et certa possit sententia demovere; intelleget populus Romanus, integerrimo atque honestissimo praetore, delectoque consilio, nocenti reo magnitudinem pecuniae plus habuisse momenti ad suspicionem criminis quam ad rationem salutis.

Cicero will Push the Trial

XVIII. **53.** Mihi certum est, non committere ut in hac causa praetor nobis consiliumque mutetur. Non patiar rem in id tempus adduci, ut [Siculi], quos adhuc servi designatorum consulum non moverunt, cum eos novo exemplo universos arcesserent, eos tum lictores consulum vocent; ut homines miseri, antea socii atque amici populi Romani, nunc servi ac supplices, non modo jus suum fortunasque omnis eorum imperio amittant, verum etiam deplorandi juris sui potestatem non habeant. **54.** Non sinam profecto, causa a me perorata [quadraginta diebus interpositis], tum nobis denique responderi, cum accusatio nostra in oblivionem diuturnitate adducta sit: non committam, ut tum haec res judicetur, cum haec frequentia totius Italiae Roma discesserit; quae convenit uno tempore undique, comitiorum, ludorum, censendique causa. Hujus judici et laudis fructum, et offensionis periculum, vestrum; laborem sollicitudinemque, nostram; scientiam quid agatur, memoriamque quid a quoque dictum sit, omnium puto esse oportere.

His Plan for Despatch

55. Faciam hoc non novum, sed ab eis qui nunc principes nostrae civitatis sunt ante factum, ut testibus utar statim: illud a me novum, judices, cognoscetis, quod ita testis constituam, ut crimen totum explicem; ut, ubi id [interrogando] argumentis atque oratione firmavero, tum testis ad crimen adcommodem: ut nihil inter illam usitatam accusationem atque hanc novam intersit, nisi quod in illa tunc, cum omnia dicta sunt, testes dantur; hic in singulas res dabuntur; ut illis quoque eadem interrogandi facultas, argumentandi dicendique sit. Si quis erit, qui perpetuam orationem accusationemque desideret, altera actione audiet: nunc id, quod facimus — ea ratione facimus, ut malitiae illorum consilio nostro occurramus — necessario fieri intellegat. Haec primae actionis erit accusatio.

Brief Statement of the Charges

56. Dicimus C. Verrem, cum multa libidinose, multa crudeliter, in civis Romanos atque in socios, multa in deos hominesque nefarie fecerit tum praeterea quadringentiens sestertium ex Sicilia contra leges abstulisse. Hoc testibus, hoc tabulis privatis publicisque auctoritatibus ita vobis planum faciemus, ut hoc statuatis, etiam si spatium ad dicendum nostro commodo, vacuosque dies habuissemus, tamen oratione longa nihil opus fuisse.

Dixi.

THE PLUNDER OF SYRACUSE

(*In C. Verrem: Actio II., Lib. IV., ch. 52–60*)

THE passage which follows is from the fourth oration of the *Accusatio*, the most famous of all, known as the *De Signis* because it treats chiefly of the works of art stolen by Verres. Cicero has been describing the plundering of many temples and public buildings, and in this passage he recounts in detail the case of one chief city, Syracuse, as a climax. Syracuse was by far the largest and richest of all the Greek cities of Italy and Sicily. It was a colony of Corinth, founded B.C. 734, and in course of time obtained the rule over the whole eastern part of Sicily. It remained independent, with a considerable territory, after the western part of the island (far the larger part) passed under the power of Rome in the First Punic War; but in the Second Punic War (B.C. 212) it was captured by Marcellus, and ever after was subject to Rome. It was at this time the capital of the province.

Verres the Governor: Marcellus the Conqueror

UNIUS etiam urbis omnium pulcherrimae atque ornatissimae, Syracusarum, direptionem commemorabo et in medium proferam, judices, ut aliquando totam hujus generis orationem concludam atque definiam. Nemo fere vestrum est quin quem ad modum captae sint a M. Marcello Syracusae saepe audierit, non numquam etiam in annalibus legerit. Conferte hanc pacem cum illo bello, hujus praetoris adventum cum illius imperatoris victoria, hujus cohortem impuram cum illius exercitu invicto, hujus libidines cum illius continentia: ab illo, qui cepit, conditas, ab hoc qui constitutas accepit, captas dicetis Syracusas.

2. Ac jam illa omitto, quae disperse a me multis in locis dicentur ac dicta sunt: forum Syracusanorum, quod introitu

Marcelli purum caede servatum esset, id adventu Verris Siculorum innocentium sanguine redundasse: portum Syracusanorum, qui tum et nostris classibus et Karthaginiensium clausus fuisset, eum isto praetore Cilicum myoparoni praedonibusque patuisse: mitto adhibitam vim ingenuis, matres

Coin of Syracuse

familias violatas, quae tum in urbe capta commissa non sunt neque odio hostili neque licentia militari neque more belli neque jure victoriae: mitto, inquam, haec omnia, quae ab isto per triennium perfecta sunt: ea, quae conjuncta cum illis rebus sunt, de quibus antea dixi, cognoscite.

Description of Syracuse

3. Urbem Syracusas maximam esse Graecarum, pulcherrimam omnium saepe audistis. Est, judices, ita ut dicitur. Nam et situ est cum munito tum ex omni aditu, vel terra vel mari, praeclaro ad aspectum, et portus habet prope in aedificatione aspectuque urbis inclusos: qui cum diversos inter se aditus habeant, in exitu conjunguntur et confluunt. Eorum conjunctione pars oppidi, quae appellatur Insula, mari dijuncta angusto, ponte rursus adjungitur et continetur.

LIII. **4.** Ea tanta est urbs, ut ex quattuor urbibus maximis constare dicatur: quarum una est ea quam dixi Insula, quae duobus portubus cincta, in utriusque portus ostium aditumque projecta est, in qua domus est, quae Hieronis regis fuit, qua praetores uti solent. In ea sunt aedes sacrae complures, sed duae quae longe ceteris antecellant: Dianae, et altera, quae fuit ante istius adventum ornatissima, Minervae. In hac insula extrema est fons aquae

Coin of Hiero II

dulcis, cui nomen Arethusa est, incredibili magnitudine, plenissimus piscium, qui fluctu totus operiretur, nisi munitione ac mole lapidum dijunctus esset a mari. **5.** Altera autem est urbs Syracusis, cui nomen Achradina est: in qua forum maximum, pulcherrimae porticus, ornatissimum prytaneum, amplissima est curia templumque egregium Jovis Olympii ceteraeque urbis partes, quae una via lata perpetua multisque transversis divisae privatis aedificiis continentur. Tertia est urbs, quae, quod in ea parte Fortunae fanum antiquum fuit, Tycha nominata est, in qua gymnasium amplissimum est et complures aedes sacrae: coliturque ea pars et habitatur frequentissime. Quarta autem est, quae quia postrema coaedificata est, Neapolis nominatur: quam ad summam theatrum maximum: praeterea duo templa sunt egregia, Cereris unum, alterum Liberae signumque Apollinis, qui Temenites vocatur, pulcherrimum et maximum: quod iste si portare potuisset, non dubitasset auferre.

MARCELLUS

Marcellus Touched Nothing

LIV. **6.** Nunc ad Marcellum revertar, ne haec a me sine causa commemorata esse videantur: qui cum tam praeclaram urbem vi copiisque cepisset, non putavit ad laudem populi Romani hoc pertinere, hanc pulchritudinem, ex qua praesertim periculi nihil ostenderetur, delere et exstinguere. Itaque aedificiis omnibus, publicis privatis, sacris profanis, sic pepercit, quasi ad ea defendenda cum exercitu, non oppugnanda venisset. In ornatu urbis habuit victoriae rationem, habuit humanitatis. Victoriae putabat esse multa Romam deportare, quae ornamento urbi esse possent, humanitatis non plane exspoliare urbem, praesertim quam conservare voluisset. **7.** In hac partitione ornatus non plus victoria Marcelli populo Romano appetivit quam humanitas Syracusanis reservavit. Romam quae apportata sunt, ad aedem Honoris et Virtutis itemque aliis in locis videmus. Nihil in aedibus, nihil in hortis posuit, nihil in suburbano: putavit, si urbis ornamenta domum suam non contulisset, domum suam ornamento urbi futuram. Syracusis autem permulta atque egregia reliquit: deum vero nullum violavit, nullum attigit. Conferte Verrem: non ut hominem cum homine comparetis, ne qua tali viro mortuo fiat injuria, sed ut pacem cum bello, leges cum vi, forum et juris dictionem cum ferro et armis, adventum et comitatum cum exercitu et victoria conferatis.

Verres Plundered even Temples

LV. 8. Aedis Minervae est in Insula, de qua ante dixi: quam Marcellus non attigit, quam plenam atque ornatam reliquit: quae ab isto sic spoliata atque direpta est, non ut ab hoste aliquo, qui tamen in bello religionum et consuetu-

CHURCH AT SYRACUSE (FORMERLY TEMPLE OF MINERVA)

dinis jura retineret, sed ut a barbaris praedonibus vexata esse videatur. Pugna erat equestris Agathocli regis in tabulis picta: his autem tabulis interiores templi parietes vestiebantur. Nihil erat ea pictura nobilius, nihil Syracusis quod magis visendum putarètur. Has tabulas M. Marcellus cum omnia victoria illa sua profana fecisset, tamen religione impeditus non attigit: iste, cum illa jam propter diuturnam pacem fidelitatemque populi Syracusani sacra religiosaque accepisset, omnes eas tabulas abstulit: parietes, quorum ornatus tot saecula manserant, tot bella effugerant, nudos ac deformatos reliquit. **9.** Et Marcellus, qui, si Syracusas cepisset, duo templa se Romae dedicaturum voverat, is id, quod erat aedificaturus, iis rebus ornare, quas ceperat, noluit: Verres, qui non Honori neque Virtuti, quem ad modum ille, sed Veneri et Cupidini vota deberet, is Minervae templum spoliare conatus est. Ille deos deorum spoliis ornari noluit: hic ornamenta Minervae virginis in meretriciam domum transtulit. Viginti et septem praeterea tabulas pulcherrime pictas ex eadem aede sustulit: in quibus erant imagines Siciliae regum ac tyrannorum, quae non solum pictorum artificio delectabant, sed etiam commemoratione hominum et cognitione formarum. Ac videte quanto taetrior hic tyrannus Syracusanus fuerit quam quisquam superiorum: cum illi tamen ornarint templa deorum immortalium, hic etiam illorum monumenta atque ornamenta sustulerit.

Robberies Detailed

LVI. **10.** Jam vero quid ego de valvis illius templi commemorem? Vereor ne, haec qui non viderint, omnia me nimis augere atque ornare arbitrentur: quod tamen nemo suspicari debet, tam esse me cupidum, ut tot viros primarios velim, praesertim ex judicum numero, qui Syracusis fuerint, qui haec viderint, esse temeritati et mendacio meo conscios. Confirmare hoc liquido, judices, possum, valvas magnificentiores, ex auro atque ebore perfectiores, nullas umquam ullo in templo fuisse. Incredibile dictu est quam multi Graeci de harum valvarum pulchritudine scriptum reliquerint. Nimium forsitan haec illi mirentur atque efferant. Esto: verum tamen honestius est rei publicae nostrae, judices, ea quae illis pulchra esse videantur imperatorem nostrum in bello reliquisse, quam praetorem in pace abstulisse. **Ex** ebore diligentissime perfecta argumenta erant in valvis: ea detrahenda curavit omnia. **11.** Gorgonis os pulcherrimum, cinctum anguibus, revellit atque abstulit: et tamen indicavit se non solum artificio, sed etiam pretio quaestuque duci. Nam bullas aureas omnes ex iis valvis, quae erant multae et graves, non dubitavit auferre: quarum iste non opere delectabatur, sed pondere. Itaque ejus modi valvas reliquit, ut quae olim ad ornandum templum erant maxime, nunc tantum ad claudendum factae esse videantur. Etiamne gramineas hastas — vidi enim vos in hoc nomine, cum testis diceret, commoveri, quod erat ejus modi, ut semel vidisse satis esset; in quibus neque manu factum quicquam neque pulchritudo erat ulla, sed tantum magnitudo incredibilis, de qua vel audire satis esset, nimium videre plus quam semel — etiam id concupisti?

Statue of Sappho Stolen

LVII. **12.** Nam Sappho, quae sublata de prytaneo est, dat tibi justam excusationem, prope ut concedendum atque ignoscendum esse videatur. Silanionis opus tam perfectum, tam elegans, tam elaboratum quisquam non modo privatus, sed populus potius haberet quam homo elegantissimus atque eruditissimus, Verres? Nimirum contra dici nihil potest. Nostrum enim unus quisque — qui tam beati quam iste est non sumus, tam delicati esse non possumus — si quando aliquid istius modi videre volet, eat ad aedem Felicitatis, ad monumentum Catuli, in porticum Metelli; det operam ut admittatur in alicujus istorum Tusculanum; spectet forum ornatum, si quid iste suorum aedilibus commodarit: Verres haec habeat domi, Verres ornamentorum fanorum atque oppidorum habeat plenam domum, villas refertas. Etiamne hujus operari studia ac delicias, judices, perferetis? qui ita natus, ita educatus est, ita factus et animo et corpore, ut multo appositior ad ferenda quam ad auferenda signa esse videatur. **13.** Atque haec Sappho sublata quantum desiderium sui reliquerit dici vix potest. Nam cum ipsa fuit egregie facta, tum epigramma Graecum pernobile incisum est in

SAPPHO

basi: quod iste eruditus homo et Graeculus, qui haec subtiliter judicat, qui solus intellegit, si unam litteram Graecam scisset, certe non tulisset. Nunc enim, quod scriptum est inani in basi, declarat quid fuerit, et id ablatum indicat.

Other Thefts

14. Quid? signum Paeanis ex aede Aesculapi praeclare factum, sacrum ac religiosum, non sustulisti? quod omnes propter pulchritudinem visere, propter religionem colere solebant. Quid? ex aede Liberi simulacrum Aristaei non tuo imperio palam ablatum est? Quid? ex aede Jovis religiosissimum simulacrum Jovis Imperatoris, pulcherrime factum, nonne abstulisti? Quid? ex aede Liberae, † parinum caput illud pulcherrimum, quod visere solebamus, num dubitasti tollere? Atque ille Paean sacrificiis anniversariis simul cum Aesculapio apud illos colebatur: Aristaeus, qui [ut Graeci ferunt, Liberi filius] inventor olei esse dicitur, una cum Libero patre apud illos eodem erat in templo consecratus.

Statue of Jupiter

LVIII. **15.** Jovem autem Imperatorem quanto honore in suo templo fuisse arbitramini? Conicere potestis, si recordari volueritis quanta religione fuerit eadem specie ac forma signum illud, quod ex Macedonia captum in Capitolio posuerat Flamininus. Etenim tria ferebantur in orbe terrarum signa Jovis Imperatoris uno in genere pulcherrime facta: unum illud Macedonicum, quod in Capitolio vidimus; alterum in Ponti ore et angustiis; tertium, quod Syracusis ante Verrem praetorem fuit. Illud Flamininus ita ex aede sua sustulit, ut in Capitolio, hoc est, in terrestri domicilio Jovis poneret. Quod autem est ad introitum Ponti, id, cum tam multa ex illo mari bella emerserint, tam multa porro in Pontum invecta sint, usque ad hanc diem integrum inviolatumque servatum est. Hoc tertium, quod erat Syracusis, quod M. Marcellus armatus et victor viderat, quod religioni concesserat, quod cives atque incolae Syracusani colere, advenae non solum visere, verum etiam venerari solebant, id Verres ex templo Jovis sustulit.

16. Ut saepius ad Marcellum revertar, judices, sic habetote: plures esse a Syracusanis istius adventu deos, quam victoria Marcelli homines desideratos. Etenim ille requisisse etiam dicitur Archimedem illum, summo ingenio hominem ac disciplina, quem cum audisset interfectum, permoleste tulisse: iste omnia, quae requisivit, non ut conservaret, verum ut asportaret requisivit.

Even Trifles Carried off

LIX. **17.** Jam illa quae leviora videbuntur ideo praeteribo, — quod mensas Delphicas e marmore, crateras ex aere pulcherrimas, vim maximam vasorum Corinthiorum ex omnibus aedibus sacris abstulit Syracusis. Itaque, judices, ei qui hospites ad ea quae visenda sunt solent ducere, et unum quidque ostendere, quos illi mystagogos vocant, conversam jam habent demonstrationem suam. Nam, ut ante demonstrabant quid ubique esset, item nunc quid undique ablatum sit ostendunt.

Feelings of the Citizens Outraged

18. Quid tum? mediocrine tandem dolore eos adfectos esse arbitramini? Non ita est, judices: primum, quod omnes religione moventur, et deos patrios, quos a majoribus acceperunt, colendos sibi diligenter et retinendos esse arbitrantur: deinde hic ornatus, haec opera atque artificia, signa, tabulae pictae, Graecos homines nimio opere delectant. Itaque ex illorum querimoniis intellegere possumus, haec illis acerbissima videri, quae forsitan nobis levia et contemnenda esse videantur. Mihi credite, judices, — tametsi vosmet ipsos haec eadem audire certo scio, — cum multas acceperint per hosce annos socii atque exterae nationes calamitates et injurias, nullas Graeci homines gravius ferunt ac tulerunt, quam hujusce modi spoliationes fanorum atque oppidorum.

Empty Pretence of Purchase

19. Licet iste dicat emisse se, sicuti solet dicere, credite hoc mihi, judices: nulla umquam civitas tota Asia et Graecia signum ullum, tabulam pictam, ullum denique ornamentum urbis, sua voluntate cuiquam vendidit, nisi forte existimatis, postea quam judicia severa Romae fieri desierunt, Graecos homines haec venditare coepisse, quae tum non modo non venditabant, cum judicia fiebant, verum etiam coëmebant; aut nisi arbitramini L. Crasso, Q. Scaevolae, C. Claudio, potentissimis hominibus, quorum aedilitates ornatissimas vidimus, commercium istarum rerum cum Graecis hominibus non fuisse, eis qui post judiciorum dissolutionem aediles facti sunt fuisse.

Works of Art Held Priceless by Greeks

LX. 20. Acerbiorem etiam scitote esse civitatibus falsam istam et simulatam emptionem, quam si qui clam surripiat aut eripiat palam atque auferat. Nam turpitudinem summam esse arbitrantur referri in tabulas publicas, pretio adductam civitatem (et pretio parvo) ea quae accepisset a majoribus vendidisse atque abalienasse. Etenim mirandum in modum Graeci rebus istis, quas nos contemnimus, delectantur. Itaque majores nostri facile patiebantur, haec esse apud illos quam plurima: apud socios, ut imperio nostro quam ornatissimi florentissimique essent: apud eos autem, quos vectigalis aut stipendiarios fecerant, tamen haec relinquebant, ut illi quibus haec jucunda sunt, quae nobis levia videntur, haberent haec oblectamenta et solacia servitutis.

21. Quid arbitramini Reginos, qui jam cives Romani sunt, merere velle, ut ab eis marmorea Venus illa auferatur? quid Tarentinos, ut Europam in tauro amittant? ut Satyrum, qui apud illos in aede Vestae est? ut cetera? quid Thespienses, ut Cupidinis signum [propter quod unum visuntur Thespiae]? quid Cnidios, ut Venerem marmoream? quid, ut pictam, Coos? quid Ephesios, ut Alexandrum? quid Cyzicenos, ut Ajacem aut Medeam? quid Rhodios, ut Ialysum? quid Athenienses, ut ex marmore Iacchum aut Paralum pictum aut ex aere Myronis buculam? Longum est et non necessarium commemorare quae apud quosque visenda sunt tota Asia et Graecia: verum illud est quam ob rem haec commemorem, quod existimare hoc vos volo, mirum quendam dolorem accipere eos, ex quorum urbibus haec auferantur.

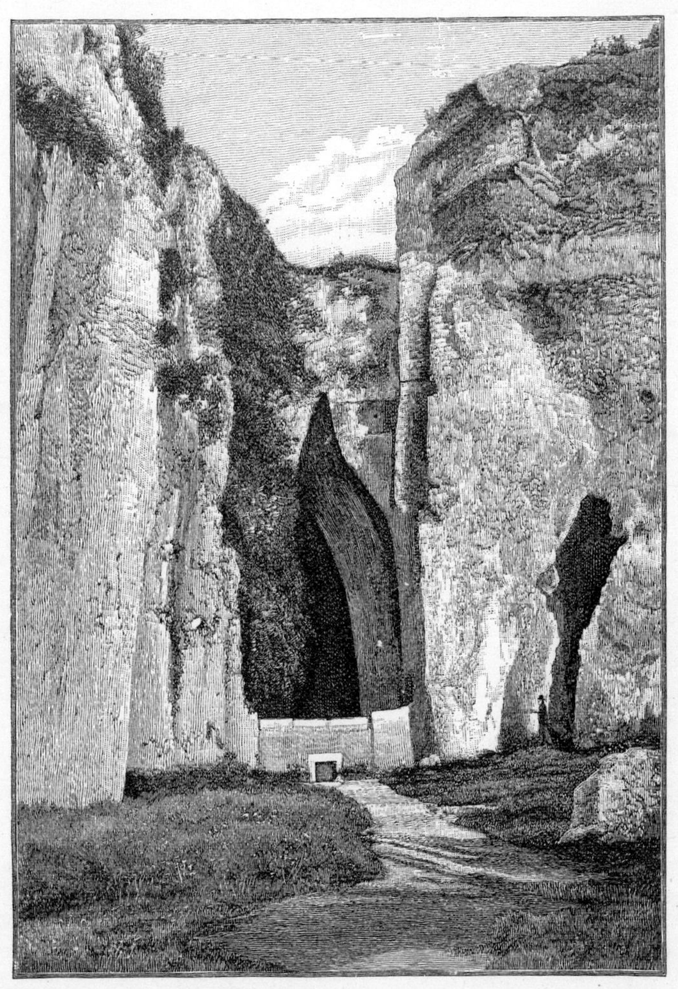

THE QUARRIES OF SYRACUSE

(Dionysius' Ear)

CRUCIFIXION OF A ROMAN CITIZEN

(*In C. Verrem: Actio II., Lib. V., ch. 61–66*)

Cruelties of Verres.

QUID nunc agam? Cum jam tot horas de uno genere ac de istius nefaria crudelitate dicam, — cum prope omnem vim verborum ejus modi, quae scelere istius digna sint, aliis in rebus consumpserim, neque hoc providerim, ut varietate criminum vos attentos tenerem, — quem ad modum de tanta re dicam? Opinor, unus modus atque una ratio est. Rem in medio ponam, quae tantum habet ipsa gravitatis, ut neque mea (quae nulla est) neque cujusquam, ad inflammandos vestros animos, eloquentia requiratur.

Unguarded Complaints of Gavius

2. Gavius hic, quem dico, Consanus, cum in illo numero civium Romanorum ab isto in vincla conjectus esset, et nescio qua ratione clam e lautumiis profugisset, Messanamque venisset, — qui tam prope jam Italiam et moenia Reginorum civium Romanorum videret, et ex illo metu mortis ac tenebris, quasi luce libertatis et odore aliquo legum recreatus, revixisset, — loqui Messanae et queri coepit, se civem Romanum in vincla esse conjectum; sibi recta iter esse Romam; Verri se praesto advenienti futurum.

His Words Reported to Verres

3. Non intellegebat miser nihil interesse, utrum haec Messanae, an apud istum in praetorio loqueretur. Nam (ut ante vos docui) hanc sibi iste urbem delegerat, quam haberet adjutricem scelerum, furtorum receptricem, flagitiorum omnium consciam. Itaque ad magistratum Mamertinum statim deducitur Gavius: eoque ipso die casu Messanam Verres venit. Res ad eum defertur: esse civem Romanum, qui se Syracusis in lautumiis fuisse

Coin of the Mamertini

quereretur: quem, jam ingredientem in navem, et Verri nimis atrociter minitantem, ab se retractum esse et asservatum, ut ipse in eum statueret quod videretur.

Gavius Scourged

4. Agit hominibus gratias, et eorum benevolentiam erga se diligentiamque conlaudat. Ipse, inflammatus scelere et furore, in forum venit. Ardebant oculi: toto ex ore crudelitas eminebat. Exspectabant omnes, quo tandem progressurus aut quidnam acturus esset; cum repente hominem proripi, atque in foro medio nudari ac deligari, et virgas expediri jubet. Clamabat ille miser, se civem esse Romanum, municipem Consanum; meruisse cum L. Raecio, splendidissimo equite Romano, qui Panhormi negotiaretur, ex quo haec Verres scire posset. Tum iste, se comperisse eum speculandi causa in Siciliam a ducibus fugitivorum esse missum; cujus rei neque index, neque vestigium aliquod, neque suspicio cuiquam esset ulla. Deinde jubet undique hominem vehementissime verberari.

He is Threatened with the Cross

5. Caedebatur virgis in medio foro Messanae civis Romanus, judices; cum interea nullus gemitus, nulla vox alia illius miseri inter dolorem crepitumque plagarum audiebatur, nisi haec, *Civis Romanus sum!* Hac se commemoratione civitatis omnia verbera depulsurum, cruciatumque a corpore dejecturum, arbitrabatur. Is non modo hoc non perfecit, ut virgarum vim deprecaretur; sed, cum imploraret saepius, usurparetque nomen civitatis, crux — crux, inquam — infelici et aerumnoso, qui numquam istam pestem viderat, comparabatur.

Rights of a Roman Citizen Outraged

LXIII. 6. O nomen dulce libertatis! O jus eximium nostrae civitatis! O lex Porcia, legesque Semproniae! O graviter desiderata, et aliquando reddita plebi Romanae, tribunicia potestas! Hucine tandem omnia reciderunt, ut civis Romanus, in provincia populi Romani, in oppido foederatorum, ab eo qui beneficio populi Romani fascis et securis haberet, deligatus in foro virgis caederetur? Quid? cum ignes ardentesque laminae ceterique cruciatus admovebantur, si te illius acerba imploratio et vox miserabilis non inhibebat, ne civium quidem Romanorum, qui tum aderant, fletu et gemitu maximo commovebare? In crucem tu agere ausus es quemquam, qui se civem Romanum esse diceret? 7. Nolui tam vehementer agere hoc prima actione, judices: nolui. Vidistis enim, ut animi multitudinis in istum dolore et odio et communis periculi metu concitarentur. Statui egomet mihi tum modum orationi meae, et C. Numitorio, equiti Romano, primo homini, testi meo; et Glabrionem, id quod sapientissime fecit, facere laetatus sum, ut repente consilium in medio testimonio dimitteret. Etenim verebatur ne populus Romanus ab isto eas poenas vi repetisse videretur, quas veritus esset ne iste legibus ac vestro judicio non esset persoluturus.

Gavius was not a Spy

8. Nunc, quoniam exploratum est omnibus quo loco causa tua sit, et quid de te futurum sit, sic tecum agam: Gavium istum, quem repentinum speculatorem fuisse dicis, ostendam in lautumias Syracusis abs te esse conjectum. Neque id solum ex litteris ostendam Syracusanorum, ne possis dicere me, quia sit aliquis in litteris Gavius, hoc fingere et eligere nomen, ut hunc illum esse possim dicere; sed ad arbitrium tuum testis dabo, qui istum ipsum Syracusis abs te in lautumias conjectum esse dicant. Producam etiam Consanos, municipes illius ac necessarios, qui te nunc sero doceant, judices non sero, illum P. Gavium, quem tu in crucem egisti, civem Romanum et municipem Consanum, non speculatorem fugitivorum fuisse.

His Claim of Citizenship Deserved Inquiry

LXIV. **9.** Cum haec omnia, quae polliceor, cumulate tuis patronis plana fecero, tum istuc ipsum tenebo, quod abs te mihi datur: eo contentum me esse dicam. Quid enim nuper tu ipse, cum populi Romani clamore atque impetu perturbatus exsiluisti, quid, inquam, locutus es? Illum, quod moram supplicio quaereret, ideo clamitasse se esse civem Romanum, sed speculatorem fuisse. Jam mei testes veri sunt. Quid enim dicit aliud C. Numitorius? quid M. et P. Cottii, nobilissimi homines, ex agro Tauromenitano? quid Q. Lucceius, qui argentariam Regii maximam fecit? quid ceteri? Adhuc enim testes ex eo genere a me sunt dati, non qui novisse Gavium, sed se vidisse dicerent, cum is, qui se civem Romanum esse clamaret, in crucem ageretur. Hoc tu, Verres, idem dicis; hoc tu confiteris illum clamitasse, se civem esse Romanum; apud te nomen civitatis ne tantum quidem valuisse, ut dubitationem aliquam crucis, ut crudelissimi taeterrimique supplici aliquam parvam moram saltem posset adferre.

Coin of Rhegium

Roman Citizenship a Protection Anywhere

10. Hoc teneo, hic haereo, judices. Hoc sum contentus uno; omitto ac neglego cetera; sua confessione induatur ac juguletur necesse est. Qui esset ignorabas; speculatorem esse suspicabare. Non quaero qua suspicione: tua te accuso oratione. Civem Romanum se esse dicebat. Si tu, apud Persas aut in extrema India deprehensus, Verres, ad supplicium ducerere, quid aliud clamitares, nisi te civem esse Romanum? Et, si tibi ignoto apud ignotos, apud barbaros, apud homines in extremis atque ultimis gentibus positos, nobile et inlustre apud omnis nomen civitatis tuae profuisset, — ille, quisquis erat, quem tu in crucem rapiebas, qui tibi esset ignotus, cum civem se Romanum esse diceret, apud te praetorem, si non effugium, ne moram quidem mortis, mentione atque usurpatione civitatis, adsequi potuit?

LXV. **11.** Homines tenues, obscuro loco nati, navigant; adeunt ad ea loca quae numquam antea viderunt; ubi neque noti esse eis quo venerunt, neque semper cum cognitoribus esse possunt. Hac una tamen fiducia civitatis, non modo apud nostros magistratus, qui et legum et existimationis periculo continentur, neque apud civis solum Romanos, qui et sermonis et juris et multarum rerum societate juncti sunt, fore se tutos arbitrantur; sed, quocumque venerint, hanc sibi rem praesidio sperant futuram. 12. Tolle hanc spem, tolle hoc praesidium civibus Romanis; constitue nihil esse opis in hac voce, *Civis Romanus sum*, posse impune praetorem, aut alium quemlibet, supplicium quod velit in eum constituere qui se civem Romanum esse dicat, quod eum quis ignoret: jam omnis provincias, jam omnia regna, jam omnis liberas civitates, jam omnem orbem terrarum, qui semper nostris hominibus maxime patuit, civibus Romanis ista defensione praecluseris. Quid si L. Raecium, equitem Romanum, qui tum in Sicilia erat, nominabat? etiamne id magnum fuit, Panhormum litteras mittere? Adservasses hominem; custodiis Mamertinorum tuorum vinctum, clausum habuisses, dum Panhormo Raecius veniret; cognosceret hominem, aliquid de summo supplicio remitteres. Si ignoraret, tum, si ita tibi videretur, hoc juris in omnis constitueres, ut, qui neque tibi notus esset, neque cognitorem locupletem daret, quamvis civis Romanus esset, in crucem tolleretur.

Verres the Enemy of all Roman Citizens

LXVI. 13. Sed quid ego plura de Gavio? quasi tu Gavio tum fueris infestus, ac non nomini, generi, juri civium hostis. Non illi (inquam) homini, sed causae communi libertatis, inimicus fuisti. Quid enim attinuit, cum Mamertini, more atque instituto suo, crucem fixissent post urbem, in via Pompeia, te jubere in ea parte figere, quae ad fretum spectaret; et hoc addere — quod negare nullo modo potes, quod omnibus audientibus dixisti palam — te idcirco illum locum deligere, ut ille, quoniam se civem Romanum esse diceret, ex cruce Italiam cernere ac domum suam prospicere posset? Itaque illa crux sola, judices, post conditam Messanam, illo in loco fixa est. Italiae conspectus ad eam rem ab isto delectus est, ut ille, in dolore cruciatuque moriens, perangusto fretu divisa servitutis ac libertatis jura cognosceret; Italia autem alumnum suum servitutis extremo summoque supplicio adfixum videret.

Shameless Audacity of the Crime

14. Facinus est vincire civem Romanum; scelus verberare; prope parricidium necare: quid dicam in crucem tollere? verbo satis digno tam nefaria res appellari nullo modo potest. Non fuit his omnibus iste contentus. *Spectet* (inquit) *patriam: in conspectu legum libertatisque moriatur.* Non tu hoc loco Gavium, non unum hominem nescio quem [civem Romanum], sed communem libertatis et civitatis causam in illum cruciatum et crucem egisti. Jam vero videte hominis audaciam. Nonne eum graviter tulisse arbitramini, quod illam civibus Romanis crucem non posset in foro, non in comitio, non in rostris defigere? Quod enim his locis, in provincia sua, celebritate simillimum, regione proximum potuit, elegit. Monumentum sceleris audaciaeque suae voluit esse in conspectu Italiae, vestibulo Siciliae, praetervectione omnium qui ultro citroque navigarent.

POMPEY'S MILITARY COMMAND

(*Pro Lege Manilia*)

B.C. 66

THE last serious resistance to the Roman power in the East was offered by Mithridates VI., king of Pontus, the most formidable enemy encountered by Rome since the death of Hannibal. The dominions of Mithridates embraced the whole eastern coast of the Black Sea (Pontus Euxinus), including the kingdom of Bosporus (Crimea) on the one hand, and Paphlagonia on the other, while the king of Armenia also was closely allied to him by marriage. There were three several "Mithridatic Wars." In the First the Romans were commanded by Sulla (88–84 B.C.), who gained great successes, and forced Mithridates to pay a large sum of money. In the Second (83–82), a short and unimportant affair, Murena, the Roman commander, was worsted. The Third broke out B.C. 74, and was successfully conducted by Lucius Licinius Lucullus, the ablest general of the aristocracy.

When this war had continued for several years, the democratic faction (*populares*) took advantage of some temporary reverses sustained by Lucullus, and of the unpopularity of his administration, to revoke his command and give to the consul of B.C. 67, M'. Acilius Glabrio (the same who had presided at the trial of Verres), the eastern war as his "province." The law effecting this change was proposed by

POMPEY

(Bust in the Vatican)

the tribune A. Gabinius, one of the most active demagogues of the time. Another law (*lex Gabinia*), proposed B.C. 67 by the same politician, required the Senate to appoint a commander of consular rank, with extraordinary powers for three years by land and sea, to suppress the piracy which infested every part of the Mediterranean, having its chief seat in Cilicia. It was understood as a matter of course that Gnaeus (or Cneius) Pompey, who had been living in retirement since his consulship, B.C. 70, would receive this appointment. Pompey accomplished his task with the most brilliant success, and in three months had the seas completely cleared. (See below, ch. xii.)

Meantime Glabrio had shown himself wholly incompetent to conduct the war against Mithridates, and early in B.C. 66, the tribune Caius Manilius proposed a law extending Pompey's command over the entire East. Power like this was quite inconsistent with the republican institutions of Rome and with the established authority of the Senate; so that the law was of course opposed by the aristocracy (*optimates*), led by Hortensius and Catulus. Cicero was now prætor. He was no democrat of the school of Gabinius and Cæsar; but on the other hand he had no hereditary sympathies with the Senate, and he probably failed to recognize the revolutionary character of the proposition and considered merely its practical advantages. He therefore advocated the passage of the Manilian Law with ardor.

The law was passed, and Pompey fulfilled the most sanguine expectations of his friends. He brought the Mithridatic War to an end, organized the Roman power throughout the East, and returned home, B.C. 61, with greater prestige and glory than had ever been won by any Roman before him.

The Oration on the Manilian Law was Cicero's first political speech. Till now he had been a public-spirited lawyer; from this time on he was essentially a politician, and it is not hard to see how unfavorably his character was influenced by contact with the corrupt politics of that day.

Cicero's Reasons for Addressing a Political Assembly

QUAMQUAM mihi semper frequens conspectus vester multo jucundissimus, hic autem locus ad agendum amplissimus, ad dicendum ornatissimus est visus, Quirites, tamen hoc aditu laudis, qui semper optimo cuique maxime patuit, non mea me voluntas adhuc, sed vitae meae rationes ab ineunte aetate susceptae prohibuerunt. Nam cum antea per aetatem nondum hujus auctoritatem loci attingere auderem, statueremque nihil huc nisi perfectum ingenio, elaboratum industria adferri oportere, omne meum tempus amicorum temporibus transmittendum putavi. **2.** Ita neque hic locus vacuus umquam fuit ab eis qui vestram causam defenderent, et meus labor, in privatorum periculis caste integreque versatus, ex vestro judicio fructum est amplissimum consecutus. Nam cum propter dilationem comitiorum ter praetor primus centuriis cunctis renuntiatus sum, facile intellexi, Quirites, et quid de me judicaretis, et quid aliis praescriberetis. Nunc cum et auctoritatis in me tantum sit, quantum vos honoribus mandandis esse voluistis, et ad agendum facultatis tantum, quantum homini vigilanti ex forensi usu prope cotidiana dicendi exercitatio potuit adferre, certe et si quid auctoritatis in me est, apud eos utar qui eam mihi dederunt, et si quid in dicendo consequi possum, eis ostendam potissimum, qui ei quoque rei fructum suo judicio tribuendum esse duxerunt. **3.** Atque illud in primis mihi laetandum jure esse video, quod in hac insolita mihi ex hoc loco ratione dicendi causa talis oblata est, in qua oratio deesse nemini possit. Dicendum est enim de Cn. Pompei singulari eximiaque virtute: hujus autem orationis difficilius est exitum quam principium invenire. Ita mihi non tam copia quam modus in dicendo quaerendus est.

The Situation in Asia

II. **4.** Atque, — ut inde oratio mea proficiscatur, unde haec omnis causa ducitur, — bellum grave et periculosum vestris vectigalibus ac sociis a duobus potentissimis regibus infertur, Mithridate et Tigrane, quorum alter relictus, alter lacessitus, occasionem sibi ad occupandam Asiam oblatam esse arbitrantur. Equitibus Romanis, honestissimis viris, adferuntur ex Asia cotidie litterae, quorum magnae res aguntur in vestris vectigalibus exercendis occupatae: qui ad me, pro necessitudine quae mihi est cum illo ordine, causam rei publicae periculaque rerum suarum detulerunt: **5.** Bithyniae, quae nunc vestra provincia est, vicos exustos esse compluris; regnum Ariobarzanis, quod finitimum est

MITHRIDATES VI

TIGRANES

vestris vectigalibus, totum esse in hostium potestate; L. Lucullum, magnis rebus gestis, ab eo bello discedere; huic qui successerit non satis esse paratum ad tantum bellum administrandum; unum ab omnibus sociis et civibus ad id bellum imperatorem deposci atque expeti, eundem hunc unum ab hostibus metui, praeterea neminem.

Importance of the Mithridatic War

6. Causa quae sit videtis: nunc quid agendum sit considerate. Primum mihi videtur de genere belli, deinde de magnitudine, tum de imperatore deligendo esse dicendum. Genus est belli ejus modi, quod maxime vestros animos excitare atque inflammare ad persequendi studium debeat: in quo agitur populi Romani gloria, quae vobis a majoribus cum magna in omnibus rebus tum summa in re militari tradita est; agitur salus sociorum atque amicorum, pro qua multa majores vestri magna et gravia bella gesserunt; aguntur certissima populi Romani vectigalia et maxima, quibus amissis et pacis ornamenta et subsidia belli requiretis; aguntur bona multorum civium, quibus est a vobis et ipsorum et rei publicae causa consulendum.

Ill Success of the Former Wars in Asia

III. **7**. Et quoniam semper appetentes gloriae praeter ceteras gentis atque avidi laudis fuistis, delenda est vobis illa macula [Mithridatico] bello superiore concepta, quae penitus jam insedit ac nimis inveteravit in populi Romani nomine, — quod is, qui uno die, tota in Asia, tot in civitatibus, uno nuntio atque una significatione [litterarum] civis Romanos necandos trucidandosque denotavit, non modo adhuc poenam nullam suo dignam scelere suscepit, sed ab illo tempore annum jam tertium et vicesimum regnat, et ita regnat, ut se non Ponti neque Cappadociae latebris occultare velit, sed emergere ex patrio regno atque in vestris vectigalibus, hoc est, in Asiae luce versari. **8**. Etenim adhuc ita nostri cum illo rege contenderunt imperatores, ut ab illo insignia victoriae, non victoriam reportarent. Triumphavit L. Sulla, triumphavit L. Murena de Mithridate, duo fortissimi viri et summi imperatores; sed ita triumpharunt, ut ille pulsus superatusque regnaret. Verum tamen illis imperatoribus laus est tribuenda quod egerunt, venia danda quod reliquerunt, propterea quod ab eo bello Sullam in Italiam res publica, Murenam Sulla revocavit.

Strength of the Enemy

IV. **9**. Mithridates autem omne reliquum tempus non ad oblivionem veteris belli, sed ad comparationem novi contulit: qui [postea] cum maximas aedificasset ornassetque classis exercitusque permagnos quibuscumque ex gentibus potuisset comparasset, et se Bosporanis finitimis suis bellum inferre simularet, usque in Hispaniam legatos ac litteras misit ad eos duces quibuscum tum bellum gerebamus, ut, cum duobus in locis disjunctissimis maximeque diversis uno

SITE OF CORINTH

consilio a binis hostium copiis bellum terra marique gereretur, vos ancipiti contentione districti de imperio dimicaretis. **10**. Sed tamen alterius partis periculum, Sertorianae atque Hispaniensis, quae multo plus firmamenti ac roboris habebat, Cn. Pompei divino consilio ac singulari virtute depulsum est; in altera parte ita res a L. Lucullo summo viro est administrata, ut initia illa rerum gestarum magna atque praeclara non felicitati ejus, sed virtuti, haec autem extrema, quae nuper acciderunt, non culpae, sed fortunae tribuenda esse videantur. Sed de Lucullo dicam alio loco, et ita dicam, Quirites, ut neque vera laus ei detracta oratione mea neque falsa adficta esse videatur: **11**. de vestri imperi dignitate atque gloria — quoniam is est exorsus orationis meae — videte quem vobis animum suscipiendum putetis.

Is the Roman Spirit Declining?

V. Majores nostri saepe mercatoribus aut naviculariis nostris injuriosius tractatis bella gesserunt: vos, tot milibus civium Romanorum uno nuntio atque uno tempore necatis, quo tandem animo esse debetis? Legati quod erant appellati superbius, Corinthum patres vestri totius Graeciae lumen exstinctum esse voluerunt: vos eum regem inultum esse patiemini, qui legatum populi Romani consularem vinculis ac verberibus atque omni supplicio excruciatum necavit? Illi libertatem imminutam civium Romanorum non tulerunt: vos ereptam vitam neglegetis? Jus legationis verbo violatum illi persecuti sunt: vos legatum omni supplicio interfectum relinquetis? **12**. Videte ne, ut illis pulcherrimum fuit tantam vobis imperi gloriam tradere, sic vobis turpissimum sit, id quod accepistis tueri et conservare non posse.

The Allies in Peril: they Call for Pompey

Quid? quod salus sociorum summum in periculum ac discrimen vocatur, quo tandem animo ferre debetis? Regno est expulsus Ariobarzanes rex, socius populi Romani atque amicus; imminent duo reges toti Asiae non solum vobis inimicissimi, sed etiam vestris sociis atque amicis; civitates autem omnes cuncta Asia atque Graecia vestrum auxilium exspectare propter periculi magnitudinem coguntur; imperatorem a vobis certum deposcere, cum praesertim vos alium miseritis, neque audent, neque se id facere sine summo periculo posse arbitrantur. **13.** Vident et sentiunt hoc idem quod vos, — unum virum esse, in quo summa sint omnia, et eum propter esse, quo etiam carent aegrius; cujus adventu ipso atque nomine, tametsi ille ad maritimum bellum venerit, tamen impetus hostium repressos esse intellegunt ac retardatos. Hi vos, quoniam libere loqui non licet, tacite rogant, ut se quoque, sicut ceterarum provinciarum socios, dignos existimetis, quorum salutem tali viro commendetis; atque hoc etiam magis, quod ceteros in provinciam ejus modi homines cum imperio mittimus, ut etiam si ab hoste defendant, tamen ipsorum adventus in urbis sociorum non multum ab hostili expugnatione differant. Hunc audiebant antea, nunc praesentem vident, tanta temperantia, tanta mansuetudine, tanta humanitate, ut ei beatissimi esse videantur, apud quos ille diutissime commoratur.

The Revenues at Stake

VI. **14.** Qua re si propter socios, nulla ipsi injuria lacessiti, majores nostri cum Antiocho, cum Philippo, cum Aetolis, cum Poenis bella gesserunt, quanto vos studio convenit injuriis provocatos sociorum salutem una cum imperi vestri dignitate defendere, praesertim cum de maximis vestris vectigalibus agatur? Nam ceterarum provinciarum vectigalia, Quirites, tanta sunt, ut eis ad ipsas provincias tutandas vix contenti esse possimus: Asia vero tam opima est ac fertilis, ut et ubertate agrorum et varietate fructuum et magnitudine pastionis et multitudine earum rerum quae exportantur, facile omnibus terris antecellat. Itaque haec vobis provincia, Quirites, si et belli utilitatem et pacis dignitatem retinere voltis, non modo a calamitate, sed etiam a metu calamitatis est defendenda. **15.** Nam in ceteris rebus cum venit calamitas, tum detrimentum accipitur; at in vectigalibus non solum adventus mali, sed etiam metus ipse adfert calamitatem. Nam cum hostium copiae non longe absunt, etiam si inruptio nulla facta est, tamen pecuaria

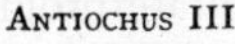

ANTIOCHUS III

PHILIP V

relinquitur, agri cultura deseritur, mercatorum navigatio conquiescit. Ita neque ex portu neque ex decumis neque ex scriptura vectigal conservari potest: qua re saepe totius anni fructus uno rumore periculi atque uno belli terrore amittitur. **16.** Quo tandem igitur animo esse existimatis aut eos qui vectigalia nobis pensitant, aut eos qui exercent atque exigunt, cum duo reges cum maximis copiis propter adsint? cum una excursio equitatus perbrevi tempore totius anni vectigal auferre possit? cum publicani familias maximas, quas in saltibus habent, quas in agris, quas in portubus atque custodiis, magno periculo se habere arbitrentur? Putatisne vos illis rebus frui posse, nisi eos qui vobis fructui sunt conservaritis non solum (ut ante dixi) calamitate, sed etiam calamitatis formidine liberatos?

Financial Crisis at Rome

VII. **17**. Ac ne illud quidem vobis neglegendum est, quod mihi ego extremum proposueram, cum essem de belli genere dicturus, quod ad multorum bona civium Romanorum pertinet, quorum vobis pro vestra sapientia, Quirites, habenda est ratio diligenter. Nam et publicani, homines honestissimi atque ornatissimi, suas rationes et copias in illam provinciam contulerunt, quorum ipsorum per se res et fortunae vobis curae esse debent. Etenim si vectigalia nervos esse rei publicae semper duximus, eum certe ordinem, qui exercet illa, firmamentum ceterorum ordinum recte esse dicemus. **18**. Deinde ex ceteris ordinibus homines gnavi atque industrii partim ipsi in Asia negotiantur, quibus vos absentibus consulere debetis, partim eorum in ea provincia pecunias magnas conlocatas habent. Est igitur humanitatis vestrae magnum numerum eorum civium calamitate prohibere, sapientiae videre multorum civium calamitatem a re publica sejunctam esse non posse. Etenim primum illud parvi refert, nos publica his amissis [vectigalia] postea victoria recuperare. Neque enim isdem redimendi facultas erit propter calamitatem, neque aliis voluntas propter timorem. **19**. Deinde quod nos eadem Asia atque idem iste Mithridates initio belli Asiatici docuit, id quidem certe calamitate docti memoria retinere debemus. Nam tum, cum in Asia res magnas permulti amiserant, scimus Romae, solutione impedita, fidem concidisse. Non enim possunt una in civitate multi rem ac fortunas amittere, ut non plures secum in eandem trahant calamitatem. A quo periculo prohibete rem publicam, et mihi credite id quod ipsi videtis: haec fides atque haec ratio pecuniarum, quae Romae, quae in foro versatur, implicata est cum illis pecuniis Asiaticis et cohaeret. Ruere illa non possunt, ut haec non eodem labefacta motu concidant. Qua re videte num dubitandum vobis

VIEW IN CAPPADOCIA

(Mount Argæus)

sit omni studio ad id bellum incumbere, in quo gloria nominis vestri, salus sociorum, vectigalia maxima, fortunae plurimorum civium conjunctae cum re publica defendantur.

Exploits of Lucullus

VIII. **20.** Quoniam de genere belli dixi, nunc de magnitudine pauca dicam. Potest hoc enim dici, belli genus esse ita necessarium ut sit gerendum, non esse ita magnum ut sit pertimescendum. In quo maxime elaborandum est, ne forte *ea* vobis quae diligentissime providenda sunt, contemnenda esse videantur. Atque ut omnes intellegant me L. Lucullo tantum impertire laudis, quantum forti viro et sapienti homini et magno imperatori debeatur, dico ejus adventu maximas Mithridati copias omnibus rebus ornatas atque instructas fuisse, urbemque Asiae clarissimam nobisque amicissimam, Cyzicenorum, obsessam esse ab ipso rege maxima multitudine et oppugnatam vehementissime, quam L. Lucullus virtute, adsiduitate, consilio, summis obsidionis periculis liberavit: **21.** ab eodem imperatore classem magnam et ornatam, quae ducibus Sertorianis ad Italiam studio atque odio inflammata raperetur, superatam esse atque depressam; magnas hostium praeterea copias multis proeliis esse deletas, patefactumque nostris legionibus esse Pontum, qui antea populo Romano ex omni aditu clausus fuisset; Sinopen atque Amisum, quibus in oppidis erant domicilia regis, omnibus rebus ornatas ac refertas, ceterasque urbis Ponti et Cappadociae permultas, uno aditu adventuque esse captas; regem, spoliatum regno patrio atque avito, ad alios se reges atque ad alias gentis supplicem contulisse; atque haec omnia salvis populi Romani sociis atque integris vectigalibus esse gesta. Satis opinor haec esse laudis, atque ita, Quirites, ut hoc vos intellegatis, a nullo istorum, qui huic obtrectant legi atque causae, L. Lucullum similiter ex hoc loco esse laudatum.

The War still a Great One

IX. **22.** Requiretur fortasse nunc quem ad modum, cum haec ita sint, reliquum possit magnum esse bellum. Cognoscite, Quirites. Non enim hoc sine causa quaeri videtur. Primum ex suo regno sic Mithridates profugit, ut ex eodem Ponto Medea illa quondam profugisse dicitur, quam praedicant in fuga fratris sui membra in eis locis, qua se parens persequeretur, dissipavisse, ut eorum conlectio dispersa, maerorque patrius, celeritatem persequendi retardaret. Sic Mithridates fugiens maximam vim auri atque argenti pulcherrimarumque rerum omnium, quas et a majoribus acceperat et ipse bello superiore ex tota Asia direptas in suum regnum congesserat, in Ponto omnem reliquit. Haec dum nostri conligunt omnia diligentius, rex ipse e manibus effugit. Ita illum in persequendi studio maeror, hos laetitia tardavit. **23.** Hunc in illo timore et fuga Tigranes rex Armenius excepit, diffidentemque rebus suis confirmavit, et adflictum erexit, perditumque recreavit. Cujus in regnum postea quam L. Lucullus cum exercitu venit, plures etiam gentes contra imperatorem nostrum concitatae sunt. Erat enim metus injectus eis nationibus, quas numquam populus Romanus neque lacessendas bello neque temptandas putavit: erat etiam alia gravis atque vehemens opinio, quae animos gentium barbararum pervaserat, fani locupletissimi et religiosissimi diripiendi causa in eas oras nostrum esse exercitum adductum. Ita nationes multae atque magnae novo quodam terrore ac metu concitabantur. Noster autem exercitus, tametsi urbem ex Tigrani regno ceperat, et proeliis usus erat secundis, tamen nimia longinquitate locorum ac desiderio suorum commovebatur.

Mithridates Defeated but not Subdued

24. Hic jam plura non dicam. Fuit enim illud extremum ut ex eis locis a militibus nostris reditus magis maturus quam processio longior quaereretur. Mithridates autem et suam manum jam confirmarat, [et eorum] qui se ex ipsius regno conlegerant, et magnis adventiciis auxiliis multorum regum et nationum juvabatur. Jam hoc fere sic fieri solere accepimus, ut regum adflictae fortunae facile multorum opes adliciant ad misericordiam, maximeque eorum qui aut

Lucullus

reges sunt aut vivunt in regno, ut eis nomen regale magnum et sanctum esse videatur. **25.** Itaque tantum victus efficere potuit, quantum incolumis numquam est ausus optare. Nam cum se in regnum suum recepisset, non fuit eo contentus, quod ei praeter spem acciderat, — ut illam, postea quam pulsus erat, terram umquam attingeret, — sed in exercitum nostrum clarum atque victorem impetum fecit. Sinite hoc loco, Quirites, sicut poëtae solent, qui res Romanas scribunt, praeterire me nostram calamitatem, quae tanta fuit, ut eam ad auris [Luculli] imperatoris non ex proelio nuntius, sed ex sermone rumor adferret.

Lucullus Superseded

26. Hic in illo ipso malo gravissimaque belli offensione, L. Lucullus, qui tamen aliqua ex parte eis incommodis mederi fortasse potuisset, vestro jussu coactus, — qui imperi diuturnitati modum statuendum vetere exemplo putavistis, — partem militum, qui jam stipendiis confecti erant, dimisit, partem M'. Glabrioni tradidit. Multa praetereo consulto, sed ea vos conjectura perspicite, quantum illud bellum factum putetis, quod conjungant reges potentissimi, renovent agitatae nationes, suscipiant integrae gentes, novus imperator noster accipiat, vetere exercitu pulso.

Who shall be Appointed Commander

X. **27.** Satis mihi multa verba fecisse videor, qua re esset hoc bellum genere ipso necessarium, magnitudine periculosum. Restat ut de imperatore ad id bellum deligendo ac tantis rebus praeficiendo dicendum esse videatur.

Pompey's Military Experience

Utinam, Quirites, virorum fortium atque innocentium copiam tantam haberetis, ut haec vobis deliberatio difficilis esset, quemnam potissimum tantis rebus ac tanto bello praeficiendum putaretis! Nunc vero — cum sit unus Cn. Pompeius, qui non modo eorum hominum qui nunc sunt gloriam, sed etiam antiquitatis memoriam virtute superarit — quae res est quae cujusquam animum in hac causa dubium facere possit? **28.** Ego enim sic existimo, in summo imperatore quattuor has res inesse oportere, — scientiam rei militaris, virtutem, auctoritatem, felicitatem. Quis igitur hoc homine scientior umquam aut fuit aut esse debuit?

qui e ludo atque e pueritiae disciplinis bello maximo atque acerrimis hostibus ad patris exercitum atque in militiae disciplinam profectus est; qui extrema pueritia miles in exercitu fuit summi imperatoris, ineunte adulescentia maximi ipse exercitus imperator; qui saepius cum hoste conflixit quam quisquam cum inimico concertavit, plura bella gessit quam ceteri legerunt, plures provincias confecit quam alii concupiverunt; cujus adulescentia ad scientiam rei militaris non alienis praeceptis sed suis imperiis, non offensionibus belli sed victoriis, non stipendiis sed triumphis est erudita. Quod denique genus esse belli potest, in quo illum non exercuerit fortuna rei publicae? Civile, Africanum, Transalpinum, Hispaniense [mixtum ex civitatibus atque ex bellicosissimis nationibus], servile, navale bellum, varia et diversa genera et bellorum et hostium, non solum gesta ab hoc uno, sed etiam confecta, nullam rem esse declarant in usu positam militari, quae hujus viri scientiam fugere possit.

His Former Successes

XI. **29.** Jam vero virtuti Cn. Pompei quae potest oratio par inveniri? Quid est quod quisquam aut illo dignum aut vobis novum aut cuiquam inauditum possit adferre? Neque enim illae sunt solae virtutes imperatoriae, quae volgo existimantur, — labor in negotiis, fortitudo in periculis, industria in agendo, celeritas in conficiendo, consilium in providendo: quae tanta sunt in hoc uno, quanta in omnibus reliquis imperatoribus, quos aut vidimus aut audivimus, non fuerunt. **30.** Testis est Italia, quam ille ipse victor L. Sulla hujus virtute et subsidio confessus est liberatam. Testis est Sicilia, quam multis undique cinctam periculis non terrore belli, sed consili celeritate explicavit. Testis est Africa, quae, magnis oppressa hostium copiis, eorum ipsorum sanguine redundavit. Testis est Gallia, per quam legionibus nostris iter in Hispaniam Gallorum internecione patefactum est. Testis est Hispania, quae saepissime plurimos hostis ab hoc superatos prostratosque conspexit. Testis est iterum et saepius Italia, quae cum servili bello taetro periculosoque premeretur, ab hoc auxilium absente expetivit: quod bellum exspectatione ejus attenuatum atque imminutum est, adventu sublatum ac sepultum.

His Recent Success against the Pirates

31. Testes nunc vero jam omnes orae atque omnes exterae gentes ac nationes, denique maria omnia cum universa, tum

View near Cape Misenum (p. 82)

in singulis oris omnes sinus atque portus. Quis enim toto mari locus per hos annos aut tam firmum habuit praesidium ut tutus esset, aut tam fuit abditus ut lateret? Quis navigavit qui non se aut mortis aut servitutis periculo committeret, cum aut hieme aut referto praedonum mari navigaret? Hoc tantum bellum, tam turpe, tam vetus, tam late divisum atque dispersum, quis umquam arbitraretur aut ab omnibus imperatoribus uno anno aut omnibus annis ab uno imperatore confici posse? **32.** Quam provinciam tenuistis a praedonibus liberam per hosce annos? quod vectigal vobis tutum fuit? quem socium defendistis? cui praesidio classibus vestris fuistis? quam multas existimatis insulas esse desertas? quam multas aut metu relictas aut a praedonibus captas urbis esse sociorum?

XII. Sed quid ego longinqua commemoro? Fuit hoc quondam, fuit proprium populi Romani, longe a domo bel-

PORT OF OSTIA

lare, et propugnaculis imperi sociorum fortunas, non sua tecta defendere. Sociis ego nostris mare per hos annos clausum fuisse dicam, cum exercitus vestri numquam a Brundisio nisi hieme summa transmiserint? Qui ad vos ab exteris nationibus venirent captos querar, cum legati populi Romani redempti sint? Mercatoribus tutum mare non fuisse dicam, cum duodecim secures in praedonum potestatem pervenerint? **33.** Cnidum aut Colophonem aut Samum, nobilissimas urbis, innumerabilisque alias captas esse commemorem, cum vestros portus, atque eos portus quibus vitam ac spiritum ducitis, in praedonum fuisse potestatem sciatis? An vero ignoratis portum Cajetae celeberrimum ac plenissimum navium inspectante praetore a praedonibus esse direptum? ex Miseno autem ejus ipsius liberos, qui cum praedonibus antea ibi bellum gesserat, a praedonibus esse sublatos? Nam quid ego Ostiense incommodum atque illam labem atque ignominiam rei publicae querar, cum, prope inspectantibus vobis, classis ea, cui consul populi Romani praepositus esset, a praedonibus capta atque oppressa est?

The Celerity of his Movements

Pro di immortales! tantamne unius hominis incredibilis ac divina virtus tam brevi tempore lucem adferre rei publicae potuit, ut vos, qui modo ante ostium Tiberinum classem

View in Pamphylia (Port of Adalia)

hostium videbatis, ei nunc nullam intra Oceani ostium praedonum navem esse audiatis? **34.** Atque haec qua celeritate gesta sint quamquam videtis, tamen a me in dicendo praetereunda non sunt. Quis enim umquam aut obeundi negoti aut consequendi quaestus studio tam brevi tempore tot loca adire, tantos cursus conficere potuit, quam celeriter Cn. Pompeio duce tanti belli impetus navigavit? Qui nondum tempestivo ad navigandum mari Siciliam adiit, Africam exploravit; inde Sardiniam cum classe venit, atque haec tria frumentaria subsidia rei publicae firmissimis praesidiis classibusque munivit; **35.** inde cum se in Italiam recepisset, duabus Hispaniis et Gallia [transalpina] praesidiis ac navibus confirmata, missis item in oram Illyrici maris et in Achaiam omnemque Graeciam navibus, Italiae duo maria maximis classibus firmissimisque praesidiis adornavit; ipse autem ut Brundisio profectus est, undequinquagesimo die totam ad imperium populi Romani Ciliciam adjunxit; omnes, qui ubique praedones fuerunt, partim capti interfectique sunt, partim unius hujus se imperio ac potestati dediderunt. Idem Cretensibus, cum ad eum usque in Pamphyliam legatos deprecatoresque misissent, spem deditionis non ademit, obsidesque imperavit. Ita tantum bellum, tam diuturnum, tam longe lateque dispersum, quo bello omnes gentes ac nationes premebantur, Cn. Pompeius extrema hieme apparavit, ineunte vere suscepit, media aestate confecit.

Pompey has all the Qualities of a General

XIII. **36.** Est haec divina atque incredibilis virtus imperatoris. Quid ceterae, quas paulo ante commemorare coeperam, quantae atque quam multae sunt? Non enim bellandi virtus solum in summo ac perfecto imperatore quaerenda est, sed multae sunt artes eximiae hujus administrae comitesque virtutis. Ac primum, quanta innocentia debent esse imperatores? quanta deinde in omnibus rebus temperantia? quanta fide? quanta facilitate? quanto ingenio? quanta humanitate? Quae breviter qualia sint in Cn. Pompeio consideremus: summa enim omnia sunt, Quirites, sed ea magis ex aliorum contentione quam ipsa per sese cognosci atque intellegi possunt. **37.** Quem enim imperatorem possumus ullo in numero putare, cujus in exercitu centuriatus veneant atque venierint? Quid hunc hominem magnum aut amplum de re publica cogitare, qui pecuniam, ex aerario depromptam ad bellum administrandum, aut propter cupiditatem provinciae magistratibus diviserit, aut propter avaritiam Romae in quaestu reliquerit? Vestra admurmuratio facit, Quirites, ut agnoscere videamini qui haec fecerint: ego autem nomino neminem; qua re irasci mihi nemo poterit, nisi qui ante de se voluerit confiteri. Itaque propter hanc avaritiam imperatorum quantas calamitates, quocumque ventum est, nostri exercitus ferant quis ignorat? **38.** Itinera quae per hosce annos in Italia per agros atque oppida civium Romanorum nostri imperatores fecerint recordamini: tum facilius statuetis quid apud exteras nationes fieri existimetis. Utrum pluris arbitramini per hosce annos militum vestrorum armis hostium urbis, an hibernis sociorum civitates esse deletas? Neque enim potest exercitum is continere imperator, qui se ipse non continet, neque severus esse in judicando, qui alios in se severos esse judices non volt. **39.** Hic miramur hunc hominem tantum excellere ceteris, cujus legiones sic in Asiam pervenerint, ut non modo manus tanti exercitus, sed ne vestigium quidem cuiquam pacato nocuisse dicatur? Jam vero quem ad modum milites hibernent cotidie sermones ac litterae perferuntur: non modo ut sumptum faciat in militem nemini vis adfertur, sed ne cupienti quidem cuiquam permittitur. Hiemis enim, non avaritiae perfugium majores nostri in sociorum atque amicorum tectis esse voluerunt.

His Self-Restraint and Consequent Popularity

XIV. **40.** Age vero: ceteris in rebus quali sit temperantia considerate. Unde illam tantam celeritatem et tam incredibilem cursum inventum putatis? Non enim illum eximia vis remigum aut ars inaudita quaedam gubernandi aut venti aliqui novi tam celeriter in ultimas terras pertulerunt; sed eae res quae ceteros remorari solent, non retardarunt: non avaritia ab instituto cursu ad praedam aliquam devocavit, non libido ad voluptatem, non amoenitas ad delectationem, non nobilitas urbis ad cognitionem, non denique labor ipse ad quietem; postremo signa et tabulas ceteraque ornamenta Graecorum oppidorum, quae ceteri tollenda esse arbitrantur, ea sibi ille ne visenda quidem existimavit. **41.** Itaque omnes nunc in eis locis Cn. Pompeium sicut aliquem non ex hac

GALLEY. (FROM THE PRÆNESTE RELIEF)

urbe missum, sed de caelo delapsum intuentur. Nunc denique incipiunt credere fuisse homines Romanos hac quondam continentia, quod jam nationibus exteris incredibile ac falso memoriae proditum videbatur. Nunc imperi vestri splendor illis gentibus lucem adferre coepit. Nunc intellegunt non sine causa majores suos, tum cum ea temperantia magistratus habebamus, servire populo Romano quam imperare aliis maluisse. Jam vero ita faciles aditus ad eum privatorum, ita liberae querimoniae de aliorum injuriis esse dicuntur, ut is, qui dignitate principibus excellit, facilitate infimis par esse videatur. **42.** Jam quantum consilio, quantum dicendi gravitate et copia valeat, — in quo ipso inest quaedam dignitas imperatoria, — vos, Quirites, hoc ipso ex loco saepe cognovistis. Fidem vero ejus quantam inter socios existimari putatis, quam hostes omnes omnium generum sanctissimam judicarint? Humanitate jam tanta est, ut difficile dictu sit utrum hostes magis virtutem ejus pugnantes timuerint, an mansuetudinem victi dilexerint. Et quisquam dubitabit quin huic hoc tantum bellum transmittendum sit, qui ad omnia nostrae memoriae bella conficienda divino quodam consilio natus esse videatur?

His Prestige as a Commander

XV. **43.** Et quoniam auctoritas quoque in bellis administrandis multum atque in imperio militari valet, certe nemini dubium est quin ea re idem ille imperator plurimum possit. Vehementer autem pertinere ad bella administranda quid hostes, quid socii de imperatoribus nostris existiment quis ignorat, cum sciamus homines in tantis rebus, ut aut contemnant aut metuant aut oderint aut ament, opinione non minus et fama quam aliqua ratione certa commoveri? Quod igitur nomen umquam in orbe terrarum clarius fuit? cujus res gestae pares? de quo homine vos, — id quod maxime facit auctoritatem, — tanta et tam praeclara judicia fecistis? **44.** An vero ullam usquam esse oram tam desertam putatis, quo non illius diei fama pervaserit, cum universus populus Romanus, referto foro completisque omnibus templis ex quibus hic locus conspici potest, unum sibi ad commune omnium gentium bellum Cn. Pompeium imperatorem depoposcit? Itaque — ut plura non dicam, neque aliorum exemplis confirmem quantum [hujus] auctoritas valeat in bello — ab eodem Cn. Pompeio omnium rerum egregiarum exempla sumantur: qui quo die a vobis maritimo bello praepositus est imperator, tanta repente vilitas annonae ex summa inopia et caritate rei frumentariae consecuta est unius hominis spe ac nomine, quantam vix in summa ubertate agrorum diuturna pax efficere potuisset. **45**. Jam accepta in Ponto calamitate ex eo proelio, de quo vos paulo ante invitus admonui, — cum socii pertimuissent, hostium opes animique crevissent, satis firmum praesidium provincia non haberet, — amisissetis Asiam, Quirites, nisi ad ipsum discrimen ejus temporis divinitus Cn. Pompeium ad eas regiones fortuna populi Romani attulisset. Hujus adventus et Mithridatem insolita inflammatum victoria continuit, et Tigranem magnis copiis minitantem Asiae retardavit. Et quisquam dubitabit quid virtute perfecturus sit, qui tantum auctoritate perfecerit? aut quam facile imperio atque exercitu socios et vectigalia conservaturus sit, qui ipso nomine ac rumore defenderit?

His Special Reputation in the East

XVI. **46**. Age vero, illa res quantam declarat ejusdem hominis apud hostis populi Romani auctoritatem, quod ex locis tam longinquis tamque diversis tam brevi tempore omnes huic se uni dediderunt? quod *a* communi Cretensium legati, cum in eorum insula noster imperator exercitusque esset, ad Cn. Pompeium in ultimas prope terras venerunt, eique se omnis Cretensium civitates dedere velle dixerunt? Quid? idem iste Mithridates nonne ad eundem Cn. Pompeium legatum usque in Hispaniam misit? eum quem Pompeius legatum semper judicavit, ei quibus erat [semper] molestum ad eum potissimum esse missum, speculatorem quam legatum judicari maluerunt. Potestis igitur jam constituere, Quirites, hanc auctoritatem, multis postea rebus gestis magnisque vestris judiciis amplificatam, quantum apud illos reges, quantum apud exteras nationes valituram esse existimetis.

His Lucky Star

47. Reliquum est ut de felicitate (quam praestare de se ipso nemo potest, meminisse et commemorare de altero possumus, sicut aequum est homines de potestate deorum) timide et pauca dicamus. Ego enim sic existimo: Maximo, Marcello, Scipioni, Mario, et ceteris magnis imperatoribus non solum propter virtutem, sed etiam propter fortunam saepius imperia mandata atque exercitus esse commissos. Fuit enim profecto quibusdam summis viris quaedam ad amplitudinem et ad gloriam et ad res magnas bene gerendas divinitus adjuncta fortuna. De hujus autem hominis felicitate, de quo nunc agimus, hac utar moderatione dicendi, non ut in illius potestate fortunam positam esse dicam, sed ut praeterita meminisse, reliqua sperare videamur, ne aut invisa dis immortalibus oratio nostra aut ingrata esse videatur. **48.** Itaque non sum praedicaturus quantas ille res domi militiae, terra marique, quantaque felicitate gesserit; ut ejus semper voluntatibus non modo cives adsenserint, socii obtemperarint, hostes obedierint, sed etiam venti tempestatesque obsecundarint: hoc brevissime dicam, neminem umquam tam impudentem fuisse, qui ab dis immortalibus tot et tantas res tacitus auderet optare, quot et quantas di immortales ad Cn. Pompeium detulerunt. Quod ut illi proprium ac perpetuum sit, Quirites, cum communis salutis atque imperi tum ipsius hominis causa, sicuti facitis, velle et optare debetis.

49. Qua re, — cum et bellum sit ita necessarium ut neglegi non possit, ita magnum ut accuratissime sit administrandum; et cum ei imperatorem praeficere possitis, in quo sit eximia belli scientia, singularis virtus, clarissima auctoritas, egregia fortuna, — dubitatis Quirites, quin hoc tantum boni, quod vobis ab dis immortalibus oblatum et datum est, in rem publicam conservandam atque amplificandam conferatis?

He is on the Spot

XVII. **50.** Quod si Romae Cn. Pompeius privatus esset hoc tempore, tamen ad tantum bellum is erat deligendus atque mittendus: nunc cum ad ceteras summas utilitates haec quoque opportunitas adjungatur, ut in eis ipsis locis adsit, ut habeat exercitum, ut ab eis qui habent accipere statim possit, quid exspectamus? aut cur non ducibus dis immortalibus eidem, cui cetera summa cum salute rei publicae commissa sunt, hoc quoque bellum regium committamus?

Objection of Hortensius and Catulus

51. At enim vir clarissimus, amantissimus rei publicae, vestris beneficiis amplissimis adfectus, Q. Catulus, itemque summis ornamentis honoris, fortunae, virtutis, ingeni praeditus, Q. Hortensius, ab hac ratione dissentiunt. Quorum ego auctoritatem apud vos multis locis plurimum valuisse et valere oportere confiteor; sed in hac causa, tametsi cognoscitis auctoritates contrarias virorum fortissimorum et clarissimorum, tamen omissis auctoritatibus ipsa re ac ratione exquirere possumus veritatem, atque hoc facilius, quod ea omnia quae a me adhuc dicta sunt, eidem isti vera esse concedunt, — et necessarium bellum esse et magnum, et in uno Cn. Pompeio summa esse omnia. **52.** Quid igitur ait Hortensius? Si uni omnia tribuenda sint, dignissimum esse Pompeium, sed ad unum tamen omnia deferri non oportere. Obsolevit jam ista oratio, re multo magis quam verbis refutata. Nam tu idem, Q. Hortensi, multa pro tua summa copia ac singulari facultate dicendi et in senatu contra virum fortem, A. Gabinium, graviter ornateque dixisti, cum is de uno imperatore contra praedones constituendo legem promulgasset, et ex hoc ipso loco permulta item contra eam legem verba fecisti.

Hortensius Answered by Facts

53. Quid? tum (per deos immortalis!) si plus apud populum Romanum auctoritas tua quam ipsius populi Romani salus et vera causa valuisset, hodie hanc gloriam atque hoc orbis terrae imperium teneremus? An tibi tum imperium hoc esse videbatur, cum populi Romani legati quaestores praetoresque capiebantur? cum ex omnibus provinciis commeatu et privato et publico prohibebamur? cum ita clausa nobis erant maria omnia, ut neque privatam rem transmarinam neque publicam jam obire possemus?

XVIII. **54.** Quae civitas antea umquam fuit, — non dico Atheniensium, quae satis late quondam mare tenuisse dicitur; non Karthaginiensium, qui permultum classe ac maritimis rebus valuerunt; non Rhodiorum, quorum usque ad nostram memoriam disciplina navalis et gloria remansit, — *sed* quae civitas umquam antea tam tenuis, *quae* tam parva insula fuit, quae non portus suos et agros et aliquam partem regionis atque orae maritimae per se ipsa defenderet? At (hercule) aliquot annos continuos ante legem Gabiniam ille populus Romanus, cujus usque ad nostram memoriam nomen invictum in navalibus pugnis permanserit, magna ac multo maxima parte non modo utilitatis, sed dignitatis atque imperi

Coin of Rhodes

caruit. **55.** Nos, quorum majores Antiochum regem classe Persenque superarunt, omnibusque navalibus pugnis Karthaginiensis, homines in maritimis rebus exercitatissimos paratissimosque, vicerunt, ei nullo in loco jam praedonibus pares esse poteramus: nos, qui antea non modo Italiam tutam habebamus, sed omnis socios in ultimis oris auctoritate nostri imperi salvos praestare poteramus, — tum cum insula Delos, tam procul a nobis in Aegaeo mari posita, quo omnes undique cum mercibus atque oneribus commeabant, referta divitiis, parva, sine muro, nihil timebat, — eidem non modo provinciis atque oris Italiae maritimis ac portubus nostris, sed etiam Appia jam via carebamus; et eis temporibus

Coin of Perseus

non pudebat magistratus populi Romani in hunc ipsum locum escendere, cum eum nobis majores nostri exuviis nauticis et classium spoliis ornatum reliquissent.

Brilliant Success of the Gabinian Law

XIX. **56**. Bono te animo tum, Q. Hortensi, populus Romanus et ceteros qui erant in eadem sententia, dicere existimavit ea quae senticbatis: sed tamen in salute communi idem populus Romanus dolori suo maluit quam auctoritati vestrae obtemperare. Itaque una lex, unus vir, unus annus non modo nos illa miseria ac turpitudine liberavit, sed etiam effecit, ut aliquando vere videremur omnibus gentibus ac nationibus terra marique imperare. **57**. Quo mihi etiam indignius videtur obtrectatum esse adhuc, — Gabinio dicam anne Pompeio, an utrique, id quod est verius? — ne legaretur A. Gabinius Cn. Pompeio expetenti ac postulanti. Utrum ille, qui postulat ad tantum bellum legatum quem velit, idoneus non est qui impetret, cum ceteri ad expilandos socios diripiendasque provincias quos voluerunt legatos eduxerint; an ipse, cujus lege salus ac dignitas populo Romano atque omnibus gentibus constituta est, expers esse debet gloriae ejus imperatoris atque ejus exercitus, qui consilio ipsius ac periculo est constitutus? **58.** An C. Falcidius, Q. Metellus, Q. Caelius Latiniensis, Cn. Lentulus, quos omnis honoris causa nomino, cum tribuni plebi fuissent, anno proximo legati esse potuerunt: in uno Gabinio sunt tam diligentes, qui in hoc bello, quod lege Gabinia geritur, in hoc imperatore atque exercitu, quem per vos ipse constituit, etiam praecipuo jure esse deberet? De quo legando consules spero ad senatum relaturos. Qui si dubitabunt aut gravabuntur, ego me profiteor relaturum. Neque me impediet cujusquam inimicum edictum, quo minus vobis fretus vestrum jus beneficiumque defendam; neque praeter intercessionem quicquam audiam, de qua (ut arbitror) isti ipsi, qui minantur, etiam atque etiam quid liceat considerabunt. Mea quidem sententia, Quirites, unus A. Gabinius belli maritimi rerumque gestarum Cn. Pompeio socius ascribitur, propterea quod alter uni illud bellum suscipiendum vestris suffragiis detulit, alter delatum susceptumque confecit.

Catulus Answered: Breach of Precedent not Unheard of

XX. **59.** Reliquum est ut de Q. Catuli auctoritate et sententia dicendum esse videatur. Qui cum ex vobis quaereret, si in uno Cn. Pompeio omnia poneretis, si quid eo factum esset, in quo spem essetis habituri, — cepit magnum suae virtutis fructum ac dignitatis, cum omnes una prope voce in [eo] ipso vos spem habituros esse dixistis. Etenim talis est vir, ut nulla res tanta sit ac tam difficilis, quam ille non et consilio regere et integritate tueri et virtute conficere possit. Sed in hoc ipso ab eo vehementissime dissentio, quod, quo minus certa est hominum ac minus diuturna vita, hoc magis res publica, dum per deos immortalis licet, frui debet summi viri vita atque virtute. **60.** 'At enim ne quid novi fiat contra exempla atque instituta majorum.' Non dicam hoc loco majores nostros semper in pace consuetudini, in bello utilitati paruisse; semper ad novos casus temporum novorum consiliorum rationes adcommodasse: non dicam duo bella maxima, Punicum atque Hispaniense, ab uno imperatore esse confecta, duasque urbis potentissimas, quae huic imperio maxime minitabantur, Karthaginem atque Numantiam, ab eodem Scipione esse deletas: non commemorabo nuper ita vobis patribusque vestris esse visum, ut in uno C. Mario spes imperi poneretur, ut idem cum Jugurtha, idem cum Cimbris, idem cum Teutonis bellum administraret. **61.** In ipso Cn. Pompeio, in quo novi constitui nihil volt Q. Catulus, quam multa sint nova summa Q. Catuli voluntate constituta recordamini. XXI. Quid tam novum quam adulescentulum privatum exercitum difficili rei publicae tempore conficere? Confecit. Huic praeesse? Praefuit. Rem optime ductu suo gerere? Gessit. Quid tam praeter consuetudinem quam homini peradulescenti, cujus aetas a senatorio gradu longe abesset, imperium atque exercitum dari, Siciliam permitti, atque Africam bellumque in ea provincia administrandum? Fuit in his provinciis singulari innocentia, gravitate, virtute: bellum in Africa maximum confecit, victorem exercitum deportavit. Quid vero tam inauditum quam equitem Romanum triumphare? At eam quoque rem populus Romanus non modo vidit, sed omnium etiam studio visendam et concelebrandam putavit. **62.** Quid tam inusitatum quam ut, cum duo consules clarissimi fortissimique essent, eques Romanus ad bellum maximum formidolosissimumque pro consule mitteretur? Missus est. Quo quidem tempore, cum esset non nemo in senatu qui diceret *non oportere mitti hominem privatum pro consule*, L. Philippus dixisse dicitur *non se illum sua sententia pro consule, sed pro consulibus mittere.* Tanta in eo rei publicae bene gerendae spes constituebatur, ut duorum consulum munus unius adulescentis virtuti committeretur. Quid tam singulare quam ut ex senatus consulto legibus solutus consul ante fieret, quam ullum alium magistratum per leges capere licuisset? quid tam incredibile quam ut iterum eques Romanus ex senatus consulto triumpharet? Quae in omnibus hominibus nova post hominum memoriam constituta sunt, ea tam multa non sunt quam haec, quae in hoc uno homine videmus. **63.** Atque haec tot exempla, tanta ac tam nova, profecta sunt in eundem hominem a Q. Catuli atque a ceterorum ejusdem dignitatis amplissimorum hominum auctoritate.

Judgment of the People should Overrule such Objections

XXII. Qua re videant ne sit periniquum et non ferundum, illorum auctoritatem de Cn. Pompei dignitate a vobis comprobatam semper esse, vestrum ab illis de eodem homine judicium populique Romani auctoritatem improbari; praesertim cum jam suo jure populus Romanus in hoc homine suam auctoritatem vel contra omnis qui dissentiunt possit defendere, propterea quod, isdem istis reclamantibus, vos unum illum ex omnibus delegistis quem bello praedonum praeponeretis. **64.** Hoc si vos temere fecistis, et rei publicae parum consuluistis, recte isti studia vestra suis consiliis regere conantur. Sin autem vos plus tum in re publica vidistis, vos eis repugnantibus per vosmet ipsos dignitatem huic imperio, salutem orbi terrarum attulistis, aliquando isti principes et sibi et ceteris populi Romani universi auctoritati parendum esse fateantur.

Pompey Alone can Retrieve the Roman Reputation

Atque in hoc bello Asiatico et regio non solum militaris illa virtus, quae est in Cn. Pompeio singularis, sed aliae quoque virtutes animi magnae et multae requiruntur. Difficile est in Asia, Cilicia, Syria regnisque interiorum nationum ita versari nostrum imperatorem, ut nihil aliud nisi de hoste ac de laude cogitet. Deinde etiam si qui sunt pudore ac temperantia moderatiores, tamen eos esse talis propter multitudinem cupidorum hominum nemo arbitratur. **65**. Difficile est dictu, Quirites, quanto in odio simus apud exteras nationes propter eorum, quos ad eas per hos annos cum imperio misimus, libidines et injurias. Quod enim fanum putatis in illis terris nostris magistratibus religiosum, quam civitatem sanctam, quam domum satis clausam ac munitam fuisse? Urbes jam locupletes et copiosae requiruntur, quibus causa belli propter diripiendi cupiditatem inferatur. **66**. Libenter haec coram cum Q. Catulo et Q. Hortensio, summis et clarissimis viris, disputarem. Noverunt enim sociorum volnera, vident eorum calamitates, querimonias audiunt. Pro sociis vos contra hostis exercitum mittere putatis, an hostium simulatione contra socios atque amicos? Quae civitas est in Asia quae non modo imperatoris aut legati, sed unius tribuni militum animos ac spiritus capere possit?

XXIII. Qua re, etiam si quem habetis qui conlatis signis exercitus regios superare posse videatur, tamen nisi erit idem, qui [se] a pecuniis sociorum, qui ab eorum conjugibus ac liberis, qui ab ornamentis fanorum atque oppidorum, qui ab auro gazaque regia manus, oculos, animum cohibere possit, non erit idoneus qui ad bellum Asiaticum regiumque mittatur. **67**. Ecquam putatis civitatem pacatam fuisse quae locuples sit? ecquam esse locupletem quae istis pacata esse videatur? Ora maritima, Quirites, Cn. Pompeium non solum propter rei militaris gloriam, sed etiam propter animi continentiam requisivit. Videbat enim praetores locupletari quot annis pecunia publica praeter paucos; neque eos quicquam aliud adsequi, classium nomine, nisi ut detrimentis accipiendis majore adfici turpitudine videremur. Nunc qua cupiditate homines in provincias, quibus jacturis et quibus condicionibus proficiscantur, ignorant videlicet isti, qui ad unum deferenda omnia esse non arbitrantur? Quasi vero Cn. Pompeium non cum suis virtutibus tum etiam alienis vitiis magnum esse videamus. **68.** Qua re nolite dubitare quin huic uni credatis omnia, qui inter tot annos unus inventus sit, quem socii in urbis suas cum exercitu venisse gaudeant.

Favorable Opinions of Leading Men

Quod si auctoritatibus hanc causam, Quirites, confirmandam putatis, est vobis auctor vir bellorum omnium maximarumque rerum peritissimus, P. Servilius, cujus tantae res gestae terra marique exstiterunt, ut cum de bello deliberetis, auctor vobis gravior nemo esse debeat; est C. Curio, summis vestris beneficiis maximisque rebus gestis, summo ingenio et prudentia praeditus; est Cn. Lentulus, in quo omnes pro amplissimis vestris honoribus summum consilium, summam gravitatem esse cognovistis; est C. Cassius, integritate, virtute, constantia singulari. Qua re videte ut horum auctoritatibus illorum orationi, qui dissentiunt, respondere posse videamur.

Peroration

XXIV. **69.** Quae cum ita sint, C. Manili, primum istam tuam et legem et voluntatem et sententiam laudo vehementissimeque comprobo: deinde te hortor, ut auctore populo Romano maneas in sententia, neve cujusquam vim aut minas pertimescas. Primum in te satis esse animi perseverantiaeque arbitror: deinde cum tantam multitudinem cum tanto studio adesse videamus, quantam iterum nunc in eodem homine praeficiendo videmus, quid est quod aut de re aut de perficiendi facultate dubitemus? Ego autem quicquid est in me studi, consili, laboris, ingeni, quicquid hoc beneficio populi Romani atque hac potestate praetoria, quicquid auctoritate, fide, constantia possum, id omne ad hanc rem conficiendam tibi et populo Romano polliceor ac defero: **70.** testorque omnis deos, et eos maxime qui huic loco temploque praesident, qui omnium mentis eorum qui ad rem publicam adeunt maxime perspiciunt, me hoc neque rogatu facere cujusquam, neque quo Cn. Pompei gratiam mihi per hanc causam conciliari putem, neque quo mihi ex cujusquam amplitudine aut praesidia periculis aut adjumenta honoribus quaeram; propterea quod pericula facile, ut hominem praestare oportet, innocentia tecti repellemus, honorem autem neque ab uno neque ex hoc loco, sed eadem illa nostra laboriosissima ratione vitae, si vestra voluntas feret, consequemur. **71.** Quam ob rem quicquid in hac causa mihi susceptum est, Quirites, id ego omne me rei publicae causa suscepisse confirmo; tantumque abest ut aliquam mihi bonam gratiam quaesisse videar, ut multas me etiam simultates partim obscuras, partim apertas intellegam mihi non necessarias, vobis non inutilis suscepisse. Sed ego me hoc honore praeditum, tantis vestris beneficiis adfectum statui, Quirites, vestram voluntatem et rei publicae dignitatem et salutem provinciarum atque sociorum meis omnibus commodis et rationibus praeferre oportere.

THE CONSPIRACY OF CATILINE

B.C. 63

LUCIUS SERGIUS CATILINE was a Roman noble of ruined fortunes and the vilest character; he was an intimate friend of Verres, the plunderer of Sicily, and was, like him, distinguished for an infamous career in the army of Sulla. Fearless, ambitious, and unscrupulous, such a man was well adapted to act as ringleader in arraying the discontented elements of Roman society in any desperate enterprise against the state.

The absence of Pompey in the East, by removing from Rome the only man powerful enough to maintain order, gave Catiline his opportunity. He expected, probably, to make himself tyrant, as Dionysius and Agathocles — men no better than he — had done in Syracuse; but it was suspected at the time, and is believed by many at the present day, that he was, after all, only a tool of Cæsar and Crassus, the leaders of the democratic party.

Catiline's plan was to make use of the consulship as a stepping-stone to absolute power; and accordingly he desired to be a candidate for this office for the year B.C. 65. He was shut out both that year and the next, on account of a charge of *repetundae* pending against him; but of this he was at last acquitted in season to present himself for the year B.C. 63. There followed a very exciting canvass, which resulted in the election of Cicero, the candidate of the moderate party, by an over-

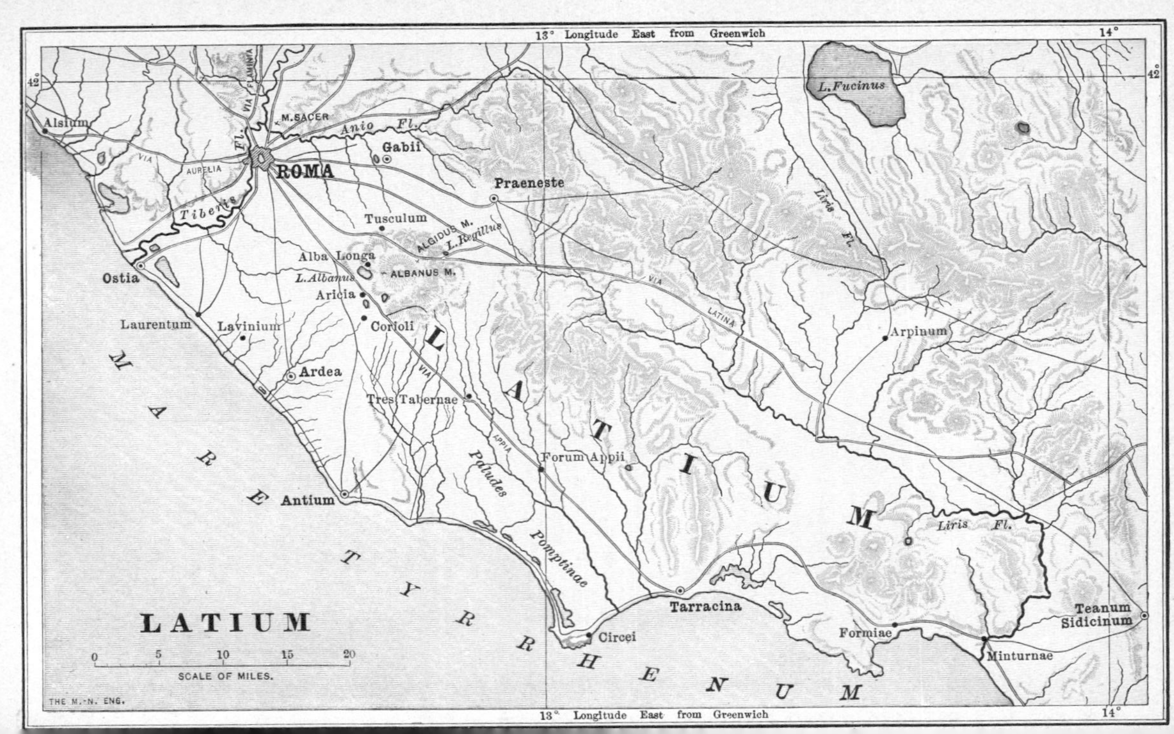
13° Longitude East from Greenwich
14°
42°
L. Fucinus
Alsium
VIA FLAMINIA
M. SACER
Anio Fl.
Gabii
ROMA
VIA AURELIA
Tiberis Fl.
Praeneste
Tusculum
ALGIDUS M.
L. Regillus
Alba Longa
ALBANUS M.
L. Albanus
Aricia
Ostia
Laurentum
Lavinium
Corioli
Ardea
Tres Tabernae
VIA APPIA
VIA LATINA
Liris Fl.
Arpinum
Antium
Paludes Pomptinae
Forum Appii
LATIUM
Tarracina
Circei
Formiae
Minturnae
Teanum Sidicinum
MARE TYRRHENUM
0 5 10 15 20
SCALE OF MILES.
THE M.-N. ENG.

whelming majority, while a confederate of Catiline, Caius Antonius, — who was son of the distinguished orator, and uncle of the triumvir, — was elected as his colleague. Catiline, nothing daunted, offered himself again at the next election. This time, however, he found himself opposed by both consuls. For Cicero had transferred the rich province of Macedonia, which had fallen to him for his proconsular year, to Antonius, and had thus obtained the coöperation of the latter in procuring the defeat of Catiline.

Catiline now gave up the attempt to gain his ends by means of the consulship, and conspired with other men of desperate fortunes for an immediate outbreak. As a private citizen he had lost the advantages which the consulship would have given him, and even among his associates the only conspirator who held a magistracy was the vain and indolent Lentulus, prætor and of consular rank. In the course of October, B.C. 63, a body of troops was collected at Fæsulæ (now *Fiesole*, close to Florence) by the conspirators; this was put in command of the centurion Caius Manlius, Catiline himself remaining in the city to direct operations there. Cicero, however, had kept track of every move of the conspiracy, and, in consequence of his representations, the Senate, October 21, invested the consuls with dictatorial power. On November 8 Cicero called a special meeting of the Senate in the temple of Jupiter Stator. Catiline had the effrontery to appear in his usual place, whereupon Cicero burst upon him with the fiery invective which follows, — the first of his four "Orations against Catiline."

This speech, probably the best known of all Roman orations, is a striking example both of Cicero's power and of that violent invective which was one of the characteristics of Roman oratory.

I. INVECTIVE AGAINST CATILINE

(*In L. Catilinam Oratio I*)

IN THE SENATE, NOV. 8

Effrontery of Catiline

QUO usque tandem abutere, Catilina, patientia nostra? Quam diu etiam furor iste tuus nos eludet? Quem ad finem sese effrenata jactabit audacia? Nihilne te nocturnum praesidium Palati, nihil urbis vigiliae, nihil timor populi, nihil concursus bonorum omnium, nihil hic munitissimus habendi senatus locus, nihil horum ora voltusque moverunt? Patere tua consilia non sentis? constrictam jam horum omnium scientia teneri conjurationem tuam non vides? Quid proxima, quid superiore nocte egeris, ubi fueris, quos convocaveris, quid consili ceperis, quem nostrum ignorare arbitraris?

Culpable Weakness of the Consuls

2. O tempora! O mores! Senatus haec intellegit, consul videt: hic tamen vivit. Vivit? immo vero etiam in senatum venit, fit publici consili particeps, notat et designat oculis ad caedem unum quemque nostrum. Nos autem, fortes viri, satis facere rei publicae videmur, si istius furorem ac tela vitemus. Ad mortem te, Catilina, duci jussu consulis jam pridem oportebat; in te conferri pestem quam tu in nos [jam diu] machinaris. **3.** An vero vir amplissimus, P. Scipio, pontifex maximus, Ti. Gracchum mediocriter labefactantem statum rei publicae privatus interfecit: Catilinam, orbem terrae caede atque incendiis vastare cupientem, nos consules perferemus? Nam illa nimis antiqua praetereo, quod C. Servilius Ahala Sp. Maelium novis rebus studentem manu sua occidit. Fuit, fuit ista quondam in hac re publica virtus, ut viri fortes acrioribus suppliciis civem perniciosum quam acerbissimum hostem coërcerent. Habemus senatus consultum in te, Catilina, vehemens et grave. Non deëst rei publicae consilium, neque auctoritas hujus ordinis: nos, nos, dico aperte, consules desumus.

Contrast with Former Magistrates

II. **4.** Decrevit quondam senatus, ut L. Opimius consul videret ne quid res publica detrimenti caperet. Nox nulla intercessit: interfectus est propter quasdam seditionum suspiciones C. Gracchus, clarissimo patre, avo, majoribus; occisus est cum liberis M. Fulvius consularis. Simili senatus consulto C. Mario et L. Valerio consulibus est permissa res publica: num unum diem postea L. Saturninum tribunum plebis et C. Servilium praetorem [mors ac] rei publicae poena remorata est? At nos vicesimum jam diem patimur hebescere aciem horum auctoritatis. Habemus enim hujusce modi senatus consultum, verum inclusum in tabulis, tamquam in vagina reconditum, quo ex senatus consulto confestim te interfectum esse, Catilina, convenit. Vivis, et vivis non ad deponendam, sed ad confirmandam audaciam. Cupio, patres conscripti, me esse clementem: cupio in tantis rei publicae periculis me non dissolutum videri; sed jam me ipse inertiae nequitiaeque condemno.

The Situation Calls for Immediate Action

5. Castra sunt in Italia contra populum Romanum in Etruriae faucibus conlocata: crescit in dies singulos hostium numerus; eorum autem castrorum imperatorem ducemque hostium intra moenia atque adeo in senatu videmus, intestinam aliquam cotidie perniciem rei publicae molientem. Si te jam, Catilina, comprehendi, si interfici jussero, credo, erit verendum mihi ne non hoc potius omnes boni serius a me, quam quisquam crudelius factum esse dicat.

Reasons for the Delay

Verum ego hoc, quod jam pridem factum esse oportuit, certa de causa nondum adducor ut faciam. Tum denique interficiere, cum jam nemo tam improbus, tam perditus, tam tui similis inveniri poterit, qui id non jure factum esse fateatur. **6.** Quam diu quisquam erit qui te defendere audeat, vives; et vives ita ut vivis, multis meis et firmis praesidiis oppressus, ne commovere te contra rem publicam possis. Multorum te etiam oculi et aures non sentientem, sicut adhuc fecerunt, speculabuntur atque custodient.

The Consuls fully Informed of the Conspiracy

III. Etenim quid est, Catilina, quod jam amplius exspectes, si neque nox tenebris obscurare coetus nefarios, nec privata domus parietibus continere voces conjurationis [tuae] potest? si inlustrantur, si erumpunt omnia? Muta jam istam mentem: mihi crede, obliviscere caedis atque incendiorum. Teneris undique: luce sunt clariora nobis tua consilia omnia, quae jam mecum licet recognoscas. **7.** Meministine me ante diem XII. Kalendas Novembris dicere in senatu, fore in armis certo die — qui dies futurus esset ante diem VI. Kal. Novembris — C. Manlium, audaciae satellitem atque administrum tuae? Num me fefellit, Catilina, non modo res tanta, tam atrox tamque incredibilis, verum — id quod multo magis est admirandum — dies? Dixi ego idem in senatu caedem te optimatium contulisse in ante diem V. Kalendas Novembris, tum cum multi principes civitatis Roma non tam sui conservandi quam tuorum consiliorum reprimendorum causa profugerunt. Num infitiari potes te illo ipso die, meis praesidiis, mea diligentia circumclusum, commovere te contra rem publicam non potuisse, cum tu discessu ceterorum, nostra tamen qui remansissemus caede, te contentum esse dicebas? **8.** Quid? cum te Praeneste Kalendis ipsis Novembribus occupaturum nocturno impetu esse confideres, sensistine illam coloniam meo jussu [meis] praesidiis custodiis vigiliis esse munitam? Nihil agis, nihil moliris, nihil cogitas, quod non ego non modo audiam, sed etiam videam planeque sentiam.

Latest Acts of the Conspirators

IV. Recognosce tandem mecum noctem illam superiorem: jam intelleges multo me vigilare acrius ad salutem quam te ad perniciem rei publicae. Dico te priore nocte venisse inter falcarios — non agam obscure — in M. Laecae domum; convenisse eodem compluris ejusdem amentiae scelerisque socios. Num negare audes? quid taces? convincam, si negas. Video enim esse hic in senatu quosdam, qui tecum una fuerunt. **9.** O di immortales! ubinam gentium sumus? in qua urbe vivimus? quam rem publicam habemus? Hic, hic sunt, in nostro numero, patres conscripti, in hoc orbis terrae sanctissimo gravissimoque consilio, qui de nostro omnium interitu, qui de hujus urbis atque adeo de orbis terrarum exitio cogitent. Hos ego video [consul] et de republica sententiam rogo, et quos ferro trucidari oportebat, eos nondum voce volnero. Fuisti igitur apud Laecam illa nocte, Catilina: distribuisti partis Italiae; statuisti quo quemque proficisci placeret; delegisti quos Romae relinqueres, quos tecum educeres; descripsisti urbis partis ad incendia: confirmasti te ipsum jam esse exiturum; dixisti paulum tibi esse etiam nunc morae, quod ego viverem. Reperti sunt duo equites Romani qui te ista cura liberarent, et sese illa ipsa nocte paulo ante lucem me in meo lectulo interfecturos esse pollicerentur. **10.** Haec ego omnia, vixdum etiam coetu vestro dimisso, comperi: domum meam majoribus praesidiis munivi atque firmavi; exclusi eos quos tu ad me salutatum miseras, cum illi ipsi venissent, quos ego jam multis ac summis viris ad me id temporis venturos esse praedixeram.

Why does not Catiline Leave the City

V. Quae cum ita sint, Catilina, perge quo coepisti. Egredere aliquando ex urbe: patent portae: proficiscere. Nimium diu te imperatorem tua illa Manliana castra desiderant. Educ tecum etiam omnis tuos; si minus, quam plurimos: purga urbem. Magno me metu liberabis, dum modo inter me atque te murus intersit. Nobiscum versari jam diutius non potes: non feram, non patiar, non sinam. **11.** Magna dis immortalibus habenda est, atque huic ipsi

Jovi Statori, antiquissimo custodi hujus urbis, gratia, quod hanc tam taetram, tam horribilem tamque infestam rei publicae pestem totiens jam effugimus. Non est saepius in uno homine summa salus periclitanda rei publicae. Quam diu mihi consuli designato, Catilina, insidiatus es, non publico me praesidio, sed privata diligentia defendi. Cum proximis comitiis consularibus me consulem in Campo et competitores tuos interficere voluisti, compressi conatus tuos nefarios amicorum praesidio et copiis, nullo tumultu publice concitato: denique, quotienscumque me petisti, per me tibi obstiti, quamquam videbam perniciem meam cum magna calamitate rei publicae esse conjunctam. **12.** Nunc jam aperte rem publicam universam petis: templa deorum immortalium, tecta urbis, vitam omnium civium, Italiam [denique] totam ad exitium ac vastitatem vocas. Qua re, quoniam id quod est primum, et quod hujus imperi disciplinaeque majorum proprium est, facere nondum audeo, faciam id quod est ad severitatem lenius, et ad communem salutem utilius. Nam si te interfici jussero, residebit in re publica reliqua conjuratorum manus. Sin tu, quod te jam dudum hortor, exieris, exhaurietur ex urbe tuorum comitum magna et perniciosa sentina rei publicae.

Life There should be Intolerable to him

13. Quid est, Catilina? num dubitas id me imperante facere, quod jam tua sponte faciebas? Exire ex urbe jubet consul hostem. Interrogas me, num in exsilium? Non jubeo; sed, si me consulis, suadeo. VI. Quid est enim, Catilina, quod te jam in hac urbe delectare possit? in qua nemo est extra istam conjurationem perditorum hominum qui te non metuat, nemo qui non oderit. Quae nota domesticae turpitudinis non inusta vitae tuae est? Quod privatarum rerum dedecus non haeret in fama? quae libido ab oculis, quod facinus a manibus umquam tuis, quod flagitium a toto corpore afuit? Cui tu adulescentulo, quem corruptelarum inlecebris inretisses, non aut ad audaciam ferrum aut ad libidinem facem praetulisti? **14.** Quid vero? nuper cum morte superioris uxoris novis nuptiis domum vacuefecisses, nonne etiam alio incredibili scelere hoc scelus cumulasti? quod ego praetermitto et facile patior sileri, ne in hac civitate tanti facinoris immanitas aut exstitisse aut non vindicata esse videatur. Praetermitto ruinas fortunarum tuarum, quas omnis impendere tibi proximis Idibus senties. Ad illa venio, quae non ad privatam ignominiam vitiorum tuorum, non ad domesticam tuam difficultatem ac turpitudinem, sed ad summam rem publicam atque ad omnium nostrum vitam salutemque pertinent. **15.** Potestne tibi haec lux, Catilina, aut hujus caeli spiritus esse jucundus, cum scias horum esse neminem qui nesciat te pridie Kalendas Januarias Lepido et Tullo consulibus stetisse in comitio cum telo? manum consulum et principum civitatis interficiendorum causa paravisse? sceleri ac furori tuo non mentem aliquam aut timorem [tuum], sed fortunam populi Romani obstitisse? Ac jam illa omitto — neque enim sunt aut obscura aut non multa commissa — quotiens tu me designatum, quotiens consulem interficere conatus es! quot ego tuas petitiones, ita conjectas ut vitari posse non viderentur, parva quadam declinatione et (ut aiunt) corpore effugi! [Nihil agis,] nihil adsequeris, [nihil moliris,] neque tamen conari ac velle desistis. **16.** Quotiens tibi jam extorta est ista sica de manibus! quotiens vero excidit casu aliquo et elapsa est! [Tamen ea carere diutius non potes,] quae quidem quibus abs te initiata sacris ac devota sit nescio, quod eam necesse putas esse in consulis corpore defigere.

All Good Citizens Fear and Hate him

VII. Nunc vero quae tua est ista vita? Sic enim jam tecum loquar, non ut odio permotus esse videar, quo debeo, sed ut misericordia, quae tibi nulla debetur. Venisti paulo ante in senatum. Quis te ex hac tanta frequentia, tot ex tuis amicis ac necessariis salutavit? Si hoc post hominum memoriam contigit nemini, vocis exspectas contumeliam, cum sis gravissimo judicio taciturnitatis oppressus? Quid, quod adventu tuo ista subsellia vacuefacta sunt? quod omnes consulares, qui tibi persaepe ad caedem constituti fuerunt, simul atque adsedisti, partem istam subselliorum nudam atque inanem reliquerunt, quo tandem animo tibi ferendum putas? **17.** Servi (mehercule) mei si me isto pacto metuerent, ut te metuunt omnes cives tui, domum meam relinquendam putarem: tu tibi urbem non arbitraris? et, si me meis civibus injuria suspectum tam graviter atque offensum viderem, carere me aspectu civium quam infestis omnium oculis conspici mallem. Tu, cum conscientia scelerum tuorum agnoscas odium omnium justum et jam diu tibi debitum, dubitas quorum mentis sensusque volneras, eorum aspectum praesentiamque vitare? Si te parentes timerent atque odissent tui, neque eos ulla ratione placare posses, tu (opinor) ab eorum oculis aliquo concederes. Nunc te patria, quae communis est parens omnium nostrum, odit ac metuit, et jam diu te nihil judicat nisi de parricidio suo cogitare: hujus tu neque auctoritatem verebere, nec judicium sequere, nec vim pertimesces?

His Native City Begs him to be Gone

18. Quae tecum, Catilina, sic agit, et quodam modo tacita loquitur: 'Nullum jam aliquot annis facinus exstitit nisi per te, nullum flagitium sine te: tibi uni multorum civium neces, tibi vexatio direptioque sociorum impunita fuit ac libera: tu non solum ad neglegendas leges et quaestiones, verum etiam ad evertendas perfringendasque valuisti. Superiora illa, quamquam ferenda non fuerunt, tamen, ut potui, tuli: nunc vero me totam esse in metu propter unum te, quicquid increpuerit Catilinam timeri, nullum videri contra me consilium iniri posse quod a tuo scelere abhorreat, non est ferendum. Quam ob rem discede, atque hunc mihi timorem eripe: si est verus, ne opprimar; sin falsus, ut tandem aliquando timere desinam.' VIII. **19**. Haec si tecum, ut dixi, patria loquatur, nonne impetrare debeat, etiam si vim adhibere non possit? Quid, quod tu te ipse in custodiam dedisti? quod vitandae suspicionis causa, ad M'. Lepidum te habitare velle dixisti? a quo non receptus etiam ad me venire ausus es, atque ut domi meae te adservarem rogasti. Cum a me quoque id responsum tulisses, me nullo modo posse isdem parietibus tuto esse tecum, qui magno in periculo essem quod isdem moenibus contineremur, ad Q. Metellum praetorem venisti: a quo repudiatus ad sodalem tuum, virum optimum, M. Marcellum demigrasti; quem tu videlicet et ad custodiendum [te] diligentissimum et ad suspicandum sagacissimum et ad vindicandum fortissimum fore putasti. Sed quam longe videtur a carcere atque a vinculis abesse debere, qui se ipse jam dignum custodia judicarit? **20**. Quae cum ita sint, Catilina, dubitas, si emori aequo animo non potes, abire in aliquas terras, et vitam istam, multis suppliciis justis debitisque ereptam, fugae solitudinique mandare?

All Good Men Urgent for his Departure

'Refer' inquis 'ad senatum:' id enim postulas, et, si hic ordo placere decreverit te ire in exsilium, obtemperaturum te esse dicis. Non referam, id quod abhorret a meis moribus; et tamen faciam ut intellegas quid hi de te sentiant. Egredere ex urbe, Catilina; libera rem publicam metu; in exsilium, si hanc vocem exspectas, proficiscere. Quid est, Catilina? ecquid attendis? ecquid animadvertis horum silentium? Patiuntur, tacent. Quid exspectas auctoritatem loquentium, quorum voluntatem tacitorum perspicis? **21**. At si hoc idem huic adulescenti optimo P. Sestio, si fortissimo viro M. Marcello dixissem, jam mihi consuli, hoc ipso in templo, senatus jure optimo vim et manus intulisset. De te autem, Catilina, cum quiescunt, probant: cum patiuntur, decernunt: cum tacent, clamant. Neque hi solum,—quorum tibi auctoritas est videlicet cara, vita vilissima,—sed etiam illi equites Romani, honestissimi atque optimi viri, ceterique fortissimi cives, qui circumstant senatum, quorum tu et frequentiam videre et studia perspicere et voces paulo ante exaudire potuisti. Quorum ego vix abs te jam diu manus ac tela contineo, eosdem facile adducam, ut te haec, quae vastare jam pridem studes, relinquentem usque ad portas prosequantur.

The Consul Entreats him to Go

IX. **22**. Quamquam quid loquor? Te ut ulla res frangat? tu ut umquam te corrigas? tu ut ullam fugam meditere? tu ut exsilium cogites? Utinam tibi istam mentem di immortales duint! tametsi video, si mea voce perterritus ire in exsilium animum induxeris, quanta tempestas invidiae nobis—si minus in praesens tempus, recenti memoria scelerum tuorum, at in posteritatem—impendeat: sed est tanti, dum modo ista sit privata calamitas, et a rei publicae periculis sejungatur. Sed tu ut vitiis tuis commoveare, ut legum poenas pertimescas, ut temporibus rei publicae cedas, non est postulandum. Neque enim is es, Catilina, ut te aut pudor umquam a turpitudine aut metus a periculo aut ratio a furore revocarit. **23**. Quam ob rem, ut saepe jam dixi, proficiscere; ac, si mihi inimico (ut praedicas) tuo conflare vis invidiam, recta perge in exsilium: vix feram sermones hominum si id feceris; vix molem istius invidiae, si in exsilium jussu consulis ieris, sustinebo. Sin autem servire meae laudi et gloriae mavis, egredere cum importuna sceleratorum manu: confer te ad Manlium, concita perditos civis, secerne te a bonis, infer patriae bellum, exsulta impio latrocinio, ut a me non ejectus ad alienos, sed invitatus ad tuos isse videaris.

But he will Go Out only as a Declared Enemy

24. Quamquam quid ego te invitem, a quo jam sciam esse praemissos qui tibi ad Forum Aurelium praestolarentur armati? cui sciam pactam et constitutam cum Manlio diem? a quo etiam aquilam illam argenteam quam tibi ac tuis omnibus confido perniciosam ac funestam futuram, cui domi tuae sacrarium scelerum tuorum constitutum fuit, sciam esse praemissam? Tu ut illa carere diutius possis, quam venerari ad caedem proficiscens solebas, a cujus altaribus saepe istam impiam dexteram ad necem civium transtulisti? X. **25.** Ibis tandem aliquando, quo te jam pridem ista tua cupiditas effrenata ac furiosa rapiebat. Neque enim tibi haec res adfert dolorem, sed quandam incredibilem voluptatem. Ad hanc te amentiam natura peperit, voluntas exercuit, fortuna servavit. Numquam tu non modo otium, sed ne bellum quidem nisi nefarium concupisti. Nanctus es ex perditis atque ab omni non modo fortuna verum etiam spe derelictis conflatam improborum manum. **26.** Hic tu qua laetitia perfruere! quibus gaudiis exsultabis! quanta in voluptate bacchabere, cum in tanto numero tuorum neque audies virum bonum quemquam neque videbis! Ad hujus vitae studium meditati illi sunt qui feruntur labores tui, — jacere humi non solum ad obsidendum stuprum, verum etiam ad facinus obeundum; vigilare non solum insidiantem somno maritorum, verum etiam bonis otiosorum. Habes ubi ostentes tuam illam praeclaram patientiam famis, frigoris, inopiae rerum omnium, quibus te brevi tempore confectum esse senties. **27.** Tantum profeci tum, cum te a consulatu reppuli, ut exsul potius temptare quam consul vexare rem publicam posses, atque ut id quod est a te scelerate susceptum, latrocinium potius quam bellum nominaretur.

The Consul may be Charged with Remissness

XI. Nunc, ut a me, patres conscripti, quandam prope justam patriae querimoniam detester ac deprecer, percipite, quaeso, diligenter quae dicam, et ea penitus animis vestris mentibusque mandate. Etenim si mecum patria, quae mihi vita mea multo est carior, si cuncta Italia, si omnis res publica, loquatur: 'M. Tulli, quid agis? Tune eum, quem esse hostem comperisti, quem ducem belli futurum vides, quem exspectari imperatorem in castris hostium sentis, auctorem sceleris, principem conjurationis, evocatorem servorum et civium perditorum, exire patiere, ut abs te non emissus ex urbe, sed immissus in urbem esse videatur? Non hunc in vincula duci, non ad mortem rapi, non summo supplicio mactari imperabis? **28.** Quid tandem te impedit? Mosne majorum? At persaepe etiam privati in hac re publica perniciosos civis morte multaverunt. An leges, quae de civium Romanorum supplicio rogatae sunt? At numquam in hac urbe qui a re publica defecerunt civium jura tenuerunt. An invidiam posteritatis times? Praeclaram vero populo Romano refers gratiam, qui te hominem per te cognitum, nulla commendatione majorum, tam mature ad summum imperium per omnis honorum gradus extulit, si propter invidiae aut alicujus periculi metum salutem civium tuorum neglegis. **29.** Sed si quis est invidiae metus, num est vehementius severitatis ac fortitudinis invidia quam inertiae ac nequitiae pertimescenda? An cum bello vastabitur Italia, vexabuntur urbes, tecta ardebunt, tum te non existimas invidiae incendio conflagraturum?'

But he has been Biding his Time

XII. His ego sanctissimis rei publicae vocibus, et eorum hominum qui hoc idem sentiunt mentibus, pauca respondebo. Ego, si hoc optimum factu judicarem, patres conscripti, Catilinam morte multari, unius usuram horae gladiatori isti ad vivendum non dedissem. Etenim si summi et clarissimi viri Saturnini et Gracchorum et Flacci et superiorum complurium sanguine non modo se non contaminarunt, sed etiam honestarunt, certe verendum mihi non erat ne quid hoc parricida civium interfecto invidiae mihi in posteritatem redundaret. Quod si ea mihi maxime impenderet, tamen hoc animo fui semper, ut invidiam virtute partam gloriam, non invidiam putarem. **30.** Quamquam non nulli sunt in hoc ordine, qui aut ea quae imminent non videant, aut ea quae vident dissimulent: qui spem Catilinae mollibus sententiis aluerunt, conjurationemque nascentem non credendo corroboraverunt: quorum auctoritatem secuti multi non solum improbi, verum etiam imperiti, si in hunc animadvertissem, crudeliter et regie factum esse dicerent. Nunc intellego, si iste, quo intendit, in Manliana castra pervenerit, neminem tam stultum fore qui non videat conjurationem esse factam, neminem tam improbum qui non fateatur. Hoc autem uno interfecto, intellego hanc rei publicae pestem paulisper reprimi, non in perpetuum comprimi posse. Quod si se ejecerit, secumque suos eduxerit, et eodem ceteros undique conlectos naufragos adgregarit, exstinguetur atque delebitur non modo haec tam adulta rei publicae pestis, verum etiam stirps ac semen malorum omnium.

For Half-way Measures would have been of No Avail

XIII. **31.** Etenim jam diu, patres conscripti, in his periculis conjurationis insidiisque versamur, sed nescio quo pacto omnium scelerum ac veteris furoris et audaciae maturitas in nostri consulatus tempus erupit. Quod si ex tanto latrocinio iste unus tolletur, videbimur fortasse ad breve quoddam tempus cura et metu esse relevati; periculum autem residebit, et erit inclusum penitus in venis atque in visceribus rei publicae. Ut saepe homines aegri morbo gravi, cum aestu febrique jactantur, si aquam gelidam biberint, primo relevari videntur, deinde multo gravius vehementiusque adflictantur; sic hic morbus, qui est in re publica, relevatus istius poena, vehementius reliquis vivis ingravescet. **32.** Qua re secedant improbi, secernant se a bonis, unum in locum congregentur, muro denique ([id] quod

Ruins of Temple of Jupiter Stator

saepe jam dixi) discernantur a nobis: desinant insidiari domi suae consuli, circumstare tribunal praetoris urbani, obsidere cum gladiis curiam, malleolos et faces ad inflammandam urbem comparare: sit denique inscriptum in fronte unius cujusque quid de re publica sentiat. Polliceor hoc vobis, patres conscripti, tantam in nobis consulibus fore diligentiam, tantam in vobis auctoritatem, tantam in equitibus Romanis virtutem, tantam in omnibus bonis consensionem, ut Catilinae profectione omnia patefacta, inlustrata, oppressa, vindicata esse videatis.

Appeal to Jupiter to Save Rome

33. Hisce ominibus, Catilina, cum summa rei publicae salute, cum tua peste ac pernicie, cumque eorum exitio qui se tecum omni scelere parricidioque junxerunt, proficiscere ad impium bellum ac nefarium. Tu, Juppiter, qui isdem quibus haec urbs auspiciis [a Romulo] es constitutus, quem Statorem hujus urbis atque imperi vere nominamus, hunc et hujus socios a tuis ceterisque templis, a tectis urbis ac moenibus, a vita fortunisque civium [omnium] arcebis, et homines bonorum inimicos, hostis patriae, latrones Italiae, scelerum foedere inter se ac nefaria societate conjunctos, aeternis suppliciis vivos mortuosque mactabis.

II. CHARACTER OF THE CONSPIRACY

(*In L. Catilinam Oratio II*)

BEFORE THE PEOPLE, NOV. 9

WHEN Cicero had finished his speech and taken his seat, Catiline attempted to reply, but was interrupted by the cries and reproaches of the Senators. With a few threatening words, he rushed from the temple, and left the city the same night, for the camp of Manlius. The next morning the consul assembled the people, and announced to them the news, in the triumphant speech which follows.

Catiline is Gone

TANDEM aliquando, Quirites, L. Catilinam, furentem audacia, scelus anhelantem, pestem patriae nefarie molientem, vobis atque huic urbi ferro flammaque minitantem, ex urbe vel ejecimus vel emisimus, vel ipsum egredientem verbis prosecuti sumus. Abiit, excessit, evasit, erupit. Nulla jam pernicies a monstro illo atque prodigio moenibus ipsis intra moenia comparabitur. Atque hunc quidem unum hujus belli domestici ducem sine controversia vicimus. Non enim jam inter latera nostra sica illa versabitur: non in campo, non in foro, non in curia, non denique intra domesticos parietes pertimescemus. Loco ille motus est, cum est ex urbe depulsus. Palam jam cum hoste nullo impediente bellum [justum] geremus. Sine dubio perdidimus hominem magnificeque vicimus, cum illum ex occultis insidiis in apertum latrocinium conjecimus. **2.** Quod vero non cruentum mucronem (ut voluit) extulit, quod vivis nobis egressus est, quod ei ferrum e manibus extorsimus, quod incolumis civis, quod stantem urbem reliquit, quanto tandem illum maerore esse adflictum et profligatum putatis? Jacet ille nunc prostratusque est, et se perculsum atque abjectum esse sentit, et retorquet oculos profecto saepe ad hanc urbem, quam e suis faucibus ereptam esse luget: quae quidem mihi laetari videtur, quod tantam pestem evomuerit forasque projecerit.

He Ought to have been Put to Death

II. **3.** Ac si quis est talis, qualis esse omnis oportebat, qui in hoc ipso, in quo exsultat et triumphat oratio mea, me vehementer accuset, quod tam capitalem hostem non comprehenderim potius quam emiserim, non est ista mea culpa, sed temporum. Interfectum esse L. Catilinam et gravissimo supplicio adfectum jam pridem oportebat, idque a me et mos majorum et hujus imperi severitas et res publica postulabat. Sed quam multos fuisse putatis qui quae ego deferrem non crederent? [quam multos qui propter stultitiam non putarent?] quam multos qui etiam defenderent? [quam multos qui propter improbitatem faverent?] Ac si illo sublato depelli a vobis omne periculum judicarem, jam pridem ego L. Catilinam non modo invidiae meae, verum etiam vitae periculo sustulissem.

But the Time was not Ripe

4. Sed cum viderem, ne vobis quidem omnibus re etiam tum probata, si illum, ut erat meritus, morte multassem, fore ut ejus socios invidia oppressus persequi non possem, rem huc deduxi, ut tum palam pugnare possetis, cum hostem aperte videretis. Quem quidem ego hostem quam vehementer foris esse timendum putem, licet hinc intellegatis, quod etiam moleste fero, quod ex urbe parum comitatus exierit. Utinam ille omnis secum suas copias eduxisset! Tongilium mihi eduxit, quem amare in praetexta coeperat, Publicium et Minucium, quorum aes alienum contractum in popina nullum rei publicae motum adferre poterat: reliquit quos viros! quanto aere alieno! quam valentis! quam nobilis!

His Worthless Partisans Remain, but are Powerless

III. **5.** Itaque ego illum exercitum prae Gallicanis legionibus, et hoc dilectu quem in agro Piceno et Gallico Q. Metellus habuit, et his copiis quae a nobis cotidie comparantur, magno opere contemno, conlectum ex senibus desperatis, ex agresti luxuria, ex rusticis decoctoribus, ex eis qui vadimonia deserere quam illum exercitum maluerunt: quibus ego non modo si aciem exercitus nostri, verum etiam si edictum praetoris ostendero, concident. Hos, quos video volitare in foro, quos stare ad curiam, quos etiam in senatum venire, qui nitent unguentis, qui fulgent purpura, mallem secum milites eduxisset: qui si hic permanent, mementote non tam exercitum illum esse nobis quam hos, qui exercitum deseruerunt, pertimescendos. Atque hoc etiam sunt timendi magis, quod quicquid cogitant me scire sentiunt, neque tamen permoventur. **6.** Video cui sit Apulia attributa, quis habeat Etruriam, quis agrum Picenum, quis Gallicum, quis sibi has urbanas insidias caedis atque incendiorum depoposcerit: omnia superioris noctis consilia ad me perlata esse sentiunt: patefeci in senatu hesterno die: Catilina ipse pertimuit, profugit: hi quid exspectant? Ne illi vehementer errant, si illam meam pristinam lenitatem perpetuam sperant futuram.

Let them Follow him

IV. Quod exspectavi, jam sum adsecutus, ut vos omnes factam esse aperte conjurationem contra rem publicam videretis: nisi vero si quis est qui Catilinae similis cum Catilina sentire non putet. Non est jam lenitati locus: severitatem res ipsa flagitat. Unum etiam nunc concedam: exeant, proficiscantur; ne patiantur desiderio sui Catilinam miserum tabescere. Demonstrabo iter: Aurelia via profectus est: si adcelerare volent, ad vesperam consequentur.

He was the Ringleader of all Scoundrels and Profligates

7. O fortunatam rem publicam, si quidem hanc sentinam urbis ejecerit! Uno (mehercule) Catilina exhausto, levata mihi et recreata res publica videtur. Quid enim mali aut sceleris fingi aut cogitari potest quod non ille conceperit? Quis tota Italia veneficus, quis gladiator, quis latro, quis sicarius, quis parricida, quis testamentorum subjector, quis circumscriptor, quis ganeo, quis nepos, quis adulter, quae mulier infamis, quis corruptor juventutis, quis corruptus, quis perditus inveniri potest, qui se cum Catilina non familiarissime vixisse fateatur? quae caedes per hosce annos sine illo facta est? quod nefarium stuprum non per illum? **8.** Jam vero quae tanta umquam in ullo homine juventutis inlecebra fuit, quanta in illo? qui alios ipse amabat turpissime, aliorum amori flagitiosissime serviebat: aliis fructum libidinum, aliis mortem parentum non modo impellendo, verum etiam adjuvando pollicebatur. Nunc vero quam subito non solum ex urbe, verum etiam ex agris ingentem numerum perditorum hominum conlegerat! Nemo non modo Romae, sed ne ullo quidem in angulo totius Italiae oppressus aere alieno fuit, quem non ad hoc incredibile sceleris foedus asciverit.

V. **9**. Atque ut ejus diversa studia in dissimili ratione perspicere possitis, nemo est in ludo gladiatorio paulo ad facinus audacior, qui se non intimum Catilinae esse fateatur; nemo in scaena levior et nequior, qui se non ejusdem prope sodalem fuisse commemoret. Atque idem tamen, stuprorum et scelerum exercitatione adsuefactus, frigore et fame et siti et vigiliis perferendis, fortis ab istis praedicabatur, cum industriae subsidia atque instrumenta virtutis in libidine audaciaque consumeret.

Let his Associates Depart or Take the Consequences

10. Hunc vero si secuti erunt sui comites, si ex urbe exierint desperatorum hominum flagitiosi greges, O nos beatos! O rem publicam fortunatam! O praeclaram laudem consulatus mei! Non enim jam sunt mediocres hominum libidines, non humanae ac tolerandae audaciae: nihil cogitant nisi caedem, nisi incendia, nisi rapinas. Patrimonia sua profuderunt, fortunas suas obligaverunt: res eos jam pridem, fides nuper deficere coepit: eadem tamen illa, quae erat in abundantia, libido permanet. Quod si in vino et alea comissationes solum et scorta quaererent, essent illi quidem desperandi, sed tamen essent ferendi: hoc vero quis ferre possit, inertis homines fortissimis viris insidiari, stultissimos prudentissimis, ebriosos sobriis, dormientis vigilantibus? qui mihi accubantes in conviviis, complexi mulieres impudicas, vino languidi, conferti cibo, sertis redimiti, unguentis obliti, debilitati stupris, eructant sermonibus suis caedem bonorum atque urbis incendia. **11**. Quibus ego confido impendere fatum aliquod, et poenam jam diu improbitati, nequitiae, sceleri, libidini debitam aut instare jam plane, aut certe appropinquare. Quos si meus consulatus, quoniam sanare non potest, sustulerit, non breve nescio quod tempus, sed multa saecula propagarit rei publicae. Nulla est enim natio quam pertimescamus, nullus rex qui bellum populo Romano facere possit. Omnia sunt externa unius virtute terra marique pacata: domesticum bellum manet; intus insidiae sunt, intus inclusum periculum est, intus est hostis. Cum luxuria nobis, cum amentia, cum scelere certandum est. Huic ego me bello ducem profiteor, Quirites: suscipio inimicitias hominum perditorum. Quae sanari poterunt, quacumque ratione sanabo; quae resecanda erunt, non patiar ad perniciem civitatis manere. Proinde aut exeant, aut quiescant, aut, si et in urbe et in eadem mente permanent, ea quae merentur exspectent.

Catiline is not in Exile: he has Joined his Hostile Army

VI. **12.** At etiam sunt qui dicant, Quirites, a me in exsilium ejectum esse Catilinam. Quod ego si verbo adsequi possem, istos ipsos eicerem, qui haec loquuntur. Homo enim videlicet timidus aut etiam permodestus vocem consulis ferre non potuit: simul atque ire in exsilium jussus est, paruit. Quid? ut hesterno die, Quirites, cum domi meae paene interfectus essem, senatum in aedem Jovis Statoris convocavi, rem omnem ad patres conscriptos detuli: quo cum Catilina venisset, quis eum senator appellavit? quis salutavit? quis denique ita aspexit ut perditum civem, ac non potius ut importunissimum hostem? Quin etiam principes ejus ordinis partem illam subselliorum, ad quam ille accesserat, nudam atque inanem reliquerunt. **13.** Hic ego vehemens ille consul, qui verbo civis in exsilium eicio, quaesivi a Catilina in nocturno conventu ad M. Laecam fuisset necne. Cum ille, homo audacissimus, conscientia convictus, primo reticuisset, patefeci cetera: quid ea nocte egisset, quid in proximam constituisset, quem ad modum esset ei ratio totius belli descripta, edocui. Cum haesitaret, cum teneretur, quaesivi quid dubitaret proficisci eo, quo jam pridem pararet, cum arma, cum securis, cum fascis, cum tubas, cum signa militaria, cum aquilam illam argenteam, cui ille etiam sacrarium [scelerum] domi suae fecerat, scirem esse praemissam. **14.** In exsilium eiciebam, quem jam ingressum esse in bellum videbam? Etenim, credo, Manlius iste centurio, qui in agro Faesulano castra posuit, bellum populo Romano suo nomine indixit, et illa castra nunc non Catilinam ducem exspectant, et ille ejectus in exsilium se Massiliam, ut aiunt, non in haec castra conferet.

Men Say the Consul has Driven him into Exile: Would the Charge were True

VII. O condicionem miseram non modo administrandae, verum etiam conservandae rei publicae! Nunc si L. Catilina consiliis, laboribus, periculis meis circumclusus ac debilitatus subito pertimuerit, sententiam mutaverit, deseruerit suos, consilium belli faciendi abjecerit, ex hoc cursu sceleris ac belli iter ad fugam atque in exsilium converterit, — non ille a me spoliatus armis audaciae, non obstupefactus ac perterritus mea diligentia, non de spe conatuque depulsus, sed indemnatus, innocens, in exsilium ejectus a consule vi et minis esse dicetur; et erunt qui illum, si hoc fecerit, non improbum, sed miserum, me non diligentissimum consulem, sed crudelissimum tyrannum existimari velint! **15.** Est mihi tanti, Quirites, hujus invidiae falsae atque iniquae tempestatem subire, dum modo a vobis hujus horribilis belli ac nefarii periculum depellatur. Dicatur sane ejectus esse a me, dum modo eat in exsilium. Sed, mihi credite, non est iturus. Numquam ego a dis immortalibus optabo, Quirites, invidiae meae levandae causa, ut L. Catilinam ducere exercitum hostium atque in armis volitare audiatis: sed triduo tamen audietis: multoque magis illud timeo, ne mihi sit invidiosum aliquando, quod illum emiserim potius quam quod ejecerim. Sed cum sint homines qui illum, cum profectus sit, ejectum esse dicant, eidem si interfectus esset quid dicerent? **16.** Quamquam isti, qui Catilinam Massiliam ire dictitant, non tam hoc queruntur quam verentur. Nemo est istorum tam misericors, qui illum non ad Manlium quam ad Massiliensis ire malit. Ille autem, si (me hercule) hoc quod agit numquam antea cogitasset, tamen latrocinantem se interfici mallet quam exsulem vivere. Nunc vero, cum ei nihil adhuc praeter ipsius voluntatem cogitationemque acciderit, nisi quod vivis nobis Roma profectus est, optemus potius ut eat in exsilium quam queramur.

Character of his Partisans

VIII. **17.** Sed cur tam diu de uno hoste loquimur, et de hoste qui jam fatetur se esse hostem, et quem, quia (quod semper volui) murus interest, non timeo: de eis qui dissimulant, qui Romae remanent, qui nobiscum sunt, nihil dicimus? Quos quidem ego, si ullo modo fieri possit, non tam ulcisci studeo quam sanare sibi ipsos, placare rei publicae, neque id qua re fieri non possit, si me audire volent, intellego. Exponam enim vobis, Quirites, ex quibus generibus hominum istae copiae comparentur: deinde singulis medicinam consili atque orationis meae, si quam potero, adferam.

First: Rich Men in Debt

18. Unum genus est eorum, qui magno in aere alieno majores etiam possessiones habent, quarum amore adducti dissolvi nullo modo possunt. Horum hominum species est honestissima—sunt enim locupletes: voluntas vero et causa impudentissima. Tu agris, tu aedificiis, tu argento, tu familia, tu rebus omnibus ornatus et copiosus sis, et dubites de possessione detrahere, adquirere ad fidem? Quid enim exspectas? bellum? Quid ergo? in vastatione omnium, tuas possessiones sacrosanctas futuras putas? An tabulas novas? Errant qui istas a Catilina exspectant: meo beneficio tabulae novae proferentur, verum auctionariae. Neque enim isti, qui possessiones habent, alia ratione ulla salvi esse possunt. Quod si maturius facere voluissent, neque — id quod stultissimum est — certare cum usuris fructibus praediorum, et locupletioribus his et melioribus civibus uteremur. Sed hosce homines minime puto pertimescendos, quod aut deduci de sententia possunt, aut, si permanebunt, magis mihi videntur vota facturi contra rem publicam quam arma laturi.

Second: Men Eager for Power and Wealth

IX. **19.** Alterum genus est eorum qui, quamquam premuntur aere alieno, dominationem tamen exspectant, rerum potiri volunt, honores, quos quieta re publica desperant, perturbata se consequi posse arbitrantur. Quibus hoc praecipiendum videtur, — unum scilicet et idem quod reliquis omnibus, — ut desperent id quod conantur se consequi posse: primum omnium me ipsum vigilare, adesse, providere rei publicae; deinde magnos animos esse in bonis viris, magnam concordiam in maxima multitudine, magnas praeterea copias militum; deos denique immortalis huic invicto populo, clarissimo imperio, pulcherrimae urbi, contra tantam vim sceleris praesentis auxilium esse laturos. Quod si jam sint id, quod cum summo furore cupiunt, adepti, num illi in cinere urbis et in sanguine civium, quae mente conscelerata ac nefaria concupiverunt, se consules ac dictatores aut etiam reges sperant futuros? Non vident id se cupere, quod si adepti sint, fugitivo alicui aut gladiatori concedi sit necesse?

Third: Old Soldiers of Sulla

20. Tertium genus est aetate jam adfectum, sed tamen exercitatione robustum; quo ex genere iste est Manlius, cui nunc Catilina succedit. Sunt homines ex eis coloniis quas Sulla constituit: quas ego universas civium esse optimorum et fortissimorum virorum sentio; sed tamen ei sunt coloni, qui se in insperatis ac repentinis pecuniis sumptuosius insolentiusque jactarunt. Hi dum aedificant tamquam beati, dum praediis lectis, familiis magnis, conviviis apparatis delectantur, in tantum aes alienum inciderunt, ut, si salvi esse velint, Sulla sit [eis] ab inferis excitandus: qui etiam non nullos agrestis, homines tenuis atque egentis, in eandem illam spem rapinarum veterum impulerunt. Quos ego utrosque in eodem genere praedatorum direptorumque pono. Sed eos hoc moneo: desinant furere ac proscriptiones et dictaturas cogitare. Tantus enim illorum temporum dolor inustus est civitati, ut jam ista non modo homines, sed ne pecudes quidem mihi passurae esse videantur.

Fourth: Ruined Debtors

X. **21**. Quartum genus est sane varium et mixtum et turbulentum, qui jam pridem premuntur, qui numquam emergunt, qui partim inertia, partim male gerendo negotio, partim etiam sumptibus in vetere aere alieno vacillant; qui vadimoniis, judiciis, proscriptione bonorum defatigati, permulti et ex urbe et ex agris se in illa castra conferre dicuntur. Hosce ego non tam milites acris quam infitiatores lentos esse arbitror. Qui homines primum, si stare non possunt, conruant; sed ita, ut non modo civitas, sed ne vicini quidem proximi sentiant. Nam illud non intellego, quam ob rem, si vivere honeste non possunt, perire turpiter velint; aut cur minore dolore perituros se cum multis, quam si soli pereant, arbitrentur.

Fifth and Sixth: Cut-throats and Debauchees

22. Quintum genus est parricidarum, sicariorum, denique omnium facinorosorum: quos ego a Catilina non revoco; nam neque ab eo divelli possunt, et pereant sane in latrocinio, quoniam sunt ita multi ut eos carcer capere non possit. Postremum autem genus est non solum numero, verum etiam genere ipso atque vita, quod proprium Catilinae est, — de ejus dilectu, immo vero de complexu ejus ac sinu; quos pexo capillo, nitidos, aut imberbis aut bene barbatos videtis, manicatis et talaribus tunicis, velis amictos non togis, quorum omnis industria vitae et vigilandi labor in antelucanis cenis expromitur. **23.** In his gregibus omnes aleatores, omnes adulteri, omnes impuri impudicique versantur. Hi pueri tam lepidi ac delicati non solum amare et amari, neque saltare et cantare, sed etiam sicas vibrare et spargere venena didicerunt; qui nisi exeunt, nisi pereunt, etiam si Catilina perierit, scitote hoc in re publica seminarium Catilinarum futurum. Verum tamen quid sibi isti miseri volunt? Num suas secum mulierculas sunt in castra ducturi? Quem ad modum autem illis carere poterunt, his praesertim jam noctibus? Quo autem pacto illi Apenninum atque illas pruinas ac nivis perferent? nisi idcirco se facilius hiemem toleraturos putant, quod nudi in conviviis saltare didicerunt.

These Followers of Catiline Contrasted with the Defenders of the State

XI. **24.** O bellum magno opere pertimescendum, cum hanc sit habiturus Catilina scortorum cohortem praetoriam! Instruite nunc, Quirites, contra has tam praeclaras Catilinae copias vestra praesidia vestrosque exercitus. Et primum gladiatori illi confecto et saucio consules imperatoresque vestros opponite; deinde contra illam naufragorum ejectam ac debilitatam manum florem totius Italiae ac robur educite. Jam vero urbes coloniarum ac municipiorum respondebunt Catilinae tumulis silvestribus. Neque ego ceteras copias, ornamenta, praesidia vestra cum illius latronis inopia atque egestate conferre debeo. **25.** Sed si, omissis his rebus, quibus nos suppeditamur, eget ille, — senatu, equitibus Romanis, urbe, aerario, vectigalibus, cuncta Italia, provinciis omnibus, exteris nationibus, — si, his rebus omissis, causas ipsas quae inter se confligunt contendere velimus, ex eo ipso quam valde illi jaceant intellegere possumus. Ex hac enim parte pudor pugnat, illinc petulantia; hinc pudicitia, illinc stuprum; hinc fides, illinc fraudatio; hinc pietas, illinc scelus; hinc constantia, illinc furor; hinc honestas, illinc turpitudo; hinc continentia, illinc libido; denique aequitas, temperantia, fortitudo, prudentia, [virtutes omnes,] certant cum iniquitate, luxuria, ignavia, temeritate [, cum vitiis omnibus]; postremo copia cum egestate, bona ratio cum perdita, mens sana cum amentia, bona denique spes cum omnium rerum desperatione confligit. In ejus modi certamine ac proelio, nonne, etiam si hominum studia deficiant, di ipsi immortales cogant ab his praeclarissimis virtutibus tot et tanta vitia superari?

Citizens Need not Fear: the Consul will Protect the City

XII. **26**. Quae cum ita sint, Quirites, vos, quem ad modum jam antea, vestra tecta custodiis vigiliisque defendite: mihi, ut urbi sine vestro motu ac sine ullo tumultu satis esset praesidi, consultum atque provisum est. Coloni omnes municipesque vestri, certiores a me facti de hac nocturna excursione Catilinae, facile urbis suas finisque defendent. Gladiatores, quam sibi ille manum certissimam fore putavit, — quamquam animo meliore sunt quam pars patriciorum, — potestate tamen nostra continebuntur. Q. Metellus, quem ego hoc prospiciens in agrum Gallicum Picenumque praemisi, aut opprimet hominem, aut omnis ejus motus conatusque prohibebit. Reliquis autem de rebus constituendis, maturandis, agendis, jam ad senatum referemus, quem vocari videtis.

The Conspirators Warned

27. Nunc illos qui in urbe remanserunt, atque adeo qui contra urbis salutem omniumque vestrum in urbe a Catilina relicti sunt, quamquam sunt hostes, tamen, quia sunt cives, monitos etiam atque etiam volo. Mea lenitas si cui adhuc solutior visa est, hoc exspectavit, ut id quod latebat erumperet. Quod reliquum est, jam non possum oblivisci meam hanc esse patriam, me horum esse consulem, mihi aut cum his vivendum aut pro his esse moriendum. Nullus est portis custos, nullus insidiator viae: si qui exire volunt, conivere possum. Qui vero se in urbe commoverit, cujus ego non modo factum, sed inceptum ullum conatumve contra patriam deprehendero, sentiet in hac urbe esse consules vigilantis, esse egregios magistratus, esse fortem senatum, esse arma, esse carcerem, quem vindicem nefariorum ac manifestorum scelerum majores nostri esse voluerunt.

There shall be No Disturbance

XIII. **28**. Atque haec omnia sic agentur, Quirites, ut maximae res minimo motu, pericula summa nullo tumultu, bellum intestinum ac domesticum post hominum memoriam crudelissimum et maximum, me uno togato duce et imperatore sedetur. Quod ego sic administrabo, Quirites, ut, si ullo modo fieri poterit, ne improbus quidem quisquam in hac urbe poenam sui sceleris sufferat. Sed si vis manifestae audaciae, si impendens patriae periculum me necessario de hac animi lenitate deduxerit, illud profecto perficiam, quod in tanto et tam insidioso bello vix optandum videtur, ut neque bonus quisquam intereat, paucorumque poena vos omnes salvi esse possitis.

The People may Trust in the Immortal Gods

29. Quae quidem ego neque mea prudentia neque humanis consiliis fretus polliceor vobis, Quirites, sed multis et non dubiis deorum immortalium significationibus, quibus ego ducibus in hanc spem sententiamque sum ingressus; qui jam non procul, ut quondam solebant, ab externo hoste atque longinquo, sed hic praesentes suo numine atque auxilio sua templa atque urbis tecta defendunt. Quos vos, Quirites, precari, venerari, implorare debetis, ut, quam urbem pulcherrimam florentissimamque esse voluerunt, hanc, omnibus hostium copiis terra marique superatis, a perditissimorum civium nefario scelere defendant.

III. HOW THE CONSPIRACY WAS SUPPRESSED

(*In L. Catilinam Oratio III*)

BEFORE THE PEOPLE, DEC. 3

Now that Catiline had been driven into open war, the conspiracy within the city was in the hands of utterly incompetent men. Lentulus, who claimed the lead by virtue of his consular rank, was vain, pompous, and inefficient. The next in rank, Cethegus, was energetic enough, but rash and bloodthirsty. The consul easily kept the run of events, and at last succeeded in getting the conspirators to commit themselves in writing, when he had no difficulty in arresting them and securing the documents. How this was accomplished is told in the third oration.

The Citizens Congratulated on their Deliverance

REM PUBLICAM, Quirites, vitamque omnium vestrum, bona, fortunas, conjuges liberosque vestros, atque hoc domicilium clarissimi imperi, fortunatissimam pulcherrimamque urbem, hodierno die deorum immortalium summo erga vos amore, laboribus, consiliis, periculis meis, e flamma atque ferro ac paene ex faucibus fati ereptam et vobis conservatam ac restitutam videtis. **2.** Et si non minus nobis jucundi atque inlustres sunt ei dies quibus conservamur, quam illi quibus nascimur, — quod salutis certa laetitia est, nascendi incerta condicio; et quod sine sensu nascimur, cum voluptate servamur, — profecto, quoniam illum qui hanc urbem condidit ad deos immortalis benevolentia famaque sustulimus, esse apud vos posterosque vestros in honore debebit is qui eandem hanc urbem conditam amplificatamque servavit. Nam toti urbi, templis, delubris, tectis ac moenibus subjectos prope jam ignis circumdatosque restinximus; idemque gladios in rem publicam destrictos rettudimus, mucronesque eorum a jugulis vestris dejecimus. **3.** Quae quoniam in senatu inlustrata, patefacta, comperta sunt per me, vobis jam exponam breviter, Quirites, ut et quanta et qua ratione investigata et comprehensa sint, vos qui ignoratis et exspectatis scire possitis.

The Story of the Arrest

Principio, ut Catilina paucis ante diebus erupit ex urbe, cum sceleris sui socios, hujusce nefarii belli acerrimos duces, Romae reliquisset, semper vigilavi et providi, Quirites, quem ad modum in tantis et tam absconditis insidiis salvi esse possemus. II. Nam tum, cum ex urbe Catilinam eiciebam, — non enim jam vereor hujus verbi invidiam, cum illa magis sit timenda, quod vivus exierit, — sed tum, cum illum exterminari volebam, aut reliquam conjuratorum manum simul exituram, aut eos qui restitissent infirmos sine illo ac debilis fore putabam. **4.** Atque ego, ut vidi quos maximo furore et scelere esse inflammatos sciebam eos nobiscum esse, et Romae remansisse, in eo omnis dies noctisque consumpsi, ut quid agerent, quid molirentur, sentirem ac viderem; ut, quoniam auribus vestris propter incredibilem magnitudinem sceleris minorem fidem faceret oratio mea, rem ita comprehenderem, ut tum demum animis saluti vestrae provideretis, cum oculis maleficium ipsum videretis. Itaque, ut comperi legatos Allobrogum, belli Transalpini et tumultus Gallici excitandi causa, a P. Lentulo esse sollicitatos, eosque in Galliam ad suos civis, eodemque itinere cum litteris mandatisque ad Catilinam esse missos, comitemque eis adjunctum esse T. Volturcium, atque huic ad Catilinam esse datas litteras, facultatem mihi oblatam putavi, ut — quod erat difficillimum, quodque ego semper optabam ab dis immortalibus — tota res non solum a me, sed etiam a senatu et a vobis manifesto deprehenderetur.

At the Mulvian Bridge

5. Itaque hesterno die L. Flaccum et C. Pomptinum praetores, fortissimos atque amantissimos rei publicae viros, ad me vocavi; rem exposui, quid fieri placeret ostendi. Illi

The Mulvian Bridge

autem, qui omnia de re publica praeclara atque egregia sentirent, sine recusatione ac sine ulla mora negotium susceperunt, et, cum advesperasceret, occulte ad pontem Mulvium pervenerunt, atque ibi in proximis villis ita bipartito fuerunt, ut Tiberis inter eos et pons interesset. Eodem autem et ipsi sine cujusquam suspicione multos fortis viros eduxerant, et ego ex praefectura Reatina compluris delectos adulescentis, quorum opera utor adsidue in re publica praesidio, cum gladiis miseram. 6. Interim, tertia fere vigilia exacta, cum jam pontem Mulvium magno comitatu legati Allobrogum ingredi inciperent, unaque Volturcius, fit in eos impetus; educuntur et ab illis gladii et a nostris. Res praetoribus erat nota solis, ignorabatur a ceteris.

The Conspirators Arrested

III. Tum, interventu Pomptini atque Flacci, pugna [quae erat commissa] sedatur. Litterae, quaecumque erant in eo comitatu, integris signis praetoribus traduntur; ipsi comprehensi ad me, cum jam dilucesceret, deducuntur. Atque horum omnium scelerum improbissimum machinatorem Cimbrum Gabinium statim ad me, nihil dum suspicantem, vocavi; deinde item arcessitus est L. Statilius, et post eum C. Cethegus; tardissime autem Lentulus venit, credo quod in litteris dandis praeter consuetudinem proxima nocte vigilarat. 7. Cum summis ac clarissimis hujus civitatis viris (qui audita re frequentes ad me mane convenerant) litteras a me prius aperiri quam ad senatum deferrem placeret, — ne, si nihil esset inventum, temere a me tantus tumultus injectus civitati videretur, — negavi me esse facturum, ut de periculo publico non ad consilium publicum rem integram deferrem. Etenim, Quirites, si ea quae erant ad me delata reperta non essent, tamen ego non arbitrabar, in tantis rei publicae periculis, esse mihi nimiam diligentiam pertimescendam. Senatum frequentem celeriter, ut vidistis, coëgi. 8. Atque interea statim, admonitu Allobrogum, C. Sulpicium praetorem, fortem virum, misi, qui ex aedibus Cethegi si quid telorum esset efferret: ex quibus ille maximum sicarum numerum et gladiorum extulit.

The Conspirators before the Senate

IV. Introduxi Volturcium sine Gallis: fidem publicam jussu senatus dedi: hortatus sum, ut ea quae sciret sine timore indicaret. Tum ille dixit, cum vix se ex magno timore recreasset, ab Lentulo se habere ad Catilinam mandata et litteras, ut servorum praesidio uteretur, ut ad urbem quam primum cum exercitu accederet: id autem eo consilio, ut, cum urbem ex omnibus partibus quem ad modum descriptum distributumque erat incendissent, caedemque infinitam civium fecissent, praesto esset ille, qui et fugientis exciperet, et se cum his urbanis ducibus conjungeret. **9.** Introducti autem Galli jus jurandum sibi et litteras ab Lentulo, Cethego, Statilio ad suam gentem data esse dixerunt, atque ita sibi ab his et a L. Cassio esse praescriptum, ut equitatum in Italiam quam primum mitterent; pedestris sibi copias non defuturas. Lentulum autem sibi confirmasse, ex fatis Sibyllinis haruspicumque responsis, se esse tertium illum Cornelium, ad quem regnum hujus urbis atque imperium pervenire esset necesse; Cinnam ante se et Sullam fuisse; eundemque dixisse fatalem hunc annum esse ad interitum hujus urbis atque imperi, qui esset annus decimus post virginum absolutionem, post Capitoli autem incensionem vicesimus. **10.** Hanc autem Cethego cum ceteris controversiam fuisse dixerunt, quod Lentulo et aliis Saturnalibus caedem fieri atque urbem incendi placeret, Cethego nimium id longum videretur.

The Letters Produced

V. Ac ne longum sit, Quirites, tabellas proferri jussimus, quae a quoque dicebantur datae. Primum ostendimus Cethego signum: cognovit. Nos linum incidimus: legimus. Erat scriptum ipsius manu Allobrogum senatui et populo, sese quae eorum legatis confirmasset facturum esse; orare ut item illi facerent quae sibi eorum legati recepissent. Tum Cethegus, qui paulo ante aliquid tamen de gladiis ac sicis, quae apud ipsum erant deprehensa, respondisset dixissetque se semper bonorum ferramentorum studiosum fuisse, recitatis litteris debilitatus atque abjectus conscientia repente conticuit. Introductus est Statilius: cognovit et signum et manum suam. Recitatae sunt tabellae in eandem fere sententiam: confessus est. Tum ostendi tabellas Lentulo, et quaesivi cognosceretne signum. Adnuit. 'Est vero,' inquam, 'notum quidem signum, imago avi tui, clarissimi viri, qui amavit unice patriam et civis suos; quae quidem te a tanto scelere etiam muta revocare debuit.' **11.** Leguntur eadem ratione ad senatum Allobrogum populumque litterae.

Lentulus Confesses

Si quid de his rebus dicere vellet, feci potestatem. Atque ille primo quidem negavit; post autem aliquanto, toto jam indicio exposito atque edito, surrexit; quaesivit a Gallis

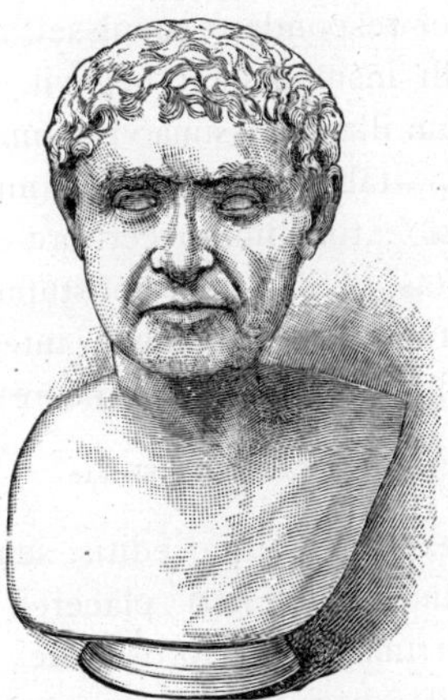

One of the Lentuli

quid sibi esset cum eis, quam ob rem domum suam venissent, itemque a Volturcio. Qui cum illi breviter constanterque respondissent, per quem ad eum quotiensque venissent, quaesissentque ab eo nihilne secum esset de fatis Sibyllinis locutus, tum ille subito, scelere demens, quanta conscientiae vis esset ostendit. Nam cum id posset infitiari, repente praeter opinionem omnium confessus est. Ita eum non modo ingenium illud et dicendi exercitatio, qua semper valuit, sed etiam propter vim sceleris manifesti atque deprehensi impudentia, qua superabat omnis, improbitasque defecit.

12. Volturcius vero subito litteras proferri atque aperiri jubet, quas sibi a Lentulo ad Catilinam datas esse dicebat. Atque ibi vehementissime perturbatus Lentulus tamen et signum et manum suam cognovit. Erant autem [scriptae] sine nomine, sed ita: *Quis sim scies ex eo quem ad te misi. Cura ut vir sis, et cogita quem in locum sis progressus; vide ecquid tibi jam sit necesse, et cura ut omnium tibi auxilia adjungas, etiam infimorum.* Gabinius deinde introductus, cum primo impudenter respondere coepisset, ad extremum nihil ex eis quae Galli insimulabant negavit. **13.** Ac mihi quidem, Quirites, cum illa certissima visa sunt argumenta atque indicia sceleris, — tabellae, signa, manus, denique unius cujusque confessio; tum multo certiora illa, — color, oculi, voltus, taciturnitas. Sic enim obstupuerant, sic terram intuebantur, sic furtim non numquam inter sese aspiciebant, ut non jam ab aliis indicari, sed indicare se ipsi viderentur.

Action of the Senate

VI. Indiciis expositis atque editis, senatum consului de summa re publica quid fieri placeret. Dictae sunt a principibus acerrimae ac fortissimae sententiae, quas senatus sine ulla varietate est secutus. Et quoniam nondum est perscriptum senatus consultum, ex memoria vobis, Quirites, quid senatus censuerit exponam. **14.** Primum mihi gratiae verbis amplissimis aguntur, quod virtute, consilio, providentia mea res publica maximis periculis sit liberata: deinde L. Flaccus et C. Pomptinus praetores, quod eorum opera forti fidelique usus essem, merito ac jure laudantur; atque etiam viro forti, conlegae meo, laus impertitur, quod eos qui hujus conjurationis participes fuissent a suis et a rei publicae consiliis removisset. Atque ita censuerunt, ut P. Lentulus, cum se praetura abdicasset, in custodiam traderetur; itemque uti C. Cethegus, L. Statilius, P. Gabinius, qui omnes praesentes erant, in custodiam traderentur; atque idem hoc decretum est in L. Cassium, qui sibi procurationem incendendae urbis depoposcerat, in M. Ceparium, cui ad sollicitandos pastores Apuliam attributam esse erat indicatum, in P. Furium, qui est ex eis colonis quos Faesulas L. Sulla deduxit, in Q. Annium Chilonem, qui una cum hoc Furio semper erat in hac Allobrogum sollicitatione versatus, in P. Umbrenum, libertinum hominem, a quo primum Gallos ad Gabinium perductos esse constabat. Atque ea lenitate senatus est usus, Quirites, ut ex tanta conjuratione, tantaque hac multitudine domesticorum hostium, novem hominum perditissimorum poena re publica conservata, reliquorum mentis sanari posse arbitraretur. **15.** Atque etiam supplicatio dis immortalibus pro singulari eorum merito meo nomine decreta est, quod mihi primum post hanc urbem conditam togato contigit. Et his verbis decreta est: *quod urbem incendiis, caede civis, Italiam bello liberassem.* Quae supplicatio si cum ceteris conferatur, hoc interest, quod ceterae bene gesta, haec una conservata re publica constituta est. Atque illud, quod faciendum primum fuit, factum atque transactum est. Nam P. Lentulus — quamquam patefactis indiciis, confessionibus suis, judicio senatus non modo praetoris jus, verum etiam civis amiserat — tamen magistratu se abdicavit, ut, quae religio C. Mario, clarissimo viro, non fuerat, quo minus C. Glauciam, de quo nihil nominatim erat decretum, praetorem occideret, ea nos religione in privato P. Lentulo puniendo liberaremur.

The Conspiracy now Thwarted

VII. **16**. Nunc quoniam, Quirites, consceleratissimi periculosissimique belli nefarios duces captos jam et comprehensos tenetis, existimare debetis omnis Catilinae copias, omnis spes atque opes, his depulsis urbis periculis, concidisse. Quem quidem ego cum ex urbe pellebam, hoc providebam animo, Quirites, — remoto Catilina, non mihi esse P. Lentuli somnum, nec L. Cassi adipes, nec C. Cethegi furiosam temeritatem pertimescendam.

Character of Catiline

Ille erat unus timendus ex istis omnibus, sed tam diu, dum urbis moenibus continebatur. Omnia norat, omnium aditus tenebat: appellare, temptare, sollicitare poterat, audebat: erat ei consilium ad facinus aptum, consilio autem neque manus neque lingua deërat. Jam ad certas res conficiendas certos homines delectos ac descriptos habebat. Neque vero, cum aliquid mandarat, confectum putabat: nihil erat quod non ipse obiret, occurreret, vigilaret, laboraret. Frigus, sitim, famem, ferre poterat. **17**. Hunc ego hominem tam acrem, tam audacem, tam paratum, tam callidum, tam in scelere vigilantem, tam in perditis rebus diligentem, nisi ex domesticis insidiis in castrense latrocinium compulissem, — dicam id quod sentio, Quirites, — non facile hanc tantam molem mali a cervicibus vestris depulissem. Non ille nobis Saturnalia constituisset, neque tanto ante exsili ac fati diem rei publicae denuntiavisset; neque commisisset ut signum, ut litterae suae testes manifesti sceleris deprehenderentur. Quae nunc illo absente sic gesta sunt, ut nullum in privata domo furtum umquam sit tam palam inventum, quam haec tanta in re publica conjuratio manifesto inventa atque deprehensa est. Quod si Catilina in urbe ad hanc diem remansisset, quamquam, quoad fuit, omnibus ejus consiliis occurri atque obstiti, tamen, ut levissime dicam, dimicandum nobis cum illo fuisset; neque nos umquam, cum ille in urbe hostis esset, tantis periculis rem publicam tanta pace, tanto otio, tanto silentio liberassemus.

Thanks Due to the Gods

VIII. **18**. Quamquam haec omnia, Quirites, ita sunt a me administrata, ut deorum immortalium nutu atque consilio et gesta et provisa esse videantur; idque cum conjectura consequi possumus, quod vix videtur humani consili tantarum rerum gubernatio esse potuisse; tum vero ita praesentes his temporibus opem et auxilium nobis tulerunt, ut eos paene oculis videre possemus. Nam ut illa omittam, — visas nocturno tempore ab occidente faces, ardoremque caeli, ut fulminum jactus, ut terrae motus relinquam, ut omittam cetera, quae tam multa nobis consulibus facta sunt, ut haec, quae nunc fiunt, canere di immortales viderentur, — hoc certe, quod sum dicturus, neque praetermittendum neque relinquendum est.

Signs and Omens

19. Nam profecto memoria tenetis, Cotta et Torquato consulibus, compluris in Capitolio res de caelo esse percussas, cum et simulacra deorum depulsa sunt, et statuae veterum hominum dejectae, et legum aera liquefacta: tactus est etiam ille qui hanc urbem condidit Romulus, quem inauratum in Capitolio, parvum atque lactentem, uberibus lupinis inhiantem, fuisse meministis. Quo quidem tempore cum haruspices ex tota Etruria convenissent, caedes atque incendia et legum interitum et bellum civile ac domesticum, et totius urbis atque imperi occasum appropinquare dixerunt, nisi di immortales, omni ratione placati, suo numine prope fata ipsa flexissent. **20**. Itaque illorum responsis tum et ludi per decem dies facti sunt, neque res ulla quae ad placandos deos pertineret praetermissa est; idemque jusserunt simulacrum Jovis facere majus, et in excelso conlocare, et (contra atque antea fuerat) ad orientem convertere; ac se sperare dixerunt, si illud signum, quod videtis, solis ortum et forum curiamque conspiceret, fore ut ea consilia, quae clam essent inita contra salutem urbis atque imperi, inlustrarentur, ut a senatu populoque Romano perspici possent. Atque [illud signum] conlocandum consules illi locaverunt; sed tanta fuit operis tarditas, ut neque superioribus consulibus, neque nobis ante hodiernum diem, conlocaretur.

Jupiter Watches over the City

IX. **21.** Hic quis potest esse tam aversus a vero, tam praeceps, tam mente captus, qui neget haec omnia quae videmus, praecipueque hanc urbem, deorum immortalium nutu ac potestate administrari? Etenim cum esset ita responsum, caedes, incendia, interitum rei publicae comparari, et ea per civis, — quae tum propter magnitudinem scelerum non nullis incredibilia videbantur, — ea non modo cogitata a nefariis civibus, verum etiam suscepta esse sensistis. Illud vero nonne ita praesens est, ut nutu Jovis Optimi Maximi factum esse videatur, ut, cum hodierno die mane per forum meo jussu et conjurati et eorum indices in aedem Concordiae ducerentur, eo ipso tempore signum statueretur? quo conlocato atque ad vos senatumque converso, omnia [et senatus et vos] quae erant cogitata contra salutem omnium, inlustrata et patefacta vidistis. **22.** Quo etiam majore sunt isti odio supplicioque digni, qui non solum vestris domiciliis atque tectis, sed etiam deorum templis atque delubris sunt funestos ac nefarios ignis inferre conati. Quibus ego si me restitisse dicam, nimium mihi sumam, et non sim ferendus. Ille, ille Juppiter restitit: ille Capitolium, ille haec templa, ille cunctam urbem, ille vos omnis salvos esse voluit. Dis ego immortalibus ducibus hanc

MARCUS AURELIUS SACRIFICING

(Temple of Jupiter Capitolinus in the Background)

mentem, Quirites, voluntatemque suscepi, atque ad haec tanta indicia perveni. Jam vero [illa Allobrogum sollicitatio] ab Lentulo ceterisque domesticis hostibus tam dementer tantae res creditae et ignotis et barbaris [commissae litterae] numquam essent profecto, nisi ab dis immortalibus huic tantae audaciae consilium esset ereptum. Quid vero? ut homines Galli, ex civitate male pacata, quae gens una restat quae bellum populo Romano facere posse et non nolle videatur, spem imperi ac rerum maximarum ultro sibi a patriciis hominibus oblatam neglegerent, vestramque salutem suis opibus anteponerent, id non divinitus esse factum putatis? praesertim qui nos non pugnando, sed tacendo superare potuerint?

Citizens Exhorted to Thanksgiving

X. **23**. Quam ob rem, Quirites, quoniam ad omnia pulvinaria supplicatio decreta est, celebratote illos dies cum conjugibus ac liberis vestris. Nam multi saepe honores dis immortalibus justi habiti sunt ac debiti, sed profecto justiores numquam. Erepti enim estis ex crudelissimo ac miserrimo interitu; erepti sine caede, sine sanguine, sine exercitu, sine dimicatione. Togati me uno togato duce et imperatore vicistis. **24**. Etenim recordamini, Quirites, omnis civilis dissensiones: non solum eas quas audistis, sed eas quas vosmet ipsi meministis atque vidistis. L. Sulla P. Sulpicium oppressit; [ejecit ex urbe] C. Marium, custodem hujus urbis, multosque fortis viros partim ejecit ex civitate, partim interemit. Cn. Octavius consul armis expulit ex urbe conlegam: omnis hic locus acervis corporum et civium sanguine redundavit. Superavit postea Cinna cum Mario: tum vero, clarissimis viris interfectis, lumina civitatis exstincta sunt. Ultus est hujus victoriae crudelitatem postea Sulla: ne dici quidem opus est quanta diminutione civium, et quanta calamitate rei publicae. Dissensit M. Lepidus a clarissimo ac fortissimo viro Q. Catulo: attulit non tam ipsius interitus rei publicae luctum quam ceterorum. **25.** Atque illae tamen omnes dissensiones erant ejus modi, quae non ad delendam, sed ad commutandam rem publicam pertinerent. Non illi nullam esse rem publicam, sed in ea quae esset, se esse principes; neque hanc urbem conflagrare, sed se in hac urbe florere voluerunt. [Atque illae tamen omnes dissensiones, quarum nulla exitium rei publi-

A Roman Sacrificial Procession

cae quaesivit, ejus modi fuerunt, ut non reconciliatione concordiae, sed internecione civium dijudicatae sint.] In hoc autem uno post hominum memoriam maximo crudelissimoque bello, quale bellum nulla umquam barbaria cum sua gente gessit, quo in bello lex haec fuit a Lentulo, Catilina, Cethego, Cassio constituta, ut omnes, qui salva urbe salvi esse possent, in hostium numero ducerentur, ita me gessi, Quirites, ut salvi omnes conservaremini; et cum hostes vestri tantum civium superfuturum putassent, quantum infinitae caedi restitisset, tantum autem urbis, quantum flamma obire non potuisset, et urbem et civis integros incolumisque servavi.

Cicero Asks for No Reward

XI. **26**. Quibus pro tantis rebus, Quirites, nullum ego a vobis praemium virtutis, nullum insigne honoris, nullum monumentum laudis postulo, praeterquam hujus diei memoriam sempiternam. In animis ego vestris omnis triumphos meos, omnia ornamenta honoris, monumenta gloriae, laudis insignia condi et conlocari volo. Nihil me mutum potest delectare, nihil tacitum, nihil denique ejus modi, quod etiam minus digni adsequi possint. Memoria vestra, Quirites, res nostrae alentur, sermonibus crescent, litterarum monumentis inveterascent et conroborabuntur; eandemque diem intellego, quam spero aeternam fore, propagatam esse et ad salutem urbis et ad memoriam consulatus mei; unoque tempore in hac re publica duos civis exstitisse, quorum alter finis vestri imperi non terrae, sed caeli regionibus terminaret, alter ejusdem imperi domicilium sedisque servaret.

He Relies on the Devotion of the Citizens

XII. **27**. Sed quoniam earum rerum quas ego gessi non eadem est fortuna atque condicio quae illorum qui externa bella gesserunt,—quod mihi cum eis vivendum est quos vici ac subegi, isti hostis aut interfectos aut oppressos reliquerunt,—vestrum est, Quirites, si ceteris facta sua recte prosunt, mihi mea ne quando obsint providere. Mentes enim hominum audacissimorum sceleratae ac nefariae ne vobis nocere possent ego providi; ne mihi noceant vestrum est providere. Quamquam, Quirites, mihi quidem ipsi nihil ab istis jam noceri potest. Magnum enim est in bonis praesidium, quod mihi in perpetuum comparatum est; magna in re publica dignitas, quae me semper tacita defendet; magna vis conscientiae, quam qui neglegunt, cum me violare volent, se [ipsi] indicabunt.

He has No Fear for the Future

28. Est etiam nobis is animus, Quirites, ut non modo nullius audaciae cedamus, sed etiam omnis improbos ultro semper lacessamus. Quod si omnis impetus domesticorum hostium, depulsus a vobis, se in me unum convertit, vobis erit videndum, Quirites, qua condicione posthac eos esse velitis, qui se pro salute vestra obtulerint invidiae periculis-

Temple of Jupiter (Restored)

que omnibus: mihi quidem ipsi, quid est quod jam ad vitae fructum possit adquiri, cum praesertim neque in honore vestro, neque in gloria virtutis, quicquam videam altius, quo mihi libeat ascendere? **29.** Illud profecto perficiam, Quirites, ut ea quae gessi in consulatu privatus tuear atque ornem: ut si qua est invidia conservanda re publica suscepta, laedat invidos, mihi valeat ad gloriam. Denique ita me in re publica tractabo, ut meminerim semper quae gesserim, curemque ut ea virtute, non casu gesta esse videantur.

The Assembly Dismissed

Vos, Quirites, quoniam jam nox est, venerati Jovem, illum custodem hujus urbis ac vestrum, in vestra tecta discedite; et ea, quamquam jam est periculum depulsum, tamen aeque ac priore nocte custodiis vigiliisque defendite. Id ne vobis diutius faciendum sit, atque ut in perpetua pace esse possitis, providebo.

IV. SENTENCE OF THE CONSPIRATORS

(*In L. Catilinam Oratio IV*)

In the Senate, Dec. 5

Two days later the Senate was convened, to determine what was to be done with the prisoners. It was a fundamental principle of the Roman constitution that no citizen should be put to death without the right of appeal to the people. Against the view of Cæsar, which favored perpetual confinement, Cicero urged that, by the fact of taking up arms against the Republic, the conspirators had forfeited their citizenship, and that therefore the law did not protect them. This view prevailed, and the conspirators — Lentulus, Cethegus, Statilius, Gabinius, and Cæparius — were strangled by the public executioners.

Solicitude of the Senate for Cicero

VIDEO, patres conscripti, in me omnium vestrum ora atque oculos esse conversos. Video vos non solum de vestro ac rei publicae, verum etiam, si id depulsum sit, de meo periculo esse sollicitos. Est mihi jucunda in malis et grata in dolore vestra erga me voluntas: sed eam, per deos immortalis, deponite; atque obliti salutis meae, de vobis ac de vestris liberis cogitate. Mihi si haec condicio consulatus data est, ut omnis acerbitates, omnis dolores cruciatusque perferrem, feram non solum fortiter, verum etiam libenter, dum modo meis laboribus vobis populoque Romano dignitas salusque pariatur. 2. Ego sum ille consul, patres conscripti, cui non forum, in quo omnis aequitas continetur, non campus consularibus auspiciis consecratus, non curia, summum auxilium omnium gentium, non domus, commune perfugium, non lectus ad quietem datus, non denique haec sedes honoris [sella curulis] umquam vacua mortis periculo atque insidiis fuit. Ego multa tacui, multa pertuli, multa concessi, multa meo quodam dolore in vestro timore sanavi. Nunc si hunc exitum consulatus mei di immortales esse voluerunt, ut vos populumque Romanum ex caede miserrima, conjuges liberosque vestros virginesque Vestalis ex acerbissima vexatione, templa atque delubra, hanc pulcherrimam patriam omnium nostrum ex foedissima flamma, totam Italiam ex bello et vastitate eriperem, quaecumque mihi uni proponetur fortuna, subeatur. Etenim si P. Lentulus suum nomen, inductus a vatibus, fatale ad perniciem rei publicae fore putavit, cur ego non laeter meum consulatum ad salutem populi Romani prope fatalem exstitisse?

They Need not Fear for him

II. 3. Qua re, patres conscripti, consulite vobis, prospicite patriae, conservate vos, conjuges, liberos fortunasque vestras, populi Romani nomen salutemque defendite: mihi parcere ac de me cogitare desinite. Nam primum debeo sperare omnis deos, qui huic urbi praesident, pro eo mihi ac mereor relaturos esse gratiam; deinde, si quid obtigerit, aequo animo paratoque moriar. Nam neque turpis mors forti viro potest accidere, neque immatura consulari, nec misera sapienti. Nec tamen ego sum ille ferreus, qui fratris carissimi atque amantissimi praesentis maerore non movear, horumque omnium lacrimis, a quibus me circumsessum videtis. Neque meam mentem non domum saepe revocat exanimata uxor, et abjecta metu filia, et parvolus filius,

RUINS OF THE HOUSE OF THE VESTALS.

(From a Photograph.)

quem mihi videtur amplecti res publica tamquam obsidem consulatus mei, neque ille, qui exspectans hujus exitum diei adstat in conspectu meo gener. Moveor his rebus omnibus, sed in eam partem, uti salvi sint vobiscum omnes, etiam si me vis aliqua oppresserit, potius quam et illi et nos una rei publicae peste pereamus.

4. Qua re, patres conscripti, incumbite ad salutem rei publicae, circumspicite omnis procellas, quae impendent nisi providetis. Non Ti. Gracchus, quod iterum tribunus plebis fieri voluit, non C. Gracchus, quod agrarios concitare conatus est, non L. Saturninus, quod C. Memmium occidit, in discrimen aliquod atque in vestrae severitatis judicium adducitur: tenentur ei qui ad urbis incendium, ad vestram omnium caedem, ad Catilinam accipiendum, Romae restiterunt; tenentur litterae, signa, manus, denique unius cujusque confessio; sollicitantur Allobroges, servitia excitantur, Catilina arcessitur; id est initum consilium, ut interfectis omnibus nemo ne ad deplorandum quidem populi Romani nomen atque ad lamentandam tanti imperi calamitatem relinquatur.

How shall the Conspirators be Punished

III. 5. Haec omnia indices detulerunt, rei confessi sunt, vos multis jam judiciis judicavistis: primum quod mihi gratias egistis singularibus verbis, et mea virtute atque diligentia perditorum hominum conjurationem patefactam esse decrevistis; deinde quod P. Lentulum se abdicare praetura coëgistis; tum quod eum et ceteros, de quibus judicastis, in custodiam dandos censuistis; maximeque quod meo nomine supplicationem decrevistis, qui honos togato habitus ante me est nemini; postremo hesterno die praemia legatis Allobrogum Titoque Volturcio dedistis amplissima. Quae sunt omnia ejus modi, ut ei qui in custodiam nominatim dati sunt sine ulla dubitatione a vobis damnati esse videantur.

6. Sed ego institui referre ad vos, patres conscripti, tamquam integrum, et de facto quid judicetis, et de poena quid censeatis. Illa praedicam quae sunt consulis. Ego magnum in re publica versari furorem, et nova quaedam misceri et concitari mala jam pridem videbam; sed hanc tantam, tam exitiosam haberi conjurationem a civibus numquam putavi. Nunc quicquid est, quocumque vestrae mentes inclinant atque sententiae, statuendum vobis ante noctem est. Quantum facinus ad vos delatum sit videtis. Huic si paucos putatis adfinis esse, vehementer erratis. Latius opinione disseminatum est hoc malum: manavit non solum per Italiam, verum etiam transcendit Alpis, et obscure serpens multas jam provincias occupavit. Id opprimi sustentando ac prolatando nullo pacto potest. Quacumque ratione placet, celeriter vobis vindicandum est.

Silanus Proposes Death; Cæsar, Imprisonment

IV. **7.** Video adhuc duas esse sententias: unam D. Silani, qui censet eos, qui haec delere conati sunt, morte esse multandos; alteram C. Caesaris, qui mortis poenam removet, ceterorum suppliciorum omnis acerbitates amplectitur. Uterque et pro sua dignitate et pro rerum magnitudine in summa severitate versatur. Alter eos qui nos omnis, [qui populum Romanum,] vita privare conati sunt, qui delere imperium, qui populi Romani nomen exstinguere, punctum temporis frui vita et hoc communi spiritu non putat oportere; atque hoc genus poenae saepe in improbos civis in hac re publica esse usurpatum recordatur. Alter intellegit mortem ab dis immortalibus non esse supplici causa constitutam, sed aut necessitatem naturae, aut laborum ac miseriarum quietem. Itaque eam sapientes numquam inviti, fortes saepe etiam libenter oppetiverunt. Vincula vero et ea sempiterna certe ad singularem poenam nefarii sceleris inventa sunt. Municipiis dispertiri jubet. Habere videtur ista res iniquitatem si imperare velis, difficultatem si rogare. Decernatur tamen, si placet. **8.** Ego enim suscipiam, et (ut spero) reperiam qui id quod salutis omnium causa statueritis, non putent esse suae dignitatis recusare. Adjungit gravem poenam municipibus, si quis eorum vincula ruperit: horribilis custodias circumdat, et dignas scelere hominum perditorum; sancit ne quis eorum poenam quos condemnat, aut per senatum aut per populum, levare possit; eripit etiam spem, quae sola hominem in miseriis consolari solet; bona praeterea publicari jubet; vitam solam relinquit nefariis hominibus, quam si eripuisset, multos uno dolores animi atque corporis et omnis scelerum poenas ademisset. Itaque, ut aliqua in vita formido improbis esset posita, apud inferos ejus modi quaedam illi antiqui supplicia impiis constituta esse voluerunt, quod videlicet intellegebant, eis remotis, non esse mortem ipsam pertimescendam.

Cæsar's Proposition Discussed

V. **9.** Nunc, patres conscripti, ego mea video quid intersit. Si eritis secuti sententiam C. Caesaris, quoniam hanc is in re publica viam quae popularis habetur secutus est, fortasse minus erunt — hoc auctore et cognitore hujusce sententiae — mihi populares impetus pertimescendi: sin illam alteram, nescio an amplius mihi negoti contrahatur. Sed tamen meorum periculorum rationes utilitas rei publicae vincat. Habemus enim a Caesare, sicut ipsius dignitas et majorum ejus amplitudo postulabat, sententiam tamquam obsidem perpetuae in rem publicam voluntatis. Intellectum est quid interesset inter levitatem contionatorum et animum vere popularem, saluti populi consulentem. **10.** Video de istis, qui se popularis haberi volunt, abesse non neminem, ne de capite videlicet civium Romanorum sententiam ferat. *At* is et nudius tertius in custodiam civis Romanos dedit, et supplicationem mihi decrevit, et indices hesterno die maximis praemiis adfecit. Jam hoc nemini dubium est, qui reo custodiam, quaesitori gratulationem, indici praemium decrevit, quid de tota re et causa judicarit. At vero C. Caesar intellegit legem Semproniam esse de civibus Romanis constitutam; qui autem rei publicae sit hostis, eum civem nullo modo esse posse; denique ipsum latorem Semproniae legis jussu populi poenas rei publicae dependisse. Idem ipsum Lentulum, largitorem et prodigum, non putat, cum de pernicie populi Romani, exitio hujus urbis tam acerbe, tam crudeliter cogitarit, etiam appellari posse popularem. Itaque homo mitissimus atque lenissimus non dubitat P. Lentulum aeternis tenebris vinculisque mandare, et sancit in posterum, ne quis hujus supplicio levando se jactare, et in perniciem populi Romani posthac popularis esse possit: adjungit etiam publicationem bonorum, ut omnis animi cruciatus et corporis etiam egestas ac mendicitas consequatur.

Death None too Severe a Penalty

VI. **11.** Quam ob rem, sive hoc statueritis, dederitis mihi comitem ad contionem populo carum atque jucundum; sive Silani sententiam sequi malueritis, facile me [atque vos] crudelitatis vituperatione exsolveritis, atque obtinebo eam multo leniorem fuisse. Quamquam, patres conscripti, quae potest esse in tanti sceleris immanitate punienda crudelitas? Ego enim de meo sensu judico. Nam ita mihi salva re publica vobiscum perfrui liceat, ut ego, quod in hac causa vehementior sum, non atrocitate animi moveor — quis est enim me mitior? — sed singulari quadam humanitate et misericordia. Videor enim mihi videre hanc urbem, lucem orbis terrarum atque arcem omnium gentium, subito uno incendio concidentem. Cerno animo sepulta in patria miseros atque insepultos acervos civium. Versatur mihi ante oculos aspectus Cethegi, et furor in vestra caede bacchantis. **12.** Cum vero mihi proposui regnantem Lentulum, sicut ipse ex fatis se sperasse confessus est, purpuratum esse huic Gabinium, cum exercitu venisse Catilinam, tum lamentationem matrum familias, tum fugam virginum atque puerorum ac vexationem virginum Vestalium perhorresco; et quia mihi vehementer haec videntur misera atque miseranda, idcirco in eos qui ea perficere voluerunt me severum vehementemque praebeo. Etenim quaero, si quis pater familias, liberis suis a servo interfectis, uxore occisa, incensa domo, supplicium de servo non quam acerbissimum sumpserit, utrum is clemens ac misericors, an inhumanissimus et crudelissimus esse videatur? Mihi vero importunus ac ferreus, qui non dolore et cruciatu nocentis suum dolorem cruciatumque lenierit. Sic nos in his hominibus, — qui nos, qui conjuges, qui liberos nostros trucidare voluerunt; qui singulas unius cujusque nostrum domos et hoc universum rei publicae domicilium delere conati sunt; qui id egerunt, ut gentem Allobrogum in vestigiis hujus urbis atque in cinere deflagrati imperi conlocarent, — si vehementissimi fuerimus, misericordes habebimur: sin remissiores esse voluerimus, summae nobis crudelitatis in patriae civiumque pernicie fama subeunda est.

Opinion of L. Cæsar

13. Nisi vero cuipiam L. Caesar, vir fortissimus et amantissimus rei publicae, crudelior nudius tertius visus est, cum sororis suae, feminae lectissimae, virum praesentem et audientem vita privandum esse dixit, cum avum suum jussu consulis interfectum, filiumque ejus impuberem, legatum a patre missum, in carcere necatum esse dixit. Quorum quod simile factum? quod initum delendae rei publicae consilium? Largitionis voluntas tum in re publica versata est, et partium quaedam contentio. Atque eo tempore hujus avus Lentuli, vir clarissimus, armatus Gracchum est persecutus. Ille etiam grave tum volnus accepit, ne quid de summa re publica deminueretur : hic ad evertenda rei publicae fundamenta Gallos arcessit, servitia concitat, Catilinam vocat, attribuit nos trucidandos Cethego, et ceteros civis interficiendos Gabinio, urbem inflammandam Cassio, totam Italiam vastandam diripiendamque Catilinae. Vereamini, censeo, ne in hoc scelere tam immani ac nefando nimis aliquid severe statuisse videamini : multo magis est verendum ne remissione poenae crudeles in patriam, quam ne severitate animadversionis nimis vehementes in acerbissimos hostis, fuisse videamur.

Severe Measures will be Supported by the People

VII. **14.** Sed ea quae exaudio, patres conscripti, dissimulare non possum. Jaciuntur enim voces, quae perveniunt ad auris meas, eorum qui vereri videntur ut habeam satis praesidi ad ea quae vos statueritis hodierno die transigunda. Omnia et provisa et parata et constituta sunt, patres conscripti, cum mea summa cura atque diligentia, tum multo etiam majore populi Romani ad summum imperium retinendum et ad communis fortunas conservandas voluntate. Omnes adsunt omnium ordinum homines, omnium denique aetatum : plenum est forum, plena templa circum forum, pleni omnes aditus hujus templi ac loci. Causa est enim post urbem conditam haec inventa sola, in qua omnes sentirent unum atque idem, praeter eos qui, cum sibi viderent esse pereundum, cum omnibus potius quam soli perire voluerunt. **15.** Hosce ego homines excipio et secerno libenter, neque in improborum civium, sed in acerbissimorum hostium numero habendos puto.

All Orders in the State United

Ceteri vero, di immortales ! qua frequentia, quo studio, qua virtute ad communem salutem dignitatemque consentiunt ! Quid ego hic equites Romanos commemorem ? qui vobis ita summam ordinis consilique concedunt, ut vobiscum de amore rei publicae certent; quos ex multorum annorum dissensione hujus ordinis ad societatem concordiamque revocatos hodiernus dies vobiscum atque haec causa conjungit: quam si conjunctionem, in consulatu confirmatam meo, perpetuam in re publica tenuerimus, confirmo vobis nullum posthac malum civile ac domesticum ad ullam rei publicae partem esse venturum. Pari studio defendundae rei publicae convenisse video tribunos aerarios, fortissimos viros; scribas item universos, quos cum casu hic dies ad aerarium frequentasset, video ab exspectatione sortis ad salutem communem esse conversos. **16.** Omnis ingenuorum adest multitudo, etiam tenuissimorum. Quis est enim cui non haec templa, aspectus urbis, possessio libertatis, lux denique haec ipsa et [hoc] commune patriae solum, cum sit carum tum vero dulce atque jucundum?

The Humblest Citizens are Staunch

VIII. Operae pretium est, patres conscripti, libertinorum hominum studia cognoscere, qui, sua virtute fortunam hujus civitatis consecuti, hanc suam patriam judicant, — quam quidam hic nati, et summo loco nati, non patriam suam sed urbem hostium esse judicaverunt. Sed quid ego hosce homines ordinesque commemoro, quos privatae fortunae, quos communis res publica, quos denique libertas, ea quae dulcissima est, ad salutem patriae defendendam excitavit? Servus est nemo, qui modo tolerabili condicione sit servitutis, qui non audaciam civium perhorrescat, qui non haec stare cupiat, qui non quantum audet et quantum potest conferat ad salutem voluntatis. **17.** Qua re si quem vestrum forte commovet hoc, quod auditum est, lenonem quendam Lentuli concursare circum tabernas, pretio sperare sollicitari posse animos egentium atque imperitorum, — est id quidem coeptum atque temptatum; sed nulli sunt inventi tam aut fortuna miseri aut voluntate perditi, qui non illum ipsum sellae atque operis et quaestus cotidiani locum, qui non cubile ac lectulum suum, qui denique non cursum hunc otiosum vitae suae salvum esse velint. Multo vero maxima pars eorum qui in tabernis sunt, immo vero — id enim potius est dicendum — genus hoc universum, amantissimum est oti. Etenim omne instrumentum, omnis opera atque quaestus frequentia civium sustentatur, alitur otio: quorum si quaestus occlusis tabernis minui solet, quid tandem incensis futurum fuit?

The Senators Urged to Act Fearlessly

18. Quae cum ita sint, patres conscripti, vobis populi Romani praesidia non desunt: vos ne populo Romano

Site of the Arx (Church of S. Maria in Aracœli)

deesse videamini providete. IX. Habetis consulem ex plurimis periculis et insidiis atque ex media morte, non ad vitam suam, sed ad salutem vestram reservatum. Omnes ordines ad conservandam rem publicam mente, voluntate, voce consentiunt. Obsessa facibus et telis impiae conjurationis vobis supplex manus tendit patria communis; vobis se, vobis vitam omnium civium, vobis arcem et Capitolium, vobis aras Penatium, vobis illum ignem Vestae sempiternum, vobis omnium deorum templa atque delubra, vobis muros atque urbis tecta commendat. Praeterea de vestra vita, de conjugum vestrarum atque liberorum anima, de fortunis omnium, de sedibus, de focis vestris, hodierno die vobis judicandum est. **19**. Habetis ducem memorem vestri, oblitum sui, quae non semper facultas datur: habetis omnis ordines, omnis homines, universum populum Romanum — id quod in civili causa hodierno die primum videmus — unum atque idem sentientem. Cogitate quantis laboribus fundatum imperium, quanta virtute stabilitam libertatem, quanta deorum benignitate auctas exaggeratasque fortunas, una nox paene delerit. Id ne umquam posthac non modo non confici, sed ne cogitari quidem possit a civibus, hodierno die providendum est. Atque haec non ut vos, qui mihi studio paene praecurritis, excitarem, locutus sum; sed ut mea vox, quae debet esse in re publica princeps, officio functa consulari videretur.

Cicero is Undismayed

X. **20**. Nunc, ante quam ad sententiam redeo, de me pauca dicam. Ego, quanta manus est conjuratorum, quam videtis esse permagnam, tantam me inimicorum multitudinem suscepisse video: sed eam judico esse turpem et infirmam et abjectam. Quod si aliquando alicujus furore et scelere concitata manus ista plus valuerit quam vestra ac rei publicae dignitas, me tamen meorum factorum atque consiliorum numquam, patres conscripti, poenitebit. Etenim mors, quam illi fortasse minitantur, omnibus est parata: vitae tantam laudem, quanta vos me vestris decretis honestastis, nemo est adsecutus. Ceteris enim semper bene gesta, mihi uni conservata re publica, gratulationem decrevistis.

His Fame is Secure

21. Sit Scipio ille clarus, cujus consilio atque virtute Hannibal in Africam redire atque Italia decedere coactus est; ornetur alter eximia laude Africanus, qui duas urbis huic imperio infestissimas, Karthaginem Numantiamque, delevit; habeatur vir egregius Paulus ille, cujus currum rex potentissimus quondam et nobilissimus Perses honestavit; sit aeterna gloria Marius, qui bis Italiam obsidione et metu servitutis liberavit; anteponatur omnibus Pompeius, cujus res gestae atque virtutes isdem quibus solis cursus regionibus ac terminis continentur: erit profecto inter horum laudes aliquid loci nostrae gloriae, — nisi forte majus est patefacere nobis provincias quo exire possimus, quam curare ut etiam illi qui absunt habeant quo victores revertantur. **22.** Quamquam est uno loco condicio melior externae victoriae quam domesticae, — quod hostes alienigenae aut oppressi serviunt, aut recepti in amicitiam beneficio se obligatos putant; qui autem ex numero civium, dementia aliqua depravati, hostes patriae semel esse coeperunt, eos cum a pernicie rei publicae reppuleris, nec vi coercere nec beneficio placere possis. Qua re mihi cum perditis civibus aeternum bellum susceptum esse video. Id ego vestro bonorumque omnium auxilio, memoriaque tantorum periculorum, — quae non modo in hoc populo, qui servatus est, sed in omnium gentium sermonibus ac mentibus semper haerebit, — a me atque a meis facile propulsare posse confido. Neque ulla profecto tanta vis reperietur, quae conjunctionem vestram equitumque Romanorum, et tantam conspirationem bonorum omnium, confringere et labefactare possit.

SCIPIO AFRICANUS

Let the Senate Dare to Act Rigorously

XI. **23**. Quae cum ita sint, pro imperio, pro exercitu, pro provincia, quam neglexi, pro triumpho ceterisque laudis insignibus, quae sunt a me propter urbis vestraeque salutis custodiam repudiata, pro clientelis hospitiisque provincialibus, quae tamen urbanis opibus non minore labore tueor quam comparo, pro his igitur omnibus rebus, pro meis in vos singularibus studiis, proque hac quam perspicitis ad conservandam rem publicam diligentia, nihil a vobis nisi hujus temporis totiusque mei consulatus memoriam postulo: quae dum erit vestris fixa mentibus, tutissimo me muro saeptum esse arbitrabor. Quod si meam spem vis improborum fefellerit atque superaverit, commendo vobis parvum meum filium, cui profecto satis erit praesidi non solum ad salutem, verum etiam ad dignitatem, si ejus, qui haec omnia suo solius periculo conservarit, illum filium esse memineritis. **24**. Quapropter de summa salute vestra populique Romani, de vestris conjugibus ac liberis, de aris ac focis, de fanis atque templis, de totius urbis tectis ac sedibus, de imperio ac libertate, de salute Italiae, de universa re publica, decernite diligenter, ut instituistis, ac fortiter. Habetis eum consulem qui et parere vestris decretis non dubitet, et ea quae statueritis, quoad vivet, defendere et per se ipsum praestare possit.

THE CITIZENSHIP OF ARCHIAS

(*Pro A. Licinio Archia Poeta*)

B.C. 62

THE case of Archias, though not a public one, yet had its origin in the politics of the time. The aristocratic faction, suspecting that much of the strength of their opponents was derived from the fraudulent votes of those who were not citizens, procured in B.C. 65 the passage of the *Lex Papia*, by which "all the strangers who possessed neither Roman nor Latin burgess-rights were to be ejected from the capital." Archias, the poet, a native of Antioch, but for many years a Roman citizen, a friend and client of Lucius Lucullus, was accused in B.C. 62, by a certain Gratius, under this law, on the ground that he was not a citizen. Cicero, a personal friend of Archias, undertook the defence, and the case was tried before the brother of the orator, Quintus Cicero, then prætor.

It was a very small matter to disprove the charge and establish Archias' claims to citizenship. The greater part of this speech, therefore, is made up of a eulogy upon the poet and upon poetry and literature in general. It is, for this reason, one of the most agreeable of Cicero's orations, and perhaps the greatest favorite of them all.

Cicero's Obligations to Archias

SI QUID est in me ingeni, judices, quod sentio quam sit exiguum, aut si qua exercitatio dicendi, in qua me non infitior mediocriter esse versatum, aut si hujusce rei ratio aliqua ab optimarum artium studiis ac disciplina profecta, a qua ego nullum confiteor aetatis meae tempus abhorruisse, earum rerum omnium vel in primis hic A. Licinius fructum a me repetere prope suo jure debet. Nam quoad longissime potest mens mea respicere spatium praeteriti temporis, et pueritiae memoriam recordari ultimam, inde usque repetens hunc video mihi principem et ad suscipiendam et ad ingrediendam rationem horum studiorum exstitisse. Quod si haec vox, hujus hortatu praeceptisque conformata, non nullis aliquando saluti fuit, a quo id accepimus quo ceteris opitulari et alios servare possemus, huic profecto ipsi, quantum est situm in nobis, et opem et salutem ferre debemus. **2**. Ac ne quis a nobis hoc ita dici forte miretur, quod alia quaedam in hoc facultas sit ingeni, neque haec dicendi ratio aut disciplina, ne nos quidem huic uni studio penitus umquam dediti fuimus. Etenim omnes artes, quae ad humanitatem pertinent, habent quoddam commune vinculum, et quasi cognatione quadam inter se continentur.

He Justifies the Unusual Tone of his Argument

II. **3**. Sed ne cui vestrum mirum esse videatur me in quaestione legitima et in judicio publico — cum res agatur apud praetorem populi Romani, lectissimum virum, et apud severissimos judices, tanto conventu hominum ac frequentia — hoc uti genere dicendi, quod non modo a consuetudine judiciorum, verum etiam a forensi sermone abhorreat; quaeso a vobis, ut in hac causa mihi detis hanc veniam, adcommodatam huic reo, vobis (quem ad modum spero) non molestam, ut me pro summo poëta atque eruditissimo homine dicentem, hoc concursu hominum literatissimorum, hac vestra humanitate, hoc denique praetore exercente judicium, patiamini de studiis humanitatis ac litterarum paulo loqui liberius, et in ejus modi persona, quae propter otium ac studium minime in judiciis periculisque tractata est, uti prope novo quodam et inusitato genere dicendi. **4.** Quod si mihi a vobis tribui concedique sentiam, perficiam profecto ut hunc A. Licinium non modo non segregandum, cum sit civis, a numero civium, verum etiam si non esset, putetis asciscendum fuisse.

Earlier Career of Archias

III. Nam ut primum ex pueris excessit Archias, atque ab eis artibus quibus aetas puerilis ad humanitatem informari solet se ad scribendi studium contulit, primum Antiochiae—nam ibi natus est loco nobili—celebri quondam urbe et copiosa, atque eruditissimis hominibus liberalissimisque studiis adfluenti, celeriter antecellere omnibus ingeni gloria contigit. Post in ceteris Asiae partibus cunctaeque Graeciae sic ejus adventus celebrabantur, ut famam ingeni exspectatio hominis, exspectationem ipsius adventus admiratioque superaret. **5.** Erat Italia tunc plena Graecarum artium ac disciplinarum, studiaque haec et in Latio vehementius tum colebantur quam nunc eisdem in oppidis, et hic Romae propter tranquillitatem rei publicae non neglegebantur. Itaque hunc et Tarentini et Regini et Neapolitani civitate ceterisque praemiis donarunt; et omnes, qui aliquid de ingeniis poterant judicare, cognitione atque hospitio dignum existimarunt. Hac tanta celebritate famae cum esset jam absentibus notus, Romam venit Mario consule et Catulo.

His Distinguished Patrons at Rome

Nactus est primum consules eos, quorum alter res ad scribendum maximas, alter cum res gestas tum etiam studium atque auris adhibere posset. Statim Luculli, cum praetextatus etiam tum Archias esset, eum domum suam receperunt. Sic etiam hoc non solum ingeni ac litterarum, verum etiam naturae atque virtutis, ut domus, quae hujus adulescentiae prima fuit, eadem esset familiarissima senectuti. **6.** Erat temporibus illis jucundus Metello illi Numidico et ejus Pio filio; audiebatur a M. Aemilio; vivebat cum Q. Catulo et patre et filio; a L. Crasso colebatur; Lucullos vero et Drusum et Octavios et Catonem et totam Hortensiorum domum devinctam consuetudine cum teneret, adficiebatur summo honore, quod eum non solum colebant qui aliquid percipere atque audire studebant, verum etiam si qui forte simulabant.

He Becomes a Citizen of Heraclia

IV. Interim satis longo intervallo, cum esset cum M. Lucullo in Siciliam profectus, et cum ex ea provincia cum eodem Lucullo decederet, venit Heracliam: quae cum esset

Coin of Heraclia

civitas aequissimo jure ac foedere, ascribi se in eam civitatem voluit; idque, cum ipse per se dignus putaretur, tum auctoritate et gratia Luculli ab Heracliensibus impetravit.

He is Enrolled as a Roman Citizen

7. Data est civitas Silvani lege et Carbonis: *Si qui foederatis civitatibus ascripti fuissent; si tum, cum lex ferebatur, in Italia domicilium habuissent; et si sexaginta diebus apud praetorem essent professi.* Cum hic domicilium Romae multos jam annos haberet, professus est apud praetorem Q. Metellum familiarissimum suum. **8.** Si nihil aliud nisi de civitate ac lege dicimus, nihil dico amplius: causa dicta est. Quid enim horum infirmari, Grati, potest? Heracliaene esse tum ascriptum negabis? Adest vir summa auctoritate et religione et fide, M. Lucullus, qui se non opinari sed scire, non audisse sed vidisse, non interfuisse sed egisse dicit. Adsunt Heraclienses legati, nobilissimi homines: hujus judici causa cum mandatis et cum publico testimonio [venerunt]; qui hunc ascriptum Heracliensem dicunt. Hic tu tabulas desideras Heracliensium publicas: quas Italico bello incenso tabulario interisse scimus omnis. Est ridiculum ad ea quae habemus nihil dicere, quaerere quae habere non possumus; et de hominum memoria tacere, litterarum memoriam flagitare; et, cum habeas amplissimi viri religionem, integerrimi municipi jus jurandum fidemque, ea quae depravari nullo modo possunt repudiare, tabulas, quas idem dicis solere corrumpi, desiderare.

9. An domicilium Romae non habuit is, qui tot annis ante civitatem datam sedem omnium rerum ac fortunarum suarum Romae conlocavit? At non est professus. Immo vero eis tabulis professus, quae solae ex illa professione conlegioque praetorum obtinent publicarum tabularum auctoritatem. V. Nam — cum Appi tabulae neglegentius adservatae dicerentur; Gabini, quam diu incolumis fuit, levitas post damnationem calamitas omnem tabularum fidem resignasset — Metellus, homo sanctissimus modestissimusque omnium, tanta diligentia fuit, ut ad L. Lentulum praetorem et ad judices venerit, et unius nominis litura se commotum esse dixerit. *In* his igitur tabulis nullam lituram in nomine A. Licini videtis.

Evidence of the Census not Necessary

10. Quae cum ita sint, quid est quod de ejus civitate dubitetis, praesertim cum aliis quoque in civitatibus fuerit ascriptus? Etenim cum mediocribus multis et aut nulla aut humili aliqua arte praeditis gratuito civitatem in Graecia homines impertiebant, Reginos credo aut Locrensis aut Neapolitanos aut Tarentinos, quod scenicis artificibus largiri solebant, id huic summa ingeni praedito gloria noluisse! Quid? cum ceteri non modo post civitatem datam, sed etiam post legem Papiam aliquo modo in eorum municipiorum tabulas inrepserunt, hic, qui ne utitur quidem illis in quibus est scriptus, quod semper se Heracliensem esse voluit, reicietur? **11**. Census nostros requiris scilicet. Est enim obscurum proximis censoribus hunc cum clarissimo imperatore L. Lucullo apud exercitum fuisse; superioribus, cum eodem quaestore fuisse in Asia; primis Julio et Crasso nullam populi partem esse censam. Sed — quoniam census non jus civitatis confirmat, ac tantum modo indicat eum qui sit census [ita] se jam tum gessisse pro cive — eis temporibus quibus tu criminaris ne ipsius quidem judicio in civium Romanorum jure esse versatum, et testamentum saepe fecit nostris legibus, et adiit hereditates civium Romanorum, et in beneficiis ad aerarium delatus est a L. Lucullo pro consule. VI. Quaere argumenta, si qua potes: numquam enim hic neque suo neque amicorum judicio revincetur.

Study of Letters an Indispensable Relaxation

12. Quaeres a nobis, Grati, cur tanto opere hoc homine delectemur. Quia suppeditat nobis ubi et animus ex hoc forensi strepitu reficiatur, et aures convicio defessae conquiescant. An tu existimas aut suppetere nobis posse quod cotidie dicamus in tanta varietate rerum, nisi animos nostros doctrina excolamus; aut ferre animos tantam posse contentionem, nisi eos doctrina eadem relaxemus? Ego vero fateor me his studiis esse deditum: ceteros pudeat, si qui se ita litteris abdiderunt ut nihil possint ex eis neque ad communem adferre fructum, neque in aspectum lucemque proferre: me autem quid pudeat, qui tot annos ita vivo, judices, ut a nullius umquam me tempore aut commodo aut otium meum abstraxerit, aut voluptas avocarit, aut denique somnus retardarit? **13**. Qua re quis tandem me reprehendat, aut quis mihi jure suscenseat, si, quantum ceteris ad suas res obeundas, quantum ad festos dies ludorum celebrandos, quantum ad alias voluptates et ad ipsam requiem animi et corporis conceditur temporum, quantum alii tribuunt tempestivis conviviis, quantum denique alveolo, quantum pilae, tantum mihi egomet ad haec studia recolenda sumpsero? Atque hoc ideo mihi concedendum est magis, quod ex his studiis haec quoque crescit oratio et facultas; quae, quantacumque in me *est*, numquam amicorum periculis defuit. Quae si cui levior videtur, illa quidem certe, quae summa sunt, ex quo fonte hauriam sentio.

Literature a Source of Moral Strength

14. Nam nisi multorum praeceptis multisque litteris mihi ab adulescentia suasissem, nihil esse in vita magno opere expetendum nisi laudem atque honestatem, in ea autem persequenda omnis cruciatus corporis, omnia pericula mortis atque exsili parvi esse ducenda, numquam me pro salute vestra in tot ac tantas dimicationes atque in hos profligatorum hominum cotidianos impetus objecissem. Sed pleni omnes sunt libri, plenae sapientium voces, plena exemplorum vetustas: quae jacerent in tenebris omnia, nisi litterarum lumen accederet. Quam multas nobis imagines — non solum ad intuendum, verum etiam ad imitandum — fortissimorum virorum expressas scriptores et Graeci et Latini reliquerunt? Quas ego mihi semper in administranda re publica proponens, animum et mentem meam ipsa cogitatione hominum excellentium conformabam.

All Famous Men have been Devoted to Letters

VII. **15**. Quaeret quispiam: 'Quid? illi ipsi summi viri, quorum virtutes litteris proditae sunt, istane doctrina, quam tu effers laudibus, eruditi fuerunt?' Difficile est hoc de omnibus confirmare, sed tamen est certe quod respondeam.

Ego multos homines excellenti animo ac virtute fuisse, et sine doctrina naturae ipsius habitu prope divino per se ipsos et moderatos et gravis exstitisse, fateor: etiam illud adjungo, saepius ad laudem atque virtutem naturam sine doctrina quam sine natura valuisse doctrinam. Atque idem ego contendo, cum ad naturam eximiam atque inlustrem accesserit ratio quaedam conformatioque doctrinae, tum illud nescio quid praeclarum ac singulare solere exsistere. **16.** Ex hoc esse hunc numero, quem patres nostri viderunt, divinum hominem Africanum; ex hoc C. Laelium, L. Furium, moderatissimos homines et continentissimos; ex hoc fortissimum virum et illis temporibus doctissimum, M. Catonem illum senem: qui profecto si nihil ad percipiendam [colendam] virtutem litteris adjuvarentur, numquam se ad earum studium contulissent. Quod si non hic tantus fructus ostenderetur, et si ex his studiis delectatio sola peteretur, tamen (ut opinor) hanc animi adversionem humanissimam ac liberalissimam judicaretis. Nam ceterae neque temporum sunt neque aetatum omnium neque locorum: haec studia adulescentiam alunt, senectutem oblectant, secundas res ornant, adversis perfugium ac solacium praebent, delectant domi, non impediunt foris, pernoctant nobiscum, peregrinantur, rusticantur.

Great Artists are of Themselves Worthy of Admiration

17. Quod si ipsi haec neque attingere neque sensu nostro gustare possemus, tamen ea mirari deberemus, etiam cum in aliis videremus. VIII. Quis nostrum tam animo agresti ac duro fuit, ut Rosci morte nuper non commoveretur? qui cum esset senex mortuus, tamen propter excellentem artem ac venustatem videbatur omnino mori non debuisse. Ergo ille corporis motu tantum amorem sibi conciliarat a nobis omnibus: nos animorum incredibilis motus celeritatemque ingeniorum neglegemus? **18.** Quotiens ego hunc Archiam vidi, judices, — utar enim vestra benignitate, quoniam me in hoc novo genere dicendi tam diligenter attenditis, — quotiens ego hunc vidi, cum litteram scripsisset nullam, magnum numerum optimorum versuum de eis ipsis rebus quae tum agerentur dicere ex tempore! Quotiens revocatum eandem rem dicere, commutatis verbis atque sententiis! Quae vero adcurate cogitateque scripsisset, ea sic vidi probari, ut ad veterum scriptorum laudem perveniret. Hunc ego non diligam? non admirer? non omni ratione defendendum putem?

The Poet Especially Sacred

Atque sic a summis hominibus eruditissimisque accepimus, ceterarum rerum studia et doctrina et praeceptis et arte constare: poëtam natura ipsa valere, et mentis viribus excitari, et quasi divino quodam spiritu inflari. Qua re suo jure noster ille Ennius sanctos appellat poëtas, quod quasi deorum aliquo dono atque munere commendati nobis esse videantur. **19.** Sit igitur, judices, sanctum apud vos, humanissimos homines, hoc poëtae nomen, quod nulla umquam barbaria violavit. Saxa et solitudines voci respondent, bestiae saepe immanes cantu flectuntur atque consistunt: nos, instituti rebus optimis, non poëtarum voce moveamur? Homerum Colophonii civem esse dicunt suum, Chii suum vindicant, Salaminii repetunt, Smyrnaei vero suum esse confirmant, itaque etiam delubrum ejus in oppido dedicaverunt: permulti alii praeterea pugnant inter se atque contendunt. IX. Ergo illi alienum, quia poëta fuit, post mortem etiam expetunt: nos hunc vivum, qui et voluntate et legibus noster est, repudiabimus? praesertim cum omne olim studium atque omne ingenium contulerit Archias ad populi Romani gloriam laudemque celebrandam? Nam et Cimbricas res adulescens attigit, et ipsi illi C. Mario, qui durior ad haec studia videbatur, jucundus fuit.

The Poet is the Herald of Fame

20. Neque enim quisquam est tam aversus a Musis, qui non mandari versibus aeternum suorum laborum facile praeconium patiatur. Themistoclem illum, summum Athenis virum, dixisse aiunt, cum ex eo quaereretur, quod acroama aut cujus vocem libentissime audiret: *Ejus, a quo sua virtus optime praedicaretur*. Itaque ille Marius item eximie L. Plotium dilexit, cujus ingenio putabat ea quae gesserat posse celebrari. **21**. Mithridaticum vero bellum,

Marius

magnum atque difficile et in multa varietate terra marique versatum, totum ab hoc expressum est: qui libri non modo L. Lucullum, fortissimum et clarissimum virum, verum etiam populi Romani nomen inlustrant. Populus enim Romanus aperuit Lucullo imperante Pontum, et regiis quondam opibus et ipsa natura et regione vallatum: populi Romani exercitus, eodem duce, non maxima manu innumerabilis Armeniorum copias fudit: populi Romani laus est urbem amicissimam Cyzicenorum ejusdem consilio ex omni impetu regio atque totius belli ore ac faucibus ereptam esse atque servatam: nostra semper feretur et praedicabitur, L. Lucullo dimicante, cum interfectis ducibus depressa hostium classis, et incredibilis apud Tenedum pugna illa navalis : nostra sunt tropaea, nostra monimenta, nostri triumphi. Quae quorum ingeniis efferuntur, ab eis populi Romani fama celebratur. **22.** Carus fuit Africano superiori noster Ennius, itaque etiam in sepulcro Scipionum putatur is esse constitutus ex marmore. At eis laudibus certe non solum ipse qui laudatur, sed etiam populi Romani nomen ornatur. In caelum hujus proavus Cato tollitur : magnus honos populi Romani rebus adjungitur. Omnes denique illi Maximi, Marcelli, Fulvii, non sine communi omnium nostrum laude decorantur. X. Ergo illum, qui haec fecerat, Rudinum hominem, majores nostri in civitatem receperunt: nos hunc Heracliensem, multis civitatibus expetitum, in hac autem legibus constitutum, de nostra civitate eiciemus?

Alexander at the Tomb of Achilles

23. Nam si quis minorem gloriae fructum putat ex Graecis versibus percipi quam ex Latinis, vehementer errat: propterea quod Graeca leguntur in omnibus fere gentibus,

Alexander the Great (from a Coin)

Latina suis finibus, exiguis sane, continentur. Qua re si res eae quas gessimus orbis terrae regionibus definiuntur, cupere debemus, quo manuum nostrarum tela pervenerint, eodem gloriam famamque penetrare: quod cum ipsis populis de quorum rebus scribitur, haec ampla sunt, tum eis certe, qui de vita gloriae causa dimicant, hoc maximum et periculorum incitamentum est et laborum. **24.** Quam multos scriptores rerum suarum magnus ille Alexander secum habuisse dicitur! Atque is tamen, cum in Sigeo ad Achillis tumulum astitisset: *O fortunate* inquit *adulescens, qui tuae virtutis Homerum praeconem inveneris!* Et vere. Nam nisi Ilias illa exstitisset, idem tumulus, qui corpus ejus contexerat, nomen etiam obruisset. Quid? noster hic Magnus, qui cum virtute fortunam adaequavit, nonne Theophanem Mytilenaeum, scriptorem rerum suarum, in contione militum civitate donavit; et nostri illi fortes viri, sed rustici ac milites, dulcedine quadam gloriae commoti, quasi participes ejusdem laudis, magno illud clamore approbaverunt?

Many would have been Eager to Give Archias the Citizenship

25. Itaque, credo, si civis Romanus Archias legibus non esset, ut ab aliquo imperatore civitate donaretur perficere non potuit. Sulla cum Hispanos donaret et Gallos, credo hunc petentem repudiasset: quem nos in contione vidimus, cum ei libellum malus poëta de populo subjecisset, quod epigramma in eum fecisset, tantummodo alternis versibus longiusculis, statim ex eis rebus quas tunc vendebat jubere ei praemium tribui, sed ea condicione, ne quid postea scriberet. Qui sedulitatem mali poëtae duxerit aliquo tamen praemio dignam, hujus ingenium et virtutem in scribendo et copiam non expetisset? **26.** Quid? a Q. Metello Pio, familiarissimo suo, qui civitate multos donavit, neque per se neque per Lucullos impetravisset? qui praesertim usque eo de suis rebus scribi cuperet, ut etiam Cordubae natis poëtis, pingue quiddam sonantibus atque peregrinum, tamen auris suas dederet.

All Men Thirst for Glory

XI. Neque enim est hoc dissimulandum (quod obscurari non potest) sed prae nobis ferendum: trahimur omnes studio laudis, et optimus quisque maxime gloria ducitur. Ipsi illi philosophi, etiam in eis libellis quos de contemnenda gloria scribunt, nomen suum inscribunt: in eo ipso, in quo praedicationem nobilitatemque despiciunt, praedicari de se ac nominari volunt. **27**. Decimus quidem Brutus, summus vir et imperator, Acci, amicissimi sui, carminibus templorum ac monumentorum aditus exornavit suorum. Jam vero ille, qui cum Aetolis Ennio comite bellavit, Fulvius, non dubitavit Martis manubias Musis consecrare. Qua re in qua urbe imperatores prope armati poëtarum nomen et Musarum delubra coluerunt, in ea non debent togati judices a Musarum honore et a poëtarum salute abhorrere.

28. Atque ut id libentius faciatis, jam me vobis, judices, indicabo, et de meo quodam amore gloriae, nimis acri fortasse verum tamen honesto vobis, confitebor. Nam quas res nos in consulatu nostro vobiscum simul pro salute hujusce imperi et pro vita civium proque universa re publica gessimus, attigit hic versibus atque inchoavit: quibus auditis, quod mihi magna res et jucunda visa est, hunc ad perficiendum adornavi. Nullam enim virtus aliam mercedem laborum periculorumque desiderat, praeter hanc laudis et gloriae: qua quidem detracta, judices, quid est quod in hoc tam exiguo vitae curriculo [et tam brevi] tantis nos in laboribus exerceamus? **29**. Certe si nihil animus praesentiret in posterum, et si quibus regionibus vitae spatium circumscriptum est, eisdem omnis cogitationes terminaret suas; nec tantis se laboribus frangeret, neque tot curis vigiliisque angeretur, nec totiens de ipsa vita dimicaret. Nunc insidet quaedam in optimo quoque virtus, quae noctis ac dies animum gloriae stimulis concitat, atque admonet non cum vitae tempore esse dimittendam commemorationem nominis nostri, sed cum omni posteritate adaequandam.

Literature the Most Enduring of Monuments

XII. **30.** An vero tam parvi animi videamur esse omnes, qui in re publica atque in his vitae periculis laboribusque versamur, ut, cum usque ad extremum spatium nullum tranquillum atque otiosum spiritum duxerimus, nobiscum simul moritura omnia arbitremur? An statuas et imagines, non animorum simulacra sed corporum, studiose multi summi homines reliquerunt; consiliorum relinquere ac virtutum nostrarum effigiem nonne multo malle debemus, summis ingeniis expressam et politam? Ego vero omnia quae gerebam, jam tum in gerendo spargere me ac disseminare arbitrabar in orbis terrae memoriam sempiternam. Haec vero sive a meo sensu post mortem afutura est sive — ut sapientissimi homines putaverunt — ad aliquam mei partem pertinebit, nunc quidem certe cogitatione quadam speque delector.

Archias the Poet should be Protected in his Rights

31. Qua re conservate, judices, hominem pudore eo, quem amicorum videtis comprobari cum dignitate tum etiam vetustate; ingenio autem tanto, quantum id convenit existimari, quod summorum hominum ingeniis expetitum esse videatis; causa vero ejus modi, quae beneficio legis, auctoritate municipi, testimonio Luculli, tabulis Metelli comprobetur. Quae cum ita sint, petimus a vobis, judices, si qua non modo humana, verum etiam divina in tantis ingeniis commendatio debet esse, ut eum qui vos, qui vestros imperatores, qui populi Romani res gestas semper ornavit, qui etiam his recentibus nostris vestrisque domesticis periculis aeternum se testimonium laudis daturum esse profitetur, estque ex eo numero qui semper apud omnis sancti sunt habiti itaque dicti, sic in vestram accipiatis fidem, ut humanitate vestra levatus potius quam acerbitate violatus esse videatur. **32.** Quae de causa pro mea consuetudine breviter simpliciterque dixi, judices, ea confido probata esse omnibus. Quae autem remota a mea judicialique consuetudine, et de hominis ingenio et communiter de ipsius studio locutus sum, ea, judices, a vobis spero esse in bonam partem accepta; ab eo qui judicium exercet, certo scio.

24° Longitude East from Greenwich 26°
AEGAEUM MARE
0 50 100
SCALE OF MILES
THRACIA
MACEDONIA
Philippi
Thessalonica
Pydna
Propontis
Cyzicus
Hellespontus
40°
OLYMPUS M.
Sigeum
Troia
TENEDOS
AEGAEUM MARE
Mysia
CYNOSCEPHALAE
Pharsalus
GRAECIA
LESBOS
Mytilene
ASIA
Lydia
Euboea
Delphi
Chalcis
Thebae
Thespiae
Chios
CHIOS
Smyrna
Ionia
Colophon
38°
Sicyon
Corinthus
Athenae
SALAMIS
Ephesus
SAMOS
Samos
Magnesia
Argos
Peloponnesus
Cyclades
DELOS
Miletus
Caria
Lacedaemon
v. Sparta
Sporades
COS
Cnidus
36°
CRETICUM MARE
RHODUS
Cnossus
IDA M.
CRETA
THE M.-N. ENG.
24° Longitude East from Greenwich 26°

DEFENCE OF MILO

(*Pro Milone*)

B.C. 52

T. ANNIUS MILO was a young man of good family and a recognized leader, on the aristocratic side, in the turbulent politics of the time during the absence of Cæsar in Gaul and following the disastrous campaign of Crassus in the East. His bitterest opponent was P. Clodius, the leader of the popular party, a man of high birth and versatile talents, but of infamous life, and an unscrupulous partisan. Both sides depended to a great extent on organized violence. On the one side was the city mob, headed by Clodius. On the other, Milo maintained a band of professional bullies and prize-fighters (*gladiatores*).

Under these two leaders, the old political strife, always attended with some violence, became almost a succession of riots. The disorders were so great that the year B.C. 53 was half over before the consuls, who should have been chosen six months before the beginning of the year, could be elected. When finally, in July, 53, Cn. Domitius Calvinus and M. Valerius Messala were chosen, the campaign for the following year began at once. Milo was a candidate for the consulship, and Clodius for the prætorship. Riots were of almost daily occurrence, and no elections could be held. The year 52 began without either consuls or prætors in office, and it became obvious that peace could be restored only by the death of either Clodius or Milo. The latter was a candidate for the consulship, but his election had been successfully resisted by Clodius. On the 18th of January the quarrel came to a bloody crisis. Milo had set out from Rome, towards nightfall, with a large retinue, including his troop of armed guards, for Lanuvium, a village about twenty miles S.E. of Rome, where he held an office of some local dignity. He was met on the Appian Way, a few miles out, by Clodius, who was returning to the city from one of his estates on horseback, with thirty armed attendants. As they passed each other, their followers came to blows. Clodius was wounded, and driven into a shop or tavern by the wayside. Milo, unwilling to leave so dangerous an enemy alive, followed him up; and Clodius, with a dozen others, among them the owner of the tavern, was killed. The meeting was probably accidental on both sides; but each had openly threatened the other's life, and hence each party loudly accused the other of premeditated assault and actual or intended murder. Anarchy broke loose in Rome. The funeral of Clodius was an occasion of riot and conflagration. Other disorders followed. Quiet was only restored by the appointment of Pompey as "consul without colleague" (practically dictator), and for about six months the city was held by him under a sort of martial law. A special court was established for the trial of all cases arising out of the brawl in the Appian Way. The arraignment of Milo before this court on the charge of assault and homicide took place about the 10th of April. Cicero undertook his defence both from political motives and from personal regard. By Pompey's orders the court was surrounded by armed troops (a strange sight at that time in Rome) to protect it from the violence of the mob which raged outside. Cicero, whose nerves were shaken by the uproar, lost his self-command, and spoke "not with his usual firmness." Milo was condemned by thirty-eight votes out of fifty-one, and went into exile at Marseilles. Cicero, dissatisfied with the speech actually delivered, as taken down by short-hand, wrote out at his leisure the masterpiece of eloquence and specious argument which follows.

The Court Surrounded by Armed Men

ETSI vereor, judices, ne turpe sit pro fortissimo viro dicere incipientem timere, minimeque deceat, cum T. Annius ipse magis de rei publicae salute quam de sua perturbetur, me ad ejus causam parem animi magnitudinem adferre non posse, tamen haec novi judici nova forma terret oculos, qui, quocumque inciderunt, consuetudinem fori et pristinum morem judiciorum requirunt. Non enim corona consessus vester cinctus est, ut solebat; non usitata frequentia stipati sumus: **2.** non illa praesidia, quae pro templis omnibus cernitis, etsi contra vim conlocata sunt, non adferunt tamen [oratori] aliquid, ut in foro et in judicio, quamquam praesidiis salutaribus et necessariis saepti sumus, tamen ne non timere quidem sine aliquo timore possimus. Quae si opposita Miloni putarem, cederem tempori, judices, nec inter tantam vim armorum existimarem esse oratori locum. Sed me recreat et reficit Cn. Pompei, sapientissimi et justissimi viri, consilium, qui profecto nec justitiae suae putaret esse, quem reum sententiis judicum tradidisset, eundem telis militum dedere, nec sapientiae, temeritatem concitatae multitudinis auctoritate publica armare.

But the Jurors Need not Fear

3. Quam ob rem illa arma, centuriones, cohortes non periculum nobis, sed praesidium denuntiant; neque solum ut quieto, sed etiam ut magno animo simus hortantur; neque auxilium modo defensioni meae, verum etiam silentium pollicentur. Reliqua vero multitudo, quae quidem est civium, tota nostra est; neque eorum quisquam, quos undique intuentis, unde aliqua fori pars aspici potest, et hujus exitum judici exspectantis videtis, non cum virtuti Milonis favet, tum de se, de liberis suis, de patria, de fortunis hodierno die decertari putat.

II. Unum genus est adversum infestumque nobis, eorum quos P. Clodi furor rapinis et incendiis et omnibus exitiis publicis pavit: qui hesterna etiam contione incitati sunt, ut vobis voce praeirent quid judicaretis. Quorum clamor si qui forte fuerit, admonere vos debebit, ut eum civem retineatis, qui semper genus illud hominum clamoresque maximos prae vestra salute neglexit.

They are Free to Maintain Justice

4. Quam ob rem adeste animis, judices, et timorem si quem habetis deponite. Nam — si umquam de bonis et fortibus viris, si umquam de bene meritis civibus potestas [vobis] judicandi fuit, si denique umquam locus amplissimorum ordinum delectis viris datus est, ut sua studia erga fortis et bonos civis, quae voltu et verbis saepe significassent, re et sententiis declararent — hoc profecto tempore eam potestatem omnem vos habetis, ut statuatis utrum nos, qui semper vestrae auctoritati dediti fuimus, semper miseri lugeamus, an, diu vexati a perditissimis civibus, aliquando per vos ac per vestram fidem, virtutem, sapientiamque recreemur.

Unfortunate Position of the Defendant

5. Quid enim nobis duobus, judices, laboriosius, quid magis sollicitum, magis exercitum dici aut fingi potest, qui, spe amplissimorum praemiorum ad rem publicam adducti, metu crudelissimorum suppliciorum carere non possumus? Equidem ceteras tempestates et procellas in illis dum taxat fluctibus contionum semper putavi Miloni esse subeundas, quia semper pro bonis contra improbos senserat; in judicio vero, et in eo consilio in quo ex cunctis ordinibus amplissimi viri judicarent, numquam existimavi spem ullam esse habituros Milonis inimicos, ad ejus non modo salutem exstinguendam, sed etiam gloriam per talis viros infringendam.

Clodius Aggressor in the Affray

6. Quamquam in hac causa, judices, T. Anni tribunatu, rebusque omnibus pro salute rei publicae gestis ad hujus criminis defensionem non abutemur. Nisi oculis videritis insidias Miloni a Clodio factas, nec deprecaturi sumus ut crimen hoc nobis propter multa praeclara in rem publicam merita condonetis, nec postulaturi, ut si mors P. Clodi salus vestra fuerit, idcirco eam virtuti Milonis potius quam populi Romani felicitati adsignetis. Sed si illius insidiae clariores hac luce fuerint, tum denique obsecrabo obtestaborque vos, judices, si cetera amisimus, hoc saltem nobis ut relinquatur, ab inimicorum audacia telisque vitam ut impune liceat defendere.

Homicide not Always Unjustifiable

III. **7.** Sed ante quam ad eam orationem venio quae est propria vestrae quaestionis, videntur ea esse refutanda, quae et in senatu ab inimicis saepe jactata sunt, et in contione ab improbis, et paulo ante ab accusatoribus, ut omni errore sublato, rem plane quae veniat in judicium videre possitis. Negant intueri lucem esse fas ei qui a se hominem occisum esse fateatur. In qua tandem urbe hoc homines stultissimi disputant? nempe in ea quae primum judicium de capite vidit M. Horati, fortissimi viri, qui nondum libera civitate, tamen populi Romani comitiis liberatus est, cum sua manu sororem esse interfectam fateretur. **8.** An est quisquam qui hoc ignoret, cum de homine occiso quaeratur, aut negari solere omnino esse factum aut recte et jure factum esse defendi? Nisi vero existimatis dementem P. Africanum fuisse, qui cum a C. Carbone [tribuno plebis seditiose] in contione interrogaretur quid de Ti. Gracchi morte sentiret, responderit jure caesum videri. Neque enim posset aut Ahala ille Servilius, aut P. Nasica, aut L. Opimius, aut C. Marius, aut me consule senatus, non nefarius haberi, si sceleratos civis interfici nefas esset. Itaque hoc, judices, non sine causa etiam fictis fabulis doctissimi homines memoriae prodiderunt, eum qui patris ulciscendi causa matrem necavisset, variatis hominum sententiis, non solum divina,

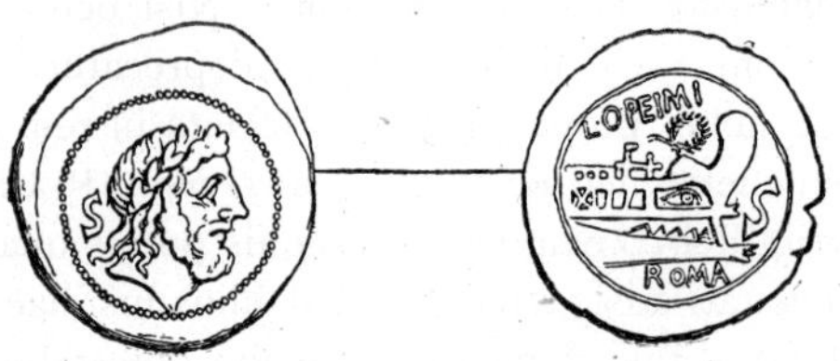

COIN OF L. OPIMIUS

sed etiam sapientissimae deae sententia liberatum. **9**. Quod si duodecim tabulae nocturnum furem quoquo modo, diurnum autem, si se telo defenderet, interfici impune voluerunt, quis est qui, quoquo modo quis interfectus sit, puniendum putet, cum videat aliquando gladium nobis ad hominem occidendum ab ipsis porrigi legibus?

This is a Case of Self-Defence

IV. Atqui si tempus est ullum jure hominis necandi, quae multa sunt, certe illud est non modo justum, verum etiam necessarium, cum vi vis inlata defenditur. Pudicitiam cum eriperet militi tribunus militaris in exercitu C. Mari, propinquus ejus imperatoris, interfectus ab eo est, cui vim adferebat. Facere enim probus adulescens periculose quam perpeti turpiter maluit. Atque hunc ille summus vir scelere solutum periculo liberavit. **10**. Insidiatori vero et latroni quae potest inferri injusta nex? Quid comitatus nostri, quid gladii volunt? quos habere certe non liceret, si uti illis nullo pacto liceret. Est igitur haec, judices, non scripta, sed nata lex; quam non didicimus, accepimus, legimus, verum ex natura ipsa adripuimus, hausimus, expressimus; ad quam non docti sed facti, non instituti sed imbuti sumus,

— ut, si vita nostra in aliquas insidias, si in vim et in tela aut latronum aut inimicorum incidisset, omnis honesta ratio esset expediendae salutis. **11**. Silent enim leges inter arma; nec se exspectari jubent, cum ei qui exspectare velit, ante

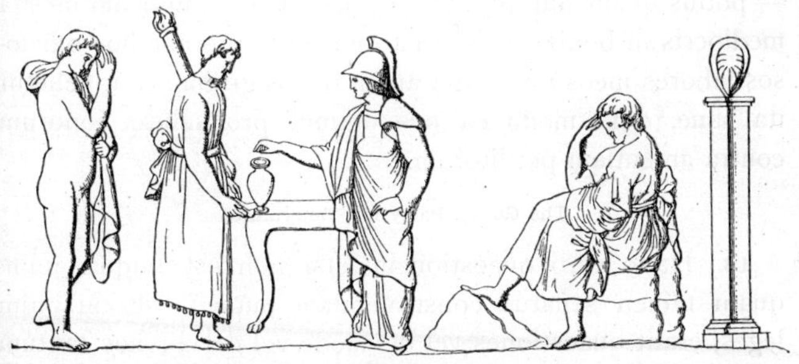

PALLAS' CASTING VOTE

injusta poena luenda sit, quam justa repetenda. Etsi persapienter et quodam modo tacite dat ipsa lex potestatem defendendi, quae non hominem occidi, sed esse cum telo hominis occidendi causa vetat; ut, cum causa non telum quaereretur, qui sui defendendi causa telo esset usus non hominis occidendi causa habuisse telum judicaretur. Quapropter hoc maneat in causa, judices: non enim dubito quin probaturus sim vobis defensionem meam, si id memineritis quod oblivisci non potestis, insidiatorem jure interfici posse.

Decree of the Senate Touches only the Riot

V. **12**. Sequitur illud, quod a Milonis inimicis saepissime dicitur, caedem in qua P. Clodius occisus est senatum judicasse contra rem publicam esse factam. Illam vero senatus non sententiis suis solum, sed etiam studiis comprobavit. Quotiens enim est illa causa a nobis acta in senatu! quibus adsensionibus universi ordinis, quam nec tacitis nec occultis! Quando enim frequentissimo senatu quattuor aut summum quinque sunt inventi qui Milonis causam non probarent?

Declarant hujus ambusti tribuni plebis illae intermortuae contiones, quibus cotidie meam potentiam invidiose criminabatur, cum diceret senatum non quod sentiret, sed quod ego vellem decernere. Quae quidem si potentia est appellanda — potius quam aut propter magna in rem publicam merita mediocris in bonis causis auctoritas, aut propter hos officiosos labores meos non nulla apud bonos gratia, — appelletur ita sane, dum modo ea nos utamur pro salute bonorum contra amentiam perditorum.

The Guilty Party not Determined

13. Hanc vero quaestionem, etsi non est iniqua, numquam tamen senatus constituendam putavit. Erant enim leges, erant quaestiones vel de caede vel de vi; nec tantum

Coin of Lepidus and Octavianus as Triumvirs

maerorem ac luctum senatui mors P. Clodi adferebat, ut nova quaestio constitueretur. Cujus enim de illo incesto stupro judicium decernendi senatui potestas esset erepta, de ejus interitu quis potest credere senatum judicium novum constituendum putasse? Cur igitur incendium curiae, oppugnationem aedium M. Lepidi, caedem hanc ipsam contra rem publicam senatus factam esse decrevit? quia nulla vis umquam est in libera civitate suscepta inter civis non contra rem publicam. **14.** Non enim est illa defensio contra vim umquam optanda, sed non numquam est necessaria. Nisi vero aut ille dies quo Ti. Gracchus est caesus, aut ille quo Gaius, aut quo arma Saturnini *oppressa sunt*, etiam si e re publica oppressa sunt, rem publicam tamen non volnerarunt.

VI. Itaque ego ipse decrevi, cum caedem in Appia factam esse constaret, non eum qui se defendisset contra rem publicam fecisse, sed, cum inesset in re vis et insidiae, crimen judicio reservavi, rem notavi. Quod si per furiosum illum tribunum senatui quod sentiebat perficere licuisset, novam quaestionem nullam haberemus. Decernebat enim, ut veteribus legibus, tantum modo extra ordinem, quaereretur. Divisa sententia est, postulante nescio quo: nihil enim necesse est omnium me flagitia proferre. Sic reliqua auctoritas senatus empta intercessione sublata est.

Pompey's Action also not Prejudicial

15. At enim Cn. Pompeius rogatione sua et de re et de causa judicavit: tulit enim de caede quae in Appia via facta esset, in qua P. Clodius occisus esset. Quid ergo tulit? nempe ut quaereretur. Quid porro quaerendum est? Factumne sit? at constat. A quo? at paret. Vidit igitur, etiam in confessione facti, juris tamen defensionem suscipi posse. Quod nisi vidisset posse absolvi eum qui fateretur, cum videret nos fateri, neque quaeri umquam jussisset, nec vobis tam hanc salutarem in judicando litteram quam illam tristem dedisset. Mihi vero Cn. Pompeius non modo nihil gravius contra Milonem judicasse, sed etiam statuisse videtur quid vos in judicando spectare oporteret. Nam qui non poenam confessioni, sed defensionem dedit, is causam interitus quaerendam, non interitum putavit. **16.** Jam illud ipse dicet profecto, quod sua sponte fecit, Publione Clodio tribuendum putarit an tempori.

No Special Tribunals for Previous Homicides

VII. Domi suae nobilissimus vir, senatus propugnator, atque illis quidem temporibus paene patronus, avunculus hujus judicis nostri, fortissimi viri, M. Catonis, tribunus plebis M. Drusus occisus est. Nihil de ejus morte populus consultus, nulla quaestio decreta a senatu est. Quantum luctum in hac urbe fuisse a nostris patribus accepimus, cum P. Africano domi suae quiescenti illa nocturna vis esset inlata? Quis tum non gemuit? Quis non arsit dolore, quem immortalem, si fieri posset, omnes esse cuperent, ejus ne necessariam quidem exspectatam esse mortem! Num igitur ulla quaestio de Africani morte lata est? certe nulla. **17.** Quid ita? quia non alio facinore clari homines, alio obscuri necantur. Intersit inter vitae dignitatem summorum atque infimorum: mors quidem inlata per scelus isdem et poenis teneatur et legibus. Nisi forte magis erit parricida, si qui consularem patrem quam si quis humilem necarit: aut eo mors atrocior erit P. Clodi, quod is in monumentis majorum suorum sit interfectus—hoc enim ab istis saepe dicitur; proinde quasi Appius ille Caecus viam muniverit, non qua populus uteretur, sed ubi impune sui posteri latrocinarentur!

Nor for Clodius' own Deeds of Violence

18. Itaque in eadem ista Appia via cum ornatissimum equitem Romanum P. Clodius M. Papirium occidisset, non fuit illud facinus puniendum, homo enim nobilis in suis monumentis equitem Romanum occiderat: nunc ejusdem Appiae nomen quantas tragoedias excitat! Quae cruentata antea caede honesti atque innocentis viri silebatur, eadem nunc crebro usurpatur, postea quam latronis et parricidae sanguine imbuta est. Sed quid ego illa commemoro? Comprehensus est in templo Castoris servus P. Clodi, quem ille ad Cn. Pompeium interficiendum collocarat: extorta est ei confitenti sica de manibus: caruit foro postea Pompeius, caruit senatu, caruit publico: janua se ac parietibus, non jure legum judiciorumque texit. **19.** Num quae rogatio lata, num quae nova quaestio decreta est? Atqui si res, si vir, si tempus ullum dignum fuit, certe haec in illa causa summa omnia fuerunt. Insidiator erat in foro conlocatus, atque in vestibulo ipso senatus; ei viro autem mors parabatur, cujus in vita nitebatur salus civitatis; eo porro rei publicae tempore, quo, si unus ille occidisset, non haec solum civitas, sed gentes omnes concidissent. Nisi vero quia perfecta res non est, non fuit poenienda: proinde

View on the Appian Way

quasi exitus rerum, non hominum consilia legibus vindicentur. Minus dolendum fuit re non perfecta, sed poeniendum certe nihilo minus. **20.** Quotiens ego ipse, judices, ex P. Clodi telis et ex cruentis ejus manibus effugi! ex quibus si me non vel mea vel rei publicae fortuna servasset, quis tandem de interitu meo quaestionem tulisset?

Is the Death of Clodius such a Great Calamity?

VIII. Sed stulti sumus qui Drusum, qui Africanum, Pompeium, nosmet ipsos cum P. Clodio conferre audeamus.

Tolerabilia fuerunt illa: P. Clodi mortem aequo animo ferre nemo potest. Luget senatus, maeret equester ordo, tota civitas confecta senio est, squalent municipia, adflictantur coloniae, agri denique ipsi tam beneficum, tam salutarem, tam mansuetum civem desiderant. **21.** Non fuit ea causa, judices, profecto, non fuit, cur sibi censeret Pompeius quaestionem ferendam; sed homo sapiens atque alta et divina quadam mente praeditus multa vidit: fuisse illum sibi inimicum, familiarem Milonem; in communi omnium laetitia, si etiam ipse gauderet, timuit ne videretur infirmior fides reconciliatae gratiae; multa etiam alia vidit, sed illud maxime, quamvis atrociter ipse tulisset, vos tamen fortiter judicaturos. Itaque delegit ex florentissimis ordinibus ipsa lumina: neque vero, quod non nulli dictitant, secrevit in judicibus legendis amicos meos. Neque enim hoc cogitavit vir justissimus; neque in bonis viris legendis id adsequi potuisset, etiam si cupisset. Non enim mea gratia familiaritatibus continetur, quae late patere non possunt, propterea quod consuetudines victus non possunt esse cum multis; sed, si quid possumus, ex eo possumus, quod res publica nos conjunxit cum bonis: ex quibus ille cum optimos viros legeret, idque maxime ad fidem suam pertinere arbitraretur, non potuit legere non studiosos mei. **22.** Quod vero te, L. Domiti, huic quaestioni praeesse maxime voluit, nihil quaesivit [aliud] nisi justitiam, gravitatem, humanitatem, fidem. Tulit ut consularem necesse esset: credo, quod principum munus esse ducebat resistere et levitati multitudinis et perditorum temeritati. Ex consularibus te creavit potissimum: dederas enim quam contemneres popularis insanias jam ab adulescentia documenta maxima.

Real Question: Which was the Aggressor

IX. **23.** Quam ob rem, judices, ut aliquando ad causam crimenque veniamus, — si neque omnis confessio facti est inusitata, neque de causa nostra quicquam aliter ac nos vellemus a senatu judicatum est, et lator ipse legis, cum esset controversia nulla facti, juris tamen disceptationem esse voluit, et ei lecti judices isque praepositus *est* quaestioni, qui haec juste sapienterque disceptet, — reliquum est, judices, ut nihil jam quaerere aliud debeatis, nisi uter utri insidias fecerit. Quod quo facilius argumentis perspicere possitis, rem gestam vobis dum breviter expono, quaeso, diligenter attendite.

Death of Milo Necessary to Clodius

24. P. Clodius cum statuisset omni scelere in praetura vexare rem publicam, videretque ita tracta esse comitia anno superiore, ut non multos mensis praeturam gerere posset, — qui non honoris gradum spectaret, ut ceteri, sed et L. Paulum conlegam effugere vellet, singulari virtute civem, et annum integrum ad dilacerandam rem publicam quaereret, — subito reliquit annum suum, seseque in annum proximum transtulit: non (ut fit) religione aliqua, sed ut haberet, quod ipse dicebat, ad praeturam gerendam, hoc est, ad evertendam rem publicam, plenum annum atque integrum. **25**. Occurrebat ei mancam ac debilem praeturam futuram suam consule Milone: eum porro summo consensu populi Romani consulem fieri videbat. Contulit se ad ejus competitores, sed ita, totam ut petitionem ipse solus etiam invitis illis gubernaret, tota ut comitia suis, ut dictitabat, umeris sustineret. Convocabat tribus, se interponebat, Collinam novam dilectu perditissimorum civium conscribebat. Quanto ille plura miscebat, tanto hic magis in dies convalescebat. Ubi vidit homo ad omne facinus paratissimus fortissimum virum, inimicissimum suum, certissimum consulem, idque intellexit non solum sermonibus, sed etiam suffragiis populi Romani saepe esse declaratum, palam agere coepit, et aperte dicere occidendum Milonem.

26. Servos agrestis et barbaros, quibus silvas publicas depopulatus erat Etruriamque vexarat, ex Apennino deduxerat, quos videbatis. Res erat minime obscura. Etenim palam dictitabat consulatum Miloni eripi non posse, vitam posse. Significavit hoc saepe in senatu, dixit in contione. Quin etiam M. Favonio, fortissimo viro, quaerenti ex eo qua spe fureret Milone vivo, respondit triduo illum aut summum quadriduo esse periturum: quam vocem ejus ad hunc M. Catonem statim Favonius detulit.

Clodius Lay in Wait for Milo

X. **27**. Interim cum sciret Clodius—neque enim erat difficile scire—iter sollemne, legitimum, necessarium ante diem XIII. Kalendas Februarias Miloni esse Lanuvium ad flaminem prodendum, [quod erat dictator Lanuvi Milo,] Roma subito ipse profectus pridie est, ut ante suum fundum, quod re intellectum est, Miloni insidias conlocaret. Atque ita profectus est, ut contionem turbulentam, in qua ejus furor desideratus est, [quae illo ipso die habita est,] relinqueret, quam nisi obire facinoris locum tempusque voluisset, numquam reliquisset. **28**. Milo autem cum in senatu fuisset eo die, quoad senatus est dimissus, domum venit; calceos et vestimenta mutavit; paulisper, dum se uxor (ut fit) comparat, commoratus est; dein profectus id temporis cum jam Clodius, si quidem eo die Romam venturus erat, redire potuisset. Ob viam fit ei Clodius, expeditus, in equo, nulla raeda, nullis impedimentis; nullis Graecis comitibus, ut solebat; sine uxore, quod numquam fere: cum hic insidiator, qui iter illud ad caedem faciendam apparasset, cum uxore veheretur in raeda, paenulatus, magno et impedito et muliebri ac delicato ancillarum puerorumque comitatu. **29**. Fit ob viam Clodio ante fundum ejus hora fere undecima, aut non multo secus. Statim complures cum telis in hunc faciunt de loco superiore impetum : adversi raedarium occidunt. Cum autem hic de raeda rejecta paenula desiluisset, seque acri animo defenderet, illi qui erant cum Clodio, gladiis eductis, partim recurrere ad raedam, ut a tergo Milonem adorirentur; partim, quod hunc jam interfectum putarent, caedere incipiunt ejus servos, qui post erant: ex quibus qui animo fideli in dominum et praesenti fuerunt, partim occisi sunt, partim, cum ad raedam pugnari viderent, domino succurrere prohiberentur, Milonem occisum et ex ipso Clodio audirent et re vera putarent, fecerunt id servi Milonis — dicam enim aperte, non derivandi criminis causa, sed ut factum est — nec imperante nec sciente nec praesente domino, quod suos quisque servos in tali re facere voluisset.

But his Violence Recoiled on his Own Head

XI. **30**. Haec, sicuti exposui, ita gesta sunt, judices. Insidiator superatus est, vi victa vis, vel potius oppressa virtute audacia est. Nihil dico quid res publica consecuta sit, nihil quid vos, nihil quid omnes boni : nihil sane id prosit Miloni, qui hoc fato natus est, ut ne se quidem servare potuerit, quin una rem publicam vosque servaret. Si id jure fieri non potuit, nihil habeo quod defendam. Sin hoc et ratio doctis, et necessitas barbaris, et mos gentibus, et feris etiam beluis natura ipsa praescripsit, — ut omnem semper vim, quacumque ope possent, a corpore, a capite, a vita sua propulsarent, — non potestis hoc facinus improbum judicare, quin simul judicetis omnibus, qui in latrones inciderint, aut illorum telis aut vestris sententiis esse pereundum. **31**. Quod si ita putasset, certe optabilius Miloni fuit dare jugulum P. Clodio, non semel ab illo neque tum primum petitum, quam jugulari a vobis, quia se non jugulandum illi tradidisset. Sin hoc nemo vestrum ita sentit, non illud jam in judicium venit, occisusne sit (quod fatemur), sed jure an injuria, quod multis in causis saepe quaesitum est. Insidias factas esse constat, et id est quod senatus contra rem publicam factum judicavit: ab utro factae sint incertum est. De hoc igitur latum est ut quaereretur. Ita et senatus rem non hominem notavit, et Pompeius de jure non de facto quaestionem tulit. XII. Num quid igitur aliud in judicium venit, nisi uter utri insidias fecerit? Profecto nihil: si hic illi, ut ne sit impune; si ille huic, ut scelere solvamur.

Cui Bono?

32. Quonam igitur pacto probari potest insidias Miloni fecisse Clodium? Satis est in illa quidem tam audaci, tam nefaria belua, docere magnam ei causam, magnam spem in Milonis morte propositam, magnas utilitates fuisse. Itaque illud Cassianum 'cui bono fuerit' in his personis valeat;-etsi boni nullo emolumento impelluntur in fraudem, improbi saepe parvo. Atqui Milone interfecto Clodius haec adsequebatur, non modo ut praetor esset non eo consule quo sceleris nihil facere posset; sed etiam ut eis consulibus praetor esset, quibus si non adjuvantibus at coniventibus certe, speraret posse se eludere in illis suis cogitatis furoribus: cujus illi conatus, ut ipse ratiocinabatur, nec cuperent reprimere si possent, cum tantum beneficium ei se debere arbitrarentur; et, si vellent, fortasse vix possent frangere hominis sceleratissimi conroboratam jam vetustate audaciam.

Strong Motive in the Case of Clodius

33. An vero, judices, vos soli ignoratis? vos hospites in hac urbe versamini? vestrae peregrinantur aures, neque in hoc pervagato civitatis sermone versantur, quas ille leges — si leges nominandae sunt ac non faces urbis, pestes rei publicae — fuerit impositurus nobis omnibus atque inusturus? Exhibe, quaeso, Sexte Clodi, exhibe librarium illud legum vestrarum, quod te aiunt eripuisse e domo et ex mediis armis turbaque nocturna tamquam Palladium sustulisse, ut praeclarum videlicet munus atque instrumentum tribunatus ad aliquem, si nactus esses, qui tuo arbitrio tribunatum gereret, deferre posses. Atque per . . . an hujus ille legis quam Clodius a se inventam gloriatur, mentionem facere ausus esset vivo Milone, non dicam consule? De nostrum enim omnium—non audeo totum dicere. Videte quid ea viti lex habitura fuerit, cujus periculosa etiam reprehensio est. Et aspexit me illis quidem oculis, quibus tum solebat cum omnibus omnia minabatur. Movet me quippe lumen curiae! XIII. Quid? tu me tibi iratum, Sexte, putas, cujus inimicissimum multo crudelius etiam poenitus es, quam erat humanitatis meae postulare? Tu P. Clodi cruentum cadaver ejecisti domo; tu in publicum abjecisti; tu spoliatum imaginibus, exsequiis, pompa, laudatione, infelicissimis lignis semiustilatum, nocturnis canibus dilaniandum reliquisti. Qua re, etsi nefarie fecisti, tamen quoniam in meo inimico crudelitatem exprompsisti tuam, laudare non possum, irasci certe non debeo.

Milo had No Motive

34. *Audistis, judices, quantum Clodi inter*fuerit occidi Milonem: convertite animos nunc vicissim ad Milonem. Quid Milonis intererat interfici Clodium? Quid erat cur Milo non dicam admitteret, sed optaret? 'Obstabat in spe consulatus Miloni Clodius.' At eo repugnante fiebat, immo vero eo fiebat magis; nec me suffragatore meliore utebatur quam Clodio. Valebat apud vos, judices, Milonis erga me remque publicam meritorum memoria; valebant preces et lacrimae nostrae, quibus ego tum vos mirifice moveri sentiebam; sed plus multo valebat periculorum impendentium timor. Quis enim erat civium qui sibi solutam P. Clodi praeturam sine maximo rerum novarum metu proponeret? Solutam autem fore videbatis, nisi esset is consul, qui eam auderet possetque constringere. Eum Milonem unum esse cum sentiret universus populus Romanus, quis dubitaret suffragio suo se metu, periculo rem publicam liberare? At nunc, Clodio remoto, usitatis jam rebus enitendum est Miloni, ut tueatur dignitatem suam: singularis illa et huic uni concessa gloria, quae cotidie augebatur frangendis furoribus Clodianis, jam Clodi morte cecidit. Vos adepti estis, ne quem civem metueretis: hic exercitationem virtutis, suffragationem consulatus, fontem perennem gloriae suae perdidit. Itaque Milonis consulatus, qui vivo Clodio labefactari non poterat, mortuo denique temptari coeptus est. Non modo igitur nihil prodest, sed obest etiam Clodi mors Miloni.

35. 'At valuit odium, fecit iratus, fecit inimicus, fuit ultor injuriae, poenitor doloris sui.' Quid? si haec non dico majora fuerunt in Clodio quam in Milone, sed in illo maxima, nulla in hoc? quid voltis amplius? Quid enim odisset Clodium Milo, segetem ac materiem suae gloriae, praeter hoc civile odium, quo omnis improbos odimus? Ille erat ut odisset, primum defensorem salutis meae, deinde vexatorem furoris, domitorem armorum suorum, postremo etiam accusatorem suum: reus enim Milonis lege Plotia fuit Clodius, quoad vixit. Quo tandem animo hoc tyrannum illum tulisse creditis? quantum odium illius, et in homine injusto quam etiam justum fuisse?

Habitual Violence of Clodius

XIV. **36.** Reliquum est ut jam illum natura ipsius consuetudoque defendat, hunc autem haec eadem coarguat. Nihil pcr vim umquam Clodius, omnia per vim Milo. Quid? ego, judices, cum maerentibus vobis urbe cessi, judiciumne timui? non servos, non arma, non vim? Quae fuisset igitur justa causa restituendi mei, nisi fuisset injusta eiciendi? Diem mihi, credo, dixerat, multam inrogarat, actionem perduellionis intenderat; et mihi videlicet in causa aut mala aut mea, non et praeclarissima et vestra, judicium timendum fuit. Servorum et egentium civium et facinorosorum armis meos civis, meis consiliis periculisque servatos, pro me obici nolui. **37**. Vidi enim, vidi hunc ipsum Q. Hortensium, lumen et ornamentum rei publicae, paene interfici servorum manu, cum mihi adesset: qua in turba C. Vibienus senator, vir optimus, cum hoc cum esset una, ita est mulcatus, ut vitam amiserit. Itaque quando illius postea sica illa, quam a Catilina acceperat, conquievit? Haec intentata nobis est; huic ego vos obici pro me non sum passus; haec insidiata Pompeio est; haec istam Appiam, monimentum sui nominis, nece Papiri cruentavit; haec eadem longo intervallo conversa rursus est in me: nuper quidem, ut scitis, me ad regiam paene confecit.

Opposite Character of Milo

38. Quid simile Milonis? cujus vis omnis haec semper fuit, ne P. Clodius, cum in judicium detrahi non posset, vi oppressam civitatem teneret. Quem si interficere voluisset, quantae quotiens occasiones, quam praeclarae fuerunt! Potuitne, cum domum ac deos penatis suos illo oppugnante defenderet, jure se ulcisci? Potuitne, civi egregio et viro fortissimo, P. Sestio, conlega suo, volnerato? Potuitne, Q. Fabricio, viro optimo, cum de reditu meo legem ferret, pulso, crudelissima in foro caede facta? Potuitne L. Caecili, justissimi fortissimique praetoris, oppugnata domo? Potuitne illo die, cum est lata lex de me; cum totius Italiae concursus, quem mea salus concitarat, facti illius gloriam libens agnovisset, ut, etiam si id Milo fecisset, cuncta civitas eam laudem pro sua vindicaret?

Milo Appealed Only to the Laws

XV. **39**. At quod erat tempus? Clarissimus et fortissimus consul, inimicus Clodio, [P. Lentulus,] ultor sceleris illius, propugnator senatus, defensor vestrae voluntatis, patronus publici consensus, restitutor salutis meae; septem praetores, octo tribuni plebei, illius adversarii, defensores mei; Cn. Pompeius, auctor et dux mei reditus, illius hostis, cujus sententiam senatus [omnis] de salute mea gravissimam et ornatissimam secutus est, qui populum Romanum est cohortatus, qui cum de me decretum Capuae fecisset, ipse cunctae Italiae cupienti et ejus fidem imploranti signum dedit, ut ad me restituendum Romam concurrerent; omnium denique in illum odia civium ardebant desiderio mei, quem qui tum interemisset, non de impunitate ejus, sed de praemiis cogitaretur. **40.** Tamen se Milo continuit, et P. Clodium in judicium bis, ad vim numquam vocavit. Quid? privato Milone et reo ad populum accusante P. Clodio, cum in Cn. Pompeium pro Milone dicentem impetus factus est, quae tum non modo occasio, sed etiam causa illius opprimendi fuit! Nuper vero cum M. Antonius summam spem salutis bonis omnibus attulisset, gravissimamque adulescens nobilissimus rei publicae partem fortissime suscepisset, atque illam beluam, judici laqueos declinantem, jam inretitam teneret, qui locus, quod tempus illud, di immortales, fuit! cum se ille fugiens in scalarum tenebris abdidisset, magnum Miloni fuit conficere illam pestem nulla sua invidia, M. vero Antoni maxima gloria? **41.** Quid? comitiis in campo quotiens potestas fuit! cum ille in saepta ruisset, gladios destringendos, lapides jaciendos curavisset; dein subito, voltu Milonis perterritus, fugeret ad Tiberim, vos et omnes boni vota faceretis, ut Miloni uti virtute sua liberet.

Milo had not Killed Clodius when he Might

XVI. Quem igitur cum omnium gratia noluit, hunc voluit cum aliquorum querella? quem jure, quem loco, quem tempore, quem impune non est ausus, hunc injuria, iniquo loco, alieno tempore, periculo capitis, non dubitavit occidere?

42. praesertim, judices, cum honoris amplissimi contentio et dies comitiorum subesset, quo quidem tempore — scio enim quam timida sit ambitio, quantaque et quam sollicita sit cupiditas consulatus — omnia, non modo quae reprehendi palam, sed etiam obscure quae cogitari possunt timemus, rumorem, fabulam fictam, levem perhorrescimus, ora omnium atque oculos intuemur. Nihil est enim tam molle, tam tenerum, tam aut fragile aut flexibile, quam voluntas erga nos sensusque civium, qui non modo improbitati irascuntur candidatorum, sed etiam in recte factis saepe fastidiunt.

43. Hunc igitur diem campi speratum atque exoptatum sibi proponens Milo, cruentis manibus scelus et facinus prae se ferens et confitens, ad illa augusta centuriarum auspicia veniebat? Quam hoc non credibile in hoc! quam idem in Clodio non dubitandum, cum se ille interfecto Milone regnaturum putaret! Quid? (quod caput est [audaciae], judices) quis ignorat maximam inlecebram esse peccandi impunitatis spem? In utro igitur haec fuit? in Milone, qui etiam nunc reus est facti aut praeclari aut certe necessarii, an in Clodio, qui ita judicia poenamque contempserat, ut eum nihil delectaret quod aut per naturam fas esset, aut per leges liceret.

Actual Threats of Clodius and their Attempted Fulfilment

44. Sed quid ego argumentor? quid plura disputo? Te, Q. Petili, appello, optimum et fortissimum civem: te, M. Cato, testor, quos mihi divina quaedam sors dedit judices. Vos ex M. Favonio audistis Clodium sibi dixisse, et audistis vivo Clodio, periturum Milonem triduo. Post diem tertium gesta res est quam dixerat. Cum ille non dubitarit aperire quid cogitaret, vos potestis dubitare quid fecerit?

XVII. **45.** Quem ad modum igitur eum dies non fefellit? Dixi equidem modo. Dictatoris Lanuvini stata sacrificia nosse negoti nihil erat. Vidit necesse esse Miloni proficisci Lanuvium illo ipso quo est profectus die. Itaque antevertit.

At quo die? Quo, ut ante dixi, fuit insanissima contio ab ipsius mercenario tribuno plebis concitata: quem diem ille, quam contionem, quos clamores, nisi ad cogitatum facinus approperaret, numquam reliquisset. Ergo illi ne causa quidem itineris, etiam causa manendi: Miloni manendi nulla [facultas], exeundi non causa solum, sed etiam necessitas fuit. Quid? si, ut ille scivit Milonem fore eo die in via, sic Clodium Milo ne suspicari quidem potuit? **46.** Primum quaero qui id scire potuerit? quod vos idem in Clodio quaerere non potestis. Ut enim neminem alium nisi T. Patinam, familiarissimum suum, rogasset, scire potuit illo ipso die Lanuvi a dictatore Milone prodi flaminem necesse esse. Sed erant permulti alii, ex quibus id facillime scire posset [: omnes scilicet Lanuvini]. Milo de Clodi reditu unde quaesivit? Quaesierit sane — videte quid vobis largiar: servum etiam, ut Q. Arrius, meus amicus, dixit, corruperit. Legite testimonia testium vestrorum. Dixit C. Causinius Schola, Interamnas, familiarissimus et idem comes Clodi, — cujus jam pridem testimonio Clodius eadem hora Interamnae fuerat et Romae, — P. Clodium illo die in Albano mansurum fuisse; sed subito ei esse nuntiatum Cyrum architectum esse mortuum, itaque repente Romam constituisse proficisci. Dixit hoc comes item P. Clodi, C. Clodius.

Obvious Intent of Clodius

XVIII. **47.** Videte, judices, quantae res his testimoniis sint confectae. Primum certe liberatur Milo non eo consilio profectus esse, ut insidiaretur in via Clodio: quippe, si ille obvius ei futurus omnino non erat. Deinde — non enim video cur non meum quoque agam negotium — scitis, judices, fuisse qui in hac rogatione suadenda dicerent Milonis manu caedem esse factam, consilio vero majoris alicujus. Me videlicet latronem ac sicarium abjecti homines et perditi describebant. Jacent suis testibus [ei] qui Clodium negant eo die Romam, nisi de Cyro audisset, fuisse rediturum. Respiravi, liberatus sum; non vereor ne, quod ne suspicari quidem potuerim, videar id cogitasse. **48.** Nunc persequar cetera. Nam occurrit illud: 'Igitur ne Clodius quidem de insidiis cogitavit, quoniam fuit in Albano mansurus.' Si quidem exiturus ad caedem e villa non fuisset. Video enim illum, qui dicatur de Cyri morte nuntiasse, non id nuntiasse, sed Milonem appropinquare. Nam quid de Cyro nuntiaret, quem Clodius Roma proficiscens reliquerat morientem? Una fui, testamentum simul obsignavi cum Clodio: testamentum autem palam fecerat, et illum heredem et me scripserat. Quem pridie hora tertia animam efflantem reliquisset, eum mortuum postridie hora decima denique ei nuntiabatur?

Why did he Travel by Night?

XIX. **49.** Age, sit ita factum. Quae causa cur Romam properaret? cur in noctem se coniceret? Ecquid adferebat festinationis, quod heres erat? Primum, erat nihil cur properato opus esset: deinde, si quid esset, quid tandem erat quod ea nocte consequi posset, amitteret autem si postridie Romam mane venisset? Atque ut illi nocturnus ad urbem adventus vitandus potius quam expetendus fuit, sic Miloni, cum insidiator esset, si illum ad urbem nocte accessurum sciebat, subsidendum atque exspectandum fuit. **50.** Nemo ei neganti non credidisset, quem esse omnes salvum etiam confitentem volunt. Sustinuisset hoc crimen primum ipse ille latronum occultator et receptor locus, cum neque muta solitudo indicasset neque caeca nox ostendisset Milonem; deinde ibi multi ab illo violati, spoliati, bonis expulsi, multi haec etiam timentes in suspicionem caderent, tota denique rea citaretur Etruria. **51.** Atque illo die certe Aricia rediens devertit Clodius ad Albanum. Quod ut sciret Milo illum Ariciae fuisse, suspicari tamen debuit eum, etiam si Romam illo die reverti vellet, ad villam suam, quae viam tangeret, deversurum. Cur neque ante occurrit, ne ille in villa resideret, nec eo in loco subsedit, quo ille noctu venturus esset?

Conduct of Clodius and Milo Compared

Video adhuc constare, judices, omnia: — Miloni etiam utile fuisse Clodium vivere, illi ad ea quae concupierat optatissimum interitum Milonis; odium fuisse illius in hunc acerbissimum, nullum hujus in illum; consuetudinem illius perpetuam in vi inferenda, hujus tantum in repellenda; **52**. mortem ab illo denuntiatam Miloni et praedicatam palam, nihil umquam auditum ex Milone; profectionis hujus diem illi notum, reditus illius huic ignotum fuisse; hujus iter necessarium, illius etiam potius alienum; hunc prae se tulisse illo die Roma exiturum, illum eo die se dissimulasse rediturum; hunc nullius rei mutasse consilium, illum causam mutandi consili finxisse; huic, si insidiaretur, noctem prope urbem exspectandam, illi, etiam si hunc non timeret, tamen accessum ad urbem nocturnum fuisse metuendum.

Milo Unprepared for an Affray

XX. **53**. Videamus nunc (id quod caput est) locus ad insidias ille ipse, ubi congressi sunt, utri tandem fuerit aptior. Id vero, judices, etiam dubitandum et diutius cogitandum est? Ante fundum Clodi, quo in fundo propter insanas illas substructiones facile hominum mille versabantur valentium, edito adversari atque excelso loco, superiorem se fore putarat Milo, et ob eam rem eum locum ad pugnam potissimum elegerat? an in eo loco est potius exspectatus ab eo qui ipsius loci spe facere impetum cogitarat? Res loquitur ipsa, judices, quae semper valet plurimum. **54**. Si haec non gesta audiretis, sed picta videretis, tamen appareret uter esset insidiator, uter nihil cogitaret mali, cum alter veheretur in raeda paenulatus, una sederet uxor. Quid horum non impeditissimum? vestitus an vehiculum an comes? Quid minus promptum ad pugnam, cum paenula inretitus, raeda impeditus, uxore paene constrictus esset? Videte nunc illum, primum egredientem e villa, subito: cur? vesperi: quid necesse est? tarde: qui convenit, praesertim id temporis? Devertit in villam Pompei. Pompeium ut videret? sciebat in Alsiensi esse: villam ut perspiceret? miliens in ea fuerat. Quid ergo erat? morae et tergiversationes: dum hic veniret, locum relinquere noluit.

Clodius fully Prepared

XXI. **55.** Age nunc; iter expediti latronis cum Milonis impedimentis comparate. Semper ille antea cum uxore, tum sine ea; numquam nisi in raeda, tum in equo; comites Graeculi, quocumque ibat, etiam cum in castra Etrusca properabat, tum nugarum in comitatu nihil. Milo, qui numquam, tum casu pueros symphoniacos uxoris ducebat et ancillarum greges. Ille, qui semper secum scorta, semper exoletos, semper lupas duceret, tum neminem, nisi ut virum a viro lectum esse diceres. Cur igitur victus est? Quia non semper viator a latrone, non numquam etiam latro a viatore occiditur: quia, quamquam paratus in imparatos Clodius, tamen mulier inciderat in viros. **56.** Nec vero sic erat umquam non paratus Milo contra illum, ut non satis fere esset paratus. Semper [ille] et quantum interesset P. Clodi se perire, et quanto illi odio esset, et quantum ille auderet cogitabat. Quam ob rem vitam suam, quam maximis praemiis propositam et paene addictam sciebat, numquam in periculum sine praesidio et sine custodia proiciebat. Adde casus, adde incertos exitus pugnarum Martemque communem, qui saepe spoliantem jam et exsultantem evertit et perculit ab abjecto: adde inscitiam pransi, poti, oscitantis ducis, qui cum a tergo hostem interclusum reliquisset, nihil de ejus extremis comitibus cogitavit, in quos incensos ira vitamque domini desperantis cum incidisset, haesit in eis poenis, quas ab eo servi fideles pro domini vita expetiverunt.

No Suppression of Testimony by Milo

57. Cur igitur eos manu misit? Metuebat scilicet ne indicaretur, ne dolorem perferre non possent, ne tormentis cogerentur occisum esse a servis Milonis in Appia via P. Clodium confiteri. Quid opus est tortore? quid quaeris? Occideritne? occidit. Jure an injuria? nihil ad tortorem: facti enim in eculeo quaestio est, juris in judicio. XXII. Quod igitur in causa quaerendum est, indagamus hic: quod tormentis invenire vis, id fatemur. Manu vero cur miserit, si id potius quaeris, quam cur parum amplis adfecerit praemiis, nescis inimici factum reprehendere. **58.** Dixit enim hic idem, qui omnia semper constanter et fortiter, M. Cato, et dixit in turbulenta contione, quae tamen hujus auctoritate placata est, non libertate solum, sed etiam omnibus praemiis dignissimos fuisse, qui domini caput defendissent. Quod enim praemium satis magnum est tam benevolis, tam bonis, tam fidelibus servis, propter quos vivit? Etsi id quidem non tanti est, quam quod propter eosdem non sanguine et volneribus suis crudelissimi inimici mentem oculosque satiavit. Quos nisi manu misisset, tormentis etiam dedendi fuerunt conservatores domini, ultores sceleris, defensores necis. Hic vero nihil habet in his malis quod minus moleste ferat, quam, etiam si quid ipsi accidat, esse tamen illis meritum praemium persolutum.

Testimony of Clodius' Slaves Untrustworthy

59. Sed quaestiones urgent Milonem, quae sunt habitae nunc in atrio Libertatis. Quibusnam de servis? rogas? de P. Clodi. Quis eos postulavit? Appius. Quis produxit? Appius. Unde? ab Appio. Di boni! quid potest agi severius? [De servis nulla lege quaestio est in dominum nisi de incestu, ut fuit in Clodium.] Proxime deos accessit Clodius, propius quam tum cum ad ipsos penetrarat, cujus de morte tamquam de caerimoniis violatis quaeritur. Sed tamen majores nostri in dominum [de servo] quaeri noluerunt, non quin posset verum inveniri, sed quia videbatur indignum esse et [domini] morte ipsa tristius. In reum de servo accusatoris cum quaeritur, verum inveniri potest? **60.** Age vero, quae erat aut qualis quaestio? 'Heus tu, Rufio' (verbi causa) 'cave sis mentiaris. Clodius insidias fecit Miloni?' 'Fecit:' 'certa crux.' 'Nullas fecit:' 'sperata libertas.' Quid hac quaestione certius? Subito abrepti in quaestionem, tamen separantur a ceteris et in arcas coniciuntur, ne quis cum eis conloqui possit. Hi centum dies penes accusatorem cum fuissent, ab eo ipso accusatore producti sunt. Quid hac quaestione dici potest integrius, quid incorruptius?

Conduct of Milo after the Affray

XXIII. **61.** Quod si nondum satis cernitis, cum res ipsa tot tam claris argumentis signisque luceat, pura mente atque integra Milonem, nullo scelere imbutum, nullo metu perterritum, nulla conscientia exanimatum, Romam revertisse, recordamini (per deos immortalis!) quae fuerit celeritas reditus ejus, qui ingressus in forum ardente curia, quae magnitudo animi, qui voltus, quae oratio. Neque vero se populo solum, sed etiam senatui commisit; neque senatui modo, sed etiam publicis praesidiis et armis; neque his tantum, verum etiam ejus potestati, cui senatus totam rem publicam, omnem Italiae pubem, cuncta populi Romani arma commiserat: cui numquam se hic profecto tradidisset, nisi causae suae confideret, praesertim omnia audienti, magna metuenti, multa suspicanti, non nulla credenti. Magna vis est conscientiae, judices, et magna in utramque partem, ut neque timeant qui nihil commiserint, et poenam semper ante oculos versari putent qui peccarint.

His Action Approved by the Senate

62. Neque vero sine ratione certa causa Milonis semper a senatu probata est. Videbant enim sapientissimi homines facti rationem, praesentiam animi, defensionis constantiam. An vero obliti estis, judices, recenti illo nuntio necis Clodianae, non modo inimicorum Milonis sermones et opiniones, sed non nullorum etiam imperitorum? Negabant eum Romam esse rediturum. **63.** Sive enim illud animo irato ac percito fecisset, ut incensus odio trucidaret inimicum, arbitrabantur eum tanti mortem P. Clodi putasse, ut aequo animo patria careret, cum sanguine inimici explesset odium suum; sive etiam illius morte patriam liberare voluisset, non dubitaturum fortem virum quin, cum suo periculo salutem populo Romano attulisset, cederet aequo animo [legibus], secum auferret gloriam sempiternam, nobis haec fruenda relinqueret, quae ipse servasset. Multi etiam Catilinam atque illa portenta loquebantur: 'Erumpet, occupabit aliquem locum, bellum patriae faciet.' Miseros interdum civis optime de re publica meritos, in quibus homines non modo res praeclarissimas obliviscuntur, sed etiam nefarias suspicantur! **64.** Ergo illa falsa fuerunt, quae certe vera exstitissent, si Milo admisisset aliquid quod non posset honeste vereque defendere.

Milo's Assurance of his Innocence

XXIV. Quid? quae postea sunt in eum congesta, quae quemvis etiam mediocrium delictorum conscientia perculissent, ut sustinuit, di immortales! Sustinuit? immo vero ut contempsit ac pro nihilo putavit, quae neque maximo animo nocens neque innocens nisi fortissimus vir neglegere potuisset! Scutorum, gladiorum, frenorum, pilorumque etiam multitudo deprehendi posse indicabatur; nullum in urbe vicum, nullum angiportum esse dicebant, in quo Miloni conducta non esset domus; arma in villam Ocriculanam devecta Tiberi, domus in clivo Capitolino scutis referta, plena omnia malleolorum ad urbis incendia comparatorum: haec non delata solum, sed paene credita, nec ante repudiata sunt quam quaesita. **65**. Laudabam equidem incredibilem diligentiam Cn. Pompei, sed dicam ut sentio, judices. Nimis multa audire coguntur, neque aliter facere possunt, ei quibus tota commissa est res publica. Quin etiam fuit audiendus popa Licinius nescio qui de Circo maximo, servos Milonis, apud se ebrios factos, sibi confessos esse de interficiendo Pompeio conjurasse, dein postea se gladio percussum esse ab uno de illis, ne indicaret. Pompeio in hortos nuntiavit; arcessor in primis; de amicorum sententia rem defert ad senatum. Non poteram in illius mei patriaeque custodis tanta suspicione non metu exanimari; sed mirabar tamen credi popae, confessionem servorum audiri, volnus in latere, quod acu punctum videretur, pro ictu gladiatoris probari. **66**. Verum, ut intellego, cavebat magis Pompeius quam timebat, non ea solum quae timenda erant, sed omnia, ne vos aliquid timeretis. Oppugnata domus C. Caesaris, clarissimi et fortissimi viri, per multas noctis horas nuntiabatur. Nemo audierat tam celebri loco, nemo senserat: tamen audiebatur. Non poteram Cn. Pompeium, praestantissima virtute virum, timidum suspicari: diligentiam, tota re publica suscepta, nimiam nullam putabam. Frequentissimo senatu nuper in Capitolio senator inventus est qui Milonem cum telo esse diceret. Nudavit se in sanctissimo templo, quoniam vita talis et civis et viri fidem non faciebat, ut eo tacente res ipsa loqueretur.

Pompey's Fear of Milo Groundless

XXV. **67**. Omnia falsa atque insidiose ficta comperta sunt. Cum tamen, si metuitur etiam nunc Milo, non jam hoc Clodianum crimen timemus, sed tuas, Cn. Pompei—te enim jam appello, et ea voce ut me exaudire possis — tuas, tuas, inquam, suspiciones perhorrescimus: si Milonem times; si hunc de tua vita nefarie aut nunc cogitare aut molitum aliquando aliquid putas; si Italiae dilectus (ut non nulli conquisitores tui dictitarunt), si haec arma, si Capitolinae cohortes, si excubiae, si vigiliae, si dilecta juventus quae tuum corpus domumque custodit contra Milonis impetum armata est, atque illa omnia in hunc unum instituta, parata, intenta sunt, — magna in hoc certe vis et incredibilis animus, et non unius viri vires atque opes judicantur, si quidem in hunc unum et praestantissimus dux electus et tota res publica armata est. **68**. Sed quis non intellegit omnis tibi rei publicae partis aegras et labantis, ut eas his armis sanares et confirmares, esse commissas? Quod si locus Miloni datus esset, probasset profecto tibi ipsi neminem umquam hominem homini cariorem fuisse quam te sibi; nullum se umquam periculum pro tua dignitate fugisse; cum ipsa illa taeterrima peste se saepissime pro tua gloria contendisse; tribunatum suum ad salutem meam, quae tibi carissima fuisset, consiliis tuis gubernatum; se a te postea defensum in periculo capitis, adjutum in petitione praeturae; duos se habere semper amicissimos sperasse, te tuo beneficio, me suo. Quae si non probaret, si tibi ita penitus inhaesisset ista suspicio nullo ut evelli modo posset, si denique Italia a dilectu, urbs ab armis sine Milonis clade numquam esset conquietura, ne ille haud dubitans cessisset patria, is qui ita natus est et ita consuevit: te, Magne, tamen antestaretur, quod nunc etiam facit.

Pompey's Action virtually Acquits Milo

XXVI. **69**. Vide quam sit varia vitae commutabilisque ratio, quam vaga volubilisque fortuna, quantae infidelitates in amicis, quam ad tempus aptae simulationes, quantae in periculis fugae proximorum, quantae timiditates. Erit, erit illud profecto tempus, et inlucescet aliquando ille dies, cum tu — salutaribus, ut spero, rebus tuis, sed fortasse motu aliquo communium temporum, qui quam crebro accidat experti scire debemus — et amicissimi benevolentiam et gravissimi hominis fidem et unius post homines natos fortissimi viri magnitudinem animi desideres. **70.** Quamquam quis hoc credat, Cn. Pompeium, juris publici, moris majorum, rei denique publicae peritissimum, cum senatus ei commiserit ut videret *Ne quid res publica detrimenti caperet* (quo uno versiculo satis armati semper consules fuerunt, etiam nullis armis datis), hunc exercitu, hunc dilectu dato, judicium exspectaturum fuisse in ejus consiliis vindicandis, qui vi judicia ipsa tolleret? Satis judicatum est a Pompeio, satis, falso ista conferri in Milonem, qui legem tulit, qua, ut ego sentio, Milonem absolvi a vobis oporteret, ut omnes confitentur, liceret. **71.** Quod vero in illo loco atque illis publicorum praesidiorum copiis circumfusus sedet, satis declarat se non terrorem inferre vobis — quid enim minus illo dignum quam cogere ut vos eum condemnetis, in quem animadvertere ipse et more majorum et suo jure posset? sed praesidio esse, ut intellegatis contra hesternam illam contionem licere vobis quod sentiatis libere judicare.

The Killing of Clodius a Service to the State

XXVII. **72.** Nec vero me, judices, Clodianum crimen movet, nec tam sum demens tamque vestri sensus ignarus atque expers, ut nesciam quid de morte Clodi sentiatis. De qua, si jam nollem ita diluere crimen, ut dilui, tamen impune Miloni palam clamare ac mentiri gloriose liceret: 'Occidi, occidi, non Sp. Maelium, qui annona levanda jacturisque rei familiaris, quia nimis amplecti plebem videbatur, in suspicionem incidit regni appetendi; non Ti. Gracchum, qui conlegae magistratum per seditionem abrogavit, quorum interfectores impleverunt orbem terrarum nominis sui gloria; sed eum — auderet enim dicere, cum patriam periculo suo liberasset — cujus nefandum adulterium in pulvinaribus sanctissimis nobilissimae feminae comprehenderunt; **73.** eum cujus supplicio senatus sollemnis religiones expiandas saepe censuit; eum quem cum sorore germana nefarium stuprum fecisse L. Lucullus juratus se quaestionibus habitis dixit comperisse; eum qui civem quem senatus, quem populus Romanus, quem omnes gentes urbis ac vitae civium conservatorem judicarant, servorum armis exterminavit; eum qui regna dedit, ademit, orbem terrarum quibuscum voluit partitus est; eum qui, plurimis caedibus in foro factis, singulari virtute et gloria civem domum vi et armis compulit; eum cui nihil umquam nefas fuit, nec in facinore nec in libidine; eum qui aedem Nympharum incendit, ut memoriam publicam recensionis tabulis publicis impressam exstingueret; **74.** eum denique, cui jam nulla lex erat, nullum civile jus, nulli possessionum termini; qui non calumnia litium, non injustis vindiciis ac sacramentis alienos fundos, sed castris, exercitu, signis inferendis petebat; qui non solum Etruscos — eos enim penitus contempserat — sed hunc P. Varium, fortissimum atque optimum civem, judicem nostrum, pellere possessionibus armis castrisque conatus est; qui cum architectis et decempedis villas multorum hortosque peragrabat; qui Janiculo et Alpibus spem possessionum terminarat suarum; qui, cum ab equite Romano splendido et forti, M. Paconio, non impetrasset ut sibi insulam in lacu Prilio venderet, repente luntribus in eam insulam materiem, calcem, caementa, arma convexit, dominoque trans ripam inspectante, non dubitavit exstruere aedificium in alieno; **75.** qui huic T. Furfanio, — cui viro, di immortales! quid enim ego de muliercula Scantia, quid de adulescente P. Apinio dicam? quorum utrique mortem est minitatus, nisi sibi hortorum possessione cessissent, — sed ausum esse Furfanio dicere, si sibi pecuniam, quantam poposcerat, non dedisset, mortuum se in domum ejus inlaturum, qua invidia huic esset tali viro conflagrandum; qui Appium fratrem, hominem mihi conjunctum fidissima gratia, absentem de possessione fundi dejecit; qui parietem sic per vestibulum sororis instituit ducere, sic agere fundamenta, ut sororem non modo vestibulo privaret, sed omni aditu et limine.'

No Safety for Rome while Clodius Lived

XXVIII. **76**. Quamquam haec quidem jam tolerabilia videbantur, etsi aequabiliter in rem publicam, in privatos, in longinquos, in propinquos, in alienos, in suos inruebat; sed nescio quo modo jam usu obduruerat et percalluerat civitatis incredibilis patientia. Quae vero aderant jam et impendebant, quonam modo ea aut depellere potuissetis aut ferre? Imperium ille si nactus esset, — omitto socios, exteras nationes, reges, tetrarchas; vota enim faceretis, ut in eos se potius immitteret quam in vestras possessiones, vestra tecta, vestras pecunias: — pecunias dico? a liberis (me dius fidius) et a conjugibus vestris numquam ille effrenatas suas libidines cohibuisset. Fingi haec putatis, quae patent, quae nota sunt omnibus, quae tenentur? servorum exercitus illum in urbe conscripturum fuisse, per quos totam rem publicam resque privatas omnium possideret? **77**. Quam ob rem si cruentum gladium tenens clamaret T. Annius: 'Adeste, quaeso, atque audite, cives: P. Clodium interfeci; ejus furores, quos nullis jam legibus, nullis judiciis frenare poteramus, hoc ferro et hac dextera a cervicibus vestris reppuli, per me ut unum jus, aequitas, leges, libertas, pudor, pudicitia in civitate maneret!' esset vero timendum, quonam modo id ferret civitas! Nunc enim quis est qui non probet, qui non laudet, qui non unum post hominum memoriam T. Annium plurimum rei publicae profuisse, maxima laetitia populum Romanum, cunctam Italiam, nationes omnis ad-fecisse et dicat et sentiat? Non queo vetera illa populi Romani gaudia quanta fuerint judicare: multas tamen jam summorum imperatorum clarissimas victorias aetas nostra vidit, quarum nulla neque tam diuturnam attulit laetitiam nec tantam. **78.** Mandate hoc memoriae, judices. Spero multa vos liberosque vestros in re publica bona esse visuros: in eis singulis ita semper existimabitis, vivo P. Clodio nihil eorum vos visuros fuisse. In spem maximam, et (quem ad modum confido) verissimam sumus adducti, hunc ipsum annum, hoc ipso summo viro consule, compressa hominum licentia, cupiditatibus fractis, legibus et judiciis constitutis, salutarem civitati fore. Num quis est igitur tam demens, qui hoc P. Clodio vivo contingere potuisse arbitretur? Quid? ea quae tenetis, privata atque vestra, dominante homine furioso quod jus perpetuae possessionis habere potuissent?

Tyrannicide a Virtue

XXIX. Non, timeo, judices, ne odio inimicitiarum mearum inflammatus libentius haec in illum evomere videar quam verius. Etenim si praecipuum esse debebat, tamen ita communis erat omnium ille hostis, ut in communi odio paene aequaliter versaretur odium meum. Non potest dici satis, ne cogitari quidem, quantum in illo sceleris, quantum exiti fuerit. **79.** Quin sic attendite, judices. Nempe haec est quaestio de interitu P. Clodi. Fingite animis — liberae sunt enim nostrae cogitationes, et quae volunt sic intuentur ut ea cernimus quae videmus — fingite igitur cogitatione imaginem hujus condicionis meae, si possim efficere ut Milonem absolvatis, sed ita, si P. Clodius revixerit. Quid voltu extimuistis? quonam modo ille vos vivus adficeret, quos mortuus inani cogitatione percussit? Quid! si ipse Cn. Pompeius, qui ea virtute ac fortuna est ut ea potuerit semper quae nemo praeter illum, si is, inquam, potuisset aut quaestionem de morte P. Clodi ferre aut ipsum ab inferis excitare,

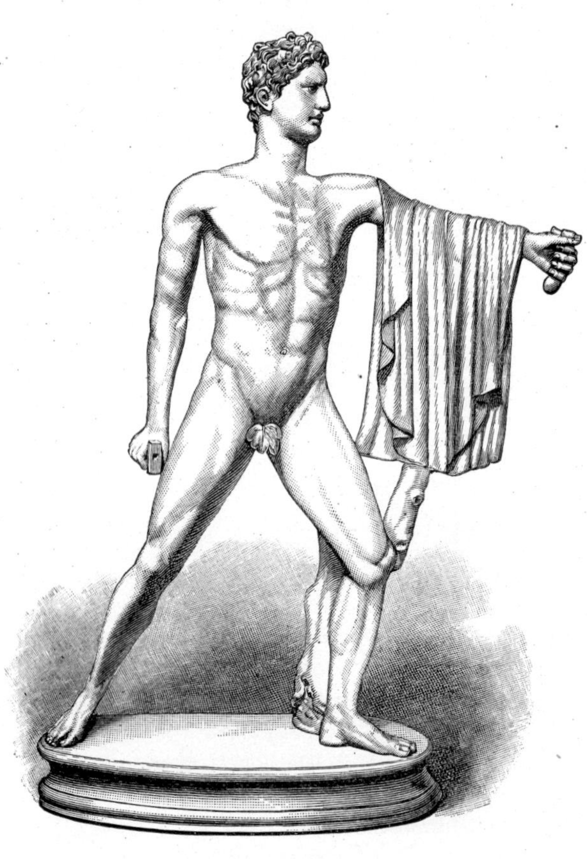

ARISTOGEITON

utrum putatis potius facturum fuisse? Etiam si propter amicitiam vellet illum ab inferis evocare, propter rem publicam non fecisset. Ejus igitur mortis sedetis ultores, cujus vitam si putetis per vos restitui posse, nolitis; et de ejus nece lata quaestio est, qui si lege eadem reviviscere posset, lata lex numquam esset. Hujus ergo interfector si esset, in confitendo ab eisne poenam timeret quos liberavisset? **80.** Graeci homines deorum honores tribuunt eis viris qui tyrannos necaverunt. Quae ego vidi Athenis! quae aliis in urbibus Graeciae! quas res divinas talibus institutas viris! quos cantus, quae carmina! prope ad immortalitatis et religionem et memoriam consecrantur. Vos tanti conservatorem populi, tanti sceleris ultorem non modo honoribus nullis adficietis, sed etiam ad supplicium rapi patiemini? Confiteretur, confiteretur, inquam, si fecisset, et magno animo et libenter fecisse se libertatis omnium causa, quod esset ei non confitendum modo, verum etiam praedicandum.

If Milo were Guilty, he would Boast of his Guilt

XXX. **81.** Etenim si id non negat ex quo nihil petit nisi ut ignoscatur, dubitaret id fateri ex quo etiam praemia laudis essent petenda? nisi vero gratius putat esse vobis sui se capitis quam vestri defensorem fuisse, cum praesertim [in] ea confessione, si grati esse velletis, honores adsequeretur amplissimos. Si factum vobis non probaretur — quamquam qui poterat salus sua cuiquam non probari? — sed tamen si minus fortissimi viri virtus civibus grata cecidisset, magno animo constantique cederet ex ingrata civitate. Nam quid esset ingratius quam laetari ceteros, lugere eum solum propter quem ceteri laetarentur? **82.** Quamquam hoc animo semper omnes fuimus in patriae proditoribus opprimendis, ut, quoniam nostra futura esset gloria, periculum quoque et invidiam nostram putaremus. Nam quae mihi ipsi tribuenda laus esset, cum tantum in consulatu meo pro vobis ac liberis vestris ausus essem, si id, quod conabar sine maximis dimicationibus meis me esse ausurum arbitrarer? Quae mulier sceleratum ac perniciosum civem interficere non auderet, si periculum non timeret? Proposita invidia, morte, poena, qui nihilo segnius rem publicam defendit, is vir vere putandus est. Populi grati est praemiis adficere bene meritos de re publica civis; viri fortis ne suppliciis quidem moveri ut fortiter fecisse paeniteat. **83**. Quam ob rem uteretur eadem confessione T. Annius qua Ahala, qua Nasica, qua Opimius, qua Marius, qua nosmet ipsi; et, si grata res publica esset, laetaretur: si ingrata, tamen in gravi fortuna conscientia sua niteretur.

But the Death of Clodius was the Work of the Immortal Gods

Sed hujus benefici gratiam, judices, fortuna populi Romani et vestra felicitas et di immortales sibi deberi putant. Nec vero quisquam aliter arbitrari potest, nisi qui nullam vim esse ducit numenve divinum; quem neque imperi nostri magnitudo neque sol ille nec caeli signorumque motus nec vicissitudines rerum atque ordines movent, neque (id quod maximum est) majorum sapientia, qui sacra, qui caerimonias, qui auspicia et ipsi sanctissime coluerunt, et nobis suis posteris prodiderunt. XXXI. **84**. Est, est profecto illa vis: neque in his corporibus atque in hac imbecillitate nostra inest quiddam quod vigeat et sentiat, et non inest in hoc tanto naturae tam praeclaro motu. Nisi forte idcirco non putant, quia non apparet nec cernitur: proinde quasi nostram ipsam mentem qua sapimus, qua providemus, qua haec ipsa agimus ac dicimus, videre aut planc qualis aut ubi sit sentire possimus. Ea vis igitur ipsa, quae saepe incredibilis huic urbi felicitates atque opes attulit, illam perniciem exstinxit ac sustulit; cui primum mentem injecit, ut vi irritare ferroque lacessere fortissimum virum auderet, vincereturque ab eo, quem si vicisset habiturus esset impunitatem et licentiam sempiternam.

85. Non est humano consilio, ne mediocri quidem, judices, deorum immortalium cura, res illa perfecta. Religiones me hercule ipsae, quae illam beluam cadere viderunt, commosse se videntur, et jus in illo suum retinuisse. Vos enim jam, Albani tumuli atque luci, vos, inquam, imploro atque obtestor; vosque, Albanorum obrutae arae, sacrorum populi Romani sociae et aequales, quas ille praeceps amentia, caesis prostratisque sanctissimis lucis, substructionum insanis molibus oppresserat. Vestrae tum [arae] vestrae religiones viguerunt; vestra vis valuit, quam ille omni scelere polluerat. Tuque ex tuo edito monte, Latiaris sancte Juppiter, cujus ille lacus, nemora finisque saepe omni nefario stupro et scelere macularat, aliquando ad eum poeniendum oculos aperuisti. Vobis illae, vobis vestro in conspectu serae, sed justae tamen et debitae poenae solutae sunt. **86.** Nisi forte hoc etiam casu factum esse dicemus, ut ante ipsum sacrarium Bonae deae, quod est in fundo T. Sergi Galli, in primis honesti et ornati adulescentis, ante ipsam, inquam, Bonam deam, cum proelium commisisset, primum illud volnus acciperet, quo taeterrimam mortem obiret; ut non absolutus judicio illo nefario videretur, sed ad hanc insignem poenam reservatus. XXXII. Nec vero non eadem ira deorum hanc ejus satellitibus injecit amentiam, ut sine imaginibus, sine cantu atque ludis, sine exsequiis, sine lamentis, sine laudationibus, sine funere, oblitus cruore et luto, spoliatus illius supremi diei celebritate, cui cedere inimici etiam solent, ambureretur abjectus. Non fuisse credo fas clarissimorum virorum formas illi taeterrimo parricidae aliquid decoris adferre, neque ullo in loco potius mortem ejus lacerari quam in quo vita esset damnata.

Too Long had Clodius Vexed the Republic

87. Dura (me dius fidius) mihi jam Fortuna populi Romani et crudelis videbatur, quae tot annos illum in hanc rem publicam insultare pateretur. Polluerat stupro sanctissimas religiones, senatus gravissima decreta perfregerat, pecunia se a judicibus palam redemerat, vexarat in tribunatu senatum, omnium ordinum consensu pro salute rei publicae gesta resciderat, me patria expulerat, bona diripuerat, domum incenderat, liberos, conjugem meam vexarat, Cn. Pompeio nefarium bellum indixerat, magistratuum privatorumque caedis effecerat, domum mei fratris incenderat, vastarat Etruriam, multos sedibus ac fortunis ejecerat. Instabat, urgebat. Capere ejus amentiam civitas, Italia, provinciae, regna non poterant. Incidebantur jam domi leges, quae nos servis nostris addicerent. Nihil erat cujusquam, quod quidem ille adamasset, quod non hoc anno suum fore putaret. **88.** Obstabat ejus cogitationibus nemo praeter Milonem. Illum ipsum, qui obstare poterat, novo reditu in gratiam quasi devinctum arbitrabatur: Caesaris potentiam suam esse dicebat: bonorum animos in meo casu contempserat: Milo unus urgebat.

It was the Gods that Urged him on to his Doom

XXXIII. Hic di immortales, ut supra dixi, mentem illi perdito ac furioso dederunt, ut huic faceret insidias. Aliter perire pestis illa non potuit: numquam illum res publica suo jure esset ulta. Senatus (credo) praetorem eum circumscripsisset. Ne cum solebat quidem id facere, in privato eodem hoc aliquid profecerat. **89.** An consules in praetore coërcendo fortes fuissent? Primum, Milone occiso habuisset suos consules: deinde quis in eo praetore consul fortis esset, per quem tribunum virtutem consularem crudelissime vexatam esse meminisset? Oppressisset omnia, possideret, teneret: lege nova [quae est inventa apud eum cum reliquis legibus Clodianis] servos nostros libertos suos fecisset: postremo, nisi eum di immortales in eam mentem impulissent, ut homo effeminatus fortissimum virum conaretur occidere, hodie rem publicam nullam haberetis.

His Crimes had Become Intolerable

90. An ille praetor, ille vero consul, — si modo haec templa atque ipsa moenia stare eo vivo tam diu et consulatum ejus exspectare potuissent, — ille denique vivus mali nihil fecisset, qui mortuus, uno ex suis satellitibus [Sex. Clodio] duce, curiam incenderit? Quo quid miserius, quid acerbius, quid luctuosius vidimus? Templum sanctitatis, amplitudinis, mentis, consili publici, caput urbis, aram sociorum, portum omnium gentium, sedem ab universo populo concessam uni ordini, inflammari, exscindi, funestari? neque id fieri a multitudine imperita — quamquam esset miserum id ipsum — sed ab uno? Qui cum tantum ausus sit ustor pro mortuo, quid signifer pro vivo non esset ausus? In curiam potissimum abjecit, ut eam mortuus incenderet, quam vivus everterat. **91.** Et sunt qui de via Appia querantur, taceant de curia! et qui ab eo spirante forum putent potuisse defendi, cujus non restiterit cadaveri curia! Excitate, excitate ipsum, si potestis, a mortuis. Frangetis impetum vivi, cujus vix sustinetis furias insepulti? Nisi vero sustinuistis eos qui cum facibus ad curiam cucurrerunt, cum falcibus ad Castoris, cum gladiis toto foro volitarunt. Caedi vidistis populum Romanum, contionem gladiis disturbari, cum audiretur silentio M. Caelius, tribunus plebis, vir et in re publica fortissimus, et in suscepta causa firmissimus, et bonorum voluntati et auctoritati senatus deditus, et in hac Milonis sive invidia sive fortuna singulari, divina et incredibili fide.

Milo Deserves the Compassion of the Judges

XXXIV. **92.** Sed jam satis multa de causa: extra causam etiam nimis fortasse multa. Quid restat nisi ut orem obtesterque vos, judices, ut eam misericordiam tribuatis fortissimo viro, quam ipse non implorat, ego etiam repugnante hoc et imploro et exposco? Nolite, si in nostro omnium fletu nullam lacrimam aspexistis Milonis, si voltum semper eundem, si vocem, si orationem stabilem ac non mutatam videtis, hoc minus ei parcere: haud scio an multo sit etiam adjuvandus magis. Etenim si in gladiatoriis pugnis et infimi generis hominum condicione atque fortuna timidos atque supplices et ut vivere liceat obsecrantis etiam odisse solemus, fortis atque animosos et se acriter ipsos morti offerentis servare cupimus, eorumque nos magis miseret qui nostram misericordiam non requirunt quam qui illam efflagitant, — quanto hoc magis in fortissimis civibus facere debemus?

He Bids Farewell to the Ungrateful City

93. Me quidem, judices, exanimant et interimunt hae voces Milonis, quas audio adsidue et quibus intersum cotidie. 'Valeant,' inquit, 'valeant cives mei: sint incolumes, sint florentes, sint beati: stet haec urbs praeclara mihique patria carissima, quoquo modo erit merita de me. Tranquilla re publica mei cives, quoniam mihi cum illis non licet, sine me ipsi, sed propter me tamen perfruantur. Ego cedam atque abibo: si mihi bona re publica frui non licuerit, at carebo mala, et quam primum tetigero bene moratam et liberam civitatem, in ea conquiescam. **94.** O frustra,' inquit, 'mihi suscepti labores! O spes fallaces et cogitationes inanes meae! Ego cum tribunus plebis re publica oppressa me senatui dedissem, quem exstinctum acceperam, equitibus Romanis, quorum vires erant debiles, bonis viris, qui omnem auctoritatem Clodianis armis abjecerant, mihi umquam bonorum praesidium defuturum putarem? ego cum te' — mecum enim saepissime loquitur — 'patriae reddidissem, mihi putarem in patria non futurum locum? Ubi nunc senatus est, quem secuti sumus? ubi equites Romani illi [illi],' inquit, 'tui? ubi studia municipiorum? ubi Italiae voces? ubi denique tua illa, M. Tulli, quae plurimis fuit auxilio, vox atque defensio? mihine ea soli, qui pro te totiens morti me obtuli, nihil potest opitulari?

Calmly Resigned, he Appeals to the Judgment of Posterity

XXXV. **95.** Nec vero haec, judices, ut ego nunc, flens, sed hoc eodem loquitur voltu quo videtis. Negat enim, negat ingratis civibus fecisse *se* quae fecerit; timidis et omnia circumspicientibus pericula non negat. Plebem et infimam multitudinem, quae P. Clodio duce fortunis vestris imminebat, eam, quo tutior esset vestra vita, se fecisse commemorat ut non modo virtute flecteret, sed etiam tribus suis patrimoniis deleniret; nec timet ne, cum plebem muneribus placarit, vos non conciliarit meritis in rem publicam singularibus. Senatus erga se benevolentiam temporibus his ipsis saepe esse perspectam, vestras vero et vestrorum ordinum occursationes, studia, sermones, quemcumque cursum fortuna dederit, se secum ablaturum esse dicit. **96.** Meminit etiam sibi vocem praeconis modo defuisse, quam minime desiderarit; populi vero cunctis suffragiis, quod unum cupierit, se consulem declaratum: nunc denique, si haec contra se sint futura, sibi facinoris suspicionem, non facti crimen obstare. Addit haec, quae certe vera sunt: fortis et sapientis viros non tam praemia sequi solere recte factorum, quam ipsa recte facta; se nihil in vita nisi praeclarissime fecisse, si quidem nihil sit praestabilius viro quam periculis patriam liberare; beatos esse quibus ea res honori fuerit a suis civibus, **97.** nec tamen eos miseros qui beneficio civis suos vicerint; sed tamen ex omnibus praemiis virtutis, si esset habenda ratio praemiorum, amplissimum esse praemium gloriam: esse hanc unam quae brevitatem vitae posteritatis memoria consolaretur; quae efficeret ut absentes adessemus, mortui viveremus; hanc denique esse, cujus gradibus etiam in caelum homines viderentur ascendere. **98.** 'De me,' inquit, 'semper populus Romanus, semper omnes gentes loquentur, nulla umquam obmutescet vetustas. Quin hoc tempore ipso, cum omnes a meis inimicis faces invidiae meae subiciantur, tamen omni in hominum coetu gratiis agendis et gratulationibus habendis et omni sermone celebramur.' Omitto Etruriae festos et actos et institutos dies: centesima lux est haec ab interitu P. Clodi, et (opinor) altera. Qua fines imperi populi Romani sunt, ea non solum fama jam de illo, sed etiam laetitia peragravit. Quam ob rem 'Ubi corpus hoc sit non,' inquit, 'laboro, quoniam omnibus in terris et jam versatur et semper habitabit nominis mei gloria.'

Milo's Cause is Cicero's own

XXXVI. **99.** Haec tu mecum saepe his absentibus, sed isdem audientibus haec ego tecum, Milo: 'Te quidem, cum isto animo es, satis laudare non possum; sed, quo est ista magis divina virtus, eo majore a te dolore divellor. Nec vero, si mihi eriperis, reliqua est illa tamen ad consolandum querella, ut eis irasci possim, a quibus tantum volnus accepero. Non enim inimici mei te mihi eripient, sed amicissimi; non male aliquando de me meriti, sed semper optime.' Nullum umquam, judices, mihi tantum dolorem inuretis — etsi quis potest esse tantus? — sed ne hunc quidem ipsum, ut obliviscar quanti me semper feceritis. Quae si vos cepit oblivio, aut si in me aliquid offendistis, cur non id meo capite potius luitur quam Milonis? Praeclare enim vixero, si quid mihi acciderit prius quam hoc tantum mali videro. **100.** Nunc me una consolatio sustentat, quod tibi, T. Anni, nullum a me amoris, nullum studi, nullum pietatis officium defuit. Ego inimicitias potentium pro te appetivi; ego meum saepe corpus et vitam objeci armis inimicorum tuorum; ego me plurimis pro te supplicem abjeci; bona, fortunas meas ac liberorum meorum in communionem tuorum temporum contuli: hoc denique ipso die, si quae vis est parata, si quae dimicatio capitis futura, deposco. Quid jam restat? Quid habeo quod faciam pro tuis in me meritis, nisi ut eam fortunam, quaecumque erit tua, ducam meam? Non recuso, non abnuo; vosque obsecro, judices, ut vestra beneficia, quae in me contulistis, aut in hujus salute augeatis, aut in ejusdem exitio occasura esse videatis.

His Exile will be a Calamity to the Defenders of Rome.

XXXVII. **101.** His lacrimis non movetur Milo. Est quodam incredibili robore animi. Exsilium ibi esse putat, ubi virtuti non sit locus; mortem naturae finem esse, non poenam. Sed hic ea mente qua natus est. Quid vos, judices? quo tandem animo eritis? Memoriam Milonis retinebitis, ipsum eicietis? et erit dignior locus in terris ullus qui hanc virtutem excipiat, quam hic qui procreavit? Vos, vos appello, fortissimi viri, qui multum pro re publica sanguinem effudistis: vos in viri et in civis invicti appello periculo, centuriones, vosque milites: vobis non modo inspectantibus, sed etiam armatis et huic judicio praesidentibus, haec tanta virtus ex hac urbe expelletur, exterminabitur, proicietur? **102.** O me miserum! O me infelicem! Revocare tu me in patriam, Milo, potuisti per hos: ego te in patria per eosdem retinere non potero? Quid respondebo liberis meis, qui te parentem alterum putant? Quid tibi, Quinte frater, qui nunc abes, consorti mecum temporum illorum? Mene non potuisse Milonis salutem tueri per eosdem, per quos nostram ille servasset? At in qua causa non potuisse? quae est grata gentibus . . . non potuisse? eis qui maxime P. Clodi morte acquierunt: quo deprecante? me. **103.** Quodnam ego concepi tantum scelus, aut quod in me tantum facinus admisi, judices, cum illa indicia communis exiti indagavi, patefeci, protuli, exstinxi? Omnes in me meosque redundant ex fonte illo dolores. Quid me reducem esse voluistis? an ut inspectante me expellerentur ei per quos essem restitutus? Nolite, obsecro vos, acerbiorem mihi pati reditum esse, quam fuerit ille ipse discessus. Nam qui possum putare me restitutum esse, si distrahar ab his, per quos restitutus sum?

Happy the Country that Receives him

XXXVIII. Utinam di immortales fecissent — pace tua, patria, dixerim; metuo enim ne scelerate dicam in te quod pro Milone dicam pie — utinam P. Clodius non modo viveret, sed etiam praetor, consul, dictator esset, potius quam hoc spectaculum viderem! **104**. O di immortales! fortem et a vobis, judices, conservandum virum! 'Minime, minime,' inquit. 'Immo vero poenas ille debitas luerit: nos subeamus, si ita necesse est, non debitas.' Hicine vir, patriae natus, usquam nisi in patria morietur? aut, si forte, pro patria? Hujus vos animi monumenta retinebitis, corporis in Italia nullum sepulcrum esse patiemini? Hunc sua quisquam sententia ex hac urbe expelliet, quem omnes urbes expulsum a vobis ad se vocabunt? **105**. O terram illam beatam, quae hunc virum exceperit: hanc ingratam, si ejecerit; miseram, si amiserit!

Closing Appeal to the Court

Sed finis sit: neque enim prae lacrimis jam loqui possum, et hic se lacrimis defendi vetat. Vos oro obtestorque, judices, ut in sententiis ferendis, quod sentietis id audeatis. Vestram virtutem, justitiam, fidem, mihi credite, is maxime probabit, qui in judicibus legendis optimum et sapientissimum et fortissimum quemque elegit.

CAIUS JULIUS CAESAR

(Bust in the Museum of the Louvre)

THE PARDON OF MARCELLUS

(*Pro M. Marcello*)

B.C. 46

Marcus Claudius Marcellus (consul, B.C. 51) had been an honest but active and bitter partisan of the Senate in the struggle which finally broke out in civil war. It was he who introduced the several decrees which set a limit to Cæsar's power and put him in the attitude of a public enemy. Even after the defeat at Pharsalia, and the death of Pompey, he refused to make terms with the victor, and remained in voluntary exile at Mitylene. When, contrary to the general fear, no massacre or proscription followed Cæsar's victory, the friends of Marcellus were encouraged to hope for a full pardon; and, in the summer of B.C. 46, at a meeting of the Senate, Cæsar was openly entreated in his behalf. In reply, the dictator reminded the senators of the intense and persistent hostility of Marcellus; but added that he would not stand in the way if the Senate desired his restoration. The senators were accordingly called on for the expression of their wishes; and, when it came to Cicero's turn, he expressed the formal thanks of the body in the following speech. The oration is remarkable — especially in contrast to the language which Cicero used two years later — for its tone of eulogy in regard to Cæsar, and for the hope it expresses of an era of good feeling and a restored republic.

Marcellus set out for Rome, but never arrived. He was assassinated at the Piræus, and buried in the Academy near Athens.

Cicero's Long Silence Broken

DIUTURNI silenti, patres conscripti, quo eram his temporibus usus — non timore aliquo, sed partim dolore, partim verecundia — finem hodiernus dies attulit, idemque initium quae vellem quaeque sentirem meo pristino more dicendi. Tantam enim mansuetudinem, tam inusitatam inauditamque clementiam, tantum in summa potestate rerum omnium modum, tam denique incredibilem sapientiam ac paene divinam, tacitus praeterire nullo modo possum. 2. M. enim Marcello vobis, patres conscripti, reique publicae reddito, non illius solum, sed etiam meam vocem et auctoritatem et vobis et rei publicae conservatam ac restitutam puto. Dolebam enim, patres conscripti, et vehementer angebar, virum talem, cum in eadem causa in qua ego fuisset, non in eadem esse fortuna; nec mihi persuadere poteram, nec fas esse ducebam, versari me in nostro vetere curriculo, illo aemulo atque imitatore studiorum ac laborum meorum, quasi quodam socio a me et comite, distracto.

Cæsar's Pardon of Marcellus an Earnest of a Restored Republic

Ergo et mihi meae pristinae vitae consuetudinem, C. Caesar, interclusam aperuisti, et his omnibus ad bene de [omni] re publica sperandum quasi signum aliquod sustulisti. 3. Intellectum est enim mihi quidem in multis, et maxime in me ipso, sed paulo ante [in] omnibus, cum M. Marcellum senatui reique publicae concessisti, commemoratis praesertim offensionibus, te auctoritatem hujus ordinis dignitatemque rei publicae tuis vel doloribus vel suspicionibus anteferre. Ille quidem fructum omnis ante actae vitae hodierno die maximum cepit, cum summo consensu senatus, tum judicio tuo gravissimo et maximo. Ex quo profecto intellegis quanta in dato beneficio sit laus, cum in accepto sit tanta gloria. Est vero fortunatus ille, cujus ex salute non minor paene ad omnis quam ad ipsum ventura sit laetitia pervenerit. **4.** Quod quidem ei merito atque optimo jure contigit. Quis enim est illo aut nobilitate aut probitate aut optimarum artium studio aut innocentia aut ullo laudis genere praestantior?

This is the Greatest of Cæsar's Deeds

II. Nullius tantum flumen est ingeni, nullius dicendi aut scribendi tanta vis, tanta copia, quae non dicam exornare, sed enarrare, C. Caesar, res tuas gestas possit. Tamen adfirmo, et hoc pace dicam tua, nullam in his esse laudem ampliorem quam eam quam hodierno die consecutus es. **5.** Soleo saepe ante oculos ponere, idque libenter crebris usurpare sermonibus, omnis nostrorum imperatorum, omnis exterarum gentium potentissimorumque populorum, omnis clarissimorum regum res gestas, cum tuis nec contentionum magnitudine nec numero proeliorum nec varietate regionum nec celeritate conficiendi nec dissimilitudine bellorum posse conferri; nec vero disjunctissimas terras citius passibus cujusquam potuisse peragrari, quam tuis non dicam cursibus, sed victoriis lustratae sunt. **6.** Quae quidem ego nisi ita magna esse fatear, ut ea vix cujusquam mens aut cogitatio capere possit, amens sim: sed tamen sunt alia majora. Nam bellicas laudes solent quidam extenuare verbis, easque detrahere ducibus, communicare cum multis, ne propriae sint imperatorum. Et certe in armis militum virtus, locorum opportunitas, auxilia sociorum, classes, commeatus multum juvant: maximam vero partem quasi suo jure Fortuna sibi vindicat, et quicquid prospere gestum est, id paene omne ducit suum. **7.** At vero hujus gloriae, C. Caesar, quam es paulo ante adeptus, socium habes neminem: totum hoc quantumcumque est (quod certe maximum est) totum est, inquam, tuum. Nihil sibi ex ista laude centurio, nihil praefectus, nihil cohors, nihil turma decerpit: quin etiam illa ipsa rerum humanarum domina, Fortuna, in istius societatem gloriae se non offert: tibi cedit; tuam esse totam et propriam fatetur. Numquam enim temeritas cum sapientia commiscetur, neque ad consilium casus admittitur.

His Other Exploits were Glorious Victories

III. **8.** Domuisti gentis immanitate barbaras, multitudine innumerabilis, locis infinitas, omni copiarum genere abundantis: sed tamen ea vicisti, quae et naturam et condicionem ut vinci possent habebant. Nulla est enim tanta vis, quae non ferro et viribus debilitari frangique possit. Animum vincere, iracundiam cohibere, victoriam temperare, adversarium nobilitate, ingenio, virtute praestantem non modo extollere jacentem, sed etiam amplificare ejus pristinam dignitatem, haec qui facit, non ego eum cum summis viris comparo, sed simillimum deo judico. **9.** Itaque, C. Caesar, bellicae tuae laudes celebrabuntur illae quidem non solum nostris, sed paene omnium gentium litteris atque linguis, nec ulla umquam aetas de tuis laudibus conticescet. Sed tamen ejus modi res nescio quo modo etiam cum leguntur, obstrepi clamore militum videntur et tubarum sono.

This is the Conquest of Himself

At vero cum aliquid clementer, mansuete, juste, moderate, sapienter factum — in iracundia praesertim, quae est inimica consilio, et in victoria, quae natura insolens et superba est — audimus aut legimus, quo studio incendimur, non modo in gestis rebus, sed etiam in fictis, ut eos saepe, quos numquam vidimus, diligamus! **10.** Te vero, quem praesentem intuemur, cujus mentem sensusque et os cernimus, ut, quicquid belli fortuna reliquum rei publicae fecerit, id esse salvum velis, quibus laudibus efferemus? quibus studiis prosequemur? qua benevolentia complectemur? Parietes (me dius fidius) ut mihi videtur hujus curiae tibi gratias agere gestiunt, quod brevi tempore futura sit illa auctoritas in his majorum suorum et suis sedibus. IV. Equidem cum C. Marcelli, viri optimi et commemorabili pietate praediti, lacrimas modo vobiscum viderem, omnium Marcellorum meum pectus memoria obfudit, quibus tu etiam mortuis, M. Marcello conservato, dignitatem suam reddidisti, nobilissimamque familiam jam ad paucos redactam paene ab interitu vindicasti.

He Shares this Conquest with No One

11. Hunc tu igitur diem tuis maximis et innumerabilibus gratulationibus jure antepones. Haec enim res unius est propria C. Caesaris: ceterae duce te gestae magnae illae quidem, sed tamen multo magnoque comitatu. Hujus autem rei tu idem es et dux et comes: quae quidem tanta est, ut tropaeis et monumentis tuis adlatura finem sit aetas, —nihil est enim opere et manu factum, quod non [aliquando] conficiat et consumat vetustas:—**12**. at haec [tua justitia et lenitas animi] florescet cotidie magis, ita ut quantum tuis operibus diuturnitas detrahet, tantum adferat laudibus. Et ceteros quidem omnis victores bellorum civilium jam ante aequitate et misericordia viceras: hodierno vero die te ipsum vicisti. Vereor ut hoc, quod dicam, perinde intellegi possit auditum atque ipse cogitans sentio: ipsam victoriam vicisse videris, cum ea quae illa erat adepta victis remisisti. Nam cum ipsius victoriae condicione omnes victi occidissemus, clementiae tuae judicio conservati sumus. Recte igitur unus invictus es, a quo etiam ipsius victoriae condicio visque devicta est.

This Reaches Far Beyond his Other Acts

V. **13.** Atque hoc C. Caesaris judicium, patres conscripti, quam late pateat attendite. Omnes enim, qui ad illa arma fato sumus nescio quo rei publicae misero funestoque compulsi, etsi aliqua culpa tenemur erroris humani, scelere certe liberati sumus. Nam cum M. Marcellum deprecantibus vobis rei publicae conservavit, me et mihi et item rei publicae, nullo deprecante, reliquos amplissimos viros et sibi ipsos et patriae reddidit: quorum et frequentiam et dignitatem hoc ipso in consessu videtis. Non ille hostis induxit in curiam, sed judicavit a plerisque ignoratione potius et falso atque inani metu quam cupiditate aut crudelitate bellum esse susceptum.

Peace has Ever been Cæsar's Aim

14. Quo quidem in bello semper de pace audiendum putavi, semperque dolui non modo pacem, sed etiam orationem civium pacem flagitantium repudiari. Neque enim ego illa nec ulla umquam secutus sum arma civilia; semperque mea consilia pacis et togae socia, non belli atque armorum fuerunt. Hominem sum secutus privato consilio, non publico; tantumque apud me grati animi fidelis memoria valuit, ut nulla non modo cupiditate, sed ne spe quidem, prudens et sciens tamquam ad interitum ruerem voluntarium. **15.** Quod quidem meum consilium minime obscurum fuit. Nam et in hoc ordine integra re multa de pace dixi, et in ipso bello eadem etiam cum capitis mei periculo sensi. Ex quo nemo jam erit tam injustus existimator rerum, qui dubitet quae Caesaris de bello voluntas fuerit, cum pacis auctores conservandos statim censuerit, ceteris fuerit iratior. Atque id minus mirum fortasse tum, cum esset incertus exitus et anceps fortuna belli: qui vero victor pacis auctores diligit, is profecto declarat se maluisse non dimicare quam vincere.

His Clemency in the Hour of Triumph

VI. **16**. Atque hujus quidem rei M. Marcello sum testis. Nostri enim sensus ut in pace semper, sic tum etiam in bello congruebant. Quotiens ego eum et quanto cum dolore vidi, cum insolentiam certorum hominum tum etiam ipsius victoriae ferocitatem extimescentem! Quo gratior tua liberalitas, C. Caesar, nobis, qui illa vidimus, debet esse. Non enim jam causae sunt inter se, sed victoriae comparandae. **17**. Vidimus tuam victoriam proeliorum exitu terminatam: gladium vagina vacuum in urbe non vidimus. Quos amisimus civis, eos Martis vis perculit, non ira victoriae; ut dubitare debeat nemo quin multos, si fieri posset, C. Caesar ab inferis excitaret, quoniam ex eadem acie conservat quos potest. Alterius vero partis nihil amplius dicam quam (id quod omnes verebamur) nimis iracundam futuram fuisse victoriam. **18**. Quidam enim non modo armatis, sed interdum etiam otiosis minabantur; nec quid quisque sensisset, sed ubi fuisset cogitandum esse dicebant: ut mihi quidem videantur di immortales, etiam si poenas a populo Romano ob aliquod delictum expetiverunt, qui civile bellum tantum et tam luctuosum excitaverunt, vel placati jam vel satiati aliquando, omnem spem salutis ad clementiam victoris et sapientiam contulisse.

Let Cæsar Continue in his Noble Moderation

19. Qua re gaude tuo isto tam excellenti bono, et fruere cum fortuna et gloria, tum etiam natura et moribus tuis: ex quo quidem maximus est fructus jucunditasque sapienti. Cetera cum tua recordabere, etsi persaepe virtuti, tamen plerumque felicitati tuae gratulabere: de nobis, quos in re publica tecum simul esse voluisti, quotiens cogitabis, totiens de maximis tuis beneficiis, totiens de incredibili liberalitate, totiens de singulari sapientia tua cogitabis: quae non modo summa bona, sed nimirum audebo vel sola dicere. Tantus est enim splendor in laude vera, tanta in magnitudine animi et consili dignitas, ut haec a virtute donata, cetera a fortuna commodata esse videantur. **20.** Noli igitur in conservandis bonis viris defetigari — non cupiditate praesertim aliqua aut pravitate lapsis, sed opinione offici stulta fortasse, certe non improba, et specie quadam rei publicae: non enim tua culpa est si te aliqui timuerunt, contraque summa laus, quod minime timendum fuisse senserunt.

He has Nothing to Fear from Marcellus

VII. **21.** Nunc venio ad gravissimam querelam et atrocissimam suspicionem tuam, quae non tibi ipsi magis quam cum omnibus civibus tum maxime nobis, qui a te conservati sumus, providenda est: quam etsi spero falsam esse, tamen numquam extenuabo verbis. Tua enim cautio nostra cautio est, ut si in alterutro peccandum sit, malim videri nimis timidus quam parum prudens. Sed quisnam est iste tam demens? De tuisne? — tametsi qui magis sunt tui quam quibus tu salutem insperantibus reddidisti? — an ex hoc numero, qui una tecum fuerunt? Non est credibilis tantus in ullo furor, ut quo duce omnia summa sit adeptus, hujus vitam non anteponat suae. An si nihil tui cogitant sceleris, cavendum est ne quid inimici? Qui? omnes enim, qui fuerunt, aut sua pertinacia vitam amiserunt, aut tua misericordia retinuerunt; ut aut nulli supersint de inimicis, aut qui fuerunt sint amicissimi. **22.** Sed tamen cum in animis hominum tantae latebrae sint et tanti recessus, augeamus sane suspicionem tuam; simul enim augebimus diligentiam. Nam quis est omnium tam ignarus rerum, tam rudis in re publica, tam nihil umquam nec de sua nec de communi salute cogitans, qui non intellegat tua salute contineri suam, et ex unius tua vita pendere omnium? Equidem de te dies noctisque (ut debeo) cogitans, casus dumtaxat humanos et incertos eventus valetudinis et naturae communis fragilitatem extimesco;

doleoque, cum res publica immortalis esse debeat, eam in unius mortalis anima consistere. **23.** Si vero ad humanos casus incertosque motus valetudinis sceleris etiam accedit insidiarumque consensio, quem deum, si cupiat, posse opitulari rei publicae credamus?

The Wounds of War must be Healed

VIII. Omnia sunt excitanda tibi, C. Caesar, uni, quae jacere sentis, belli ipsius impetu, quod necesse fuit, perculsa atque prostrata: constituenda judicia, revocanda fides, comprimendae libidines, propaganda suboles: omnia, quae dilapsa jam diffluxerunt, severis legibus vincienda sunt. **24.** Non fuit recusandum in tanto civili bello, tanto animorum ardore et armorum, quin quassata res publica, quicumque belli eventus fuisset, multa perderet et ornamenta dignitatis et praesidia stabilitatis suae; multaque uterque dux faceret armatus, quae idem togatus fieri prohibuisset. Quae quidem tibi nunc omnia belli volnera sananda sunt, quibus praeter te nemo mederi potest. **25.** Itaque illam tuam praeclarissimam et sapientissimam vocem invitus audivi: 'Satis diu vel naturae vixi vel gloriae.' Satis, si ita vis, fortasse naturae, addo etiam, si placet, gloriae: at, quod maximum est, patriae certe parum. Qua re omitte istam, quaeso, doctorum hominum in contemnenda morte prudentiam: noli nostro periculo esse sapiens. Saepe enim venit ad auris meas te idem istud nimis crebro dicere, tibi satis te vixisse. Credo: sed tum id audirem, si tibi soli viveres, aut si tibi etiam soli natus esses. Omnium salutem civium cunctamque rem publicam res tuae gestae complexae sunt: tantum abes a perfectione maximorum operum, ut fundamenta nondum quae cogitas jeceris. Hic tu modum vitae tuae non salute rei publicae, sed aequitate animi definies? Quid, si istud ne gloriae tuae quidem satis est? cujus te esse avidissimum, quamvis sis sapiens, non negabis.

26. Parumne igitur, inquies, magna relinquemus? Immo vero aliis quamvis multis satis, tibi uni parum. Quicquid est enim, quamvis amplum sit, id est parum tum, cum est aliquid amplius. Quod si rerum tuarum immortalium, C. Caesar, hic exitus futurus fuit, ut devictis adversariis rem publicam in eo statu relinqueres in quo nunc est, vide, quaeso, ne tua divina virtus admirationis plus sit habitura quam gloriae: si quidem gloria est inlustris ac pervagata magnorum vel in suos vel in patriam vel in omne genus hominum fama meritorum.

Cæsar's Work not Done till the State is Restored

IX. **27.** Haec igitur tibi reliqua pars est: hic restat actus, in hoc elaborandum est, ut rem publicam constituas, eaque tu in primis summa tranquillitate et otio perfruare: tum te, si voles, cum et patriae quod debes solveris, et naturam ipsam expleveris satietate vivendi, satis diu vixisse dicito. Quid est enim [omnino] hoc ipsum diu, in quo est aliquid extremum? quod cum venit, omnis voluptas praeterita pro nihilo est quia postea nulla est futura. Quamquam iste tuus animus numquam his angustiis, quas natura nobis ad vivendum dedit, contentus fuit: semper immortalitatis amore flagravit. **28.** Nec vero haec tua vita ducenda est, quae corpore et spiritu continetur. Illa, inquam, illa vita est tua, quae vigebit memoria saeculorum omnium, quam posteritas alet, quam ipsa aeternitas semper tuebitur. Huic tu inservias, huic te ostentes oportet, quae quidem quae miretur jam pridem multa habet: nunc etiam quae laudet exspectat. Obstupescent posteri certe imperia, provincias, Rhenum, Oceanum, Nilum, pugnas innumerabilis, incredibilis victorias, monimenta, munera, triumphos audientes et legentes tuos.

Only Then will his Fame be Secure

29. Sed nisi haec urbs stabilita tuis consiliis et institutis erit, vagabitur modo tuum nomen longe atque late: sedem stabilem et domicilium certum non habebit. Erit inter eos etiam qui nascentur, sicut inter nos fuit, magna dissensio, cum alii laudibus ad caelum res tuas gestas efferent, alii fortasse aliquid requirent, idque vel maximum, nisi belli civilis incendium salute patriae restinxeris, ut illud fati fuisse videatur, hoc consili. Servi igitur eis etiam judicibus, qui multis post saeculis de te judicabunt, et quidem haud scio an incorruptius quam nos. Nam et sine amore et sine cupiditate et rursus sine odio et sine invidia judicabunt. **30**. Id autem etiam si tum ad te, ut quidam falso putant, non pertinebit, nunc certe pertinet esse te talem, ut tuas laudes obscuratura nulla umquam sit oblivio.

The Civil War is Finished

X. Diversae voluntates civium fuerunt, distractaeque sententiae. Non enim consiliis solum et studiis, sed armis etiam et castris dissidebamus. Erat enim obscuritas quaedam; erat certamen inter clarissimos duces: multi dubitabant quid optimum esset, multi quid sibi expediret, multi quid deceret, non nulli etiam quid liceret. **31**. Perfuncta res publica est hoc misero fatalique bello: vicit is, qui non fortuna inflammaret odium suum, sed bonitate leniret; neque omnis quibus iratus esset, eosdem [etiam] exsilio aut morte dignos judicaret. Arma ab aliis posita, ab aliis erepta sunt. Ingratus est injustusque civis, qui, armorum periculo liberatus, animum tamen retinet armatum; ut etiam ille melior sit qui in acie cecidit, qui in causa animam profudit. Quae enim pertinacia quibusdam, eadem aliis constantia videri potest. **32**. Sed jam omnis fracta dissensio est armis, exstincta aequitate victoris: restat ut omnes unum velint, qui modo habent aliquid non solum sapientiae, sed etiam sanitatis. Nisi te, C. Caesar, salvo, et in ista sententia qua cum antea tum hodie vel maxime usus es manente, salvi esse non possumus. Qua re omnes te, qui haec salva esse volumus, et hortamur et obsecramus, ut vitae tuae et saluti consulas; omnesque tibi, ut pro aliis etiam loquar quod de me ipse sentio, quoniam subesse aliquid putas quod cavendum sit, non modo excubias et custodias, sed etiam laterum nostrorum oppositus et corporum pollicemur.

Boundless Gratitude Due to Cæsar

XI. **33.** Sed, ut unde est orsa, in eodem terminetur oratio, — maximas tibi omnes gratias agimus, C. Caesar, majores etiam habemus. Nam omnes idem sentiunt, quod ex omnium precibus et lacrimis sentire potuisti: sed quia non est omnibus stantibus necesse dicere, a me certe dici volunt, cui necesse est quodam modo, et quod fieri decet — M. Marcello a te huic ordini populoque Romano et rei publicae reddito — fieri id intellego. Nam laetari omnis non de unius solum, sed de communi omnium salute sentio. **34.** Quod autem summae benevolentiae est, quae mea erga illum omnibus semper nota fuit, ut vix C. Marcello, optimo et amantissimo fratri, praeter eum quidem cederem nemini, cum id sollicitudine, cura, labore tam diu praestiterim, quam diu est de illius salute dubitatum, certe hoc tempore, magnis curis, molestiis, doloribus liberatus, praestare debeo. Itaque, C. Caesar, sic tibi gratias ago, ut omnibus me rebus a te non conservato solum, sed etiam ornato, tamen ad tua in me unum innumerabilia merita, quod fieri jam posse non arbitrabar, maximus hoc tuo facto cumulus accesserit.

PLEA FOR LIGARIUS

(*Pro Q. Ligario*)

B.C. 46

QUINTUS LIGARIUS, in the first year of the Civil War, had held a subordinate position in Africa, under the Pompeian general, P. Attius Varus. In this capacity it had fallen to him to prevent the landing of L. Ælius Tubero, whom the Senate had sent to take command in Africa, but to whom Varus refused to give up the post. When the war was over, Cæsar spared the life of Ligarius, but kept him in exile, until a personal application for his recall was made by his brother, T. Ligarius. Quintus Tubero (afterwards a distinguished jurist) came forward to oppose this, on the ground that Ligarius had not merely taken sides in the Civil War, but had stood with Juba and the foreign enemies of Rome against his native country. The case was argued in the Forum before Cæsar himself, sitting in judgment as Dictator. With characteristic magnanimity, Cæsar gave Ligarius a full pardon. This Ligarius requited, a year and a half later, by joining in the plot for his murder.

Though the case of Ligarius is of no importance in itself, the speech of Cicero in his defence ranks among the first of his orations in rhetorical merit, and is interesting, besides, for the glimpse it gives of the state of feeling in Rome during Cæsar's dictatorship.

A Strange Charge, Forsooth, is this against Ligarius

NOVUM crimen, C. Caesar, et ante hunc diem non auditum propinquus meus ad te Q. Tubero detulit, Q. Ligarium in Africa fuisse; idque C. Pansa, praestanti vir ingenio, fretus fortasse familiaritate ea quae est ei tecum, ausus est confiteri. Itaque quo me vertam nescio. Paratus enim veneram, cum tu id neque per te scires neque audire aliunde potuisses, ut ignoratione tua ad hominis miseri salutem abuterer. Sed quoniam diligentia inimici investigatum est quod latebat, confitendum est, opinor, praesertim cum meus necessarius Pansa fecerit ut id integrum jam non esset; omissaque controversia, omnis oratio ad misericordiam tuam conferenda est, qua plurimi sunt conservati, cum a te non liberationem culpae, sed errati veniam impetravissent. **2.** Habes igitur, Tubero, quod est accusatori maxime optandum, confitentem reum; sed tamen hoc confitentem, se in ea parte fuisse qua te, qua virum omni laude dignum, patrem tuum. Itaque prius de vestro delicto confiteamini necesse est, quam Ligari ullam culpam reprehendatis.

Ligarius Went to Africa in Time of Peace

Q. enim Ligarius, cum esset nulla belli suspicio, legatus in Africam [cum] C. Considio profectus est. Qua in legatione et civibus et sociis ita se probavit, ut decedens Considius provincia satis facere hominibus non posset, si quemquam alium provinciae praefecisset. Itaque Ligarius, cum diu recusans nihil profecisset, provinciam accepit invitus: cui sic praefuit in pace, ut et civibus et sociis gratissima esset ejus integritas ac fides. **3.** Bellum subito exarsit, quod qui erant in Africa ante audierunt geri quam parari. Quo audito, partim cupiditate inconsiderata, partim caeco quodam timore, primo salutis, post etiam studi sui quaerebant aliquem ducem; cum Ligarius, domum spectans, ad suos redire cupiens, nullo se implicari negotio passus est. Interim P. Attius Varus, qui praetor Africam obtinuerat, Uticam venit. Ad eum statim concursum est. Atque ille non mediocri cupiditate adripuit imperium, — si illud imperium esse potuit, quod ad privatum clamore multitudinis imperitae, nullo publico consilio, deferebatur. **4.** Itaque Ligarius, qui omne tale negotium cuperet effugere, paulum adventu Vari conquievit.

His Remaining there a Plain Necessity

II. Adhuc C. Caesar, Q. Ligarius omni culpa vacat. Domo est egressus non modo nullum ad bellum, sed ne ad minimam quidem suspicionem belli: legatus in pace profectus est: in provincia pacatissima ita se gessit, ut ei pacem esse expediret. Profectio certe animum tuum non debet offendere: num igitur remansio? Multo minus. Nam profectio voluntatem habuit non turpem, remansio necessitatem etiam honestam. Ergo haec duo tempora carent crimine: unum cum est legatus profectus, alterum, cum ecflagitatus a provincia praepositus Africae est. **5.** Tertium tempus est quod post adventum Vari in Africa restitit, quod si est criminosum, necessitatis crimen est, non voluntatis. An ille, si potuisset ullo modo evadere, Uticae quam Romae, cum P. Attio quam cum concordissimis fratribus, cum alienis esse quam cum suis maluisset? Cum ipsa legatio plena desideri ac sollicitudinis fuisset propter incredibilem quendam fratrum amorem, hic aequo animo esse potuit, belli discidio distractus a fratribus?

Cicero Himself more Guilty than he

6. Nullum igitur habes, Caesar, adhuc in Q. Ligario signum alienae a te voluntatis. Cujus ego causam animadverte, quaeso, qua fide defendam: prodo meam. O clementiam admirabilem atque omnium laude, praedicatione, litteris, monumentisque decorandam! cum M. Cicero apud te defendit alium in ea voluntate non fuisse, in qua se ipsum confitetur fuisse; nec tuas tacitas cogitationes extimescit, nec quid tibi de alio audienti de se ipso occurrat reformidat. III. Vide quam non reformidem: vide quanta lux liberalitatis et sapientiae tuae mihi apud te dicenti oboriatur. Quantum potero, voce contendam ut [hoc] populus Romanus exaudiat. **7.** Suscepto bello, Caesar, gesto etiam ex parte magna, nulla vi coactus, judicio ac voluntate, ad ea arma profectus sum quae erant sumpta contra te. Apud quem igitur hoc dico? Nempe apud eum, qui, cum hoc sciret, tamen me, ante quam vidit, rei publicae reddidit; qui ad me ex Aegypto litteras misit, ut essem idem qui fuissem; qui cum ipse imperator in toto imperio populi Romani unus esset, esse me alterum passus est; a quo, hoc ipso C. Pansa mihi hunc nuntium perferente, concessos fascis laureatos tenui, quoad tenendos putavi; qui mihi tum denique se salutem putavit reddere, si eam nullis spoliatam ornamentis dedisset. **8.** Vide, quaeso, Tubero, ut qui de meo facto non dubitem, de Ligari non audeam confiteri. Atque haec propterea de me dixi, ut mihi Tubero, cum de se eadem dicerem, ignosceret: cujus ego industriae gloriaeque faveo, vel propter propinquam cognationem, vel quod ejus ingenio studiisque delector, vel quod laudem adulescentis propinqui existimo etiam ad meum aliquem fructum redundare.

Tubero, the Accuser, Took Arms against Cæsar

9. Sed hoc quaero: Quis putat esse crimen fuisse in Africa? Nempe is, qui et ipse in eadem Africa esse voluit, et prohibitum se a Ligario queritur, et certe contra ipsum Caesarem est congressus armatus. Quid enim tuus ille, Tubero, destrictus in acie Pharsalica gladius agebat? Cujus latus ille mucro petebat? Qui sensus erat armorum tuorum?

quae tua mens, oculi, manus, ardor animi? quid cupiebas? quid optabas? Nimis urgeo: commoveri videtur adulescens: ad me revertar: isdem in armis fui.

IV. **10.** Quid autem aliud egimus, Tubero, nisi ut quod hic potest nos possemus? Quorum igitur impunitas, Caesar, tuae clementiae laus est, eorum ipsorum ad crudelitatem te acuit oratio. Atque in hac causa non nihil equidem, Tubero, etiam tuam, sed multo magis patris tui prudentiam desidero, quod homo, cum ingenio tum etiam doctrina excellens, genus hoc causae quod esset non viderit. Nam si vidisset, quovis profecto quam isto modo a te agi maluisset.

But Now he Shows Ligarius No Mercy

Arguis fatentem. Non est satis: accusas eum qui causam habet aut (ut ego dico) meliorem quam tu, aut (ut tu vis) parem. **11.** Haec admirabilia: sed prodigi simile est quod dicam. Non habet eam vim ista accusatio ut Q. Ligarius condemnetur, sed ut necetur. Hoc egit civis Romanus ante te nemo. Externi isti mores usque ad sanguinem incitari [solent] odio, aut levium Graecorum, aut immanium barbarorum. Nam quid agis aliud? Romae ne sit? ut domo careat? ne cum optimis fratribus, ne cum hoc T. Broccho avunculo, ne cum ejus filio consobrino suo, ne nobiscum vivat? ne sit in patria? Num est? num potest magis carere his omnibus quam caret? Italia prohibetur; exsulat. Non tu ergo eum patria privare, qua caret, sed vita vis. **12.** At istud ne apud eum quidem dictatorem, qui omnis quos oderat morte multabat, quisquam egit isto modo. Ipse jubebat occidi nullo postulante; praemiis etiam invitabat: quae tamen crudelitas ab hoc eodem aliquot annis post, quem tu nunc crudelem esse vis, vindicata est.

Perhaps his Intention is not Bloodthirsty

V. 'Ego vero istud non postulo,' inquies. Ita me hercule existimo, Tubero. Novi enim te, novi patrem, novi domum nomenque vestrum; studia generis ac familiae vestrae virtutis, humanitatis, doctrinae, plurimarum artium atque optimarum, nota mihi sunt. **13**. Itaque certo scio vos non petere sanguinem, sed parum attenditis. Res enim eo spectat, ut ea poena, in qua adhuc Q. Ligarius est, non videamini esse contenti. Quae est igitur alia praeter mortem? Si enim est in exsilio, sicuti est, quid amplius postulatis? An, ne ignoscatur? Hoc vero multo acerbius multoque est durius. Quod nos [domi] petimus precibus, lacrimis, strati ad pedes, non tam nostrae causae fidentes quam hujus humanitati, id ne impetremus oppugnabis, et in nostrum fletum inrumpes, et nos jacentis ad pedes supplicum voce prohibebis?

But his Action is Inhuman

14. Si, cum hoc domi faceremus, — quod et fecimus et, ut spero, non frustra fecimus, — tu repente inruisses et clamare coepisses: 'C. Caesar, cave ignoscas, cave te fratrum pro fratris salute obsecrantium misereat,' nonne omnem humanitatem exuisses? Quanto hoc durius, quod nos domi petimus, id te in foro oppugnare, et in tali miseria multorum perfugium misericordiae tollere! Dicam plane, Caesar, quod sentio. **15**. Si in [hac] tanta tua fortuna lenitas tanta non esset, quam tu per te, per te inquam, obtines, — intellego quid loquar, — acerbissimo luctu redundaret ista victoria. Quam multi enim essent de victoribus qui te crudelem esse vellent, cum etiam de victis reperiantur! quam multi qui, cum a te ignosci nemini vellent, impedirent clementiam tuam, cum etiam hi, quibus ipse ignovisti, nolint te esse in alios misericordem! **16**. Quod si probare Caesari possemus in Africa Ligarium omnino non fuisse, si honesto et misericordi mendacio saluti civi calamitoso esse vellemus, tamen hominis non esset, in tanto discrimine et periculo civis, refellere et redarguere nostrum mendacium; et, si esset alicujus, ejus certe non esset, qui in eadem causa et fortuna fuisset. Sed tamen aliud est errare Caesarem nolle, aliud nolle misereri. Tunc diceres, 'Caesar, cave credas: fuit in Africa, tulit arma contra te.' Nunc quid dicis? 'Cave ignoscas.' Haec nec hominis nec ad hominem vox est: qua qui apud te, C. Caesar, utitur, suam citius abiciet humanitatem quam extorquebit tuam.

Cæsar has Never Held his Opponents Criminal

VI. **17**. Ac primus aditus et postulatio Tuberonis haec, ut opinor, fuit: velle se de Q. Ligari scelere dicere. Non dubito quin admiratus sis, vel quod de nullo alio [quisquam], vel quod is qui in eadem causa fuisset, vel quidnam novi [sceleris] adferret. Scelus tu illud vocas, Tubero? Cur? isto enim nomine illa adhuc causa caruit. Alii errorem appellant, alii timorem; qui durius, spem, cupiditatem, odium, pertinaciam; qui gravissime, temeritatem: scelus praeter te adhuc nemo. Ac mihi quidem, si proprium et verum nomen nostri mali quaeritur, fatalis quaedam calamitas incidisse videtur, et improvidas hominum mentis occupavisse, ut nemo mirari debeat humana consilia divina necessitate esse superata. **18**. Liceat esse miseros: quamquam hoc victore esse non possumus. Sed non loquor de nobis: de illis loquor qui occiderunt. Fuerint cupidi, fuerint irati, fuerint pertinaces: sceleris vero crimine, furoris, parricidi liceat Cn. Pompeio mortuo, liceat multis aliis carere. Quando hoc quisquam ex te, Caesar, audivit? aut tua quid aliud arma voluerunt, nisi a te contumeliam propulsare? Quid egit tuus invictus exercitus, nisi ut suum jus tueretur et dignitatem tuam? Quid? tu, cum pacem esse cupiebas, idne agebas, ut tibi cum sceleratis, an ut cum bonis civibus conveniret? **19**. Mihi vero, Caesar, tua in me maxima merita tanta certe non viderentur, si me ut sceleratum a te conservatum putarem. Quo modo autem tu de re publica bene meritus esses, cum tot sceleratos incolumi dignitate esse voluisses? Secessionem tu illam existimavisti, Caesar, initio, non bellum; neque hostile odium, sed civile discidium, utrisque cupientibus rem publicam salvam, sed partim consiliis, partim studiis a communi utilitate aberrantibus. Principum dignitas erat paene par, non par fortasse eorum qui sequebantur: causa tum dubia, quod erat aliquid in utraque parte quod probari posset; nunc melior ea judicanda est, quam etiam di adjuverunt. Cognita vero clementia tua, quis non eam victoriam probet, in qua occiderit nemo nisi armatus?

Even Tubero is Less Excusable than Ligarius

VII. **20**. Sed—ut omittam communem causam, veniamus ad nostram—utrum tandem existimas facilius fuisse, Tubero, Ligarium ex Africa exire, an vos in Africam non venire? 'Poteramusne,' inquies, 'cum senatus censuisset?' Si me consulis, nullo modo. Sed tamen Ligarium senatus idem legaverat. Atque ille eo tempore paruit, cum parere senatui necesse erat: vos tunc paruistis, cum paruit nemo qui noluit. Reprehendo igitur? Minime vero. Neque enim licuit aliter vestro generi, nomini, familiae, disciplinae. Sed hoc non concedo, ut, quibus rebus gloriemini in vobis, easdem in aliis reprehendatis. **21**. Tuberonis sors conjecta est ex senatus consulto, cum ipse non adesset, morbo etiam impediretur. Statuerat excusare. Haec ego novi propter omnis necessitudines quae mihi sunt cum L. Tuberone: domi una eruditi, militiae contubernales, post adfines, in omni denique vita familiares: magnum etiam vinculum, quod isdem studiis semper usi sumus. Scio igitur Tuberonem domi manere voluisse: sed ita quidam agebat, ita rei publicae sanctissimum nomen opponebat, ut, etiam si aliter sentiret, verborum tamen ipsorum pondus sustinere non posset. **22.** Cessit auctoritati amplissimi viri, vel potius paruit. Una est profectus cum eis, quorum erat una causa: tardius iter fecit; itaque in Africam venit jam occupatam. Hinc in Ligarium crimen oritur, vel ira potius. Nam si crimen est [illum] voluisse, non minus magnum est vos Africam, arcem omnium provinciarum, natam ad bellum contra hanc urbem gerundum, obtinere voluisse, quam aliquem se maluisse. Atque is tamen aliquis Ligarius non fuit. Varus imperium se habere dicebat: fascis certe habebat. **23.** Sed quoquo modo se illud habet, haec querella Tubero, vestra, quid valet? 'Recepti in provinciam non sumus.' Quid, si essetis? Caesarine eam tradituri fuistis, an contra Caesarem retenturi? VIII. Vide quid licentiae, Caesar, nobis tua liberalitas det, vel potius audaciae. Si responderit Tubero, Africam, quo senatus eum sorsque miserat, tibi patrem suum traditurum fuisse, non dubitabo apud ipsum te, cujus id eum facere interfuit, gravissimis verbis ejus consilium reprehendere. Non enim, si tibi ea res grata fuisset, esset etiam probata.

Tubero Went to Africa in Pompey's Behalf

24. Sed jam hoc totum omitto, non tam ne offendam tuas patientissimas auris, quam ne Tubero quod numquam cogitavit facturus fuisse videatur. Veniebatis igitur in Africam, provinciam unam ex omnibus huic victoriae maxime infestam, in qua erat rex potentissimus, inimicus huic causae, aliena voluntas, conventus firmi atque magni. Quaero: quid facturi fuistis? quamquam quid facturi fueritis dubitem, cum videam quid feceritis? Prohibiti estis in provincia vestra pedem ponere, et prohibiti summa injuria. **25.** Quo modo id tulistis? acceptae injuriae querellam ad quem detulistis? Nempe ad eum, cujus auctoritatem secuti in societatem belli veneratis. Quod si Caesaris causa in provinciam veniebatis, ad eum profecto exclusi provincia venissetis. Venistis ad Pompeium. Quae est ergo apud Caesarem querella, cum eum accusetis, a quo queramini prohibitos esse vos contra Caesarem gerere bellum? Atque in hoc quidem vel cum mendacio, si voltis, gloriemini per me licet, vos provinciam fuisse Caesari tradituros. Etiam si a Varo et a quibusdam aliis prohibiti estis, ego tamen confiteor culpam esse Ligari, qui vos tantae laudis occasione privaverit.

His Fidelity to Pompey is Praiseworthy in Cæsar's Eyes

IX. **26**. Sed vide, quaeso, Caesar, constantiam ornatissimi viri [Tuberonis], quam ego, quamvis ipse probarem, ut probo, tamen non commemorarem, nisi a te cognovissem in primis eam virtutem solere laudari. Quae fuit igitur umquam in ullo homine tanta constantia? Constantiam dico? nescio an melius patientiam possim dicere. Quotus enim istud quisque fecisset, ut, a quibus partibus in dissensione civili non esset receptus, esset etiam cum crudelitate rejectus, ad eos ipsos rediret? Magni cujusdam animi atque ejus viri est, quem de suscepta causa propositaque sententia nulla contumelia, nulla vis, nullum periculum possit depellere. **27**. Ut enim cetera paria Tuberoni cum Varo fuissent, — honos, nobilitas, splendor, ingenium, quae nequaquam fuerunt, — hoc certe praecipuum Tuberonis, quod justo cum imperio ex senatus consulto in provinciam suam venerat. Hinc prohibitus non ad Caesarem, ne iratus, non domum, ne iners, non in aliquam regionem, ne condemnare causam illam quam secutus erat videretur: in Macedoniam ad Cn. Pompei castra venit, in eam ipsam causam a qua erat rejectus injuria. **28**. Quid? cum ista res nihil commovisset ejus animum ad quem veneratis, languidiore (credo) studio in causa fuistis: tantum modo in praesidiis eratis, animi vero a causa abhorrebant: an, ut fit in civilibus bellis . . . nec in vobis magis quam in reliquis; omnes enim vincendi studio tenebamur. Pacis equidem semper auctor fui, sed tum sero: erat enim amentis, cum aciem videres, pacem cogitare. Omnes, inquam, vincere volebamus: tu certe praecipue, qui in eum locum veneras, ubi tibi esset pereundum nisi vicisses. Quamquam, ut nunc se res habet, non dubito quin hanc salutem anteponas illi victoriae.

Tubero has been Pardoned

X. **29.** Haec ego non dicerem, Tubero, si aut vos constantiae vestrae aut Caesarem benefici sui paeniteret. Nunc quaero utrum vestras injurias an rei publicae persequamini: si rei publicae, quid de vestra in illa causa perseverantia respondebitis? si vestras, videte ne erretis, qui Caesarem vestris inimicis iratum fore putetis, cum ignoverit suis.

Itaque num tibi videor in causa Ligari esse occupatus? num de ejus facto dicere? Quicquid dixi, ad unam summam referri volo, vel humanitatis, vel clementiae, vel misericordiae tuae. **30.** Causas, Caesar, egi multas equidem tecum, dum te in foro tenuit ratio honorum tuorum, certe numquam hoc modo: 'Ignoscite, judices· erravit, lapsus est, non putavit; si umquam posthac'—ad parentem sic agi solet: ad judices, 'Non fecit, non cogitavit: falsi testes, fictum crimen.' Dic te, Caesar, de facto Ligari judicem esse; quibus in praesidiis fuerit quaere: taceo, ne haec quidem conligo, quae fortasse valerent etiam apud judicem: 'Legatus ante bellum profectus, relictus in pace, bello oppressus, in eo ipso non acerbus, jam est totus animo ac studio tuus.' Ad judicem sic, sed ego apud parentem loquor: 'Erravit, temere fecit, paenitet: ad clementiam tuam confugio, delicti veniam peto, ut ignoscatur oro.' Si nemo impetravit, adroganter: si plurimi, tu idem fer opem, qui spem dedisti.

Then why should not Ligarius be Pardoned Also?

31. An sperandi Ligario causa non sit, cum mihi apud te locus sit etiam pro altero deprecandi? Quamquam nec in hac oratione spes est posita causae, nec in eorum studiis qui a te pro Ligario petunt, tui necessarii. XI. Vidi enim et cognovi quid maxime spectares, cum pro alicujus salute multi laborarent: causas apud te rogantium gratiosiores esse quam voltus; neque te spectare quam tuus esset necessarius is qui te oraret, sed quam illius, pro quo laboraret. Itaque tribuis tu quidem tuis ita multa, ut mihi beatiores illi videantur interdum qui tua liberalitate fruuntur, quam tu ipse, qui illis tam multa concedas. Sed video tamen apud te causas, ut dixi, valere plus quam preces; ab eisque te moveri maxime, quorum justissimum videas dolorem in petendo.

Many Friends Desire his Pardon

32. In Q. Ligario conservando multis tu quidem gratum facies necessariis tuis, sed hoc, quaeso, considera, quod soles. Possum fortissimos viros, Sabinos, tibi probatissimos, totumque agrum Sabinum, florem Italiae ac robur rei publicae, proponere. Nosti optimos homines. Animadverte horum omnium maestitiam et dolorem: hujus T. Brocchi (de quo non dubito quid existimes) lacrimas, squaloremque ipsius et fili vides. **33.** Quid de fratribus dicam? Noli, Caesar, putare de unius capite nos agere. Aut tres tibi Ligarii retinendi in civitate sunt, aut tres ex civitate exterminandi: [nam] quodvis exsilium his est optatius quam patria, quam domus, quam di penates, uno illo exsulante. Si fraterne, si pie, si cum dolore faciunt, moveant te horum lacrimae, moveat pietas, moveat germanitas: valeat tua vox illa, quae vicit. Te enim dicere audiebamus nos omnis adversarios putare, nisi qui nobiscum essent; te omnis qui contra te non essent, tuos. Videsne igitur hunc splendorem omnium, hanc Brocchorum domum, hunc L. Marcium, C. Caesetium, L. Corfidium, hos omnis equites Romanos, qui adsunt veste mutata, non solum notos tibi, verum etiam probatos viros, qui tecum fuerunt? Atque his irascebamur, hos requirebamus, his non nulli etiam minabamur. Conserva igitur tuis suos, ut, quem ad modum cetera quae dicta sunt a te, sic hoc verissimum reperiatur.

His Brothers have Always been Devoted to Cæsar

XII. **34**. Quod si penitus perspicere posses concordiam Ligariorum, omnis fratres tecum judicares fuisse. An potest quisquam dubitare quin, si Q. Ligarius in Italia esse potuisset, in eadem sententia fuerit futurus, in qua fratres fuerunt? Quis est qui horum consensum conspirantem et paene conflatum in hac prope aequalitate fraterna [non] noverit, qui hoc non sentiat, quidvis prius futurum fuisse, quam ut hi fratres diversas sententias fortunasque sequerentur? Voluntate igitur omnes tecum fuerunt: tempestate abreptus est unus, qui si consilio id fecisset, esset eorum similis, quos tu tamen salvos esse voluisti. **35**. Sed ierit ad bellum, dissenserit non a te solum, verum etiam a fratribus: hi te orant tui. Equidem, cum tuis omnibus negotiis interessem, memoria teneo qualis T. Ligarius quaestor urbanus fuerit erga te et dignitatem tuam. Sed parum est me hoc meminisse: spero etiam te (qui oblivisci nihil soles nisi injurias, quoniam hoc est animi, quoniam etiam ingeni tui) te aliquid de hujus illo quaestorio officio, etiam de aliis quibusdam quaestoribus reminiscentem, recordari. **36**. Hic igitur T. Ligarius, qui tum nihil egit aliud — neque enim haec divinabat — nisi ut tui eum studiosum et bonum virum judicares, nunc a te supplex fratris salutem petit: quam hujus admonitus officio cum utrisque his dederis, tris fratres optimos et integerrimos non solum sibi ipsos, neque his tot talibus viris, neque nobis necessariis tuis, sed etiam rei publicae condonaveris.

Let Cæsar Show his Customary Clemency

37. Fac igitur, quod de homine nobilissimo et clarissimo fecisti nuper in curia, nunc idem in foro de optimis et huic omni frequentiae probatissimis fratribus. Ut concessisti illum senatui, sic da hunc populo, cujus voluntatem carissimam semper habuisti; et, si ille dies tibi gloriosissimus, populo Romano gratissimus fuit, noli, obsecro, dubitare, C. Caesar, similem illi gloriae laudem quam saepissime quaerere. Nihil est tam populare quam bonitas, nulla de virtutibus tuis plurimis nec admirabilior nec gratior misericordia est. **38.** Homines enim ad deos nulla re propius accedunt quam salutem hominibus dando. Nihil habet nec fortuna tua majus quam ut possis, nec natura melius quam ut velis, servare quam plurimos. Longiorem orationem causa forsitan postulet, tua certe natura breviorem. Qua re cum utilius esse arbitrer te ipsum quam me aut quemquam loqui tecum, finem jam faciam: tantum te admonebo, si illi absenti salutem dederis, praesentibus his omnibus te daturum.

MARK ANTONY

(Bust in the Vatican)

THE STRUGGLE AGAINST ANTONY

(*Oratio Philippica XIV*)

B.C. 43

JULIUS CÆSAR was assassinated on the Ides of March (March 15), B.C. 44, by a band of conspirators, headed by Marcus Junius Brutus and Caius Cassius Longinus. The conspirators fancied that if the dictator were out of the way the old constitution could be restored. But Cæsar's victory had made a republic forever impossible. Nor had the conspirators made any arrangements for a permanent government, or even for their own safety. The sole question was, who should succeed to the supreme power of the murdered dictator. And the only persons who had any real claims were Cæsar's surviving colleague in the consulship, Mark Antony, and the young Octavianus, Cæsar's grand-nephew, adopted son, and heir (afterwards the emperor Augustus).

Antony, who had come into possession of Cæsar's papers and estates, caused his "acts" to be legally confirmed, seized the public funds, abolished the office of dictator, and secured as large a share of authority as he could. He was a man of inordinate ambition, controlled only by an equally unbounded self-indulgence, utterly without principle or scruple, and (if we may trust the character of him drawn by Cicero) a monster of profligacy and crime. He had married for his third wife Fulvia, widow of Publius Clodius, and shared, with her, that tribune's vindictive hate of Cicero. His colleague was P. Cornelius Dolabella, Cicero's son-in-law, who had assumed the consulship at Cæsar's death, on the ground that the latter had appointed him his successor in that office. Dolabella dallied with the conspirators, suppressed the violence of the mob that threatened them, and might have had some pretensions to the power, with the support of the aristocracy, but was easily outgeneralled or bought off by Antony. Lepidus, who had a military command, and in whom the aristocracy had some hope, was also gained over by him. Octavianus, now twenty years old, hastened from Epirus to claim his inheritance and take part in the conflict which he saw approaching. He was a young man of precocious talent, of cool and wary temper, of ambition equal to Antony's, and of a political sagacity which, through his long life, seems never to have been at fault.

Neither of the two chief claimants was strong enough alone to be quite independent of the other. At first, however, they stood in the attitude of rivals, and in their antagonism there seemed still some hope for the republic. Each endeavored to secure the countenance of the Senate and to gain control over the public armies; and each succeeded in attaching to himself a considerable force, though neither was strong enough to hold the capital against the other.

Meanwhile Cicero, who at first hailed the death of Cæsar as the restoration of the republic, lost courage, and set out in July for Greece. Detained, however, by contrary winds, and receiving more favorable news from Rome, he returned to the city at the end of August, to find that all his hopes were idle. Still, he made an effort at conciliation, in a speech in the Senate, on the 2d of September. In this he replied severely to an attack made upon him by Antony the day before, but still took pains to leave the door open for a restoration of good-will. It was to no purpose. Antony replied, September 19, with such bitterness — directly charging Cicero with the murder of Clodius and of Cæsar — that it was clear he meant there should be no alternative but civil war. Cicero did not venture to answer him in the Senate; but replied, ten weeks later, in a pamphlet — by many regarded as his masterpiece — as bitter and uncompromising as the consul's attack. From its likeness in tone to the famous invectives of Demosthenes against Philip of Macedon, this was called a "Philippic"; and the term has been extended to the entire series of fourteen orations against Antony, commencing with that of September 2, and ending with the triumphant speech (given below) with which Cicero's political career closed.

The winter was spent in attempts at negotiation, every stage illustrated by the running commentary of Cicero's Philippics. At last, in the spring of B.C. 43, diplomacy was at an end. Actual hostilities broke out first in Cisalpine Gaul, where Decimus Brutus — who had taken command of that province, according to Cæsar's last will — held the town of Mutina (*Modena*) against Antony. Octavianus, with his independent force, had also ranged himself on the side of the Senate. The consuls of that year, Aulus Hirtius and C. Vibius Pansa, had, after some hesitation, vigorously taken up the same cause. In April the consuls met Antony in two battles, — on the 15th at Bononia (*Bologna*), on the 27th near Mutina. In both he was defeated; but in the first Pansa was mortally wounded, and in the second Hirtius was killed. It was on the reception of the news of the victory at Bononia, while Pansa's fate was unknown, that Cicero, in the Senate, delivered his fourteenth and last Philippic (April 22).

The rejoicings were soon at an end. Octavianus found that his own interests were best served by uniting with Antony against the Senate. These two — with Lepidus as a third *triumvir* — came easily into possession of supreme power. A remorseless proscription followed, in which the most illustrious victim was Cicero, sacrificed to Antony's resentment, the vindictive hate of Fulvia, and the cold ingratitude of Octavianus.

Of the fourteen Philippics, the Second is by far the most famous. It is a long and elaborate invective, — in some parts exceedingly bitter and coarse, — reviewing the domestic and political career of Mark Antony, and charging him with every personal vice and almost every public crime. In its allusions to the acts of Cæsar, its hostility is uncompromising, vindictive, often scornful. The revival of the title "perpetual dictator" seems to have inspired Cicero with hatred, horror, and fear; and his real enmity was no longer disguised after Cæsar's death.

The Fourteenth Philippic has a unique interest as the last free voice of the Roman Senate, and from its ill-timed confidence in the future emperor. It is also interesting as an example of labored and stately panegyric, after the manner of the Greeks, on patriots fallen in battle, and from the formal resolution of thanks and honor with which it closes. Its immediate occasion was a resolution of P. Servilius, that the citizens should lay aside the military garb and that a public thanksgiving should be celebrated in honor of the victory of Hirtius and Pansa at Bononia.

If Brutus were Safe, we might Lay Aside Military Attire

SI, UT ex litteris quae recitatae sunt, patres conscripti, sceleratissimorum hostium exercitum caesum fusumque cognovi, sic id quod et omnes maxime optamus, et ex ea victoria quae parta est consecutum arbitramur, D. Brutum egressum jam Mutina esse cognovissem, propter cujus periculum ad saga issemus, propter ejusdem salutem redeundum ad pristinum vestitum sine ulla dubitatione censerem. Ante vero quam sit ea res, quam avidissime civitas exspectat, adlata, laetitia frui satis est maximae praeclarissimaeque pugnae: reditum ad vestitum confectae victoriae reservate. Confectio autem hujus belli est D. Bruti salus.

COIN OF D. BRUTUS

But till his Safety is Assured, Such Rejoicing is Premature

2. Quae autem est ista sententia, ut in hodiernum diem vestitus mutetur, deinde cras sagati prodeamus? Nos vero cum semel ad eum quem cupimus optamusque vestitum redierimus, id agamus, ut eum in perpetuum retineamus. Nam hoc quidem cum turpe est, tum ne dis quidem immortalibus gratum, ab eorum aris, ad quas togati adierimus, ad saga sumenda discedere. **3.** Atque animadverto, patres conscripti, quosdam huic favere sententiae, quorum ea mens idque consilium est, ut, cum videant gloriosissimum illum D. Bruto futurum diem, quo die propter ejus salutem redierimus, hunc ei fructum eripere cupiant, ne memoriae posteritatique prodatur propter unius civis periculum populum

Romanum ad saga isse, propter ejusdem salutem redisse ad togas. Tollite hanc: nullam tam pravae sententiae causam reperietis. Vos vero, patres conscripti, conservate auctoritatem vestram, manete in sententia, tenete vestra memoria, quod saepe ostendistis, hujus totius belli in unius viri fortissimi et maximi vita positum esse discrimen.

II. **4.** Ad D. Brutum liberandum legati missi principes civitatis, qui illi hosti ac parricidae denuntiarent ut a Mutina discederet. Ejusdem D. Bruti conservandi gratia consul sortitu ad bellum profectus A. Hirtius, cujus imbecillitatem valetudinis animi virtus et spes victoriae confirmavit. Caesar, cum exercitu per se comparato cum primum pestibus rem publicam liberasset, ne quid postea sceleris oreretur, profectus est ad eundem Brutum liberandum, vicitque dolorem aliquem domesticum patriae caritate. **5.** Quid C. Pansa egit aliud dilectibus habendis, pecunia comparanda, senatus consultis faciendis gravissimis in Antonium, nobis cohortandis, populo Romano ad causam libertatis vocando, nisi ut D. Brutus liberaretur? A quo populus Romanus frequens ita salutem D. Bruti una voce depoposcit, ut eam non solum commodis suis, sed etiam necessitati victus anteferret. Quod sperare nos quidem debemus, patres conscripti, aut inibi esse aut jam esse confectum. Sed spei fructum rei convenit et evento reservari, ne aut deorum immortalium beneficium festinatione praeripuisse, aut vim fortunae stultitia contempsisse videamur.

What, then, do the Despatches Mean?

6. Sed quoniam significatio vestra satis declarat quid hac de re sentiatis, ad litteras veniam, quae sunt a consulibus et a propraetore missae, si pauca ante quae ad ipsas litteras pertineant dixero. III. Imbuti gladii sunt, patres conscripti, legionum exercituumque nostrorum, vel madefacti potius duobus duorum consulum, tertio Caesaris proelio.

Si hostium fuit ille sanguis, summa militum pietas: nefarium scelus, si civium. Quo usque igitur is, qui omnis hostis scelere superavit, nomine hostis carebit? nisi mucrones etiam nostrorum militum tremere voltis, dubitantis utrum in cive an in hoste figantur. **7.** Supplicationem decernitis; hostem non appellatis. Gratae vero nostrae dis immortalibus gratulationes erunt, gratae victimae, cum interfecta sit civium multitudo! 'De improbis' inquit 'et audacibus.' Nam sic eos appellat clarissimus vir: quae sunt urbanarum maledicta litium, non inustae belli internecivi notae. Testamenta (credo) subiciunt aut eiciunt vicinos, aut adulescentulos circumscribunt [: his enim vitiis adfectos et talibus malos aut audacis appellare consuetudo solet].

Antony's War against the State

8. Bellum inexpiabile infert quattuor consulibus unus omnium latronum taeterrimus. Gerit idem bellum cum senatu populoque Romano. Omnibus — quamquam ruit ipse suis cladibus — pestem, vastitatem, cruciatum, tormenta denuntiat. Dolabellae ferum et immane facinus, quod nulla

Coin of Mark Antony and his Brother Lucius

barbaria posset agnoscere, id suo consilio factum esse testatur: quaeque esset facturus in hac urbe, nisi eum hic ipse Juppiter ab hoc templo atque moenibus reppulisset, declaravit in Parmensium calamitate, quos optimos viros honestissimosque homines, maxime cum auctoritate hujus ordinis populique Romani dignitate conjunctos, crudelissimis exemplis interemit propudium illud et portentum, L. Antonius, insigne odium omnium hominum vel (si etiam di oderunt quos oportet) deorum.

His Brother's Horrible Cruelties at Parma

9. Refugit animus, patres conscripti, eaque dicere reformidat quae L. Antonius in Parmensium liberis et conjugibus effecerit. Quas enim turpitudines Antonii libenter [cum dedecore] subierunt, easdem per vim laetantur aliis se intulisse. Sed vis calamitosa est, quam illis intulerunt: libido flagitiosa, qua Antoniorum oblita est vita. Est igitur quisquam, qui hostis appellare non audeat, quorum scelere crudelitatem Karthaginiensium victam esse fateatur? IV. Qua enim in urbe tam immanis Hannibal capta quam in Parma surrepta Antonius? Nisi forte hujus coloniae et ceterarum, in quas eodem est animo, non est hostis putandus. **10**. Si vero coloniarum et municipiorum sine ulla dubitatione hostis est, quid tandem hujus censetis urbis, quam ille ad explendas egestates latrocini sui concupivit? quam jam peritus metator et callidus decempeda sua Saxa diviserat? Recordamini (per deos immortalis!) patres conscripti, quid hoc biduo timuerimus a domesticis hostibus, rumoribus improbissimis dissipatis. Quis liberos, quis conjugem aspicere poterat sine fletu? quis domum? quis tecta? quis larem familiarem? Aut foedissimam mortem omnes aut miserabilem fugam cogitabant. Haec a quibus timebantur, eos hostis appellare dubitamus? Gravius si quis attulerit nomen, libenter adsentiar: hoc volgari contentus vix sum, leviore non utar.

Honor should be Voted to the Generals

11. Itaque cum supplicationes justissimas ex eis litteris quae recitatae sunt decernere debeamus, Serviliusque decreverit, augebo omnino numerum dierum, praesertim cum non uni sed tribus ducibus sint decernendae. Sed hoc primum faciam, ut imperatores appellem eos, quorum virtute, consilio, felicitate, maximis periculis servitutis atque interitus liberati sumus. Etenim cui viginti his annis supplicatio decreta est, ut non imperator appellaretur, aut minimis rebus gestis aut plerumque nullis? Quam ob rem aut supplicatio ab eo qui ante dixit decernenda non fuit, aut usitatus honos pervolgatusque tribuendus eis, quibus etiam novi singularesque debentur. V. **12.** An si quis Hispanorum aut Gallorum aut Threcum mille aut duo milia occidisset, eum hac consuetudine quae increbuit imperatorem appellaret senatus: tot legionibus caesis, tanta multitudine hostium interfecta — hostium dico? ita inquam, hostium, quamvis hoc isti hostes domestici nolint — clarissimis ducibus supplicationum honorem tribuemus, imperatorium nomen adimemus? Quanto enim honore, laetitia, gratulatione in hoc templum ingredi debent illi ipsi hujus urbis liberatores, cum hesterno die propter eorum res gestas me ovantem et prope triumphantem populus Romanus in Capitolium domo tulerit, domum inde reduxerit? **13.** Is enim demum est (mea quidem sententia) justus triumphus ac verus, cum bene de re publica meritis testimonium a consensu civitatis datur. Nam sive in communi gaudio populi Romani uni gratulabantur, magnum judicium; sive uni gratias agebant, eo majus; sive utrumque, nihil magnificentius cogitari potest.

Charges against Cicero himself Refuted

'Tu igitur ipse de te?' dixerit quispiam. Equidem invitus, sed injuriae dolor facit me praeter consuetudinem gloriosum. Nonne satis est ab hominibus virtutis ignaris gratiam bene merentibus non referri? Etiam in eos qui omnis suas curas in rei publicae salute defigunt, impietatis crimine invidia quaeretur? **14.** Scitis enim per hos dies creberrimum fuisse sermonem, me Parilibus, qui dies hodie est, cum fascibus descensurum. In aliquem credo hoc gladiatorem aut latronem aut Catilinam esse conlatum, non in eum qui ne quid tale in re publica fieri posset effecerit. An [ut] ego, qui Catilinam haec molientem sustulerim, everterim, adflixerim, ipse exsisterem repente Catilina? Quibus auspiciis istos fascis augur acciperem? quatenus haberem? cui traderem? Quemquamne fuisse tam sceleratum qui hoc fingeret, tam furiosum qui crederet? Unde igitur ista suspicio, vel potius unde iste sermo? VI. **15.** Cum, ut scitis, hoc triduo vel quadriduo tristis a Mutina fama manaret, inflati laetitia atque insolentia impii cives unum se in locum, ad illam curiam furiis potius suis quam rei publicae infelicem congregabant. Ibi cum consilia inirent de caede nostra, partirenturque inter se qui Capitolium, qui rostra, qui urbis portas occuparent, ad me concursum futurum civitatis putabant. Quod ut cum invidia mea fieret, et cum vitae etiam periculo, famam istam fascium dissipaverunt: fascis ipsi ad me delaturi fuerunt. Quod cum esset quasi mea voluntate factum, tum in me impetus conductorum hominum quasi in tyrannum parabatur: ex quo caedes esset vestrum omnium consecuta. Quae res patefecit, patres conscripti, sed suo tempore totius hujus sceleris fons aperietur.

Address of Apuleius

16. Itaque P. Apuleius, tribunus plebis, meorum omnium consiliorum periculorumque jam inde a consulatu meo testis, conscius, adjutor, dolorem ferre non potuit doloris mei. Contionem habuit maximam, populo Romano unum atque idem sentiente. In qua contione cum me pro summa nostra conjunctione et familiaritate liberare suspicione fascium vellet, una voce cuncta contio declaravit nihil esse a me umquam de re publica nisi optime cogitatum. Post hanc habitam contionem duabus tribusve horis, optatissimi nuntii et litterae venerunt: ut idem dies non modo iniquissima me invidia liberarit, sed etiam celeberrima populi Romani gratulatione auxerit.

Cicero Defends his Own Course

17. Haec interposui, patres conscripti, non tam ut pro me dicerem — male enim mecum ageretur, si parum vobis essem sine defensione purgatus — quam ut quosdam nimis jejuno animo et angusto monerem, id quod semper ipse fecissem, uti excellentium civium virtutem imitatione dignam, non invidia putarent. Magnus est in re publica campus, ut sapienter dicere Crassus solebat, multis apertus cursus ad laudem. VII. Utinam quidem illi principes viverent, qui me post meum consulatum, cum eis ipse cederem, principem non inviti videbant! Hoc vero tempore, in tanta inopia constantium et fortium consularium, quo me dolore adfici creditis, cum alios male sentire, alios nihil omnino curare videam, alios parum constanter in suscepta causa permanere, sententiamque suam non semper utilitate rei publicae, sed tum spe tum timore moderari? **18.** Quod si quis de contentione principatus laborat, quae nulla esse debet, stultissime facit, si vitiis cum virtute contendit: ut enim cursu cursus, sic in viris fortibus virtus virtute superatur. Tu, si ego de re publica optime sentiam, ut me vincas, ipse pessime senties? aut, si ad me bonorum concursum fieri videbis, ad te improbos invitabis? Nollem, primum rei publicae causa, deinde etiam dignitatis tuae. Sed si principatus ageretur, quem numquam expetivi, quid tandem mihi esset optatius? Ego enim malis sententiis vinci non possum, bonis forsitan possim et libenter. **19.** Haec populum Romanum videre, animadvertere, judicare quidam moleste ferunt. Poteratne fieri ut non proinde homines *de* quoque, ut quisque mereretur, judicarent? Ut enim de universo senatu populus Romanus verissime judicat, nullis rei publicae temporibus hunc ordinem firmiorem aut fortiorem fuisse, sic de uno quoque nostrum et maxime, qui hoc loco sententias dicimus, sciscitantur omnes, avent audire quid quisque senserit: ita de quoque, ut quemque meritum arbitrantur, existimant. Memoria tenent me ante diem XIII. Kalendas Januarias principem revocandae libertatis fuisse: me ex Kalendis Januariis ad hanc horam invigilasse rei publicae: **20**. meam domum measque auris dies noctisque omnium praeceptis monitisque patuisse: meis litteris, meis nuntiis, meis cohortationibus omnis qui ubique essent ad patriae praesidium excitatos: meis sententiis a Kalendis Januariis numquam legatos ad Antonium: semper illum hostem, semper hoc bellum, ut ego, qui omni tempore verae pacis auctor fuissem, huic essem nomini pestiferae pacis inimicus: **21**. idem P. Ventidium, cum alii tr. pl. † volusenum, ego semper hostem. Has in sententias meas si consules discessionem facere voluissent, omnibus istis latronibus auctoritate ipsa senatus jam pridem de manibus arma cecidissent.

Antony and his Partisans should be Declared Public Enemies

VIII. Sed quod tum non licuit, patres conscripti, id hoc tempore non solum licet, verum etiam necesse est, — eos qui re sunt hostes [verbis notari], sententiis nostris hostis judicari. **22**. Antea cum hostem ac bellum nominassem, semel et saepius sententiam meam de numero sententiarum sustulerunt: quod in hac causa jam fieri non potest. Ex litteris enim C. Pansae A. Hirti consulum, C. Caesaris pro praetore, de honore dis immortalibus habendo sententias dicimus. Supplicationem modo qui decrevit, idem imprudens hostis judicavit: numquam enim in civili bello supplicatio decreta est. Decretam dico? ne victoris quidem litteris postulata est. **23**. Civile bellum consul Sulla gessit: legionibus in urbem adductis, quos voluit expulit; quos potuit occidit: supplicationis mentio nulla. Grave bellum Octavianum insecutum est: supplicatio [Cinnae] nulla victori. Cinnae victoriam imperator ultus est Sulla: nulla supplicatio decreta a senatu. Ad te ipsum, P. Servili, num misit ullas conlega litteras de illa calamitosissima pugna Pharsalia? Num te de supplicatione voluit referre? Profecto noluit. At misit postea de Alexandria, de Pharnace. Pharsaliae vero pugnae ne triumphum quidem egit. Eos enim civis pugna illa sustulerat, quibus non modo vivis, sed etiam victoribus, incolumis et florens civitas esse posset. **24**. Quod idem contigerat superioribus bellis civilibus. Nam mihi consuli supplicatio nullis armis sumptis, non ob caedem hostium, sed ob conservationem civium, novo et inaudito genere decreta est. Quam ob rem aut supplicatio re publica pulcherrime gesta postulantibus nostris imperatoribus deneganda est, quod praeter A. Gabinium contigit nemini; aut, supplicatione decernenda, hostis eos de quibus decernitis judicetis necesse est.

This is Implied in the Honors to the Generals

IX. Quod ergo ille re, id ego etiam verbo, cum imperatores eos appello: hoc ipso nomine et eos qui jam devicti sunt, et eos qui supersunt, hostis judico [cum victores appello imperatores]. **25**. Quo modo enim potius Pansam appellem? etsi habet honoris nomen amplissimi. Quo Hirtium? Est ille quidem consul, sed alterum nomen benefici populi Romani est, alterum virtutis atque victoriae. Quid? Caesarem, deorum beneficio rei publicae procreatum, dubitemne appellare imperatorem? qui primus Antoni immanem et foedam crudelitatem non solum a jugulis nostris, sed etiam a membris et visceribus avertit. Unius autem diei quot et quantae virtutes, di immortales, fuerunt!

Valor of Pansa

26. Princeps enim omnium Pansa proeli faciendi et cum Antonio confligendi fuit: dignus imperator legione Martia, digna legio imperatore. Cujus si acerrimum impetum cohibere Pansa potuisset, uno proelio confecta res esset. Sed cum libertatis avida legio effrenatius in aciem hostium inrupisset, ipseque in primis Pansa pugnaret, duobus periculosis

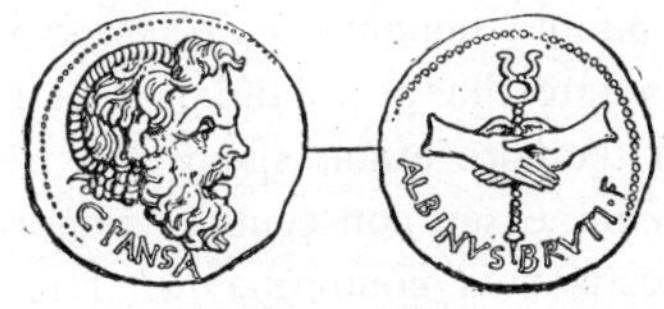

COIN OF PANSA

volneribus acceptis, sublatus e proelio, rei publicae vitam reservavit. Ego vero hunc non solum imperatorem sed etiam clarissimum imperatorem judico, qui, cum aut morte aut victoria se satis facturum rei publicae spopondisset, alterum fecit, alterius di immortales omen avertant!

Exploits of Hirtius

X. **27.** Quid dicam de Hirtio? qui, re audita, e castris duas legiones eduxit incredibili studio atque virtute; quartam illam, quae relicto Antonio se olim cum Martia legione conjunxit, et septimam, quae, constituta ex veteranis, docuit hoc proelio militibus eis, qui Caesaris beneficia servassent, senatus populique Romani carum nomen esse. His viginti cohortibus, nullo equitatu, Hirtius ipse aquilam quartae legionis cum inferret, qua nullius pulchriorem speciem imperatoris accepimus, cum tribus Antoni legionibus equitatuque conflixit, hostisque nefarios, huic Jovis Optimi Maximi ceterisque deorum immortalium templis, urbis tectis, libertati populi Romani, nostrae vitae sanguinique imminentis prostravit, fudit, occidit, ut cum admodum paucis, nocte tectus, metu perterritus, princeps latronum duxque fugerit. O solem ipsum beatissimum, qui, ante quam se abderet, stratis cadaveribus parricidarum, cum paucis fugientem vidit Antonium!

Deeds of Octavianus

28. An vero quisquam dubitabit appellare Caesarem imperatorem? Aetas ejus certe ab hac sententia neminem deterrebit, quando quidem virtute superavit aetatem. Ac mihi semper eo majora beneficia C. Caesaris visa sunt, quo minus erant ab aetate illa postulanda. Cui cum imperium dabamus, eodem tempore etiam spem ejus nominis deferebamus: quod cum esset consecutus, auctoritatem nostri decreti rebus gestis suis comprobavit. Hic ergo adulescens maximi animi, ut verissime scribit Hirtius, castra multarum legionum paucis cohortibus tutatus est, secundumque proelium fecit. Ita trium imperatorum virtute, consilio, felicitate uno die locis pluribus res publica est conservata. XI. **29.** Decerno igitur eorum trium nomine quinquaginta dierum supplicationes: causas, ut honorificentissimis verbis consequi potuero, complectar ipsa sententia.

Devotion of the Soldiers

Est autem fidei pietatisque nostrae declarare fortissimis militibus, quam memores simus quamque grati. Quam ob rem promissa nostra, atque ea quae legionibus bello confecto tributuros nos spopondimus, hodierno senatus consulto renovanda censeo: aequum est enim militum, talium praesertim, honorem conjungi. **30.** Atque utinam, patres conscripti, [civibus] omnibus solvere nobis praemia liceret! Quamquam nos ea quae promisimus studiose cumulata reddemus. Sed id quidem restat (ut spero) victoribus, quibus senatus fides praestabitur: quam quoniam difficillimo rei publicae tempore secuti sunt, eos numquam oportebit consili sui paenitere. Sed facile est bene agere cum eis a quibus etiam tacentibus flagitari videmur: illud admirabilius et majus maximeque proprium senatus sapientis est, grata eorum virtutem memoria prosequi, qui pro patria vitam profuderunt.

OCTAVIANUS

(Bust at Florence)

31. Quorum de honore utinam mihi plura in mentem venirent! Duo certe non praeteribo, quae maxime occurrunt: quorum alterum pertinet ad virorum fortissimorum gloriam sempiternam, alterum ad leniendum maerorem et luctum proximorum.

Special Tribute to the Martian Legion

XII. Placet igitur mihi, patres conscripti, legionis Martiae militibus, et eis qui una pugnantes occiderunt, monumentum fieri quam amplissimum. Magna atque incredibilia sunt in rem publicam hujus merita legionis. Haec se prima latrocinio abrupit Antoni; haec tenuit Albam; haec se ad Caesarem contulit; hanc imitata quarta legio parem virtutis gloriam consecuta est. Quarta victrix desiderat neminem: ex Martia non nulli in ipsa victoria conciderunt. O fortunata mors, quae naturae debita pro patria est potissimum reddita! **32.** Vos vero patriae natos judico: quorum etiam nomen a Marte est, ut idem deus urbem hanc gentibus, vos huic urbi genuisse videatur. In fuga foeda mors est: in victoria gloriosa. Etenim Mars ipse ex acie fortissimum quemque pignerari solet. Illi igitur impii, quos cecidistis, etiam ad inferos poenas parricidi luent: vos vero, qui extremum spiritum in victoria effudistis, piorum estis sedem et locum consecuti. Brevis a natura nobis vita data est: at memoria bene redditae vitae sempiterna. Quae si non esset longior quam haec vita, quis esset tam amens qui maximis laboribus et periculis ad summam laudem gloriamque contenderet? **33.** Actum igitur praeclare vobiscum, fortissimi, dum vixistis, nunc vero etiam sanctissimi milites, quod vestra virtus neque oblivione eorum qui nunc sunt, nec reticentia posterorum sepulta esse poterit, cum vobis immortale monimentum suis paene manibus senatus populusque Romanus exstruxerit. Multi saepe exercitus Punicis, Gallicis, Italicis bellis clari et magni fuerunt, nec tamen ullis tale genus honoris tributum est. Atque utinam majora possemus, quando quidem a vobis maxima accepimus! Vos ab urbe furentem Antonium avertistis: vos redire molientem reppulistis. Erit igitur exstructa moles opere magnifico incisaeque litterae, divinae virtutis testes sempiternae: numquamque de vobis eorum, qui aut videbunt vestrum monimentum aut audient, gratissimus sermo conticescet. Ita pro mortali condicione vitae immortalitatem estis consecuti.

Consolation of the Bereaved Families

XIII. **34.** Sed quoniam, patres conscripti, gloriae munus optimis et fortissimis civibus monimenti honore persolvitur, consolemur eorum proximos, quibus optima est haec quidem consolatio: parentibus, quod tanta rei publicae praesidia genuerunt; liberis, quod habebunt domestica exempla virtutis; conjugibus, quod eis viris carebunt, quos laudare quam lugere praestabit; fratribus, quod in se ut corporum, sic virtutum similitudinem esse confident. Atque utinam his omnibus abstergere fletum sententiis nostris consultisque possemus, vel aliqua talis eis adhiberi publice posset oratio, qua deponerent maerorem atque luctum, gauderentque potius, cum multa et varia impenderent hominibus genera mortis, id genus quod esset pulcherrimum suis obtigisse, eosque nec inhumatos esse nec desertos, quod tamen ipsum pro patria non miserandum putatur, nec dispersis bustis humili sepultura crematos, sed contectos publicis operibus atque muneribus, eaque exstructione quae sit ad memoriam aeternitatis ara Virtutis. **35.** Quam ob rem maximum quidem solacium erit propinquorum eodem monimento declarari et virtutem suorum, et populi Romani pietatem, et senatus fidem, et crudelissimi memoriam belli: in quo nisi tanta militum virtus exstitisset, parricidio M. Antoni nomen populi Romani occidisset. Atque etiam censeo, patres conscripti, quae praemia militibus promisimus nos re publica recuperata tributuros, ea vivis victoribusque cumulate, cum tempus venerit, persolvenda; qui autem ex eis quibus illa promissa sunt pro patria occiderunt, eorum parentibus, liberis, conjugibus, fratribus eadem tribuenda censeo.

Resolution of Thanks and Honor

XIV. **36.** Sed, ut aliquando sententia complectar, ita censeo:

Cum C. Pansa consul, imperator, initium cum hostibus confligendi fecerit, quo proelio legio Martia admirabili incredibilique virtute libertatem populi Romani defenderit, quod idem legiones tironum fecerint; ipseque C. Pansa consul, imperator, cum inter media hostium tela versaretur, volnera acceperit; cumque A. Hirtius consul, imperator, [proelio audito,] re cognita, fortissimo praestantissimoque animo exercitum castris eduxerit, impetumque in M. Antonium exercitumque hostium fecerit, ejusque copias occidione occiderit, suo exercitu ita incolumi ut ne unum quidem militem desiderarit; **37.** cumque C. Caesar pro praetore, imperator, consilio diligentiaque sua castra feliciter defenderit, copiasque hostium quae ad castra accesserant profligarit, occiderit; — ob eas res senatum existimare et judicare eorum trium imperatorum virtute, imperio, consilio, gravitate, constantia, magnitudine animi, felicitate, populum Romanum foedissima crudelissimaque servitute liberatum. Cumque rem publicam, urbem, templa deorum immortalium, bona fortunasque omnium liberosque conservarint dimicatione et periculo vitae suae, uti ob eas res, bene fortiter feliciterque gestas, C. Pansa A. Hirtius consules, imperatores, alter ambove, aut (si aberunt) M. Cornutus, praetor urbanus, supplicationes per dies quinquaginta ad omnia pulvinaria constituat. **38.** Cumque virtus legionum digna clarissimis imperatoribus exstiterit, senatum quae sit antea pollicitus legionibus exercitibusque nostris, ea summo studio re publica recuperata soluturum. Cumque legio Martia princeps cum hostibus conflixerit, atque ita cum majore numero hostium contenderit, *ut* cum plurimos caederent, caderent non nulli, cumque sine ulla retractatione pro patria vitam profuderint; cumque simili virtute reliquarum legionum milites pro salute et libertate populi Romani mortem oppetiverint, senatui placere ut C. Pansa A. Hirtius consules, imperatores, alter ambove, si eis videatur, eis qui sanguinem pro vita, libertate, fortunis populi Romani, pro urbe, templis deorum immortalium profudissent, monimentum quam amplissimum locandum faciundumque curent; quaestores*que* urbanos ad eam rem pecuniam dare, attribuere, solvere jubeant, ut exstet ad memoriam posteritatis sempiternam scelus crudelissimorum hostium militumque divina virtus; utique, quae praemia senatus militibus ante constituit, ea solvantur eorum qui hoc bello pro patria occiderunt parentibus, liberis, conjugibus, fratribus; eisque tribuantur quae militibus ipsis tribui oporteret si vivi vicissent, qui morte vicerunt.

NOTES

NOTES

DEFENCE OF ROSCIUS

ARGUMENT

[Omitted portions in brackets.]

CHAP. I. *Exordium.* Cicero's reasons for undertaking the case.— [2. Political aspect of the trial, showing (*a*) why others refused to undertake it; (*b*) why the jury ought to be especially cautious.] — *Narratio.* 6. Character of Sex. Roscius, the murdered man; his old feud with the Titi Roscii. — 7. The murder: circumstances pointing to Magnus as the procurer: Chrysogonus is informed, and a conspiracy made with him by Capito and Magnus. — 8. Proscription and sale of the property: Chrysogonus buys it up for a nominal sum: Sulla not implicated. Sex. Roscius is dispossessed. — 9. Amerians take up his cause and apply to Sulla, but are staved off by Capito, who was on the committee. — 10. Roscius flies to his friends at Rome: a trumped-up charge of parricide is brought. — 11. Commiseration of his client's position, with review of the circumstances. — 13. *Partitio.* Three things make against the defendant: (*a*) the charge; (*b*) the reckless villany of the two Titi Roscii; (*c*) influence of Chrysogonus. — *Defensio.* (I) 14. The crime is not in accordance with the character of the defendant; no motive can be shown: no enmity between father and son. — [15–17. His rustic employment: this is no evidence of ill-will. — 19. Alleged intention to disinherit: no proof. — 20. No case is made out: hence the accuser (Erucius) is attacked for bringing such a charge. — 21. The case rests only on the negligence of the court, and supposed friendlessness of the defendant. — 22. For the conspirators' manner changed when they found there would be a real defence. — Recapitulation:] no motive existed: necessity of direct evidence. — 23–26. Examples from other cases [and from literature]. Need of strongest proof shown by the severity of the penalty. — 27, 28. No means of committing the crime. — [29. Again: the accuser's presumption in trying to force a conviction. — (II) 30. Countercharge: T. Roscius the probable murderer: in his case there are motives. — 31. It was for his advantage. — 32. He was the murdered man's enemy. — 33. He had opportunities (compare the two cases). — 34. His acts after the murder: hasty message to Capito; his character. — 36. His testimony at the trial. — 37. Speedy announcement to Chrysogonus — apparently from the Roscii, for they have received the reward and possess the property. — 38, 39. Capito's perfidy to the committee. — 41. Magnus refuses the slaves for question. — 42. Influence of Chrysogonus.] — (III) 43. Chrysogonus the purchaser: the sale was illegal, for proscriptions had ceased. — 44–47. Lawlessness and insolence of Chrysogonus: Sulla is artfully excused: the cause of the nobility not involved. — 48. The cause of Chrysogonus not that of the nobility. — 49. Responsibility of the attack on Chrysogonus is Cicero's: Roscius asks only his life. — *Peroratio.* 50–51. Simulated appeal to Chrysogonus, to stir sympathy of the jury: incidental mention of the powerful friends of the defendant. — 52, 53. But if Chrysogonus does not spare him, he appeals confidently to the court.

The grammars cited are those of Allen and Greenough (§), Bennett (B.), Gildersleeve (G.), Harkness (H.), and D'Ooge (D.). References in parentheses are to the old editions.

I. Exordium (§§ 1–4)

Sects. 1–4. Cicero undertakes the defence in default of any abler advocate.

By this skilfully modest opening, Cicero not only explains why he, an obscure young advocate, appears in so important a case, but he indicates on which side are the sympathies of the best citizens, and he contrives at the same time to suggest the odds against which Roscius and his counsel must contend. Thus the remarks are not merely personal and introductory, but form an essential part of the argument. A famous modern example of similar art is Erskine's Exordium in his Defence of Lord George Gordon on a charge of high treason.

Page **2**. Line 1. (Sect. 1.) **ego**: not emphatic itself, but expressed merely to set off **vos**, which is. The Latin is so fond of putting pronouns in contrast that one is often (as here) expressed for the mere purpose of antithesis. — **judices**: not *judges*, but rather *jurors*. They were persons selected by law to try facts (under the presidency of a *praetor* or *judex quaestionis*), and varied in number from a single one to fifty or more. They were originally selected from the Senators, but C. Gracchus had transferred the right to sit as *judices* to the *equites* (or wealthy middle class). Sulla, whose reforms went into operation B.C. 80, had restored this right to the Senators, and the present case was the first to occur under the new system. It was brought in the *Quaestio inter sicarios* (or court for the trial of murder), under the presidency of the prætor M. Fannius. — **quid sit quod**, *why it is that.* — **quod** (causal) . . . **surrexerim** expresses a *fact,* and takes the subj. of informal ind. disc. as depending on the indirect question **quid sit**: § 592, 1 (341, *b*); cf. B. 323; G. 663, 1; H. 652 (529, ii); D. 905.

2 2 **summi oratores homines nobilissimi**: notice the chiastic order; § 598, *f* (344, *f*); B. 350, 11, *c*; G. 682; H. 666, 2 (562); D. 934, *f*, 939. — **cum sedeant**: **cum** has a slight concessive force: render by *when* or *while; though* would be too strong. Since Sulla's victory had restored the aristocracy to power, it might be expected that men of rank (*nobilissimi*) would have courage to come forward and defend Roscius: their presence showed their sympathies, though they did not rise to defend him. — **ego**: emphatic, as opposed to the orators and men of rank.

2 3 **potissimum**, *rather than any other.* — **aetate**: Cicero was but twenty-six years old.

2 4 **sim**: in direct disc. this might be either subj. to indicate the character of Cicero, or indic. to denote a mere fact about him; here it is necessarily subj. as being an integral part of the clause **quod . . . surrexerim**, which is itself dependent on **quid sit**; § 593 (342); B. 324, 1; G. 663, 1; H. 652, 1 (529, ii); D. 907. — **sedeant**, *sit still,* instead of rising to speak: subj. of integral part, dependent on **sim comparandus**.

2 5 **hi**: strongly demonstrative; accompanied, perhaps, with a gesture, — *these men here.* — **injuriam**, *injustice.* — **novo scelere** (abl. of means), *the strange* (almost = unheard of) *charge* (of parricide).

2 6 **oportere**: this verb is always impersonal; its subject here is the clause **injuriam defendi**. — **defendi, defendere**: see Vocab.; supply *but* (suggested in Latin by the close juxtaposition of the two infs.) before **defendere** in translating.

2 7 **iniquitatem temporum**, i.e. the disturbed state of politics, while the wounds of the Civil War were still fresh. — **ita fit**: the subject is the clause **ut adsint**, etc. — **adsint**, *they attend:* opposed to **taceant**; the position of **taceant** indicates this antithesis. The friends of any party to a suit attended court to give him the advantage of their presence and influence (cf. Cæs. *B.G.* i. 4). Such friends were technically called *advocati*, but they did not, like the modern *advocate*, speak in court.

2 8 **officium,** *duty*, arising from their relations to the murdered man, who had stood in the relation of *hospitium* (see *hospes* in Vocab.) with some of the highest families.

2 10 (SECT. 2.) **audacissimus,** i.e. *is it that I have more effrontery than any of the rest?*

2 11 **ne . . . quidem,** *not . . . either*, enclosing, as usual, the emphatic word: § 322, *f* (151, *e*); B. 347, 1; G. 448, N.[2]; H. (569, iii, 2); D. 592, *a*. — **istius,** i.e. that which is in your thoughts: § 297, *c* (102, *c*); B. 87; G. 306; H. 507, 3 (450); D. 535, 536.

2 12 **sim,** *conjunctivus modestiae:* § 447, 1 (311, *b*); cf. B. 280, 2; G. 257, 1; H. 556 (486, i); D. 686, *a*. — **aliis,** dat.: § 381 (229); B. 188, 2, *d*; G. 345; H. 429, 2 (386, 2); D. 389. — **praereptam: prae-** gives here the force of *getting the start of others* in snatching it (cf. *prevent*, from *praevenio*). — **me**: so emphatic as to throw **igitur** out of its usual place.

2 14 **reciperem,** *undertake* a case offered; *suscipere* is to take up of one's own motion.

2 15 **amplitudo,** *position*, from birth, wealth, office, or the like.

2 16 **id quod,** *a thing which:* § 307, *d* (200, *e*); G. 614, R.[2]; H. 399, 6 (445, 7); D. 556.

2 17 **dixisset,** an integral part of **putaretur.** — **putaretur**: apodosis of **fecisset**; § 517 (308); B. 304, 1; G. 597; H. 579 (510); D. 786, 793. The whole from **si verbum** through **putaretur** is the apodosis of **si quis dixisset** in l. 14. Translate, *if any one had spoken, in case he had made any allusion to politics he would*, etc.

3 1 (SECT. 3.) **ego,** etc., *but in* MY *case, even if I*, etc. — **etiamsi . . . dixero, . . . poterit**: § 516, *c* (307, *c*); B. 264, *a*; G. 244, 2; H. 574, 2 (508, 2); D. 790.

3 2 **similiter,** *in like manner*, i.e. as if a man of rank had spoken. — **exire,** etc., i.e. this speech will not be quoted and talked over, and hence any allusions to politics which it may contain will not seem more significant than they really are.

3 3 **emānare**: not to be confounded with **mănēre.** — **deinde quod**: the second reason, corresponding to **quia** in l. 14. — **ceterorum,** opposed to **ego** in l. 6, below. — **dictum**: noun, limited by **ceterorum**; **dicto** (l. 5) is also a noun, though modified by an adv.; § 321, *b* (207, *c*); G. 437, R.; D. 863.

3 5 **concedi,** impersonal: § 372 (230); B. 187, ii, *b*; G. 217; H. 426, 3 (384, 5); D. 379.

3 7 **nondum . . . accessi,** *I have not yet gone into public life*, i.e. become candidate for any office. Cicero began his political career five years later, with the quæstorship. — **ignosci**: not impersonal, but with the same subject as **occultum esse**, since **poterit** links the two infinitives together.

3 8 **tametsi**, *although*, in its so-called "corrective" use, — the concession coming after the general statement, as a kind of limitation of it. — **ignoscendi ratio**, *the idea of pardon*. The vaguely general word **ratio** with the gen. of the gerund expresses little more than our word *pardoning* alone. The Latin, being poor in abstract words, has to resort to such shifts as this to supply their place. So **cognoscendi consuetudo**, *the habit of judicial investigation*, is almost equivalent to *judicial investigation* simply. This was a bold speech to make under the rule of the tyrant Sulla.

3 11 (SECT. 4.) **accedit**, *there is in addition:* used as a kind of passive of **addo**. — **illa**, *this*, i.e. the following (a common use of this pronoun). — **quod**, *that:* § 572 (333); B. 299, 1, *b*; G. 525, 1; H. 588, 3 (540, iv); D. 821. — **a ceteris**, *from the others*, i.e. the nobles.

3 12 **petitum sit**: for subjunctive see § 447, *a* and N. (334, *g* and N.); G. 457, 2, N.; H. (p. 267, footnote [1]); D. 819. — **ut dicerent** [causam], subst. clause of purpose, subj. of **petitum sit**: § 566 (331, *h*); G. 546; H. 565, 2 (499, 3); D. 721. — *dicere causam* is the technical expression for defending a case. — **ut . . . arbitrarentur**: a clause of result, dependent on **ita petitum sit**: § 537 and N.[2] (319 and R.); B. 284, 1; G. 552; H. 591 (500 and N.[1]); D. 732. — **utrumvis**, *either* [course, i.e. to speak or be silent], *at their choice;* lit. *either* [of the two] *you please*. — **salvo officio** (abl. of manner), *without a breach of duty*.

3 13 **arbitrarentur**: imperf. following **petitum sit**, which is regarded as a secondary tense since it represents the perf. indic.; § 485, *a* (287, *a*); B. 268, 1; G. 511, N.[2]; H. 546 (495, i); D. 699. — **a me autem**, etc., lit. *but from* ME, etc. (opposed to **a ceteris** above). The emphasis may be preserved by changing the construction in English: *but as for myself, men have urged it* [i.e. that I should undertake the defence of Roscius] *on me who*, etc. — **ei**, *men;* here used simply as a correlative to **qui**, and not in a really demonstrative sense. The reference is of course to the noble friends of Roscius.

3 16 **debeam**, subj. of characteristic: § 535 (320); B. 283, 1; G. 631, 2; H. 591, 1 (503, i); D. 726. — **his**, emphatic, summing up the reasons he has given for undertaking the case; **ego** (next line), emphatic as opposed to the others present.

3 17 **patronus**, *advocate*, the word *advocati* having a different meaning (see note on p. 2, l. 7, above). — **unus**, *as the one man*.

3 20 **uti ne**: in purpose clauses the double form is often used instead of **ne** alone. — **desertus**, etc.: observe that Cicero not only attempts to win the sympathies of the jurors for the helplessness of his client, but that he also contrives to suggest, in advance of the formal statement of facts, that there is a combination or conspiracy of some kind against young Roscius. The same thing was insinuated in sect. 1 by the use of **conflatam** (l. 6).

II. Narratio (§§ 5–19)

Sects. 5–9. Character of the murdered man, Sex. Roscius the elder. His political affiliations. His old feud with T. Roscius Capito and T. Roscius Magnus. The murder. Suspicion points to Magnus as procurer of the crime and to Capito as at least accessory after the fact.

3 22 (Sect. 5.) **hujusce,** *of my client.* — **municeps Amerinus,** *a citizen of the free town Ameria.* The Latin uses an adj. of possession when it can, often where the English prefers *of:* § 343, *a* (190); B. 354, 4; G. 362, R.[1]; H. (395, N.[2]); D. 329, 578, *b.* Cf. Æneid, ii. 55, 487, etc.

3 25 **hospitiis,** *guest-friendships.* The *hospitium* was a relation between individuals of different cities or states, at a time when there were no international relations; it included the duties of hospitality and protection, was transmitted from father to son, and was vouched for by a ticket (*tessera*). Roscius not only had this formal relation to several of the greatest families at Rome, but he was also on intimate terms of personal friendship with them. Hence, in line 27, **domesticus . . . consuetudo,** *intercourse and companionship* [with them] *in their homes.*

3 28 **honestatis . . . gratiā** (so **honoris causā**, sect. 17), *with all honor.* It seems to have been held a liberty to mention the name of any person of quality in a public address; hence such mention is generally accompanied by a form of compliment. Cf. the modern parliamentary usage of referring to members of a deliberative body by the names of their offices (or as the "gentleman from ——") rather than by their own names.

3 29 **hoc solum,** i.e. the *hospitium.*

3 30 **domestici,** *of his own house.*

3 31 **ereptum possident,** *have seized and now hold:* § 496, N.[2] (292, R.); G. 664, R.[1]; H. 639 (549, 5); D. 862; **possidere** does not signify *to own,* in the modern sense, but merely *to hold* or *occupy.* — **innocentis,** i.e. **fili**: in Latin any noun may be left out if there is an adj. or a participle to determine its case.

3 32 **defenditur**: Cicero skilfully contrives to keep before the jury the fact that Roscius has powerful friends who desire his acquittal.

3 32 (SECT. 6.) This section tells of Roscius's political associations. He was a favorer of the nobility (Sulla's party), and therefore had nothing to fear from the proscription instituted by Sulla after his final victory over Marius. These facts are skilfully brought in at this point so as to prepare the jurors for the statement, made later, that the insertion of Roscius's name in the proscription list after his murder was manifestly part of a plot to get possession of his estate. They also prepare for the exoneration of Sulla (in sect. 12), since it was not to be supposed that he would have consented to the proscription of so zealous a member of his own party. Throughout the oration Cicero is under the necessity of holding the dictator blameless. — **cum**, *when*, introducing the general situation; **tum**, the particular circumstance. — **omni tempore**, *at all times*, as opposed to the time of the Civil War: notice the emphatic position.

3 33 **hoc tumultu**, *this last disturbance* (euphemistic): i.e. the final scenes of the Civil War of Marius and Sulla, which Cicero will not call *bellum*. — **cum**, *at a time when*.

4 1 **in discrimen veniret** (subj. of characteristic, not simply **cum** temporal), *was at stake*.

4 3 **rectum**: render *no more than right* (thus giving the emphasis of its position).

4 4 **se pugnare**, simply *to fight*: object of **putabat**, while **rectum** is an adj. in pred. apposition with **se pugnare**. — **honestate, honestissimus** refer respectively to the rank and dignity of these great families and the credit which his connection with them gave him in his own neighborhood.

4 5 **victoria**, i.e. of Sulla's party.

4 6 **proscriberentur**: the number of the proscribed in Sulla's time was 4700. "Whoever killed one of these outlaws was not only exempt from punishment, like an executioner duly fulfilling his office, but also obtained for the execution a compensation of 12,000 *denarii* (nearly $2400); any one, on the contrary, who befriended an outlaw, even his nearest relative, was liable to the severest punishment. The property of the proscribed was forfeited to the state, like the spoil of an enemy; their children and grandchildren were excluded from a political career, and yet, so far as of senatorial rank, were bound to undertake their share of senatorial burdens." (Mommsen.) At first only the names of those who had justly forfeited their lives were proscribed; afterwards it became easy for friends and favorites of the dictator (like Chrysogonus, attacked in this oration) to put upon the list the names of innocent men, and even of men already dead, so as to work confiscation of their property. Sulla's proscriptions nominally ceased June 1, B.C. 81.

4 8 **erat Romae**: this shows that he had no reason to fear the proscription. — **frequens**: § 290 (191); B. 239; G. 325, R.[6]; H. 443 (497); D. 507.

4 9 **ut . . . videretur**, clause of result.

4 12 (SECT. 7.) **inimicitiae**, *causes* or *occasions of enmity*: for the plur., see § 100, *c* (75, *c*); B. 55, 4, *c*; G. 204, N.[5]; H. 138, 2 (130, 2); D. 126, *c*. By this sentence Cicero suggests to the jury what he afterwards develops in the argument, — that a motive for the murder existed in the case of the Titi Roscii. He thus prepares the way for the elaborate countercharge (omitted in this book) made against these two later in the oration. Observe the emphasis that comes from the juxtaposition of sects. 6 and 7: Roscius had nothing to fear from the proscription. *He had* ENEMIES, however, — the very men who are now prosecuting his son.

4 13 **accusatorum**: prosecutions might be brought by private persons (as by Cicero against Verres). In this instance these two Roscii were associated with Erucius as prosecutors.

4 14 **hujusce**, *of my client* (see note on sect. 9, below).

4 16 **neque enim**, *nor, you see*. — **injuriā**: used adverbially. — **isti**, i.e. of the party of prosecution. *Iste*, the so-called "demonstrative of the second person," is regularly used of one's opponent in a suit or debate, as *hic* is used of one's client. See § 297, *a*, *c* (102, *a*, *c*); B. 87; G. 306; H. 505 (450); D. 533–536, 539, N.

4 17 **Capitoni**, following **cognomen**: § 373, *a* (231, *b*); B. 190, 1; G. 349, R.[5]; H. 430, 1 (387, N.[1]); D. 390, *a*.

4 19 **palmarum**, *prizes*: sarcastically spoken, as if his many acts of violence had been victories in gladiatorial fights. — **nobilis**, *famous* (as of artists, actors, etc.). — **hic**, the one here present (Magnus); **eum** (next line), referring to the one just mentioned, the absent one (Capito).

4 20 **lanistam** (in app. with **eum**) carries out the sarcastic figure of **palmarum** and **gladiator**.

4 21 **quod sciam**, *so far as I know*: sc. *id*; adv. acc., § 397, *a* (240, *b*); B. 283, 5; G. 331, 1; H. 416 (378, 2); D. 438: i.e. he must have been a mere apprentice (**tiro**) at the trade: "this is the first of his actual murders that I know of." For mood, see § 535, *d* (320, *d*); B. 283, 2; G. 627, R.[1]; H. 591, 3 (503, i, N.[1]);

D. 729. (Passages in brackets in the text are thought to be spurious insertions.)

4 23 (SECT. 8.) **hic,** *this man* (with a gesture), i.e. here at my side (my client); **iste,** *that man,* i.e. there on the accusers' bench (Magnus).

4 24–26 **cum . . . esset**: parenthetical (repeating, in greater detail, the clause that precedes).

Observe that Cicero remarks (as it were, casually) that in thus devoting himself to a rural life, the younger Roscius was obeying his father's wishes. This prepares the way for his subsequent assertion (sect. 23) that there was no ill-will between father and son, — an important matter in the question of motive. It also anticipates the answer given in sect. 22 to the argument that the defendant was a rude, boorish fellow, of gloomy and sullen disposition, and therefore likely to have committed murder. The effectiveness of a forensic discourse depends in great part on the skill with which the mind of the hearer is prepared, by such apparently insignificant remarks, for a definite assertion or argument that is to follow.

4 26 **iste**: T. Roscius Magnus; the repetition of the words **frequens,** etc., emphasizes the suggestion that he was likeliest to be the murderer.

4 27 **Palacinas**: the reading is uncertain, and the place unknown.

4 30 **hunc,** i.e. my client. — **judicatote**: § 449 (269, *d*); B. 281, 1, *a*; G. 268, 2; H. 560, 4 (487, 2); D. 690, *b*. The second or longer form of the imperative is regular where the action is not to be performed immediately, especially when a future appears in protasis: § 516, *d* (307, *d*); B. 302, 4; G. 595; H. 580 (508, 4); D. 795.

5 1 (SECT. 9.) **Ameriam nuntiat,** *brings the news to Ameria;* **domum,** two lines below, shows the same construction.

5 3 **T. Capitonis**: Cicero thus insinuates that Magnus and Capito had planned the murder together. The speed with which the one sent the news to the other was, of course, suspicious, as well as the further proceedings described in sects. 10 and 11, including the proscription and the sale of the property.

5 4 **inimici**: cf. the same word in lines 7 and 8. The reason for thus harping on the *inimicitiae* mentioned in sect. 7, above, must be evident. — **horam primam**: the night from sunset to sunrise was divided into twelve hours.

5 6 **nocturnis**: the travelling would be more difficult and slow in the night, though the night hours would be longer than the day hours in the late autumn or winter, when the murder is thought to have been committed. — **cisiis**: the plural form shows that there were *relays of carriages* (Fig. 1).

Sects. 10–12. The two Titi Roscii communicate with Chrysogonus, who has the name of the murdered man inserted in the proscription list and buys his confiscated estates for a nominal sum. Capito receives three farms for his share. Magnus is made the agent of Chrysogonus to take possession of the others. No blame attaches to Sulla, who was ignorant of what was going on.

5 10 (Sect. 10.) **quadriduo**, etc.: we should say *within four days from the time when.*

5 11 **in castra**: the idea of motion, vividly conceived, suggests the acc. of place as well as person; we should say TO *Chrysogonus* IN *Sulla's camp* AT *V.*; § 428, *j* (259, *h*); B. 182, 2, *b*; G. 337, R.[6] — **Volaterras.** "Here some of the Etruscans and of those proscribed by Sulla made a stand and were blockaded for two years, and then surrendered on terms." — **defertur**: this word implies an *intentional* conveying of the information, as if in the manner of a formal report.

Fig. 1

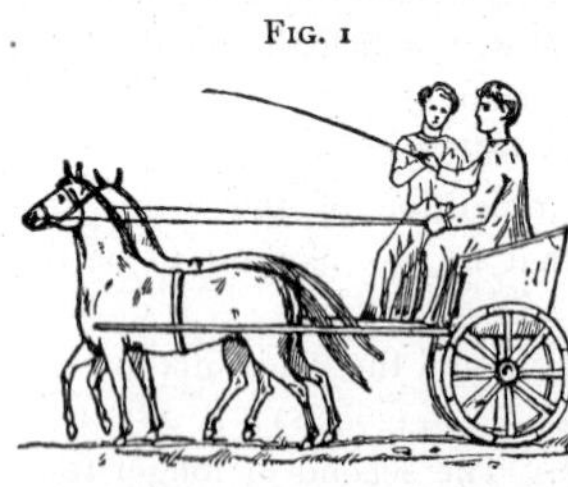

5 12 **fundos**, different *estates*, i.e. lands or buildings, whether in town or country.

5 13 **trīs = tres**: the acc. termination in **-īs** remained in this and a few other words for a considerable time after the form in **-ēs** became the more common. — **Tiberim**: the nearness of the river facilitated both irrigation and transportation, and so added much to the value of the estates.

5 15 **splendidus**, *eminent:* the regular complimentary epithet of *equites* and persons of similar rank; **gratiosus**, *in favor:* referring to his relations with great families, which Cicero takes care never to let the jury forget. — **nullo negotio**, *without any difficulty.*

5 18 **ne teneam**, *not to detain you:* a purpose clause after some verb of *saying*, etc., which is regularly omitted, as in English; § 532 (317, *c*); B. 282, 4; G. 688; H. 568, 4 (499, 2, N.); D. 714, N.

5 19 (Sect. 11.) **cum**, etc.: the proscriptions nominally ceased June 1, B.C. 81; the murder was committed some months after this date (see below, sect. 39).

5 21 **jam,** *already* (with reference to time preceding); *nunc* would refer only to the moment itself. — **defunctos,** *rid of,* sc. *esse.*

5 22 **studiosissimi,** *devoted to* the party of Sulla, and so not likely to be proscribed (see note to sect. 6, p. 3, l. 32, above).

5 23 **vel** (emphasizing the superlative), *the very,* etc.

5 24 **propria,** *as his own.*

5 25 **iste,** *yonder,* on the accusers' benches. — **nomine,** i.e. as agent.

5 26 **impetum facit,** *makes a raid upon,* implying violence, as of a charge in battle.

5 27 **duobus milibus nummum,** i.e. about $100: § 633 (378); H. 757 (647). They are estimated in ch. ii to have been worth $300,000.

5 28 (Sect. 12.) Since Chrysogonus was a favorite of Sulla's, Cicero had to be careful not to appear to attack the Dictator. Hence he interrupts the story of the plot to express his certainty that Sulla had not known what was going on and to excuse him on the ground of the pressure of public business.

5 29 **certo scio,** *I feel sure:* § 322, *c* (151, *c*). — **neque enim**: negative of **et enim,** introducing a point obvious or indisputable, *for, you see, it is not surprising* (cf. p. 4, l. 16, above); § 324, *h* (156, *d*); D. 617 and *a.* — **mirum** [est] is the apodosis and **si . . . animadvertat** (p. 6, l. 4) is the protasis. **mirum** [est] is the main clause of the whole period; the long parenthesis (lines 29–4) consists of a string of causal clauses with **cum** (which may be translated either *when* or *since*).

5 30 **praeparet,** translate *must provide for,* but do not make the mistake of thinking that the subjunctive here implies obligation.

6 1 **pacis . . . rationem,** i.e. the ordering of the new constitution.

6 4 **si aliquid** (more emphatic than **si quid**) **non animadvertat,** *if there is* SOMETHING *he does not notice:* protasis with **mirum** [est], above; § 572, *b*, N. (333, *b*, R.); G. 542, N.[1]

6 6 **ut . . . moliantur** (clause of purpose), *that as soon as he turns away his eyes they may get up something of this sort.* — **despexerit,** perf. subj.: § 593 (342); B. 324, 1; G. 663, 1; H. 652 (529, ii); D. 907; for fut. perf., § 484, *c* (286, end); B. 269, 1, *b*; G. 514; H. 541, 2 (496, ii); D. 698, *b.*

6 7 **huc accedit,** *add to this.* Notice the difference of order and consequently of emphasis between **huc accedit** (*add to* THIS) here, and **accedit illa** (*there is in* ADDITION) in sect. 4, above. — **quamvis felix sit,** *however fortunate he may be:* § 527, *a* (313, *a*); B. 309, 1; G. 606; H. 586, ii (515, iii); D. 809. Sulla was so impressed with his own good fortune that he assumed the *agnomen* Felix, which implied, according to ancient notions, the peculiar favor of the gods. (See Manil., sect. 47.) Fig. 2 shows a coin of Faustus Sulla's with this inscription.

6 9 **familia**, *household* of slaves and dependants (see under sect. 35). — **qui habeat**, *as to have:* § 535, *a* (320, *a*); B. 283, 2; G. 631, 2; H. 589, ii (500, i); D. 727.

FIG. 2

6 10 **libertum**: a freedman still remained attached to his former master (now his *patronus*), often lived in his family, did various services for him, and stood towards him in relation somewhat like that of a son under the *patria potestas*. Towards others he was a *libertinus*, fully free, but with some political disqualifications; towards his former master he was a *libertus*.

Sects. 13–17. The younger Roscius is ejected from his estates by T. Roscius Magnus. The Amerians send delegates to Sulla to protest; but the purpose of the delegation is frustrated by Capito. Roscius the younger takes refuge with Cæcilia, a friend of his father's at Rome.

6 13 (SECT. 13.) **qui . . . solvisset**, *though he had not yet*, etc.: § 535, *e* (320, *e*); B. 283, 3; G. 634; H. 593, 2 (515, iii); D. 730. — **omnia . . . justa**, *all the due rites of burial:* these ended with a sacrifice on the ninth day (*novemdialia*) after the death or burial; **paterno funeri** is indir. obj. of **solvisset** (lit. *had not yet paid all due rites to his father's funeral*).

6 16 **pecuniae**, *property*. — **qui** (causal) . . . **fuisset**, *since he had been*, etc.: § 535, *e* (320, *e*); B. 283, 3; G. 633; H. 592 (517); D. 730.

6 17 **ut fit**, *as generally happens*. — **insolens**, here *wasteful and extravagant*. — **domum suam**: § 428, *k* (258, *b*, N.[1]); G. 337, R.[3]; H. 419 (380, 2); D. 430.

6 18 **auferebat**, *began to*, etc.: § 471, *c* (277, *c*); B. 259, 2; G. 233; H. 535, 3 (469, 1); D. 653.

6 21 **urbe tota**: § 429, 2 (258, *f*, 2); B. 228, 1, *b*; G. 388; H. 455, 1 (425, ii, 2); D. 485, *a*.

6 22 (SECT. 14.) This section, though in form a mere statement of the reasons that prompted the Amerians to send a delegation to Sulla, is in fact and intent a brief and powerful recapitulation of the history of the conspiracy. Its effect is to strengthen the impression which Cicero has from the first been trying to produce: namely, that the murder was the first act in the plot of the two Titi Roscii, the latest act being the false charge brought against his client.

6 25 **iter,** *right of way,* such as was usually reserved in case of the sale of any estate on which was a family burial-place; by the proscription this right was cut off.

6 26 **bonorum emptio**: the technical term denoting *purchase at public sale.* — **furta** refers to **clam**; **rapinae** to **palam,** above.

6 30 (SECT. 15.) **decurionum**: these constituted the municipal senate or city council. The **decem primi** were a standing executive committee of the town, to whom, in this instance, an unusual piece of business was intrusted. If the delegates had been a special committee appointed expressly to report the case to Sulla, Capito, one of the conspirators, would hardly have been chosen a member.

7 1 **qui vir,** *what sort of man,* i.e. especially in his political principles. The delegates were apparently to certify to the fact that Roscius had been of Sulla's party.

7 3 **ut . . . velit,** *that he will consent.*

7 4 **decretum**: the decree was here read to the court, but it has not been preserved. Its reading must have produced considerable effect. It was not only important testimony to the innocence of the younger Roscius, but it was introduced by Cicero at such a point in the case as to repeat and confirm the summary of the plot just given.

7 6 **id quod,** *as* (see note on p. 2, l. 16, above).

7 9 **nobilīs,** acc. plur. — **ab eis qui peterent,** *to beg of them:* § 531, 2 (317, 2); B. 282, 2; G. 630; H. 590 (497, i); D. 715, 716; **eis** refers to the **decem primi.** — **ne . . . adirent,** obj. of **peterent.**

7 10 **vellent**: § 580 (336, 2); B. 314, 1; G. 508, 2; H. 643 (524); D. 888.

7 11 **pollicerentur,** same constr. as **peterent.**

7 13 (SECT. 16.) **antiqui,** *of the old stamp,* i.e. plain, honest men. — **ex sua natura,** *after their own nature.* — **ceteros,** subj. of **esse** understood, depending on **fingerent,** *imagined.* — **confirmaret,** *assured them.*

7 17 **re inorata,** *without having stated their case:* the primary meaning of **oro** implies not *entreaty,* but *statement* or *argument* (cf. **orātor**). — **reverterunt**: the active form of this verb is found only in the tenses of the perfect stem; otherwise it is deponent.

7 18 **isti,** i.e. Chrysogonus and Capito.

7 19 **lentius,** *less energetically.* (On account of the natural correlation of opposites, it is often convenient to translate adjectives and adverbs by the negative of their contraries.) — **nihil agere, i.e. refrain from**

action. — **deludere**, [and thus] *to make fools of* the Amerians (by having rendered their whole embassy ineffectual).

7 20 **id quod**, etc., *as we may easily infer:* this point is an inference, not, like the rest, an attested fact.

7 21 **neque**, *and . . . not*, the negative qualifying **posse**: *and judge that they can no longer*, etc. In English the negative is placed near the verb; in Latin it is attracted by the connective, and so often stands at the beginning of the clause.

7 22 **domino incolumi** (abl. abs.), *so long as the owner was alive.*

7 23 (Sect. 17.) **hic**, *my client.* — **de**, *in accordance with.* — **cognatorum**, *blood-relations:* these were accustomed to hold a *consilium*, or formal deliberation, on important family affairs, — like the modern "family council" of the French.

7 24 **Caeciliam**: see sect. 50.

7 25 **honoris causā**: cf. note on sect. 5, p. 3, l. 28, above. — **quā . . . plurimum**, *whose especial friendship his father had enjoyed.*

7 27 **id quod**, etc., i.e. she showed on this occasion (**nunc**) the generous traits which everybody supposed she possessed. — **quasi . . . causa**, *as if to serve as a model.*

7 28 **antiqui offici**, *old-fashioned fidelity:* **officium** means the performance of duties as well as the duties themselves.

7 29 **domo**, without the prep., while **bonis** requires **ex**: § 427, 1 (258, *a*); B. 229, 1, *b*; G. 390, 2; H. 462, 4 (412, ii, 1); D. 442.

8 2 **vivus . . . referretur**, *brought alive to trial, rather than murdered and put on the proscription list:* § 569, 2 (332, *a*); B. 297, 2; G. 553, 1; H. 571, 1 (501, i); D. 738. This implies that their first plan was to treat him as they had treated his father, but that, frustrated in this, they have trumped up a charge of parricide against him.

Sects. 18, 19. The conspirators bring a charge of parricide against the younger Roscius, thinking that, for political reasons, nobody will dare defend him. The condition of Roscius is indeed miserable, but an advocate, however inefficient, has been found in the person of the speaker.

8 7 (Sect. 18.) **ut . . . deferrent, compararent, pugnarent**: subst. clauses of purpose in app. with **consilium**, l. 6; § 561, *a*, 563 (331, headnote); cf. B. 295; G. 546, N.[2]; H. 564 (499, 3); D. 304, *a*, 709, iii, 720. — **nomen deferrent**, i.e. lay a formal charge before the president of the proper court. — **de parricidio**: § 353, 2 (220, *b*, 2); G. 378, R.[2]; H. 456, 3 (410, ii, 3); D. 336, *a*.

8 8 **veterem,** *old* in the trade: the reign of terror through which Rome had just passed had given ample practice. — **de ea re,** etc., *in a case in which,* etc.

8 9 **posset,** clause of purpose, rather than result (but the two constructions approach each other so closely that it is not always possible to distinguish between them). — **subesset,** subj. of char. — **suspicio,** i.e. should be able, from his skill as a prosecutor, to make a show of a case even when there was *no ground for suspicion* against the accused.

8 10 **crimine** (abl. of means), *on the charge* itself, i.e. by any strength in the incriminating evidence. — **poterant**: indicative as being their reason given by Cicero on his own authority; § 540 (321); B. 286, 1; G. 540; H. 588, 1 (516, i); D. 768. — **tempore** (opposed to **crimine),** *the circumstances of the times* (i.e. partly the generally disturbed condition of the state, partly the fact that the courts were now first reopened, after their reorganization by Sulla).

8 11 **loqui**: historical infin.; § 463 (275); B. 335; G. 647; H. 610 (536, 1); D. 844. — **tam diu,** i.e. during the Civil War.

8 12 **eum,** *the man* (i.e. any one). — **oportere,** *was sure to.* — **qui primus**: this was the first case that came before the *Quaestio inter Sicarios.*

8 13 **adductus esset**: for fut. perf. of direct disc. — **huic**: the emphatic position may be rendered by *in* HIS *case.*

8 14 **gratiam,** *favor* or *influence,* i.e. with Sulla.

8 16 **fore ut,** etc.: the usual periphrasis for the fut. infin. pass.; the supine with *iri* is rare. — **nullo negotio**: cf. sect. 10, p. 5, l. 15. — **tolletur**: cf. **de medio tolli,** sect. 10.

8 17 **nullo**: for the abl. of *nemo,* which is never used. — **atque adeo,** *or rather.*

8 18 **quem**: the antecedent is **eum** below.

8 19 **jugulandum,** i.e. for judicial murder: § 500, 4 (294, *d*); B. 337, 7, *b*, 2; G. 430; H. 622 (544, N.[2]); D. 869.

8 20 (SECT. 19.) **querar,** deliberative subj.: § 444 (268); B. 277; G. 265; H. 559, 4 (484, v); D. 678. — **unde,** *where,* lit. *whence:* the Latin conceives the speaker as proceeding *from* some point, whereas the English represents him as beginning *at* some point. — **potissimum** (superl. of **potius,** as if *rathest*), *best* (rather than anywhere else); cf. sect. 1, l. 3.

8 23 **summam potestatem,** *unlimited power* (i.e. with respect to rendering a verdict). — **fidem,** i.e. the *protection* required by good faith.

8 24 **pater,** etc.: these nominatives are in no grammatical construction, but are used to enumerate in a vivid way the crimes of the conspirators afterwards referred to by **his** (l. 26); cf. § 497 (292, *a*); B. 337, 5; G. 664, R.[2]; H. 636, 4 (549, N.[2]); D. 866.

8 25 **infesta,** *imperilled.*

8 27 **nefariis,** abl. of instr. after **cumulant**: the idea in Latin is that of making a heap of what already exists, by means of other things piled on it (hence acc. and abl.); but translate, *upon these they heap up other infamies.*

8 29 **hujusce** (emphatic instead of **ejus**): translate by *his own.* — **condicionem,** *terms* (or *dilemma*): as containing the idea of a bargain, it is followed by **ut**; § 563, *d* (331, *d*); cf. B. 295, 4; G. 546, N.[2]; H. 564, iii (498, 1); D. 720, i, *d*.

8 30 **cervices**: this word is used by early writers in the plural only.

9 1 **insutus in culeum**: the old punishment for a parricide was to be "beaten with blood-red rods, then sewed into a sack, with a dog, a cock, a viper, and an ape, and thrown into the deep sea" (see below, sect. 29).

9 2 **patronos**: Cicero's modesty will not allow him to call himself a *patronus* (cf. note on p. 3, l. 17). — **qui . . . dicat**, purpose-clause: the antecedent is the subject of **deest**, below.

III. Partitio (§ 20)

9 6 (Sect. 20.) This contains the formal statement of the technical *partitio* or division of the matter of the defence (*defensio*) into its parts or heads. These are distinguished as the charge (*crimen*) brought by Erucius, the effrontery (*audacia*) of the two Titi Roscii, and the illegal influence (*potentia*) of Chrysogonus. The *charge* Cicero says it is his business to refute. If he can do this he trusts to the jury to see that the effrontery of the Roscii and the influence exercised by Chrysogonus shall not injure his client. Sects. 20–35 are given to disproving the *crimen*, chs. xxx–xli (omitted in this edition) to opposing the *audacia* of the Roscii by bringing a counter-accusation (especially against Capito, who is directly charged with the murder), and sects. 36–46 to disposing of Chrysogonus.

9 6 **quantum,** *so far as* (adverbial acc.).

9 12 **quid igitur est**? *how then?*

9 17 **primo quoque tempore,** *the very first opportunity* (i.e. that which the present case affords) since the violence and disorder of the Civil War. — **exstinguere debetis**: the courts had just been restored by Sulla after a long interval of lawlessness, and the case of Roscius was the first to come before the reorganized *Quaestio inter Sicarios.* There was a general feeling that the courts ought to do something at once, — a feeling that might well be prejudicial to the defendant even though he was innocent. To remove this prejudice Cicero (1) suggests that the conspirators relied on it in bringing their iniquitous charge (sect. 18: **ita loqui homines . . . esset**), and (2) shows that an acquittal, by rebuking the effrontery and violence of men like Chrysogonus and his confederates, would do much to restore law and order.

IV. Defensio (§§ 21–46)

Sects. 21–23. The guilt of the defendant is antecedently improbable. His character does not suit the crime. No motive has been shown. The alleged ill-will between the father and the son has not been proved and is unlikely.

9 20 (Sect. 21.) **ejus modi, quo uno maleficio,** *of such a kind, that in this one crime* (rel. clause of result).

9 22 **voltu,** *by a look.*

9 24 **si . . . postularet, . . . cogebant,** *would compel it if the case required:* see § 517, *b* (308, *b*); cf. B. 304, 3; G. 597, R.[3]; H. 581, 1 (511[1]); D. 797, *a*; **jura cogebant** is equivalent to a verb of necessity, and hence the imperf. indic. in the apodosis appears with the imperf. subj. in the protasis.

9 27 **auditum sit,** a general condition; subj. because integral part of the result clause.

9 28 **tu** (emphatic), *you,* a professional prosecutor.

9 29 **censes**: the word used to express deliberate judgment, after discussion or the like.

9 30 **mores,** *character,* as resulting from habits of life; **naturam** (next line), *natural disposition.*

10 2 **tu**: emphatic, as opposed to the general run of accusers. Cicero is here using the famous "argument from probability," a favorite with ancient orators and rhetoricians from the fifth century B.C. "For example, if a physically weak man be accused of an assault, he is to ask the jury, 'Is it *probable* that a weakling like me should have attacked anybody?' while if the accused is a strong man he is to claim that it is *improbable* that he should have committed an assault in a case where his strength was sure to be used as a presumption against him."

10 4 (Sect. 22.) Here the "argument from probability" is very skilfully carried out. In sect. 22 Cicero draws such a contrast between the nature of the crime and the character of the defendant as to appeal powerfully to the imagination of the jury as well as to their reason. Describing briefly and vividly the three types of men who might be recognized as likely to commit such a murder (the weak-minded stripling led astray by evil companions, the hardened cut-throat, the ruined debauchee), he points to the life and character of Roscius as having nothing in common with any of these. This leads up at once to the question of motive: if Roscius's character was so little suited to the crime, the motive must have been extraordinarily powerful; but no motive at all has been shown (sect. 23).

10 4 **patrem**, etc.: to preserve the emphasis we may render *a* PARRICIDE *has been committed by Sex. Roscius.* — **qui homo**? *what sort of man* (is it who has committed such a crime)?

10 5 **adulescentulus**: the diminutive suggests a weak stripling led astray (**inductus**); the defendant was, in fact, a man of forty. — **nequam**, with **hominibus**.

10 6 **major**: anomalous for the more usual **plus** or **amplius**; § 407, *c* (247, *c*); B. 217, 3; G. 311, R.[4]; H. 471, 4 (417, I, N.[2]); D. 450. — **vetus** (emphatic), *old* (in the sense of the English derivative *inveterate*). — **videlicet**, *no doubt*, *of course*.

10 10 **de luxuria**: for constr. see note on **de parricidio** (p. 8, l. 7).

10 12 **cuiquam**: words in italics are not in the manuscripts, but are supplied by modern scholars (from conjecture) as being necessary to the construction or the sense.

10 14 **objecit**: the accuser had made it a point in his argument that the defendant was of a morose temper, shunning all society and burying himself in the country. Cicero deftly turns these assertions to the advantage of his client.

10 15 **officio**, *sense of duty*, and consequent discharge of it; especially used with reference to filial duty (*pietas*).

10 17 (SECT. 23.) In ancient trials, as at present, it was particularly important to show a *motive* in order to secure a conviction for murder. Erucius had alleged two motives, — ill-feeling between father and son, and intended disinheritance. In this section (and in the two chapters that follow, omitted in this edition) Cicero disposes of the former; in ch. xix (also omitted) he argues that there is no evidence that the elder Roscius meant to disinherit his son. In chs. xx and xxi (omitted) he goes on to say that the prosecutor has shown no case and to inveigh against him for bringing a baseless charge.

10 19 **justam**, *sufficient* or *well-grounded*.

10 20 **illud,** *this* (referring forward to the inf. clause following), i.e. the point previously treated; **hoc,** the new point now introduced.

10 22 **odio . . . parenti**: § 382, 1 (233, *a*); B. 191, 2; G. 356; H. 433 (390, i); D. 395.

10 23 **eodem,** *to the same point* (as that treated in the preceding section).

10 25 **displiceret,** *was disliked by.*

10 26 **qui odisset,** *in that he hated* (according to their argument): see § 592, 3 (341, *d*); B. 323; G. 628; H. 649, i (528, 1); D. 905.

10 27 **constantissimus** (opposed to **amens**), *most steady-minded* ("level-headed").

10 28 **illud** refers forward (as usual) to **causam fuisse.** — **jam,** *by this time.*

Sects. 24–30. Recapitulation. Erucius had to show not only a strong motive, but, in the case of so unnatural a crime, to bring the clearest testimony as to the facts — *where, how, by whose means, when* the murder was committed. A recent case of acquittal (sect. 26), even against strong circumstantial evidence, since absolute proof is needed to establish such a charge. Enormity of the crime, as shown by the severity of the legal punishment (sects. 28–29). Yet Erucius has no evidence to offer — he has not even established a plausible motive.

11 3 (Sect. 24.) **quod,** referring to **id** in l. 5: cf. in English, "*whom* therefore ye ignorantly worship, *him* declare I unto you."

11 4 **jam prope cotidiana,** *which have now come to be an almost everyday affair.*

11 5 **quae,** etc.: the question which is referred to in **quod . . . quaeritur.**

11 7 **convenisse . . . videntur,** *seem to have converged upon one spot and to agree together:* the phrase **inter se** may express any sort of reciprocal relation; § 301, *f* (196, *f*); B. 245, 1; G. 221; H. 502, 1 (448, n.); D. 524.

11 10 **ingenio,** *talent* (i.e. power in putting the case). — **cum,** *not only.*

11 12 **ostendatur**: § 569, 2, n.[2] (331, *f*, r.); B. 295, 6 and 8; G. 535, r.[2]; H. 564, ii, 1 (502, 1); D. 722.

11 14 (Sect. 25.) **sint,** *exist.* — **exstent**: cf. note on **ostendatur,** above. — **expressa vestigia,** *distinct footprints.*

11 15 **ratione,** *manner,* i.e. the whole plan of the act.

11 19 **suspicionibus**: governed by **reclamitat**, which, on account of its meaning, takes an indir. obj.

11 21 **esse**, *that there should be*, etc.

11 23 **feras**: notice the emphatic position. The emphasis may be expressed in English either by changing the verb to the passive (in order to keep **feras** at the beginning of the clause) or by turning thus: *even in the case of wild beasts*, etc.

11 25 (SECT. 26.) As an example of what cogent proof is required to overcome the presumption against the possibility of so unnatural a crime as parricide, Cicero cites a recent case in which strong circumstantial evidence was held insufficient. — **ita**, *so very*.

11 26 **non obscurum**, *respectable*.

11 29 **servus**: here used as adj.; § 321, *c* (188, *d*); G. 288, R.; H. 495, 3 (441, 3); D. 506, *b*.

12 1 **pertineret**, subj. of characteristic. — **id aetatis**, i.e. too old for the sound sleep of childhood; § 397, *a* (240, *b*), 346, *a*, 3 (216, *a*, 3); B. 185, 2, 201, 2; G. 336, N.[2], 369; H. 416, 2 (378, 2), 441 (397, 3); D. 438, 342. — **autem**, *on the other hand*. — **propter**, *near by*.

12 4 **neutrumne sensisse**, *the idea that*, etc.: infin. of exclam., § 462 (274); B. 334; G. 534; H. 616, 3 (539, iii); D. 843. Cf. Æneid, i. 37.

12 5 **potissimum**, *of all others*: cf. sect. 1, l. 3.

12 7 (SECT. 27.) **porro . . . conveniret**, *could naturally fall* (really in the same constr. as **pertineret**, l. 1, above).

12 9 **judicio** (abl. of means), *on the trial* (more lit. *by the court*).

12 13 **potuisset**, subj. of characteristic (in direct disc. **potuerit**).

12 14 **non modo . . . possunt**, *not only cannot*, etc.: § 327, 1 (219, *a*); B. 343, 2, *a*; G. 482, R.[1]; H. 656, 3 (552, 2); D. 595, N.; the verb is sufficiently negatived by **ne**.

12 16 (SECT. 28.) **quo . . . eo**, *the less . . . the more*.

12 18 **multis** = *many other* (implied in the generalizing **cum**, *not only*, followed by **tum**, *but also*).

12 19 **armis**, abl. of specification.

12 20 **tum**, *but also* (correlative with **cum** in l. 17). — **vel**: in the emphasizing use, to strengthen **maxime**; § 291, *c* (93, *b*); B. 240, 3; G. 303; H. (444, 3); D. 509.

12 21 **singulare**, *special* (lit. *unique*).

12 22 **sapientiam**, acc. of exclamation.

12 23 **rerum natura**, *the universe*, represented by air (**caelum**), fire (**solem**), water, and earth, the elements "from which all things are said to be produced" (**omnia nata esse**, l. 26).

12 25 **ademerint**, subord. clause in ind. disc.

12 27 **dicuntur**: for mood, see § 593, *a* (342, *a*); cf. B. 314, 4; G. 629, R., *b*; H. 652, 1 (529, ii, N.[1]); D. 908.

12 27 (SECT. 29.) **obicere**, *cast forth to.* — **ne bestiis . . . uteremur**, *lest we should find the very beasts more savage* (**immanioribus**, in predicate apposition).

12 28 **attigissent**, subj. of integral part.

12 29 **sic nudos**, *naked as they were.*

12 30 **ipsum**, *even that.* — **violata**, *defiled.*

12 31 **expiari**: sea water, as well as running water, was regarded as having a ceremonially purifying quality, — an opinion prevailing in various religions, and found in the forms of ablution, baptism, and the like. — **putantur**: for mood cf. **dicuntur**, l. 27, above. — **tam . . . volgare**, *so cheap or so common.*

12 32 **cujus . . . reliquerint**, clause of result. — **etenim**, i.e. it needs no argument to show, etc.

13 2 **ejectis**, *to castaways.* — **ita**, *in such a way.*

13 8 (SECT. 30.) **talibus viris**, "to this intelligent jury." — **ne causam quidem**, *not even a motive* (to say nothing of evidence of guilt).

13 9 **emptores**, *the purchasers* (of the confiscated property), i.e. men having the strongest interest in his conviction, with Chrysogonus himself as their presiding officer.

13 11 **venisses**, *you should have come:* § 439, *b* (266, *e*); G. 272, 3; H. 558, 1 (483, 2, N.). — **utrum . . . an**, i.e. which is it — the nature of the question or the character of the court [another compliment to the jury] — that you do not see?

13 14 **ne . . . quidem**: § 327, 1 (209, *a*, 1); B. 347, 2; G. 445; H. 656, 2 (553, 2); D. 595, *a*.

Sects. 31–35. Roscius had not only no motive to commit the crime, but no means of committing it. Erucius is challenged to tell how Roscius could himself have killed his father or could have procured his death through others.

13 16 (SECT. 31.) **esto**, *well then* (to quit that point). — **causam proferre**, to *allege a motive.*

13 17 **vicisse debeo**, *I ought to have now gained the case*, i.e. by my past argument; *ought to have conquered* (in the past) would be **vincere debui**: § 486, *a* (288, *a*); B. 270, 2; G. 280, *b*, N.[3]; H. 618, 2 (537, 1); D. 829.

13 18 **in alia causa,** *in another case:* an implied condition of which **concederem** is the apodosis; § 521, *a* (310, *a*); B. 305, 1; G. 600, 1; H. 583 (507, N.[7]); D. 802.

13 19 **qua re,** *why;* **quo modo,** *how.* Cicero contends that he is not obliged to discuss the manner of the murder, since Erucius has not raised that point, and has not even been able to assign a motive. His own position in the argument is so strong, however, that, he says, he can afford to concede a point by waiving the question of *motive* and allowing Erucius to argue the case on the basis of the *means* by which Roscius could have committed the crime. This is of course a rhetorical device to introduce one of Cicero's strongest arguments. It cannot be proved that it was even possible for Roscius to kill his father under the circumstances. By calling for the details of the murder Cicero shows that none can be produced. The whole passage serves also as an effective preparation for the countercharge (omitted in this edition), in which it is shown that Sex. Roscius Magnus had not only a motive, but every opportunity.

13 21 **sic,** i.e. I will deal with you on these terms. — **meo loco,** *in my place,* i.e. in the time allotted to the defence; this was determined for each party by the prætor.

13 22 **respondendi,** i.e. at the end of a question; **interpellandi,** i.e. in the middle of any question, to answer a part of it; **interrogandi,** i.e. by asking questions in his turn.

13 24 (SECT. 32.) **ipse percussit,** *did he strike the fatal blow himself?*

13 25 **ipsum,** sc. *percussisse.* — **per alios**: for abl. of means, when persons are intended, see § 405, *b* (246, *b*); G. 401; H. 468, 3 (415, I, N.[1]); D. 455.

13 27 **indidemne Ameriā,** *from Ameria there?* (lit. *the same place*). — **hosce sicarios,** *these cut-throats here of ours.*

13 30 **convenit,** i.e. to bargain for the murder.

13 32 **unde,** i.e. on whom did he draw for the money? All such banking business being in a manner public, the sum could be traced, as by cheques and the like in modern times.

14 1 **caput,** *fountain-head.*

14 2 **tibi,** dat. instead of poss. gen.: § 377 (235, *a*); B. 181, 1, N.; G. 350, 1; H. 425, 4, N. (384, 4, N.[2]); D. 385. — **veniat,** with **facito (fac)** for simple imperat.: § 449, *c* (269, *g*); cf. G. 553, 1; cf. H. 561, 2 (489, 2). The fut. form of the imperat. is used, because the accuser is bidden to *reflect on* the point raised, so that there is a distinct reference to future time: § 449 (269, *d*); B. 281, 1, *a*; G. 268, 2; H. 560, 4 (487, 2); D. 690, *b*.

14 3 **agrestem,** *boorish* (see next clause).

14 5 **in oppido constitisse,** *stayed in any town;* **oppidum** is distinguished both from **urbs,** *the great city,* and **vicus,** *a country village;* it would be a place of some society and cultivation.

14 6 (SECT. 33.) **qua in re,** *on this point.* — **praetereo,** etc.: an excellent example of the rhetorical device called *praeteritio* ("omission"). The speaker dwells upon the point while pretending to pass it over in silence.

14 7 **poterat,** *might,* i.e. if I chose to use it: § 522, *a* (311, *c*); B. 304, 3; G. 597, R.[3]; H. 583 (511, 1, N.[3]); D. 802.

14 8 **victu arido,** *dry* or *meagre way of living.* — **inculta,** *uncouth.*

14 10 **possis,** potential subj., § 446 (311, *a*); B. 280; G. 257, 1; H. 552 (485); D. 684, 685.

14 11 **in urbe** (emphatic), i.e. not in the country, where Roscius was.

14 12 **exsistat, erumpat,** dependent on **necesse est.** — **erumpat,** *burst forth:* a strong word is used on account of **audacia,** *reckless daring.*

14 13 **autem,** *on the other hand.*

14 14 **agrestem**: see note on l. 3. — **parsimoniae,** *thrift* (in a good sense).

14 16 (SECT. 34.) **missa facio,** *I let that pass* (**missa** agreeing with **haec,** obj. of **facio**); such phrases are often used colloquially or with emphasis, for the simple verb: § 497, *c* (292, *d*); G. 537. — **illud quaero,** THIS *is what I want to know.*

14 17 **per quos**: these words are the interrogative expression with which the clause grammatically begins; **is homo** is put first for emphasis.

14 20 **suspiciose,** i.e. so as to look suspicious. — **in his rebus,** *but in* THESE *circumstances,* i.e. those in our case (emphatic position). — **suspicio . . . culpam**: i.e. in so clear a case I will not ask Erucius for proof of guilt; if he can show any suspicious circumstance, it shall suffice.

14 22 **credo,** *I suppose:* ironical, as usual when parenthetical.

14 27 **causa dicitur,** *the defendant is on trial* (a technical term: lit. *the case is argued,* i.e. by the defendant).

14 28 (SECT. 35.) **admiserit**: § 569 (332, *a*); B. 297, 2; G. 553, 4; H. 571, 1 (501, i, 1); D. 739.

14 29 **quod,** *that.*

14 30 **quod**: the antecedent is **id** (p. 15, l. 1); the clause **ut . . . polliceatur** is in apposition with **quod.**

15 1 **quaestionem,** *question* in the technical sense, i.e. examination by torture, the regular legal way of examining slaves. An accused person could, of his own accord, offer his slaves for that purpose (**polliceri**):

in this case Roscius had lost his slaves, and so was deprived of that privilege.

15 2 **unus puer,** *as much as a single slave.*

15 3 **minister,** i.e. to wait upon him. — **familia:** this word, in its primary meaning, properly embraced the entire body of free persons, clients, and slaves, under the patriarchal rule of the *paterfamilias.* In time, the meaning was divided, applying either (1) to the family proper — the *paterfamilias,* with his wife, children, etc.; or (2) to a body (or gang) of slaves. The latter is the meaning here.

15 4 **Scipio, Metelle:** these were, probably, P. Scipio Nasica, father of Metellus Scipio (a leader on Pompey's side in the Civil War), and his cousin, Q. Metellus Nepos, brother of Cæcilia (sect. 50), and father of the Celer and Nepos referred to in the orations against Catiline.

15 5 **advocatis,** *called in* (as friends of the accused); **agentibus,** *taking active part.* The demand seems to have been formal, and these friends were present to attest it.

15 7 **meministisne: -ne = nonne;** § 332, *c* (210, *d*); B. 162, 2, *c*; G. 454, N.[5]; D. 623, N. — **T. Roscium,** i.e. Magnus.

15 8 **sectantur,** *are in the train of.*

15 10 **quid facitis:** up to this point Cicero appears to be merely accounting for the fact (which might have made against his case) that the younger Roscius had not offered his slaves for examination. With this abrupt question he shows the true bearing of the refusal of Magnus, retorting suddenly the countercharge, which he carries out in a chapter here omitted. The effect on a jury of such an appeal as **Dubitate,** etc., must have been very great.

Sects. 36–42. The sale of the property of the elder Roscius was illegal and his proscription in every way irregular. For this act Chrysogonus is to be blamed, not Sulla, for Sulla was necessarily so much occupied with affairs of state that details of this kind escaped his attention.

15 17 (Sect. 36.) **aureum:** the Greek name Chrysogonus means *gold-born.*

15 18 **latuit:** because his was the only name that appeared.

15 22 **alii quoque,** i.e. other purchasers of confiscated estates.

15 23 **ut mihi,** etc., i.e. I have no occasion to say anything of the purchasers of confiscated estates in general, for this case, by its atrocity, is taken out of the common category (**haec enim causa,** etc., l. 24, below).

15 24 **sectorum**: these were the purchasers of confiscated property in the lump, who afterwards *divided* it (**seco**) to sell again in detail.

15 28 (SECT. 37.) **venierunt**, from **vēneo**, not **vĕnio.**

15 30 **si enim haec**, *for if such remarks*, etc., i.e. if I may be allowed to speak freely.

15 31 **tantus homo**, *such a great person:* a hint that more important men than he had suffered. In fact, all the really eminent victims of the Civil War had perished before the proscription.

16 2 **qui** (adv.), *how?*

16 3 **Valeria**: the law by which Sulla was made perpetual dictator and invested with absolute power of life and death (B.C. 82); it was proposed by L. Valerius Flaccus as *interrex*. Laws were designated by the *gentile* name of their proposer; all laws, for example, carried by L. Cornelius Sulla were known as *Leges Corneliae*. — **Cornelia**: this appears to have been enacted some time after the *Lex Valeria*, in order to regulate the details of the proscription. Cicero's ignorance of the law is no doubt affected. — **novi**, I know the thing or person; **scio**, I know the fact: *I am not acquainted with the law, and do not know which it is.*

16 6 **proscripti sunt**: the indic. must mean those already proscribed when the law was passed. Future cases of proscription would have been referred to by the subj. or fut. perf. (see Verr. ii, chs. xli, xlii).

16 7 **in . . . praesidiis**, *among the armed forces*, etc.

16 8 **dum**, *so long as:* § 556, *a* (276, *e*, N.); G. 569; H. 603, i (519, i); D. 648, *a*, N.

16 12 **veteres**, those of the regular code; **novas**, those of the Sullan revolution. — **occisum esse**, indir. disc. with **constat**; the subject accusative is omitted.

16 14 (SECT. 38.) **in eum**, i.e. Sulla. Here it is necessary for the orator to proceed with great caution: even if not himself present, Sulla would watch sharply the first case before his own criminal court.

16 15 **ab initio**, *from the beginning* of this trial (see sect. 12); **omni tempore**, throughout his whole career.

16 17 **ut ementiretur, . . . passus non sit**, clauses in appos. with **haec omnia**: for the change of tense, see § 475, *a* (279, *d*).

16 18 **apud adversarios**, *in the enemy's ranks* (= **in praesidiis**, above).

16 21 **postea**: the passage referred to appears to have been lost out of the oration, probably in the gap in ch. xlv. The scholiast represents Chrysogonus as saying that he had used the property in building a villa at Veii.

16 24 (SECT. 39.) **Kalendas Junias**, acc. in the same constr. as **diem**.

16 26 **tabulas**: confiscated property belonged to the state, and public records of its seizure and sale were, of course, kept. — **nulla**, *not at all:* § 290 (191); B. 239; G. 325, R.[6]; H. 513, 3 (457, 3); D. 507.

16 27 **redierunt** = *relata sunt.* — **facetius**, *more cleverly:* in the case supposed, the pretended proscription would never have occurred and the property would have been taken without even the forms of law.

16 30 **ante tempus**, *too early*, i.e. before it is time to raise so trivial a question as that of a title to property (Roscius is now on trial for his life).

16 32 **reduviam curem** (proverbial), *treat a sore finger*, i.e. in a case of life and death I deal only with some trifling ailment. For mood see § 535, *e* (320, *e*); B. 283, 3; G. 586; H. 592 (517); D. 730.

17 1 **non . . . rationem . . . ducit**, *he does not take account* (a mercantile phrase).

17 5 (SECT. 40.) **partim . . . pro me**, *partly in my own name.* To avoid entangling the case of his client with politics, Cicero makes himself responsible for everything that may have a political bearing; he was a well-known partisan of the nobility and could afford to speak freely.

17 7 **quae-que**: not from **quisque**. — **ad omnīs pertinere**, *concerns all.*

17 8 **sensu ac dolore**, *feeling and pain*, i.e. painful feeling (so-called hendiadys).

17 11 **jam**, with the fut., *presently.*

17 12 (SECT. 41.) **ego**, opposed to **Roscio**.

17 17 **diem**: fem.; § 97, *a* (73); B. 53; G. 64; H. 135 (123); D. 124. — **praefinita**, *fixed in advance*, as the limit (**finio**).

17 19 **patronum**, i.e. Sulla. See note on **libertum**, p. 6, l. 10.

17 20 **conferre**, *throw the responsibility for.* — **egerit**, *will effect*, fut. perf. for fut.: § 516, *c*, N. (307, *c*, R.); G. 244; H. 540 (473); D. 790, N.

17 22 **imprudente**: cf. p. 5, l. 28.

17 23 (SECT. 42.) **placet**, *do I like?* i.e. *do I think it right?* — **imprudentiā**, *want of foresight.*

17 24 **etenim si**, etc. (the apod. is **quid miramur**, p. 17, l. 32). The comparison that follows is perhaps somewhat strained; but it accords with the habits of thought of the ancients, to whom the powers of a supreme ruler appeared in a manner divine. (Cf. the language used of Cæsar in the Oration for Marcellus.) The tone in which kings were addressed in modern literature until very recent times may be compared (see, e.g., Bacon's dedication of his *Advancement of Learning* to James I).

17 29 **pernicii,** for **perniciei**: § 98, N. (74, *a*); B. 52, 2; G. 63, N.[1]; H. 134, 2 and 3 (121, 1); D. 125, *b*. — **vi ipsa . . . rerum,** *by the very violence of the elements,* — the agents or powers which he has to control.

18 1 **cum** is causal, but may be translated *when*.

18 4 **nisi,** here as often (more commonly with **forte** or **vero**) introducing a *reductio ad absurdum*: § 525, *b* and N. (315, *b* and N.); G. 591, R.[4]; D. 776. — **quod,** pron.: the anteced. is **id.**

18 5 **possit, adepta . . . sit,** informal indir. disc., as expressing the thought of the person surprised: § 592 (341); B. 323; G. 662; H. 649, i (528); D. 905. — **si . . . sit,** clause with **mirum**: § 572, *b*, N. (333, R.); G. 542, N.[1]

Sects. 43–46. In thus attacking Chrysogonus, Cicero is not assailing the cause of the nobility. On the contrary, that cause is honored by resistance to him. His insolence and power are unbearable. It was not to advance such slaves as he that Sulla fought and conquered.

19 1 (SECT. 43.) **vereor**: for emphat. position cf. **credo,** p. 2, l. 1. — **imperitior**: § 291, *a* (93, *a*); B. 240, 1; G. 297, 2; H. 498 (444, 1); D. 154, N.

19 2 **tametsi,** *and yet*. — **meo jure,** *with perfect right* (as belonging to that party); **jure** alone would mean *justly*; **meo** limits it to the speaker's own case. The passage that follows is interesting, as showing the way in which Cicero regarded the general principles at stake in the Civil War, and the excesses of the victorious party.

19 3 **si quid in hac parte,** *whatever on this side, anything on this side which,* lit. *if on this side anything.*

19 6 **pro mea,** etc., *to the extent of my poor and feeble ability.*

19 7 **ut componeretur,** *that reconciliation should be made*: a clause of result in appos. with **id**: § 567, 568 (332 and headnote); B. 297 and 3; G. 557; H. 571, 4 (501, iii); D. 741.

19 8 **qui vicerunt,** *who did* (in fact) *conquer*: the subj. here would mean, whatever party *might* conquer: § 593, *a*, N.[1] (342, N.); G. 629, R.; H. 652, 1 (529, ii, N.[1]).

19 9 **humilitatem,** not merely *low rank*, but meanness and vulgarity; **dignitate,** *personal worth*, from birth and services; **amplitudine** (next line), *rank* or *position* — prominence in the state. With all his arrogance, bloodthirstiness, and narrow conservatism, Sulla was, in fact, the representative of orderly government against anarchy and mob-law.

19 10 **perditi civis erat** (pred. gen.), *it was the part of a bad citizen*: § 343, *c* (214, *d*); B. 198, 2; G. 366; H. 439 (401, 402); D. 330.

19 11 **quibus incolumibus** (abl. abs.), *by whose safety.*

19 12 **retineretur,** *would be preserved:* fut. cond., the protasis being **quibus incolumibus**: § 516, *f* (307, *f*); G. 596, 2; H. 575, 9 (507, N.[7]); D. 796. — **quae**, i.e. the reinstating of the nobility.

19 15 **felicitate**: see note on p. 6, l. 7.

19 17 (SECT. 44.) **quod animadversum est** (impers.) **in eos,** *that those have been punished* (a euphemistic expression for the proscription). Observe the chiastic order of ideas; (*a*) the punishment; (*b*) the persons on whom it was inflicted; (b_1) the persons rewarded; (a_1) the reward.

19 20 **quae,** referring to both the punishment and the reward just spoken of.

19 21 **in eo studio partium,** *in favor of that party:* **studium** is the regular word for siding with a particular party.

19 22 **id actum est,** *this was the object.* — **idcirco**, antecedent to the purpose clause. — **ut . . . facerent**, purpose clause in appos. with **id.**

19 23 **postremi,** *the lowest* (in class or character).

19 25 **tum vero**: here the apodosis begins.

19 28 **nihil horum est,** *none of these things is true* (i.e. is the fact).

19 29 **ornabitur**. Nothing can exceed the skill with which, throughout this oration, Cicero keeps before the minds of the jury the distinction between the great cause of Sulla and the nobility and the unscrupulous greed of some of Sulla's partisans. His continual allusions to his client's hereditary friendships with the aristocracy have this end, among others, in view.

19 30 (SECT. 45.) **male**: to *speak ill* is to *utter abuse* or calumny.

20 1 **causam . . . communicare,** *identify their cause with that of,* etc.

20 3 **equestrem,** referring to the struggle for the *judicia* and the extensive sympathy of the *equites* with the party of Marius. Cf. note to Verr., p. 28, l. 2.

20 4 **servi**: Chrysogonus had been Sulla's slave.

20 6 **versabatur,** *displayed itself.* — **quam viam munitet** (indir. quest.): for road-building, both literal and figurative, the Romans used the engineering term **munire.**

20 7 **fidem,** etc., *your honor* (good faith), *your oath, and your courts;* i.e. after getting possession of political power, these low-born fellows were now aiming at the courts, the one security of public faith and good government. — **jusjurandum**: the jurors were under oath to give a righteous judgment.

20 9 **hicine** (emphat.), *here,* i.e. in the courts (as opposed to politics).

20 11 **neque . . . possit**: Cicero does not wish to encourage him by admitting for a moment that he can really do anything in this case: it is the fact that he has dared to hope to accomplish something that is an outrage. — **verear**: subj. because it expresses not a real reason, but one introduced for the sole purpose of being contradicted: § 540, N.[3] (321, R.); B. 286, 1, *b*; G. 541, N.[2]; H. 588, ii (516, 2); D. 770.

20 13 **talīs viros**: cf. p. 13, l. 8.

20 15 (SECT. 46.) **exspectata**, *so long waited for*. For some years (B.C. 87–83), while Sulla was in the East, the Marian faction had full control at Rome, and a reign of terror prevailed.

20 17 **servoli**, diminutive of contempt. — **bona**, *estates*; **fortunas** (more generally), *wealth*.

20 18 **id actum est**: cf. p. 19, l. 22.

20 19 **senserim**, *sided with them*: this verb, with its noun **sententia**, often refers to political opinions.

20 20 **inermis**, i.e. had he taken up arms, his regret would have been deeper.

20 22 **cuique**, *to every man* in proportion as he is, etc.: § 313, *b* (93, *c*); cf. B. 252, 5, *c*; G. 318, 2; H. 515, 2 (458, 1); D. 576.

20 25 **probe novit**: note the strong sarcasm, which points the distinction between the noble cause which was at stake and the sordid motives of Chrysogonus.

20 26 **resistetur**, impersonal. — **ille**: here indefinite, referring to the supposed person who thinks himself attacked.

20 27 **rationem**, *interests* (so that what touches one touches the other): a mercantile figure, as we might say, "who thinks his accounts are mixed up with his."

20 28 **laeditur**, etc., *is injured* by being separated, etc.

V. PERORATIO (§§ 47–57)

Sects. 47–52. The attack on Chrysogonus is Cicero's: Roscius asks for life alone. Feigned appeal to Chrysogonus to spare his victim. Powerful friends of Roscius.

With sect. 47 begins the last formal division of the speech, — the *peroratio*. This consists, as was common with Roman advocates, in an appeal to the sympathy of the court (there is a good example in the closing portion of Cicero's Defence of Milo).

20 30 (SECT. 47.) **mea**, emphatic. Cicero wishes to avoid prejudice to his client by himself assuming sole responsibility for these words. At the same time this section serves as a skilful means of transition.

It is so important for Cicero to show that this case has no political bearings that he has been forced to abandon the question of the murder for a time, and to discuss the illegal sale of the property. He must now return to the charge against his client, and he does so by remarking that Roscius has no complaint to make of his treatment by Chrysogonus if the latter will only let him off with his life.

21 2 **morum,** *the ways of men.* — **vos,** i.e. Chrysogonus and his abettors in the accusation; **vos** is expressed, not as being specially emphatic, but from the Latin fondness for contrasting persons with each other.

21 3 **more,** *in the regular way.* — **jure gentium**: the "law common to all nations," as opposed to *jus civile*, or law of the state; thus it is used as nearly equivalent to *natural right.*

21 4 **a vobis,** i.e. once clear of guilt, and acquitted of this shocking crime, he will leave you unmolested.

21 6 **rogat**: a feigned appeal to his persecutors, intended to move the compassion of the jury for Roscius and their indignation against Chrysogonus.

21 7 **in suam rem**: in a former passage (omitted in this edition) allusion is made to a charge that Roscius had fraudulently kept back part of his father's property.

21 9 **concessit,** etc., *has given up* (the immovable property), *counted and weighed* (the rest).

21 10 **anulum,** probably the gold ring indicating his rank as *eques.*

21 11 **se ipsum,** etc., *and has reserved nothing else besides his naked self.*

21 14 (SECT. 48.) **quod . . . quia**: § 540 (321); B. 286, 1; G. 540; H. 588, 1 (516, i); D. 768.

21 27 **praeter ceteros,** *more than anybody else.* — **ne quando**: i.e. some time when there comes a political reaction.

21 28 **patria,** *of their fathers.*

21 29 (SECT. 49.) **facis injuriam,** i.e. *you do wrong* (i.e. to Sulla). — **majorem spem**: in this and the preceding sentence Cicero artfully suggests that Chrysogonus has no confidence that Sulla's constitution will last, and that he therefore wishes to remove a dangerous claimant in case of another political overturn. This insinuation would, of course, tend to prejudice the partisans of Sulla against Chrysogonus.

22 6 **cruenta** (pred.): the expression of the thought is made more vivid by the use of words exactly appropriate to the killing of a man and the stripping (**detrahere**) of his dead body.

22 8 (SECT. 50.) **rem tuam,** *your interests.*

22 13 **quasi . . . nescias,** *as if you did not know:* § 524 (312); B. 307, 1 and 2; G. 602; H. 584, 2 (513, ii and N.[1]); D. 803 and *a*.

22 14 **spectatissima,** *most estimable;* the friends of Roscius are purposely exalted, in order to influence the court. — **cum,** concessive.

22 16 **cum esset,** *though she was,* etc. — **femina, mulier:** observe the distinction between the words, the latter being always used in speaking of the tenderness of the feminine nature. — **quanto:** translate *however much* (though the Latin is definite); the usual correlative is supplied by **non minora,** *fully as great.*

22 19 (SECT. 51.) Observe the clever transition. Cicero suggests that, since there are no other assignable causes for the implacability of Chrysogonus, perhaps he may be offended by the zeal of the defence. This enables him to pass at once to an emphatic assertion of the influential connections of his client.

22 20 **pro patris,** etc., *in accordance with his father's friendly relations and personal influence* (see above, sect. 1), i.e. by an advocacy proportionate in number and influence to the number and attachment of his father's friends.

22 22 **sin . . . vindicarent,** i.e. if all the citizens were disposed to right his wrongs.

22 23 **pro eo,** etc., *in view of the fact that* (i.e. with a due regard to the way in which) *the highest interests of the State* (**summa res publica**) *are assailed.*

22 24 **haec,** *these outrages.* Observe that English often requires descriptive words which the Latin can omit as being implied in the context. — **consistere,** etc., hinting that the accusers would be in danger of violence.

22 25 **nunc,** *as it is* ("as things stand": opposed to the preceding suppositions).

22 26 **sane,** *I'm sure.*

22 27 (SECT. 52.) **quae domi,** i.e. the personal protection of Roscius, supply of money, providing of witnesses, etc.

22 28 **fori . . . rationem,** *the business of forum and court,* i.e. the preliminaries of the trial.

22 29 **ut videtis,** i.e. he is here in court.

22 31 **aetas,** *youth.*

23 1 **adsiduitate,** *constant presence,* probably at the preliminary proceedings.

23 3 **sectorum,** a pun: the word means both *buyers* (of confiscated property) and *cut-throats.*

23 4 **hac nobilitate,** i.e. *such nobles as he.*

23 5 **haec res,** *the present state of things.*—**ei,** *such.*

23 6 **qui . . . facerent**: in this clause (as often in Latin) purpose and result approach so closely as to be indistinguishable.

23 10 **loco,** *rank in life.*

Sects. 53–57. Final appeal to the jurors.

23 13 (SECT. 53.) **nostra, nobis**: identifying himself with his client

23 16 **si . . . habet,** *if he is not content* (lit. *does not regard* [it] *a. enough*).

23 17 **nisi,** etc., *unless his cruelty is also sated with blood* (lit. *bloo is furnished to his cruelty*).

23 21 **hoc tempore,** *in these times.*

23 22 **versata est,** *has prevailed.*

23 25 **versari,** *live.*

23 25 (SECT. 54.) **ad eamne rem,** *is it for this that,* etc.

23 27 **solent,** the emphat. position may be represented by trans lating, *it is the custom,* etc.

23 32 **qui excipiatis,** *to cut off.*

24 2 **consilium**: the jury, or body of *judices,* was called *consilium.* By calling it a *public council,* Cicero enhances its dignity and importance.

24 4 (SECT. 55.) **an vero,** *or can it be true that,* etc. In this use o **an,** the first question is omitted, and the second is often a *reductio a absurdum,* as here. The full thought is, "*Do you not agree with me or can it really* (**vero**) *be?*" etc. See § 335, *b* (211, *b*); B. 162, 4, *a* G. 457, 1; H. 380, 3 (353, N.[4]); D. 627, *b.*—**agi,** *is their object* (**aliquid agere** is *to aim at something*).

24 5 **ut . . . tollantur,** *that . . . be got rid of, in one way or another*

24 6 **in vestro jurejurando,** i.e. in the severity which your oath might seem to bind you to exercise.—**periculo,** *the case* (often used with reference to defendants).

24 7 **ad quem . . . pertineat,** i.e. on whom the suspicion rests.

24 8 **sectorem . . . accusatorem,** i.e. T. Roscius Magnus, *at once purchaser, enemy, cut-throat, and accuser.*

24 12 (SECT. 56.) **obstare,** *stands against* (cf. sect. 20, above).

24 18 **suscipere noluit**: the law by which the proscriptions were instituted was passed by the people directly, without the action of the Senate.

24 19 **more majorum,** i.e. that every capital judgment was subject **to an appeal to the people in the** *comitia centuriata.*

24 20 **publico consilio**, i.e. by their official action.

24 21 **eorum**, refers back to **eos**, l. 18, above.

24 22 **reicitis**, etc., pres. for fut.: § 468 (276, *c*); G. 228; H. 533, 2 (467, 5); D. 657.

24 26 (SECT. 57.) **quibus**: the antecedent is **eis** (l. 27).

24 28 **quin intellegat**: § 559 (319, *d*); B. 284, 3; G. 556; H. 595 (504, 1); D. 728.

25 1 **pati nolite**, *do not suffer*: § 450, 1 (269, *a*); B. 276, *c*; G. 271, 2; H. 561, 1 (489, 1); D. 676, *a*.

25 3 **hominibus**, etc., *has taken from the gentlest of men the sense of mercy, through familiarity with distress* (lit. in plur.). For the dative, see § 381 (229); B. 180, 2, *d*; G. 345 and R.[1]; H. 429 (386); D. 389.

IMPEACHMENT OF VERRES

ARGUMENT

CHAP. 1. The jurors are congratulated on the opportunity of restoring the good name of the senatorial courts by convicting Verres. — 2, 3. Attempts of Verres to avoid the trial: placing all his hope in bribery, he is intriguing for the postponement of the case. — 4, 5. His crimes in administration, of pillage, extortion, and cruelty, are flagrant and notorious. — 6. Hence bribery is his only resource: his attempt to contract in advance for acquittal. — 7, 8. His hopes in the election of Hortensius as consul and Metellus as prætor for the following year. — 9, 10. Cicero's anxiety. The great effort to have the case tried before Metellus, which was to be effected by delaying the trial till after the holidays. — 11. Cicero proposes to display his case at once, without argument, and so prevent its being laid over. — 12, 13. The domination of Hortensius is dangerous to the state and must be met by proofs of corruption in the senatorial courts. — 14, 15. The acquittal of Verres will be subversive of the whole judicial system: the jurors are urged to vindicate the courts by convicting him. — 16. All Rome is on the watch: the court itself is on trial: acquittal can have but one meaning. — 17. Glabrio is urged to stand firm. — 18. The Sicilians must not be baffled. Cicero, by despatch, will prevent the case from going over to the next year: he will introduce his witnesses at once, without previous argument. Brief statement of the charges, including the plunder of 4,000,000 sesterces from the Sicilians.

With the trial of Verres the student may compare the impeachment of Warren Hastings in the eighteenth century, probably the most famous modern instance of the arraignment of a provincial governor for alleged misgovernment, extortion, and cruelty. The prosecution in this case (and in particular Burke) seem to have modelled their speeches on the Verrine orations of Cicero, and many parallels may easily be discovered. A few of these are quoted in these notes. That the similarity of the two situations was clearly felt at the time may be seen from Lord Erskine's Defence of Stockdale (December, 1789) on a charge connected with the impeachment of Hastings: "When Cicero impeached Verres before the great tribunal of Rome, of similar cruelties and depredations in *her* provinces, the Roman people were not left to such inquiries. All Sicily surrounded the Forum, demanding justice upon her plunderer and spoiler, with tears and imprecations. It was not by the eloquence of the orator, but by the cries and tears of the miserable, that Cicero prevailed in that illustrious case. Verres fled from the oaths of his accusers and their witnesses, and not from the voice of Tully."

Chap. I. The trial of Verres gives the senatorial order an opportunity to redeem the reputation of the courts.

Verres had no defence, but had expected to escape by bribing the jury in case he should be prosecuted. His guilt was notorious, so that the chief question now to be determined was that of the integrity of the jury. Cicero accordingly makes this the main point of the present oration: it is the court, he insists, that is on trial rather than Verres.

PAGE **28**. LINE 1. (SECT. 1.) **erat optandum**, *what was chiefly to be wished:* not implying a protasis contrary to fact. See § 522, *a* (311, *c*); B. 304, 3; G. 254, R.[1]; H. 583 (511, 1, N.[3]); D. 802. — **quod . . . pertinebat**, *the one thing which most tended* (or, *was of chief importance*).

28 2 **invidiam . . . infamiamque**, *odium and ill repute*, from the partisan use of the courts by the Senators. — **vestri ordinis**, i.e. the senatorial order. The word *ordo* signified, loosely, any recognized body of citizens — as freedmen, publicans, clerks; but it was more especially used of the two powerful classes of the Roman aristocracy, the Senatorial and the Equestrian, which struggled with each other for power during the last century of the Republic. The Senators, from whom the jurors were at this time taken (see note on Rosc. Am., p. 2, l. 1), formed a limited (300 to 600) order of nobility which virtually controlled the government. The *equites* constituted a moneyed aristocracy. Naturally these two orders had opposing interests, as the Senators were excluded from trade and the *equites* practically from political power. Their antagonism showed itself more especially in the matter of the provinces, which the Senators wished to oppress by official plunder and the *equites* by commercial extortion.

28 4 **summo . . . tempore,** *most critical time* (more lit. *extreme crisis*): the year of the consulship of Pompey and Crassus (B.C. 70).

28 5 **inveteravit** (emphatic position), *there has come to be deeply rooted* (observe that the figure is quite different in the Latin). — **opinio,** *notion* or *idea* (not so strong as our *opinion*, which should be **sententia**).

28 7 **exteras nationes**: the reference is, of course, to the peoples subject to Rome, who were aggrieved by the rapacity of the provincial governors.

28 8 **his iudiciis**: in consequence of the situation described above (note on **ordinis,** l. 2) it became all important for one class or the other to control the courts, before which any misdoings of either party were likely to come for trial. For years these two orders had struggled for such control. At this particular time the courts were in the hands of the Senators, who were bound together by a common cause to shield any one of their number who might be charged with misconduct as a provincial governor.

29 2 **neminem** (more emphatic than **nullum**): translate, *never.*

29 3 (Sect. 2.) **cum** (causal) **sint,** *when men are ready.* — **contionibus et legibus,** *harangues and bills* (proposed laws). The proposition of a law which took the exclusive control of the courts from the Senators was even now pending, and the law (*Lex Aurelia*) was passed before the case of Verres was decided.

29 5 **conentur,** purpose clause.

29 7 **magnitudine,** abl. of means. — **spe,** abl. of specification.

29 9 **actor,** *complainant,* i.e. agent or *attorney* for conducting the suit in personal processes (*in personam*).

29 11 **adduxi enim hominem,** etc.: cf. Burke, Impeachment of Warren Hastings: "We have brought before your Lordships the first man in property and power; we have brought before you the head, the chief, the captain-general in iniquity, — one in whom all the frauds, all the peculations, all the tyranny in India are embodied, disciplined, and arrayed. Then, if we have brought before you such a person, if you strike at him, you will not have need of a great many more examples, — you strike at the whole corps if you strike at the head." — **in quo,** *in whose case.* — **reconciliare,** etc., *win back the lost repute.*

29 13 **possetis,** purpose. — **depeculatorem,** etc. : for a more complete statement of these charges, see chs. iv, v.

29 14 **juris urbani,** i.e. as *praetor urbanus* (see sect. 12).

29 16 (Sect. 3.) **vos,** opposed to **ego,** below. — **religiose,** *according to your oath.*

29 18 **religionem veritatemque** : here, *feeling of obligation and regard for the truth.* Notice that the Latin, having a comparatively poor vocabulary, is obliged to use one word for all the phrases or sides of an idea ; hence such a word as **veritas** may mean *truth* (abstractly), *a truth* (concretely), *the truth* (generally), *regard for truth,* or *truthful conduct.*

29 19 **judicium,** etc., i.e. the *court* will be found wanting, — not a suitable defendant or a zealous prosecutor.

Chaps. II, III. Verres had already relied on bribing the courts. His vain attempt to delay his trial by the trumped-up Achaian case. His present effort to procure a postponement by corrupt means.

29 21 **equidem,** i.e. for my own part.

29 22 **quas partim,** *some of which.*

29 23 **devitarim,** subj. as a part of the concession contained in **cum . . . sint** : § 593 (342) ; B. 324, 1 ; G. 663, 1 ; H. 652 (529, ii) ; D. 907.

29 24 **neque . . . neque,** following **numquam,** does not destroy the negative, but is more emphatic than **aut . . . aut.**

29 29 (Sect. 4.) **istius** : see note on Rosc. Am., p. 4, l. 16.

29 30 **Glabrioni** : the prætor presiding.

29 31 **ordini . . . senatorio,** *the senatorial order, nay, the very name of Senator.*

29 32 **dictitat,** *constantly repeats:* § 263, 2 (167, *b*) ; B. 155, 2, *a* ; G. 191, 1 ; H. 364 (336) ; D. 290, *b*. — **esse metuendum** : for **erat metuendum** in dir. disc. ; hence followed by the secondary sequence, i.e. *those would have to fear* (if the case were theirs), *but he,* etc. : § 584, *a* and n. (336 A, n.[1]) ; D. 830. — **quod,** i.e. *only what.*

30 1 **multis,** i.e. not only for himself but also for his counsel and for those whom he may wish to bribe, — in particular, the jurors (see sect. 40).

30 3 **pecunia** belongs to both clauses, as is shown by their parallelism. — **possit** : for tense, see § 485, *c* (287, *c*) ; B. 268, 7 ; G. 513 ; H. 550 (495, vi) ; D. 702.

30 4 (Sect. 5.) **esset** : imperf. subj. in protasis of a *continued* condition lasting till now ; § 517, *a* (308, *a*) ; B. 304, 2 ; G. 597, r.[1] ; H. 579, 1 (510, n.[2]) ; D. 798.

30 6 **fefellisset,** *he would have eluded us.* — **cadit** : pres. tense, of an action lasting till now; § 466 (276, *a*); B. 259, 4; G. 230; H. 533 (467, 2); D. 650.

30 9 **corrumpendi judici,** *of bribing the court* (cf. our phrase "bribery and corruption").

30 11 **factus sit**: for sequence, see § 485, *c*, N.[2] (287, *c*, N.); B. 268, 6; G. 513; H. 550 (495, vi); D. 702; notice that the perf. would necessarily be used in the dir. disc. with **cum primum.**

30 13 **tempus . . . offenderet,** *he hit an unfavorable time;* because popular sentiment was already so exasperated in regard to the corruption of the courts.

30 14 (SECT. 6.) **in Siciliam inquirendi,** i.e. *for going into Sicily to make an investigation* (hence the acc.).

30 15 **invenit . . . qui,** *he found some one who.*

30 16 **in Achaiam,** sc. **inquirendi**: on this trumped-up case, which was intended to have the precedence of the trial of Verres, see Introd. to this Oration (p. 27).—**ut . . . conficeret,** purp. clause dependent on **invenit.**

30 19 **Brundisium,** *Brindisi,* the port whence the greater part of Italian travel, now as then, embarks for the East.

30 20 **obii,** *went throughout.*—**populorum,** *communities:* the word **populus,** meaning originally *multitude,* is a semi-abstract noun often used to denote the *community* in its official capacity. Our use of the word *people* in some later meanings frequently produces confusion in the minds of beginners. The political system of the ancients was composed of an indefinite number of petty communities, all possessing a certain degree of independence. Hence the plur. is used here to indicate several such communities.

30 21 **ut . . . posset** (clause of result), imperf. by seq. of tenses: translate, however, *can.*

30 23 **qui . . . obsideret** (purpose), *to block my chance* (of bringing Verres to trial).

30 25 (SECT. 7.) **nunc**: i.e. now that his former scheme has failed.

30 26 **hoc,** *this new idea.* What the idea is is detailed in sects. 7, 8: viz. the reasons for desiring a postponement together with grounds for hoping for it.

30 30 **civis,** *citizens,* i.e. Romans travelling or doing business in the provinces, or provincials who had received the citizenship.

30 31 **socios,** *allies:* citizens of communities which, although embraced within the boundaries of Roman provinces, had, for special reasons, been allowed to retain a nominal independence, with their own laws and magistrates.

31 2 **auctoritatibus,** *documents,* i.e. official testimony ("resolutions," etc.) relating to the acts of Verres.

31 3 (Sect. 8.) **bonis,** *good citizens:* here, as generally in Cicero, used in a partisan sense for the aristocracy.

31 6 **experiatur**: this violates the sequence of tenses in order to make the meaning clear; the imperf. would refer to the time of getting the money, not to the present moment; cf. § 481, N. (287, *h*, N.); B. 268, 7; G. 509, 1, N.; D. 703.

31 7 **fuerit**: the subj. shows that this is the thought of Verres, and not merely something thrown in by Cicero. — **tempus**: the present scheme of the defence is by corrupt means to stave off the trial to a more advantageous time (see chs. vi–viii).

31 8 **posset**: imperf. to express his purpose at the time of the purchase.

31 9 **criminum vim,** *the force of the charges.* — **poterat**: indic., the reason being Cicero's. (The whole passage is an instructive example of the freedom of a living language from its own trammels. Rules are made for language, not language for rules.)

31 12 (Sect. 9.) **eloquentia, gratia**: even mere rhetorical skill or personal influence would be, to a criminal who had no case (**causa**), a respectable (**honesto**) means of escape compared with these attempts at corruption.

31 13 **profecto,** *I am sure.*

31 14 **aucuparetur,** *be fishing for* (lit. *set nets for birds*).

31 15 **ut . . . fieret,** *as to have some one chosen to be put on trial;* the Senate itself was insulted by the selection of one of its members to be set up as a man of straw, that Verres might get clear. The reference is to the trumped-up case with regard to abuses in Achaia (see sect. 6).

31 16 **hic,** i.e. Verres.

31 17 **causam . . . diceret,** *stand trial.*

31 17 (Sect. 10.) **quibus . . . rebus,** *from this* (abl. of means with **perspicio**).

31 20 **consilio,** *panel,* i.e. the body of jurors (cf. Rosc. Am., p. 24, l. 2). An obvious, and apparently a deserved, compliment. Whatever the general character of the courts, Cicero had in this instance secured a jury on whom he could rely.

31 21 **in rejectione . . . judicavit,** *decided at the challenging* ("throwing out") *of the jury,* i.e. on seeing the kind of men challenged by the two sides respectively.

31 22 **ut . . . constitueret . . . arbitraretur**: subst. clauses of result (justified by the introductory **ea**) instead of the more regular acc. and inf. of ind. disc.; § 571, *c* (332, *f*); G. 557, R. and N.[1]; cf. H. 571, 4; D. 741.

Chaps. IV, V. Crimes of Verres from his youth up. His quæstorships. His city-prætorship. His career in Sicily. His guilt is notorious.

31 25 **etenim,** introducing the reason of **nullam sibi rem,** etc., above.

31 29 (Sect. 11.) **adulescentiae,** i.e. before he entered public life.

31 30 **quaestura,** *quæstorship*, the first grade of political honor.

32 1 **Carbonem:** Carbo was the leader of the Marian faction after the death of Marius and Cinna. He was consul B.C. 82, the year of Sulla's return and victory. Verres was his quæstor (or *paymaster*), and went over to the enemy with the money-chest when he saw which side was likely to prevail.

32 3 **necessitudinem religionemque:** the quæstor was originally nominated specially by the consul; and the peculiarly close and sacred relation **(necessitudo)** existing between them was known as *pietas*, — a sentiment akin to filial affection. The designation by lot (*sors*) was also held to be a token of divine will, and therefore sacred **(religio).** In betraying his consul, then, Verres was guilty of more than an ordinary breach of trust, — he committed an act of impiety.

32 4 **legatio:** Verres was in B.C. 80–79 *legatus* and acting quæstor **(pro quaestore)** of Dolabella, whose province was Cilicia. The extortions of the two were practised in the adjoining regions of Pamphylia, Pisidia, and parts of Asia (i.e. of the Roman province of Asia, the old kingdom of Pergamus, embracing the western part of Asia Minor); **totius** is a rhetorical exaggeration.

32 7 **scelus . . . quaestorium:** Verres treated Dolabella much as he had treated Carbo. Neither of these infamous commanders deserved better treatment; but this does not excuse the perfidy of Verres.

32 9 **pro quaestore,** *acting quæstor:* when there was a vacancy in a provincial quæstorship, the commander might appoint any person to perform the duties of the office.

32 10 **adduxit:** Dolabella, in addition to the odium of his own crimes, had to bear the infamy of the outrageous acts of Verres; and after all Verres saved himself by turning against him **(oppugnavit)** and appearing as a witness in his trial for extortion.

32 12 (Sect. 12.) **aedium,** etc. The public buildings were regularly under the charge of the ædile, not of the prætor; the cases referred to here were certain flagrant instances of corruption and extortion arising out of contracts for public buildings, in which the prætor had it exceptionally in his power to interfere for his own advantage.

32 13 **in jure dicundo: jus dicere** (*jurisdictio*), *declaring the law*, **was** the primary function of the prætor. **bonorum addictio** is the adjudging of property to a claimant; **condonatio** (*grant*) is the act of giving it up to a defendant: no matter which way the decision of Verres went in a case, his action was sure to be unlawful and for his own corrupt ends.

32 14 **instituta**, *precedents*. The edicts of the prætors made up a body of common law, not absolutely binding, however, on their successors.

32 15 **jam vero**, *but finally*, introducing the climax of the list of crimes.

32 18 **possit**: for tense, see § 485, *c* (287, *c*); B. 268, 7; G. 513; H. 550 (495, vi); D. 702.

32 21 (SECT. 13.) **communia jura**, the same as *jus gentium*, those laws common to all mankind (see note on **jure gentium**, Rosc. Am., p. 21, l. 3). The terms *leges*, *senatus-consulta*, *jura* include the three sources of provincial law.

32 22 **tantum**, [only] *so much*.

32 23 **imprudentiam subterfugit**, *escaped his vigilance* (lit. *want of vigilance*).

32 25 **res**, *case*; **res** (next line), *property*.

32 27 **ab eo**, *away from him*, i.e. the possessor.

32 28 **aratorum**, *cultivators* (whether tenants or proprietors), who paid tithes (*decumae*) to the state.

32 29 **socii**: see note on p. 30, l. 31.

32 30 **cruciati et necati**: a Roman citizen could not legally receive any punishment touching life or limb, except by judgment of his peers in Rome. Thus, Jesus was crucified by the Roman governor Pilate under the ordinary provincial law applying to Jews; while Paul, a Roman citizen of the free city Tarsus, appealed to Cæsar, and was sent to Rome for trial. (See extract from Verr. v, and pp. 59–65: "Crucifixion of a Roman Citizen.")

32 32 **rei facti**, *accused* (**rei** from **reus**). The details of these charges are given in the five orations of the *Accusatio*; it would require too much space to repeat them here.

33 1 **ejecti**, *expelled* from the country.

33 4 **optimae**, *best* in themselves; **opportunissimae**, *most valuable* under the circumstances.

33 6 (SECT. 14.) **regum**: the famous kings of Syracuse, — Hiero, Agathocles, etc.

33 8 **imperatorum**: Marcellus, who conquered Syracuse, and Scipio Africanus the elder, who had Sicily as his province and crossed over from there for the conquest of Carthage.

33 12 **deum,** i.e. statue of a god (see pp. 55, 56).

33 14 **videretur**: subj. of characteristic.

33 15 **commemorare**: complem. infin. for subj. with **ne** or **quominus**; § 558, *b*, N. (331, *e*, 2); B. 295, 3 and N.; G. 548, N.[2]; H. 596, ii (505, ii); D. 720, iii, *a*.

33 19 (SECT. 15.) **at enim** (a supposed objection), *but, you may say.*

33 21 **quin . . . possit**: § 559 (319, *d*); B. 284, 3; G. 556; H. 595, I (504, I); D. 735.

33 22 **ut . . . timendum sit**: clause of result.

33 24 **multitudo**: including a large number of Sicilians, present at Rome for the purpose of prosecuting Verres, and of course personally cognizant of his crimes.

Chaps. VI, VII. Verres attempted to buy up the court in advance, but, on the selection of the present jury, lost heart (sects. 16, 17). The election of Hortensius to the consulship gave him fresh courage (sect. 17). A significant incident on election day (sects. 18–20).

Cicero here returns to the subject of bribery. He has already asserted (sects. 3–10) that this had always been the sole hope of Verres; he has pointed out that Verres need not expect to corrupt the present tribunal (sect. 10), and that his guilt is so enormous and so notorious that no honest jury could fail to convict him (sects. 10–14). He now goes on to show that in endeavoring to postpone the trial Verres is, as heretofore, trying to defeat justice by corrupt means. In establishing this point, the orator reviews the several schemes of bribery, thus leading up to the matter immediately before the court and bringing out the fact that it is like the devices that had preceded it.

33 28 **eloquentiam,** etc.: see note on p. 31, l. 12.

33 30 **potentia,** *control of the courts*: a stronger word than **gratia** ("personal influence") or **auctoritate** ("official influence") and indicating a kind of *domination* over the courts. — **simulat, proponit**: notice the emphatic position of these verbs, as opposed to what Verres is really *doing.*

33 31 **proponit,** *puts forward* (i.e. as his backers). — **inania,** *idle*: i.e. mere names, because Verres does not really rely upon these men, but upon a scheme which Cicero details in the following sections.

34 3 **noti,** *notorious.* — **simulat**: cf. note on **simulat**, l. 30, above.

34 8 (SECT. 16.) **redemptio**: a contract with another party for buying up the court.

34 9 **mansit . . . pacto,** *held on to the terms of the bargain* (hendiadys): until the jury was actually made up, the bargain could not be absolutely concluded; when the character of the jury was known, the contract was annulled.

34 10 **rejectio**: after Cicero's careful challenging, the lot had fortunately given a trustworthy jury.

34 13 **istorum,** i.e. the partisans of Verres.

34 14 (SECT. 17.) **praeclare,** *admirably well* for the cause of justice. — **libelli,** *lists.*

34 16 **color**: a covert allusion to a former case, in which Hortensius had been counsel, and in which colored ballots were given to the bribed jurors in order to make sure that they voted as they had agreed (see sect. 40). — **sententiis**: this is the word regularly used for a formal and official expression of opinion in the Senate (*vote*) or in a court of justice (*verdict*).

34 17 **cum,** *whereupon* (inversion): § 546, *a* (325, *b*); B. 288, 2; G. 581; H. 600, i, 1 (521, ii, 1); D. 751. — **ex alacri,** *from being,* etc.; cf. the Latinism in Milton, *Par. Lost,* ix, 563: "How cam'st thou speakable of mute?"

34 20 **his diebus paucis,** *a few days ago:* the consular and other elections were held this year, as usual, toward the end of July.

34 22 **famae fortunis,** dat. after **insidiae comparantur.** — **per eosdem homines,** i.e. the same professional bribers (the *redemptor,* etc., referred to in sect. 16).

34 25 **aperto,** etc., *when the door to suspicion had once been opened.*

34 27 (SECT. 18.) **nam**: introducing Cicero's account of the significant incident referred to above in the words **pertenui argumento** (l. 24).

34 28 **reducebatur**: the successful candidate was escorted home by his friends after the election. — **Campo**: see note on p. 104, l. 7.

34 29 **Curio**: C. Scribonius Curio, one of the leaders of the aristocratic party, was always a good friend of Cicero's. Curio, like Hortensius and Metellus, was a man of excellent reputation. His support of Verres was due to political and social ties.

34 30 **honoris causā**: see note on Rosc. Am., p. 3, l. 28. The words in brackets are probably not genuine.

35 2 **tamen,** i.e. in spite of Curio's open way of speaking.

35 4 **ratio,** *consideration.*

35 5 (SECT. 19.) **videt,** etc.: observe the hist. pres., marking a change to lively narrative. — **fornicem Fabianum,** the *Fabian Arch,* erected B.C. 109 by Q. Fabius Maximus Allobrogicus, — one of the earliest triumphal arches in Rome. It stood at the southern end of the Forum, and served as an entrance to it. Fig. 3 (Arch of Gallienus) shows the situation of such structures with respect to streets.

35 12 **defertur** signifies a formal announcement by some one person; **narrabat** means *told*, casually, as a piece of news. The use of tenses in **viderat . . . narrabat** is like that in the general condition in past time: § 518, *b* (309, *c*); cf. B. 302, 3; G. 594, N.[1]; D. 800, *a*.

FIG. 3

35 14 **criminum ratione,** *the nature of the charges.*

35 15 **positam,** *resting on.*

35 16 **altius,** *deeper.*

35 18 (SECT. 20.) **ratiocinabantur,** *reasoned* (the imperf. describing a state of mind, and one existing in different persons).

35 20 **ipse,** etc.: cf. sect. 17, ll. 17–19.

35 22 **quod,** *the fact that.*

35 23 **negotiatores,** Roman citizens doing business in Sicily. — **omnes . . . litterae,** *all kinds of,* etc. — **publicae,** *official,* from cities of Sicily (as **auctoritates**, above).

35 26 **existimationem,** *opinion,* i.e. their estimate of the character of Verres.

35 27 **unius,** i.e. Hortensius. — **moderatione,** *control.* — **vertentur,** *are to turn on.*

Chaps. VIII, IX, sect. 25. Metellus is chosen (by lot) to preside over the Court of Extortion for the next year. Joy of Verres. His attempts to defeat by bribery Cicero's election to the ædileship revealed to Cicero. Cicero made anxious, but finally elected.

35 30 **quidem** (concessive), *it is true:* this criminal may be rescued, but such a thing will not be allowed to happen again; the judicial power will be given into other hands (i.e. those of the *equites*); cf. **de transferendis judiciis,** below. — **nos,** i.e. we Senators.

36 1 (SECT. 21.) **hominis amplissimi,** i.e. Curio: the congratulations of so honored a man showed the expected effect of the election on this trial.

36 2 **nova,** *strange* (surprising). — **dissimulare,** *to conceal the fact that,* etc.

36 5 **sortirentur,** *were drawing their lots:* the particular posts or duties of coördinate magistrates (like the several prætors) were assigned by lot. — **Metello**: a brother of Q. Metellus Creticus, consul elect, and of L. Metellus, prætor in Sicily. — **obtigisset,** *had fallen to* (the regular word for this kind of assignment). — **ut . . . quaereret,** *to have charge of the Court of Extortion:* subst. clause of result; § 569, 2 (332, *a,* 2); B. 297, 2; G. 553, 3; H. 571, 1 (501, i, 1); D. 739.

36 6 **de pecuniis repetundis,** *of extortion* (lit. *concerning demanding back the* [extorted] *property*).

36 7 **factam,** *offered.* — **pueros,** *slaves.*

36 9 (SECT. 22.) **sane,** *you may be sure.* — **ne haec quidem,** etc., *this incident did not please me either.* — **neque . . . intellegebam,** i.e. his confidence in the integrity of Metellus was so great that he did not even yet see through the tricks of the defence.

36 10 **tanto opere,** *so very well* (with **intellegebam**).

36 12 **reperiebam**: the imperf. denotes a succession of items of information.

36 13 **senatore,** etc.: the Senator, a man of the same class as Verres, put the money to be used in the elections and trial into the hands of an *eques,* one of the class that had the management of all such financial operations. He retained, however, say (**quasi**) ten baskets, to be used directly to defeat Cicero's election as ædile.

36 15 **nomine,** *on account of.* — **divisores,** *managers.* The money to be used at elections was put into the hands of *sequestres* (election agents), who themselves made use of *divisores* to approach the voters personally. On this occasion, the exigency was so great that Verres (**istum**) summoned the *divisores* to his own house, without the mediation of *sequestres.*

36 16 (SECT. 23.) **omnia debere,** *was bound to do anything for me.*

36 20 **proximis,** *the last.*

36 23 **negasse audere,** *said they did not dare.*

36 24 **fortem,** *stanch* (ironical), in allusion to **audere** (l. 23).

36 25 **Romilia,** without **tribu** expressed, — the regular way of giving the name of a man's tribe. — **ex optima . . . disciplina,** *from the best school* (ironical), i.e. that of Verres' father.

36 26 **HS**: the defeat of Cicero would, therefore, cost nearly $25,000; see §§ 632–635 (377–380); G. 493; H. 757, 2 (647).

36 28 **se unā facturos esse,** *that they would act with him.*

37 1 (SECT. 24.) A lively description of the embarrassment in which Cicero was placed at the end of July by the election and the trial, both coming on together.

37 2 **in his ipsis,** *in that too* (as well as the trial).

37 4 **agere . . . deterrebar,** *from doing freely what,* etc., *I was deterred by,* etc.: § 558, *b,* N. (331, *e,* 2); B. 295, N.; G. 423, 2, N.[2]; H. 596, 2 (505, ii); D. 720, iii, *a.*

37 5 **petitioni,** *canvass.*

37 7 **ratio,** *good policy.*

37 9 (SECT. 25.) **denuntiatum esse,** *that a message was sent.* This compound implies a peremptory and threatening message.

37 10 **primum** corresponds to **arcessit alter,** etc., p. 38, l. 4, below. — **ut venirent**: subj. of purpose, since **denuntiatum est** expresses a command; § 580, *a* (332, *h*); cf. B. 295, 1; G. 546, N.[1]; H. 564 (540, iii); D. 885, *a.*

37 11 **sane liberos,** *pretty independent,* i.e. in refusing to come. If he had been consul, instead of merely consul elect, they would have had to come.

37 12 **venisse**: the subj. acc. is **eos,** the implied antecedent of **qui.**

37 13 **ceterorum,** i.e. those for consuls and prætors, which had lately been held.

37 14 **cursare** (historical infinitive), *ran hither and thither.*

37 15 **paternos amicos**: see p. 36, l. 26.

37 16 **appellare . . . et convenire,** *accosted and conferred with.*

37 18 **cujus**: the antecedent is **ejusdem** (l. 19). — **de fide,** i.e. *his good faith* to the Sicilians: probably a hint that Cicero himself had been approached with a bribe.

Sects. 26–31. Cicero learns of the efforts made to have the trial postponed to the next year in order that it might be brought before Metellus. The Sicilians are threatened by one of the consuls elect (Q. Metellus Creticus) (sects. 26–28). By that time not only would there be a favorably disposed presiding judge, but most of the jury would have been changed. It seemed easy to get the trial put off, for many holidays intervened (sects. 29–31).

37 26 (SECT. 26.) **eo,** *in this course,* i.e. postponing the trial. — **esse**: indir. disc.

37 27 The asterisk marks a defect in the text.

37 29 **praerogativam,** *an earnest.* In the *comitia centuriata,* it was determined by lot which century should first cast its vote. The vote of this century, called *praerogativa* (**prae-rogo**), was superstitiously regarded as an omen or *earnest* of the result which it was likely to decide. Hence the word is here used of the effective support given to Metellus at the polls by Verres. The *praerogativa* which Q. Metellus gave to Verres, in return for the *praerogativae* of the comitia, is described in the next section.

38 3 (SECT. 27.) **cuiquam,** *for anything.*

38 4 **alter consul designatus**: Q. Cæcilius Metellus Creticus (see sect. 21). The three brothers, fast friends of Verres, were so situated as to promise the greatest help the next year, when Quintus would be consul, and Marcus prætor, presiding over the court of *Repetundae*, while Lucius was already pro-prætor in Sicily. Some of the Sicilians, therefore, obeyed the summons of Metellus, although they had disregarded that of Hortensius (sect. 25). The object of Metellus was to induce the Sicilians to withdraw the suit, or at any rate to refrain from appearing as witnesses.

38 7 **quaesiturum** (technical term), *was to preside over the court.*

38 13 (SECT. 28.) **quid faceres**: apodosis of cont. to fact construction, with protasis implied in **innocente**.

38 15 **alienissimum,** *no kin whatever of yours.*

38 16 **dictitat,** *says incessantly* (see next section). — **alicui** depends upon **videatur**.

38 17 **ignoret,** subj. of characteristic.

38 18 (SECT. 29.) **fato, ut ceteros,** etc.: the Metelli seemed born to hold office. Cicero here alludes to a verse written by the poet Nævius, a hundred and fifty years before: "Fató Metelli Rómae fiunt cónsules."

38 22 **populi existimationi,** *reputation with the people.* — **M'. Glabrionem**: observe the skill with which this compliment to the prætor before whom Cicero is now arguing the case, and the following compliments to the *judices*, are put into the mouth of Verres.

38 23 **illud**: referring to what follows. Cicero makes Verres point out the changes in the jury which must follow from changes in the government that is to come in with the new year.

38 24 **conlega**: both Cæsonius and Cicero were *aediles designati.*

38 25 **expediat**: fut. apodosis with **conemur** as its protasis, but hardly to be distinguished from subj. of characteristic; cf. § 534 (319, headnote).

38 27 **Juniano consilio**: referring to a case four years before, in which wholesale bribery had been proved, so that the presiding prætor, Junius, as well as almost the entire *consilium* (body of jurors), had been stamped with infamy. Cæsonius, a member of the jury, had been proof against corruption, and had disclosed the whole affair (**in medium protulit**).

38 29 **hunc judicem,** *him as juryman.* — **ex Kal. Jan.**: after the New Year; for at that time he would be excluded from the panel by his ædileship.

38 32 (Sect. 30.) **P. Sulpicius**: he had probably just been elected quæstor.

Fig. 4

39 1 **Non. Dec.** (Dec. 5): on this day the new quæstors entered on their office.

39 3 **L. Cassius**: the family characteristic here stated was proverbial (*Cassiani judices*).

39 6 **tribuni militares**: at this time legion-commanders. — **non judicabunt,** *will not serve as jurors.*

39 7 **subsortiemur,** i.e. we shall draw another *to fill his place.* This is the regular use of **sub** in similar compounds: as *suffectus*, *subrogatus*, etc.

39 9 **prope toto**: the jury, therefore, apparently consisted of about twelve or fifteen.

39 13 (Sect. 31.) **Nonae,** etc.: it was, therefore, about 3 p.m. of the 5th of August.

39 15 **votivos**: these games were in celebration of Pompey's victory over the Marian party in Spain (b.c. 72). The votive games would occupy from Aug. 16 to Sept. 1 (August had at this time only 29 days); on Sept. 4 began the *Ludi Romani*, continuing till the 19th. The intervening days (Sept. 2, 3) were of no account for the trial, so that it could not be resumed before Sept. 20, a suspension of 34 days (*prope quadraginta*). The *Ludi Victoriae* (established by Sulla in honor of his victory) would continue from Oct. 27 to Nov. 1, and the *Ludi Plebeii* from Nov. 4 to Nov. 17. All these games were sacred festivals, during which business was suspended: the time was occupied with religious observances, accompanied by races and dramatic entertainments.

39 18 **tum denique,** *not till then.*

39 20 **Victoriae**: see Fig. 4 (from the Column of Trajan).

39 21 **perpauci**: for the month of December was full of festivals.

39 23 **rem integram**, i.e. from the beginning. The zeal of the prosecution would have flagged, the public interest would have cooled down, and the jury would be almost wholly new. The case would therefore have to be taken up *de novo*.

39 25 **non retinuissem**, i.e. I should have challenged him. Metellus was now one of the jurors.

39 25 (Sect. 32.) **nunc**, opposed to **si diffisus essem**, above.

39 26 **eo**, etc. (abl. abs.), *with him as juryman.*

39 27 **jurato**, *on oath.* The *judices* were sworn; the prætor was not. Metellus might therefore be trusted to vote honestly as a juror, though he might, when prætor, connive at the corruption of the jurymen. Cicero ran less risk of offending Metellus by thus accusing him of extreme partisanship than if he had accused him of perjury.

Sects. 32–50. To prevent postponement, Cicero will push the trial, dispensing with the usual long opening argument. He is forced to this by the tactics of Hortensius (sects. 32, 33). Cicero will oppose the arrogance of Hortensius and offers himself as the opponent of any who shall hereafter attempt to bribe the courts. The illegal domination of Hortensius is dangerous to justice. It must be met by proofs of judicial corruption, which are abundant (sects. 34–39). The acquittal of Verres will be subversive of the whole judicial system (sects. 40–42). The jurors are urged to vindicate the courts (sects. 43, 45). All Rome is on the watch, and bribery is sure to be detected. Not Verres, but the senatorial courts are on trial (sects. 46–50).

The skill of the argument in sects. 32–50 is remarkable. Cicero contrives, without directly asserting that Hortensius is guilty of judicial corruption, to suggest that he is in a measure responsible for its prevalence. He declares his intention of devoting his ædileship to exposing such practices, and adds that he expects to be opposed by Hortensius. He calls attention to several notorious cases of bribery which he means to use as illustrations in pressing his reforms. Then, in a moment, he makes it clear, by a sudden turn, that he has not been digressing, but simply accumulating force for his main point: "How shall I feel," he asks suddenly (sect. 40), "if I find this present case of Verres added to the long list of instances of corruption? His guilt is clear: IT IS THE COURT THAT IS ON TRIAL!" In this way what appears at the outset to be a personal attack on the opposing counsel is made a most effective means for the introduction of the central point of the whole oration.

39 31 **legitimo tempore**: he had a right to use twenty days for developing the points of the prosecution.

40 1 **capiam**, i.e. by showing, in a long speech, how carefully he had prepared his case.

40 4 **ne elabatur**, with **periculum est**, which takes the constr. of a verb of fearing.

40 6 **possit**: see § 535, *a* (320, *a*); B. 283, 2; G. 631, 2; H. 591 (503, i); D. 727.

40 7 (SECT. 33.) **perpetua oratione**, *a continuous argument*, before bringing up the witnesses. This is what we possess in the five speeches of the *Accusatio*, which, in the usual order of proceeding, would have been delivered before bringing up the witnesses, but which were in fact never spoken at all (see Introd. to the oration, page 28). — **percipi**, *reaped:* the regular term for gathering crops.

40 8 **potuit**, *might have been:* § 517, *c* (308, *c*); B. 304, 3, *a*; G. 597, R.[3]; H. 583 (511, I, N.[3]); D. 797, *a*.

40 9 **publicis**: see note on p. 35, l. 23. — **tabulis**, *records*. — **auctoritatibus**, *documents*.

40 10 **res omnis**: here, after stating his plan briefly, Cicero goes off into a seeming digression against Hortensius. In this he shows clearly one of his principal motives in undertaking the prosecution, namely, to overthrow the latter's excessive control of the courts. The attack is skilfully introduced. His sole reason, he says, for departing from the ordinary course of procedure is that Hortensius does not wish to meet him in fair legal fight. The sally against Hortensius, again, serves as a transition to Cicero's final appeal to the sense of shame and the prudence of the court.

40 11 **diluendis, explicandis**: technical terms in argument (see Vocab.).

40 14 **ex tua natura**: Hortensius, like M. Metullus, was personally an amiable and honorable man, though pledged to a bad cause.

40 16 **rationi**, *scheme*, *course*, looking to the method; **consilio**, *plan of action*, looking to the end. Cicero contrasts them more than once.

40 17 (SECT. 34.) **binos ludos**, i.e. Pompey's games and the Roman.

40 18 **comperendinem**, *close my case* (lit. *adjourn over*). After the testimony was all in, it was customary to adjourn over to the next day but one (**comperendinare**), in order to give opportunity for a rehearing (usually a brief one). When this stage had been reached, there was no chance for further postponement. Cicero's determination to bring about a *comperendinatio* before Pompey's games — i.e. within ten days — settled the case in his favor; for, as has been shown, the only hope of the defence lay in putting off the trial, Hortensius having absolutely nothing to say in behalf of his client's innocence.

40 19 **necessarium,** *unavoidable* (not a mere shrewd trick like that of Hortensius).

40 23 **id**: refers forward to **eos velle**, etc. (l. 24). — **amplum et praeclarum,** *an honor and distinction* (translating as nouns).

40 25 **innocentiae** (an almost technical term), *purity of administration* in Sicily (see Introd. to the oration).

40 26 **majus quiddam**: what this was is explained in sect. 35.

40 28 (SECT. 35.) **illud**: refers to **istum . . . vocari** (l. 29).

40 31 **potentia,** *domineering* (i.e. his illegal control of the courts); **cupiditas** (in a bad sense), *unscrupulous eagerness* (for gaining your case).

40 33 **interponeretur**: for fut. ind. of the dir. disc. — **nunc**: opposed to the time of **videbatur**.

41 1 **regnum judiciorum,** *lording it over the courts.*

41 2 **homines,** i.e. the corrupt senatorial jurors.

41 4 **inruere,** etc., *to be bent on making themselves hateful and offensive.* — **hoc,** i.e. to break down Hortensius's control, and the corruption of a few Senators.

41 6 **nervos aetatis**: Cicero was now 36.

41 8 (SECT. 36.) **ordo,** i.e. the Senate. — **paucorum,** artfully put so as not to offend the whole body.

41 12 **loco**: *the Rostra* (see Vocab., under **rostrum**).

41 13 **secum agere**: the technical expression for transacting business in the *comitia* was *agere cum populo* (or *plebe*). Cicero refers to the office of curule ædile, upon which he was to enter January 1. One of the most important functions of this magistrate was the administration of criminal justice (**de hominibus improbis**) in cases where there had been an appeal from the sentence of a court to the judgment of the public assembly.

41 14 **munus,** *service.* The word also means the *public games,* which were given to the people by the ædiles especially; hence there is a kind of pun here.

41 16 **moneo,** etc.: observe the climax. — **deponere,** *deposit* with the *sequestres* (see note on p. 36, l. 15).

41 17 **accipere,** *take* (money); **recipere,** *undertake* to do anything (upon request or the like). — **polliceri,** *offer.*

41 18 **interpretes,** *go-betweens:* the *divisores* are probably meant.

41 19 **potentiam**: it is hardly accidental that this is the same word used above (sect. 35, l. 31) of the influence of Hortensius. In the next section Cicero expressly asserts that he expects to meet with all possible opposition from the latter.

41 22 (SECT. 37.) **erit**, *will be* (it is true): notice the emphatic position, opposing it to the clause with **tamen** (l. 24). — **imperio et**

FIG. 5

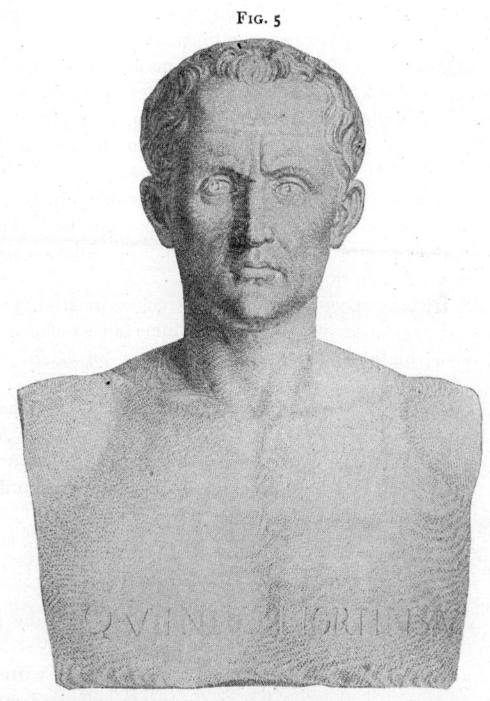

potestate, *military and civil power.* Of the regular magistrates, all possessed *potestas*, i.e. power in general (including military power); but only consuls and prætors possessed the *imperium*, — i.e. sovereign power, as of a general in the field, somewhat limited, however, in the city by special privileges of Roman citizens.

41 28 **commemorabuntur**, *shall be mentioned* (by me). — **certis rebus**, *well-ascertained facts.*

41 29 **agentur,** *made ground of action.* — **inter decem annos**, i.e. since Sulla's *lex judiciaria*, transferring the courts to the senatorial order (see note on Rosc. Am., p. 2, l. 1).

42 1 (SECT. 38.) **quinquaginta,** i.e. from the law of Caius Gracchus, B.C. 123, to that of Sulla, B.C. 80.

42 2 **ne tenuissima quidem suspicio**: one of the exaggerations of the advocate. If the courts were really worse in B.C. 70 than they had been in 90, it was simply because the times were worse.

42 4 **sublata,** *taken away.* — **populi Romani**, etc., i.e. the ability of the people to hold in check the senatorial order by means of the tribunician power suspended by Sulla (see note on p. 43, l. 32).

42 5 **Q. Calidius**: prætor B.C. 79; condemned for extortion in Spain. It seems that Calidius, being condemned *de repetundis*, with bitter irony assailed the bribed jurors on account of the smallness of the bribe for which he was condemned, saying that it was not respectable (**honestum**) to condemn an ex-prætor for so small a sum. The allusion shows that the corruption was notorious and universal.

42 6 **HS triciens**: 3,000,000 *sestertii* = $150,000 (nearly); § 634 (379); G. p. 493; H. 757 (647, iv, 1). — **praetorium**: an ex-magistrate kept the rank of the highest office he had held, — as *consularis*, *praetorius*, *aedilicius*.

42 7 **P. Septimio** (Scævola), condemned B.C. 72; the damages were increased because of his connection with the odious *consilium Junianum* (sect. 29). The amount extorted was estimated in a separate process (*litis aestimatio*), and in this case the money taken in bribery was included in the reckoning.

42 14 (SECT. 39.) **inventi sint** represents an hist. perf., and hence takes the secondary sequence (**exirent**): see § 485, *j* (287, *i*); cf. B. 268, 7, *b*; G. 517, R.[1]; D. 705, *b*.

42 15 **sortiente**: the jurymen were drawn by lot by the presiding officer; in the case mentioned there was collusion between Verres and the persons drawn, so that the lot was a mere form. — **qui . . . exirent** (purp. clause), *to be drawn for* [the case of] *a defendant to condemn him without a hearing* (through a corrupt bargain between Verres and the packed jury).

42 19 (SECT. 40.) **jam vero,** *and finally* (introducing the climax of all). — **illam,** i.e. the one described in the passage **hoc factum esse**, etc.

42 21 **discoloribus signis**: see note on **color**, p. 34, l. 16. The case referred to was one in which Hortensius was counsel.

42 23 **acturum esse,** *will attend to* (i.e. officially, as ædile: cf. the use of **agere**, above).

42 24 (CHAP. XIV.) In this chapter Cicero reaches the climax of his accusations and insinuations against Hortensius, and at the same time makes a clever transition to the case in hand (l. 28), having worked up to his main point, which he proceeds to state with great force, — that it is not Verres that is on trial, but the court itself.

42 28 **hominem**, i.e. Hortensius. — **cujus**: obj. gen.

42 30 **secum . . . agi**, *he was doing very well* (see Vocab., under **ago**).

42 31 **in rem suam**, *into his own pocket.*

42 32 **patronis**: see note, Rosc. Am., sect. 4, p. 3, l. 17.

43 3 (SECT. 41.) **quod**, *at which* (with **commoveri**, l. 6): cf. § 390, *c* (238, *b*); B. 176, 2; G. 333, 1; H. 416, 2 (378, 2); D. 410.

43 4 **apud Glabrionem**, i.e. in the preliminary proceedings. — **reiciundis judicibus** (locat. abl.), *at the time of challenging* (making up the jury).

43 6 **fore uti**, *that the result would be.*

43 8 **tolleretur**, *should be abolished* (purp. clause with **legatos mitterent**, which is equivalent to a verb of requesting).

43 14 **victoriae**, i.e. in the courts. They could endure it if a man stole only enough to satisfy his own avarice (**sibi ac liberis suis**), but they cannot afford to be robbed of enough besides to secure him an acquittal by bribery, if guilty (**nocentissimi victoriae**). Cf. the similar argument in Burke's Opening Speech on the Impeachment of Warren Hastings: "If, from any appearance of chicane in the court, justice should fail, all men will say, 'Better there were no courts at all.'"

43 20 (SECT. 42.) **animo**: abl. of means. — **majore . . . odio**: abl. of quality.

Sects. 43–50. Sudden and powerful appeal to the jurors to save the senatorial courts from present infamy and threatened destruction.

43 24 (SECT. 43.) **loco**, *point* (raised in his argument).

43 29 **contemnimur**: Cicero uses the first person to include himself as a member of the Senate.

43 32 (SECT. 44.) **tribuniciam potestatem**: referring chiefly to the power of the tribunes to try criminal cases before the *comitia tributa;* this power, greatly abridged by Sulla, had been restored by a law of Pompey early in this year, B.C. 70.

43 33 **verbo**, *in name.* — **re vera**, *in fact.* — **illam**, the tribunician power (because this was a check on the power of the Senators).

44 1 **Catulum**: Q. Lutatius Catulus was the best and most eminent man of the aristocracy.

44 2 **fugit**, *has escaped.*

44 3 **referente**, *consulting* [the Senate]: the technical expression for bringing a matter before the Senate for action.

44 4 **rogatus**: each Senator in turn was asked his opinion (**sententiam**) by the consul or other presiding officer; cf. **hos sententiam rogo**, Cat. i, sect. 9.

44 5 **patres conscriptos**: see note on Cat. i, sect. 9, p. 103, l. 6.

44 8 **fuisse desideraturos** (the regular way of expressing the contrary to fact apodosis in indir. disc.), *would have missed:* § 589, *b*, 2 (337, *b*, 2); B. 321, A, 2; G. 656, N.2; H. 647 (527, iii); D. 900, iii.

44 9 (SECT. 45.) **contionem habuit**, *made a speech: contio* means, strictly, an assembly called for the purpose of listening to discussion merely (so in l. 12, below). — **ad urbem**, i.e. in the Campus Martius, not in the city. Pompey was elected in his absence, and while still clothed with the military *imperium:* he could not therefore enter the city to meet the citizens, but called them to him outside the walls.

44 10 **ubi**, *in which.*

44 12 **in eo**, *at that point* (properly *on that point*).

44 16 **suam** by its emphatic position gives the force of the English, *what* THEY *desired.*

44 20 (SECT. 46.) **religione**, *regard for oath.*

44 21 **tribuniciam**, i.e. the law referred to in the note on sect. 44. — **unum**, *one, it is true;* but since he was *a man of no means at all* (**vel tenuissimum**), his conviction was no proof of the integrity of the courts. The present trial will afford the people the criterion they wish.

44 29 (SECT. 47.) **nihil sit**, etc., i.e. this is simply a case of guilt and money; there are no political or other disturbing influences. To acquit him, then, will be to admit that you are bribed.

44 31 **gratia**, *personal popularity.*

45 1 (SECT. 48.) **agam**, *conduct.*

45 2 **res**, *facts.* — **manifestas**: a technical word denoting direct proof, not circumstantial evidence.

45 3 **a vobis . . . contendere**, *urge upon you.*

45 6 **eorum**, i.e. of the defence.

45 8 (SECT. 49.) **vos**: opposed to former juries, which have occasioned the scandal.

45 9 **huic ordini**: dat. of agent; § 375 (232, *a*); B. 189, 2; G. 354; H. 431 (388, 1); D. 392.

45 10 **post haec**, etc., i.e. since the reorganization of the courts by Sulla (see note on Rosc. Am., sect. 1).

45 11 **utimur,** *have.* — **splendore,** *personal distinction,* from wealth and exploits. — **dignitate,** *dignity,* from rank and office.

45 12 **si . . . offensum,** *if there is any slip* (a euphemism).

45 17 (Sect. 50.) **opto,** *pray.* Observe the adroit union of compliment and threat in this passage, which at the same time forms the transition to the appeal to the prætor presiding.

Sects. 51, 52. Appeal to Glabrio, the presiding prætor, to prevent bribery.

45 28 (Sect. 51.) **is:** referring to the Senate. — **judicio:** abl. of means.

45 30 **qui sis,** *what sort of man you are.*

46 1 **reddere,** *pay back.* — **fac . . . veniat:** § 565 (331, *f*, R.); cf. B. 295, 8; G. 553, 1 (end); H. 565, 4 (499, 2); D. 720, i, *d.*

46 2 **legis Aciliae:** this (probably B.C. 101) provided that there should be neither *ampliatio* (further hearing) nor *comperendinatio* (see note on sect. 34, p. 40, l. 18) in cases of *repetundae.* All earlier laws were superseded by the Cornelian law of Sulla.

46 4 (Sect. 52.) **summae auctoritates,** *strongest influences,* especially family traditions, etc. To the Roman mind an *auctor,* in this sense, was a pattern for imitation.

46 5 **quae . . . non sinant:** best regarded as a purpose clause; cf. § 531, 2, N. (317, N.); D. 715, N.

46 11 **ut ne quis,** etc.: § 537, *a,* N. (319, *a,* N.); G. 545, R.[1]; H. (499, 1).

46 14 **nocenti reo,** etc., *for the accused, if guilty, his great wealth has had more weight to increase* (lit. *towards*) *the suspicion of guilt than* (*to secure*) *a means of safety.*

Sects. 53–56. Cicero states his plan for preventing delay. He will introduce his witnesses at once, without preliminary argument. Brief statement of the charges against Verres. End.

46 17 (Sect. 53.) **mihi certum est,** *for my part* (emph.) *I am resolved.* — **non committere,** *not to allow* (in the weak sense of *letting it occur* by mistake or fault). — **ut . . . mutetur,** *to be changed;* § 568, N.[1] (332, *e*); G. 553, 1; cf. H. 566, 1 (498, ii, N.[2]). — **nobis** (eth. dat.), *our.*

46 19 **servi,** etc.: Hortensius and Metellus (sects. 25, 27), while consuls elect, had sent for the Sicilians, but of course without any authority to enforce their coming. Cicero suggests that, if the case is put off till the next year, the summons may be repeated, this time by means of *lictors.* Each consul was attended by twelve of these officers, who had the power of arresting and coercing (see Manil. Law, note on sect. 32, p. 81, l. 15).

46 20 **novo exemplo,** *in an unheard-of manner.*

46 23 **ius suum,** *their* [lost] *rights.*

46 24 **eorum**: this word suggests in a skilfully vague way that Verres, the Metelli, and Hortensius are all in the same conspiracy, as it were, to rob the Sicilians, Verres having used his *imperium* to carry out the actual robbery, the others using theirs to protect him by intimidating the victims.

46 27 (SECT. 54.) **nobis responderi,** i.e. the argument for the defence to be made.

46 28 **adducta sit**: § 593 (342); B. 324, 2; G. 663, 1; H. 652 (529, ii); D. 907; if this were not dependent on **responderi**, it would be fut. perf. ind.

46 30 **comitiorum, ludorum**: the trial came just between the elections and Pompey's votive games (sect. 31).

46 31 **censendi causā,** *on account of the census-taking* (*registration*). At this time censors were in office, for the first time since Sulla's domination: they were holding a registration of property and voters, at which citizens from all parts of Italy were obliged to report. The importance of proceeding with the trial while Rome was thus filled with citizens and provincials is obvious.

46 32 **vestrum, nostram** (*mine*), and **omnium** (next page) are predicate after **esse** (p. 47, l. 2).

47 1 **quid agatur** (ind. quest.) depends on the verbal noun **scientiam,** as the next clause does on **memoriam.**

47 2 **omnium,** i.e. not the inhabitants of Rome alone.

47 3 (SECT. 55.) **principes**: the two distinguished brothers, L. and M. Lucullus.

47 5 **ita testis constituam,** etc.: this is the *criminum ratio* (sect. 19, l. 14). Cicero's plan appears to be so to arrange his witnesses that their examination shall make the usual long introductory *accusatio* unnecessary. He will, he says, produce his witnesses in such an order and with such introduction in each case as to bring out the *crimen totum* in the course of these proceedings. When he has explained what he expects to prove in a given instance, he will immediately bring forward the appropriate witnesses, and so on till the whole case is in.

47 6 **crimen totum,** *the impeachment as a whole.* — **crimen** (below), *the special charge of extortion* (stated formally in the next section), the only charge for which Verres was really on trial.

47 10 **dantur,** *are offered.* — **in singulas res,** *to each point.*

47 11 **illis,** the counsel for the defence.

47 13 **altera actione,** i.e. after the *comperendinatio:* in this sense the speeches of the *accusatio* are correctly called *Actio Secunda* (see note above).

47 16 **haec** (referring forward to sect. 56), etc., *this is all the Accusatio there will be in the first Action.*

47 19 (SECT. 56.) **quadringentiens** [*centena milia*] **sestertium,** 40,000,000 *sestertii,* = $2,000,000 (nearly): § 634 (379); G. p. 493; H. 757 (647, iv, 1).

47 23 **habuissemus:** cont. to fact protasis regularly retained, without change of mood or tense, in indir. disc.; § 589, *b* (337, *b*); B. 321, B; G. 659; H. 647 (527, iii); D. 900, iii, 901, iii; the apodosis is **opus fuisse** for **opus fuit,** *there would have been no need:* § 517, *c* (308, *c*); B. 304, 3, *a*; G. 597, R.³, *a*; H. 525, 1 (476, 4); D. 797, *a*.

47 25 **Dixi,** *I have done:* a common formal ending.

THE PLUNDER OF SYRACUSE

Sects. 1, 2. Contrast between the treatment of Syracuse by the conqueror Marcellus in time of war and its treatment by Verres, the governor, in time of peace.

PAGE **48**. LINE 3. (SECT. 1.) **aliquando,** *at last,* implying impatience, here assumed as a kind of apology to his hearers for the length of his account.

48 5 **Marcello:** M. Claudius Marcellus, of a noble plebeian family (all the other families of the Claudian *gens* were patrician), was the ablest general the Romans had in the early years of the Second Punic War, but illiterate and cruel. His capture of Syracuse was in B.C. 212. He was killed in battle B.C. 208.

The contrast in sect. 1 is a brilliant one; nevertheless, the orator exaggerates, as on so many occasions. "Not only did Marcellus stain his military honor by permitting a general pillage of the wealthy mercantile city, in the course of which Archimedes and many other citizens were put to death, but the Roman Senate lent a deaf ear to the complaints which the Syracusans afterwards presented regarding that celebrated general, and neither returned to individuals their property nor restored to the city its freedom" (Mommsen).

48 8 **imperatoris**: this title, properly belonging to every holder of the *imperium*, was by usage assumed by the commander only after his first considerable victory. — **cohortem**, *train* of courtiers, etc.: the provincial magistrates, representing the Roman *imperium*, had almost a royal suite, as well as other insignia of royalty.

48 12 (Sect. 2.) **omitto**: a good example of the rhetorical device known as *praeteritio*. — **locis**, i.e. in the other speeches of the *Accusatio*.

48 13 **forum**: every ancient town had its central market-place or square (*forum*, ἀγορά), an open space, used for trading, public assemblies, and the administration of justice. The same feature exists in European towns at the present day.

49 4 **clausus fuisset**: Marcellus had been obliged to starve out the city. — **Cilicum**: Cilicia was the chief seat of the organized bands of pirates who ruled the Mediterranean at this time.

49 10 **illis rebus**, i.e. the plunder of temples, etc.

Sects. 3–5. Situation and topography of Syracuse.

Fig. 6

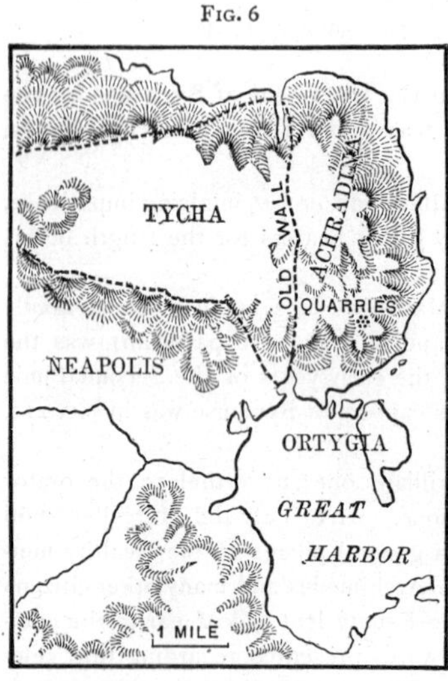

49 11 (Sect. 3.) **maximam**: the circuit of its walls was about 180 *stadia*, = more than 20 miles.

49 13 **ex omni aditu** limits **praeclaro ad aspectum**.

49 14 **in aedificatione**, etc., i.e. enclosed by the buildings of the city. Ancient harbors (as at Athens) were often at a considerable distance from the city.

49 16 **conjunguntur**: Ortygia (or *Insula*), the site of the original town, had an independent harbor on each side connected by a narrow channel. This channel is the **exitus** mentioned.

50 2 (Sect. 4.) **Hieronis**: Hiero II, king of Syracuse (B.C. 270 to about 216), who was during most of his reign a steadfast ally of Rome.

50 5 **Dianae**: the quail, ὄρτυξ (whence the name *Ortygia*), was sacred to Diana (Artemis). — **istius**, i.e. of Verres.

50 7 **Arethusa**: for the myth of Arethusa and Alpheus, see Ovid, Met. v. 573–641; Gayley, *Classic Myths*. For view of the fountain, see Virgil's Eclogues, p. 29.

50 10 (SECT. 5.) **Achradina**, the plain and table-land north of Ortygia.

50 11 **prytaneum**: the building in which the city was conceived to have its home. Here was the hearth, sacred to Vesta, whence colonists carried the sacred fire to kindle a new hearth in the *prytaneum* of their new home. It was also used for courts of justice, public banquets, etc. Such public buildings were usually grouped round the forum in the centre of the city.

50 13 **urbis**, i.e. Achradina. — **perpetua**, *running its whole length*.

50 14 **continentur**, *are lined in continuous rows*.

50 16 **gymnasium**: the place for exercise and baths, with porticos, groves, and halls.

FIG. 7. — VIEW OF MODERN SYRACUSE

50 19 **coaedificata,** *built up.* — **Neapolis,** i.e. "the new city." — **quam ad summam,** *at the highest point of which.*

Sects. 6, 7. Marcellus, the conqueror at Syracuse: compare Verres, the governor.

51 4 (Sect. 6.) **pulchritudinem**: the English would put it less abstractly, — *this beautiful city.*

51 8 **in,** *in respect to.* — **habuit victoriae rationem,** *had regard for the right of victory.*

51 10 **deportare**: a Roman custom, imitated in the nineteenth century by Napoleon. — **possent,** subj. of characteristic. — **humanitatis,** *the part of humanity.*

51 15 (Sect. 7.) **Honoris,** etc.: the worship of abstractions was a characteristic of the Roman religion. Marcellus restored the temple of Honor and built the temple of Virtus; the two were so connected that in common parlance they were referred to as a single edifice.

51 16 **in aedibus,** i.e. in his own house in town.

51 18 **ornamento,** i.e. as being free from stolen treasures.

51 19 **deum nullum**: translate, in order to keep the emphasis of the position, *of the gods not one* (i.e. not a single statue).

51 21 **comparetis,** i.e. in renown and in personal character.

51 22 **pacem cum bello,** etc.: implying that the administration of Verres in time of peace was worse than the armed capture by Marcellus. — **forum et juris dictionem,** *law and justice:* the **forum** is mentioned as being the place where the prætor administered justice; **juris dictio** was his special function (see note on Verres, i, sect. 12, p. 32, l. 13).

Sects. 8–17. Details of the robberies of Verres.

52 1 (Sect. 8.) **aedis Minervae**: the illustration shows how this ancient temple of Minerva in Syracuse has been made over into a church.

52 4 **tamen in bello**: translate *though in war, still,* etc. The particle **tamen** ("still") often suggests a concession ("although"), not expressed, but loosely implied in the context or the circumstances; here the implied concession is "though the rights of an enemy in war are unlimited." — **religionum,** *things sacred.* — **consuetudinis,** i.e. things hallowed by use.

52 6 **Agathocli**: tyrant of Syracuse, B.C. 317–289. (Fig. 8, a coin of Agathocles, shows the head of Persephone, and on the reverse a figure of Victory erecting a trophy.)

52 9 **visendum**: see Manil., sect. 40, p. 85, l. 6, note.

52 10 **profana fecisset**: the Romans had a formula by which they called away (*evocare*) and gained over to their side the tutelary deities of any cities they were besieging. Of course, the temples of these gods then lost all their sanctity and became profane buildings. With the same idea the true name of Rome and that of its tutelar divinity were said to be kept as a mystery, lest they should become known to an enemy, who might thus disarm the city of its protector. Notwithstanding this doctrine, the Romans were often, as in the case of Marcellus, prevented by religious feeling (**religione**) from violating the sacred edifices of conquered cities. Often, too, they transferred the worship of the deities in question to Rome. On the whole idea, cf. Æneid, ii. 351, and note.

Fig. 8

53 1 **jam** belongs with **sacra religiosaque.**

53 6 (Sect. 9.) **id quod,** *what.*

53 9 **deberet**: subj. of characteristic.

Fig. 9

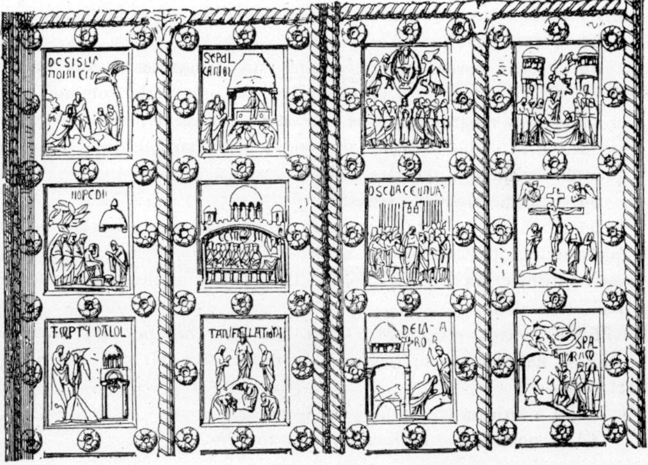

53 13 **in quibus erant,** *upon which were represented.*

53 16 **cognitione formarum,** *acquaintance with their features.*

53 18 **tamen**: see note on p. 52, l. 4.

53 20 (SECT. 10.) **valvis**: such ornamentation may be seen in a mediæval example in Fig. 9 (doors of the Cathedral at Pisa).

53 23 **tam . . . cupidum,** *that I am so eager* (in appos. with **quod**).

53 30 **illi,** i.e. the Greeks, as being over-fond of art. The Romans were inclined to look down upon culture and the fine arts as being less manly than politics and war; cf. the famous passage in the Æneid, vi. 846–853.

FIG. 10

54 2 **argumenta,** *subjects* or *stories* (in relief); cf. Æneid, vi. 20, and note.

54 3 (SECT. 11.) **Gorgonis**: the head of Medusa, a favorite subject of ancient art. See Fig. 10, from an ancient marble mask.

54 6 **bullas,** i.e. knobs, similar to those in Fig. 11.

54 11 **in hoc nomine,** *at this item* (i.e. wondering why Verres should have taken these).

54 12 **commoveri,** *were surprised.*

54 13 **satis esset,** i.e. they were only curiosities. Any natural object which was, in the view of the ancients, out of the common order of nature was regarded as a *monstrum* or *prodigium*, and as therefore associated in some way with the gods; hence such objects were frequently dedicated in temples.

54 16 **id** merely repeats **hastas.**

54 17 (SECT. 12.) **nam** explains (ironically) why he asks the last question. A passion for art might, he suggests, excuse the theft of such an object as the Sappho, but the stealing of the bamboos was a wanton sacrilege.

54 21 **potius,** etc., *rather than this most tasteful and cultivated man.* — **haberet**: § 444 (268); B. 277; G. 265; H. 559, 4 (484, v); D. 678.

54 22 **nimirum** (continuing the irony), *of course.*

54 23 **nostrum,** *of* US (emph.), opp. to *Verres.*

54 25 **eat** (hort. subj.), *must go.* — **ad aedem Felicitatis**: the temple of *Felicitas* was adorned with the spoils of conquered Corinth. Catulus had adorned his temple of *Fortuna*, and Metellus his portico, with splendid works of art.

54 27 **istorum,** Verres and his friends. — **Tusculanum,** *villa at Tusculum* (about 15 miles southeast of Rome) where the wealthy Romans, Hortensius among the rest, had splendid country-houses.

54 28 **ornatum,** i.e. as it was on festal days. — **commodarit,** *lent:* such works of art were often placed temporarily in the Forum; cf. our modern "loan exhibitions."

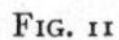

FIG. 11

54 31 **operari,** *mere day-laborer:* said in contempt of Verres's pretensions to culture. — **studia,** *fine tastes.* — **delicias,** *luxurious pleasures* (both ironical).

55 1 **appositior,** *better fitted.* — **ad ferenda,** etc., *to carry* (as a porter) *than to carry off* (as a connoisseur): a sarcasm on Verres's coarse and heavy build.

55 5 (SECT. 13.) **Graeculus**: in contemptuous allusion to his pretence of taste. — **subtiliter judicat,** *is a fine connoisseur of.*

55 7 **nunc,** *now* (as it is) opposed to **si . . . tulisset.**

56 2 (SECT. 14.) **parinum** (corrupt and meaningless): the common reading is **parvum**; perhaps the old conjecture **Parium,** *of Parian marble,* is best.

56 7 **Libero patre**: not *Liber his father*, but *father Liber*, **pater** being a common attribute of Liber as well as of Mars and other gods. **Liberi filius** (l. 6) is spurious.

56 9 (SECT. 15.) **Jovem**: the statue was of Ζεὺς οὔριος, god of favorable weather, identified, from some fancied resemblance, with *Juppiter imperator.*

56 10 **suo**: the emphatic position continues the emphasis on **Jovem.**

56 13 **Flamininus**: T. Quinctius Flamininus (Fig. 12, from a coin), who defeated Philip of Macedon at Cynoscephalæ, B.C. 197.

56 16 **in Ponti ore**: the Thracian Bosporus, the strait extending from Constantinople to the Black Sea, about 17 miles.

56 18 **sua**: § 301, *b* (196, *c*); cf. B. 244, 4; G. 309, 2; H. 503, 2 (449, 2); D. 523.—**Capitolio**: the Capitol, or Temple of Jupiter Capitolinus, had three *cellae*, or chapels, sacred to the Capitolian triad, Jupiter, Juno, and Minerva. This was now the most illustrious temple, "the earthly abode," of Jupiter.

Fig. 13

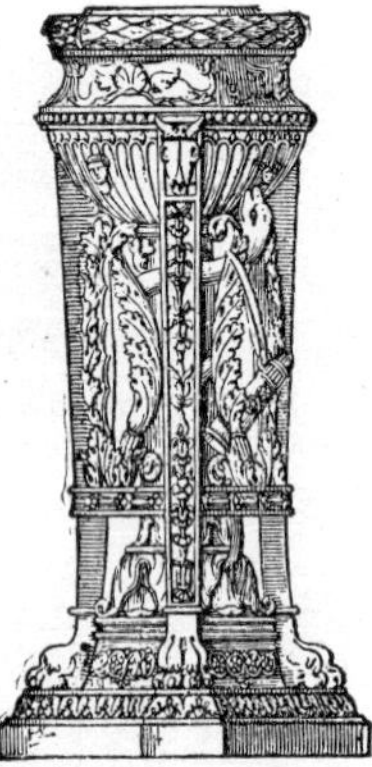

Fig. 14

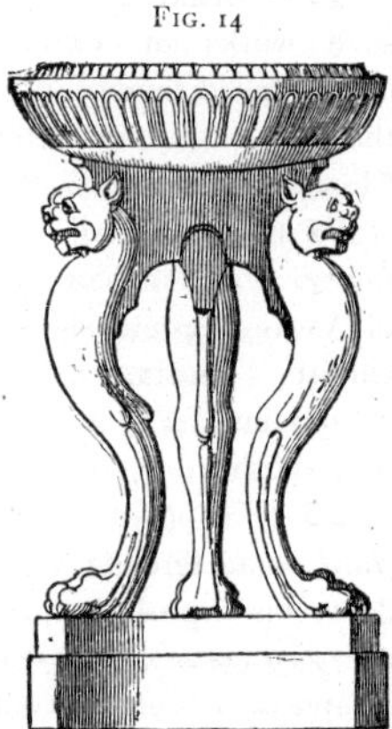

56 24 **incolae**, *residents*, i.e. persons of foreign birth who made Syracuse their home, without having obtained citizenship; **advenae** (next line), *visitors*.

Fig. 12

56 28 (Sect. 16.) **adventu**, abl. of cause.

57 2 (Sect. 17.) **mensas Delphicas**: tables with three legs, like the Delphic tripod (see Figs. 13, 14); **vasa Corinthia** were made of a kind of bronze, of peculiar beauty and very costly.

Sects. 18–21. Robberies of works of art are especially odious to men of Greek blood.

57 17 (Sect. 18.) **levia et contemnenda**: cf. note on p. 53, l. 30.

57 22 **fanorum**, *shrines:* the word indicates the consecrated spot rather than the temple or altar erected upon it.

57 27 (Sect. 19.) **nisi forte**: introducing, as usual, an absurd supposition.

57 28 **desierunt**, *ceased*, i.e. by the transference of the courts to the Senators.

58 2 **Crasso**: L. Licinius Crassus, the famous orator, and Quintus Scævola, *pontifex maximus*, the famous jurist and statesman, were close friends, and colleagues in nearly every office. They were curule ædiles, B.C. 103, and gave the first exhibition of lion-fights. The splendor of their ædileship was the work of Crassus, a man of elegant and luxurious tastes, while Scævola was moderate and simple in his habits. — **Claudio**: probably a brother of Claudia, the wife of Tiberius Gracchus. In his ædileship, B.C. 99, he exhibited fights of elephants.

58 4 **commercium**: Crassus and Claudius would have bought such objects of art if anybody could have done it.

58 5 **fuisse**, sc. **commercium**.

58 9 (SECT. 20.) **referri**, *be entered*, has for subject **pretio . . . abalienasse**.

58 12 **rebus istis**, *things of that sort*.

58 13 **apud illos**, i.e. the Greeks generally.

58 19 (SECT. 21.) The cities referred to in this section were all centres of Greek art or celebrated for the possession of some masterpiece. **Reginos**: Rhegium, *Reggio*, was a very ancient Greek city at the point of Italy nearest Sicily. It was a colony of Chalcis, probably founded in the eighth century B.C., and became a Roman *municipium* after the Social War, B.C. 91–90.

58 20 **merere velle**, *would take*. — **illa**, *that famous*.

58 21 **Tarentinos**: Tarentum was the largest Greek city in Italy, a colony of Sparta, founded in the eighth century B.C., subjugated by Rome just after the invasion of Pyrrhus, B.C. 272.

58 24 **Cnidios . . . Coos**: observe the chiasm.

58 28 **buculam**: the celebrated bronze cow of Myron. — **longum est**, *it would be tedious*: § 522, *a* (311, *c*); B. 304, 3; G. 254, R.[1]; H. 525, 2 (476, 5); D. 797, *c*.

CRUCIFIXION OF A ROMAN CITIZEN

PAGE **59**. LINE 1. (SECT. 1.) **nunc**, opposed to the time of the *actio prima*, which he has just referred to. — **uno genere**, *this one class* of crimes. — **tot horas . . . dicam**: § 466 (276, *a*); B. 259, 4; G. 230; H. 533 (467, iii, 2); D. 650.

59 5 **tenerem**: for tense, see § 485, *j* (287, *i*); B. 268, 7, *b*; G. 511, R.[2]; H. 547, 1 (495, *i*); D. 705, *b*.

59 6 **de tanta re,** etc.: Cicero has now arrived at the climax of his accusation: the case of Gavius is so outrageous that it would require all his powers to characterize it. But, he says, he has already used the strongest language of which he is master in describing other and less heinous crimes, and he has not attempted to keep the attention of the jurors by variety in the charges. What, then, can he do to make this horrible case, the most abominable of the crimes of Verres, sufficiently impressive? There is but one thing left to do: he will *tell the bare facts*, which need no eloquence to emphasize them.

59 7 **rem** (emphat.), *the bare facts.* — **in medio,** *before you.*

59 10 (SECT. 2.) **in illo numero**: Cicero has been describing the treatment of a number of fugitives from the insurrectionary army of Sertorius in Spain who had made their way to Sicily after the death of Sertorius, B.C. 72, and the overthrow of his faction by Pompey.

59 12 **lautumiis,** *the stone-pits* (ancient quarries) at Syracuse, used as a prison. The illustration shows the present condition of that part of the *lautumiae* known as Dionysius' Ear. — **Messanam** (now *Messina*), the point of Sicily nearest Italy. Messana, founded as a Greek colony in the eighth century B.C., was at this time one of the very few privileged towns (*civitates foederatae*) of Sicily. It was specially favored by Verres, and, according to Cicero, was an accomplice of his iniquities. Fig. 15 shows a representation of the *pharos* (lighthouse) of Messana from a coin of Sex. Pompey; the reverse has a representation of Scylla.

FIG. 15

59 14 **Reginorum**: Rhegium is almost in sight of Messana.

59 15 **odore,** *breath.*

59 18 **rectā,** sc. **viā.**

59 21 (SECT. 3.) **in praetorio,** *the house* (or *official residence*) *of the prætor.*

59 23 **adjutricem,** etc.: § 282, *c* (184, *b*); B. 169, 3; G. 321; H. 393, 1 (363, 1); D. 312, *a.*

59 24 **magistratum Mamertinum,** *a magistrate of Messana:* the city of Messana had been treacherously taken possession of by a body of mercenaries, who called themselves *Mamertini* (children of Mars), about B.C. 282. Though the name of the city was not changed, its citizens were from this time called *Mamertini.* See cut in text, which shows the head of Ares.

60 10 (SECT. 4.) **exspectabant,** *were on the watch to see.* — **quo tandem,** *how far:* **tandem** (as also **nam**) gives a sense of *wonder* to the question.

60 13 **expediri,** *to be got ready*, i.e. by untying the *fasces* (rods and axe), which were the badge of the prætor's *imperium*.

60 14 **meruisse** (sc. *stipendia*), *served* as a soldier.

60 15 **Panhormi** (*all harbor*), the present *Palermo*: see Fig. 16. — **negotiaretur,** i.e. as head or agent of some house engaged in speculation (cf. Verr. i, sect. 20). This kind of business was generally carried on by Roman *equites*, and on a large scale.

Fig. 16

View of Palermo

60 17 **fugitivorum,** *runaway slaves*, who had been concerned in the frightful servile war of Spartacus, B.C. 73–71.

60 19 **esset:** subj. of characteristic.

60 21 (Sect. 5.) **caedebatur:** observe the emphatic position. This imperf. and those following make a lively description of the scene instead of a mere statement of the facts.

Fig. 17

61 1 **audiebatur,** *could be heard*: § 471, *f* (277, *g*); G. 233.

61 2 **commemoratione,** *claim*.

61 7 **pestem,** *accursed thing*.

61 10 (Sect. 6.) **lex Porcia:** this forbade the scourging of citizens. See Fig. 17, a coin struck by a member of the Porcian family: the reverse commemorates this law; the figure at the right is a lictor with rods. — **leges Semproniae** (of Caius Gracchus): these gave Roman citizens the right of appeal to the judgment of the whole people in capital cases, even against the *military imperium*. In *civil* life this right had existed ever since the foundation of the republic. Cf., in English law, the right of trial "by one's peers."

61 12 **tribunicia potestas**: see note on Verr. i, sect. 44 (p. 43, l. 32).

61 17 **non inhibebat**: cf. note on **audiebatur** (l. 1).

61 22 (SECT. 7.) **ut** (interrog.), *how*.

61 25 **Glabrionem**: subject of **facere**.

61 26 **ut . . . dimitteret**: result clause, in appos. with **id**.

61 27 **consilium,** *jury:* he feared that the lynch law would get the start of a legal verdict.

61 28 **repetisse,** *inflicted* (lit. *exacted*, punishment being regarded as a *forfeit*).

61 29 **veritus esset** has for its subject **populus Romanus.** Observe the exactness of tense-relations expressed by the pluperf. and the periphrastic **esset persoluturus,** *was not likely to pay.*

62 2 (SECT. 8.) **quid . . . sit,** *what will happen to you.*

62 3 **Gavium istum,** *that G. of yours* (i.e. the G. whom you misrepresent). — **repentinum,** *suddenly discovered.*

62 5 **neque,** etc., *and this I will show*, etc. Notice that in Latin the connective attracts the negative whenever it can.

62 6 **aliquis**: Gavius was a very common name in South Italy.

62 8 **ad arbitrium tuum,** *at your discretion* (i.e. as many as you like).

62 11 **sero,** *too late* (for you, but not too late for the court). — **judices,** obj. of **doceant.**

62 15 (SECT. 9.) **patronis**: see note on Rosc. Am., p. 3, l. 17. — **istuc ipsum,** *that single fact.*

62 17 **nuper tu,** etc.: of course an imaginary incident, since this oration was never delivered.

62 19 **ideo,** *for this reason*, i.e. **quod . . . quaereret.**

62 20 **jam,** i.e. after you have said that.

62 24 **ex eo genere**: explained by the clause **non qui . . . dicerent** (characteristic).

63 2 (SECT. 10.) **induatur,** etc.: § 156, *a* (111, *a*); B. 175, 2, *d*; G. 218; H. 407 (377); D. 406, *d*; *tie himself up and strangle himself* (as in a noose); cf. our "give the man rope enough and he'll hang himself."

63 3 **qui esset,** *what he was* (i.e. whether a citizen or not).

63 5–8 **si . . . ducerere, quid . . . clamitares,** etc.: in this past condition, cont. to fact, the imperf. is used instead of the pluperf., because the supposition is general rather than particular; § 517, *a* (308, *a*); G. 597, R.[1]; H. 579, 1 (510, N.[2]); D. 798; *if you, caught,* etc., *had ever been in the hands of men who were dragging you off to punishment, what other cry would you have raised than, "I am a Roman citizen"?*

63 11 **profuisset,** *would have availed,* i.e. in the case supposed (as defined in the preceding sentence): thus **profuisset** involves its own protasis; § 522 (311); B. 305, 1; G. 600, 1; H. 575, 9 (507, N.[7]); D. 687, 802. It is a complete proposition, which is made conditional by **si**; § 523 (311, *d*); D. 687, 802: it is also made the protasis of a new apod., **potuit,** l. 15; § 522, *a* (311, *c*); B. 304, 3; G. 597, R.[3], *a*; H. 583 (511, 1, N.[3]); D. 687, 802, 643, *a*.

63 12 **qui,** concessive; **cum,** causal.

63 14 **usurpatione,** *claim* (lit. *using* the word).

63 18 (Sect. 11.) **quo = ad quos.** — **cognitoribus,** *vouchers.*

63 20 **legum existimationis,** obj. gen. with **periculo.**

63 21 **continentur,** *are restrained.*

63 22 **sermonis . . . societate,** *by fellowship in language, rights, and interests.*

64 2 (Sect. 12.) **tolle,** a sort of protasis: § 521, *b* (310, *b*); B. 305, 2; G. 598; H. 560, 3 (487, 3); D. 774, footnote; the apod. is **jam . . . praecluseris** (ll. 6–9, below).

64 5 **quod velit** (subj. of integral part), *any he pleases.*

64 6 **quod . . . ignoret,** *because one may not know him.*

64 7 **liberas civitates:** the allied states in the provinces, which were not strictly under the jurisdiction of the prætors.

64 9 **praecluseris,** fut. perf.

64 12 **adservasses,** *you might have kept.* — **custodiis:** abl. of means.

64 14 **cognosceret,** *should he know:* equiv. to a protasis with **si**; § 521, *b* (310, *b*); B. 305, 2; G. 598; H. 573, N. (507, iii, 1); D. 774, footnote.

64 15 **si ignoraret:** Cicero here ironically lays down, under the form of a calm and reasonable alternative, the principle that Verres might crucify any Roman citizen whom he did not personally know and who could not furnish a rich man to identify him.

64 16 **hoc juris:** § 346, *a*, 3 (216, *a*, 3); B. 201, 2; G. 369; H. 442, 1 (397, 3); D. 342. — **ut . . . tolleretur:** clause of purpose.

64 21 (Sect. 13.) **hostis,** i.e. by his acts he has virtually declared himself the open enemy of the state as if he were a foreign power making war on the rights of Roman citizens (hence **hostis** rather than **inimicus**). — **non illi**: both words are emphatic, — *it is not to this person* (in particular) *but to*, etc., *that you were hostile.*

64 22 **quid enim attinuit**, etc., *for what did it have to do with the case that you should order*, etc.: why should you have ordered, etc., unless by these gratuitous severities you wished to show your hatred of the very name of citizen?

64 25 **fretum**, the *strait* of Messina.

64 32 **divisa**, *thus divided.*

65 1 **alumnum**, *foster-child*, i.e. adopted citizen.

65 4 (SECT. 14.) Observe the double climax: **facinus, scelus, parricidium; vincire, verberare, necare.** For the crucifixion of a citizen Cicero can find no word strong enough; hence the summit of the climax is reached in **quid dicam**?

65 5 **parricidium**: for the horror with which this crime was regarded by the Romans, see Rosc. Am., sects. 28, 29.

65 14 **in comitio**: i.e. publicly in Rome and in the very centre of Roman freedom and Roman life. The *comitium* was an open space north of the Forum, on higher ground (see Plan of Forum, top); it was used for the most ancient *comitia*, the *curiata* (in which the people were assembled by the thirty hereditary *curiae*), for hearing lawsuits, and for *contiones*. The *curia*, or Senate-house, fronted toward the *comitium*. — **quod**, i.e. *that point which.*

65 15 **celebritate**, i.e. as being a crowded thoroughfare.

65 16 **potuit**, sc. *fieri.*

65 18 **praetervectione**, etc., *on the track of all who sail to and fro* (by the Strait of Messina, the necessary route to Greece).

THE MANILIAN LAW

ARGUMENT

CHAP. 1. *Exordium.* Why this is Cicero's first appearance before a political assembly. — *Narratio.* 2. Statement of the case: Mithridates and Tigranes have invaded the Roman domain. This war is demanded by the dignity and safety of the state. — *Confirmatio.* (I) Character of the war. — 3. Ill success of the First and Second Mithridatic Wars. — 4. Strength of the enemy. — 5. Present tameness of the Roman people contrasted with their ancient pride. The allies, whose safety is at stake, demand Pompey as commander. — 6. The chief revenues are in peril, endangered by mere suspicion of calamity. — 7. Financial crisis at Rome (general ruin would result from disaster to the *publicani*). — (II) 8. Magnitude of the war. Lucullus achieved great success in his campaign. — 9. But the war is still a great one: Mithridates is not subdued; our army has suffered reverses; Lucullus has been removed. — (III) 10. Who then should be appointed? Military experience of Pompey. — 11, 12. His successes, especially in the Piratic War. — 13, 14. He has all the qualities of a general, including not only courage, but moral qualities: blamelessness, humanity, self-restraint, easy manners. — 15. His prestige and influence, especially as derived from the Piratic War. — 16. His special reputation in the East, largely resulting from his brilliant fortune. — 17. Moreover, he is on the spot. — *Confutatio*. Objection of Hortensius, that all power ought not to be given to one man. — 18. Answered by facts as to the result of the Gabinian Law. — 19. Brilliant success of this law (incidentally, Gabinius should be assigned to Pompey as *legatus*). — 20. Objection of Catulus, that the proposition is against precedent. — 21. Answered by referring to other violations of precedent in Pompey's case. — 22, 23. Appeal to the people against these objections. Pompey alone can retrieve the Roman reputation. Many leading men favor the Manilian Law. — *Peroratio*. 24. Cicero supports the law purely from devotion to the commonwealth.

The Oration for the Manilian Law is a famous example of a *deliberative* oration constructed on a systematic rhetorical plan.

I. *Exordium* (introduction): Chap. 1.
II. *Narratio* (statement of the case): Chap. 2.
III. *Confirmatio* (affirmative argument): Chaps. 3 (sect. 6)–17 (sect. 50).
  1. The character of the war: Chaps. 3 (sect. 6) –7.
  2. The importance of the war: Chaps. 8, 9.
  3. The selection of a commander: Chaps. 10–17 (sect. 50).
IV. *Confutatio* (answers to objections): Chaps. 17 (sect. 51) –23.
V. *Peroratio* (peroration).

The oration was delivered in a *contio* or public meeting of Roman citizens held not for voting, but for debate or address merely. A *contio* could be called by any magistrate who had a matter to lay before the people, and was held regularly in the *Comitium* or the Forum. After a *rogatio* (proposition of a law) had been offered, such a meeting was regularly convened in order that the voters might hear the arguments on both sides. Later the *comitia* voted on the bill, Yes or No.

Thus the present speech in many respects resembled our modern political addresses on important public measures, like the tariff or the currency. It has, however, an official character.

I. Exordium (Chap. I)

Sects. 1–3. Chap. I. This is Cicero's first appearance before a political assembly. Hitherto he has given all his time to defending his friends as a lawyer. He rejoices that in this his first political oration he has a subject on which any one, however unpractised, cannot fail to speak well, — the valor and ability of Pompey.

Fig. 18

Page **67**. Line 1. (Sect. 1.) For a discussion of the structure of the opening period, see general Introd. p. xlvii. — **frequens conspectus vester,** *the sight of you in full assembly.*

67 2 **hic locus,** the *Rostra* (Fig. 18, from a coin). The scanty remains of the rostra may be seen at the left of the Temple of Concord in the cut, p. xiii. — **ad agendum,** *for public business,* i.e. among the many duties of a magistrate there is none more *dignified* (**amplissimus**) than this of addressing the whole people in a political assembly; *agere cum populo* was the technical expression for transacting business in the *comitia* or a *contio.*

67 3 **ornatissimus,** *honorable* (of private glory as an orator). — **Quirites,** *fellow-citizens:* the name by which the Romans were addressed when acting in a civil capacity.

67 4 **hoc aditu,** *this avenue* (i.e. addressing the people on political questions). — **optimo cuique,** i.e. to such as the presiding magistrate would permit, for only these had a right to speak in a *contio.*

67 5 **rationes,** *plan:* the plural indicates the details of the plan, i.e. the particular considerations that determine a general course of conduct.

68 1 **cum** (temporal), *while:* § 546 (323, 2); B. 288, 1, *b*; G. 585; H. 600, ii, 1 (521, 2); D. 753.

68 2 **auctoritatem**: the act of speaking in a *contio* indicated that the speaker was a proper person to advise the people, and hence it would confer **auctoritas** (*weight, prestige*). — **attingere,** *aspire to.*

68 3 **perfectum ingenio,** *perfected by force of intellect,* i.e. the fruit of fully developed mental power.

68 4 **elaboratum,** *carefully wrought* (such, therefore, as needed more practice than youth could give).

68 5 **amicorum temporibus,** *exigencies of my friends.* A Roman lawyer was not regarded as doing a service for hire, but was expected to defend his friends gratuitously. He was, indeed, prohibited from receiving pay; but, though no bargain was made, the obliged party was expected to give a liberal present, in some form or other, to his *patronus.*

68 5 (Sect. 2.) **neque . . . et:** here the first clause is virtually concessive; we may render *while . . . at the same time.*

68 7 **caste,** *with clean hands.*—**integre** (next line), *in good faith* (toward the client).

68 8 **judicio,** i.e. their action in electing him.—**fructum,** i.e. the several grades of office he had already filled: he was now prætor.

68 9 **dilationem,** *adjournment.* There were many things which could break up an assembly and put off the business, especially unfavorable auguries, the announcement of which was a favorite device of politicians. If an election was thus interrupted by adjournment, the votes already taken were null and void and the whole proceeding had to be gone through with again. The *comitia* at which Cicero was chosen prætor were twice adjourned in this way, so that there were three meetings before the election was complete. At each of these Cicero was the first (**primus**) of the eight prætors to secure a majority, and hence he was *thrice declared elected* (**ter renuntiatus sum**). **primus** does not here imply a superiority in rank, for the eight prætors were regarded as colleagues and they determined their functions by lot.

68 11 **quid aliis,** etc., i.e. this action of the voters showed that they approved his course of life, and was a suggestion to others how to attain similar honors.

68 12 **nunc,** opposed to the time referred to in sect. 1.

68 14 **ad agendum,** *for speaking* (cf. note on l. 2, above).

68 15 **forensi usu:** the courts were held in the Forum.

68 18 **quoque,** i.e. to forensic as well as to military or political activity.

68 19 (Sect. 3.) **atque** (the strongest of the *and*'s), *and further.*—**illud** (nom.) **laetandum:** the construction **illud laetor** changed to the passive; § 390, *c* (238, *b*); cf. B. 176, 2; G. 333, 1, N.[1]; H. 405 (371, iii); D. 410.

68 20 **mihi,** following **insolita.**

68 21 **ratione,** *manner.*

68 22 **oratio,** *language.* — **orationis** (l. 24), *argument* (abstract from **oro**, in its original sense of *to speak*).

68 23 **virtute,** *good qualities* generally.

II. Narratio (§§ 4, 5)

Sects. 4, 5. Present state of the Mithridatic War. A leader is necessary, and there is but one leader fit to cope with the situation.

Observe that these two sections, though apparently a mere statement of facts, are so expressed as to contain, in brief and powerful form, the substance of the whole oration. The appointment of Pompey is not a matter for argument, Cicero contends throughout the speech, but an absolute necessity; the condition of affairs demands action, and this is the only action that can avail.

68 27 (Sect. 4.) **atque** (cf. note on l. 19, above), *and now* (to come to the point). — **inde,** *from that point.*

68 29 **vectigalibus ac sociis,** *tributaries and allies* (of the latter some were tributary and others not).

68 30 **relictus,** i.e. before the contest was fully decided. — **lacessitus** (next line), *only assailed,* not seriously attacked. By using these words Cicero artfully prepares for the assertion which he is about to make of the need of an energetic commander.

68 31 **Asiam,** i.e. the province of this name, occupying the western half of Asia Minor and bordering on the dominions of Mithridates.

68 32 **equitibus,** etc.: keep the emphasis by changing the construction: *Roman equites are daily receiving,* etc.

68 33 **quorum . . . occupatae,** *whose large properties, invested in managing your revenues, are endangered.* The revenues were farmed out to *societates* (companies) of *publicani,* who were members of the equestrian order (see sect. 14).

69 2 **necessitudine:** Cicero was of an equestrian family.

69 4 (Sect. 5.) **Bithyniae:** this territory had been bequeathed to the Roman republic by Nicomedes III, B.C. 74.

69 5 **Ariobarzanis:** king of Cappadocia, which had been overrun by Mithridates.

69 7 **Lucullum:** Lucullus was related to both branches of the family of Metellus, and had married Clodia, sister of the notorious Publius Clodius. It was chiefly this mischievous demagogue, who was serving as one of his officers, that stirred up the dissensions and mutinies which robbed Lucullus of the fruits of his victories. — **discedere,** *is on the point of withdrawing.* — **huic qui successerit,** *his successor*, Glabrio.

69 8 **non satis paratum,** *not adequately furnished* — an understatement: Glabrio had shown himself thoroughly incompetent, but Cicero was on good terms with him. This was the Glabrio who had presided over the court in the case of Verres.

69 9 **sociis,** i.e. Asiatics. — **civibus,** Romans engaged in business in Asia.

69 10 **imperatorem** (in pred. appos. with **unum**), *as commander.*

III. Confirmatio (§§ 6–50)

Having briefly stated the facts (in the *narratio*, sects. 4, 5), Cicero asks what is to be done (sect. 6). His discussion of this question falls under three heads: (1) the nature of the war (sects. 6–19); (2) its magnitude (sects. 20–26); (3) the choice of a commander (sects. 27–50). In the first and second divisions he represents the nature and magnitude of the war in such a way as to make the conclusion under the third head inevitable, — *that Pompey must be chosen commander.*

I. The Nature of the War (§§ 6–19)

This is considered under four heads (defined in sect. 6): there are at stake (1) the dignity and prestige of Rome (sects. 7–11); (2) the safety of the allies (sects. 12, 13); (3) the chief revenues of the state (sects. 14–16); (4) the investments of the *publicani*, whose embarrassment would cause a financial panic in Rome itself (sects. 17–19).

69 17 (Sect. 6.) **agitur,** *is at stake.*

69 21 **certissima:** *the surest* because Asia was the richest and most fruitful of all the provinces; hence the price paid by the *publicani* for the privilege of farming its taxes was always certain to be large.

69 22 **quibus amissis:** equiv. to a fut. protasis. — **ornamenta,** *ornaments*, i.e. "all that exalts and embellishes civilized life."

70 1 **a vobis:** the abl. with **a** is used instead of the dat. of agent because there is another dat. dependent on **consulendum**; § 374, N.[1] (232, N.); B. 189, 1, *a*; G. 355, R.; H. 431, 1 (388, N.); D. 393.

Sects. 7–11. The war affects both the dignity and the welfare of Rome. The massacre of Roman citizens by Mithridates is as yet unpunished. So far no Roman general has succeeded in checking his aggressions. Has the Roman spirit declined? Our ancestors were more active in taking vengeance for insult and wrong.

70 8 (SECT. 7.) **civīs Romanos**, etc.: this massacre (B.C. 88), in which 80,000 persons perished, was intended by Mithridates as a step toward the entire expulsion of the Romans from Asia.

70 11 **regnat**: for tense, see § 466 (276, *a*); B. 259, 4; G. 230; H. 533 (467, 2); D. 650.

70 14 (SECT. 8.) **etenim**, *for* (you will notice).

70 17 **triumphavit de**: not *triumphed over*, but *celebrated a triumph for a victory over*. The word is repeated in emphatic antithesis to the clause **sed . . . regnaret**.

70 19 **regnaret**, *was still a king* (i.e. in possession of his kingdom).— **verum tamen**, *but still.*

70 20 **quod egerunt**, *for what they have done:* by a Latin idiom **quod** is here equivalent to **propter id quod**.

70 22 **res publica**, *the public interest.* Sulla had hastened to make an unsatisfactory peace, that he might return and restore order in Italy, which was in the power of the Marian faction.

70 23 (SECT. 9.) **autem**, *now* (in contrast to the action of the Roman generals).—**reliquum**, *that followed.*

70 27 **Bosporanis**, *the people of Bosporus*, a flourishing Grecian state, embracing the Crimea and adjoining lands.

70 29 **ad eos duces**, i.e. Sertorius and his comrades. Sertorius was the ablest general of the Marian faction in the Civil Wars. After the victory of Sulla, and the complete overthrow of his own party elsewhere, he continued to hold Spain, where he attempted to found a new republic, entering into alliance with Mithridates and other enemies of Rome.

71 1 **gereretur** (for fut. indic.): subj. of integral part.

71 2 **de imperio**, *for supremacy.*

71 3 (SECT. 10.) **alterius** corresponds to **altera**, l. 6, below.

71 4 **firmamenti**, *outward support.*—**roboris**, *internal strength.*

71 5 **Cn. Pompei**: Pompey and Metellus Pius conducted the war against Sertorius from B.C. 77 till B.C. 72 without being able to subdue him. In 72 Sertorius was assassinated by his lieutenant Perperna, whom Pompey had no difficulty in defeating. Cicero, it will be observed, suppresses these details, preferring to give Pompey credit, in general terms, for putting an end to "the danger from Sertorius."

71 6 **in altera parte**, i.e. in the East.

71 8 **felicitati**: observe the chiastic order of the ideas,—**felicitati virtuti; culpae, fortunae.**—**haec extrema** (an intentional euphemism), *these late disasters.*

71 9 **tribuenda,** *attributable.* In fact the ill success of Lucullus was in great part due to the machinations of politicians at Rome; he was not properly supported by the home government.

71 15 (SECT. 11.) **mercatoribus,** etc.: abl. abs. expressing cause.

71 19 **appellati,** *addressed.* — **superbius,** *too haughtily.*

The orator is here appealing to the passions of his hearers, and his statements must be interpreted accordingly. In B.C. 148 Roman ambassadors demanded that the Achæan League give up all its recent acquisitions; at which the incensed populace insulted the ambassadors and drove them away. In the war that followed, Corinth was captured by Mummius and destroyed, while Greece was made into a province by the name of Achaia. The insult to the ambassadors was but a pretext for the war, which was, in fact, merely one act in the general Roman policy of conquest. The extinction of the "eye of Greece," too, was not from motives of vengeance, but in order to remove a powerful rival to Roman commerce.

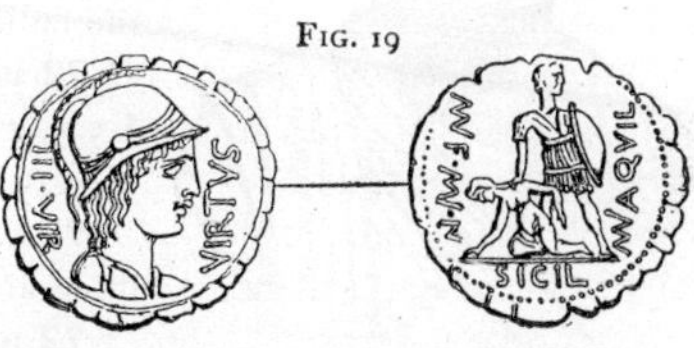

FIG. 19

71 21 **legatum,** etc.: M'. Aquilius, the person referred to, had in fact forfeited all claim to the inviolability of an ambassador by actually taking command of an army against Mithridates. He was taken prisoner and put to death (B.C. 88). Aquilius had done service to the state by suppressing the Servile War in Sicily (see Fig. 19).

Sects. 12, 13. Our suffering allies implore aid. For their own sake they beg that the command be intrusted to Pompey.

71 26 (SECT. 12.) **videte ne:** the Latin expresses in the form of a purpose clause ("see to it lest," etc.) what we should put in the form of an indir. quest. ("see whether it be not," etc.).

71 27 **ut,** *as,* correl. with **sic.** — **illis,** i.e. your ancestors.

71 29 **non posse:** subject of **sit.**

71 30 **quid?** a regular formula of transition, *again.* — **quod,** *that:* § 572, *b* (333, *b*); G. 542; H. 588, 3 (540, iv, N.); D. 839, *e*, N. — **periculum ac discrimen,** *a dangerous crisis:* the former word signifying the *trial;* the latter the *decision.* (See Introd., p. xlv.)

72 1 **Ariobarzanes:** king of Cappadocia. It was the designs of Mithridates upon this kingdom that first brought him into collision with Rome. (Fig. 20 is from a fine bust of some unknown Cappadocian.)

72 6 **certum,** *a particular.* — **cum:** causal.

72 7 **sine summo periculo,** i.e. by offending Lucullus and Glabrio.

72 10 (SECT. 13.) **propter,** *at hand.* — **quo:** abl. of degree of difference with **aegrius.**

72 11 **adventu ipso,** *by his mere coming.* — **maritimum,** i.e. the war against the pirates, which Pompey had just finished with great glory.

FIG. 20

72 14 **ceterarum provinciarum,** i.e. those assigned to Pompey by the Gabinian Law, which gave him power over the entire Mediterranean and the coasts fifty miles inland. This would not include the province of Bithynia, nor the greater part of Asia. The Manilian Law extended his power over the entire East.

72 15 **quorum . . . commendetis:** § 535, *f* (320, *f*); B. 282, 3; G. 631, 1; H. 591, 7 (503, ii, 2); D. 717.

72 17 **etiam si defendant:** subj. of integral part.

72 19 **non multum,** etc.: the expression was hardly too strong for the general type of provincial governors. Cf. "The Plunder of Syracuse," sects. 1, 6, 7, where Cicero contrasts the moderation of Marcellus in time of war with the rapacity of Verres in time of peace.

Sects. 14–16. The safety of the largest and surest revenues of Rome is also at stake.

72 23 (SECT. 14.) The neatness of Cicero's transitions may be seen to good advantage in this oration. In the present section he passes by a clever turn from the safety of the allies to the safety of the revenues. Our ancestors took all possible pains to defend their allies even when they had suffered nothing themselves: shall we hesitate to defend our allies when our government has been insulted, — especially when on their safety depend our chief revenues?

72 23 **propter socios** (emphat.): these wars have a place in the argument solely on account of their *motive.* The events referred to are the following: Antiochus the Great, king of Syria, was defeated by Scipio Asiaticus at Magnesia, B.C. 190. Philip V, king of Macedonia, was defeated by Flamininus, at Cynoscephalæ, B.C. 197. The Ætolians had helped Rome against Philip, and then joined Antiochus against her; they were obliged to submit after the battle of Magnesia. Carthage had been forced into a third war in B.C. 149, and was taken and destroyed by Scipio Æmilianus in B.C. 146.

72 28 **agatur**, etc., *it is a question of your richest revenues.* The province of Asia, like Sicily, paid as a tax the tenth of all products (*decumae*). The collection of this was farmed out by the censors to companies of *publicani* belonging to the equestrian order. All other provinces regularly paid a *stipendium*, or fixed tax, which they raised themselves.

72 29 **tanta**, *only so great.* — **eis**, abl. with **contenti**. — **vix contenti**, i.e. they will hardly pay the costs of their own defence.

72 30 **Asia**: this description of Asia Minor is no longer true, for bad government and bad cultivation have exhausted its natural wealth.

72 32 **pastionis**, *pasture land*, let to publicans, who paid a tax called *scriptura*. — **exportantur**: the *portoria* were tolls and customs duties paid upon goods both exported and imported; the rate was $2\frac{1}{2}$, or (in Sicily) 5 per cent *ad valorem*.

73 8 (SECT. 15.) **pecuaria**, etc.: cf. the summary of the resources of Asia, p. 72, ll. 30–32.

73 10 **portu, decumis, scriptura**: these repeat, in inverse order, **pecuaria, agri cultura, navigatio.**

73 12 **fructus**, *income* (i.e. to the Romans).

73 14 (SECT. 16.) **exercent**, *manage*, refers to the *societates publicanorum*, who took contracts for collecting the revenues; **exigunt**, *collect*, refers to the agents and slaves who attended to the details of the collection.

73 17 **familias**: see note on Rosc. Am., p. 15, l. 3. The Roman slaves were not merely rude Gauls and Thracians, but educated Greeks and Asiatics. The latter served in noble families as secretaries, stewards, and tutors, and would naturally be employed by the great tax-collecting corporations as agents and servants.

73 18 **saltibus**, *mountain pastures.* Here again three classes of revenue are alluded to: **scriptura** (*in saltibus*), **decumae** (*in agris*), **portoria** (*in portubus*). Observe the art with which Cicero constantly repeats, in different order and different terms, the same detailed description of the revenues, in order to keep this important point before the minds of his hearers.

73 19 **custodiis**, *coast-guards*, stationed to prevent smuggling, at the custom-houses and toll-houses.

73 20 **posse,** *can:* for construction of **posse,** see § 516, *d,* 584, *b* (307, *d*); G. 248, R.; D. 795, 887, i, N.[1]; the protasis is **nisi . . . conservaritis** (fut. perf.).

Sects. 17–19. The investments of the *publicani* and others are endangered by this war; hence there is fear of a financial crisis at Rome.

74 1 (SECT. 17.) **ac ne,** etc., *nor must you neglect this point either.*

74 2 **cum essem . . . dicturus**: see above, sect. 6, where the divisions of the subject are specified.

74 3 **quod . . . pertinet,** *which bears upon,* etc. The antecedent is **illud.**

74 5 **nam et** corresponds to **deinde** (sect. 18). Two classes are mentioned: (1) the *publicani* or tax-farmers, and (2) other citizens who have money invested in Asia (sect. 18).

74 6 **rationes,** *business enterprises;* **copias,** *fortunes.* — **in illam provinciam,** i.e. the farming of the revenues there.

74 7 **ipsorum per se,** *for their own sake* (i.e. apart from all question of the safety of the revenues).

74 8 **nervos**: the same figure is seen in our phrase "the sinews of war."

74 9 **eum . . . ordinem,** i.e. the *equites:* these not only farmed the taxes, but they were, in general, the capitalists and bankers of Rome.

74 11 (SECT. 18.) **ex ceteris ordinibus** refers to men of humbler rank who were *carrying on business* in Asia, as well as to Senators who had money *invested* (**conlocatas**) there.

74 13 **eorum** (redundant) limits **partim.**

74 14 **humanitatis vestrae**: § 343, *c* (214, *d*); B. 198, 3; G. 366; H. 439, 3 (401, N.[2]); D. 330; **sapientiae** is in the same construction.

74 17 **etenim primum** introduces the first reason why the losses of private citizens are a matter of public concern; the second reason is introduced by **deinde quod** (sect. 19). — **illud parvi refert,** etc., *it is of slight consequence that we can afterwards win back by victory:* § 417 (252, *a*); B. 211, 3, *a*; G. 379, 380; H. 449, 3 (408, iii); D. 341, 471.

74 18 **publica** either agrees with **vectigalia,** or may be taken absolutely, omitting the doubtful word **vectigalia.** — **his,** i.e. the *publicani.* — **amissis,** *lost,* i.e. as bidders for the revenues.

74 19 **redimendi,** *contracting for* the revenues.

74 21 (SECT. 19.) **deinde**: introducing another important point; general credit will invariably suffer when a large class of moneyed men are ruined. The student should remember that Rome was a great commercial centre like London to-day.

74 22 **initio belli**, i.e. in the First Mithridatic War.

74 23 **memoria**, loc. abl.: § 429, 3 (254, *a*); G. 389; H. 485, 1 (425, 1, 2); D. 485, *a*, N.—**cum . . . amiserant**, *when* (as you remember), etc.: § 545 (325, *a*); cf. B. 288, 1, *a*; G. 580; H. 601 (521, ii, 1); D. 750.

74 24 **solutione . . . concidisse** (brief description of a financial panic), *when payment was embarrassed, credit fell.* Similar panics in recent times may help us conceive the political importance of commerce in antiquity.

74 25 **non enim possunt**: translate (to preserve the emphasis), *for it is impossible that.*

74 26 **ut non . . . trahant** (clause of result), *without dragging* (lit. *so as not to drag*).

74 27 **prohibete**: for the two senses of this verb, see Vocab. (cf. also *defendo*).

74 28 **id**: § 362, *a* (225, *a*); D. 380.

74 29 **ratio pecuniarum**, *financial system.*

74 30 **versatur**, *centres.*—**pecuniis**, *finances.*

74 31 **illa**, i.e. those in Asia; **haec**, i.e. at Rome.

74 32 **num . . . sit**, *whether you ought to hesitate.*—**dubitandum sit**, impersonal.

75 1 **incumbere**: the usual constr. after *non dubito* in this sense; § 588, *a*, N.[2] (332, *g*, N.[2]); B. 298, *b*; G. 555, R.[3]; H. 596, 1 (505, i, 4); D. 720, iv, *a*, N.

75 2 **fortunae**, etc.: with this chapter Cicero closes the discussion "de genere belli." There is no anticlimax, for the stability of the whole Roman financial system was of course more important than either the safety of the allies or the revenues of a single province.

II. The Magnitude of the War (§§ 20–26)

Having shown, in the preceding division, that the war is necessary (i.e. that much is at stake), Cicero now proceeds to prove that it is a dangerous war (i.e. that the outcome is uncertain). To do this he needs only to sketch the history of the contest, ending with the recall of Lucullus and the appointment of Glabrio.

Sects. 20–26. Exploits of Lucullus. The war still a great one. Roman reverses and discouragement of the army. Mithridates unsubdued. Lucullus superseded by Glabrio.

75 5 (SECT. 20.) **potest** (emphatic position), etc., *it* MAY *be said*, i.e. in answer to the preceding arguments: of course, in order to justify the wisdom of so exceptional a measure as the Manilian Law, it was necessary to show that the war was of sufficient gravity to require the appointment of Pompey. Observe the skilful transition from the *genus* of the war to its *magnitudo.* — **belli genus**, i.e. *the war, in its character.*

75 7 **elaborandum est**: use the personal construction in translating.

75 12 **ornatas**, *equipped;* **instructas**, *organized.*

75 14 **obsessam**, *invested;* **oppugnatam**, *attacked* (by the active operations of siege): the verb *besiege* includes both ideas. This was B.C. 74.

75 18 (SECT. 21.) **ducibus Sertorianis**: abl. abs. — **ad Italiam**: a fleet which Mithridates had despatched for Italy with a contingent furnished by Sertorius, had been defeated by Lucullus near the island of Lemnos. — **studio**, *zeal* (for one party); **odio**, *hate* (for the other).

75 20 **proeliis**: § 424, *d* (259, *a*); cf. B. 230, 2; G. 394, R.; D. 494.

75 21 **Pontum**, i.e. the Euxine Sea.

75 22 **ex omni aditu**, *at every approach.*

75 23 **Sinopen, Amisum**: towns on the north coast of Asia Minor.

75 25 **aditu**, *approach;* **adventu**, *arrival.* The fact is, that both Sinope and Amisus had made a very stubborn resistance, which the orator chooses to ignore. A certain vagueness in Cicero's whole account in this and the following chapter is doubtless due to a wish to spare Lucullus.

FIG. 21

COIN OF AMISUS

75 26 **alios reges**: his son Machăres, king of Bosporus, and his son-in-law Tigrānes, king of Armenia.

75 28 **salvis**, i.e. without harming the allies; **integris**, i.e. without impairing the revenues.

75 29 **ita**, *of such a kind.*

75 30 **a nullo**, etc.: thus Cicero's praise of Lucullus has a definite place in the argument. It is important for him to show that this law can be advocated by one who fully appreciates the merits of Lucullus.

76 1 (SECT. 22.) **requiretur**, *the question will be asked* (emph.).

76 4 **primum**: the corresponding particles ("secondly," etc.) are omitted; the next point begins at sect. 23.

76 5 **Ponto**: the old kingdom of Colchis, the scene of Jason's adventures in winning the Golden Fleece (see Gayley, *Classic Myths*,

§§ 145 ff.), was on the eastern shore of the Euxine and formed a part of Mithridates' kingdom of Pontus.—**Medea**: see Fig. 22 (from a wall-painting).—**quam praedicant**, *who, as they tell.* (The usual sign of indir. disc. in English, *that,* cannot be used with a relative.)

Fig. 22

76 7 **persequeretur**, *was likely to follow.* This is a subord. clause in indir. disc.; but, even if the story were being told in dir. disc. (without **praedicant**), we should still have **persequeretur** on the principle of informal indir. disc., expressing the thought of Medea: § 592, 3 (341, *d*); B. 323; G. 628; H. 649, 1 (528, 1); D. 905; this is shown by the use of **se** (not **eam**) in l. 6.—**conlectio dispersa**, *the scattered gathering:* the phrase vividly expresses the idea of his wandering about to pick them up.

76 9 **vim auri**, etc.: the immense treasures which Mithridates had accumulated in his several fortresses came into the hands of Lucullus,—not money simply, but works of art, etc.

76 10 **quas et . . . et**, equiv. to *quas partim . . . partim.*

76 14 **illum, hos**, denote distance and nearness of *time.* Render in the pass. to keep the emphasis, *the one was detained by*, etc.

76 15 (Sect. 23.) **hunc**, i.e. Mithridates.

76 16 **confirmavit**, *reassured.*

76 19 **erat enim**, etc.: explaining the reason why these nations displayed hostility, though the Romans had no designs on them.

76 20 **eis nationibus**, i.e. those near Armenia.

76 22 **gravis atque vehemens**, *potent and very strongly held.*

76 23 **fani**: "the temple of the Persian Nanæa, or Anaitis, in Elymais, or the modern Luristan [that part of Susiana nearest to the Euphrates], the most celebrated and the richest shrine in the whole region of the Euphrates." Such a rumor would at once fire the population of the whole East.

76 27 **urbem**: Tigranocerta, the new capital of Tigranes, situated in the southwest part of his kingdom, near the river Tigris. This city was destroyed by Lucullus.

76 29 **commovebatur**, *was affected.* After all his successes, Lucullus had made somewhat the same mistake as Napoleon in his Russian expedition, and had found himself in an awkward situation, far from his base of operations, and in the midst of infuriated enemies.

76 30 (SECT. 24.) **hic**, *on this point.* — **extremum**, *the climax.*

76 31 **ut . . . quaereretur**, subst. clause of result: § 567 (332, head-note); B. 297, 3; G. 553, 4; H. 571, 2 (501, i, 2); D. 739.

77 6 **opes . . . misericordiam**: a short expression for "win them over to pity and call out their resources."

77 7 **ut . . . videatur**, a result-clause following **qui . . . regno**: the more natural way to express the idea in English would be by a coördinate clause with *and therefore.*

77 8 (SECT. 25.) **victus**, *when beaten.*

77 9 **incolumis**, *at the height of his power.*

77 11 **ut . . . attingeret**, in appos. with **eo** following **contentus**. We should regularly have **quod** with the indic.: cf. § 570 (333, *b*); G. 542; H. 614 (535, iii); D. 741; but the form of the clause appears to be determined by **acciderat**, which takes a subst. clause of result; § 569, 2 (332, *a*, 2); B. 297, 2; G. 553, 3; H. 571, 1 (501, i, 1); D. 739.

77 12 **umquam**: not *aliquando*, on account of the neg. idea implied in **praeter spem**; § 311 (105, *h*).

77 13 **victorem**: as adj.; § 321, *c* (188, *d*); G. 288, R.; H. 495, 3 (441, 3); D. 506, *b*.

78 1 **poetae**: such were Nævius, who wrote a *Bellum Punicum*, and Ennius, author of *Annales*, recounting events of Roman history; both lived in the third century B.C.

78 2 **calamitatem**: i.e. the defeat of Triarius (B.C. 67), who was leading reinforcements to Lucullus. Only a severe wound of Mithridates saved the Roman army from utter destruction. As it was, the rout was so complete *that no* [regular] *messenger*, etc.

78 4 **sermone**, *common talk.*

78 6 (SECT. 26.) **tamen**, i.e. though the defeat was so disastrous.

78 7 **potuisset**: subj. of characteristic; the cont. to fact idea which is also contained in the word would not have required the subj.; § 522, *a* (311, *c*); B. 304, 3; G. 597, R.³, *a*; H. 583 (511, 1, N.³); D. 797, *a*, 802. — **vestro jussu**, i.e. by the Gabinian Law (see Introd., p. 66). — **imperi** the military *imperium* could be extended after the term of office by the

Senate. The holder of a command thus extended (*prorogatum*) was called *proconsul* or *proprætor*. In this case Lucullus had now held command seven years, from B.C. 74.

78 12–14 **conjungant**, etc.: this sums up the considerations already urged as to the magnitude of the war (from sect. 23).

78 13 **integrae**, *fresh* (cf. p. 76, ll. 20, 21).

III. The Choice of a Commander (§§ 27–50)

The plan of this division is simple but effective. Four things are requisite in a great commander: *scientia, virtus, auctoritas, felicitas.* Pompey has all these qualities in the highest degree: (1) *scientia* (sect. 28); (2) *virtus* of every kind (sects. 29–42); (3) *auctoritas* (sects. 43–46); (4) *felicitas* (sects. 47, 48). Hence he should be appointed (sect. 49), especially since, by Divine Providence, he is at this moment in the East (*opportunitas*) (sect. 50).

78 15 (Sect. 27.) By way of transition, Cicero sums up (in ll. 15–18) the state of the argument. — **satis . . . videor**, *I have said* ENOUGH, *I think* [to show] *why*, etc. Observe that the Latin prefers the personal construction (*I seem to myself*) to our impersonal (*it seems to me*). — **esset**, *is:* imperf. by seq. of tenses after **fecisse**; § 585, *a* (336, B, N.[2]); B. 268, 2; G. 518; H. 548 (495, iv); D. 893.

78 17 **restat ut**, etc., *it remains for me, as it seems, to speak:* § 561, N.[1] (329, N.); G. 553, 4; H. 571, 1 (501, i, 1); D. 739.

78 19 **utinam . . . haberetis**, *I wish you had:* § 441 (267); B. 279, 2; G. 260, 261; H. 558, 1, 2 (483, 1, 2); D. 681, ii. — **innocentium**: *innocens* was an almost technical word to express cleanness of hands on the part of an official; we may translate it by *blameless* or *incorruptible.*

78 22 **nunc vero**, *but now* (i.e. as things stand): opposed to the unfulfilled wish, **utinam . . . haberetis**. — **cum**: causal. — **unus**, *but one.*

78 23 **qui non modo**, etc.: this remarkable exaggeration, which puts the exploits of Pompey above those of Alexander, Hannibal, Scipio, and other generals of antiquity, probably suited well enough the temper of the assembly. The student should remember the hyperbole of personal praise and blame characteristic of most political oratory, especially in a "campaign."

78 24 **virtute**, *excellence* (not *valor* only).

78 25 **cujusquam**, used on account of the neg. idea in the question **quae res**, etc. (see note on **umquam**, p. 77, l. 12, and cf. **umquam**, below, l. 29).

Sect. 28. The four things requisite in a commander are all possessed by Pompey in the highest degree: (1) *scientia* (experience and knowledge in the art of war).

79 1 (SECT. 28.) **bello . . . hostibus**: loc. abl. expressing the circumstances; we may translate by a clause with *when*.

79 2 **ad patris exercitum**: Pompey, then seventeen years old, served with his father, Cn. Pompeius Strabo, consul B.C. 89, the last year of the Social War.

79 4 **summi imperatoris**: his father, who commanded on the side of the Senate against Cinna, B.C. 87.

79 5 **imperator**: in B.C. 83 the young Pompey raised an army (chiefly from his father's immense estates in Picenum) and joined Sulla, who complimented him as *imperator*, although he had not yet held even the quæstorship.

79 6 **quisquam**, used on account of the neg. idea in **saepius . . . quam**; see note on **cujusquam**, p. 78, l. 25.—**inimico**, *a private adversary* (e.g. before a court).

79 9 **imperiis**: all Pompey's commands had been either assumed by him or irregularly conferred upon him until he obtained the consulship in B.C. 70.

79 12 **Civile, Africanum**, etc.: Pompey's exploits in these various wars are referred to in the same order but in greater detail below (sects. 30–35), where see notes. The last mentioned, that with the pirates (**bellum navale**), is of course specially dwelt on (sects. 31–35).

Sects. 29–42. (2) The second requisite in a commander: *virtus* (excellence of all kinds). The *virtutes* of Pompey include not only *virtus bellandi* (sects. 29–35), but incorruptibility (sect. 37), self-restraint (sect. 40), wisdom, eloquence, good faith, and humanity (sect. 42).

Sects. 29–35. Pompey's *virtus bellandi;* his former successes (sect. 30); his recent success against the pirates (sects. 31–33); the celerity of his movements (sects. 34–35).

79 21 (SECT. 29.) **neque enim illae**: Cicero does not mention what the other good qualities are till sect. 36. By an oratorical device he begins as if he did not mean to talk about the ordinary *virtutes* recognized as necessary for a general, but intended to speak of certain others, equally necessary but perhaps less common (incorruptibility, etc.), for which Pompey was eminent. But he goes on at once to emphasize the possession of the commonly recognized soldierly qualities by Pompey, as if he had forgotten his point in his enthusiasm. Then, with sect. 36, he suddenly pulls himself up, as from a digression, and returns to consider the good qualities he had, as he says, "begun to enumerate." By this method, not only is an air of spontaneity given to the praise of Pompey (as if the orator were carried away by his theme; cf. sect. 3), but the special and rare virtues on which he wishes to lay stress are much emphasized by being, as it were, brought in twice, — a second time when the orator seems in danger of forgetting them (sect. 36).

79 26 (SECT. 30.) **testis est**, etc.: the enumeration corresponds to that in sect. 28, ll. 12–14, above (**Civile, Africanum**, etc.).

79 26–28 **Italia, Sicilia**, i.e. in the Civil War. — **Italia**: Pompey raised an army to help Sulla against Cinna and Carbo, the Marian leaders (B.C. 83). — **Sicilia, Africa**: after Sulla's final victory in Italy, he intrusted to young Pompey the subjugation of Sicily and Africa, where Carbo, with the remnants of his power, had taken refuge. Fig. 23 shows a coin of Pompey, on which is an allegorical head of Africa.

FIG. 23

79 31 **Gallia**: this refers to certain hostilities in Gaul when Pompey was on his way to Spain to the war against Sertorius (B.C. 77); these are referred to as **bellum Transalpinum** in sect. 28.

80 1 **Hispania**: in the war with Sertorius (see, however, note on p. 71, l. 5).

80 2 **iterum**: Pompey, on his way back from Spain (B.C. 71), fell in with the remnants of the troops of Spartacus and cut them to pieces in Cisalpine Gaul; but the whole passage is a rhetorical exaggeration.

80 7 (SECT. 31.) **omnes orae**, etc.: referring to the Piratic War. There is no extravagance in this; the suppression of piracy was the most glorious part of Pompey's career.

80 12 **servitutis**: the slave system of the ancients made captives a lucrative booty in war.

80 13 **hieme**, i.e. he either had to sail in the winter, exposed to the danger of being lost at sea (**mortis**), or, etc.

80 14 **tam vetus**: the piratical forces were made up of the wreck of those numberless armies beaten and broken up in the wars of the past half-century or more. When the lesser states lost their independence, their bravest men would often prefer the outlaw freedom of piracy to personal slavery, or even to political subjugation. In fact, the pirate state in Cilicia made a sort of republic, unrecognized and defiant.

80 15 **quis . . . arbitraretur**: § 444 (268); B. 277; G. 265; H. 559, 4 (484, v); D. 678.

81 7 (Sect. 32.) **fuit**: for position (which emphasizes the *tense*), see § 598, *d* (3) (344, *d* (3)); D. 659, 934, *a*.

Fig. 24

81 11 **cum . . . transmiserint**: like a relative clause of characteristic; translate *when*, etc.

81 12 **Brundisio**, i.e. the short passage to Greece. — **qui**: the omitted antecedent (*eos*) is the subject of **captos** [*esse*].

81 13 **legati**: the case is not known; probably not an ambassador, as one would expect from the preceding words, but in another sense, — a military aid. The plural is perhaps used rhetorically for the singular.

81 14 **mercatoribus**: see Fig. 24 for a trading vessel (from an ancient relief).

81 15 **duodecim secures,** *two prætors;* lit. *twelve axes* (i.e. twelve lictors). As provincial governors, the prætors were each attended by six lictors; in the city they had but two. For an ancient representation of lictors, see Fig. 25 (from a coin).

Fig. 25

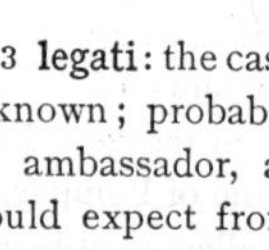

82 2 (Sect. 33.) **vitam ac spiritum**: ports of entry are the *breath of life* to a city which, like Rome, must import its daily supplies of food.

82 3 **potestatem**: acc., because it is implied that they fell *into* their power.

82 5 **praetore**: who he was is not known.

82 6 **liberos** (a rhetorical use of the plural for the singular): this was a daughter of the distinguished orator Marcus Antonius, who had celebrated a triumph for a victory over the pirates, B.C. 102.

82 10 **classis ea,** *a fleet* (not *that fleet*); followed by a subj. of characteristic (**praepositus esset**). — **consul**: who he was is not known.

82 15 **Oceani ostium,** the Strait of Gibraltar.

82 16 **audiatis**: for tense, see § 485, *c* (287, *c*); B. 268, 7; G. 513; H. 550 (495, vi); D. 702.

82 18 (SECT. 34.) **sunt**: plur., agreeing directly with **haec**, instead of sing. **est** with the indir. question as subject; cf. § 576, N. (334, *c*, R.); G. 468; H. 649, ii, 4 (529, ii, 2).

82 21 **tanti belli,** etc., *the rush of so great a war sped over the sea.*

83 13 (SECT. 35.) **Cretensibus**: Quintus Metellus, the proconsul (the friend of Verres), had reduced Crete nearly to submission, deriving from this his *cognomen* Creticus. The Cretans, alienated by his harshness, sent to Pompey, that he, rather than Metellus, might receive their surrender, which Pompey was very willing to do. Civil war nearly broke out between the two commanders in consequence. Pompey, however, who had his hands full in Asia, withdrew from the field and left the honors to his rival.

Sects. 36–42. Not only *bellandi virtus* is requisite in a commander, but other *virtutes* as well, all of which Pompey possesses: incorruptibility (sect. 37); self-restraint (sect. 40); wisdom, eloquence, good faith, and humanity (sect. 42).

83 20 (SECT. 36.) **quid ceterae**? *how with the others?* — **paulo ante,** i.e. in sect. 29 (see note).

83 24 **innocentia**: see note on **innocentium**, p. 78, l. 19.

83 27 **quae**, subject of **sint** (neuter, as referring to antecedents of different genders): translate *these.*

83 28 **summa** (emphat.), *in the highest degree.*

83 31 (SECT. 37.) **putare** (in its earlier meaning of *reckon:* see Vocab.), etc., *count* (as such). — **centuriatus**: two centurions commanded each *manipulus* of 120 men. The centurions were advanced from the ranks by the commander; hence there were opportunities for favoritism and bribery.

83 32 **veneant**, subj. of characteristic.

84 1 **aerario**: the Treasury was in the Temple of Saturn, under the superintendence of the two city quæstors. The actual management of the funds was in the hands of a large body of clerks, *scribae*, who formed a permanent *collegium*.

84 3 **provinciae**: dependent on **cupiditatem**; apparently the person referred to tried to purchase the influence of the magistrates in order to be allowed to retain his province longer than the regular time; but nothing is known of the case.

84 4 **in quaestu,** *on speculation.*

84 5 **facit . . . ut,** etc., *shows that you recognize.*

84 11 (SECT. 38.) **recordamini**: imper. as protasis; § 521, *b* (310, *b*); B. 302, 4; G. 593, 4; H. 560, 3 (487, 3); D. 774, footnote, 802.

84 12 **quid . . . existimetis**: in the direct question it would be the same form, as deliberative subj.; § 444 (268); B. 277; G. 259; H. 557 (486, ii).

84 14 **hibernis**: notice the strong antithesis to **armis.**

84 17 **judicando**: a great part of the imperator's business would be deciding cases of extortion by the *publicani*, who were of the same class (*equites*) that held the judicial power in Rome. By not being strict (**severus**) with them, he might purchase immunity for himself, if brought to trial afterwards on a similar charge.

84 18 (SECT. 39.) **hic,** *in such a case* (properly, at this point in my discourse).

84 19 **manus, vestigium,** i.e. not only was there no intentional injury done, but no unintended evils followed in its train.

84 21 **jam vero**: here simply a particle of transition. Pompey's winter quarters are contrasted with such as are referred to above in **hibernis** (l. 14).

84 22 **sermones,** *reports,* by way of common talk. — **ut . . . faciat,** *to incur expense* in entertaining officers and soldiers.

84 24 **enim**: the connection of thought is, — [and in this he follows old custom] *for*, etc. — **hiemis,** *from winter* (obj. gen.). — **avaritiae,** *for avarice* (subj. gen.): cf. § 348, N., 343, N.[1] (217, N.); G. 363, R.[2]; H. 440, 1 and 2 (396, ii and iii); D. 326, i, ii, and N.

84 28 (SECT. 40.) **celeritatem,** *speed;* **cursum,** *extent of travel.*

84 29 **non . . . quaedam . . . aliqui,** *it was not that some*, etc.

84 30 **remigum**: galleys, worked by oars and independent of the wind, were generally used as war vessels. In the Mediterranean (particularly in the Barbary States) their use was continued till a very late day; and for some purposes they are still employed. Their trained crews of rowers gave them a speed hardly less than that of steam vessels.

85 2 **amoenitas**: used of objects of sight, beauty of scenery, etc.

85 3 **labor,** *toil,* always with the sense of effort and fatigue.

85 5 **ceteri,** as Verres, for instance (see "The Plunder of Syracuse," pp. 48 ff.).

85 6 **visenda**: the passion for travel and sight-seeing was as common among the ancients as in modern times (cf. "The Plunder of Syracuse," p. 52, l. 9; p. 57, ll. 5–7).

85 9 (Sect. 41.) **fuisse**: cf. **fuit** on p. 81, l. 7 (and note). — **hac continentia**, i.e. such as his.

85 10 **jam . . . videbatur**, *was now getting to seem.*

85 11 **nunc**: notice the emphatic repetition (anaphora).

85 14 **servire . . . quam imperare**: a rhetorical exaggeration for preferring the condition of subject allies to nominal independence.

86 1 (Sect. 42.) **consilio, etc.**: cf. p. 83, ll. 26, 27.

86 2 **ipso**, *of itself.*

86 3 **hoc . . . loco**, i.e. the Rostra.

86 4 **fidem vero**, etc.: render *and as to his good faith*, etc., changing the construction so as to keep the emphasis.

86 5 **quam**, etc.: render *when the* ENEMY *esteemed it*, etc. (contrasting **hostes** with **socios**).

86 7 **pugnantes**, *in battle;* **victi**, *in defeat.*

Sects. 43–46. (3) The third requisite in a commander: *auctoritas* (prestige). **This Pompey possesses in a high degree. It has already shown its effect in the East.**

86 17 **ut . . . ament**: clause of result, dependent on **commoveri.**

86 22 **judicia**, *expressions of opinion* (i.e. by conferring offices on him); cf. what Cicero says of himself in sect. 2 (p. 68, ll. 12, 13).

86 23 (Sect. 44.) **ullam usquam**: see note on sect. 27 (p. 78, l. 25).

86 24 **illius diei**: that of the passage of the *Lex Gabinia*, which conferred upon Pompey the command against the pirates.

86 26 **commune**: as being against pirates, enemies of all mankind.

86 28 **aliorum exemplis**: it is not necessary to cite examples of other generals; Pompey's own history furnishes instances enough.

86 31 **qui quo die**, *on the day on which he*, etc.: the relatives, admissible in Latin, cannot be literally reproduced in English.

87 3 **potuisset**: § 517, *c*, N.[1] (308, *c*, N.[1]); B. 304, 3, *a*, N.; G. 597, R.[3], *b*; cf. H. 511, 1, N.[3] (583); D. 793, 797, *a*. The protasis is implied in **in summa ubertate**, etc.

87 4 (Sect. 45.) **proelio**: the defeat of Triarius (see sect. 25).

87 6 **provincia**, i.e. Asia.

87 8 **ad eas regiones**, i.e. only *into the neighborhood*, for Pompey's authority did not extend to the seat of war; this force is given by the preposition **ad**: **in** would mean *into.*

87 12 **perfecturus sit**: § 575, *a* (334, *a*); cf. B. 269, 3; G. 514, *b*; H. 649, ii, 1 (529, ii, 4); D. 815. — **perfecerit**: subj. of characteristic.

87 15 (SECT. 46.) **illa res**: in appos. with the clause **quod . . . dediderunt**.

87 18 **Cretensium**: towns of the same region or race were often united in leagues or confederacies, chiefly for religious purposes. After the Roman conquest, such *communia* were sometimes left in existence, and even new ones were organized and allowed to exercise some subordinate political function. The existence of a *commune Cretensium* is known from inscriptions.

87 19 **noster imperator**: Q. Metellus (see note on p. 83, l. 13).

87 22 **ad eundem**, i.e. to Pompey.

87 23 **eum quem**, *one who*.

87 24 **ei quibus**, *while they*, etc., i.e. those who were jealous of Pompey's reputation.

87 25 **potissimum**, *rather than to any one else* (i.e. rather than to Q. Metellus Pius, who also had a command in Spain and who was much older than Pompey). Nothing further is known of this embassy.

87 27 **hanc auctoritatem**: translate, *as to this prestige*, though it is really the subject of **valituram esse**, the whole clause being governed by **existimetis**.

Sects. 47, 48. **(4) The fourth requisite in a commander**: *felicitas*.

87 30 (SECT. 47.) **felicitate**: in this quality is implied a special favor of the gods, which it would be presumptuous to arrogate to one's self (hence **timide**), although Sulla had done so by assuming the *cognomen* Felix (see Rosc. Am., sect. 12, p. 6, l. 7, and note).

88 2–3 **Maximo**: Quintus Fabius Maximus, "the shield of Rome"; **Marcello**: Marcus Claudius Marcellus, "the sword of Rome," both distinguished in the Second Punic War. — **Scipioni**: either Africanus the elder, or Æmilianus; from sect. 60 it might appear to be the latter. — **Mario**: Caius Marius, who vanquished Jugurtha, subdued the Cimbri and Teutones, and afterwards (B.C. 88) engaged in civil war with Sulla.

88 4 **saepius**, *repeatedly*: Marius was consul seven times.

88 5 **fuit** (emphatic), *there really has been*; § 598, *d* (2); D. 934, *a*.

88 9 **hac moderatione**: a shorthand expression for *hoc modo moderato*, in which *moderato* would refer merely to the result clause **ut . . . videamur**. — **non ut** (not to be confounded with **ut non**), etc., i.e. not of such a kind as to say, etc., but such, etc.

88 11 **invisa**: because presumptuous.

88 13 (Sect. 48.) **non sum praedicaturus**: this affectation of passing a subject over in silence is called *praeteritio*.

88 14 **ut**, *how* (introducing an indir. quest.).

88 18 **qui . . . auderet**: rel. clause of result.

88 19 **quot et quantas**, correl. with **tot et tantas** above. Translate by the single word *as*; § 308, *h* (106, *b*); D. 562.

88 20 **proprium ac perpetuum**, *secured to him forever*.

88 21 **cum**, introducing the general consideration (**communis**); **tum** (next line), the particular consideration (**ipsius**).

Sects. 49, 50. Pompey should be appointed commander in Asia, — especially since he is on the spot. Cicero recapitulates the argument and applies it: since all that I have proved is so, can you hesitate to appoint the general whom Heaven provides, — especially (and here a new and powerful reason is added, as if it were an afterthought) *since he is on the spot already?*

88 26 (Sect. 49.) **sit**: subj. of characteristic.

88 28 **quin . . . conferatis**: § 558, *a*, N.[2] (332, *g*, N.[2]); B. 298, *b*; G. 555, 2, R.[3]; H. 596, 1 (505, 1); D. 720, iv, and N.

88 32 (Sect. 50.) **erat deligendus**: § 517, *c* (308, *c*); B. 304, 3, *a*; G. 597, R.[3]; H. 582 (511, 2); D. 797, *b*.

89 1 **nunc**, *as things stand*.

89 3 **adsit, habeat, possit**: result clauses in appos. with **opportunitas**. — **eis qui habent**, i.e. Lucullus, Glabrio, and Marcius Rex, who were still in command of Roman armies in Asia. For mood of **habent**, see § 593, *a*, N.[1] (342, *a*, N.); G. 629, R.; H. 652, 1 (529, ii, N.[1], 2); D. 908.

89 4 **cur . . . committamus**: observe the different mood in the preceding question **quid exspectamus?**

IV. Confutatio (§§ 51–68)

Sects. 51–58. Objection of Hortensius, — that supreme power ought not to be given to one man. Answer: Hortensius made a similar objection to the Gabinian Law; yet that law turned out extremely well: acting under its provisions Pompey cleared the sea of pirates. Incidental answer to the objection made to sending Gabinius as lieutenant with Pompey (sects. 57, 58).

89 8 (Sect. 51.) **at enim** (objection), *but, you will say*.

89 9 **adfectus** = *enjoying*. — **Catulus**: Quintus Lutatius Catulus, at this time the leader of the senatorial party; an estimable man and an experienced statesman, but no soldier. The **beneficia amplissima** are the successive offices that had been conferred upon him.

89 11 **Hortensius**: the leading lawyer of the time (see oration against Verres). — **ratione**, *view*.

89 14 **auctoritates contrarias**: of course there were men of influence on the side of the Manilian Law as well as opposed to it; Cicero brings forward the names of several in sect. 68, below.

89 15 **ipsa re ac ratione**: this appeal from theoretical objections (as Cicero thinks them) to experience (i.e. in the Piratic War) would, of course, be very effective in a public assembly, for theoretical considerations weigh little with such bodies in comparison with facts. Cicero makes it doubly effective by pointing out that his opponents agree with his premises as to the necessity and magnitude of the war and the eminent ability of Pompey as a general, but that they avoid, on these merely technical grounds, what seems to him the obvious conclusion: viz. that Pompey should be appointed.

89 20 (Sect. 52.) **tribuenda sint**: condition with nothing implied (in dir. disc., **sunt**).

89 23 **pro**, *in accordance with*.

89 24 **in senatu**: laws did not require any ratification by the Senate. The expression of opinion by Hortensius must therefore have been in an informal discussion, after the promulgation of the law (i.e. its announcement as a proposed bill).

89 25 **Gabinium**: see Introd., p. 67 of text.

89 27 **promulgasset**: a bill intended to be brought before either *comitia* was regularly announced to the Senate and posted in the city two Roman weeks (at least 17 days) before it could be voted on. — **ex hoc ipso loco**, i.e. in the public discussion of the law, before the vote, in the *contio* (see sect. 1).

89 31 (SECT. 53.) **hanc**, i.e. which we have now.

90 1 **an** implies a strong negative; § 335, *b* (211, *b*); B. 162, 4, *a*; G. 457, 1; H. 380, 3 (353, N.[4]); D. 627, *b*.

90 2 **legati**, etc.: observe that Cicero seizes the opportunity to recall briefly to the minds of his hearers certain important facts which he has already dwelt on in greater detail (in sects. 31–33).

90 3 **ex omnibus**, etc.: trans. *from communication* (**commeatu**, really abl. of specification) *with all the provinces*. — **neque jam** (l. 6), *no longer*.

90 8 (SECT. 54.) **Atheniensium**: the Athenian empire of the sea, in the fifth century B.C., resulted from the great victories in the Persian War.

90 9 **Karthaginiensium**: the maritime power of Carthage was at its height in the third century B.C.

90 10 **Rhodiorum**: the city of Rhodes was the chief naval power of the Mediterranean during the last three centuries before Christ: its power was broken B.C. 42, at its capture by Cassius.

90 17 **permanserit**: subj. of characteristic.

90 19 (SECT. 55.) **Antiochum**: Antiochus the Great, king of Syria, defeated at Magnesia, B.C. 190.

90 20 **Persen**: Perses or Perseus, the last king of Macedonia, defeated at Pydna, B.C. 168. — **Karthaginiensīs**: Carthage was mistress of the sea at the time when her wars with Rome began; but in the First Punic War she was beaten at her own weapons.

90 22 **ei** repeats **nos**: *we*, i.e. that nation.

91 1 **Delos**: a very small island in the Ægean Sea, sacred as the birthplace of Apollo and Artemis. It had an excellent harbor, and this, added to its peculiar sanctity, gave it high importance. It had at all times a flourishing commerce and in the time of Cicero was the great slave market of the world, 10,000 slaves being sometimes sold there in a single day.

91 3 **eidem** repeats **nos** (l. 23, above).

91 5 **Appia via**: the principal highway of Italy, running from Rome to Capua, and thence to Brundisium (see map of Italy, p. l). It was begun by Appius Claudius Cæcus, in his censorship, B.C. 312. — **jam,** *at length*.

91 6 **pudebat magistratūs** (acc. pl.): no special case is referred to, but it is implied that any magistrate ought to have felt shame, seeing that the beaks of ships, *rostra*, were naval trophies.

91 7 **cum**: concessive.

91 12 (SECT. 56.) **dolori**: we should be likely to use a more general word, like *feelings*, which would be defined by the context. Such differences between two languages in the expression of thought are constantly found.

91 15 **aliquando,** *at last* (cf. Cat. ii, sect. 1, l. 1).

91 17 (SECT. 57.) **obtrectatum esse**: the subject of **obtrectatum esse** is the wish of the opponents to defeat the proposed measure (the appointment of Gabinius as lieutenant); as this wish, if successful, would be (like the affirmative measure) a *determination*, it is expressed by a purpose clause, **ne legaretur.** — **adhuc**: this opposition began in connection with the Gabinian Law and is still continued in connection with the Manilian.

91 19 **expetenti,** *earnestly requesting.* — **postulanti,** *claiming* (as a right).

91 20 **utrum,** etc., *is it that,* etc.? Cf. the obsolete use of *whether* to introduce direct questions in English, as in "whether is it better?" — **legatum**: the Senate assigned (*legare*) subordinate officers to a military commander or provincial governor. These *legati* had much responsibility, often performing independent duties like those of modern officers "detailed" from the regular line. The usual number of *legati* was two or three; but Pompey received fifteen by the Gabinian Law, to whom ten more were afterward added.

91 21 **velit,** *conjunctivus modestiae;* § 447, 1 (311, *b*); cf. B. 280, 2, *a*; G. 257; H. 556 (486, i); D. 686, *a.* — **impetret**: § 535, *f* (320, *f*); B. 282, 3; G. 631, 1; H. 591, 7 (503, ii, 2); D. 717. — **cum**: concessive.

92 4 **periculo,** i.e. a political risk such as any politician would incur in carrying an important measure.

92 4 (Sect. 58.) **an**: § 335, *b* (211, *b*); B. 162, 4, *a*; G. 457, 1; H. 380, 3 (353, N.[4]); D. 627, *b.* — **C. Falcidius,** etc.: Gabinius had not been allowed to receive an appointment as *legatus* under the Gabinian Law, perhaps because he was tribune when it was passed. Cicero urges that there is no reason why he should not be appointed under the Manilian Law, since he no longer holds that office.

92 6 **honoris causā,** see note on Rosc. Am., p. 3, l. 28. — **plebi**: old genitive.

92 7 **in uno Gabinio,** *in the case of,* etc.

92 8 **diligentes,** *particular,* i.e. in urging a technical objection. — **qui . . . deberet**: if this were not a clause of characteristic, we should have **debebat** to express the cont. to fact idea; § 522, *a* (311, *c*); B. 304, 3; G. 597, R.[3], *a*; H. 583 (511, 1, N.[3]); D. 797, *a*, 802; cf. **oportebat,** Cat. i, sect. 2, l. 13.

92 11 **relaturos**: the consuls were the natural persons to consult the Senate, but Cicero, as prætor, also had this power.

92 13 **impediet**: either consul could, as having *major potestas* than a prætor, forbid Cicero to bring the matter before the Senate; but if he persisted, his act would still be valid.

92 14 **defendam**: § 558, *b* (319, *c*); B. 295, 3; G. 549; H. 568, 8 (499, 3, N.[2]); D. 720, iii.

92 15 **intercessionem**: the veto of a tribune, which could stop any political action, and which Cicero would be bound to respect. Nothing else, he declares, shall deter him.

92 16 **quid liceat,** i.e. how far they can safely go. — **considerabunt,** .e. before they set themselves against the manifest will of the people.

92 18 **socius**: not as *legatus*, but simply as *partner* in his former ıonor and credit. This association of Gabinius with Pompey is used .s an argument for giving him the office of *legatus* now.

Sects. 59–62. Objection of Catulus, — "precedents should not be ʀiolated." Answer: "In time of war the Roman people have always ·onsulted expediency rather than precedent; in Pompey's own case .here have already been many violations of precedent."

92 22 (SECT. 59.) **ut . . . videatur**: § 569, 2 (332, *a*, 2); B. 297, 2; ɜ. 553, 4; H. 571, 2 (501, 2); D. 739. — **auctoritate et sententia,** i.e. ·he weight which one must attach to the opinion of so great a man as Catulus (a kind of hendiadys).

92 23 **cum . . . quaereret**: cf. **cum . . . dixistis,** just below; § 546, ɴ.[3] (323); G. 579; H. 600, ii, 1 (521, ii, 2); D. 753, footnote.

92 24 **si . . . poneretis**: fut. protasis; the apod. is the compound ·entence **si . . . factum esset, in quo spem essetis habituri,** which tself consists of a fut. prot. and apod.; § 523 (311, *d*). The tenses ·lepend for their sequence on the perf. **cepit.** — **si . . . esset,** *if anything ·hould happen to him* (a common euphemism then as now). — **eo**: § 403, · (244, *d*); B. 218, 6; G. 401, N.[7]; H. 474, 3 (415, iii, N.[1]); D. 452, *b*.

92 25 **essetis habituri**: indir. quest.; for use of periphrastic form, ·ee § 575, *a* (334, *a*); B. 269, 3; G. 515; H. 649, ii, 1 (529, ii, 4); D. 815.

92 31 **quo minus . . . hoc magis**: § 414, *a* (250, R.); B. 223; G. 403; H. 479 (423); D. 476.

92 33 (SECT. 60.) **at enim**: see first note on sect. 51.

93 1 **exempla,** *precedents;* **instituta,** *established customs.* — **non ·licam,** etc.: an excellent specimen of the rhetorical device known as *praeteritio* (cf. note on p. 88, l. 13, above).

93 3 **paruisse, adcommodasse,** i.e. they disregarded precedents in great emergencies. — **temporum** depends on **casus, consiliorum** on ·rationes (chiastic order).

93 5 **ab uno imperatore**: Scipio Africanus the younger (Æmilianus), ·who captured Carthage (B.C. 146) and Numantia (B.C. 133). In his ·ime there had been a law that no person should be consul twice in ·uccession.

93 9 **ut . . . poneretur**: clause of purpose with **visum est** (here a ·verb of decreeing).

93 10 **C. Mario**: Marius was chosen consul five years in succession to carry on the wars here referred to.

93 12 (SECT. 61.) The argument in this and the following section is a telling one: "In the case of Pompey himself precedent has often been violated with the full assent of Catulus. Why, then, should Catulus be so scrupulous now, when the highest interests of the state are involved?" For the several occurrences referred to, see notes on sects. 28–30, above.

93 15 **privatum**, i.e. not a magistrate.

93 18 **a senatorio gradu**: no one could legally enter the Senate until after holding the quæstorship, the minimum age for which was thirty at least, and regularly thirty-six, while Pompey was at the time referred to (B.C. 82) only twenty-three.

93 20 **in ea provincia**, i.e. Africa.

93 21 **fuit**: translate, *he showed*, etc. (in order to render the abls. of quality, which come in a way foreign to our idiom).

93 23 **victorem**, *victorious* (pred. adj.). — **exercitum deportavit**: this was one of the essential conditions of a triumph.

93 24 **equitem**, i.e. not a member of the Senate, having never held a magistracy. — **triumphare**: the honor of a triumph was restricted to commanders who possessed the *imperium* by virtue of holding a regular magistracy. Until he was elected consul for the year B.C. 70, Pompey had never had the *imperium* except by special appointment from the Senate; both his triumphs, therefore, B.C. 80 and 71, were contrary to precedent.

93 27 (SECT. 62.) **duo consules**: Mamercus Lepidus and Decimus Brutus, B.C. 77. Instead of either of these being sent to Spain as proconsul the next year, against Sertorius, Pompey, though a simple *eques*, was designated for that service.

93 29 **pro consule**: when it was desired to retain the services of a magistrate after his term of office had expired, his *imperium* was extended (*prorogatum*) by the Senate, and was held by him *pro consule* or *pro praetore*, that is, as having the power of a consul or prætor while no longer actually a magistrate. It was not strictly legal to appoint a private citizen in such a capacity; but sometimes, as in Pompey's case this was done. — **quidem**, *by the way*.

93 30 **non nemo**, *a man or two*.

93 31 **Philippus**, a prominent member of the aristocracy (consul B.C. 91), distinguished for his wit; a man of liberal temper, but a vehement partisan.

93 32 **pro consulibus,** *in place of both consuls.*

93 33 **mittere**: for **mitto** of the dir. disc. Philippus seems to have put his *bon mot* into the regular form of a *sententia*, or formal expression of opinion in the Senate, using the simple present tense, with the qualifying *meā sententiā*; § 467 (276, *b*); B. 259, 2; G. 227, N.[2]; H. 530 (467, iii, 6); D. 649.

94 2 **ut . . . fieret**: subst. clause of result after the analogy of the subj. with verbs of happening; § 571, *c* (332, *f*); G. 553, 4; H. 571, 1 (501, i); D. 741. — **ex senatus consulto**: another irregularity, for the comitia were the law-making body and therefore of course had the sole power of exempting from the laws. — **legibus solutus,** *exempted from the operation of the laws*, i.e. those limiting the age of magistrates (*leges annales*).

94 3 **magistratum**: the legal age of a consul was not below forty-three, and that of a prætor not below forty. Pompey, however, was elected consul (B.C. 70) at the age of thirty-six, which was the regular age for the quæstorship.

94 4 **iterum**: Pompey celebrated his second triumph Dec. 31, B.C. 71, and the next day entered upon the consulship.

94 5 **in,** *in the case of.*

Sects. 63–68. The judgment of the people should overrule such objections (sect. 63, l. 11–sect. 64, l. 25). Pompey alone can retrieve the Roman reputation in the East (sect. 64, l. 26–sect. 67). Favorable opinions of leading men (sect. 68).

94 8 (Sect. 63.) **atque haec,** etc., *and all these many precedents, so weighty and so new, have been established in the case of this single man* (Pompey), *and have originated, too, in measures promoted by Q. Catulus and the other*, etc. Lit. "all these many examples (i.e. acts establishing precedents) have come upon this same man (Pompey) [proceeding] from the [senatorial] approval of Q. Catulus," etc. The Latin tends to compress two or more assertions into a single clause, where in English it is more natural to use separate clauses.

94 10 **amplissimorum**: a regular epithet for dignitaries. — **auctoritate,** i.e. since they were then prominent members of the Senate.

94 13 **comprobatam,** i.e. the people, in electing Pompey consul, had only followed the example of the Senate in conferring these repeated honors.

94 14 **judicium,** *formal decision*, expressed by passing the Gabinian Law.

94 16 **vel,** *even.*

94 18 **delegistis**: not literally correct. The Gabinian Law merely prescribed that *an ex-consul* should receive this command: the Senate selected the man. In fact, however, it was a law made for Pompey, and the Senate would not have ventured to appoint anybody else.

94 21 (Sect. 64.) **sin**: the protasis extends to **attulistis**, the connective being omitted. — **plus . . . vidistis**, *had a keener insight in affairs of state.*

94 23 **aliquando**: cf. p. 91, l. 15, and note. — **isti**: this pron., since it is often used of an opponent in a suit, here at once suggests the opposition now existing between Cicero and Catulus.

94 24 **auctoritati**: § 372 (230); B. 256, 3; G. 217; H. 426, 1, 518, 1 (385, i, 465, 1); D. 379.

94 26 **Asiatico et regio**: the two adjectives enhance the impression of the difficulty of the war by emphasizing its distance and the dignity of the enemy.

94 30 **versari**, *conduct himself* (see Vocab.).

95 1 **si qui sunt**, *when they are* (lit. *if there are any*). — **pudore** (abl. of specification), *respect for others;* **temperantia**, *self-restraint.*

95 9 (Sect. 65.) **requiruntur**, *are in demand*, i.e. pretexts of war are sought, with cities that we hardly know of; **inferatur**, *may be fastened.*

95 11 (Sect. 66.) With Cicero's account of the depredations of the provincial governors, cf. Sheridan's celebrated description in his Speech in Summing up the Evidence on the Second Charge against Warren Hastings: "Should a stranger survey the land formerly Sujah Dowlah's, and seek the cause of the calamity — should he ask what monstrous madness had ravaged thus, what widespread war, what desolating foreign foe, what disputed succession, what religious zeal, what fabled monster, had stalked abroad, and, with malice and mortal enmity to man, had withered, with the gripe of death, every growth of nature and humanity, all the means of delight, and each original, simple principle of bare existence, — the answer will be (if any answer dare be given): 'No, alas! not one of these things, — no desolating foreign foe, no disputed succession, no religious superserviceable zeal! This damp of death is the mere effusion of British amity: we sink under the pressure of their support, we writhe under the gripe of their pestiferous alliance!'" — **libenter**, etc., *I should be glad to argue this face to face*, etc.; § 521, *a* (310, *a*); B. 305, 1; G. 600, 1; H. 575, 9 (507, N.7); D. 802.

95 15 **hostium simulatione**, *under a pretence of* [the existence of] *enemies:* notice the chiastic order.

95 17 **animos ac spiritus**, *pride and insolence.*

95 19 **conlatis signis,** i.e. an actual warfare.

95 20 **nisi erit idem,** *unless he shall also be one.*

95 24 **idoneus qui . . . mittatur**: see note on **impetret**, p. 91, l. 21.

95 25 (SECT. 67.) **pacatam,** etc.: in the forcible extension of the Roman Empire, a province was spoken of as *pacata* when actual resistance had ceased on the part of the conquered. — **quae . . . sit,** subj. of characteristic; for tense, see § 485, *c* (287, *c*); B. 268, 7; G. 513; H. 550 (495, vi); D. 702.

95 29 **praetores,** i.e. *proprætors:* for, after the time of Sulla, the prætors regularly remained at Rome during their term of office.

95 30 **publica,** i.e. that allowed them for the support of their fleets and armies.

95 33 **jacturis,** *expenses,* in securing their election.

95 34 **condicionibus,** *corrupt bargains,* with creditors, etc.

96 1 **quasi . . . non . . . videamus**: § 524 (312); B. 307, 2; G. 602; H. 584 and 2 (513, ii, and N.[1]); D. 803.

96 3 (SECT. 68.) **dubitare quin,** *hesitate.* The usual construction in this sense would be with the infin.; § 558, *a*, N.[2] (332, *g*, N.[2]); B. 298, *b*; G. 555, R.[3]; H. 596, 1 (505, i); D. 720, iv, *a*, N.

96 7 **auctoritatibus,** i.e. the opinions of influential men (cf. **auctor** in the next line).

96 8 **est vobis auctor,** *you have as authority.* P. Servilius (Vatia Isauricus) was one of the most reputable men of the time. He held the proconsulship of Cilicia, B.C. 78–75, in which he gained great successes over the pirates. It was probably his intimate knowledge of the region and the kind of warfare, that led him to support this vigorous measure.

96 11 **debeat**: for tense, see § 485, *a* (287, *a*); cf. B. 268, 1; D. 699, *a*. — **Curio**: see note on Impeachment of Verres, sect. 18, p. 34, l. 29.

96 13 **Lentulus**: Cn. Cornelius Lentulus Clodianus, cos. B.C. 72; not to be confounded with Lentulus Sura, cos. B.C. 71, the accomplice of Catiline.

96 15 **Cassius**: for the character of this family, see note on Verr. i, sect. 30, p. 39, l. 3.

V. PERORATIO (§§ 69–71)

Sects. 69–71. Manilius is encouraged to stand firm. Cicero protests that his own advocacy of the law is disinterested and patriotic.

96 21 (SECT. 69.) **auctore populo Romano**: the Roman people has already shown its opinion of Pompey by passing the Gabinian Law;

hence Manilius has the *auctoritas* of the whole people behind him, as opposed to the *auctoritas* of a few aristocrats like Hortensius and Catulus (cf. sect. 63).

96 22 **neve,** *and not.*

96 25 **iterum**: alluding to the former unanimity of the people in passing the Gabinian Law.

96 27 **de re . . . facultate,** *the cause itself, or the power of carrying it through.* — **dubitemus**: § 535, *a* (320, *a*); B. 283, 2; G. 631, R.[2]; H. 591, 1 (503, i); D. 727.

96 29 **potestate praetoria,** *official influence as praetor;* more official than **auctoritate.**

97 1 **defero,** *put at your service.*

97 2 (SECT. 70.) **templo,** i.e. the *rostra.* The term *templum* was applied to any place consecrated by regular auspices (*augurato*). As the public assembly was held *augurato,* the place of holding it was a consecrated one.

97 3 **ad rem publicam adeunt,** *are engaged in public affairs.*

97 4 **neque quo,** *nor because;* § 540, N.[3] (321, R.); B. 286, 1, *b*; G. 541, R.[2]; H. 588, ii, 2 (516, ii, 2); D. 770.

97 7 **honoribus**: the term *honor* is regularly applied to honors conferred by the people, i.e. public offices. These he proposes to earn, not by the arts of a politician, but by fidelity in his profession as an advocate. — **pericula** relates to the **simultates** in the next section. It was not possible for him to espouse this democratic measure so earnestly without incurring coolness, at least on the part of the aristocracy. — **ut,** *so far as a* MAN, etc. (Cf. our "humanly speaking," "the Lord willing," and the like.)

97 9 **ab uno,** i.e. he expects no reward in the way of public office from Pompey's influence. — **ex hoc loco,** i.e. by political activity (cf. sect. 1).

97 12 (SECT. 71.) **mihi**: § 375 (232, *a*); B. 189, 2; G. 354; H. 431 (388, 1); D. 392.

97 13 **tantum . . . abest ut . . . videar,** *I am so far from seeming:* § 571, *b* (332, *d*); G. 552, R.[1]; H. 570, 2 (502, 3).

97 16 **hoc honore,** i.e. the prætorship.

97 20 **oportere,** *I am bound:* **me** (l. 16) is subject of **praeferre,** and **me praeferre** depends on **oportere.**

FIRST ORATION AGAINST CATILINE

ARGUMENT

CHAP. 1. *Propositio.* Catiline's effrontery in appearing in the Senate when his guilt is known. — 2. Weakness of the consuls in allowing him to live. Contrast with former magistrates in the cases of Gracchus, Saturninus, and Servilius. The situation calls for action: reasons for the delay. — 3, 4. The consul fully informed: latest acts of the conspirators. — *Hortatio.* 5. Catiline is exhorted to go out and join his confederates. — 6, 7. Life in the city should be intolerable to him: he is feared and hated by all good citizens: his native city begs him to begone. — 8. He has offered to go into custody: all good men urgent for his departure: the Senate shows by its silence approval of Cicero's words. — 9, 10. The consul urges him to depart: but he will go out only as a public enemy. — *Peroratio.* 11, 12. The consul may be charged with remissness: but he has been biding his time. — 13. For halfway measures would have been of no avail: Catiline's death would not have freed the state from his confederates. Let Catiline depart. Appeal to Jupiter to save Rome.

I. PROPOSITIO (CHAPS. I–IV)

Chaps. I, II. Effrontery of Catiline in appearing in the Senate. Weakness of the consuls in allowing him to live contrasted with the vigorous action of former times in less flagrant cases. Reasons for the delay.

PAGE **99**. LINE 2. (SECT. 1.) **etiam (et jam)**, *still.* — **eludet**, *baffle,* i.e. his mad conduct *makes fools of* the Roman people, as it were, by continuing to escape the just punishment that would suppress it. — **quem ad finem**: almost equivalent to **quamdiu**, but implying some shock or crisis (**finem**) which must follow.

99 3 **sese jactabit**, *insolently display itself.* — **nihil** (adv. acc.), *not at all.*

99 4 **Palati**: one of the strongest positions in the city, commanding the Forum, and so most likely to be seized by the conspirators. The *Palatium*, an isolated hill, of a rudely quadrangular shape, was the original seat of the city of Rome, from which the city spread gradually over the other hills. In the last years of the Republic, the Palatine became the fashionable place for residences. Here was Cicero's house as well as Catiline's. It was because of its nearness to his house, as well as because of the strength of its position, that Cicero selected this temple for the meeting of the Senate on this occasion. Under the Empire the Palatine became the seat of the imperial residence, and its name, *palace*, has passed in this sense into most modern languages.

99 5 **bonorum**: the Senate was surrounded by a crowd of *equites* and other citizens (see sect. 21, below).

100 1 **locus**: the Senate was assembled, not, as usual, in the *Curia Hostilia*, but in the Temple of Jupiter Stator, which occupied a commanding position on the brow of the Palatine Hill and faced the Sacred Way. The ruins of this temple were discovered some years ago (see view in text). — **horum** (with a gesture), i.e. the Senators present. — **ora**, *features ;* **voltus**, *expression :* the phrase is a sort of hendiadys, almost equivalent to *expression of their features ;* § 640 (385); B. 374, 4; G. 698; H. 751, 3, N.[1] (636, iii, 2); D. 944.

100 2 **patere**: note the emphatic position. — **non**: observe the abruptness and force given by omitting the interrog. particle **-ne**. — **constrictam . . . teneri**, *is held fast bound ;* § 497, *b* (292, *c*); cf. B. 337, 6; G. 238; H. 431, 1 (388, 1, N.); D. 865.

100 4 **proxima, superiore**: for what was done on the night of Nov. 6, see sect. 4; as to **proxima**, *last night*, we meet with nothing but general assertions.

100 7 (SECT. 2.) **O tempora**, etc., *what a time ! what a state of things !* (**mores** = *customs of the time.*)

100 8 **immo**, *nay more :* **immo** here negatives not the *fact* of the preceding statement (**vivit**), but only its *form* as not being strong enough; *nay* is similarly used in English, as in *Midsummer-Night's Dream*, iii, 2, 313: "To strike me, spurn me, nay, to kill me too."

100 11 **videmur**, etc. = *think we do enough for* (i.e. fulfil our duty to the state). — **si . . . vitemus**: in the dir. form, *satis facimus si vitamus.*

100 12 **ad mortem**: the consuls originally possessed full powers of judgment in criminal cases, including punishment by death. These highest powers of the *imperium* were suspended within the city by laws which gave the right of appeal to the people (note, p. 110, l. 16), but the Senate could revive them in cases of danger by the formula *Videant consules ne quid res publica detrimenti capiat,* — a proceeding analogous to the proclamation of martial law. This action the Senate had taken Oct. 21, nearly three weeks before.

100 13 **oportebat**, apod. of an implied cond.: § 522, *a* (311, *c*); B. 304, 3, *a*; G. 254, R.[1]; H. 583 (511, 1, N.[3]); D. 797, *a*, 802; the imperf. is used with **jam pridem**, where in English we might expect the pluperf.; § 471, *b* (277, *b*); B. 260, 4; G. 234; H. 535 (469, 2); D. 654; **oportebat** alone would mean "you ought [now] to be [but are not]"; with **jam pridem** it means "you ought to have been long ago and still ought to be."

100 14 **jam diu**: words in brackets are thought to be spurious insertions in the text.

100 14 (SECT. 3.) **an vero** properly belongs both to **interfecit** and **perferemus**; in English we should connect the two clauses by *and*. On the force of *an*, see § 335, *b* (211, *b*); B. 162, 4, *a*; G. 457, 1; H. 380, 3 (353, N.[4]); D. 627, *b*.—**vir amplissimus, pontifex maximus**: observe how these words strengthen the force of the example.

100 15 **Ti. Gracchum**: Tiberius Sempronius Gracchus, a young man of high rank and great purity of character, attempted to carry through some important reforms, particularly touching the tenure of the public lands, B.C. 133. Requiring more time to make his legislation effective, he attempted illegally to secure his own re-election as tribune, when he was attacked and killed by a mob of Senators headed by P. Scipio Nasica.

100 16 **privatus**: at the time referred to, Nasica was only a private citizen of consular rank. He afterwards went into exile, and was made Pontifex Maximus in his absence. The word **privatus** is rhetorically opposed to **nos consules.**

100 18 **illa,** *that case,* plural for singular as referring to the circumstances of the case.

100 19 **Ahala**: the *magister equitum* of the famous Cincinnatus; he killed without legal process the *eques* Mælius, on suspicion that the latter was aiming at royal power (B.C. 439); see Fig. 26.—**novis rebus** (the classic expression for a violent change of government), *revolution:* dat. after **studentem.**

FIG. 26

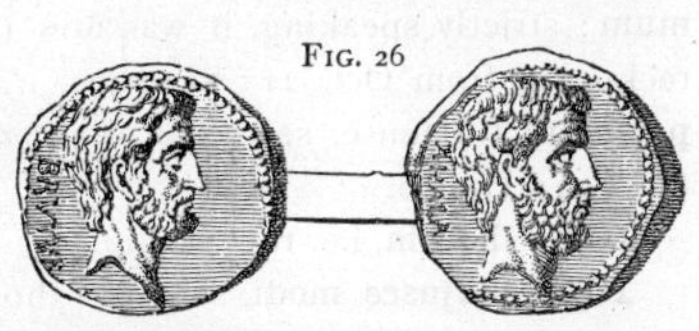

COIN OF BRUTUS AND AHALA

100 20 **fuit** (emphat.), *there was,* etc., implying that it is so no longer; § 598, *d* (344, *d*, 3). Cf. **fuit Ilium,** Æneid, ii. 325.

100 22 **habemus** (emphat.), i.e. it is not that we lack, etc.—**senatus consultum**: i.e. the decree conferring dictatorial power on the consuls (see note on sect. 2, l. 12, above), *ut videant consules,* etc.

100 23 **vehemens,** *severe,* as regards Catiline; **grave,** *carrying weight,* and so justifying the consuls in any extreme measures.—**non**

deest, etc., *it is not that the state lacks wise counsels*, etc., but that the consuls are remiss in executing them.

100 26 (SECT. 4.) **decrevit**: translate, to preserve the emphasis, *there was once a decree*, etc. — **ut . . . videret**, subst. clause of purp., obj. of **decrevit**: § 563 (331); B. 295, 4; G. 546; H. 564, i (498); D. 720. — **Opimius**: Lucius Opimius was consul B.C. 121, when Caius Gracchus, the younger brother of Tiberius, was attempting to carry through a series of measures far more revolutionary than those of his brother. The Senate took alarm, and intrusted the consul with absolute power. In the tumult that ensued, some 3000 are said to have lost their lives, including Gracchus and his leading associate, Fulvius.

100 27 **ne . . . caperet**, obj. of **videret**.

100 28 **interfectus est** (emphat.), i.e. in that case death was promptly inflicted.

100 29 **patre**: Tiberius Gracchus, the elder, one of the most eminent statesmen of his day.—**avo**: Scipio Africanus, the conqueror of Hannibal.

101 1 **Mario** (dat. after **permissa**): this was in Marius' sixth consulship (B.C. 100). He was secretly in league with the revolutionists, — Saturninus and Servilius Glaucia, corrupt demagogues, unworthy imitators of the noble Gracchi. When it came to the point, however, the courage of Marius failed him: he deserted his accomplices, and joined the Senate in crushing the revolt.

101 3 **rei publicae**: poss. gen., the punishment being looked on as something belonging to the party avenged, and exacted from the other party as a payment due.

101 4 **remorata est** (governing **Saturninum**, etc.), *keep Saturninus and Servilius waiting*, i.e. did they have to wait one day, etc.? — **vicesimum**: strictly speaking, it was now (Nov. 6) the 19th day by Roman reckoning from Oct. 21; cf. § 424, *c* (259, *c*); G. 336, R.[1]; D. 424. — **patimur**: for tense, see § 466 (276, *a*); B. 259, 4; G. 230; H. 532, 2 (467, 2); D. 650.

101 5 **horum**, i.e. the Senate.

101 6 **hujusce modi**, i.e. like those just mentioned; § 146, *a*, N.[1] (101, footnote); B. 87, footnote[2]; G. 104, I, N.[1]; H. 178, 3 (186, 1); D. 188, *a*. — **tabulis**: brazen tablets, on which the laws, etc., were inscribed. The edict is said to be *shut up* in them (until put in force), *like a sword hidden in its scabbard*.

101 8 **interfectum esse**: § 486, *b* and N. (288, *d*); B. 270, 2, *a*; G. 280, 2; D. 829, N. — **convēnit**, perf.: § 522, *a* (311, *c*); B. 304, 3, *a*; G. 254, R.[1]; H. 583 (511, I, N.[3]); D. 797, *a*, 802.

101 9 **ad deponendam**, etc.: § 506 (300); B. 338, 3; G. 432; H. 628, 623 (542, iii, 544, 1); D. 878.

101 10 **cupio** (emphat.), *I am anxious:* a concession, opposed by **sed**, below. — **me esse**: § 563, *b*, 1 (331, *b*, N.); B. 331, iv, *a*; G. 532, R.^{2}; H. 614 (535, ii); D. 720, i, *b*.

101 11 **dissolutum**, *arbitrary*.

101 12 **ipse**: Latin in such cases emphasizes the subject; English, the object; § 298, *f* (195, *l*); B. 249, 2; G. 311, 2; H. 509, 1 (452, 1); D. 549, *a*, N.^{2} — **inertiae**: § 352 (220); B. 228, 2; G. 378; H. 456 (409, ii).

101 13 (Sect. 5.) **castra sunt**, etc.: an enumeration of the circumstances which make a mild policy no longer possible.

101 14 **faucibus**, *narrow pass*, leading north from Etruria, through the Apennines. — **conlocata**: § 495 (291, *b*); B. 337, 2; G. 250, R.^{2}; H. 538, 4 (471, 6, N.^{1}); D. 857.

101 18 **jam**, *at once*.

101 19 **erit verendum**, etc., *I shall have to fear, I suppose* (ironical), *that all good citizens will fail to say* (lit. *will not say*) *that I have acted too late rather than that anybody will say that I have acted too cruelly*, i.e. I shall have to fear that I shall be accused of cruelty rather than slackness. — **ne non . . . dicat**: § 564 (331, *f*); B. 296, 2, *a*; G. 550, 2; H. 567, 2 (498, iii, N.^{2}); D. 720, ii. — **boni** (sc. *dicant*): here, as usual, *the well-intentioned*, i.e. those who held the speaker's views.

101 21 **ego**: opposed to **omnes boni** (l. 19, above). — **factum esse**: § 486, *b* and N. (288, *d*); B. 270, 2, *a*; G. 280, R.^{2}; D. 829, N. — **oportuit**: § 522, *a* (311, *c*); B. 304, 3, *a*; G. 597, R.^{3}, *a*; H. 583 (511, 1, N.^{3}); D. 797, *a*, 802.

Chaps. III, IV. The consul is fully informed. Latest acts of the conspirators.

101 22 **denique**, i.e. then, and not before.

101 23 **jam**, *at length*.

101 24 **fateatur**: for mood, see § 537, 2 (319, 2); B. 284, 2; G. 631, 1; H. 589, ii, 591 (500, i); D. 735.

101 26 (Sect. 6.) **ita ut vivis**, *just as you are* [now] *living*.

101 27 **ne . . . possis**: purpose (not result).

101 28 **etiam**, *besides* the forces on guard.

101 29 **speculabuntur**: probably referring to the spies who were employed in the interest of the government, and who were in the very heart of the conspiracy.

102 1 **quid,** etc., *what is there for you to wait for more?* — **quod . . . exspectes**: rel. clause of purpose.

102 4 **inlustrantur,** opposed to **obscurare**; **erumpunt,** to **continere.**

102 7 **recognoscas,** *review,* with **licet, ut** omitted: see § 565 (331, *f,* R.); B. 295, 8; G. 553, R.[1]; H. 564, ii, 1 (502, 1); D. 720, i, *d.*

102 8 (SECT. 7.) **dicere**: for tense, see § 584, *a* and N. (336 A, N.[1]); G. 281, 2, N.; H. 618, 2 (537, 1); D. 830.

102 9 **futurus esset**: subord. clause in ind. disc.

102 11 **num,** etc., *was I mistaken in,* etc. (lit. *did the fact escape me*).

102 13 **idem** (nom.) has the force of *also.*

102 14 **optimatium,** i.e. of the Senatorial party. — **in ante diem**: § 424, *g* (259, *e*); B. 371, 6; G. p. 491; H. 754, 3 (642, 4); D. 1010, *c.*

102 16 **sui conservandi . . . causā**: § 504, *b, c* (298, *a, c*); B. 339, 5, 338, 1, *c*; G. 428, R.[1] and R.[2]; H. 626, 3 (542, N.[1]); D. 875, 876. This passage is neatly turned so as to save their self-respect by attributing their flight to that discretion which is the better part of valor.

102 19 **cum . . . dicebas**: we should expect **diceres**; the imperf. indic. is probably an archaic survival; cf. § 471, *e* and N. (277, *e* and N.).

102 20 **tamen**: opposed to **discessu** ("though the rest were gone, yet," etc.).

102 21 (SECT. 8.) **Praeneste** (*Palestrina*), an important town of Latium, about twenty miles from Rome, in a very commanding situation. Its possession would have given Catiline a valuable military post. Præneste had been a chief stronghold of the Marian party in the Civil War, and Sulla had punished it by establishing a military colony there (hence **coloniam**).

102 23 **sensistine,** *did you not find?* **-ne** here = **nonne**: § 332, *c* and N. (210, *d* and N.); G. 454, N.[5]; D. 623, N.

102 24 **praesidiis,** *the garrison* manning the walls; **custodiis,** *sentinels* at the gates; **vigiliis,** *watchmen* (i.e. night-guard). — **agis,** etc.: notice the climax.

102 27 **noctem illam superiorem,** *that night,* — *night before last,* i.e Nov. 6; **priore** (l. 29, below) refers to the same night.

102 29 **quam te**: § 581, N.[2] (336, *a,* 1, R.); H. 643, 1 (524, 1[1]); D. 897.

102 30 **inter falcarios,** i.e. to the street of the scythe-makers. — **non agam obscure,** i.e. I will speak out and be more definite. — **in domum**: § 428, *k* (258, *b,* N.[1]); G. 337, R.[3]; D. 433.

103 1 **eodem,** *at the same place* (lit. *to the same place,* according to the Latin idiom).

103 4 (SECT. 9.) **gentium**: § 346, *a*, 4 (216, *a*, 4); B. 201, 2; G. 372, N.[3]; H. 443 (397, 4); D. 343.

103 5 **quam rem publicam,** *what sort of state?*

103 6 **hic, hic,** *here, right here.* — **patres** [*et*] **conscripti**: the formal designation of the Senators; **patres** were the patrician members of the Senate, **conscripti** were the plebeians *enrolled* in that originally patrician body. The conjunction is regularly omitted (as often in such combinations). Observe that the stock English translation *conscript fathers* is inexact.

103 8 **qui**: the antecedent is the understood subject of **sunt**. — **atque adeo,** *and in fact.*

103 9 **cogitent**: § 535, *a* (320, *a*); B. 283, 2; G. 631, 2; H. 591, 1 (503, i); D. 727.

103 11 **oportebat**: see sect. 2 and note. — **voce volnero**: the alliteration is intentional and may easily be imitated in English, — *wound with a word.* — **igitur** (resumptive), *then* (i.e. *as I said*).

103 13 **quemque,** *each* (of the conspirators). — **placeret,** indir. quest.

103 14 **relinqueres, educeres,** delib. subj. in an indir. quest.: § 575, *b* (334, *b*); B. 302; G. 265; H. 559, 4 (484, v); D. 816.

103 16 **morae**: partitive gen. — **viverem**: subj. in subord. clause in indir. disc.

103 17 **equites**: these were C. Cornelius and L. Vargunteius.

103 19 (SECT. 10.) **omnia . . . comperi**: Cicero's contemporaries made sport of him for using this phrase so often in the case of the conspirators.

103 22 **salutatum**: supine; § 509 (302); B. 340, 1; G. 435; H. 633 (546); D. 882, i. All prominent citizens were accustomed to hold a kind of morning reception (cf. "the king's *levee*") to which their friends and dependents came to bid them good morning and to escort them to the Forum. — **cum . . . venissent**: best translated by *when*, etc.

103 23 **id temporis,** *at that very time:* §§ 346, *a*, 3, 397, *a* (216, *a*, 3, 240, *b*); B. 201, 2, 185, 2; G. 336, N.[2], 369; H. 416, 2, 442 (378, 2, 397, 3); D. 342, 438.

103 24 **praedixeram**: Cicero had thus put on record, as it were, the fact that he was acquainted with the details of the conspiracy.

103 27 **desiderant,** *have been wanting:* § 466 (276, *a*); B. 259, 4; G. 230; H. 532, 2 (467, 2); D. 650.

103 28 **si minus** (sc. **omnes**), *if not.*

II. Hortatio (Chaps. V–X)

Chaps. V–VII. Why does not Catiline leave the city? Life there should be intolerable to him. He is feared and hated by all good citizens. His native city begs him to be gone.

103 30 **murus,** i.e. city wall (cf. **parietibus,** *walls of a house,* sect. 6). — **intersit**: § 528 (314); B. 310, ii; G. 573; H. 587 (513, i); D. 811.

103 31 **non feram,** etc.: the same idea is repeated for emphasis, but, for variety, different words are used.

103 32 (Sect. 11.) **atque,** *and particularly.* — **huic,** i.e. in whose temple we are met.

104 1 **Statori (sto)**: the one who causes to *stand firm.* The temple to Jupiter Stator was vowed by Romulus when his troops were giving way, and built upon the spot where their flight was *stayed.* The remains of this temple have been recently discovered on the Palatine, near the Arch of Titus.

104 3 **in uno homine,** *by one man* (Catiline); lit. *in the case of one man.*

104 7 **proximis**: the consular election was usually held in July; but in this year, on account of the disturbed condition of things, it did not take place until Oct. 28. — **in Campo**: the *comitia centuriata,* in which the higher magistrates were elected, were held in the Campus Martius, or military parade-ground, north of the city. This is the space covered by the main part of modern Rome.

104 8 **competitores**: Catiline's successful competitors were D. Silanus and L. Murena.

104 9 **copiis,** i.e. persons in the employ of his friends, — slaves and hired retainers. — **nullo . . . concitato,** *without exciting* (a very common way of expressing this idiom in Latin).

104 11 **videbam,** *I saw all along* (observe the force of the imperf.).

104 12 (Sect. 12.) **nunc jam,** *now at length.*

104 16 **hujus imperi,** i.e. that which I now possess: namely, that conferred upon the consuls by the special decree of the Senate *dent operam,* etc. (see note on p. 100, l. 12). Without this decree they possessed *imperium,* it is true, but it was limited (in the city) by special privileges of Roman citizens.

104 20 **tu**: opposed to **comitum.**

104 22 **sentina rei publicae,** *political rabble;* or, keeping the original figure, we might say, *bilge-water of the ship of state.*

104 24 (SECT. 13.) **faciebas,** *were on the point of doing:* § 471, *c* (277, *c*); B. 260, 3; G. 233; H. 534, 2 (469, 1); D. 653.

104 25 **hostem,** *a public enemy,* whom the consul would have the right to expel from the city.—**non jubeo:** Cicero avoids the appearance of ordering a citizen to go into exile, since that was something which the consul had no right to do.

104 27 **jam,** *longer.*

104 29 **metuat:** cf. note on **cogitent,** p. 103, l. 9.

104 30 **privatarum rerum,** *in private life,* i.e. intercourse with others out of the family (distinguished from **domesticae,** above).

105 1 **quem . . . inretisses,** i.e. *after entangling,* etc. (subj. of characteristic).—**ferrum . . . facem,** i.e. arm him for acts of violence, or inflame him to deeds of lust.

105 3 (SECT. 14.) **quid vero,** *and say!*

105 4 **novis nuptiis,** etc.: this crime is mentioned by no other writer, and is perhaps one of the orator's exaggerations.

105 5 **alio . . . scelere:** Sallust mentions, as a matter of common belief, that Catiline killed his own son, in order to gratify his new wife Aurelia Orestilla, "a woman praised for nothing but beauty."

105 8 **ruinas:** this charge was undoubtedly correct. The conspiracy was mainly composed of men of ruined fortunes, who hoped to better themselves in the general scramble of a revolution.

105 9 **Idibus:** the Calends and Ides—the beginning and middle of the month—were the usual times for the payment of debts. Catiline's failure in his consular canvass had probably stirred up his creditors to push him for payment.

105 14 (SECT. 15.) **cum:** causal, but best translated by *when.*

105 15 **pridie Kalendas Januarias,** etc.: Dec. 31, B.C. 66. The act here mentioned seems to have been in preparation for a rising that had been planned by Catiline for the next day, Jan. 1, B.C. 65. On this day the consuls Cotta and Torquatus entered upon their office, and it was the intention of Catiline to take advantage of their inauguration to murder them and seize the government. The plot got whispered about, and its execution was put off to Feb. 5, when it failed again through Catiline's precipitancy in giving the word.

105 16 **cum telo** (a technical expression), *weapon in hand.*

105 17 **manum:** a band (of assassins).—**interficiendorum causā:** § 504, *b* (298, *c*); cf. B. 338, 1, *c*; G. 428, R.[2]; D. 875.

105 18 **mentem aliquam,** *some change of mind.*

105 20 **aut . . . aut,** etc., *either obscure or few.*

105 21 **non multa**, etc., i.e. they were too well known to need recapitulation, and too numerous to admit of it.—**commissa**, *which you have perpetrated.*

105 23 **petitiones**, *thrusts:* the word regularly used for the attack of a gladiator. Cicero uses this and similar terms as an affront to Catiline.—**ita conjectas**, etc., *so aimed that they seemed impossible to be shunned.* The Latin has no adj. for "impossible."

105 24 **corpore**, i.e. dodging with the body (a common colloquialism,—hence **ut aiunt**).

105 26 (SECT. 16.) **tibi** (dative of reference), etc., *wrested from your hands:* § 377 (235, *a*); B. 188, 1); G. 350, 1; H. 425, 4, N. (384, 4, N.[2]); D. 385.

105 28 **quae quidem**, etc., *I know not by what rights it has been consecrated and set apart, that you think*, etc. (as if Catiline had solemnly pledged himself to use this dagger on nobody lower than a consul).

105 31 **nunc vero**, *but now* (indicating a marked transition).—**vita**, i.e. that you should desire to prolong it (cf. sect. 15).

106 1 **quae nulla**, *nothing of which:* § 346, *e* (216, *e*); B. 201, 1, *b*; G. 370, R.[2]; D. 345.

106 3 **necessariis**: this word is used of any close relation, as that of kinsman, client, guest, comrade, member of the same order, etc. (see note on **necessitudinem**, Verr. i, sect. 11, p. 32, l. 3).

106 5 **quid quod**, *what of this,—that*, etc.

106 6 **subsellia**: undoubtedly wooden benches brought in for the occasion.

106 7 **consulares**: these voted as a class, and probably sat together. Catiline, as a *praetorius*, no doubt sat in their neighborhood.

106 10 **ferendum** [esse] is the pred. of the clause **quod . . . reliquerunt**.

106 10 (SECT. 17.) **servi**: emphatic, and hence preceding **si**.

106 13 **injuriā**, *unjustly, wrongfully.*

106 14 **carere aspectu**, *be deprived of the sight of.*

106 20 **aliquo concederes**, *would retire somewhere.*—**nunc**: opposed to the cont. to fact **si**, etc.

106 22 **te nihil . . . cogitare**, *that you think of nothing* (depending on **judicat**).—**judicat**: for tense, see § 466 (276, *a*); B. 259, 4; G. 230; H. 532, 2 (467, 2); D. 650.

106 23 **auctoritatem**, etc.: observe the climax in both nouns and verbs.

106 25 (SECT. 18.) **quae** (i.e. **patria**) . . . **agit**, *she thus pleads with you.*

106 26 **annis**: § 424, *b* (256, *b*); B. 231, 1; G. 393, R.^{2}; H. 417, 1 and 2 (379, 1); D. 423.

106 28 **sociorum**, i.e. the allied cities of the province of Africa, which Catiline had governed as pro-prætor, B.C. 67.

106 29 **neglegandas** implies only evasion; **evertendas**, violence. — **leges et quaestiones**, i.e. in his lawless career both as prætor in Rome and as pro-prætor in Africa.

106 30 **superiora illa**, *those former crimes of yours.*

106 32 **me . . . esse**, etc.: this and the two following infin. clauses (**Catilinam timeri** and **nullum videri . . . consilium**) are subjects of **est ferendum**; **posse** depends on **videri**. — **quicquid increpuerit**, subj. of integral part; § 593 (342); B. 324, 1; G. 663, 1; H. 652 (529, ii); D. 907.

107 2 **abhorreat** (subj. of characteristic), *is inconsistent with.*

107 3 **hunc . . . eripe**, *rescue me from*, etc. (lit. *snatch it from me*); § 381 (229); B. 188, 2, *d*; G. 345, R.^{1}; H. 429, 2 (386, 2); D. 389.

107 4 **ne opprimar**: § 515, *a* (306, *a*); B. 302, 4; G. 595; H. 580 (508, 4); D. 785, *a*. — **aliquando**, *some time or other* (implying impatience).

Chaps. VIII–X. Catiline has offered to give himself into custody. The consul bids him depart: the Senators show by their silence their approval of the order. The consul entreats him to leave the city, but he will go only as a declared enemy.

107 6 (SECT. 19.) **etiam si . . . possit**: § 527, *c* (313, *c*); cf. B. 309; G. 604 and R.^{2}; H. 585 (515, ii); D. 803.

107 7 **in custodiam dedisti**, i.e. into free custody, on parole. This appears to have been late in October, when Catiline was prosecuted on the *Lex Plautia de vi*. When a respectable Roman was charged with a crime it was customary for some person to bail him out, as it were, by becoming responsible for his appearance. Being thus responsible, the surety kept the accused in a kind of custody at his house.

107 8 **ad M'. Lepidum**, etc.: **ad** = **apud**. Lepidus was the consul of B.C. 66.

107 9 **ad me**: this was of course intended by Catiline as a demonstration of his innocence.

107 10 **domi meae**: § 428, *k* (258, *e*); G. 411, R.^{4}; D. 489.

107 12 **parietibus**, loc. abl.; **moenibus**, abl. of means. Observe the difference of meaning in these words and the emphasis of the contrast. — **qui . . . essem**: this would be subj. (**sim**) in dir. disc. as implying the reason; § 535, *e* (320, *e*); B. 283, 3; G. 626, R.; H. 592, 598 (517); D. 730, i.

107 13 **Metellum**: Q. Metellus Celer, consul B.C. 60; he afterwards did good service in the campaign against Catiline.

107 14 **virum optimum**, *an excellent man* (ironical, of course).

107 16 **sagacissimum**, *keen-scented;* **fortissimum**, *energetic and fearless.*

107 18 **videtur . . . debere**, *does it seem that he ought to be?* Observe that the Latin prefers the personal construction ("does he seem," etc.), which the English idiom with *ought* does not allow us to imitate: § 582 (330, *b*, 1); B. 332, *b*; G. 528, R.[2]; H. 611, N.[1] (534, 1, N.[1]); D. 840.

107 19 (SECT. 20.) Two courses were open to Catiline, — to leave the city or to run his chances of being put to death. If he left the city, he could, of course, either join his accomplice Manlius in the insurgent camp at Fæsulæ, or abandon his projects and go into voluntary exile. Apparently some of the Senators had privately urged him to adopt the latter alternative, promising, in that case, that all proceedings should be dropped, and Catiline, though rejecting their advice, had declared that he would not refuse to obey a *senatus-consultum* decreeing his banishment. Such a decree would, however, have been favorable to Catiline's plans, for, since he had not been formally brought to trial, he would have been able to pose as an injured citizen exiled by an arbitrary aristocratic party. Hence Cicero refuses to put the question to the Senate, though he asserts there could be no doubt about the result. By taking this course Cicero forced Catiline to make his intentions plain by the overt act of leaving the city of his own accord and hastening to the camp of Manlius.

107 23 **refer . . . ad senatum**: the technical term for the action of the presiding officer (regularly the consul) in bringing a matter before the Senate for action. See general Introduction, p. lvii. — **si**, etc.: fut. cond. in indir. disc.

107 24 **placere** (sc. *sibi*): the subject is **te . . . exsilium**.

107 25 **abhorret**, *is contrary to:* because the Senate would have no legal power to pronounce such a judgment.

107 26 **faciam ut**, etc.: § 568 (332); B. 297, 1; G. 553, 1; H. 568 (498, ii); D. 736, 737. To make the feelings of the Senate clear, Cicero formally commands Catiline to leave the city (**egredere**, etc.); then pauses to allow the Senators a chance to protest, and then points out that no objections are heard.

107 29 **ecquid attendis,** *are you listening?* The adverbial **ecquid** (*at all*) can hardly be idiomatically rendered, but gives an emphasis to the question.

107 30 **patiuntur,** *they tolerate this,* i.e. they make no objection to this extreme exercise of authority on my part. — **quid,** etc.: *why do you wait for those to express their opinion in words whose wishes you see clearly by their silence?* The Latin idiom is quite different: *why do you wait for the expressed opinion* (**auctoritatem**) *of* [those] *speaking whose wishes you see* [when] *silent?*

107 32 (SECT. 21.) **huic,** *this . . . here:* the demonstrative pronouns are often thus employed in the so-called *deictic* use, accompanied by a gesture. — **Sestio:** a member of the aristocratic party whom Cicero afterwards defended in one of his greatest orations.

108 1 **M. Marcello:** a prominent member of the aristocracy, consul B.C. 51; not to be confounded with the person of the same name mentioned in sect. 19. He took a leading part in the Civil War against Cæsar, and was afterwards defended by Cicero (see p. 213). — **jam,** *by this time.* — **consuli,** *consul as I am.*

108 2 **in templo,** i.e. notwithstanding the sacredness of the place. — **vim et manus** (hendiadys), *violent hands.*

108 3 **cum quiescunt,** i.e. by keeping quiet: § 549, *a* (326, *a*); G. 582; H. 599 (517, 2); D. 749, *a.*

108 5 **videlicet cara,** alluding to his demand to have the matter submitted to the Senate.

108 8 **voces,** *cries* (of the crowd outside).

108 10 **haec** (with a gesture, cf. **huic,** sect. 21, first note), i.e. all that is round us, the city, etc.

108 12 **prosequantur,** *escort.* It was the custom for those who were going into voluntary exile to be thus accompanied to the gate by their friends. Cicero sarcastically declares that, if Catiline will depart, the whole Senate will be so glad to be rid of him as to forget his crimes and pay him this honor.

108 13 (SECT. 22.) **te ut . . . frangat,** [the idea] *that anything should bend you!* i.e. break down your stubbornness; an exclam. clause with **ut:** § 462, *a* (332, *c*); G. 558; H. 559, 5 (486, ii, N.); D. 843, *a.*

108 15 **utinam . . . duint:** § 442 (267, *b*); cf. B. 279; G. 201; H. 559, 1 (483, 1); D. 680, 681; for form, see § 183, 2 (128, *e*, 2); B. 127, 2; G. 130, 4; H. 240, 3 (244, 3); D. 233, *a*, 1.

108 16 **ire:** § 457 (271, *a*); B. 295, 4, N.; G. 532, and R.[2]; H. 565, 5 (498, i, N.); D. 837, *a.*

108 18 **recenti memoria** (abl. of time): translate by a *while* clause

108 19 **est tanti,** *it is worth the cost:* § 417 (252, *a*); cf. B. 203, 3 G. 380, 1, R.; H. 448, 4 (405); D. 341.

108 20 **sit**: § 528 (314); B. 310, ii; G. 573; H. 587 (513, i); D 811.

108 21 **ut . . . commoveare**, etc., subject of **est postulandum**: § 56((331, *h*); cf. B. 295; G. 546, 1; H. 564, ii (499, 3); D. 721.

108 23 **is es . . . ut**: § 537, 2, N.[2] (319, R.); B. 284, 1; G. 552; H 570 (500, ii); D. 732.

108 26 (SECT. 23.) **inimico,** *a private enemy*, thus attributing tc Cicero personal motives of opposition.

108 27 **rectā** (sc. *viā*), *straightway.*—**vix feram**, etc.: for Catiline's going into voluntary exile would tend to prove that he was innocent and had been persecuted by the consul (see note on p. 107, l. 19).

108 29 **sin autem**, etc.: Catiline's going to Manlius would prove his guilt and show the wisdom of Cicero's action.

109 1 **latrocinio,** *brigandage*, i.e. partisan warfare, as opposed to a regular war (*justum bellum*).

109 3 (SECT. 24.) **quamquam,** *and yet*: § 527, *d*, N. (313, *f*); B 309, 5; G. 605, R.[2]; H. 586, 4 (515, iii, N.[2]); D. 807. Cf. the same use of **quamquam**, p. 108, l. 13, and of **tametsi**, p. 108, l. 16.—**invitem**: § 444 (268); B. 277; G. 265; H. 557 (486, ii); D. 678.—**sciam** characteristic subj.

109 4 **Forum Aurelium**: a small place on the *Via Aurelia*, about fifty miles from Rome. The *Via Aurelia* was the road which led along the sea-coast of Etruria, by which Catiline left the city the following night.—**praestolarentur**: rel. clause of purpose.

109 6 **aquilam**: the silver eagle had been adopted by Marius as the standard of the legion, and the eagle in question was said to have been actually used in the army of Marius.

109 8 **sacrarium**: it was customary in Roman houses to have a little shrine (see Fig. 27) for the worship of the *lares* and other protecting divinities. Doubtless Catiline was believed to have placed this eagle in such a shrine as an object of superstitious worship.

109 9 **ut possis**: exclam. clause with **ut** (see note on p. 108, l. 13).

109 13 (SECT. 25.) **rapiebat**: § 471, *b* (277, *b*); B. 260, 4; D. 654: the imperf. is used instead of the pres. because the action is conceived of as ceasing at the moment when Cicero discovered the plot.

109 14 **haec res,** i.e. leaving the city as an enemy and taking up arms.

109 16 **non modo,** *to say nothing of:* § 327, 1 (209, *a*, 1); B. 347, 2; G. 445; H. 656, 2 (553, 2); D. 595, *a* and N.

109 18 **atque** connects **perditis** and **derelictis**; **ab** connects **fortuna** and **spe** with **derelictis.**

FIG. 27

109 19 **conflatam,** *run together* (like molten metal).

109 19 (SECT. 26.) **hic,** i.e. in this band.

109 21 **bacchabere,** *will revel.* To a Roman the word suggested the wild orgies of the frenzied Bacchanals, so that it is much stronger than our *revel,* which in course of time has become rather vague: cf. Æneid, iv. 301 (and illustrations).

109 23 **meditati sunt,** *have been practised;* **feruntur,** *are talked about.* — **labores**: cf. Sallust's *Catiline,* ch. v: *L. Catilina nobili genere natus fuit, magna vi et animi et corporis, sed ingenio malo pravoque. Huic ab adulescentia bella intestina caedes rapinae discordia civilis grata fuere ibique juventutem suam exercuit. Corpus patiens inediae algoris vigiliae supra quam cuiquam credibile est.*

109 25 **facinus,** *deed of violence,* contrasted with **stuprum,** *debauchery;* just as **bonis otiosorum,** *property of peaceful citizens,* is with **somno maritorum,** *the repose of husbands.*

109 26 **ubi ostentes** (purpose clause), *opportunity to display* (lit. a place, *where,* etc.).

109 29 (SECT. 27.) **reppuli**: § 545 (323, 1); B. 288, 1, *a*; G. 580; H. 600 (521, i); D. 750. Cicero here takes credit to himself for using his influence as consul to defeat the election of Catiline.

109 30 **exsul, consul**: observe the play upon words (see Vocab.).

109 32 **latrocinium**: cf. note on **latrocinio,** l. 1, above.

III. Peroratio (Chaps. XI–XIII)

Chaps. XI–XIII. The consul may be charged with remissness; but he has been biding his time. For halfway measures would have been useless. Appeal to Jupiter to save Rome.

110 2 **querimoniam**, i.e. for not having suppressed the conspiracy moie vigorously. — **detester ac deprecer** (construed with **a me**, above), *remove by protest and plea.*

110 4 **patria**: the personified *patria* is dramatically introduced as accusing Cicero of remissness in letting Catiline go unharmed.

110 6 **M. Tulli** (voc.): the regular way of formal address; the use of the family name (*Cicero*) is more familiar.

110 9 **evocatorem servorum**, *a summoner of slaves*, i.e. to enlist under him against the state. To the Romans (as to all peoples who, having a large slave population, are in constant fear of servile revolts) such an accusation was the most violent reproach conceivable.

110 12 **duci, rapi, mactari**: § 563, *a*, N. (311, *a*, N.[1]); cf. B. 295, 4, N.; G. 546, N.[3]; H. 614 (535, ii); D. 720, i, *d*.

110 16 (Sect. 28.) **rogatae sunt**: the magistrate who proposed a law formally asked the people whether they would accept it; hence *rogo* was the word regularly used for this act, and the proposition itself was called *rogatio*. The *leges* in question, *Valeria*, *Porcia*, and *Sempronia* (of Caius Gracchus), were enacted to protect — like our laws securing the *habeas corpus* and trial by jury — the life and liberty of citizens against the arbitrary power of magistrates, which in this case would apparently be used by Cicero. — **at numquam**, etc.: as a fact, however, the precedents here referred to had been really violations of the constitution.

110 18 **praeclaram . . . gratiam**, *you show a noble gratitude* (cf. *habere gratiam* and *agere gratias*).

110 20 **nulla commendatione majorum**: though by the Roman constitution the higher offices were open to all citizens, yet it was rare that a man whose ancestors had not held these offices could succeed in attaining them himself. If, like Cicero, he did so, he was called a *novus homo*, and his descendants belonged to the nobility. — **tam mature**: Cicero attained the quæstorship, the prætorship, and the consulship (**honorum gradūs**) at the earliest age possible in each case. This was a mark of public confidence which had never happened to a *novus homo* before.

110 22 **invidiae**, i.e. the odium which might attach to the consul's apparently exceeding his constitutional authority. In fact Cicero was later brought to trial and exiled on this very charge.

110 24 (SECT. 29.) **num est**, *pray is* (implying strong negation): § 332, *b* (210, *c*); B. 162, 2, *b*; G. 464, R.; H. 378 (351, 1, N.[3]); D. 623, *c*.

110 25 **inertiae**, (sc. *invidia*), *the reproach.* — **an** belongs with **non existimas.**

110 27 **conflagraturum**, *will be consumed* (lit. *will burn up*).

110 29 **idem sentiunt**, *have the same views.* — **mentibus**, *thoughts.*

110 30 **factu**, the rare "latter supine": § 510 (303); B. 340, 2; G. 436; H. 635 and 4 (547 and N.[1]); D. 882, ii.

110 31 **gladiatori**: the gladiators were trained slaves owned by rich men, and were often employed as bullies in political campaigns. Hence the word came almost to mean *ruffian*, "*bruiser*," "*thug*."

111 1 **si . . . honestarunt**: notice that the simple condition here expresses cause; § 515, *a*, N. (306, *a*, N.).

111 2 **superiorum**, *before them.*

The variety of the conditional sentences in sects. 29, 30 is instructive: **si judicarem . . . non dedissem** (cont. to fact), p. 110, l. 30–p. 111, l. 1; **si . . . honestarunt, verendum non erat** (nothing implied), p. 111, ll. 1–4; **si impenderet, fui** (mixed), ll. 6, 7; **si animadvertissem, dicerent** (cont. to fact), ll. 13, 14; **si pervenerit, fore** (fut., indir. disc.), ll. 15, 16; **hoc interfecto, posse** (fut., indir. disc., protasis disguised), ll. 18–20; **si ejecerit, exstinguetur** (fut., more vivid), ll. 20–22.

111 6 **maxime**, *ever so much.*

111 7 **ut . . . putarem**, result clause explaining **hoc** (not a subst. clause). — **partam** (from **pario**), *acquired* (a very common meaning).

111 8 (SECT. 30.) **non nulli**, etc.: it should be remembered that there were many well-intentioned citizens who either doubted the existence of a conspiracy or thought Cicero's fears of it greatly exaggerated; and that even among those who admitted the fact there was considerable variety of partisan feeling.

111 9 **videant, dissimulent**: subj. of charact. (not coörd. with **dicerent**), expressing the *character* of the men referred to, while **aluerunt**, etc. (l. 11), merely gives additional *facts* about them (hence indic.).

111 14 **regie**, *despotically*: the Roman idea of a king and kingly government was associated with Tarquinius Superbus. Here the word also implies the assumption of unlawful power (= *tyrannice*), as well as its abuse.

111 15 **nunc,** *as it is.* — **quo**; § 308, *g* (201, *f*, 2); cf. G. 611, R.[1]; the antecedent is **in castra.**

111 17 **improbum,** *dishonest.*

111 18 **hoc . . . interfecto,** disguised fut. protasis; § 521, *a* (310, *a*); B. 305, 1; G. 600, 1; H. 575, 9 (507, N.[7]); D. 802; the apod. **posse** is fut. in sense: § 516, *d*, 584, *b* (307, *d*); G. 248, R.; D. 795, 887, i, N.[1].

111 20 **ejecerit**: for tense, see § 516, *c* (307, *c*); G. 244, 2; H. 574, 2 (508, 2); D. 790.

111 21 **eodem,** *to the same place.*

111 22 **adulta,** *full-grown*, as opposed to **stirps,** *the root* (properly the *stock* from which new shoots may spring out), and **semen,** the seed.

111 25 (SECT. 31.) **jam diu**: the conspiracy was ready to break out B.C. 65 (see note on p. 105, l. 15).

111 26 **versamur,** *have lived.* — **nescio quo pacto,** *somehow or other;* § 575, *d* (344, *e*); B. 253, 6; G. 467, N.; cf. H. 512, 7 (455, 2); D. 820.

111 27 **veteris** (sharply contrasted with **nostri**), i.e. the disease is of long standing, but its outbreak has occurred just in my consulship.

111 32 **visceribus,** *vitals* (properly the great interior organs, as the heart, lungs, etc.).

112 1 **aestu febrique,** *the heat of fever* (hendiadys).

112 4 **reliquis vivis**: abl. absolute.

112 8 (SECT. 32.) **circumstare,** *hang round*, for the purpose of intimidation: the *praetor urbanus* had his tribunal in the Forum.

112 15 **patefacta,** *laid bare;* **inlustrata,** *set in full light;* **oppressa,** *crushed;* **vindicata,** *punished.* Observe the climax.

113 1 (SECT. 33.) **ominibus,** *prospects.* What Cicero has just said (p. 112, ll. 11–16) makes the *omen* under which Catiline is to depart, — an omen of good for the state, but of evil for him.

113 4 **Juppiter**: thus the oration closes with a prayer to Jupiter Stator, in whose temple the Senate was now assembled.

113 6 **Statorem,** *the Stay.* The name was apparently first given to Jupiter as the *Stayer* (**sto, sisto**) of flight (see note to sect. 11, p. 104, l. 1), but it is here applied to him as the *Stay* (supporter) of the Roman state, a meaning which the word may well have from its derivation.

113 8 **arcebis,** used as a mild imperative; § 449, *b* (269, *f*); B. 261, 3; G. 265[1]; H. 560, 4, N. (487, 4); D. 656.

113 9 **latrones**: cf. **latrocinium** in sect. 27 (p. 109, l. 32).

SECOND ORATION AGAINST CATILINE

ARGUMENT

Pars I. CHAP. 1. Catiline is gone: the city breathes again; there is now open war, and no longer a concealed intestine conflict. — 2. He ought to have been put to death; but all were not convinced: now, his guilt is manifest. — 3. His worthless partisans remain at Rome; but they are powerless, being closely watched. — 4. Let them follow him. He was the leader of all scoundrels and profligates. — 5. His associates are desperate but contemptible; let them depart or take the consequences. — *Pars* II. 6, 7. Catiline is not in exile; he has joined his army. Men say the consul has driven him into exile: would the charge were true! — *Pars* III. 8–10. Character of Catiline's partisans: (i) rich men in debt; (ii) men eager for power and wealth; (iii) Sulla's veterans; (iv) ruined men, hoping for any change; (v) criminals; (vi) profligates and debauchees, men of Catiline's own stamp. — 11. Superiority of the patriot forces arrayed against them. — *Peroratio.* 12. Citizens need not fear; the consul will protect the state. The conspirators warned. — 13. There shall be no disturbance: the people may trust in the gods.

I. PARS PRIMA (§§ 1–11)

Sects. 1–4. Catiline is gone. He ought to have been put to death: but the time was not ripe, for all were not convinced of his guilt.

PAGE **113**. LINE 15. (SECT. 1.) **ejecimus,** *expelled* (with violence); **emisimus,** *let* [him] *go.* The words **vel . . . vel** (*or, if you like*) imply that the same act may be called by either name. — **ipsum,** *of his own accord.*

113 16 **verbis prosecuti** may apply as well to kind words of dismissal as to invective. — **abiit,** simply, *is gone;* **excessit,** *has retreated* before the storm; **evasit,** *has escaped* by stealth; **erupit,** *has broken forth* with violence, — a climax of expression, but nearly identical in sense.

114 1 **moenibus** (dat. following **comparabitur**), *against,* etc. — **atque** (adding with emphasis), *and so.* — **hunc quidem,** *him at any rate.*

114 2 **sine controversia,** *without dispute = unquestionably.*

114 3 **versabitur,** *will be busy.*

114 4 **campo, foro, curia, parietes:** observe the narrowing climax

114 5 **loco motus est**, *he lost his vantage-ground:* a military expression, hence the simple abl.; § 428, *f* (258, *a*, N.[2]); cf. B. 229, 1; G. 390, 2, N.[2]; H. 463 (414, ii); D. 440, *b*.

114 6 **nullo impediente**, i.e. his defenders till now could screen him by forms of law.

114 7 **justum** (if retained in the text), *regular*, *in due form;* cf. note on **latrocinio**, p. 109, l. 1.

114 9 (SECT. 2.) **quod . . . extulit**, etc.: § 572, *b* (333, *b*); B. 331, v, *a*; G. 542; H. 588, i (540, iv, N.); D. 839, *e*, N., 768.

114 10 **cruentum** (pred.), *reeking with blood.* — **vivis nobis** (abl. abs.), *leaving us alive.*

114 12 **civīs**: acc. plur.

114 13 **jacet**, etc., *lies prostrate*, etc.

114 15 **retorquet oculos** begins the figure of a wild beast, which is continued in **faucibus**. — **profecto**, *no doubt.*

114 16 **quae quidem**, *which really.*

114 17 **quod . . . projecerit**: see note on **quod extulit**, l. 9, above; for mood, see § 592, 3 (341, *d*); B. 323; G. 541; H. 588, ii (516, ii); D. 905, 906.

114 19 (SECT. 3.) For the contents of this and the following section, cf. Cat. i, sects. 27, 28, where the supposed complaint against Cicero for not having put Catiline to death and his reply to it are given at greater length. — **qualīs omnīs**: acc. plur. — **oportebat**: § 522, *a* (311, *c*); B. 304, 3, *a*; G. 254, R.[2]; H. 583 (511, 1, N.[3]); D. 797, *a*, 802.

114 20 **qui . . . accuset**, *as to accuse:* § 535 (320); B. 283, 1; G. 631, 2; H. 591, 1 (503, i); D. 726.

114 22 **ista**: for gender, see § 296, *a* (195, *d*); cf. B. 250, 3; G. 211, R.[5]; H. 396, 2 (445, 4); D. 532, *a*.

114 23 **interfectum esse**: § 486, *b*, N. (288, *d*); B. 270, 2, *a*; G. 280, R.[2]; D. 829, N.; observe the emphatic position.

114 24 **oportebat**: for tense, see note on Cat. i, p. 100, l. 13.

114 25 **hujus imperi**: see note on Cat. i, p. 104, l. 16. — **res publica**, *the public interest.*

114 27 **quam multos**, etc.: the passages in brackets are probably spurious; it will be observed that they merely repeat the preceding statement in each case.

115 1 (SECT. 4.) **cum** (causal) **viderem**, *seeing:* its obj. is **fore ut . . . possem** (which is the apod. of **si multassem**); § 569, *a* (288, *f*); B. 270, 3; G. 248; H. 619, 2 (537, 3), D. 740, 831. — **ne . . . probata**:

nearly equivalent to **cum ne vos quidem . . . probaretis**: implying that if *they* do not sustain the act, much less will the people at large.

115 2 **multassem**: for fut. perf. of direct; § 589, *a*, 3; B. 319, B; G. 657, 5; H. 646; D. 901, ii. — **fore ut**, *the result would be that*, etc.

115 4 **ut . . . possetis**, result clause explaining **huc**.

115 5 **videretis**: § 593 (342); B. 324, 1; G. 663, 1; H. 652 (529, ii); D. 907; if not dependent on **possetis**, it would be **videbitis**. — **quem quidem**, *whom, by the way*.

115 6 **intellegatis**: § 565 (331, *i*); B. 295, 6; G. 553, 2; H. 564, ii, 1 (499, 3); D. 722.

115 7 **quod . . . exierit**: § 592, 3 (341, *d*); B. 323; G. 539; H. 588, ii (516, ii); D. 905, 906.

115 9 **mihi**: eth. dat.; as if "I notice"; § 380 (236); B. 188, 2, *b*; G. 351; H. 432 (389); D. 388.

115 10 **aes alienum**, etc., i.e. petty debts run up in cook-shops and the like; not like the heavy mortgages spoken of afterwards.

115 11 **reliquit**: notice the emphatic position.

115 12 **quos viros**: for a characterization of Catiline's partisans, see sects. 18–23.

Sects. 5–11. His worthless partisans remain at Rome, but are powerless: let them follow him. He was the ringleader of all scoundrels and profligates. Let his associates depart or take the consequences.

115 14 (SECT. 5.) **prae**, *in comparison with*. — **Gallicanis**, i.e. those permanently stationed in Cisalpine Gaul. The *ager Gallicus* below was that strip of sea-coast north of Picenum formerly occupied by the Senones, but at this time reckoned a part of Umbria.

115 15 **hoc dilectu** refers to a levy recently raised. — **Q. Metellus** (Celer): see note on Cat. i, sect. 19, p. 107, l. 13.

115 17 **senibus**, etc., i.e. those classes who naturally look forward to a revolution to mend their fortunes.

115 18 **luxuria** = *high-livers*: abstract for concrete, as common in Latin and older English; cf. Shakspere, *All's Well*, ii. 1, 91: "Bring in the admiration" (i.e. this wonderful person).

115 19 **vadimonia deserere**, *desert* their bondsmen, i.e. leave them in the lurch in their creditors' suits.

115 21 **edictum praetoris**, in effect like a *sheriff's writ*. Any official order of a magistrate was an *edictum*.

115 22 **hos**, as opposed to those he did take out.

115 24 **fulgent purpura,** i.e. displaying their rank as Senators, who alone had the right to wear the broad purple stripe (*latus clavus*) on the tunic. The reference, therefore, is to foppish young nobles.—**mallem**: § 447, 1 (311, *b*); B. 280, 4; G. 258, and N.[1]; H. 556 (486, i); D. 686, *a*. —**eduxisset**: § 565 (331, *f*, R.); B. 295, 8; G. 546, R.[2]; H. 565, 2 (499, 2); D. 720, i, *d*.—**si . . . permanent**: a future condition; § 516, *a*, N. (307, *a*, N.); G. 228; H. 533, 2 (467, 5); D. 788, N.

115 25 **mementote,** i.e. let them remember that they are objects of suspicion and shall be watched accordingly.

115 27 **atque hoc,** etc., i.e. their effrontery makes them still more a cause for alarm.

115 28 (SECT. 6.) **video,** i.e. I know perfectly well.

115 29 **cui sit,** etc.: cf. Cat. i, sect. 9.

115 31 **superioris noctis,** i.e. three nights ago.

116 3 **ne,** *surely:* an affirmative particle sometimes wrongly spelled **nae.**

116 5 **ut . . . videretis**: clause of result explaining **quod.**

116 7 **nisi vero**: ironical (as usual), introducing a *reductio ad absurdum*. (The **si** only doubles that in **nisi.**)

116 8 **non . . . jam,** *no longer.*

116 11 **Aureliā viā**: see Cat. i, sect. 24.

116 13 (SECT. 7.) **rem publicam**: § 397, *d* (240, *d*); B. 183; G. 343, 1; H. 421 (381); D. 436.—**sentinam,** *refuse* (see Cat. i, p. 104, l. 22).

116 14 **ejecerit**: the conclusion is implied in **O fortunatam.**—**exhausto,** *drained off* (cf. **sentina**).

116 15 **recreata,** *invigorated.*

116 17 **totā Italiā**: § 429, 2 (258, *f*, 2); B. 228, 1, *b*; G. 388; H. 485, 1 (425, 2); D. 485, *a*.

116 18 **subjector,** *forger;* **circumscriptor,** *swindler.*

116 21 **perditus,** *abandoned wretch.*

116 22 **hosce**: § 146, *a*, N.[1] (101, footnote); B. 87, footnote [2]; G. 104, i, N.[1]; H. 178, 2 (186, 1); D. 188, *a*.

117 3 (SECT. 8.) **asciverit**: for tense, see § 485, *c* (287, *c*); B. 268, 6; G. 513; H. 550 (495, vi); D. 702.

117 4 (SECT. 9.) **ut . . . possitis**: § 532 (317, *c*); B. 282, 4; G. 545, R.[3]; cf. H. 568, 4 (499, 2, N.); D. 714, N.—**diversa studia.** In another passage (Cael. xiii) Cicero ascribes to Catiline: *Cum tristibus severe, cum remissis jucunde, cum senibus graviter, cum juventute comiter, cum facinorosis audaciter, cum libidinosis luxuriose vivere.*—**in dissimili ratione,** *in different directions.*

117 5 **ludo**, the regular *training-school.* — **gladiatorio**: see Cat. i, p. 110, l. 31, and note.

117 7 **levior**, etc.: the Roman actors, though some of them achieved distinction, were generally regarded as a low class of men.

117 8 **tamen**, i.e. though a companion of such dissolute persons, yet he possessed the qualities of fortitude and endurance so much admired by the Romans.

117 9 **exercitatione** (abl. of means), etc., *trained by the practice of debaucheries and crimes to endure*, etc. — **frigore . . . perferendis**: abl. with **adsuefactus**; § 507, N.[1] (301, N.); G. 431.

117 10 **fortis**, *a strong and able fellow.* — **istis**, *those creatures*: § 297, *c* (102, *c*); B. 246, 4; G. 306, N.; H. 507, 3 (450, i, N.); D. 535.

117 11 **cum . . . consumeret** (not concessive), *while consuming.* — **subsidia**, etc., i.e. means (his uncommon powers of body and mind) which might have been used, etc.

117 13 (SECT. 10.) **sui**: § 301, *b* (196, *c*); B. 244, 4; G. 309, 2; H. 503, 2 (449, 3); D. 523.

117 17 **audaciae**, *acts of audacity.*

117 19 **obligaverunt**, *encumbered.* — **res**, *property*; **fides**, *credit.*

117 21 **libido**, i.e. luxurious habits and tastes.

117 23 **quidem** (concessive), *no doubt.*

117 24 **homines, viris**: observe the difference in sense.

117 26 **mihi**: the ethical dat. gives the phrase a familiar and contemptuous turn which may be reproduced in English by *forsooth.*

117 28 **oblīti**: observe the quantity.

117 29 **caedem**, etc.: notice the strong contrast between the character of these worn-out debauchees and the sanguinary nature of their threats.

117 31 (SECT. 11.) **instare**, *is close at hand*; **plane** merely emphasizes the idea of the verb.

118 2 **propagarit**: for tense, see § 516, *c*, N. (307, *c*, R.); G. 595, N.[2]; H. 540 (473); D. 790, N.

118 3 **pertimescamus, possit**: subj. of characteristic.

118 5 **unius**: Pompey, just returning from his triumphs in the East.

118 10 **quacumque ratione**, sc. *fieri potest.*

118 11 **resecanda erunt**, *shall need the knife* (lit. *must be cut away*): the figure is derived from surgery.

118 12 **si . . . permanent**: § 516, *a*, N. (307, *a*, N.); G. 228; H. 533, 2 (467, 5); D. 788, N.

118 13 **exspectent**: hort. subj. in apod.; § 516, *d* (307, *d*); B. 305, 2; G. 595; H. 580 (508, 4): D. 795.

II. Pars Secunda (§§ 12–16)

Sects. 12-16. Catiline is not in exile: he has joined his hostile army. Men say the consul has driven him into banishment; would the charge were true!

118 14 (Sect. 12.) **etiam,** *still* (after all that has been done).

118 15 **quod**, obj. of **adsequi**, *if I could effect it* (referring to **ipsos,** etc.), i.e. their expulsion.

118 17 **enim,** i.e. the idea is absurd, as is implied in the irony following.

118 19 **quid,** *tell me:* i.e. "is that possible?" in view of the circumstances, which he proceeds to narrate. — **hesterno die** qualifies **convocavi.**

118 21 **detuli:** technical term for laying a matter before the Senate; cf. **referre (ad senatum)** in the Vocabulary.

118 28 (Sect. 13.) **quaesivi,** etc.: see Cat. i, sect. 9.

118 29 **necne:** § 335, *d* (211, *d*); B. 162, 4; G. 459; H. 380, 1 (353, n.[3]); D. 627, *a*.

118 32 **ei:** dat. of agent; § 375 (232, *a*); B. 189, 2; G. 354; H. 431, 2 (388, 1); D. 392.

119 1 **teneretur,** *was caught.*

119 2 **pararet:** for pluperf. (see note on Cat. i, p. 100, l. 13). — **securīs, fascīs:** the use of these signified that Catiline intended to assume the authority and *imperium* of consul (see Fig. 25, p. 290).

Fig. 28

119 3 **signa militaria:** see Fig. 28 (from coins). — **aquilam:** see Cat. i, p. 109, l. 6, and note.

119 5 (Sect. 14.) **eiciebam:** conative imperf.; § 471, *c* (277, *c*); B. 260, 3; G. 233; H. 534, 2 (469, 1); D. 653.

119 6 **credo:** ironical, as very often in this parenthetical use.

119 8 **suo nomine,** i.e. not by Catiline's order; the whole is, of course, ironical, as is already indicated by **credo.**

119 10 **Massiliam:** *Marseilles,* an ancient Greek city of Gaul, always faithful and friendly to Rome. It was a favorite place of sojourn for Romans who went into voluntary exile.

119 11 **condicionem,** *terms.*

119 12 **nunc,** *even now.*

119 14 **pertimuerit,** *take alarm.*

119 18 **spe conatuque**: referring of course to his treasonable hopes and designs.

119 22 (SECT. 15.) **est mihi tanti,** *it is worth my while:* § 417 (252, *a*); cf. B. 203, 3; G. 380, 1, R.; H. 448 (404); D. 341.

119 25 **depellatur**: § 528 (314); B. 310, ii; G. 573; H. 587 (513, i); D. 811.—**sane** (concessive), *if you like* (see Vocab.).

119 28 **invidiae,** etc.: rather than have his predictions verified in this way, Cicero prefers the unjust odium of having arbitrarily driven Catiline to exile.

119 31 **aliquando,** *some day.*—**quod . . . emiserim**: § 592, 3 (341, *d*); B. 323; G. 541; H. 588, ii (516, ii); D. 905, 906.—**emiserim . . . eiecerim,** *let him go . . . drove him out.*

120 2 **si interfectus,** etc.: he thus adroitly excuses himself to those who would have preferred harsher measures. Notice the identity in sound in **pro-fectus, inter-fectus,** and observe how the argument *a fortiori* is brought out by the exact antithesis.

120 3 (SECT. 16.) **quamquam** (corrective), *and yet.*

120 4 **dictitant**: notice the frequentative.

120 5 **nemo,** *not a man.*—**misericors**: his going to Manlius was his inevitable ruin, and yet, for all their pity, they still wished him to go.

120 8 **latrocinantem,** *in partisan warfare* (see note on p. 109, l. 1). —**vivere**: § 583, *c* (336, *c*, N.[2]); G. 644, R.[3], *b*; cf. H. 613, 7 (535, i, 6); D. 887, i, N.[2].

120 10 **vivis nobis,** i.e. without assassinating me.

III. PARS TERTIA (§§ 17–25)

Sects. 17–23. Character of Catiline's partisans: (i) rich men in debt (sect. 18); (ii) men eager for power and wealth (sect. 19); (iii) old soldiers of Sulla (sect. 20); (iv) ruined debtors (sect. 21); (v) cutthroats and criminals (sect. 22); (vi) debauchees (sects. 22, 23).

120 17 (SECT. 17.) **sanare**: cf. note on **vivere,** l. 8, above.—**sibi,** *for their own good:* for reflexive, see § 301, *b*, N. (196, *c*, N.); G. 520; D. 523, N.[2].—**placare,** *gain over.*

120 20 **comparentur,** *are made up.*—**singulis,** *to them one by one.*

120 21 **si quam,** sc. *adferre.*

120 22 (SECT. 18.) **est eorum,** *consists of those* (pred. gen.).

120 23 **possessiones,** *landed property.*

120 24 **dissolvi**, sc. *a possessionibus:* i.e. although they might pay their debts by the sale of their estates, they cannot make up their minds to do so.

120 25 **voluntas et causa**, *their purposes and claims*, i.e. their position before the world.

120 26 **tu**: the use of the singular, as if he were addressing one of these men directly, gives point to his reproach of the whole class.

120 27 **sis**: § 444 (268); B. 277; G. 466; H. 559, 4 (484, v); D. 678.

120 30 **tuas**: emphatic. — **tabulas novas**, *new accounts*, i.e. a general scaling down of debts by legislative enactment, such as that, B.C. 86, "which reduced every private claim to the fourth part of its nominal amount, and cancelled three-fourths in favor of the debtors."

121 2 **auctionariae**: a forced sale of their estates would give them "new accounts" (*tabulae*) by reducing their debts; **auctionariae** [*tabulae*] would be the *placards* advertising the sale in question.

121 4 **quod**, obj. of **facere**, relating to the forced sale. — **neque**, *and not*, connects **facere** and **certare**.

121 5 **certare cum usuris**, *struggle to meet the interest:* § 413, *b* (248, *b*); H. (419, I[2]); D. 456, N. — **fructibus**: abl. of means.

121 6 **uteremur**, *we should find.*

121 7 **hosce**: more emphatic than **hos**.

121 9 **vota facturi**, *likely to offer prayers*, i.e. they will confine themselves to sympathizing with Catiline's revolt; no active coöperation with him need be feared from them.

121 11 (SECT. 19.) **premuntur**: notice the emphasis, — this class is insolvent; the former class is heavily in debt, but has resources.

121 13 **quieta re publica**: no poor man could hope to gain political prominence at Rome in ordinary times; these men therefore look to anarchy to achieve their political ends.

121 15 **scilicet**, *in fact.*

121 16 **desperent**, *have no hope.*

121 17 **me . . . vigilare**, etc., indir. disc. dependent on the idea of saying implied in **praecipiendum**: § 580, *a* (336, N.[2]); G. 652, R.[2]; H. 642, I (523, i, N.); D. 885, *a*.

121 18 **magnos animos**: see Vocab. under **animus**.

121 22 **praesentīs** agrees with **deos**: *will be at hand, and*, etc.

121 23 **quod si**, *now if* (as often). The **quod** is merely adverbial acc.: § 397, *a* (240, *b*); B. 185, 2; G. 610, R.[2]; H. 416, 2 (378, 2); D. 438; not like **quod** in l. 4, above. — **jam**, *at once.* — **sint . . . adepti**:

fut. cond. less vivid. — **cum summo furore**: § 412, *a* (248, N.); G. 399; H. 473, 3, N. (419, iii, N.[1]); D. 459, 460.

121 26 **non vident**, *don't they see?* § 332, *a* (210, *b*); B. 162, 2, *d*; G. 453; H. 378, 1 (351, 3); D. 624.

121 27 **adepti sint**, for the fut. perf. indic. of the direct disc. — **fugitivo**, i.e. one of their own slaves; for, when law is overthrown, brute force will control all.

121 28 **sit necesse**: § 516, *d* (307, *d*); G. 595; H. 580 (508, 4); D. 795.

121 31 (SECT. 20.) **ex eis coloniis**: Sulla rewarded his veterans (120,000 in number) by liberal grants of land, partly in *municipia* already existing, partly in new colonies which he founded for them.

122 1 **universas**, *as a whole.* — **civium esse**, *consist of*, etc.

122 2 **ei sunt coloni**, *these are colonists of this sort* (as opposed to the general character of the colonies, which Cicero does not wish to impugn).

122 5 **beati**, *men of wealth.*

122 7 **Sulla**, etc., *Sulla will have to be raised from the dead,* for they can have no such hope in Catiline.

122 8 **agrestīs**, *farmers*, not Sulla's colonists.

122 9 **veterum**: alluding to the plunder of the disorderly times following Sulla's victory over the Marian party.

122 12 **illorum temporum**, i.e. the times of proscription.

122 18 (SECT. 21.) **vacillant**, *stagger under.* — **vadimoniis**, etc.: the three steps in bankruptcy, — *bail, judgment, and sale of property;* **proscriptio** is strictly the public notice that property is for sale.

122 21 **infitiatores lentos**, *dilatory debtors* (lit. *deniers*, i.e. persons who avoid payment of their debts by every possible subterfuge).

122 22 **stare**, *keep their feet.*

122 23 **ita**, *in such a way.* — **non modo**, etc.: § 217, *e* (149, *e*); B. 343, 2, *a*; G. 482, 5, R.[1]; H. 656, 3 (552, 2); D. 595, N.

122 29 (SECT. 22.) **non revoco**: § 467 (276, *b*); B. 259, 2; G. 233; H. 530 (467, 6); D. 649.

123 1 **carcer**: this is the *Tullianum*, a dungeon near the Forum, still existing. It was properly a jail for temporary detention, as imprisonment was not recognized in Rome as a form of punishment (see Figs. 29, 30).

123 2 **numero**, *in order;* **genere**, *in rank.*

123 5 **imberbis**: a mark of effeminacy; **bene barbatos**, *full-bearded*, doubtless a military affectation, as, until lately, the wearing of a mustache. Figs. 31, 32 illustrate Roman fashions of wearing the beard.

Fig. 31 (obverse) shows a military cut (head of Sextus Pompey); Fig. 32, the rough beard of a philosopher (L. Junius Rusticus); cf. Fig. 26.

Fig. 29 Fig. 30

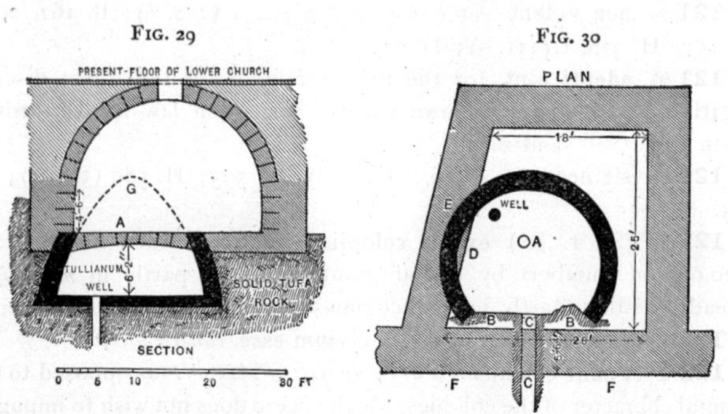

123 6 **velis**, *veils*, rather than the substantial *toga*, which was of unbleached wool. The whole description suggests foppishness and effeminacy.

123 11 (Sect. 23.) **saltare et cantare**, these accomplishments were hardly regarded as respectable by the better classes.— **spargere**, i.e. in food or drink: poisoning has in all ages been carried to a high art in Italy.

123 13 **scitote**: notice the second (fut.) imperat. (regularly used in this word).

Fig. 31 Fig. 32

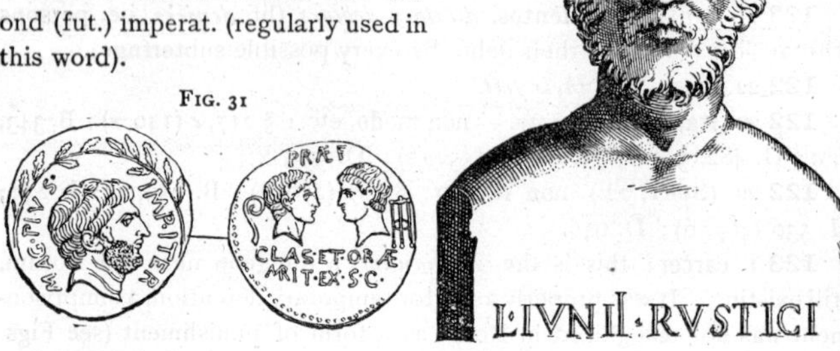

123 16 **his . . . noctibus**: although this was spoken Nov. 9, yet the Roman year was at this time in such a state of confusion that the true date was probably some time in December, just when the winter was setting in.

Sects. 24–26. **These followers of Catiline contrasted with the defenders of the state. The issue of such a contest cannot be doubtful.**

123 27 (SECT. 24.) **urbes coloniarum**, etc.: the colonies and free communities (*municipia*) included the walled cities (*urbes*) in their territory. These well-manned walls would be more than a match for Catiline's rude works (*tumulis*).

124 1 (SECT. 25.) **causas**, i.e. the cause of the conspirators and that of the state in their moral aspect (cf. **in eius modi**, etc., l. 12, below).

124 2 **ex eo ipso**, *from the very comparison*.

124 10 **bona ratio**, *good counsel;* **perdita**, *desperate*.

124 17 (SECT. 26.) **custodiis vigiliisque**: see Cat. i, sect. 8 and note.

124 19 **consultum**, etc., *provident measures have been taken*. — **coloni municipesque**: a colony differed from a *municipium* in being founded by Roman (or Latin) citizens, who retained from the first their citizenship, either in whole or in part. By Cicero's time there was no longer any real difference between the two classes of towns; but the colonies always retained a certain precedence in rank.

FIG. 33

124 20 **hac . . . excursione**: see Introd., p. 113 of text.

124 22 **gladiatores**: see p. 117, l. 5.

124 23 **quamquam** (corrective), referring to **manum certissimam**.

124 24 **tamen**: pointing the contrast between the suppression of this body and Catiline's expectations from them.

124 29 **vocari videtis**: the members of the Senate had their gathering place (*senaculum*) adjoining the *curia*, and were summoned by heralds (*praecones*) from this into the building. If any were absent, the heralds were sent to their houses. The *curia* and *senaculum* were visible from the place of assembly in the Forum, and the heralds could no doubt be seen going their rounds.

IV. Peroratio (§§ 27–29)

Sects. 27–29. Citizens need not fear: the consul will protect the city. The conspirators warned. There shall be no disturbance. The gods will lend their aid.

125 2 (Sect. 27.) **monitos . . . volo**: 497, *c*, n. (292, *d*, n.); G. 537.

125 3 **solutior**: for compar., see § 291, *a* (93, *a*); B. 240, 1; G. 297; H. 498 (444, 1); D. 154, n.

125 4 **quod**, etc., *as for the rest*, i.e. what remains to be done.

125 5 **horum** and **his** relate to the citizens by whom he is surrounded, and imply a gesture.

125 8 **cujus**: referring, like **qui**, to the subject of **sentiet.**

125 17 (Sect. 28.) **me**, etc., abl. abs. — **togato**, *in perfect peace*, i.e. without any military demonstration: the toga was the regular dress of the Roman in time of peace. (See Fig. 33, from an antique statue.)

125 22 **illud**: in appos. with **ut . . . possitis**: *I will secure that*, etc.

125 24 **neque . . . -que**, *not . . . and.*

125 28 (Sect. 29.) **quibus . . . ducibus**, *under whose guidance.*

126 3 **quam urbem . . . hanc**, *this city which*: § 307, *b*, n. (200, *b*, n.); G. 616; H. 399, 5 (445, 9); D. 559, n.; or (repeating the noun) *the city which*, etc., — THAT *city.*

THIRD ORATION AGAINST CATILINE

ARGUMENT

Chap. 1. *Exordium.* The citizens are congratulated on their deliverance. — *Narratio.* 2, 3. Story of the arrest: the conspirators' plans were watched: arrest of certain leaders at the Mulvian Bridge. — 4. The conspirators before the Senate: testimony of Volturcius and the Gauls. — 5. The letters produced. Confession of Cethegus, Lentulus, and Gabinius. — 6. The Senate decrees that the traitors be kept in custody, and that a general thanksgiving be held. — 7. Now all is safe: Catiline alone was to be feared, and that only while in the city. Character of Catiline. — 8, 9. The divine aid manifest in sundry omens: Jupiter watches over the city. — *Peroratio.* 10. Exhortation to keep the thanksgiving: this bloodless victory compared with others more costly. — 11. Cicero claims no reward but a grateful remembrance. — 12. But he is less fortunate than victors in foreign war, since the conquered are still citizens. He relies on the devotion of his countrymen, and has no fear for the future. The assembly dismissed.

I. Exordium (§§ 1, 2)

Sects. 1, 2. The citizens congratulated on their deliverance.

PAGE **126**. LINE 7. (SECT. 1.) **vitam**, *lives:* the plural would rarely be used in Latin.

126 8 **bona**, *estates* (landed property); **fortunas**, *goods* (personal property).

126 16 (SECT. 2.) **nascendi . . . condicio**, *the lot of birth.*

126 17 **illum**: Romulus, who, after his death, was deified and identified with the Sabine god of war, Quirinus.

127 4 **urbi**, etc.: dat. with **subjectos**.

127 6 **idem** (plur.), *I . . . have also,* etc.: § 298, *b* (195, *e*); B. 248, 1; G. 310; H. 508, 3 (451, 3); D. 547.

127 7 **eorum**, i.e. of the swords.

II. Narratio (§§ 3–22)

Sects. 3–7. Story of the arrest. The conspirators watched: their attempts to tamper with the Allobroges disclosed to Cicero: the arrest at the Mulvian Bridge: seizure of incriminating letters.

127 8 (SECT. 3.) **inlustrata, patefacta, comperta**: the anticlimax is only apparent, for **comperta** expresses the most difficult as well as the most important of the three acts.

127 9 **vobis**: opposed to **in senatu** (l. 8).

127 10 **investigata**, *traced out* (observe the figure).

127 11 **exspectatis**, *are waiting to hear.*

127 12 **ut**, *ever since.*

127 16 **possemus**: § 575, *b* (334, *b*); B. 300, 2; G. 467; cf. H. 642, 3 (523, ii, i, N.); D. 816. — **cum . . . eiciebam**: notice the tense (*at the time I was engaged in driving out,* etc., also **volebam**, below), as compared with **erupit** (*burst forth,* once for all). Notice also the difference in mood (*at the time,* etc.), compared with **cum reliquisset** in ll. 13, 14 (not referring to time at all, but to circumstance: *having left behind,* etc.): see § 545, 546 (323, 325, *a*); B. 288, 1; G. 580, 585; H. 600, 601 (521, i, ii); D. 750, 753.

127 17 **invidiam**: see Cat. i, p. 108, l. 27, and note.

127 18 **illa**, sc. *invidia*. — **quod . . . exierit**: § 592, 3 (341, *d*); B. 323; G. 539; H. 588, ii (516, ii); D. 905, 906.

127 20 **restitissent**: in direct disc. this would be **restiterint** (fut. perf.).

127 25 (SECT. 4.) **quoniam . . . faceret,** *because* (as I thought), etc.: hence the subj. rather than **faciebat**: § 592, 3, N. (341, *d*, R.); G. 541; H. 588, ii (516, ii).

127 26 **fidem faceret,** *gain credence.* — **oratio,** *argument.*

127 27 **rem comprehenderem,** *get hold of the matter.* — **ut . . . provideretis**: purpose.

127 28 **cum . . . videretis** : subj. of integral part (otherwise it would be **videbitis**).

127 29 **Allobrogum**: the Allobroges were a Gallic nation between the Rhone and the Alps (in the modern *Dauphiné* and *Savoy*); subdued B.C. 121, and united with the province *Narbonensis*. They were restless under their new masters (see sect. 22), and inclined to take up with Catiline's movement. Their ambassadors had come to complain of certain exactions of their provincial governor. — **belli**, i.e. when out of the range of the Roman jurisdiction; **tumultus**, *rebellion*, i.e. when nearer home.

127 30 **Lentulo**, see Introd., p. 126: he had been consul B.C. 71, but had been expelled from the Senate the next year, with sixty-three others, on account of his character, and he now held the prætorship with the view of beginning the career of office over again.

128 5 **manifesto deprehenderetur**, *taken in the act:* the words apply strictly to the criminals themselves.

128 7 (SECT. 5.) **praetores**: although the regular duties of the prætors were judicial, yet they possessed the *imperium*, and in virtue of this could command troops in the absence of the consuls, or under their authority.

128 9 **qui . . . sentirent** (subj. of characteristic), *as men who,* etc.

128 11 **pontem Mulvium**: the bridge over the Tiber, about two miles above the city, by which the principal roads (the Flaminian and Cassian) led into north Italy.

128 13 **inter eos**, i.e. between the two divisions.

128 15 **praefectura**: the title given to the politically lowest class of Italian towns, which had lost their independence; cf. Vocab. under **colonia** and **municipium**. — **Reatina**: Reate was a very ancient town of the Sabines, about forty miles northeast of Rome. Cicero was the *patronus* of Reate, that is, acted as its attorney and legal counsel; which accounts for his having this body-guard of young men from that place. Besides, these simple mountaineers still retained something of the old Italian virtues, and therefore were well fitted for this service.

129 1 **praesidio**: dat. of service.

129 2 (SECT. 6.) **tertia . . . exacta,** about 3 A.M.: the night, from sunset to sunrise, was divided by the Romans into four **vigiliae** of equal length.

129 3 **magno comitatu**: abl. of accomp.; § 413, *a* (248, *a*, N.); cf. B. 222, 1; G. 392, R.[1]; H. 474, 2 (419, 1 [1]); D. 456, *a*.

129 5 **res**: the occasion of the attack.

129 6 **ignorabatur,** etc. Though the Allobroges had played the conspirators false, and knew that the consul had his plans ready, they did not know what these plans were, and therefore were as much taken by surprise as Volturcius himself. Even the troops would appear not to have known what special enterprise they were engaged in.

129 11 **machinatorem**: Gabinius had been the go-between in this case; he and Statilius were to burn the city (Sall. Cat. 43, 44).

129 14 **venit**: of course he had been summoned like the others.

129 15 **praeter,** etc., since Lentulus was notoriously lazy.

129 16 (SECT. 7.) **viris,** dat. after **placeret,** which has for subject **litteras . . . aperiri,** etc.

129 18 **deferrem,** integral part of **aperiri**; otherwise it would probably be **defers**; see § 551, *c* (327, *a*); cf. B. 291, 1; G. 574; H. 605, 2 (520); D. 758, *b*.

129 20 **esse facturum** governs the result clause **ut . . . deferrem**: we may translate, *I said I would not fail to lay before the public council a matter touching the public danger before it had been tampered with* (**integram**).

129 22 **etenim . . . si,** *for if, you see.*

129 23 **reperta . . . essent**: in dir. disc. this would be **reperta erunt.**

Sects. 8–13. **The conspirators before the Senate. Evidence of Volturcius and the Allobroges. The letters produced. Confession of the conspirators.**

129 27 (SECT. 8.) **si quid . . . esset,** *whatever weapons there might be.*

129 30 **introduxi,** sc. *in senatum.* — **fidem publicam,** *assurance of safety:* he was to be used as state's evidence.

129 31 **sciret**: subj. of integral part.

130 3 **servorum**: the recollection of the terrible servile insurrections in Sicily, and especially that of Spartacus in Italy, less than ten years before, would make this shock and terrify Cicero's hearers beyond measure. — **ut . . . uteretur**: § 563 (331); B. 295, 4; G. 546; H. 565 (498, i); D. 720; obj. of the verb of commanding implied in **mandata**, etc.

130 4 **id**: in a sort of apposition with **ut . . . accederet.**

130 5 **cum . . . incendissent**: subj. because integral part of **ut . . . praesto esset**; otherwise it would be **incenderimus** (fut. perf.).

130 6 **erat**: § 583 (336, *b*); B. 314, 3; G. 628, R.; H. 643, 4 (524, 2); D. 895.

130 12 (Sect. 9.) **ut . . . mitterent**: purpose. — **equitatum**: the Roman cavalry was at this time chiefly composed of Gallic and other auxiliaries.

130 13 **sibi (copias)** refers to the conspirators; **sibi (confirmasse)** to the envoys: § 300, 1 and 2 (196, *a*, 1 and 2); B. 244, i, ii; D. 519–521. — **defuturas** [esse] depends on the idea of *saying* implied in **praescriptum.**

130 14 **fatis**: the books bought by Tarquinius Superbus of the Cumæan Sibyl. They were kept in charge of a board, *collegium*, the *quindecimviri sacris faciundis*, and consulted in cases of great public emergency (cf. Æneid, vi. 71 and note). — **haruspicum**: the *haruspices* were Etruscan soothsayers, who interpreted the will of the gods, chiefly from the entrails of animals sacrificed. They were a private class, of low standing, and are not to be confounded with the augurs, who were a board of Roman noblemen, of high rank, who interpreted the auspices according to the native Roman rules, chiefly by the flight of birds, by lightning, etc.

Fig. 34

130 16 **Cinnam**, etc.: L. Cornelius Cinna was colleague of Marius, and ruled Rome after his death, B.C. 86. L. Cornelius Sulla ruled Rome B.C. 82–79 (see sect. 24).

130 19 **virginum**: the Vestal Virgins, six in number, maidens of high rank, consecrated to chastity and the service of Vesta. (See Fig. 34.) They were peculiarly sacred, and were highly privileged. Violation of their vow of chastity was *incestus*, and was regarded as a *prodigium* of very bad omen. Of the incident referred to here nothing further is known. — **Capitoli**: the temple of Jupiter Capitolinus (see "Plunder of Syracuse," sect. 15) was burned during the rule of the Marian faction, B.C. 83.

130 21 (SECT. 10.) **Saturnalibus**: a very ancient festival in honor of Saturn, the god of seed sowing, celebrated Dec. 19. During this festival every serious business was suspended; and it was so complete a holiday that slaves feasted at the same tables with their masters. No better opportunity could be found for the outbreak of an insurrection than this season of unrestrained jollification.

130 24 **tabellas**, *tablets* of wood: wax was spread on the inside, and on this the writing was scratched with a *stilus*. When used for letters, the tablets were tied about with a linen thread, *linum*, and sealed. See Fig. 35 (from a Pompeian wall-painting) and Fig. 44.

130 27 **ipsius manu**: the ambassadors had made sure to get all the conspirators committed in writing except Cassius, who alone had the sagacity to keep out of it. — **senatui**: the Gallic tribes were governed by an aristocracy, having a council or senate as its mouthpiece.

FIG. 35

130 28 **sese**, etc.: in direct disc., *faciam quae vestris legatis confirmavi*.

130 29 **ut . . . illi**, etc.: in the direct form, — *vos facite quae sibi vestri legati receperunt*. Note the change of pronouns as well as of moods and tenses. — **sibi recepissent**, *had taken upon themselves*.

130 30 **qui . . . respondisset**: **qui** concessive. — **tamen**, i.e. in spite of the strong evidence against him.

131 5 **est vero**, etc., i.e. you may well recognize it: it is, etc.

131 6 **avi tui**: Cornelius Lentulus, cos. B.C. 162. He was *princeps senatus*, that is, designated by the censors as first man of the Senate: an honorary office, held ordinarily by patricians.

131 8 **debuit**, *ought to have recalled*: § 486, *a* (288, *a*); B. 270, 2; G. 254, R.[1]; H. 618, 2 (537, 1); D. 829. (The joining of such opposites as **muta** and **revocare** is called, in technical language, oxymoron; in current speech, paradox.)

131 9 (SECT. 11.) **eadem ratione**, *to the same purport*.

131 10 **si vellet**: § 592, 2 (341, *c*); cf. B. 323; G. 663, 2, *b*; D. 905 (direct, **si vis**). — **feci potestatem**, *I gave him leave*.

131 16 **nihilne**: equiv. to **nonne aliquid.**

132 1 **esset,** *is:* imperf. by seq. of tenses; § 485, *d* (287, *d*); H. 549 (495, v); D. 701.

132 11 (SECT. 12.) **quis sim,** etc.: this letter is given with slight variations by Sallust, Cat. 44.

132 12 **quem in locum,** etc., *how far you have gone* (alluding to the fact that he was thoroughly compromised).

132 14 **infimorum,** i.e. slaves; see note, p. 130, l. 3, above.

132 17 (SECT. 13.) **illa,** *the following:* § 297, *b* (102, *b*); B. 246, 2; G. 307, 3; H. 507 (450, 3); D. 543.

132 21 **furtim,** *stealthily* ("like thieves"); so English *stealth* from *steal.*

132 23 **senatum consului**: deliberative assemblies in ancient times were under the control of the presiding officer, and members could not speak or introduce business except when called upon by him. He laid a subject before them (*consulere senatum, referre ad senatum*), and asked their opinions individually, in a definite order, usually according to their rank or dignity. In the case of a general question he was said *referre* (*consulere*) *de summa re publica.* The form would be, *dic, C. Juli, sententiam.* (See Introd., p. lvii.)

132 24 **a principibus,** *the leading men.*

132 25 **sententiae**: the views of the individual Senators (see note on l. 23, above).

132 27 **perscriptum**: the opinions (**sententiae**) of the Senators (given as just described) merely determined the substance of the ordinance, which was afterwards written out in regular form by the secretaries in the presence of some of its advocates and under the direction of the presiding officer.

Sects. 14, 15. Action of the Senate: the chief conspirators are given into custody and a thanksgiving is voted.

132 31 (SECT. 14.) **L. Flaccus**: see note on p. 128, l. 7.

133 1 **conlegae**: C. Antonius; see Introd. to Cat. i, p. 99.

133 3 **rei publicae consiliis,** *the public counsels,* i.e. his own (officially) as consul.

133 4 **cum se abdicasset,** *after abdicating.* Lentulus could not properly be called to account during his magistracy; but he might be forced to resign, and could then be proceeded against.

133 6 **erant**: notice that this and similar clauses in this section, since they are explanations made by Cicero and not parts of the decree, take the indicative.

133 7 **L. Cassium**, etc.: these last mentioned had not yet been arrested, but Ceparius was caught in his flight and brought back.

133 9 **pastores**: Apulia was, as now, used chiefly for pasturage. In the summer, when these broad plains were dried up, the flocks were driven to the mountain pastures of Samnium and Lucania. These pastoral regions have always been the home of a lawless and restless population, prone to brigandage.

133 11 **colonis**, etc.: cf. sect. 20, above (pp. 121, 122).

133 19 (SECT. 15.) **supplicatio**: a day of prayer, proclaimed by the Senate, either in thanksgiving (*gratulatio*) as in the present case, or in entreating favor of the gods.

133 20 **eorum**, i.e. the gods.

133 21 **togato**, *as a civilian:* cf. Cat. ii, p. 125, l. 17 and note. See Fig. 33.

133 23 **liberassem**: in the decree, *liberavit.*

133 24 **hoc interest**, *there is this difference.* — **bene gesta**, as well as **conservata**, agrees with **re publica** (abl. abs.).

133 26 **faciendum . . . fuit**: observe that this form has not here its usual cont. to fact implication.

133 29 **jus**, *rights.* — **tamen**: he was allowed to resign instead of being put to death without resigning (as in the case below).

133 30 **quae . . . fuerat**, *what had not been a scruple to Marius* = a scruple which had not prevented M. from (**quo minus**, etc.).

133 31 **quo minus . . . occideret**, *to prevent his killing*, following **religio**: § 558, *b* (319, *c*); cf. B. 295, 3; G. 549; H. 568, 8 (499, 3, N.[2]); D. 720, iii. — **C. Glauciam**: see note on Cat. i, p. 101, l. 1. — **nominatim**, i.e. Marius acted merely under the general authority conferred on him by the Senate in the formula, *Videant consules*, etc. (see note on Cat. i, p. 100, l. 12).

Sects. 16, 17. The conspiracy is now crushed. Character of Catiline.

134 5 (SECT. 16.) **pellebam**: conative imperf.; cf. p. 127, l. 16 and note.

134 8 **pertimescendam**: observe the intensive force of **per**.

134 9 **ille erat**, etc.: with this character of Catiline, cf. notes on Cat. i, 26 (p. 109, l. 23), and ii, 9 (p. 117, l. 4).

134 10 **continebatur**: for tense, see § 556, *a* (276, *e*, N.); G. 569; H. 603 (519, i); D. 648, *a*, N.

134 12 **consilium**, *ability to plan.*

134 15 **mandarat**: for mood and tense, see § 542, 518, *b* (322, 309, *c*); B. 287, 2; G. 567; H. 539, 2 (472, 2); D. 752, 800 and *a* and N.

134 22 (SECT. 17.) **depulissem**, *pushed aside:* the image is of averting a *crushing weight* (**molem**), just ready to fall.

134 23 **non ille**, etc., i.e. as Cethegus did.—**Saturnalia**, i.e. so distant a date.—**constituisset**: the prot. (cont. to fact) is implied in **ille**; § 521, *a* (310, *a*); B. 305, 2; G. 593, 3; H. 575, 9 (507, N.[7]); D. 802.

134 24 **rei publicae**: dat. after **denuntiavisset**.

134 25 **testes**: in appos. with both **signum** and **litterae**.

134 26 **quae**: referring to Cicero's success in securing (lit. *capturing*) the evidence of guilt.

135 3 **hostis** (pred. appos.), *as an enemy.*

Sects. 18–22. Thanks due to the gods. Signs and omens. Jupiter watches over the city.

135 7 (SECT. 18.) **cum** (correl. with **tum vero**, l. 9), i.e. we cannot merely guess it (for the reason in the **quod**-clause following), but still more we can almost see it with our own eyes.

135 8 **quod . . . potuisse** (parenthetical), *because*, etc.—**consili** (pred. gen. limiting **gubernatio**), *to belong to human wisdom.*

135 11 **possemus**: for tense, see § 485, *a* (287, *a*); B. 268, 7; G. 511, R.[3]; H. 546 (495, i); D. 699.

135 12 **faces**, etc.: these omens are such as the Romans observed and noted carefully. Livy's history is full of them.

135 16 **praetermittendum**, inadvertently; **relinquendum**, intentionally.

135 18 (SECT. 19.) **Cotta et Torquato**: consuls B.C. 65, the year in which Catiline first intended to carry out his conspiracy.

135 21 **aera**: the laws were engraved on bronze tables.

135 22 **ille . . . Romulus**: there is a bronze statue of the wolf suckling the infants in the Capitoline Museum at Rome, which bears marks either of lightning seaming one of its hind legs, or of some defect in the casting (Fig. 36). This is probably identical with that here mentioned.

135 25 **haruspices**: see note on p. 130, l. 14.

135 29 **flexissent**: in direct disc. **flexerint**, following **appropinquare**, which points to the future; § 516, *d* (307, *d*); G. 595; H. 580 (508, 4); D. 795.

135 29 (SECT. 20.) **illorum**, i.e. the *haruspices*.

135 30 **ludi**: festivals in which races and theatrical performances were celebrated in honor of the gods; such festivals were especially appointed to appease the deities in times of danger and distress; cf. Verres, i, sect. 31.

136 1 **idem** (plur.), *they also*.

136 3 **contra atque**, *opposite to what*: § 324, *c* (156, *a*); B. 341, 1, *c*; G. 643; H. 516, 3 (459, 2); D. 602, *a*.

FIG. 36

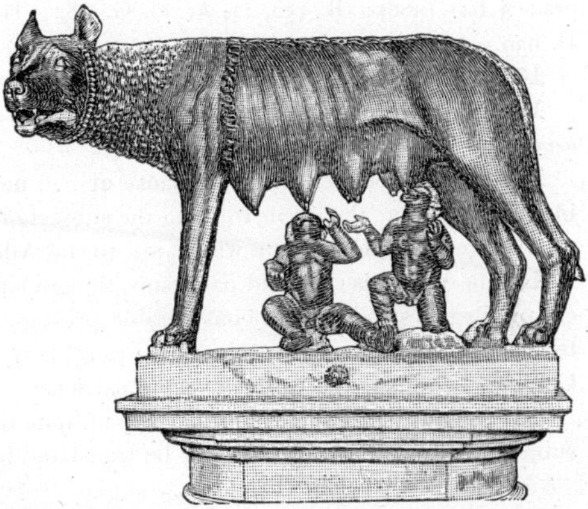

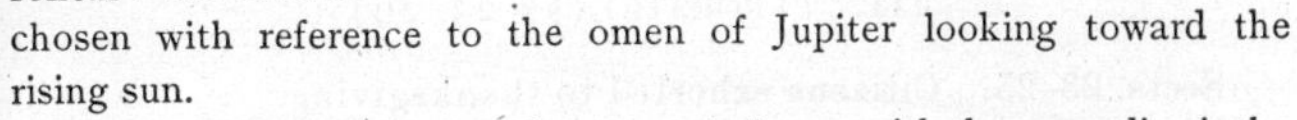

136 5 **solis . . . conspiceret**: the Forum and the Senate house (*curia*) were east of the south end of the Capitoline Hill, on which stood the *Capitolium*, or temple of Jupiter Capitolinus (see Plan of Forum).

136 7 **inlustrarentur**: the word is chosen with reference to the omen of Jupiter looking toward the rising sun.

136 8 **conlocandum . . . locaverunt**: **locare** with the gerundive is the regular expression for giving out a contract; § 500, 4 (294, *d*); B. 337, 7, *b*, 2; G. 430; H. 622 (544, N.[2]); D. 869.

136 9 **illi**, i.e. of year before last.

136 10 **consulibus** and **nobis**: abl. abs. expressing the date.

136 13 (SECT. 21.) **praeceps**, *headstrong*; **mente captus**, *insane*.— **haec omnia**, i.e. the universe.

136 15 **ita** is explained by **caedes . . . comparari**, below.

136 16 **responsum**: the regular expression for any prophetic answer as of an oracle or seer.— **rei publicae** (dat.), *against the state*.

136 17 **et ea**, *and that too* (cf. καὶ ταῦτα).

136 18 **ea**: referring to **caedes**, etc., above.

136 20 **illud**: referring forward to the result **ut . . . statueretur** (ll. 21–23).

136 22 **in aedem Concordiae**: one of the principal temples at the northern end of the Forum (see Plan), where the Senate had held its session on this day. It was built by the consul L. Opimius, B.C. 121, after his bloody victory over C. Gracchus.

136 26 (SECT. 22.) **quo**, *wherefore:* § 414, *a*, N. (250, N.).

136 28 **vestris**, etc.: observe the contrast between **vestris** and **deorum**, which is emphasized by their respective positions.

136 31 **non ferendus**, *intolerable* for arrogance. — **ille**, etc.: anaphora; § 641 (386); B. 350, 11, *b*; cf. G. 682; H. 666, 1 (636, iii, 3); D. 939.

137 2 **illa**, etc.: omit the words in brackets as being a manifest gloss.

137 6 **consilium**, etc.: cf. the proverb, *quem deus perdere volt, prius dementat.*

137 7 **ut** introduces the result clause **ut . . . neglegerent**, with which **id** is in apposition, the whole forming the subject of **esse factum**. — **gens** refers here to the Gauls as a whole, not to the Allobroges in particular.

137 10 **patriciis**: the old patricians, though having no special political privileges, still retained considerable prestige as an hereditary aristocracy. Cf. note on Verres, i, sect. 1 (p. 28, l. 2). Of the conspirators, Catiline, Lentulus, and Cethegus were patricians.

137 12 **qui . . . superare potuerint**: cf. note on p. 131, l. 8; **qui**, as subject of the charact. clause, may be translated by *when they.*

III. PERORATIO (§§ 23–29)

Sects. 23–25. Citizens exhorted to thanksgiving.

137 14 (SECT. 23.) **pulvinaria**, *shrines:* properly *cushions*, upon which the statues of the gods were laid, when a feast was spread before them. This was called *lectisternium*; and was usually connected with the *supplicatio* (see note on p. 133, l. 19). Only certain gods, chiefly Grecian, had *pulvinaria*, and the rite was established by direction of the Sibylline books (see note, sect. 9). — **celebratote**: the future imperative is used on account of its reference to a *set time* in the future; § 449 (269, *d*); G. 268, 2; H. 560, 4 (487, 1[1]); D. 690, *b*. The figure in the text (from an ancient altar relief) represents a procession such as was usual on occasions of this kind. Fig. 37 (from an ancient lamp) shows the images at such a feast.

137 20 **duce**, i.e. in actual command; **imperatore**, i.e. holding the sovereign power, whether actually commanding that particular operation or not.

137 22 (SECT. 24.) **dissensiones**: for case, see § 350, *d* (219, *b*); G. 376, R.[2]; H. 455 (407, N.[1]); D. 359.

137 23 **P. Sulpicium** [Rufum], a young man of remarkable eloquence, a leader in the reforming party among the aristocracy. He was tribune B.C. 88, and his quarrel with C. Cæsar was the first act of the Civil War. By his proposition, the command in the Mithridatic War was transferred from Sulla to Marius; and when Sulla refused to obey, and marched upon the city, Sulpicius was one of the first victims.

FIG. 37

137 27 **conlegam**: Lucius Cornelius Cinna, the Marian partisan (see note on p. 130, l. 16). He and Cn. Octavius, a partisan of Sulla, were consuls B.C. 87, after the departure of Sulla for the East, and in their dissensions the Civil War broke out afresh. The victory of Cinna later recalled Marius from exile.

137 29 **lumina**: among these were Octavius; C. Cæsar (see above) and his brother Lucius; Q. Catulus, father of the opponent of the Manilian Law (see below); M. Antonius, the great orator; and the *pontifex maximus*, Q. Scævola.

137 30 **ultus est**: to preserve the emphasis, render *the cruelty*, etc., *was avenged by Sulla.*

137 32 **dissensit**, *there was a quarrel between*, etc. — **M. Lepidus**, father of the triumvir, was consul B.C. 78 (after Sulla's death), with Q. Catulus, son of the one murdered by Cinna. The scheme of Lepidus to revive the Marian party resulted in a short civil war, in which he was defeated by his colleague and killed.

138 2 **ipsius**: he was the victim of his own violence, and therefore less regretted.

Sects. 26–29. Cicero asks for no reward except the memory of this day. He relies on the devotion of the citizens, and has no fears for the future. The assembly dismissed.

138 3 (SECT. 25.) **tamen**: i.e. though these disturbances cost a great many lives, yet they were not so revolutionary as this conspiracy, which has been put down without bloodshed.

138 4 **commutandam rem publicam**, *a change of government.*

138 12 **quale bellum,** *a war such as.*

138 13 **quo in bello**: § 307, *a* (200, *a*); B. 351, 4; G. 615; D. 558.

138 14 **omnes,** etc., i.e. everybody except the desperate.

138 17 **tantum,** *only so many.*

138 18 **restitisset (resisto),** *should survive.*

139 8 (SECT. 26.) **mutum**: such as a statue, for example.

139 12 **eandem diem,** etc., *the same period of time — eternal as I hope — is prolonged, both for the safety of the city,* etc.

139 15 **duos civīs,** i.e. Pompey and himself.

139 20 (SECT. 27.) **quae,** *as*: § 308, *h* (201, *g*); D. 562.

139 22 **isti** (contrasted with **mihi**) refers to **illorum** (l. 20).

139 24 **mentes,** *counsels.*

139 27 **nihil . . . noceri potest,** *no harm can be done.*

139 30 **dignitas,** etc., i.e. the majesty of the Roman state will be an invisible safeguard for me; cf. "the divinity" that "doth hedge a king" (*Hamlet*, iv, 5, 123).

139 31 **conscientiae,** etc., i.e. my enemies, conscious of their guilty sympathy with this conspiracy, will, in their attempts to injure me, inevitably commit some act which will show them to be traitors to the state.

140 2 (SECT. 28.) **ultro,** i.e. without waiting to be attacked.

140 3 **domesticorum hostium**: oxymoron; § 641 (386); B. 375, 2; G. 694; H. 752, 12 (637, xi, 6); D. 949. Cf. the same figure in Cat. i, sect. 21 (p. 108, l. 4): **cum tacent, clamant**.

140 4 **convertit**: pres. for fut., as often, especially in protasis.

140 6 **obtulerint**: subj. of integral part.

140 8 **in honore vestro**: **honor** is used here, as usual, to denote external honors (offices) conferred by the people. Holding the consulship, he had nothing to look forward to.

140 12 (SECT. 29.) **conservanda re publica**: abl. of means.

140 14 **in re publica,** *in public life.*

140 15 **virtute, non casu,** etc., i.e. he will show this by such conduct as shall be consistent with this glorious achievement.

141 1 **Jovem**: the temple of Jupiter Capitolinus is shown in the background of the illustration opposite p. 136; the figure in the text at p. 140 is a restoration of this temple.

FOURTH ORATION AGAINST CATILINE

ARGUMENT

CHAP. 1. *Exordium*. Solicitude of the Senate for Cicero. The question of the traitors' doom must, however, be settled without regard to such considerations. — *Propositio*. 2, 3. The Senators need not fear for Cicero. Let them take counsel for the welfare of the state. Enormous guilt of the conspirators. Judgment already rendered by the action of the Senate. The sole question is: What shall be the penalty? — 4. Silanus proposes death; Cæsar, perpetual imprisonment. — 5. Cæsar's proposition discussed. — *Contentio*. 6. Death none too severe a penalty: severity to the conspirators is mercy to the city. Opinion of L. Cæsar. — 7. Severe measures will be supported by the people. — 8. The humblest citizens are stanch. — 9. The Senators urged to act fearlessly: the consul will not fail them. — *Peroratio*. 10. Cicero is undismayed: his fame is secure, whatever happens to him. He has undertaken a perpetual war with the bad elements in the state, but the result is certain. — 11. Then let the Senate dare to act rigorously.

As this is the first deliberative oration, delivered in the Senate, contained in this collection, it will be well for the student to consult the account of a senatorial debate given in the Introduction, p. lvii.

In the present case — in which the question was what sentence should be passed upon the captured conspirators — the consul elect, D. Junius Silanus, had advised that they be put to death; C. Julius Cæsar (as prætor elect), on the contrary, that they be merely kept in custody. At the end of the discussion, Cicero, as presiding consul, gave his views as expressed in the present oration. (For the speeches of Cæsar and Cato, see Sallust, Catiline, chs. 51, 52.)

I. EXORDIUM (§§ 1, 2)

Sects. 1, 2. Solicitude of the Senate for Cicero. But the question of the traitors' doom must be settled without regard to such considerations.

PAGE **141**. LINE 13. (SECT. 1.) **si haec**, etc., i.e. if the consulship has been given me on these terms.

141 14 **ut . . . perferrem,** subst. clause of purpose in apposition with **condicio.**

142 2 (SECT. 2.) **ego sum ille consul,** *I am a consul* (i.e. that kind of consul).

142 3 **aequitas**: in the Forum was the tribunal of the prætor who administered justice between citizens.

142 4 **campus**: see note on Cat. i, sect. 11 (p. 104, l. 7).—**auspiciis**: the taking of the auspices always preceded the election.

The Roman commonwealth was regarded as depending directly upon the will of the gods. Their will was thought to be expressed in signs sent by them (*auspicia*). These could be observed only under the supervision of the board of augurs, a body whose duty it was to know the rules of interpretation as a special science called *jus augurium*. Most public acts of any kind had to be performed *auspicato*, especially the holding of all public assemblies in which business was transacted. Thus the Campus was "consecrated by auspices" every time that the *comitia centuriata* were held.

142 5 **auxilium**: the Roman Senate, having the management of foreign affairs, was at this time a great court of appeal for subject or friendly nations.

142 7 **sedes honoris,** i.e. the *sella curulis* or seat used by the curule magistrates: viz. interrex, dictator, magister equitum, consul, prætor, censor, and curule ædile. It was like a modern camp-stool without back or sides, with crossed legs of ivory, so that it could be folded up and carried with the magistrate wherever he went. See Fig. 38 (from a Roman coin). The bracketed words **sella curulis** are doubtless an explanatory marginal note.

FIG. 38

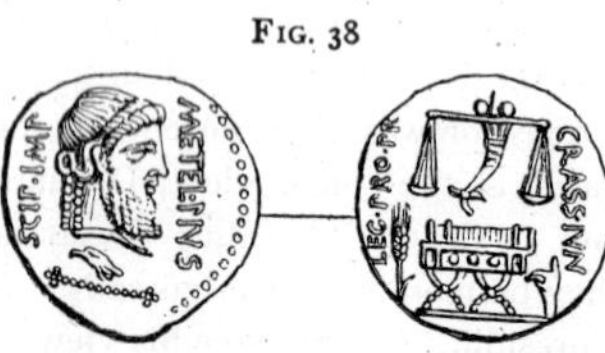

142 8 **fuit**: we should expect the subj. of characteristic, but the indic. is used (as often) to emphasize the *fact*.

142 11 **ut . . . eriperem** (l. 15, below): subst. clause of result, in appos. with **exitum** (l. 10).

142 14 **foedissima,** *horrible*, with the added idea of polluting things sacred.

142 16 **subeatur,** hortatory subjunctive.

142 17 **fatale**: see Cat. iii, sect. 9 (p. 130).

142 18 **laeter**: § 444 (268); B. 277; G. 466; H. 559, 4 (484, v); D. 678: apodosis, see § 515, *a* (306, *a*); G. 595; H. 580 (508, 4); D. 785, *a*.

II. Propositio (§§ 3–10)

Sects. 3–6. The Senators need not fear for Cicero: they should take counsel for the welfare of the state. Enormous guilt of the conspirators, judgment has been already rendered by the action of the Senate. The sole question is: What shall be the punishment?

142 24 (Sect. 3.) **pro eo . . . ac mereor,** *in proportion as I deserve.*

142 25 **relaturos gratiam,** *will reward* ("return favor": cf. *habere, agere*).

142 27 **immatura**: because an ex-consul had reached the highest point of Roman ambition.

142 28 **misera**: the philosophy of the ancients professed to make them despise death (see Plato, Apologia, and Cicero, Tusc. Quaest. i). — **ille ferreus, qui,** *so iron-hearted as* (hence **movear,** subj.). — **fratris**: his brother Quintus, younger than he, and at this time prætor elect. He served with credit in Cæsar's Gallic campaigns.

142 31 **neque . . . non,** *nor can it be but that,* etc.: the two negatives make an affirmative, but with a kind of emphasis which the simple affirmative statement could not give.

142 32 **uxor**: his wife Terentia. — **filia**: his daughter Tullia, married to C. Calpurnius Piso. Daughters took the gentile name of the father; see § 108, *b* (80, *c*); G. p. 493; H. 354, 9 (649, 4); D. 135. — **filius**: his son Marcus, now two years old.

143 3 **gener**: Piso was not yet a member of the Senate, and was probably standing in the lobby. — **moveor** (emphat., as shown by its position), *I am affected.*

143 4 **uti sint,** [to wish] *that,* etc. (the verb being implied in **moveor**); **pereamus** is in the same construction as **sint**.

143 5 **una . . . peste,** i.e. by a destruction which is at the same time that of the whole state.

143 9 (Sect. 4.) **non Ti. Gracchus,** etc.: to preserve the emphasis, render *it is not Ti. Gracchus who,* etc. For the historical allusions, cf. Cat. i, sects. 3, 4 (p. 100), and notes.

143 10 **agrarios**: see note on p. 147, l. 29.

143 11 **Memmium**: C. Memmius, one of the most upright men of his time; he was a candidate for the consulship against Glaucia, and was murdered by instigation of Glaucia and Saturninus (B.C. 100).

143 13 **tenentur,** *are in custody:* to preserve the emphasis we may change the voice, — *we have in our hands.* — **vestram omnium**: § 302, *e* (184, *d*); B. 243, 3, *a*; G. 321, R.[2]; D. 529.

143 17 **ut . . . nemo**: instead of the usual **ne quis** or **ne quisquam** because of the following **ne . . . quidem**; § 538, 310, *a* (319, *d*, R., cf. 105, *d*, N.); G. 543, 4, cf. 317, 1; H. 568, cf. 513 (497, ii, cf. 457); D. 732, *a*, 570.

143 22 (SECT. 5.) **judiciis**: their verdict on the conspirators' guilt consisted in the acts recounted in the following clauses.

143 23 **gratias egistis**: cf. **relaturos**, p. 142, l. 25.

143 25 **abdicare**, etc.: see Cat. iii, sect. 14 (p. 133, l. 4), and note.

144 1 (SECT. 6.) **sed**, i.e. though you have in fact decided. — **tamquam integrum**, *as if an open question* (i.e. as if you had not already expressed your judgment).

144 2 **judicetis** refers to their *judgment* as a court with respect to the facts; **censeatis**, to their *view* as a public council respecting the punishment.

144 3 **illa . . . consulis**, etc., *I will say in advance what belongs to* [me as] *the consul:* i.e. declare the need of instant action; *what* action, it is for the Senate to determine; for construction, see § 343, *b* (214, *c*); G. 366; H. 439 (401); D. 330.

144 4 **nova . . . misceri**, *that a revolution subversive of the government was on foot;* **nova** (subject of **misceri**) means *innovations* or *unconstitutional measures;* **misceri** refers to the disorder which these would produce.

144 5 **concitari mala**, *that evil designs were set in motion.* — **videbam**: for tense, see § 471, *b* (277, *b*); B. 260, 4; G. 234; H. 535 (469, 2); D. 654.

144 11 **opinione**: § 406, *a* (247, *b*); B. 217, 4; G. 398, N.[1]; H. 471, 7 (417, 1, N.[5]); D. 446, *b*.

144 13 **provincias**, especially Spain, with which Cn. Piso had had relations. It had not yet become fully reconciled since the overthrow of Sertorius, only eight years before. — **sustentando**, *by forbearance;* **prolatando**, *by procrastination.*

144 14 **ratione**: abl. of manner.

144 15 **placet**, sc. *vindicare.*

Sects. 7–10. Silanus proposes death; Cæsar, perpetual imprisonment. Cæsar's proposition discussed.

144 17 (SECT. 7.) **haec** (with a gesture), *all this*, i.e. city, citizens, and government.

144 19 **amplectitur**, *adopts.*

144 20 **pro**, *in accordance with.*

144 21 **versatur in,** *exhibits.*

144 27 **mortem,** etc.: a doctrine of the Epicureans, to which sect Cæsar and many other eminent Romans belonged.

144 31 **et ea**: cf. note on p. 136, l. 17.

144 32 **municipiis dispertiri,** sc. *eos in custodiam.*

145 1 **iniquitatem,** since it might expose them to danger, and it would be unjust to choose among so many; **difficultatem,** since they might decline the service.

145 3 (Sect. 8.) **statueritis**: subj. of integral part.

145 4 **dignitatis**: § 343, *c* (214, *d*); cf. B. 198, 3; G. 366, R.[1]; H. 439, 3 (401, N.[2]); D. 330. — **adjungit,** *he* [Cæsar] *adds* to his proposal.

145 5 **ruperit**: § 592, 2 (341, *c*); cf. B. 323; G. 366; H. 439 (401); D. 905.

145 7 **sancit,** *ordains* (under penalties).

145 8 **per senatum,** by an executive decree; **per populum,** by a law.

145 11 **uno,** sc. *dolore.*

145 12 **itaque,** etc.: an artful way of making the punishment of death seem less cruel; since death is a relief, these myths, says Cicero, have been invented to give it terror.

145 15 **eis remotis**: equiv. to a fut. protasis; § 521, *a* (310, *a*); G. 593, 2; H. 638, 2 (549, 2); D. 802.

145 17 (Sect. 9.) **meā**: § 355, *a* (222, *a*); B. 211, 1, *a*; G. 381; H. 449, 1 (408, i, 2); D. 352.

145 19 **popularis,** not *popular*, but *devoted to the people, democratic:* Cæsar was now the recognized leader of this party.

145 20 **auctore** (abl. abs.), *proposer;* **cognitore,** *sponsor* (a legal term).

145 24 **majorum**: none of Cæsar's ancestors were men of any distinction, although some distant relatives were prominent in public affairs in the time of Sulla; see note on p. 137, l. 23. He belonged, however, to one of the oldest patrician families.

145 25 **obsidem,** i.e. he is pledged at all events to defend the state as against the conspirators.

145 27 **interesset**: for tense, see § 485, *d* (287, *d*); D. 701. — **levitatem,** *want of principle,* i.e. of the steady purpose, or stability of character, implied in *gravitas.*

145 28 **saluti,** i.e. not *voluntati:* their interests, not their capricious wishes.

145 29 (SECT. 10.) **non neminem**: it is said that the person referred to was Q. Metellus Nepos, brother of Celer (see Cat. i, sect. 19), a partisan of Pompey and an enemy of Cicero.

145 31 **dedit, decrevit, adfecit**: i.e. gave his vote for these acts. With this, of course, his present action is inconsistent.

146 1 **qui** has for antecedent the subject of **judicarit**.

146 3 **re**, *the matter* (in general); **causa**, *the issue* to be decided. — **C. Caesar**: the full name gives emphasis, contrasting him with the *non nemo* (p. 145, l. 29). Cæsar votes for a judgment against the conspirators which seems contrary to the Sempronian Law, but *he*, a true friend of the people (*vere popularis*), recognizes that this law applies to Roman citizens only, and that it therefore cannot protect these traitors.

146 4 **Semproniam**: see note on "Crucifixion," etc., p. 61, l. 10.

146 6 **latorem**, i.e. C. Gracchus.

146 7 **jussu populi**: not strictly true, for C. Gracchus was put to death, not *by order of the people*, but by virtue of the dictatorial authority conferred upon the consuls by the Senate. — **rei publicae**: dative. — **dependisse**: punishment with the Romans was regarded as a penalty *paid* by the offender to the injured party (hence *dare*, *solvere*, *pendere* of the guilty; *capere*, *petere*, *repetere*, *postulare*, etc., of the person wronged).

146 8 **Lentulum**: by discussing this conspirator as an example of the would-be *popularis*, Cicero skilfully throws discredit on the *non nemo* (p. 145, l. 29) and others like him. — **largitorem**, etc., i.e. *however lavish*, — a symptom of courting the popular favor.

146 13 **se jactare**, i.e. as a pretended friend of liberty, like the *non nemo* above.

146 15 **omnīs cruciatūs**: accusative plural.

III. CONTENTIO (§§ 11–19)

Sects. 11–14. Death is none too severe a penalty; rigor in punishing the conspirators is mercy to the city. Opinion of L. Cæsar.

146 17 (SECT. 11.) **quam ob rem**, etc.: because Cæsar's view has in Cæsar a popular sponsor, while the view of Silanus is in fact the more merciful one. — **statueritis, dederitis**: § 516, *c* and N. (307, *c* and R.); G. 595, N.[2]; H. 540, 2 (473, 2); D. 790 and N.

146 18 **contionem**: see Introd. to Manilian Law in notes (p. 272). The action of the consul would have to be justified before the people, who might regard it as a tyrannical measure. In this justification Cicero would have Cæsar to assist him.

146 20 **obtinebo eam,** *make it appear that it* [this view], etc.

146 23 **ita . . . liceat**: an asseveration like our "so help me God." The point lies in the idea of "so and not otherwise" implied in **ita**.

146 24 **ut . . . moveor,** *as* [it is true that] *I am influenced*, etc.

146 29 **animo,** *in my mind's eye* (properly, abl. of means). — **patria,** *native city*.

146 32 (SECT. 12.) **cum vero**: **vero** introduces (as often) the most striking point. The other conspirators are bad enough, *but when*, etc.

147 4 **Vestalium**: see note on p. 130, l. 19.

147 7 **si quis**: for form, see § 148, *b*, N. (104, *a*, N.); G. 106, R.; H. 512, 1 (454, 1); D. 197, *a*.

147 9 **sumpserit**: see note on **dependisse**, p. 146, l. 7; for tense, see note on **statueritis**, p. 146, l. 17.

147 10 **ut . . . conlocarent**: purp. clause in appos. with **id**.

147 22 (SECT. 13.) **nisi vero,** etc.: *reductio ad absurdum*, as usual with this phrase; § 525, *b*, N. (315, *b*, N.); G. 591, R.[4]; D. 776. — **L. Caesar**: L. Cæsar (consul B.C. 64) was a distant relative of the Dictator, son of Lucius Cæsar (consul B.C. 90, the year of the Social War), the author of the law giving citizenship to the Italian allies (see note, Arch., sect. 7). The sister of Lucius Cæsar (the younger) was married to Lentulus, and his mother, Fulvia, was daughter of M. Fulvius Flaccus, the leading adherent of C. Gracchus. When Gracchus and Flaccus found themselves (B.C. 121) drawn into a collision with the Senate, they sent the young son of Flaccus with a proposition of compromise. The Senate, however, refused to listen to any terms, threw the messenger into prison, — where he was afterwards strangled, — and moved upon the insurgents with all the power of the state. In the contest that followed, both leaders and several thousands of their partisans lost their lives. It was to these events that L. Cæsar had appealed in justifying his vote in condemnation of his brother-in-law Lentulus.

147 26 **ejus** refers to **avum**. — **legatum**: of course the informal messenger of insurgents could have no claim to the title *ambassador*, or to the privileges which attached to the title in ancient as well as modern times.

147 27 **quorum** limits **factum**: understand with **simile** some word describing the present conspiracy (*what act of theirs was like this?*).

147 29 **largitionis . . . versata est**: the plans of C. Gracchus embraced not only a *lex frumentaria*, allowing every citizen to buy a certain amount of corn from the state at less than half its market rate, and a *lex* *agraria*, providing for the distribution of public land among the poorer citizens, but also the establishment of several colonies, both in Italy and the provinces, the object of which was at once to provide poor citizens with land, and to relieve the city, by emigration, of a part of its proletariat. Though these grants were perhaps just, yet their proposal was regarded by the nobility as a political bid for popular favor, and hence gave rise to violent party jealousy (**partium contentio**).

147 31 **avus** (see note on p. 131, l. 6): he was an active supporter of the Senate on this occasion; **ille** (l. 32) refers to the same person.

148 4 **urbem inflammandam**: according to Sallust's Catiline, ch. 43, this work was assigned to Gabinius and Statilius.

148 5 **vereamini** follows **censeo** (ironical), as if with **ut** omitted.

Sects. 14–19. Severe measures will be supported by the people. The humblest citizens are stanch. The Senators are urged to act fearlessly: the consul will not fail them.

148 12 (SECT. 14.) **voces**, *remarks*.

148 13 **eorum**, *on the part of those*, etc. — **vereri . . . ut**: § 564 (331, *f*); B. 296, 2; G. 550, 2; H. 567, 1 (498, iii, N.[1]); D. 720, ii.

148 16 **mea**, etc.: observe the antithesis between **mea summa cura** and **majore populi . . . voluntate**.

148 29 (SECT. 15.) **ad**, *for*. — **consentiunt**, *unite*.

149 1 **ita . . . ut**, *only to*, etc. (lit. *with this limitation that*): see § 537, *b* (319, *b*); G. 552, R.[3]; D. 734. — **summam ordinis consilique**, *superiority in rank and precedence in counsel.*

149 3 **hujus ordinis** (i.e. the Senate) limits **dissensione** in the sense of *cum hoc*, etc. For the long contest here alluded to, see Introduction, p. lxv.

149 5 **quam si**, etc., *and if we keep this union*, etc.

149 6 **confirmo**, *I assure*, in a different sense from **confirmatam**: Latin style does not (as ours does) object to such repetitions with a variation in meaning.

149 9 **tribunos aerarios**, *deans of the tribes*. The Roman people were divided into thirty-five tribes, local and territorial, like wards. These tribes were made the basis of the *comitia centuriata*, as well as of the *comitia tributa*. They served also as general administrative and financial divisions. From the latter character the name *tribuni aerarii* was given to their presiding officers.

149 10 **scribas**: the *scribae quaestorii* (treasury clerks) formed an important and powerful corporation. As they were a permanent body, while the quæstors (treasurers) were elected annually, they had the real responsibility in the management of the treasury.

149 11 **sortis**: the quæstors entered upon office on the Nones of December (Dec. 5); all other patrician magistrates on the first of Janu-

FIG. 39

ary. The *scribae* had therefore come together in order to be present while the quæstors drew lots for their provinces.

149 12 (SECT. 16.) **ingenuorum**, *free-born*. Freedmen, *libertini*, were always regarded as inferior in rank, if not in civil and political rights. Even these, however, are shown in the next chapter to be interested in the safety of the republic.

149 18 **sua virtute**: manumission was very commonly bestowed as the reward of some peculiar merit in the slave.

149 20 **hic nati,** i.e. citizens, as contrasted with the manumitted slaves (who were for the most part of foreign birth).

149 25 **qui modo . . . sit**: § 535, *d* (320, *d*); D. 729. — **condicione**: § 415, N. (251, N.); cf. B. 224, 1; G. 400; H. 473, 2, N.[1] (419, 2[4]); D. 467.

149 28 **voluntatis**: partitive gen. with **quantum,** as if *tantum voluntatis quantum*, etc.

149 30 (SECT. 17.) **circum tabernas,** i.e. among the artisans. The Roman shops were like little stalls along the street, open in front, with

FIG. 40

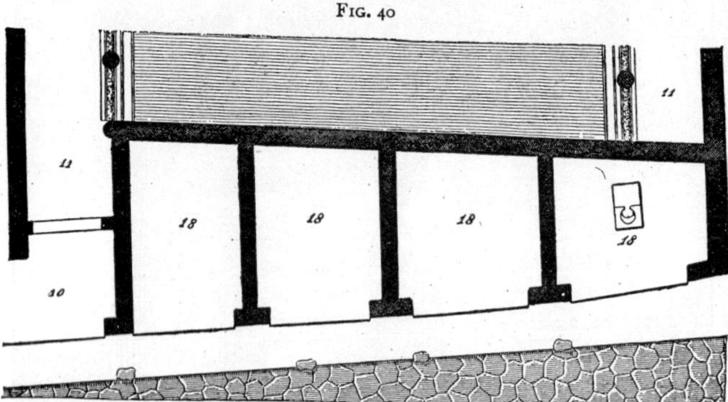

a "long room," or perhaps two, at the back. See Fig. 39, p. 355 (Pompeian shop, restored); Fig. 40 shows the arrangement of such shops along the streets.

150 3 **cubile ac lectulum**: both words mean nearly the same thing, and imply a very humble way of living.

150 4 **otiosum,** *peaceable;* so **oti** (l. 6).

150 8 **quorum** relates to **eorum,** three lines above.

150 9 **incensis,** sc. *tabernis.* — **futurum fuit** = **fuisset**; § 517, *d* (308, *d*); G. 597, R.[3]; H. 582 (511, 2); D. 797, *b*; the protasis is implied in **incensis.**

150 11 (SECT. 18.) **populi Romani,** as contrasted with the Senate: cf. the formula *Senatus Populusque Romanus.*

151 2 **impiae,** *impious* (in its strict sense a want of filial duty).

151 4 **arcem et Capitolium**: the Capitoline was a saddle-shaped hill, having the temple of Jupiter Capitolinus (**Capitolium**) on the southwestern point and the old citadel (**arx**) on the northeastern (see Cat. iii, sect. 20). Since Jupiter Capitolinus was the protecting divinity of Rome, his temple was the most sacred spot in the whole empire.

151 5 **aras Penatium**: the *Penates* were gods of the household and the larder (*penus*), worshipped by every *paterfamilias* in his own *atrium*. The state, being developed from the family, had likewise its Penates, which were fabled to have been brought by Æneas from Troy and established at Lavinium, whence they were transferred to Alba Longa, and afterwards to Rome. Their temple was on the Velia, the low hill connecting the Palatine and Esquiline. — **ignem Vestae**: the temple of

Fig. 41

Vesta was on the *Sacra Via*, toward the Palatine, — a small round building containing the symbolic household fire of the Roman state. See note on the Vestals, p. 130, l. 19.

151 9 **focis**: the *focus*, the symbol of household life, was a brazier for burning charcoal. It originally stood at the rear end of the *atrium*, or great hall, of the house. Later it was moved, for all practical purposes, to the kitchen, but a representative *focus* remained in the *atrium* and continued to be the symbol of household life. Fig. 41 shows a great bronze *focus* from the baths of Pompeii. The domestic *focus* was, of course, much smaller, but was similar in shape.

151 11 (Sect. 19.) **quae facultas**: § 307, *e* (201, *d*); cf. B. 251, 4, *b*; G. 616, 2; D. 559, (2).

151 13 **in civili causa**, *on a political question.*

151 14 **quantis . . . delerit**: this clause will be best turned into English by translating the participles **fundatum**, etc., as verbs, and **delerit** as a relative clause, — *with how great toil this empire* WAS *established*, WHICH *one night*, etc. In Latin the question is contained in the interrogative modifiers of **imperium** and not in the main clause.

IV. Peroratio (§§ 20–24)

Sects. 20–24. Cicero is undismayed: his fame is secure. He has undertaken a perpetual war with the bad elements in the state; but the result is certain. Then let the Senate dare to act rigorously.

151 29 (Sect. 20.) **me . . . factorum**: for cases, see § 354, *b* (221, *b*); B. 209, 1; G. 377; H. 457 (409, iii); D. 363.

152 1 **gesta**: abl. abs. with **re publica**.

152 3 (Sect. 21.) **Scipio**: the elder Africanus, who brought the Second Punic War to a triumphant close by the battle of Zama, B.C. 202. By "carrying the war into Africa," he forced Hannibal to retire from Italy.

152 5 **alter Africanus**: the younger, surnamed Æmilianus. He was the son of L. Æmilius Paulus (mentioned below), and adopted by the son of the elder Africanus. He captured Carthage, B.C. 146, and Numantia, in Spain, B.C. 133.

152 7 **Paulus**: father of the younger Africanus, and, like his son, the most eminent and upright man of his generation. He brought the Third Macedonian War to a close by the battle of Pydna, B.C. 168, and led King Perseus captive in his triumphal procession. — **currum** [*triumphalem*]: the captives did not go with or behind the triumphal chariot, but preceded it in the procession.

152 9 **bis liberavit**: by the victories over the German invaders, — over the Teutones at Aquæ Sextiæ (B.C. 102), and the Cimbri at Vercellae (B.C. 101).

152 10 **Pompeius**: it should be remembered that Pompey was now in the East, in the midst of his career of conquest, and that his return was looked for with expectancy by all parties. Cicero took every means to win the confidence of the great general, and gain him over to his views in public affairs; but to no purpose. After some wavering, Pompey associated himself with Cæsar, thus giving the Senate a blow from which it never recovered, and preparing the way for his own downfall.

152 13 **aliquid loci**: § 346, *a*, 3 (216, *a*, 3); B. 202, 2; G. 369; H. 442 (397, 3); D. 342.

152 16 (Sect. 22.) **quamquam**, *and yet*. — **uno loco**, *in one respect*.

152 18 **oppressi serviunt**, *are crushed and enslaved:* § 496, N.[2] (292, R.); cf. B. 337, 2; D. 862.

153 1 (Sect. 23.) **pro imperio**, *in place of:* all these honors, which Cicero might have gained by a foreign command, he has renounced in order to stay at home and protect the city.

153 4 **clientelis hospitiisque**: the relation of *cliens* to *patronus* was that of a subordinate to a superior, carrying with it services on the one side and protection on the other; the *hospites* were, on the other hand, equals, and their connection was one of mutual aid and friendship. Foreign states and citizens were eager to form such ties with influential Romans, and they were equally advantageous to the Roman. Of course a provincial governor had peculiar opportunities for this.

153 5 **urbanis opibus,** *the means afforded by a city life.* Such ties would be more easily formed by a sojourn in a province, but they could also be formed by a statesman who remained at home; for the value of such a relation to the provincial consisted in the opportunities for protection and assistance which the statesman possessed in the city itself.

153 6 **pro meis studiis,** *in return for my efforts.*

153 10 **quae dum,** *and as long as this.* — **mentibus**: § 429, 3 (254, *a*); cf. B. 228, 1; H. 485, 1 (425, 1[2]); D. 485, *a*, N.

153 15 **suo solius**: § 302, *e* (197, *e*); B. 243, 3, *a*; G. 321, R.[2]; H. 446, 3 (398, 3); D. 529.

153 20 (SECT. 24.) **eum . . . qui,** *a consul who,* etc.: § 297, *d* (102, *d*); B. 247, 1, *a*; D. 540.

153 22 **per se ipsum praestāre,** *make good* (so far as he may) *on his own part.*

ORATION FOR ARCHIAS

ARGUMENT

CHAP. 1. *Exordium.* Cicero's obligations to Archias. — 2. He justifies the unusual tone of his argument. — *Narratio.* 3. Early career of Archias: he is enrolled as a citizen of Heraclia. — *Confirmatio.* 4. His technical claim: his registry, acts of citizenship, domicile. — 5. Argument from the public records. — 6. The case is now closed. Further argument is unnecessary. Literature an indispensable relaxation, and also a source of moral strength. — 7. All famous men have been devoted to letters. — 8, 9. Great artists are of themselves worthy of admiration. The poet is especially sacred: he is the herald of fame. — 10. Greek is a surer passport to fame than Latin. Men inferior to Archias have been honored with citizenship. — 11, 12. Fame is the strongest motive to acts of public virtue. Literature is the most enduring of monuments. — *Peroratio.* 12 (sect. 31). Appeal to the court to protect Archias the poet in his rights.

I. Exordium (§§ 1–3)

Sects. 1–3. Cicero's obligations to Archias make it a duty to undertake his defence. The unusual tone of the argument justified.

Page **154**. Line 1. (Sect. 1.) **judices**, i.e. the members of a special court (**quaestio**) established by the *Lex Papia* (see Introd. to the oration, p. 154) to inquire into cases arising under that law.

154 3 **versatum**: cf. the date of the defence of Roscius and the opening passage of that oration. — **hujusce rei**, i.e. *dicendi*.

155 1 **ratio**, *knowledge*, i.e. *theoretic acquaintance*, contrasted with **exercitatio**, *practice*.

155 3 **A. Licinius**: following the custom of naturalized foreigners, as well as freedmen, Archias had taken the gentile name of his noble friends and patrons, the Luculli. Cicero's motive in always speaking of him by his Roman name is obvious.

155 6 **inde usque**, *from as far back as that, I say*.

155 7 **principem**, *master*.

155 8 **rationem**, *course*. For the connection of the meanings of this word, see Vocab.

155 10 **a quo** relates to **huic**, which is dat. after **ferre**: **quo** relates to **id**: *surely, to the man himself from whom I have received that whereby*, etc.

155 11 **ceteris**, *all the rest* [of my fellow-citizens], i.e. other than Archias. — **alios**, *some of them*.

155 12 **opem** corresponds to **opitulari**; **salutem**, to **servare**.

155 14 (Sect. 2.) **neque**, *and not*.

155 15 **dicendi ratio aut disciplina**, *art or science of oratory*. — **ne nos quidem**, etc., i.e. not even I, though by profession an orator, have devoted myself to oratory alone.

155 20 (Sect. 3.) **quaestione legitima**: see note on **judices**, p. 154, l. 1.

155 22 **severissimos**, i.e. before men of the old Roman stamp, who might not be favorably impressed by such praise of literature.

155 24 **forensi sermone** is not used here in its special meaning, "the language of the courts," but in its wider sense, *the language of the Forum*, i.e. the ordinary tone of practical affairs (the Forum being the centre of Roman business and politics).

155 27 **ut . . . patiamini**, a purp. clause in appos. with **veniam** (l. 25).

155 28 **hoc concursu**, locat. abl. expressing the circumstances; so also **hac vestra humanitate**, *with men of your cultivation*.

155 29 **hoc praetore**: Q. Cicero was himself a poet and man of critical taste.

155 30 **paulo . . . liberius,** *with somewhat unusual freedom*: § 291, *a* (93, *a*); B. 240, 1; G. 297; H. 498 (444, 1); D. 154, N.

155 31 **otium ac studium,** *a quiet life of study* (almost hendiadys); so **judiciis periculisque** below.

II. Narratio (§§ 4–6)

Sects. 4–6. **Earlier career of Archias. His celebrity in Asia and elsewhere. His removal to Rome and his distinguished patrons there. He becomes a citizen of Heraclia.**

156 3 (Sect. 4.) **cum**: causal, but best translated *when*.

156 4 **esset**: for tense, see § 589, *b*, 1 (337, *b*, 1); B. 268, 4; G. 597, R.[4]; H. 647 (527, iii); D. 901, iii.

156 5 **asciscendum fuisse**: in the direct, **asciscendus erat**; § 517, *d* (308, *d*); B. 304, 3, *b*; G. 597, R.[3], *a*; H. 582 (511, 2); D. 797, *b*; cf. note on Pompey's Mil. Command, sect. 50 (p. 88, l. 32), **erat deligendus.**

156 9 **urbe**: § 282, *d* (184, *c*); G. 411, R.[3]; H. 393, 7 (363, 4[2]); D. 313.

156 12 **contigit,** sc. *ei*, i.e. Archias. — **post,** *afterwards.*

156 15 (Sect. 5.) **tunc,** *at that time.* This was the long period of comparative quiet between the Gracchan disturbances (B.C. 133–121) and the tribunate of Drusus (B.C. 91), which was followed by the Social War and the civil wars of Marius and Sulla.

156 16 **Latio**: not the geographical Latium merely, but all towns which at that time possessed Latin citizenship; that is, the Latin colonies, such as Venusia, the birthplace of the poet Horace.

156 21 **de ingeniis,** i.e. could form some opinion about the talents of literary men.

156 23 **absentibus,** *people at a distance.* — **Mario et Catulo** (coss. B.C. 102); of these, Marius was renowned for his exploits, while Catulus was a good officer, and also a man of culture.

156 25 **nactus est,** etc., *he happened to find holding the consulship.* — **eos, quorum alter,** *men of such a kind that one of them*, etc. This would not only furnish him with themes for his poetry but insure appreciation of his genius.

156 27 **Luculli**: Lucius, the one who fought against Mithridates, and his brother Marcus; both of them belonged to the highest ranks of the aristocracy, and were men of distinguished taste and culture.

156 29 **ingeni**, pred. gen. after an understood **erat**: *this was* [a proof] *not only of his genius*, etc.

156 30 **ut . . . esset**, result clause in app. with **hoc** (l. 29).

157 1 (SECT. 6.) **jucundus**, etc.: ever since the introduction of Greek culture at Rome, it had been customary for cultivated Romans of high rank to entertain Greek men of letters in their houses, partly as tutors and partly as companions. Such associates frequently accompanied their patrons on their journeys and even on their campaigns.—**Metello Numidico**: the most distinguished member of this family. He was predecessor of Marius in the war against Jugurtha, and from this service in Numidia received his *agnomen*.

157 2 **Aemilio**, i.e. M. Æmilius Scaurus (cos. B.C. 115), for many years *princeps senatus*.

157 3 **Catulo**: see note on p. 156, l. 23.—**L. Crasso**: the most distinguished orator of his time, a man of genius and culture (see Introd., ch. ii, p. xxxiv); he died B.C. 91.

157 4 **Drusum** (M. Livius), tribune B.C. 91, a distinguished orator and statesman, who lost his life in a vain attempt to reconcile the aristocratic and democratic factions in the republic.—**Octavios**: see Cat. iii, sect. 24.—**Catonem**: probably the father of the famous Cato of Utica is meant.

157 5 **Hortensiorum**: the most eminent of these was Q. Hortensius, the rival of Cicero and his opponent in the case of Verres.

157 8 **si qui forte**, *those* (*if there were any*) *who*, etc.

157 11 **Heracliam**: an important Greek city on the southern coast of Lucania. In the war with Pyrrhus it had fought on the side of the Romans, and B.C. 278 it entered into an alliance of the closest and most favorable character (**aequissimo jure ac foedere**).

III. CONFIRMATIO (§§ 7–30)

Sects. 7–11. Archias received Roman citizenship under the Lex Plautia-Papiria, complying with all the provisions of that law. The evidence of this cannot be shaken; the testimony of the census is unnecessary. No further argument is needed; the case is closed.

157 15 (SECT. 7.) **Silvani lege**, etc., i.e. the *Lex Plautia-Papiria*, of the tribunes M. Plautius Silvanus and C. Papirius Carbo (not to be confounded with his infamous cousin Cneius, the Marian leader after the death of Cinna), extended the Roman citizenship to all Italian communities which had not yet received it. These towns now exchanged their independence for Roman citizenship, and became incorporated with the republic; though many of them, as Heraclia, hesitated about making the change, and did it with great reluctance. They lost all rights of independent government (such as that of coining money, the *jus exsili*, etc.). Latin became the official language; justice was administered by Roman law; and in most cases their government was organized on the model of Rome, having *duumviri* for consuls, and a *curia* for the Senate. The passage here given from the Plautian-Papirian Law contains its application to citizens of foreign birth, like Archias. — **si qui**, etc.: the law is quoted in indir. disc., but the main clause is omitted, being implied in **data est**; see § 592, 2 (341, *c*); G. 663, 2, *b*; D. 905.

157 18 **essent professi**, *should have declared their intention.*

157 19 **Q. Metellum** [Pium], prætor, B.C. 89: the most eminent living member of this family, and one of the leaders of the aristocracy.

157 22 (SECT. 8.) **Grati**, the complainant (see Introd., p. 154 of text).

158 1 **religione**, *conscientiousness.*

158 6 **desideras**, *call for* (lit. *miss, feel the want of*). — **Italico bello**, i.e. the Social War: § 424, *d* (259, *a*); G. 394, R.; H. 486 (429); D. 494.

158 11 **municipi**: since the bestowal of the Roman citizenship, the Italian *civitates* had become Roman *municipia* (see Introd., p. liii).

158 12 **idem**, *you yourself* (lit. *the same man*).

158 15 (SECT. 9.) In sect. 8 Cicero shows that Archias was a citizen of Heraclia and so came under the first requirement of the law; in sect. 9 he claims that his client had also complied with the other two requirements (**domicilium** and **professio**). — **civitatem datam**, i.e. by the law before cited.

158 17 **professione**, *list of declarations.*

158 18 **conlegio**: the prætors, when regarded as a whole, could be spoken of as a "board."

158 19 **cum**, *while.* — **Appi**, i.e. Appius Claudius, husband of Cæcilia (the friend of Roscius: see Rosc. Am., sect. 50) and father of the infamous Clodius.

158 20 **Gabini**: see Introd. to Pompey's Military Command.

158 21 **damnationem**: he was condemned, B.C. 54, for extortion on complaint of the Achæans.

158 23 **L. Lentulum**: nothing further is known of him; he probably presided over a court (**judices**) to determine cases involving citizenship under the new law.

158 29 (Sect. 10.) **multis** and **praeditis** are dat. after **impertiebant**; **arte**, abl. after **praeditis.**

158 30 **Graecia**, i.e. Magna Græcia, the Greek cities of Italy.

158 31 **credo** (ironical), *I suppose.*—**Locrensis**: Locri Epizephyrii, a Greek city near Rhegium.

158 32 **quod** relates to **id**, which is governed by **largiri** understood.

159 1 **ingeni** limits **gloria**, which depends on **praedito.**

159 2 **civitatem datam**, i.e. by the *Lex Plautia-Papiria.*

159 3 **legem Papiam**: see Introd. to the oration, p. 154 of text.

159 4 **illis**, sc. *tabulis*, i.e. of Tarentum, Rhegium, and Naples.

159 6 (Sect. 11.) **census**: the lists of citizens made out by the censors for purposes of taxation. These were, of course, excellent evidence on a question of citizenship; but they were not needed in this case.—**requiris**: cf. **desideras** in the same sense in sect. 8 (p. 158, l. 6).—**est obscurum** (ironical), *it is not generally known.*

159 7 **proximis**, abl. of time: translate by *under.* The censors referred to were L. Gellius and Cn. Lentulus (B.C. 70).—**clarissimo**: observe the art with which Cicero here again calls attention to the connection of Archias with the distinguished Romans any one of whom could at any moment have procured him the citizenship if he had not already possessed it.

159 8 **apud exercitum**, i.e. in the war against Mithridates (see Pompey's Military Command).—**superioribus**, sc. *censoribus.* New censors were regularly appointed every five years; those here referred to were Q. Marcius Philippus and M. Perperna (B.C. 86). In the present instance the succession had been interfered with by Sulla, but restored in B.C. 70.

159 9 **in Asia**: this was in the First Mithridatic War, in which Lucullus served as quæstor to Sulla.—**primis**, i.e. the first after the passage of the *Lex Plautia-Papiria:* these were L. Julius Cæsar and P. Crassus (B.C. 89).

159 14 **esse versatum** (sc. *eum*), *had availed himself of:* this clause is the obj. of **criminaris.**—**testamentum**, etc., acts which no foreigner could do.

159 16 **in beneficiis**, etc., *his name was reported for a reward from the state* (i.e. on the ground of some special merit); this, of course, implied citizenship.

159 18 **suo**, etc., i.e. Archias and his friends knew that he was a citizen and had acted as such, whatever might be said on the other side.

At this point Cicero practically rests his case. The remainder of his speech is devoted to the praise of poetry and literature. This eulogy is, however, skilfully connected with the argument. Literature is useful in the state, he contends, and poets are particularly in favor with great men. Hence Archias could not have failed to receive the citizenship as a gift from some of his illustrious Roman friends if he had not held it already. Since he is a citizen, so eminent and useful a man should be protected in his rights.

Sects. 12–16. Literature is an indispensable relaxation: and also a source of moral strength. Hence all famous men have been devoted to letters. The dignity and delight of liberal study.

159 20 (SECT. 12.) **ubi** (= *locum ubi*) . . . **reficiatur**, rel. clause of purpose.

159 22 **suppetere** has for subject the suppressed antecedent of **quod.** — **posse** (with a fut. force), *should be able.*

159 24 **contentionem,** *strain.*

159 25 **ego** (emphat.), etc., *for my part I admit*, etc. We should remember that the more old-fashioned of Cicero's contemporaries were still inclined to regard literary and artistic pursuits as frivolous in comparison with the more "truly Roman" professions of war and politics (cf. Æneid, vi. 847 ff.). Hence it was important for Cicero to show that literature was of practical value to the man of affairs.

159 26 **his studiis,** the study of letters in general, including all varieties of literature, poetry as well as prose.

159 30 **nullius tempore,** etc., *the necessities or interests of no one* (i.e. as a client).

160 1 (SECT. 13.) **ceteris** depends on **conceditur** (l. 4).

160 3 **ad ipsam requiem,** *even to repose.*

160 4 **temporum** limits **quantum** (l. 3), which has **tantum** (l. 6) for antecedent. — **alii**: notice how this differs in meaning from **ceteris** (l. 1), — the first-mentioned pursuits (attending to business, celebrating festivals, etc.) are common to everybody, the last (being dissipations) belong only to "some people." — **tempestivis conviviis,** *early dinners,* i.e. beginning by daylight, or in business hours, — a mark of luxury and idleness: we should refer to "late dinners."

160 8 **oratio et facultas**: hendiadys. — **quantacumque,** etc., i.e. such as I have (a modest disclaimer).

160 9 **periculis**: Cicero prided himself on defending cases rather than acting for the prosecution (cf. **amicorum temporibus,** etc., Pompey's Military Command, sect. 1).

160 10 **quae**, i.e. the mere ability to speak. — **illa** (obj. of **hauriam**), i.e. the moral character resulting from the **praecepta** mentioned below.

160 12 (SECT. 14.) **multorum**, i.e. great minds whose thoughts have found expression in literature. — **multis litteris**, *wide reading*.

160 13 **nihil esse**, etc., these doctrines had been the commonplaces of philosophy and letters for hundreds of years before Cicero wrote, and to the cultivated Roman they took the place which with us belongs to the ethical teachings of sacred literature.

160 16 **parvi**, *of slight account:* § 417 (252, *a*); B. 169, 4; G. 379, 380, 1; H. 448 (404); D. 341.

160 19 **exemplorum**, i.e. examples of heroism and virtue recorded in literature. The moral education of the ancients consisted largely in the study of the lives of eminent men of past ages.

160 21 **accederet**, *were thrown upon them.*

160 27 (SECT. 15.) Observe the attitude of the Romans toward literature, which they valued as a source of ethical and political cultivation, and not, like the Greeks, for its own sake or as a means of affording æsthetic pleasure.

161 9 (SECT. 16.) **ex hoc**, etc.: Cicero enumerates the most distinguished patrons of the newly introduced Greek culture. Cato is separated from the rest because he was in theory opposed to this tendency on account of its imagined ill effects; hence the rather apologetic tone in which Cicero speaks of him.

161 10 **Africanum**: Scipio the younger (Æmilianus). — **Laelium**: the younger Lælius (surnamed *Sapiens*), whose friendship with Scipio Æmilianus forms the groundwork of Cicero's famous treatise *De Amicitia*. — **Furium**: L. Furius Philus (cos. B.C. 136), a patron of literature. These three men belonged to the so-called Scipionic Circle, which was especially influential in the introduction of Greek culture.

161 12 **Catonem**: M. Porcius Cato, called the Censor, was one of the leading men of Rome in the first half of the second century B.C.: a shrewd, hard-headed Roman of the old school, full of prejudices, and priding himself on his blunt manners. He was a distinguished antiquarian, and wrote books on antiquities and agriculture.

161 13 **senem**: he gives the name to Cicero's dialogue on Old Age (Cato Major).

161 15–23 **quod si**, etc.: even if literature, Cicero argues, had no great practical or ethical value (as it has), it would still be worthy of respect as a means of mental refreshment and diversion. The passage is a very famous tribute to liberal studies.

161 18 **ceterae,** sc. *animi adversiones* (from l. 17).

161 21 **adversis** [rebus], dat. with **praebent.**

Sects. 17–24. Great artists are themselves worthy of admiration. The poet is especially sacred: he is the herald of fame. Alexander at the tomb of Achilles.

161 25 (SECT. 17.) **deberemus**: § 517, *c*, N.[1] (308, *c*, N.[1]); B. 304, 3, *a*, N.; G. 597, R.[3], *b*; cf. H. 583 (511, 1, N.[3]); D. 786.

161 26 **videremus**: subj. because an integral part of the cont. to fact apodosis.

161 27 **Rosci**: Q. Roscius, the most eminent actor of his time, defended by Cicero in a speech which is still extant.

161 30 **corporis**: observe the emphatic position as opposed to **animorum** (l. 31). In the ancient drama the action was much more important as compared with the delivery and facial expression than is the case on the modern stage.

162 2 (SECT. 18.) **novo genere**: such praise of letters was, of course, an innovation on the formal proceedings of a Roman court. — **quotiens,** etc.: given as a remarkable instance of the poetical improvisation illustrating the **celeritas** mentioned on p. 161, l. 31.

162 5 **revocatum** [hunc], subject of **dicere.** The *encore* was a common Roman practice, as with us.

162 10 **sic,** *this* (referring to the indir. disc. that follows).

162 14 **Ennius**: the father of Latin poetry. He was born at Rudiæ in Magna Græcia (B.C. 239), but wrote in Latin. His principal work was the *Annales*, an epic poem upon Roman history, lost except for a few fragments.

162 19 (SECT. 19.) **bestiae,** etc.: alluding to the myths of Orpheus and Arion (see Ovid, Met. x. 3, Fasti, ii. 83–118; Virg., Ecl. viii. 56).

162 21 **Homerum,** etc.: the names of the cities which thus claimed Homer are given in the following hexameter verse:

Smyrna, Chios, Colophon, Salamis, Rhodes, Argos, Athenae.

162 27 **olim,** almost equiv. to an adj.: cf. § 321, *d* (188, *e*); G. 439, N.[4]; H. 497, 5 (359, N.[4]); D. 585.

162 29 **Cimbricas res**: the war with the Cimbri and Teutones, who invaded Italy and were at length defeated by Marius (the Teutones, B.C. 102; the Cimbri, 101).

162 30 **durior**: Marius was a rude and illiterate soldier. The illustration (p. 163) shows what seems to be the most trustworthy portrait of

Marius (from the impression of a coin, now lost); various busts have been identified with him, but without any probable evidence.

163 3 (SECT. 20.) **Themistoclem**: the great Athenian statesman and general, who won the battle of Salamis in the second Persian

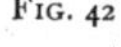
FIG. 42

invasion (B.C. 480), and afterwards, by his skilful policy, raised Athens to its greatest height of power.

163 8 (SECT. 21.) For the statements in this section, see Pompey's Military Command.

163 14 **natura et regione**: hendiadys.

163 17 **ejusdem**, i.e. Lucullus.

163 19 **nostra**, *as ours* (predicate), agreeing with **pugna**. Cicero means that these exploits, since they have been immortalized by Archias, will always remain the glory of the Roman people.

164 3 **quae**, *these things* (just mentioned); **quorum** limits **ingeniis** and refers to **eis**.

164 4 (SECT. 22.) **Africano superiori**: the conqueror of Hannibal.

164 5 **in sepulcro Scipionum**: this tomb on the Appian Way has been discovered, and in it a bust of *peperino* (not marble), which has by some been supposed to be that here referred to. It now stands upon the sarcophagus of Scipio in the Vatican museum (Fig. 42).

164 8 **hujus**: M. Porcius Cato, later called *Uticensis*, from his killing himself at Utica after Cæsar's victory. Cato the Censor was his great-grandfather.

164 10 **Maximi**, etc.: Q. Fabius Maximus, "the shield of Rome," in the Second Punic War; M. Marcellus, "the sword of Rome" (see note on p. 48, l. 5); Q. Fulvius Flaccus, a distinguished officer in the same war.

Fig. 43

Coin of Cato Uticensis

164 11 **illum**, i.e. Ennius.

164 13 **Heracliensem**: Heraclia (see note on p. 157, l. 11), as being an important city, is here contrasted with the insignificant Rudiæ. — **civitatibus**: § 375 (232, *a*); G. 354; H. 431, 2 (388, 1); D. 392.

164 18 (Sect. 23.) **Graeca leguntur**, *Greek is read.* Greek was, in the ancient world, almost the universal language of polite society; cf. the use of French in modern times.

164 21 **quo** (*whither*) relates to **eodem** (*thither*). — **cupere** governs the clause **quo . . . penetrare.**

165 1 **populis**, dat. after **ampla**, *a noble thing for them.*

165 2 **eis**, i.e. the individuals by whom these exploits are performed as contrasted with their peoples as a whole.

165 10 (Sect. 24.) **Magnus**, i.e. Pompey.

Sects. 25–30. Many would have been glad to give Archias the citizenship if he had not already possessed it. All men thirst for glory, which he can confer. Literature is the most enduring of monuments.

165 17 (Sect. 25.) **esset**: § 517, *a* (308, *a*); B. 304, 2; G. 597, R.[1]; H. 579, 1 (510, N.[2]); D. 798. — **civitate donaretur**: § 364 (225, *d*); B. 187, i, *a*; G. 348; H. 426, 6 (384, ii, 2); D. 374.

165 18 **donaret**, sc. *civitate.*

165 19 **repudiasset**: the protasis is implied in **petentem**. — **quem**, subject of **jubere**, below.

165 20 **de populo**, *of the people*, i.e. of low birth. — **quod . . . fecisset**, *which he had made as an epigram* (poetical address) *to him*; for gender, see § 306 (199); B. 250, 3; cf. G. 211, R.[5]; H. 396, 2 (445, 4); D. 553.

165 21 **tantummodo . . . longiusculis**, *merely with the alternate verses a little longer*, i.e. it was written in some metre in which (as in elegiac verse) long and short lines alternated; **tantummodo** implies that this was its only merit.

165 22 **eis rebus**, i.e. confiscated goods. Apparently a commander could take out from the booty anything he desired to bestow upon a soldier as a reward; and here the confiscated goods are treated in the same manner.

165 30 (SECT. 26.) **pingue atque peregrinum**, cognate accusatives: § 390, *a* (240, *a*); B. 176, 2, *b*, N.; G. 333, 2, N.[6]; H. 409 and 1 (371, ii); D. 409.

166 2 **prae nobis ferendum**, *a thing to be proud of.*

166 3 **optimus quisque**: § 313, *b* (93, *c*); B. 252, 5, *c*; G. 318, 2; H. 515, 2 (458, 1); D. 576.

166 5 **in eo ipso**, *in the very act.*

166 6 **praedicari**: impersonal.

166 7 (SECT. 27.) **Brutus**: D. Junius Brutus (cos. B.C. 138) conquered the Lusitanians (of Portugal).

166 8 **Acci**: *L. Accius* (less properly Attius), a tragic poet (born B.C. 170); distinguished for vigor and sublimity; he lived long enough for Cicero in his youth to converse with him.

166 10 **Fulvius**: M. Fulvius Nobilior (cos. B.C. 189) subdued Ætolia. He was distinguished as a friend of Greek literature, and built, from the spoils of war, a temple to Hercules and the Muses.

166 12 **prope armati**, *having scarce laid aside their arms.*

166 14 **togati**: see note on p. 125, l. 17.

166 18 (SECT. 28.) **quas res**, i.e. the suppression of Catiline's conspiracy.

166 23 **adornavi**, *I supplied him* with materials (i.e. facts).

166 25 **quid est quod**, etc.: § 531, 2 (317, 2); B. 282, 2; G. 631, 2; H. 590 (497, i); D. 715.

166 30 (SECT. 29.) **nec tantis**, etc.: here the apod. begins.

167 5 (SECT. 30.) **parvi animi**, *mean-spirited:* § 345 (215); B. 203, 1; G. 365; H. 440, 3 (396, v); D. 338.

167 9 **imagines**, *busts.* Whoever held any curule office (dictator, consul, interrex, prætor, curule ædile) thereby secured to his posterity the *jus imaginum*, i.e. the right to place in their halls and carry in funeral processions a wax mask of him as well as of any other deceased members of the family of curule rank. Since this right was a distinguishing mark of the Roman nobility, it was naturally highly prized.

IV. Peroratio (§ 31)

Sect. 31. Archias the poet should be protected in the rights of citizenship, which are legally his.

167 20 (Sect. 31.) **pudore eo,** *of such high character* (i.e. sense of honor and self-respect, as contrasted with the unprincipled Greek hangers-on with whom Roman society was infested).

167 22 **vetustate,** i.e. long-continued friendship (see sect. 5). — **id existimari** depends on **convenit,** *it is fitting.*

167 24 **videatis,** subj. of integral part.

167 25 **municipi,** i.e. Heraclia.

167 26 **comprobetur,** subj. of characteristic.

167 28 **ut,** with **accipiatis,** p. 168, l. 2.

168 1 **ex eo numero,** i.e. of poets.

168 9 **ab eo qui,** etc.: Q. Cicero (see Introd., p. 154 of text).

DEFENCE OF MILO

ARGUMENT

Chap. 1, 2. *Exordium.* The court is surrounded by armed men. But the jurors need not fear: public sympathy is with Milo: the jurors are free to maintain justice. Unfortunate position of the defendant. Clodius can be proved to have been the aggressor in the affray: Milo acted in self-defence. — *Confutatio.* (I) 3, 4. Homicide is not always a crime; it is especially justifiable in self-defence. — (II) 5, 6 (sect. 14). The decree of the Senate touches only the riot: it does not determine the guilty party. — (III) 6 (sect. 15), 7, 8. Pompey's action in carrying a law for the establishment of this investigation was not prejudicial to Milo. He left the question of Milo's guilt to the court. — *Narratio.* 9–11. The question is, Which lay in wait for the other? History of the controversy. Why Clodius desired Milo's death, and how he planned to meet him; the encounter on the Appian Way. — *Confirmatio.* (I) 12, 13. Which was to be the gainer by the other's death? Strong motive in the case of Clodius; no motive in Milo's case. — 14. Habitual violence of Clodius: opposite character of Milo. — 15, 16. Milo had before spared Clodius when he had good opportunities to kill him: would he have plotted his death on so unfavorable an occasion?

— 17–19. How Clodius knew of Milo's journey and informed himself of his setting out: pretext of the death of Cyrus. Milo knew nothing of Clodius's movements. — 20, 21. Comparison of the conditions: Milo was on strange ground and unprepared. Clodius was fully prepared. — 22. Why Milo manumitted his slaves: it was a generous and right act, and not for the sake of suppressing testimony. The evidence of Clodius's slaves goes for nothing. — 23–26. Milo's after acts: the false charges against him, especially of plotting against Pompey: the supposed hostility of Pompey explained away. — (II) 27–30. Yet if Milo had killed Clodius purposely, all would have approved. The crimes of Clodius: would any have him restored to life? If Milo had slain him, he might have claimed glory for the deed. — 31–33. It was the act of the gods, who first made Clodius mad, that he might rush on his destruction. — *Peroratio.* 34. Milo deserves the compassion of the judges: he bids farewell to the ungrateful city. — 35. Calmly resigned, he appeals to the judgment of posterity. — 36, 37. Milo's cause is Cicero's own. Cicero appeals to the judges in his own name. The exile of Milo will be a calamity to the defenders of Rome. — 38. Happy the country that receives him! Closing appeal to the court.

I. Exordium (§§ 1–6)

Sects. 1–4. The court is surrounded by armed men, but the jurors need not fear: the guards are not hostile to Milo, and all good men are on his side: the jurors are free to maintain justice.

Page **171**. Line 4. (Sect. 1.) **perturbetur de,** *is alarmed for.*

171 5 **novi judici,** i.e. the special tribunal established by vote of the people to try all cases arising out of the brawl between Milo and Clodius. On this occasion the court was surrounded, not by the usual throng of spectators, but by an armed guard (see Introd., p. 170 of text), — hence **nova forma.**

171 7 **requirunt,** *miss, seek in vain.*

171 9 (Sect. 2.) **pro templis**: see plan of Forum. The guards held the entrances to these temples as important strategic points for defence against the mob. — **non . . . non adferunt aliquid,** *do not fail to bring something* (of terror or constraint).

171 11 **ut . . . possimus,** *so that we cannot even be relieved of fear* **(non timere)** *without some fear.* — **foro, judicio**: such a display of arms in places especially devoted to occupations of peace must necessarily cause some uneasiness.

171 14 **si . . . putarem**: Cicero artfully assumes throughout the oration that the authorities (including Pompey) are on the side of Milo.

171 16 **me recreat**: to preserve the emphatic position we may change the voice, — *I am reassured;* so **reficit**, *I am revived.*

171 17 **justitiae suae**: § 343, *c* (214, *d*); cf. B. 198, 3; cf. G. 366; cf. H. 439 (401); D. 330; so **sapientiae** in l. 19.

171 18 **putaret**, *would not have thought:* § 446 (311, *a*); B. 280, 4; G. 258; H. 552, 554, 2, 3 (485 and N.[1]); D. 684, 685. — **tradidisset**, subj. of integral part.

171 21 (SECT. 3.) **illa arma**, etc.: on the first day of the trial, when M. Marcellus began to cross-examine one of the witnesses against Milo, he was so terrified by the rush of the mob that he took refuge on the prætor's bench. Pompey, alarmed by the same disturbance, came down next day with an armed guard, and the trial was allowed to proceed without interruption.

171 23 **quieto**, etc.: i.e. not only to be undisturbed but to be greatly encouraged.

171 25 **quae quidem est civium**, *so far at least as it consists of citizens* (covertly suggesting that the supporters of Clodius were not citizens, but gladiators and the like).

171 26 **neque . . . non**, etc.: notice the double negative, — *there is no one . . . who does not*, etc.

171 30 **decertari** (impersonal), *that the conflict is.* Here Cicero suggests what one of the chief points of his defence is to be, — that Milo had always acted in defence of the state.

172 1 **eorum**, *namely, of those:* § 344 (214, *e*); B. 197; G. 368, R.; cf. H. 441 (397, 1); D. 348.

172 3 **hesterna contione**, *yesterday's harangue.* The day before, after the court adjourned, one T. Munatius Plancus (see sect. 12) had harangued the crowd, urging them to be on hand next day and not suffer Milo to escape. On this day, the last of the trial, shops were closed throughout the city; Pompey posted guards in the Forum and all its approaches; he himself sat, as on the day before, in front of the Treasury, girt with a select body of troops. When Cicero began to speak, "he was received by an outcry of the party of Clodius, who could not be restrained even by fear of the surrounding soldiery."

172 4 **judicaretis**: § 444 (268); B. 277; G. 259; H. 557 (486, ii); D. 678.

172 6 **retineatis**: the penalty for the offence with which Milo was charged was banishment, by which he would lose his rights as citizen.

172 11 (SECT. 4.) **locus,** *opportunity.*—**amplissimorum ordinum:** the court was made up of Senators, *equites*, and *tribuni aerarii.*

172 12 **delectis:** the whole body of jurors (360) was selected, though the particular jury (of 51) was drawn by lot.

172 14 **re et sententiis,** *by act and verdict.*

Sects. 5, 6. Unfortunate position of the defendant, whose efforts in behalf of the state have brought him before the courts. Cicero declines to urge Milo's public services as a defence: he will rest the whole case on his ability to show that Clodius was the aggressor in the affray.

172 20 (SECT. 5.) **nobis duobus,** *than we two,* i.e. the orator and his client. Cicero constantly associates himself with Milo in this fashion, thus not merely following the custom of advocates, but also representing Milo as engaged in the same kind of opposition to the dangerous elements in the state as that which had made his own consulship illustrious.

172 23 **crudelissimorum:** exile was the worst that Milo had to fear. Here Cicero alludes to his own experience of it, which had resulted from his patriotic efforts against the Catilinarian conspirators.

172 24 **ceteras,** etc.: it was to be expected that a politician should undergo abuse and even illegal violence in the stormy public life of the time, but such dangers were not to be anticipated in an impartial court.

172 27 **ex cunctis ordinibus:** see note on **ordinum,** sect. 4 (p. 172, l. 11).

172 29 **salutem,** i.e. not his personal safety in the modern sense, but his political rights (see note on l. 23, above).

172 30 **talīs viros:** it was admitted, says Asconius, that no body of jurors had ever been more illustrious or just than those who composed this court.

173 1 (SECT. 6.) **quamquam,** *and yet* (corrective).—**tribunatu:** in the year B.C. 57 Milo, as tribune, had materially assisted in procuring the recall of Cicero from banishment. It was partly gratitude for this service that led Cicero to undertake Milo's defence.

173 3 **abutemur,** *take unfair advantage of.* Cicero declines to use Milo's services to the state as an argument in his favor, and boldly declares that he will put the case on the bare facts, contending that Milo acted in self-defence. But in the very act of declining to dwell on these services he subtly emphasizes them.

II. Confutatio (§§ 7–22)

The *Confutatio* (or answer to objections) in this case precedes the *Confirmatio* (or affirmative argument). Certain notions, Cicero says, must be got out of the way, as being prejudicial to his client, before the main question is taken up. These are: (i) that a self-confessed homicide is guilty of crime (answered by showing that it is sometimes lawful to kill a man, especially in self-defence: sects. 7–11); (ii) that the Senate prejudged Milo guilty when it voted that the affray was unlawful violence (*contra rem publicam factam*) (answered by showing that it was the fact of the disorder, and not the guilt or innocence of either party to it, that the Senate passed upon: sects. 12–14); (iii) that Pompey similarly prejudged Milo's guilt by providing for the present special investigation (answered in a similar way: sects. 15–22). Having cleared the ground by disposing of these three matters, Cicero proceeds to the real question at issue: Which of the two, Milo or Clodius, lay in wait to kill the other?

173 7 **fuerit**, subj. of integral part.

I. Sects. 7–11. Homicide is not always unjustifiable. It is allowed in a case of self-defence, like the present.

173 13 (Sect. 7.) **ad eam orationem**, *to that line of argument.*

173 14 **videntur**, etc.: § 582 (330, *b*, 1); B. 332, *b*; G. 528, R.[2]; H. 611, N.[1, 2] (534, i, N.[1]); D. 840.

173 20 **primum**, i.e. the first capital trial that occurred in Rome.

173 21 **M. Horati**: the famous story of the three Horatii and the three Curiatii. When Horatius was condemned to death for the murder of his sister, he was acquitted on appeal to the people; and this incident passed as the origin of *provocatio*, or appeal to the people from the decision of a magistrate.— **nondum libera**, i.e. under the kings: it was in the reign of Tullus Hostilius, B.C. 668.

173 22 **comitiis**, i.e. by the vote of the Roman people assembled to decide the appeal.

173 26 (Sect. 8.) **P. Africanum**, i.e. Æmilianus: he was cousin (by adoption) and brother-in-law of Gracchus, and friendly to the spirit of his reforms, although not sympathizing with his violent course.

173 27 **C. Carbone**: C. Carbo was an unscrupulous politician who supported Ti. Gracchus, but afterwards was a bitter antagonist of C. Gracchus.

173 30 **Ahala,** etc.: these are cases which would have to be called infamous murders unless the principle that homicide is sometimes justifiable were admitted. The instances referred to were stock examples in Roman oratory (see Cat. i, sects. 3, 4), though, in fact, Ahala and the others were all driven into exile by a reaction of popular feeling.

173 31 **senatus**: because the execution of the Catilinarian conspirators was by vote of the Senate.

174 2 **fictis fabulis,** properly, *mythical dramas:* the reference is to the *Eumenides* of Æschylus, which treats of the expiation of the guilt of Orestes, son of Agamemnon, at the court of Areopagus in Athens. When six judges had pronounced for condemnation and six for acquittal, Pallas gave her casting vote for mercy. — **doctissimi,** i.e. the greatest poets.

174 6 (Sect. 9.) **duodecim tabulae**: the "Twelve Tables" were the code which formed the basis of Roman law, drawn up B.C. 451 by an elected board of ten commissioners (*decemviri*). This codification of the laws continued in force, and was the starting point of the legal education of every Roman, and of all later development of Roman law. — **quoquo modo,** *under any circumstances.*

174 8 **quoquo modo,** *in whatever way.* — **quis** (indefinite), *one;* the preceding **quis** is interrogative.

174 13 **vi vis . . . defenditur,** *violence offered is repelled by force.* — **pudicitiam . . . eriperet,** *tried to rob of his honor.*

174 14 **tribunus**: C. Lusius, son of Marius's sister. This was a stock instance among rhetoricians in arguing the just limits of self-defence.

174 17 **scelere solutum,** *acquitted of guilt.*

174 18 (Sect. 10.) **vero**: introducing, as usual, a strong case.

174 19 **comitatus,** *body-guards,* which would seem to have been a common thing among these gentlemen of Rome, as among the partisan chieftains of the Middle Ages.

174 20 **volunt,** *mean.*

174 23, 24 **adripuimus,** *caught;* **hausimus,** *imbibed;* **expressimus,** *wrought out;* **imbuti,** *steeped.*

175 1 **ut . . . esset,** purpose clause after **lex** (a word of decreeing).

175 2 **incidisset**: in the words of the **lex,** — *inciderit.*

175 3 (Sect. 11.) **silent**: notice the emphatic position.

175 4 **velit**: subjunctive because of **sit.** — **ante . . . quam**: § 434 (262); G. 574, R.[1]; H. (p. 293, footnote [1]); D. 757, N.

175 5 **etsi,** i.e. there is no need for me to appeal to the law of nature to establish the right to kill in self-defence, for this right is established by the judicial interpretation of a particular statute (of Sulla). This statute (*de sicariis*) dealt with murder in general and went so far as to provide a penalty for the carrying of a weapon with intent to kill. The courts had ruled, says Cicero, that, under this law, a man who carried a weapon for self-defence was not carrying it ***hominis occidendi causā*** in the meaning of the statute.

175 10 **judicaretur**: the subject is antecedent of **qui**.

175 11 **hoc maneat in causa,** *let this point stand as the law of the case.*

II. Sects. 12–14. The decree of the Senate touches only the fact of the riot: it does not determine the guilty party. The question of Milo's guilt or innocence is left to the court without prejudgment.

175 14 (SECT. 12.) **sequitur illud,** *the next point is this:* § 598, *d*, 1 (344, *d*, 1); D. 934, *a*.

175 16 **contra rem publicam factam**: a technical phrase, amounting to "unlawful (unconstitutional) violence"; cf. our "a breach of the peace."—**illam,** i.e. **caedem.**

175 17 **sententiis,** i.e. its expressed vote; **studiis,** i.e. the interest it displayed in Milo's behalf.

175 19 **nec tacitis,** *loudly;* **nec occultis,** *in plain terms.*

176 1 **declarant**: to preserve the emphasis we may change the voice,—*it is shown by*, etc.—**hujus ambusti tribuni**: the body of Clodius, left in the highway, had been picked up and sent to Rome, where its wounds were exposed to public gaze till, in the fury of the time, it was dragged to the Senate-house. Here a funeral-pile was made of desks, benches, and other furniture, and in the conflagration the Senate-house itself, with several other buildings, was destroyed. The tribune T. Munatius Plancus, who incited the mob to burn the body, is called **ambustus,** *fire-scorched*, because his influence suffered in the reaction of public feeling which followed the unintended conflagration; hence, too, his *harangues* (**contiones**) are referred to as *still-born* (**intermortuae**).

176 2 **potentiam,** *unlawful domination.*

176 6 **officiosos,** *serviceable*, in the way of forensic advocacy.

176 8 **sane,** *if you like;* or *for aught I care.*

176 10 (SECT. 13.) **vero**: in reference to the statement at the beginning of sect. 12.—**hanc quaestionem,** *this special court.*

176 14 **cujus**: observe that the relative precedes the antecedent (**ejus**), as often in Latin. There is no antecedent noun ("man," "person") expressed.—**de illo incesto stupro,** *that incestuous outrage:* this refers to a frightful scandal when the mysteries of the *Bona Dea* (a rite held solely by women) were profaned by Clodius's introducing himself in female attire. The mysteries were being held at the official residence of Cæsar, then *pontifex maximus*, and the latter's wife Pompeia was thought to have connived at the intrusion. Cæsar affected to believe no harm, but presently divorced Pompeia, with the famous remark that "Cæsar's wife must be above suspicion." Being brought to trial, Clodius tried to prove an *alibi*, but this attempt was frustrated, in part by the testimony of Cicero. A corrupt jury acquitted Clodius, but he never forgave Cicero for appearing as a witness against him.

176 15 **erepta**: a special investigation had been ordered on account of the religious importance of the case; hence the decision was *taken away from* the Senate.

176 17 **cur igitur**, etc.: Cicero puts himself for the moment in the place of the other side and himself asks the question which an objector might put. He answers this question in **quia nulla**, etc. (l. 19). — **incendium curiae**: see note on sect. 12 (p. 176, l. 1), above.

176 18 **Lepidi**: after the death of Clodius, M. Æmilius Lepidus (afterwards triumvir with Octavianus and Antony) had been appointed *interrex*, a formality necessary to give regularity to the forms of election when there were no consuls (see Introd. to this Oration, p. 170 of text). In the disorders that followed his house was stormed and plundered by the mob.

176 20 **non contra**, [which is] *not*, etc.

176 21 (Sect. 14.) **illa defensio**, *such a defence*, i.e. the defence by violence (cf. **vi vis defenditur**, sect. 9).

176 24 **e re publica**, *in the interest of the commonwealth*.

177 1 **decrevi, notavi**, *I voted*, *I marked*, i.e. as deserving punishment, leaving the person of the criminal to the decision of the court (sect. 31). These words refer to Cicero's acts and votes in the Senate when Pompey's law was under discussion (see note on l. 8).

177 3 **crimen**: *the charge* against any particular person; **rem**, *the act itself*.

177 5 **tribunum**: Plancus. — **licuisset**: the action was stayed by the tribune's *intercessio*.

177 6 **decernebat**, *it was on the point of deciding*: § 471, *c* (277, *c*); B. 260, 3; G. 233; H. 530 (469, ii[1]); D. 653.

177 7 **extra ordinem**, *out of turn*: i.e. that they should have precedence of the regular docket, but that no new provisions should be made for an investigation.

177 8 **divisa sententia est,** *the question was divided.* When Pompey's proposed law *de vi,* establishing a special tribunal (**hanc quaestionem,** sect. 13) for the investigation of the disturbances referred to, was discussed in the Senate, a resolution opposed to it was offered. This consisted of two clauses: (1) that the disturbances were *contra rem publicam,* and (2) that cases arising out of them should be brought in the regular courts, but should be advanced on the docket (**veteribus legibus, extra ordinem**). The tribune Q. Fufius Calenus (whom Cicero refuses to name, — **nescio quo**) demanded that the question be divided. The first clause was then passed, whereupon the tribune Plancus interposed his veto (**empta intercessione,** l. 10) and prevented the second from being voted upon. Thus it was made to appear that the Senate approved the new tribunal, and Pompey's law was immediately passed by the public assembly, while the more cautious action of the Senate (**reliqua auctoritas**) was blocked by the *intercessio* of Plancus.

III. Sects. 15–22. Pompey's action in carrying a law to establish this special investigation was not a prejudgment of Milo's case. No such tribunal was established when Africanus was murdered. There was no special sanctity in Clodius, nor is his death a public calamity. Pompey has left the question of Milo's guilt or innocence to the court.

177 11 (Sect. 15.) **at enim**: introducing another supposed objection of Cicero's opponents. — **rogatione,** i.e. when he brought his law *de vi* (just referred to) before the people for enactment (the proceedings in the Senate having been merely deliberative). — **re,** *the facts* of the affray; **causa,** *the case* of the accused.

177 12 **quae . . . facta esset**: § 592, 3 (341, *d*); B. 323; G. 628; H. 649, 1 (528, i); D. 905.

177 14 **nempe,** etc., *simply that an investigation should be made.*

177 16 **juris defensionem,** *a defence on a point of law* (as to justification of the homicide).

177 19 **hanc salutarem litteram,** *this saving letter* (**hanc,** because in favor of his client), i.e. a chance to acquit. Each juror inscribed on his ballot **A** (*absolvo*) for acquittal, or **C** or **K** (*condemno*) for conviction. Fig. 44 shows (on the reverse) a voting urn and a ballot marked **A** and **C.**

177 25 (Sect. 16.) **Publione,** etc., i.e. whether his act (**quod** = *what*) was something he owed to Clodius, or a concession to the exigencies of the time, which demanded the investigation.

177 27 **domi,** etc.: the following are examples of assassination in which no extraordinary tribunal (commissioned for investigation) was established. They are cited in support of Cicero's contention that in establishing such a tribunal in the present case Pompey was not prejudging the innocence of Clodius and consequent guilt of Milo, but merely yielding to the necessities of the public situation.

177 29 **Catonis**: M. Porcius Cato (the Younger); see note on Archias, sect. 22 (p. 164, l. 8).

177 30 **Drusus**: M. Livius Drusus (son of Marcus) was murdered by some unknown person on returning home from an exciting political debate (B.C. 91).

178 3 **Africano,** i.e. Æmilianus. He was actively opposed to the plans of C. Gracchus for the division of the Latian lands; and, while the controversy was at its hottest, was found dead in his bed with marks (it was thought) of strangulation. His wife, sister of the tribune, and Gracchus himself lay under some suspicion of the crime, which was probably the act of Carbo (see note to sect. 8, p. 173, l. 27).

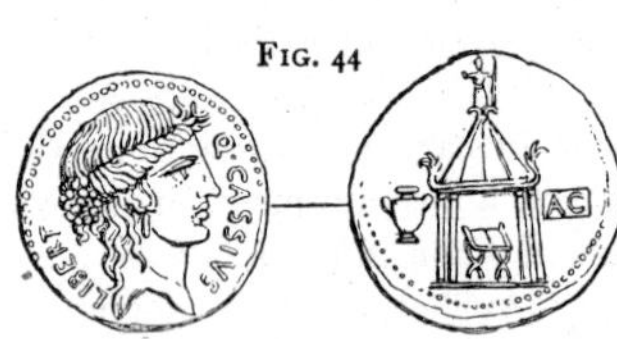

FIG. 44

178 4 **quem immortalem,** etc.: Scipio was murdered at the age of fifty-six.

178 9 (SECT. 17.) **intersit**: § 440 (266, *c*); B. 308; G. 264; H. 559, 3 (484, iii); D. 677.—**summorum, infimorum,** simply *high* and *low*.

178 10 **quidem,** *yet.*

178 13 **monumentis,** *memorial,* i.e. the road itself. The Appian Way was constructed B.C. 312 by the censor Ap. Claudius Cæcus, an ancestor of Clodius. This circumstance is skilfully used to tell against Clodius, rather than in his favor.

178 18 (SECT. 18) **M. Papirium**: this was one of Clodius's earliest exploits. Papirius, a friend of Pompey, was killed in a brawl about a son of Tigranes, held as hostage at Rome, whom Clodius was trying to rescue and send back for a great ransom to Asia, having by a trick got him out of the hands of his custodian.—**non fuit,** etc.: an illustration of the idea expressed in **impune,** l. 16, above.

178 21 **quae,** i.e. the Appian Way.

178 25 **templo Castoris,** where the Senate was then holding session. The circumstance took place in the year of Clodius's tribunate (B.C. 58), while Pompey was in the Senate. "He instantly went home and stayed there." For Roman figures of Castor and Pollux, see Fig. 45 (from a coin).

FIG. 45

178 29 (SECT. 19.) **num quae**, *was there any*, etc.

178 31 **haec**, i.e. **res, vir, tempus**.

178 32 **summa** (pred. to **omnia**), *in the highest degree.*

179 5 **proinde quasi**, *just as if*, etc.: § 524 (312); B. 307; G. 602; H. 584, 2 (513, ii, N.[1]); D. 803 and *a*. That is, the *overt act* must be judged by its obvious intent.

180 2 (SECT. 20.) **luget**, etc.: the whole description is, with intentional irony, in lively contrast with the real facts.

180 5 (SECT. 21.) **non fuit**, etc., *that was not the reason*, contradicting the ironical statements just made; the real reason is given in the clause introduced by **sed**.

180 6 **cur . . . censeret**: § 575, *b* (334, *b*); B. 300, 2; G. 467; cf. H. 642, 3 (523, ii, I, N.); D. 816.

180 7 **ferendam**, *should be* (proposed to the people to be) *voted.*

180 10 **reconciliatae**: Pompey had lately renewed friendly relations with Clodius.

180 13 **delegit**: the choice of the *judices* was left to Pompey.

180 15 **neque . . . hoc cogitavit**, *he had no such idea.*

180 17 **non**, etc., *for my influence is not limited to my personal friendships.*

180 22 **potuit . . . non**, *could not but.*

180 23 (SECT. 22.) **quod**, *in that:* § 572, *a* (333, *a*); B. 299, 2; G. 525, 2; H. 588, 3, N. (516, 2, N.); D. 824. — **Domiti**: L. Domitius Ahenobarbus (consul, B.C. 54), afterwards a leader against Cæsar in the Civil War, an arrogant and uncompromising upholder of the aristocracy. (Fig. 46, from a coin.) The emperor Nero was his descendant.

FIG. 46

180 25 **consularem**: sc. *praeesse.*

180 29 **documenta maxima**: in his prætorship (B.C. 58) Domitius had roughly cut his way through a crowd of the followers of Clodius, killing many of them.

III. Narratio (§§ 23–31)

Sects. 23–31. The sole question to be decided is: Which was the aggressor, — Milo or Clodius? Account of the affray: The death of Milo was necessary to Clodius: Clodius had threatened Milo: he lay in wait for him and attacked him, but was killed himself. From this plain statement of facts it may be judged who was the intending assassin.

180 32 (Sect. 23.) **si neque**, etc.: a recapitulation of the whole of the *Confutatio* (sects. 7–22).

181 2 **vellemus**: § 447, 1 (311, *b*); B. 280, 4; G. 258; H. 556 (486, i); D. 686, *a*.

181 6 **uter utri**, *which against the other* (lit. *which against which*).

181 10 (Sect. 24.) All that precedes is intended merely to brush aside prejudices and gain for the case a hearing on its merits: at this point the real defence begins with a statement of facts in which every incident is made to tell heavily against Clodius. — **in praetura**: at the time of his death Clodius was candidate for this office (see Introd. to the oration).

181 12 **non multos mensīs**: really less than six. At whatever time the magistrates were elected, they could hold office only for the year for which they were chosen. In this case, since the election was delayed till long after the beginning of the year, the term of office was very considerably shortened.

181 13 **honoris gradum**: the ambition of a Roman was to complete the series of curule offices (*cursus honorum*) as speedily as possible.

181 16 **annum suum**, *the regular year* in which he could legally be a candidate.

181 17 **religione aliqua**, *from some religious scruple, as it is generally* **(ut fit)**.

181 21 (Sect. 25.) **consule Milone**: equiv. to a fut. protasis; § 521, *a* (310, *a*); B. 305, 1; G. 600, 1; H. 575, 9 (507, n.[7]); D. 802. Milo was a candidate for the consulship.

181 22 **fieri**, *was likely to be elected* (i.e. as things were going at the time of speaking, hence the pres.).

181 25 **convocabat**, not officially, but in the course of his canvass.

181 26 **Collinam novam**, *a new Colline tribe.* Of the thirty-five tribes, the four city tribes ranked lowest, because the freedmen and poor citizens were placed in them; and of these the *Collina* was least reputable of all. It was through the *collegia compitalicia*, or local clubs, that Clodius worked upon the city tribes; and, by the exaggerated expression that he registered an entirely new *Collina*, it appears to be meant that the new and perhaps fraudulent names that he got upon the list outnumbered the genuine voters.

181 27 **ille**, Clodius; **hic**, Milo (as generally in this speech).

181 31 **suffragiis**: there had already been several attempts to elect magistrates, which had failed through the obstructive tricks familiar to Roman politicians. Hence the preference of the citizens was already well known *by their votes.*

182 1 (SECT. 26.) **silvas publicas**: probably some depredations of Clodius in Etruria, where he had extensive estates.

182 11 (SECT. 27.) **sollemne,** *annual*, or occurring at regular seasons (see derivation in Vocab.). The adjectives indicate that Milo's journey was undertaken regularly, legally, and of necessity, and hence that the idea that he went out to kill Clodius is absurd.

182 12 **Lanuvium**: this was an old town of Latium, about twenty miles southeast of Rome. It contained a temple of Juno Sospita, a local divinity, so famous that, when Lanuvium became a *municipium* of Rome, this sanctuary was, by special arrangement, received into the Roman religious system. The *flamen*, or special priest, of Juno Sospita had to be inaugurated by the chief magistrate (*dictator*) of the *municipium*. Milo, of Lanuvian origin, a *municeps* of the town, now held the latter office.

182 13 **dictator**: this word, evidently an old name for the highest magistrate of a community, was in Rome applied to an extraordinary magistrate, but in other Italian towns it retained its earlier signification (as here).

182 16 **ita**, *under such circumstances*: an indication that Clodius sacrificed something of importance (namely, his presence at an assembly of the people) in order to lay this ambuscade for Milo. Milo, on the other hand (**autem**), was going about his regular business, as narrated in what follows.

182 20 (SECT. 28.) **quoad**, etc.: the Senate adjourned on this day about the fourth hour (between ten and eleven A.M.).

182 21 **calceos**: the Senator wore a special kind of shoe adorned with a crescent-shaped ornament (*lunula*); his tunic was also distinguished by the broad purple stripe in front (*latus clavus*). When travelling, a Roman put off his toga and badges of office and put on a heavy travelling cloak (*paenula*) and other easy garments.

182 22 **id temporis**: § 397, *a* (240, *b*); B. 185, 2; G. 336, N.[2]; H. 416, 2 (378, 2); D. 438.

182 24 **ob viam fit**: this was just beyond Bovillæ (Albano), a village about nine miles from Rome.

182 25 **raeda (rhēda)**, a four-wheeled family carriage.

182 26 **Graecis comitibus**, singers, dancers, etc. (see sect. 55).

182 27 **hic insidiator**, i.e. Milo (of course ironical).

Fig. 47

182 28 **apparasset**, i.e. as the accusers say: see § 592, 3 (341, *d*); B. 323; G. 628; H. 649, i (528, 1); D. 905.

182 29 **paenulatus**: the *paenula* went on over the head, like a Mexican poncho, and so confined the arms (Fig. 47). It was the usual travelling cloak of a Roman.

182 30 **comitatu**: this troop of singing boys and maidens was, no doubt, to take part in the village procession next day at Lanuvium.

182 31 (Sect. 29.) **hora undecima**: this would be about half past four P.M. In reality, as we learn from other sources, it was nearly two hours earlier; and Milo had stopped at an inn in Bovillæ, in order (as was charged) to make sure of not missing his enemy.

183 1 **adversi . . . occidunt**, *they attack and kill.*

183 8 **pugnari**, impersonal.

183 9 **succurrere**: § 558, *b*, N. (331, *e*, 2); cf. B. 295, 3, N.; G. 549, N.[1]; H. 614, footnote; D. 720, iii, *a*.

183 10 **fecerunt . . . quod quisque . . . voluisset**: this sentence is greatly admired as a delicate way of glossing over awkward facts.

183 11 **derivandi**, i.e. from Milo, the master, to the irresponsible slaves.

183 14 **voluisset**: for constr., see § 521, *a* (310, *a*); B. 305, 1; G. 600, 1; H. 553, 2 (507, N.[7]); D. 802.

183 17 (Sect. 30.) **consecuta sit**, i.e. by the death of Clodius.

183 19 **prosit**, hortatory subjunctive.

183 20 **potuerit**: for tense, see § 485, *c* (287, *c*); B. 268, 6; G. 513; H. 550 (495, vi); D. 702.—**quin servaret**, *without saving;* cf. **quin judicetis**, *without judging* (l. 26, below).

183 22 **ratio doctis**, etc.: observe the exquisite skill with which Cicero here enunciates and applies the universal law of self-defence.

183 28 (SECT. 31.) Observe that this section (sect. 31), which ends the *Narratio* (or statement of facts), is similar to sect. 23, which introduces the *Narratio:* both contain a summing up of the results arrived at in the *Confutatio* (sects. 7–22) and both end with a statement of the main question: Which lay in wait for the other? Much of the effort of persuasive argument depends on such repetitions, at the proper moment, of points already made.

183 28 **optabilius fuit**: § 522, *a* (311, *c*); B. 304, 3, *a*; G. 254, R.[1]; H. 583 (511, N.[3]); D. 797, *c*.

183 29 **semel**, *once only*.

183 32 **illud**, referring forward to **occisusne**, etc. (as often).

184 1 **id**, i.e. the fact that there was a plot laid by somebody. Throughout the argument Cicero insists that neither the Senate nor Pompey intended to prejudge the guilt of Milo.

184 3 **de hoc**, i.e. the question **ab utro factae sint**. — **latum est**, etc., i.e. this was the intent of Pompey's law *de vi*.

184 7 **hic**, i.e. my client; **illi**, i.e. Clodius. — **ut ne sit**, subj. of purpose (i.e. the purpose of the investigation).

IV. CONFIRMATIO (§§ 32–91)

The *Confirmatio* in this oration consists of two parts. In the first (sects. 32–71), Cicero handles the question of self-defence directly, maintaining that all the circumstances point to Clodius as the aggressor in the affray. In the second (sects. 72–91), he argues that, even if Milo had not had this justification, his killing Clodius would not have been a crime but a patriotic act.

Sects. 32–35. Clodius had a strong motive to kill Milo: Milo had no motive to kill Clodius.

184 9 (SECT. 32.) **probari**, etc.: the evidence on this point would, of course, be purely circumstantial and inferential, and to Cicero's wonderful skill in dealing with such evidence is due much of the interest of what follows.

184 10 **in illa**, *in the case of the*, etc.

184 13 **illud Cassianum**, *that noted saying of Cassius*. L. Cassius Longinus Ravilla (cos. B.C. 127) was one of the most upright men of his time, distinguished as a *quaesitor* (presiding officer) of special trials.

(Fig. 48, from a coin commemorating one of his reforms, represents a citizen voting on a law; see also Fig. 44, p. 436, above.) — **cui bono,** *for whose advantage:* § 382, 1 and N.[1] (233, *a*); B. 191, 2; G. 356, R.[1]; H. 433 (390, i); D. 395; not "for what advantage," as it is often wrongly given in English. The question of "motive" in cases of murder was as much insisted on in ancient trials as it is to-day (cf. Rosc. Am., note on sect. 23, p. 10, l. 16). — **personis,** *parties:* the *persona* is properly the *mask,* which indicates by its features the "character" in a play.

FIG. 48

184 15 **atqui,** etc., *now, by the killing of Milo,* etc. — **adsequebatur,** *was going to gain:* § 471, *c* (277, *c*); B. 260, 3; G. 233; H. 534, 2 (469, 1); D. 653.

184 16 **non eo consule,** *without having one as consul.*

184 18 **quibus . . . coniventibus**: these competitors of Milo were P. Plautius Hypsæus and Q. Metellus Scipio, — the latter an adopted son of Metellus Pius. He took a leading part on Pompey's side in the Civil War, and was defeated by Cæsar at Thapsus, B.C. 46.

184 19 **speraret**: integral part of the purpose clause **ut . . . esset**: so also **cuperent, vellent, possent,** below. — **cogitatis**: artfully suggesting that the mad conduct of Clodius was not mere hot-headedness but was deliberately planned to further his ambitious designs.

184 20 **illi,** i.e. the consuls.

184 21 **tantum beneficium**: they would owe their election to him.

184 26 (SECT. 33.) **ille,** i.e. Clodius.

184 28 **fuerit impositurus**: indir. quest. for **-turus fuit** = *imposuisset;* § 517, *d* (308, *d* and N.); B. 304, 3, *b*, 322, *b*; G. 597, R.[5], *a*; H. 582, 2 (511, 2, N.); D. 797, *b*.

184 29 **Clodi**: Sex. Clodius, client and confidential agent of the demagogue Clodius. — **librarium,** i.e. the "budget" of laws which Clodius had on hand to propose. Cicero humorously speaks as if these filled a whole *librarium* or book cabinet.

184 30 **eripuisse e domo,** i.e. from P. Clodius's house, in the riots that followed his death.

184 31 **Palladium**: the image of Pallas, kept in the citadel of Troy, and taken thence by a nocturnal enterprise of Ulysses and Diomed. The sanctity and adventures of this portfolio suggest the comparison.

185 2 **si nactus esses,** *if you could find him.*

185 3 **per**: the words of adjuration are either intentionally omitted or lost. — **hujus legis**: a proposed law of Clodius by which the freedmen were to be distributed among all the thirty-five tribes (see note, sect. 25, p. 181, l. 26). Sex. Clodius, the son of a freedman, is shrewdly hinted at as author of the law.

185 5 **de nostrum omnium**: such a rhetorical break is called *aposiopesis*. Cicero would have said something like *proscriptione* or *caede*, but he affects to be alarmed at the threatening look with which Sex. Clodius hears his allusion (**aspexit me illis oculis**).

185 9 **lumen curiae**, a pun: Cicero calls Sex. Clodius *a light of the senate-house*, meaning (1) sarcastically, that he was a distinguished Senator, and (2) that he was the *incendiary* who, by burning Clodius's body, had set the *curia* on fire (see note on sect. 12, p. 176, l. 1).

185 11 **poenitus** [= punitus] **es** (often deponent in Cicero): nothing was more horrible to the ancients than the loss of due funeral rites. The burning of Clodius's body by the mob deprived him of all the honors to which he was entitled.

185 12 **erat**: § 522, *a* (311, *c*); B. 304, 3, *a*; G. 254, R.[1]; H. 583 (511, N.[3]); D. 797, *c*.

185 14 **imaginibus**: a Claudius should have a long line of most distinguished images.—**infelicissimis**, *ill-omened*, as obtained by riotous violence.

185 19 (SECT. 34.) **audistis**, etc.: the words in italics are supplied by conjecture.

185 22 **non dicam**: parenthetical.—**obstabat**: the supposed remark of an opponent.

185 23 **repugnante eo**, *in spite of his opposition*.—**fiebat** (*sc. consul*), *was coming to be* (see note on *fieri*, sect. 25, p. 181, l. 22).

185 24 **nec me**, etc., i.e. the positive support of Cicero was not more useful to Milo's canvass than the antagonism of so bad a man as Clodius.

185 25 **apud vos**, i.e. you and such men as you in your capacity as electors.

186 1 **quis dubitaret**? *who could* [then] *hesitate?* § 444 (268); B. 277; G. 259; H. 557 (486, ii); D. 678.

186 3 **Clodio remoto**, i.e. so long as Clodius was alive many would vote for Milo as being his declared enemy, but now that Clodius is out of the way, Milo must rely only on the ordinary means (**usitatis jam rebus**) of securing suffrages.

186 7 **ne . . . metueretis**: § 537, *a*, N. (319, *a*, N.); G. 553, 1.

186 13 (SECT. 35.) **at**, etc., *but* (some one will say).

186 14 **haec**, *these considerations*.

186 18 **civile,** *political* (such as a good citizen must feel). — **ille erat ut odisset,** *in* HIS *case there was a motive for hating* (a purpose clause after **erat** = *causa erat*).

186 21 **reus Milonis fuit,** i.e. liable to an accusation on the part of Milo. — **lege Plotia** (or **Plautia**): the Roman statute against assault.

Sects. 36–38. The habitual violence of Clodius, as contrasted with the law-abiding character of Milo, shows which of the two must have been the aggressor in this instance. Milo never used force except to ward off the violence of Clodius.

186 27 (SECT. 36.) **nihil,** etc.: of course ironical.

186 28 **quid? ego,** etc.: Cicero gives his own experience as an example of Clodius's violent way of acting.

186 31 **diem,** etc.: example of legal proceedings which Cicero says, ironically, he avoided by fleeing from the city: the first phrase (**diem dixerat**) refers to a notice of an accusation before the public assembly; the second (**multam inrogarat**), to a bill for a fine; the third (**actionem perduellionis**), to an action on a capital charge before the *comitia centuriata.*

187 2 **servorum,** etc.: the facts, as opposed to the ironical statement that precedes. Cicero had really to fear, not judicial proceedings instituted by Clodius, but mob violence instigated by him.

187 4 (SECT. 37.) **vidi enim,** *I saw with my own eyes.* Cicero here artfully recounts other violent acts of Clodius, in the form of reasons which moved him, — thus killing two birds with one stone.

187 5 **Hortensium**: Cicero's early rival, and opponent in the case of Verres. He was now one of Milo's counsel.

187 7 **Vibienus**: probably a lapse of Cicero's memory. He was killed in the riots after the death of Clodius.

187 10 **haec, huic, haec**: notice the emphatic repetition (*anaphora*).

187 12 **Papiri**: see note on sect. 18 (p. 178, l. 18).

187 14 **ad regiam**: the old palace of Numa on the *Sacra Via* at the point where it reached the Forum. It adjoined the temple of Vesta, and was occupied by the *pontifex maximus* (at this time Cæsar). When Augustus was made *pontifex maximus* he gave the Regia to the Vestal Virgins. The occasion here referred to was probably an election riot in the preceding year.

187 15 (SECT. 38.) **quid,** etc., *what like deed of Milo's?*

187 16 **detrahi non posset,** on account of the disturbances and lawlessness of the time.

187 19 **potuitne** = *nonne potuit:* § 332, *c* (210, *d*); B. 162, 2, *c*; G. 454, R.[2]; D. 623, N. — **deos penatīs**: see note on Cat. iv, sect. 18 (p. 151, l. 5). — **illo oppugnante**: this was an attack not by a mob but by an armed band, made upon Milo's house, November 12, B.C. 57, the year of Cicero's return.

187 22 **Fabricio**: Q. Fabricius, tribune B.C. 57; he was the originator and defender of the bill for Cicero's return from exile; an attack was made upon him by the partisans of Clodius, and he barely escaped with his life.

187 23 **Caecili**, prætor B.C. 57. He was attacked while presiding over the games of Apollo in July.

187 25 **lata lex**, i.e. the law proposed for his recall.

187 26 **facti**, i.e. the killing of Clodius.

Sects. 39–43. Milo had not killed Clodius when he might have done it with impunity and even with credit to himself. Would he have plotted his death at so unfavorable a moment?

188 2 (Sect. 39.) **consensus**, *universal feeling.*

188 3 **praetores**: all except Appius Claudius, brother of Clodius; **tribuni**: all except two, Numerius Rufus and Sex. Atilius Serranus.

188 4 **auctor**, the responsible originator; **dux**, *champion*, who led it to a successful issue.

188 7 **decretum**: this word is sometimes used for the proclamation of a magistrate, which was properly *edictum*. The *decretum* was the ordinance of a *collegium* or council, especially of the Senate, but also of any municipal body. The decree here referred to was passed by the municipal Senate (*curia*) of Capua, upon Pompey's proposition.

188 11 **qui . . . ejus**, *of any one who*, equivalent to a conditional construction: § 519 (316); B. 312, 2; G. 593, 1; H. (507, iii, 2); D. 801. For the imperfect **cogitaretur** (impers.), see § 517, *a* (308, *a*); B. 304, 2; G. 597, R.[1]; H. 579, 1 (510, N.[2]); D. 798. (In present time it would be *Si quis interemerit, cogitetur.* In past time, when it becomes contrary to fact, the same relation between the tenses is retained.)

188 13 (Sect. 40.) **bis**: once for the attack on his house (sect. 38, above); the other occasion is unknown.

188 14 **et reo**: Clodius, as ædile (B.C. 56), had laid a charge against Milo (*dixit diem Miloni*) of employing gladiators to bring about by intimidation the law for Cicero's recall.

188 18 **gravissimam . . . partem**, *a most important part in political affairs.*

188 21 **fuit**: see note on **erat**, sect. 33 (p. 185, l. 12).

188 22 **in scalarum tenebris**, the stairway of a bookseller's shop, as Cicero says elsewhere (Phil. ii, 9). The affair took place B.C. 53, when Antony, at this time a friend of Cicero, was candidate for the quæstorship.

188 23 **nulla sua invidia**, *with no odium to himself:* § 348, *a* (217, *a*); B. 243, 2; G. 304, N.[2]; H. 440, 2, N.[2] (396, iii, N.[2]); D. 355.

188 26 (SECT. 41.) **destringendos**: § 500, 4 (294, *d*); B. 337, 7, *b*, 2; G. 430; H. 622 (544, 2, N.[2]); D. 869. A fragment of a lost oration says that the two consuls were knocked down by stones.

188 28 **lĭbēret**, *might please.*

188 30 **jure**, etc.: observe the antithesis carried out in all the modifiers (**jure, injuria**; **loco, iniquo loco**, etc.). — **loco**, *with the advantage* of ground (see note, Cat. ii, sect. 1, p. 114, l. 5).

189 1 (SECT. 42.) **contentio**, *struggle for.*

189 3 **ambitio**, *the canvass* ("going about" for votes).

189 5 **obscure** qualifies **cogitari**, but is displaced to oppose **palam.**

189 6 **fabulam fictam**, *a got-up story* (an election lie).

189 7 **molle**, *sensitive;* **tenerum**, *delicate;* **fragile**, *unstable;* **flexibile**, *changeable.*

189 13 (SECT. 43.) **augusta . . . auspicia**: rhetorical for *comitia centuriata quae auspicato fiunt* (see Introd., p. lxiii). All the higher magistrates had to be elected at these *comitia.*

189 14 **veniebat**: § 471, *c* (277, *c*); B. 260, 3; G. 233; H. 530 (469, 1); D. 653. — **idem**, *on the other hand* (lit. *the same* [supposition]).

Sects. 44–52. Clodius had threatened to kill Milo, and the affray happened in accordance with his threats. He knew of the journey of Milo: Milo, on the other hand, knew nothing of the movements of Clodius. Summary review of the conduct of both before the affray (Sects. 51, 52).

189 24 (SECT. 44.) **Petili, Cato**: Petilius and Cato are addressed personally, as prominent men sitting as *judices.* Such appeals would not now be tolerated, but were consistent with ancient procedure.

189 26 **Favonio**: Favonius (see sect. 26) was a friend and great admirer of Cato, with whom he had previously taken part in some proceedings against Clodius. He was afterwards one of the conspirators against Cæsar.

189 30 (SECT. 45.) **fefellit**, i.e. the day which he had mentioned in making this threat did not fail to bring about the (attempted) accomplishment of it.

190 1 **quo die**? Cicero is again enlarging (cf. sect. 27) on the fact that Clodius had every reason to remain at Rome on the day of the murder, but that Milo's leaving the city was natural and necessary. The significance of all this as to the question **uter utri insidias fecerit** (sect. 23) is obvious.

190 2 **mercenario tribuno**: speeches were made this day by C. Sallustius (the historian) and Q. Pompeius Rufus. Probably the latter is here meant.

190 4 **approperaret**, *had been making haste*: § 517, *a* (308, *a*); B. 304, 2; G. 597, R.[1]; H. 579, 1 (510, N.[2]); D. 798.

190 6 **facultas**: omit, as being a gloss.

190 7 **quid**? i.e. what are we to infer?

190 9 (Sect. 46.) **qui . . . potuerit**, *how could he have known?*

190 10 **ut . . . rogasset**: § 527, *a* (313, *a*); cf. B. 308; G. 608; H. 586, ii (515, iii); D. 809.

190 15 **quaesierit sane**, *suppose* (*if you will*) *that he did ask*: § 440 (266, *c*); cf. B. 308; G. 264; H. 559, 3 (484, iii); D. 677.—**quid . . . largiar**, *how much I grant*, i.e. how liberal I am in making concessions to the other side.

190 16 **Q. Arrius**: one of the witnesses.—**corruperit**: same constr. as **quaesierit**.

190 19 **eadem hora**: in the famous trial of the violation of the mysteries (sect. 13) Clodius had tried to prove an *alibi* by showing, from Causinius's testimony, that he had spent that night at his house at Interamna (Terni, on the river Nar in Umbria, ninety miles away); but he was confuted by the evidence of Cicero, who testified that he had seen him in Rome the same day. This act of Cicero's Clodius never forgot or forgave.

190 21 **mansurum fuisse**: § 589, *b*, 2 (337, *b*, 2); B. 322; G. 597, R.[4]; H. 647 (527, iii); D. 900, iii; the protasis is suppressed but may be supplied from the **sed** clause following.

190 25 (Sect. 47.) **liberatur**, *is proved* (lit. *is cleared*).

190 26 **profectus esse**: depending on **liberatur**; § 582 (330, *b*); cf. B. 332; G. 528, 1; H. 611, N.[1] (534, 1, N.[1]); D. 840.—**quippe**, *of course*.

190 27 **obvius futurus**, *expecting to meet*.

190 29 **rogatione**, i.e. Pompey's law to establish this court of inquiry.

190 30 **majoris**, *more important*: this charge was afterwards brought up against Cicero by Mark Antony.

190 31 **abjecti homines**: C. Sallustius and Q. Pompeius (note on sect. 45, p. 190, l. 2).

191 4 (SECT. 48.) **occurrit**, *meets me.*

191 5 **si quidem**, *yes, if.*

191 6 **video** (emphat.), *I see clearly.*

191 8 **quid nuntiaret**? § 444 (268); B. 277; G. 259; H. 557 (486, ii); D. 678.

191 10 **obsignavi**, *endorsed.* The names of witnesses were written on the back of wills, etc., after they were closed and sealed.

191 12 **quem pridie**, etc., i.e. Clodius, when he left Rome, knew that Cyrus was dying, and so the news of his actual death need not have changed his plans. Hence Cicero infers that this messenger was sent to give Clodius information of Milo's movements and not (as pretended) of the death of Cyrus. Observe the skill with which every circumstance is made to tell in favor of Cicero's contention that Clodius lay in wait for Milo.

191 14 (SECT. 49.) **age**, *well then;* **sit**, etc., *suppose it were so* (that the messenger informed him about Cyrus).

191 16 **properato**: § 411, *a* (243, *e*, N.); B. 218, 2, *c*; G. 406; H. 477, iii (414, iv, N.[3]); D. 469, *b*, N.[2].

191 21 **insidiator**: ironical, as before.

191 23 (SECT. 50.) **credidisset**: the protasis is implied in the participle **neganti**; § 521, *a* (310, *a*); B. 305, 1; G. 600, 1; H. 575, 9 (507, N.[7]); D. 802.

191 24 **sustinuisset**, *would have borne the brunt of.*

191 25 **latronum**: highway robbery, with violence, was pretty common in the near neighborhood of Rome.

191 27 **multi**, etc.: here it is hinted that the crimes of Clodius (who had estates in Etruria) had made him many enemies (see note, sect. 26), on some of whom the suspicion might have fallen.

191 28 **timentes**: his spoliations were so notorious that many who had not yet suffered might be supposed to have killed him through fear of his future depredations. Observe that Cicero keeps before the minds of the jury the view that the killing of Clodius was a great public service.

191 30 (SECT. 51.) **quod ut** (see note on **rogasset**, p. 190, l. 10), *now though* (cf. *quod si*).

192 3 **constare . . . omnia**, etc.: in this and the following section Cicero sums up the arguments given in detail in sects. 32–51. The review is intended to show that, up to the moment of the affray, all the circumstances point to Clodius and not to Milo as the *insidiator.*

192 9 (Sect. 52.) **nihil umquam**, etc.: on the contrary, Cicero says elsewhere (Att. iv, 3), speaking of the disorder that followed his return from exile, "If he [Clodius] comes in his way, I foresee that he will be killed by Milo. He does not hesitate to do it; he openly professes it (*prae se fert*)."

192 13 **causam finxisse**, *invented an excuse.*

Sects. 53–56. The place where the affray occurred was one that would have been selected by Clodius. Milo was unprepared for an affray (his wife was with him, etc.): Clodius was fully prepared.

192 19 (Sect. 53.) **etiam**, *any longer.*

192 21 **substructiones** (see sect. 85), *buildings*, but with the idea of walls, grading, and the like, made necessary by the great size of the buildings fashionable among the Roman nobles. — **versabantur**, *used to be employed.*

192 22 **adversari**, i.e. Clodius.

192 25 **ab eo**, i.e. Clodius.

192 31 (Sect. 54.) **quid minus**, sc. *quam Milo.*

193 2 **illum**, *the other.*

193 3 **tarde**, etc.: cf. sect. 49. — **qui** (adv.) **convenit**, *what fitness in that?*

193 7 **hic**, i.e. Milo. — **veniret**: § 553 (328); B. 293, iii, 2; G. 572; H. 603, ii, 2 (519, ii, 2); D. 765.

193 11 (Sect. 55.) **Graeculi**, dimin. of contempt: "Greeklings." — **in castra Etrusca**, i.e. to Catiline's camp, for which, says Asconius, he had once really set out.

193 12 **nugarum nihil**, *no nonsense*, such as buffoons, minstrels, and the like.

193 15 **nisi ut**, etc., *except such persons as you might call a picked band*, etc. (lit. *except in such a way as*, etc.). — **virum a viro lectum**: in allusion to a custom in the Roman army of selecting men for dangerous service one at a time, each new man being designated by the last.

193 19 **mulier**, said scornfully of Clodius, as being a coward.

193 22 (Sect. 56.) **odio**: § 382, 1 and n.[1] (233, *a*); B. 191; G. 356; H. 433, 2 (390, i); D. 395.

193 24 **propositam**, *put up for sale*; **addictam**, *knocked down* (terms of the auction room).

193 26 **Martem communem**, *the favor of Mars*: a proverbial phrase implying that the favors of Mars are impartially bestowed, now on the one side now on the other (cf. our "the fortune of war").

193 28 **pransi**: the *prandium* was the noon-day meal, generally simple, of fruit and bread, but made by high-livers a luxurious meal.

193 29 **interclusum**, i.e. Clodius had passed Milo himself, who was thus shut off from his own followers.

Sects. 57–60. Milo's manumission of his slaves was to reward them, and not for the sake of suppressing testimony. The evidence of Clodius's slaves is worthless.

194 1 (SECT. 57.) **manu misit**: here Cicero pauses to reply to an argument on the other side. Only slaves could be forced to give testimony by torture (Rosc. Am., sect. 35). As Milo had freed his, it was maintained by the prosecution that he wished to destroy evidence. Manumission under such circumstances was forbidden by later law.

194 7 **indagamus hic**, i.e. the legal aspect of the case is to be considered at this point.

194 10 **nescis**, *you know not how*: § 456 (271); B. 328, 1; G. 423; H. 607 (533); D. 836, 837.

194 16 (SECT. 58.) **propter quos vivit**, i.e. to whom he owes his life.

194 17 **id**, i.e. the service of saving his life. — **quod**, *the fact that*: § 572 (333); B. 299, 1; G. 525, 1; H. 588, 1 (540, iv); D. 821.

194 25 (SECT. 59.) **quaestiones**, *examination* (by torture) of Clodius's slaves. — **urgent**, i.e. is a difficult point for the defence to meet.

194 26 **in atrio Libertatis**: it was in this hall (probably near the present column of Trajan) that questions touching the liberation of slaves were considered, and that torture was inflicted, — not in mockery of the name, but to excite in the slave some hope of freedom.

194 27 **Appius**: an elder brother of Clodius.

194 29 **de servis**: the passage in brackets seems necessary to the sense. The exception **de incestu** is mentioned to bring the jest upon Clodius.

194 30 **proxime**, *very near*: i.e. by having his murder treated as sacrilege (i.e. an offence against the gods) in respect to the question of slaves. The whole passage is an argument *a fortiori*. If the Romans excluded enforced testimony of a master's slaves, even when the truth could be arrived at thereby, how much more should this be excluded here, where the temptation to lie was so great that no trustworthy evidence could be expected from them. — **deos accessit** is punningly used in two senses, — first, of his near approach to being a god (by having an offence against him treated as sacrilege); second, of his unlawful intrusion on the mysteries of the Bona Dea.

194 31 **ad ipsos**, i.e. in the mysteries of Bona Dea (p. 176, l. 14, note).

195 3 **non quin**, *not but*: § 540, N.[3]; B. 286, 1, *b*; G. 541, N.[2]; H. 588, ii, 2 (516, 2); D. 770, *a*.

195 7 (SECT. 60.) **cave . . . mentiaris**: § 450, (2); G. 271, 2; H. 561, 2 (489, 2); D. 676, *b*. — **sis**: see Vocab.

195 11 **arcas**, *cells*, lit. *chests* (of timber), which in more ancient times were apparently used for this purpose.

195 14 **integrius**, *sounder*, i.e. less biased (of course ironical).

Sects. 61–63. Milo's conduct after the affray shows his innocence. He returned to Rome and made no attempt to conceal himself, scorning the evil rumors that were rife. No guilty man would have acted in this way.

195 18 (SECT. 61.) **Romam revertisse**: it was at first thought that Milo had gone into voluntary exile after the murder. In fact, however, he had returned to Rome on the night when the *curia* was burned, and the reaction caused by the fire and the riots encouraged him to appear in public and renew his canvass for the consulship. Cicero skilfully represents this conduct as due to the courage of innocence.

195 22 **se populo . . . senatui commisit**, i.e. by appearing in his place among them.

195 23 **praesidiis**, i.e. the special power with which Pompey was clothed as sole consul, which is further dwelt on in the following (see sect. 65).

195 28 **magna metuenti**, etc.: Pompey was on friendly terms with Clodius and might well fear that the violent act of Milo threatened his own position in the state and even his life (see note on sect. 66, p. 197, l. 26).

196 6 (SECT. 62.) **imperitorum**, *strangers* to his character (though well intentioned).

196 7 (SECT. 63.) **illud**, the *fact* (in appos. with the clause **ut . . . trucidaret**).

196 8 **fecisset**: for *fecit* of the dir. disc.; so **voluisset** in l. 11, below.

196 9 **tanti**, predicate gen. of indefinite value.

196 12 **fortem virum**, *brave man that he was*. — **quin . . . cederet, auferret, relinqueret**: § 558, *a*, N.[2] (332, *g*, N.[2]); B. 298, *b*; G. 555, R.[3]; H. 596, 1 (505, i); D. 720, iv, *a*, N.

196 16 **portenta**, *monsters* (his accomplices). — **loquebantur**, *talked about*, comparing Milo with Catiline, and saying he would do likewise.

196 17 **miseros . . . civīs**, exclamatory accusative.

Sects. 64–71. False rumors about Milo. Pompey's fear of him groundless. The time will come when Pompey will know that Milo is his friend. But, in fact, Pompey is not ill disposed to Milo and does not think him guilty: had he thought so, he would have put him to death and not have allowed him this trial. End of the first part of the ***Confirmatio.***

In sects. 64, 65, Cicero makes a skilful transition from Milo's conduct after the affray to Pompey's feelings with regard to him. It was all-important for him to show that the acquittal of Milo would not be unfavorably received by Pompey, and hence he does his best to prove that Milo was never Pompey's enemy and that the latter had no wish to secure his conviction.

196 20 (Sect. 64.) **illa**, *these surmises.*

196 24 **perculissent**: the protasis is implied in **quemvis . . . conscientia** (i.e. anybody who had such a consciousness). — **conscientia**, abl. of means with **perculissent**.

196 25 **ut** (exclamatory), *how.*

196 26 **maximo animo**, *of the greatest hardihood.*

196 27 **potuisset**: the protasis is implied in the context.

196 29 **indicabatur**: § 582 (330, *b*, 1); cf. B. 332; G. 528, 1; H. 611, N.[1] (534, 1, N.[1]); D. 840; use the impers. form in translation, — *it was shown that*, etc.

196 30 **vicum**, *narrow street* (properly a *district* or *quarter*). — **dicebant**, *they would say* (indicating repeated charges). — **Miloni**, dat. of agent: § 374 (232); B. 189, 2; G. 354; H. 431, 2 (388, 1); D. 392.

197 2 **clivo Capitolino**, the street which ran from the upper end of the Forum to the *Capitolium.*

197 4 **delata**: *deferre ad senatum* is to lay information before the Senate; *referre*, to bring a piece of business before it for action.

197 5 (Sect. 65.) **laudabam**, imperf. because it indicates Cicero's *state of mind* at the time.

197 6 **sed dicam**, etc.: the whole context implies that in this matter Pompey went too far, and for this Cicero excuses him in what follows.

197 8 **fuit audiendus**, *he had to listen to* (not cont. to fact).

197 9 **popa**, an inferior priest who slew the sacrifices — hardly more than a butcher: such a person usually (as here) kept a *popina*, or restaurant and grog-shop; hence **apud se ebrios**. — **Circo maximo**: the district near the Circus Maximus, the building for the great games, between the Palatine and Aventine hills.

197 12 **in hortos**: § 428, *j*, N. (259, *g*); H. 418 (380, i); wealthy Romans had large grounds (*horti*) attached to their city houses. Pompey was at this time staying at home to avoid Milo, as was alleged.

197 16 **credi popae**: § 372 (230); B. 187, ii, *b*; G. 346, R.[1]; H. 426, 3 (384, ii, 5); D. 379.

197 22 (SECT. 66.) **tam celebri loco**, *in so thronged a locality*. Cæsar, as Pontifex Maximus, inhabited the *Regia* (see note on sect. 37, p. 187, l. 14) on the *Sacra Via*, in the busiest part of Rome.

197 23 **audiebatur**, *the story was told*.

197 26 **senator**, etc.: "Pompey was afraid of Milo, or pretended to be; and he stayed mostly, not at home, but in his gardens — even the upper ones, where a great guard of soldiers camped around. Pompey, besides, had once adjourned the Senate suddenly, saying that he feared Milo's coming. Then at the next session, P. Cornificius had said that Milo had a sword under his tunic, fastened to his thigh, and demanded that he should bare his thigh, which Milo did at once, lifting his tunic. Then Cicero called out that all the other charges against Milo were just like that." (Asconius.)

197 31 (SECT. 67.) **cum . . . timemus . . . perhorrescimus**: § 549, *a* (326, *a*); B. 290, 1; G. 582; H. 599 (517, 2); D. 749, *a*. — **tamen**, i.e. notwithstanding the alleged grounds for fearing Milo have been proved false. — **si metuitur**: the apodosis is **timemus, perhorrescimus**. — **etiam nunc**, opposed to the instances of such fear of Milo mentioned in the preceding chapter.

197 32 **Clodianum crimen**, *the charge of murdering Clodius*: — **timemus**, *we* = Cicero and his client: they have to fear, he says, — in case Milo is still regarded by Pompey with apprehension, — not the charge of murdering Clodius (for Milo is sure of an acquittal if the case is decided on its merits) but Pompey's suspicions of Milo's hostility to *him* (for these may well prove prejudicial to Milo's case). These suspicions Cicero answers by a *reductio ad absurdum*, — if all these military preparations have been made for fear of Milo, what a great man Milo must be! But everybody knows that they were not made for this reason; hence Pompey has no reason to fear Milo.

198 1 **exaudire**: Pompey was sitting not in the court but at the Treasury, a considerable distance off.

198 2 **si times, putas**, etc.: the apod. is **magna in hoc**, etc., l. 9.

198 12 (SECT. 68.) **sed quis**, *but* [this cannot be, for] *who*, etc.

198 14 **si locus**, etc., i.e. if Milo had had a chance, he would have proved his devotion to Pompey.

198 18 **illa taeterrima peste**, i.e. Clodius.

198 19 **tribunatum**: Milo was tribune B.C. 57, and he was active in securing the recall of Cicero from exile.

198 23 **quae si non**, etc., *if he could not prove this.*

198 25 **armis . . . conquietura**, *were never likely to rest from arms.*

198 26 **ne**, *assuredly.*

198 27 **ita natus**, *born for that very thing* (i.e. to sacrifice everything for his country).

198 28 **te antestaretur**, *would call you to witness* (that he yields to the occasion and is really guiltless of any hostilities).

198 30 (SECT. 69.) **infidelitates**, [acts of] *ill-faith.* This and the following plural abstracts are, as often, best translated by the singular in English: § 100, *c* (75, *c*); B. 55, 4, *c*; G. 204, R.[5]; H. 138, 2 (130, 2); D. 126, *c.*

199 2 **motu aliquo**, i.e. there will perhaps be some disturbance of the general welfare of the state (**communium temporum**). Cicero's apprehensions were more than fulfilled in the great Civil War between Cæsar and Pompey.

199 4 **experti**: an allusion to Cicero's own misfortunes and exile.

199 6 (SECT. 70.) **quamquam**: corrective, implying that the preceding supposition is unfounded, for Pompey is not really an enemy to Milo; if he had been, he would have executed him summarily and not have allowed him a trial. His action, Cicero argues, virtually acquits the defendant.

199 7 **juris publici**, etc., law, customs, politics.

199 9 **ne quid**, etc.: see note, Cat. i, sect. 2 (p. 100, l. 12).

199 11 **hunc** repeats **Pompeium** with emphasis after the long parenthesis; **ejus qui**, *of one who* (on that supposition), i.e. Milo. — **dilectu**: Pompey held the consulship in B.C. 55, but after its expiration did not go into his province of Spain, but despatched thither his army under the command of *legati*, while he himself remained in Italy with proconsular power. Immediately after the death of Clodius the Senate gave the *interrex* (see note, p. 176, l. 18), the tribunes, and the proconsul (Pompey) the extraordinary power NE QUID, etc., and authorized Pompey to hold a levy of troops.

199 12 **exspectaturum fuisse**, *would have*, etc.: § 589, *b*, 2 (337, *b*, 2); B. 322; G. 659; H. 647 (527, iii); D. 900, iii. The whole passage is a cont. to fact apod. in indir. disc.; the protasis (implied in the context) is the false supposition that Pompey thought Milo dangerous to the state and to himself.

199 14 **ista,** i.e. the imputations referred to in sects. 65, 66. — **qui,** i.e. Pompey. — **legem,** *the law* for the present investigation.

199 15 **oporteret,** *ought, as I think;* **liceret,** *may well* (legally), *as all allow.*

199 16 (Sect. 71.) **in illo loco:** see note on **exaudire,** sect. 67, p. 198, l. 1.

199 20 **animadvertere in,** *proceed against,* i.e. *punish.* The whole turning of Pompey's unfriendly action so as to make it appear in Milo's favor is a stroke of art. — **posset,** subj. of integral part; the imperf. (contrary to the sequence of tenses) stands for *poterat* and implies that the action did not take place: § 522, *a* (311, *c*); B. 304, 3, *a*; G. 254, R.[2]; H. 525, 1 (476, 4); D. 797, *a*, 802.

199 21 **hesternam illam contionem:** cf. sect. 3 (p. 172, l. 3). — **esse,** in same constr. as **inferre** (l. 18).

Sects. 72–75. Second part of *Confirmatio* begins. The killing of Clodius a service to the state: his crimes enumerated.

The second part of the *Confirmatio* comprises sects. 72–75. The real case, Cicero says, is now complete, for he has shown that Milo killed Clodius in self-defence. But, even if Milo had not had this justification, his act would deserve reward rather than punishment, for the killing of Clodius was a service to the state. If Milo were guilty he would boast of his guilt. It is impossible, however, to claim this merit for Milo, for the death of Clodius was the work of the gods, who, to save the republic, prompted him to attack Milo. — This part of the *Confirmatio* is managed with great skill. In effect, it is an appeal to the judges to recognize the relief which the state feels in the death of Clodius and not to punish Milo for what is really a meritorious deed. In form, however, it is an additional argument in support of the main contention, — that Milo acted in self-defence; for it is incredible, Cicero urges, that, if he had really planned to kill Clodius, he should not now admit it and secure the gratitude of the whole country. By giving the argument this form, Cicero makes two inconsistent theories of the defence tell in favor of his client.

199 27 (Sect. 72.) **palam clamare:** this was the line of defence taken by Cato and other friends of Milo, in opposition to whom Cicero preferred to disprove the charge (**diluere crimen**).

199 28 **Sp. Maelium:** see note on Cat. i, sect. 3 (p. 100, l. 19).

199 30 **Ti. Gracchum:** see note on Cat. i, sect. 3 (p. 100, l. 15).

199 31 **conlegae:** Octavius, who resisted Gracchus in his attempts at reform and whom, therefore, Gracchus caused to be deposed by the people.

200 1 **sed eum**, etc.: not a mere demagogue, as the men just mentioned were (in Cicero's opinion), but a vile and sacrilegious criminal. — **auderet**, *he would dare*, etc., i.e. if he were guilty and were taking that line of defence.

200 5 (Sect. 73.) **saepe censuit**: see sect. 13.

200 6 **quaestionibus habitis**: this relates to the *consilium* of relatives, held by Lucullus as *paterfamilias*, or head of the family, in regard to his wife Clodia.

200 7 **civem quem . . . judicarant**, i.e. Cicero himself.

200 10 **regna dedit**: the Galatian Brogitarus, son-in-law of King Deiotarus, was complimented with the title of king by a law of Clodius. — **ademit**: another law of Clodius ordered the deposition of King Ptolemy of Cyprus.

200 11 **partitus est**: referring to his corrupt bargains for the assignment of provinces.

200 12 **civem**: this is usually referred to Pompey. But, though Pompey was attacked by Clodius (see sect. 18), there was no bloodshed: further, **singulari virtute et gloria** is a mild expression for Cicero to use of Pompey on this occasion; and, though it is rather exaggerated for the tribune Fabricius (see sect. 38), yet the circumstances precisely correspond.

200 14 **aedem Nympharum**, containing the censorial registers. It seems to have been burnt in the disorders preceding Cicero's exile.

200 17 (Sect. 74.) **non calumnia litium**, etc.: referring to fraudulent and malicious proceedings under cover of law, which were too mild and dilatory a method of plunder for Clodius. A powerful noble, with his slaves and clients, had almost an army at his disposal, so that the disorders of the time actually amounted to private warfare, like that of the feudal nobles. The following incidents illustrate this further.

200 18 **sacramentis**: a form of procedure in which a forfeit (*sacramentum*) was deposited by each party, to abide the result of the suit.

200 20 **Etruscos**: see note, sect. 26 (p. 182, l. 1).

200 24 **Janiculo et Alpibus**: these boundaries would include all Italy north of the Tiber.

200 26 **splendido**: the regular complimentary epithet of an *eques*.

200 30 (Sect. 75.) **huic T. Furfanio**: Furfanius was present, being one of the *judices*. He was a person of some importance. He was afterwards governor of Sicily.

201 1 **mortuum,** *a corpse.*

201 2 **qua invidia,** etc., *by the odium of which* (the presence of the dead body) *a flame* [of calumny] *would be kindled.* Odium is often spoken of as a flame (cf. "inflamed with hate"). — **huic tali viro,** *even a man like him.*

201 3 **Appium:** Ap. Claudius Pulcher, elder brother of Clodius, but not always on good terms with him.

201 5 **vestibulum,** *courtyard,* or open space in front of the house. — **sororis,** probably his second sister, wife of Q. Metellus Celer, who lived next her brother on the Palatine.

Sects. 76–82. No safety for Rome while Clodius lived: his plans against the state cut short by his death. If Milo were guilty, he would boast of his guilt: for tyrannicide is a virtue.

201 8 (SECT. 76.) **quidem,** emphasizing **haec**: cf. **quae vero,** l. 12. — **tolerabilia,** inevitable, and therefore bearable.

201 9 **videbantur,** *were beginning to seem.* — **aequabiliter,** *without distinction.*

201 11 **nescio quo modo**: § 575, *d* (334, *e*); B. 253, 6; G. 467, N.; H. 651, 2 (529, 5³); D. 820.

201 12 **vero,** opposed to **quidem.**

201 13 **potuissetis,** i.e. if they had been realized.

201 14 **imperium**: all this mischief he had perpetrated in virtue of holding the offices of tribune and ædile. What would he have done if he had got the *imperium* by obtaining the prætorship, for which he was candidate at the time?

201 15 **tetrarchas,** a title of certain petty kings, especially in Galatia.

201 20 **tenentur,** *are proved.*

201 23 (SECT. 77.) **T. Annius**: the name in this form is more dignified than the cognomen *Milo* alone (which Cicero has hitherto used). He adopts it here in accordance with the more formal tone which he gives to his speech at this point.

201 27 **per me unum**: **ut** is displaced by the emphasis thrown upon **me.** — **jus, aequitas, leges**: as prætor Clodius would have had judicial as well as military power.

201 28 **esset timendum** (ironical), apodosis of **si . . . clamaret** (l. 22).

202 2 **gaudia,** such as that for the victory over Hannibal or for the defeat of the Cimbri and Teutones.

202 3 **victorias,** such as those of Pompey in the East and Cæsar in Gaul.

202 7 (Sect. 78.) **in eis singulis** [*bonis*], *in the case of each one.*

202 11 **judiciis**: Pompey, in this year of his sole consulship, carried several laws intended to secure the better administration of justice.

202 14 **ea**, subject of **potuissent**.

202 15 **quod**, interrogative with **jus**.

202 16 **odio inimicitiarum**, *the bitterness of private resentment.*

202 17 **libentius quam verius**, *with more alacrity than truth:* § 292, N. (192); B. 240, 4; G. 299; H. 499, 1 (444, 2, N.[1]); D. 508.

202 18 **debebat**, sc. *odium* as subject.

202 20 **aequaliter versaretur**, *found its equal.*

202 22 (Sect. 79.) **quin**, *nay*, adds strength to the imperative. "Come now, attend while I present the case in this light." — **nempe haec**, *this, as you know.*

202 23 **fingite**, etc.: in this lively passage Cicero makes his hearers understand how much they really approve of Milo's act by asking them how a proposition to call Clodius back to life would be received.

202 24 **sic intuentur**, *view as plainly.*

202 25 **cernimus**, *discern* (distinguish by eyesight); **videmus**, *see* (the general word).

202 26 **hujus condicionis meae**, *these terms that I offer:* the supposed terms are expressed in **si possim**, etc.

202 27 **ita si**, *on condition that.* — **quid voltu extimuistis**? *why that look of terror?*

202 28 **vivus**, *if alive.*

202 29 **percussit**, *has stricken you with fear.*

203 2 **vellet**, *had wished:* for tense, see § 517, *a* (308, *a*); B. 304, 2; G. 597, R.[1]; H. 579, 1 (510, N.[2]); D. 798.

203 4 **si putetis, nolitis**, fut. condition, referring to the time of rendering the verdict; **si posset, lata esset**, cont. to fact as referring to circumstances already out of their control. Notice the different nature of the two conditions as indicated by their form.

203 6 **hujus**, referring to the subject of the last sentence, Clodius (as the person last mentioned); the subject of **esset** is of course Milo.

203 8 (Sect. 80.) **viris**, especially Harmodius and Aristogeiton, who killed Pisistratus.

203 11 **cantus**, instrumental music; **carmina**, *songs.*

203 18 (Sect. 81.) **si non negat**: this is a protasis whose apodosis is the whole clause **dubitaret . . . petenda**; § 515 (306); B. 302, 1; G. 595; H. 574 (508); D. 785. This apodosis is itself a conditional sentence consisting of a cont. to fact apod. (**dubitaret**) with a prot. "if he had done it" implied. The argument is as follows: Milo does not deny killing Clodius in *self-defence*, which is only an *excuse* for the homicide; if, therefore, he had killed him *deliberately*, would he not gladly admit it, since he might justly expect such a service to the state as the removal of this desperado to meet with gratitude from all? Hence Milo's denial is worthy of credence, since it would be for his interest to admit the charge.

203 20 **nisi vero**: § 525, *b*, N. (315, *b*, N.); cf. B. 306, 5; G. 591, R.[4]; D. 776. This clause introduces the ironical supposition that Milo thinks it more pleasing to the citizens for him to have defended *himself* in killing Clodius than to have defended *them*. Only on this absurd hypothesis, Cicero reasons, could Milo refuse to admit the charge brought against him if he were guilty.

203 22 **grati**, *grateful*.

203 23 **probaretur**, *approve itself*.

203 24 **qui**, *how*. — **poterat**: § 522, *a* (311, *c*); B. 304, 3, *a*; G. 597, R.[3]; H. 583 (511, N.[3]); D. 797, *a*, 802.

203 25 **minus . . . grata**, *not so agreeable*. — **cecidisset**, *had turned out to be*.

203 27 **propter quem**, *through whose means*.

203 28 **laetarentur**, subj. as being an "integral part" of the whole supposition.

203 31 (SECT. 82.) **tribuenda . . . esset**, *would be due*.

204 2 **arbitrarer**: for tense, see note on **vellet**, sect. 79 (p. 203, l. 2).

204 8 (SECT. 83.) **uteretur**, i.e. *si fecisset*.

Sects. 83–91. But Milo cannot have the glory of planning this act. The death of Clodius was the work of the gods. To punish his crimes and save the state they urged him on to attack Milo, and Milo killed him in self-defence.

Since Cicero's main contention is that Milo acted in self-defence, it is necessary for him to revert to this line of argument before he closes the *Confirmatio*. This he does in the way shown in the analysis above.

204 14 **vestra**, i.e. of the *optimates*. — **di immortales**, i.e. the death of Clodius was a special interposition of providence. For a similar expression of the belief that Rome was specially protected by the gods, see Cat. iii, sect. 21.

204 16 **divinum** belongs with **vim** as well as with **numen**: § 287, 1, 2 (187, *a*); B. 235, *b*, *a*; G. 290; H. 395, 1 (439, 1); D. 502, 2, *a*.

204 19 **maximum,** *greater than all.*

204 20 **sanctissime coluerunt,** *piously practised.*

204 21 (SECT. 84.) **illa vis,** *such a power.*

204 22 **hac imbecillitate nostra,** *this frail nature of ours.*

204 23 **et non inest,** coördinate with **neque inest** (above): in English we should more naturally use a subord. clause, *while it does not exist.*

204 24 **naturae . . . motu,** *movement of the universe* (as appearing in the heavenly bodies, etc., just spoken of).

204 26 **haec ipsa,** *these very words of mine.*

204 28 **possimus**: for mood and tense, see § 524 (312); B. 307, 1; G. 602; H. 584, 2 (513, ii and N.[1]); D. 803.

204 30 **mentem injecit**: "Whom the gods wish to destroy they first make mad,"—a very old idea.

204 32 **habiturus esset,** *would be sure to have:* § 517, *c*, N.[1] (308, *c*, N.[1]); B. 304, 3, *a*, N.; G. 597, R.[3], *b*; cf. H. 582 (511, 2).

205 1 (SECT. 85.) **mediocri,** *ordinary.*

205 2 **religiones,** *sanctuaries.*

205 3 **commosse** (*commovisse*) **se,** *bestirred themselves.*

205 4 **retinuisse,** *reasserted.*

205 5 **Albani**: Clodius's Alban villa (see sects. 46, 51) must have been in the territory of Alba Longa, the ancient capital of Latium, whose temples were spared and their worship adopted by Rome (as that of the Lanuvian Juno had been, see note, sect. 27) when the city was destroyed. From what follows it would appear that some of these sanctuaries had been demolished by Clodius in his building schemes (see sect. 53).—**tumuli,** *mounds,* used for altars.

205 10 **viguerunt,** *revived.* Observe the alliteration.

205 11 **Latiaris**: the temple of Jupiter on the Alban Mount was the religious centre of the Latin confederacy.

205 12 **lacus**: there are several little lakes about the Alban Mount, chief of which are those at Alba and Aricia, in the craters of extinct volcanoes.—**nemora**: *nemus* is originally an open grove where cattle can graze; it is applied, as well as *lucus*, to a consecrated grove. Of these the most famous in Italy was the sanctuary of Diana on the *Lacus Nemorensis* (*L. Nemi*) near Aricia.

205 17 (SECT. 86.) **Bonae deae**: an Italian goddess who probably represented the fruitful power of the earth, so that her mysteries, celebrated on December 3 and 4, corresponded to those of Demeter (*Mother Earth*) at Eleusis. It was her mysteries that Clodius had profaned (see note on sect. 13, p. 176, l. 14).

205 20 **taeterrimam,** i.e. as having been slain while engaged in a criminal attempt.

205 21 **judicio**: cf. sect. 13 (p. 176, l. 15).

205 22 **nec vero non,** *nor can it be but that.*

205 24 **imaginibus** (cf. **formas,** l. 28), waxen *masks* of ancestors, worn by persons in the funeral procession, to represent the departed worthies (see note on the *jus imaginum*, Introduction, p. l, N.[1]); **cantu,** *music;* **ludis,** *games;* **exsequiis,** *procession;* **funere,** *burial rites.*

205 26 **celebritate,** *throng* (see sect. 33, and notes).

205 30 **mortem ejus lacerari,** *that his dead body should be mangled.* — **in quo,** *that in which,* i.e. the Forum.

205 32 (SECT. 87.) **quae . . . pateretur**: § 535, *e* (320, *e*); B. 283, 2; G. 633; H. 592 (517); D. 730.

206 3 **consensu,** modifying **gesta**: the acts referred to are those of Cicero's consulship, which Clodius had practically *annulled* (**rescinderat**) by procuring his banishment.

206 4 **domum incenderat**: this was in B.C. 57.

206 9 **capere,** *contain.*

206 10 **incidebantur**: he felt so sure of his power that he was having the laws engraved (on bronze tablets, according to the custom) even before their passage.

206 11 **nos . . . addicerent,** *which should bind us over to our own slaves* (i.e. freedmen). The suffrage of the freedmen was a standing subject of controversy in Roman politics. They voted in the four city tribes (see note on sect. 25, p. 181, l. 26), but many efforts were made to get them into the rustic tribes; and Clodius had promised, as prætor, to bring forward a law with this object.

206 13 (SECT. 88.) Cicero emphasizes the providential interposition of the gods by dwelling on the desperate nature of the situation.

206 14 **illum ipsum,** i.e. Pompey, who returned to Rome from the East just before the Clodian disturbances began. — **reditu,** referring to his reconciliation with Pompey.

206 18 **hic,** *at this point* (in the development of Clodius's plans). — **supra**: see sect. 84 (p. 204, l. 30), and note.

206 19 **aliter,** i.e. if he had not laid this plot (fatal to himself) against Milo: virtually the protasis of all the cont. to fact apodoses in this and the following section.

206 20 **potuit,** cont. to fact apod.; cf. **esset ulta** (l. 21).

206 21 **circumscripsisset,** i.e. *kept him within the legitimate bounds of his office* (as prætor): of course ironical.

206 22 **id facere,** i.e. when the Senate used to exercise that power. — **in privato,** i.e. when he held no magistracy.

206 25 (Sect. 89.) **suos,** i.e. just the ones whom he wanted.

206 26 **virtutem consularem,** *the courage of a consul* (i.e. Cicero).

206 29 **libertos suos:** if he freed the slaves of others, they would be his freedmen, and bound to him as clients (see note, Rosc. Am., p. 6, l. 10).

206 30 **nisi . . . impulissent,** a formal repetition of the protasis implied in **aliter** (l. 19, above).

207 6 (Sect. 90.) **templum,** etc., *the sanctuary of public purity, grandeur, wisdom, and counsel.* — **templum . . . inflammari,** indir. disc. after the idea of *seeing* continued from **vidimus.**

207 7 **aram sociorum,** as being the place to which they looked for protection.

207 8 **portum,** *haven of refuge.*

207 9 **funestari,** *defiled* by the presence of a corpse.

207 11 **ab uno,** i.e. Sex. Clodius.

207 12 **ustor,** i.e. in the humble capacity of a mere cremator. A bitter jest on the consequences of Sex. Clodius's act in burning the body.

207 14 (Sect. 91.) **via Appia,** where the homicide was committed (cf. sect. 17, p. 178, l. 13).

207 15 **ab eo,** *from* (i.e. against) *him.*

207 18 **furias,** virtually = *madness,* though with a vague allusion to the Furies, who drove a guilty man on to further crimes.

207 20 **falcibus,** *hooks* (like firemen's hooks) to tear up the steps and turn the building into a fortress. — **ad Castoris:** see note, sect. 18 (p. 178, l. 25).

207 21 **disturbari,** *broken up* (not merely "disturbed").

207 22 **silentio,** i.e. the *contio* was orderly and well disposed until the attack of the Clodians. — **M. Caelius:** a young man who was esteemed by Cicero as of great promise, and defended by him in a cause of some scandal, but who afterwards turned out to be a wild and desperate demagogue. In the year B.C. 44, after Cæsar's victory at Pharsalia, both Cælius and Milo, in concert with each other, headed revolts against Cæsar, and lost their lives ignominiously in southern Italy.

V. Peroratio (§§ 92–104)

Sects. 92–98. Milo deserves the compassion of the judges. He bids the ungrateful city an affectionate farewell. Calmly resigned, he appeals to the judgment of posterity.

208 2 (Sect. 92.) **orationem,** *manner of speech.*

208 3 **hoc,** *on this account:* § 414, *a*, N. (250, N.); B. 223; G. 403; H. 479 (423); D. 475.

208 5 **infimi . . . fortuna,** *in regard to the lot and fortunes of men of the lowest class* (i.e. the gladiators).

208 6 **ut liceat** depends on **obsecrantīs** (acc. plur.).

208 8 **cupimus**: in gladiatorial contests, if one combatant had the other at his mercy, he waited the will of the people, who expressed their wishes by turning their thumbs up or down. If most thumbs were turned up, he was put to death.

208 12 (Sect. 93.) **exanimant,** etc., *these words of Milo dishearten and depress me.*

208 14 **valeant, valeant**: translate (to preserve the lit. meaning of the word, which is here played upon) *good-bye to my fellow-citizens, may heaven bless them!*

208 17 **licet,** sc. *perfrui.*

208 18 **propter me,** *through my efforts.*

208 23 **re publica oppressa,** *when the government was crushed.*

208 24 **acceperam,** had *found.*

208 26 **Clodianis armis** (abl. of cause), i.e. on account of the violence of Clodius.

208 27 **putarem,** *should I have thought?* § 444 and N. (268 and R.); B. 227; G. 466; H. 559, 4 (484, v); D. 678.

208 31 **tui**: Cicero was of an equestrian family and throughout his career favored the interests of the *equites* and was supported by them in turn (cf. Manil., sect. 4).

209 4 (Sect. 95.) **quo videtis,** sc. *eum esse.*

209 5 **ingratis civibus,** *that it is for* UNGRATEFUL *fellow-citizens that he has,* etc.: the Latin, from its freedom in the use of emphatic position, is able to say this in a single clause.

209 8 **se fecisse ut,** etc., *that he has succeeded in,* etc.

209 9 **tribus patrimoniis**: Milo was by birth a member of the Papian gens, but was adopted by his maternal grandfather, C. Annius. This accounts for two patrimonies; the third, Asconius thinks, was probably his mother's. The orator here makes a civic virtue out of Milo's lavish bribery.

209 10 **ne . . . non conciliarit,** *that he has not won over:* § 564 (331, *f*); B. 295, 2, *a*; G. 550, 2; H. 567, 2 (498, iii, N.[2]); D. 720, ii.

209 15 **ablaturum,** *shall bear away* (i.e. the memory of them).

209 16 (SECT. 96.) **vocem praeconis,** etc.: i.e. the election was practically decided when the *comitia* were broken up by a mob. The election could not therefore be formally and legally complete, and no announcement could be made by the herald, but the will of the people had been already expressed.

209 18 **si haec,** etc., *if this case shall go against him.*

209 19 **facinoris suspicionem,** etc., *the suspicion of a great crime, not the indictment for this act.* That is, as the last chapters have shown, it was, in Cicero's view, not Clodius's death, but suspicion of designs against Pompey and the state, that decided the case against Milo.

209 22 **recte facta:** § 321, *b* (207, *c*); G. 437, R.; D. 863.

209 25 (SECT. 97.) **qui beneficio,** etc., *who have surpassed their fellow-citizens in good services,* i.e. have done more for their fellow-citizens than the latter have repaid by gratitude.

209 27 **si . . . ratio,** *if regard were to be had* (cont. to fact, implying that it is not a question of rewards at all): to this prot. we should expect an apod. of corresponding form; but this (which would be "we should say," or the like) is supplanted by a simple acc. and inf. of indir. disc. (**amplissimum esse,** etc.) expressing that which we "should say."

209 29 **consolaretur:** this and the following imperfects are due to the change in sequence effected by **esset habenda** above. This change of tense, however, is only formal, and the imperfect may be translated by the present.

210 3 (SECT. 98.) **faces,** etc.: for the figure, cf. Cat. i, sect. 29.

210 5 **Etruriae festos dies:** holidays appointed by the people of Etruria, whom Clodius had cheated and robbed, at the good news of his death. — **et actos et institutos,** agreeing with **festos dies:** the celebrations that have already taken place, and the anniversaries that have been established.

210 7 **qua . . . ea,** *wherever . . . there* (abl. of way by which).

210 9 **non laboro,** *I have no concern.*

210 10 **versatur,** *abides.*

Sects. 99–103. Milo's cause is Cicero's own: Cicero appeals to the judges in his own name. The exile of Milo will be a calamity to the defenders of Rome.

210 12 (SECT. 99.) **his**, i.e. those present at the trial.

210 13 **cum . . . es**: cf. **cum timemus**, sect. 67 (p. 197, l. 31).

210 17 **ut . . . possim**: § 571, *c* (332, *f*); G. 557, R.; H. 571, 4 (501, iii); D. 741.

210 22 **quanti**, pred. gen. of indefinite value. — **quae oblivio**, *forgetfulness of this.*

210 27 (SECT. 100.) **pietatis**, *gratitude.*

210 28 **inimicitias**, etc.: "Such," says Asconius, "were the constancy and good faith of Cicero, that neither the popular enmity, nor the suspicions of Pompey, nor the fear of coming danger if he should be put on trial before the people, nor the arms openly taken up against Milo, could deter him from his defence, when he might have shunned all danger and popular wrath, and even won back the good will of Pompey, by relaxing a little the zeal of his advocacy."

211 10 (SECT. 101.) **hic ea mente**, etc., i.e. this self-renunciation is in accordance with Milo's character, but (it is implied) the jurors ought not to be so affected by it as to refuse to acquit him.

211 13 **excipiat**, after **dignior qui**: § 535, *f* (320, *f*); B. 282, 3; G. 631, 1; H. 591, 7 (503, ii 2); D. 717.

211 20 (SECT. 102.) **hos**, i.e. the Roman citizens present.

211 23 **temporum illorum**, i.e. the time of Cicero's distress and banishment.

211 24 **mene non potuisse**, sc. *respondebo.*

211 26 **gentibus**: a line must have dropped out, part of which belongs with **gentibus**. The meaning of the rest of the section is therefore not clear.

211 29 (SECT. 103.) **illa indicia**, i.e. those of Catiline's conspiracy.

212 2 **fuerit**, subj. of integral part.

212 3 **possum**, virtually future, and so used as apodosis to a future protasis.

212 6 **dixerim**: § 446 (311, *a*); B. 280, 1; G. 257; H. 552 (485); D. 684, 685.

212 8 **dictator**: in times of great public emergency the Senate could call upon the consuls to create a Dictator, who should possess the undivided power of the old kings, but only for the period of six months. The laws of appeal and other safeguards of individual liberty had at first no force against this magistrate. In later times dictators were no longer appointed, but the consuls were invested with dictatorial power by the formula, *videant ne*, etc. (Cat. i, sect. 2). Sulla, and afterwards Cæsar, revived the name and authority of this magistracy, but, by holding it for life (*perpetuo*), completely changed its character, making it equivalent to absolute sovereignty. The *Magister Equitum*, appointed by the Dictator, stood next in command to him.

212 9 **viderem**: § 571, *a* (332, *b*); B. 284, 4; G. 298 and N.[2]; H. 570, 1 (502, 2); D. 733.

Sects. 104, 105. Happy the country that receives Milo! Closing appeal to the court.

212 15 (SECT. 104.) **in Italia**: since the Social War, the towns of Italy, having received Roman citizenship, had lost the *jus exsilii*, i.e. had ceased to be foreign territory to which exiles from Rome could retire.

212 21 (SECT. 105.) **lacrimis defendi**: this was a peculiarly Roman custom. Many a desperate case was gained in the Roman courts by putting on mourning and bringing out the wife and children of the accused in deep mourning and bathed in tears.

Not long after this trial, which ended in Milo's conviction, he was tried again in his absence for bribery (*ambitus*) and illegal combinations (*de sodaliciis*), and on a second charge of assault (*de vi*), and was condemned on each count. Cicero sent him a copy of his labored defence, and received a reply drily thanking him for his effort, but expressing satisfaction that the speech was not delivered; "For then," said he, "I should not now be eating the excellent mullets of Marseilles."

In the Civil War, Milo perished in South Italy while leading the remnant of his troop of gladiators in resistance to Cæsar, — "hit with a stone from the wall" in an assault on the town of Cosa in Lucania (see Cæsar, *Bellum Civile*, iii, 22).

ORATION FOR MARCELLUS

ARGUMENT

CHAP. I. Cicero's long silence broken. Cæsar's pardon of Marcellus the earnest of a restored republic. — 2. This is the greatest of Cæsar's deeds. — 3. Conquest is a natural and frequent thing: self-conquest is a divine attribute. Other praises are drowned by the noise of war: this wins love and gratitude. — 4. This glory none can claim to share. Victory itself is conquered when its rights are renounced. — 5, 6. This pardon reaches far beyond Cæsar's other acts. Cicero had feared the violence of his own side if victorious: Cæsar's spirit was the nobler. — 7. Cæsar has nothing to fear from Marcellus: the state itself will defend its savior. — 8. The wounds of the Civil War must be healed: he must live to restore the republic. — 9. This glory must ever remain: unless the state is restored, his other glories will have no abiding place. — 10. The Civil War is finished. — 11. Cicero is the mouthpiece of all in rendering thanks to Cæsar.

This oration for Marcellus is not argumentative but eulogistic, belonging to the *genus demonstrativum* (see general Introd., p. xli). It is therefore not divided into *narratio, confirmatio,* etc., like most of the other orations in this volume.

Sects. 1, 3. Cicero's long silence broken. Cæsar's pardon of Marcellus is the earnest of a restored republic.

PAGE **214**. LINE 1. (SECT. 1.) **diuturni silenti**: it was now more than six years since the defence of Milo, which was followed almost immediately by Cicero's absence as proconsul in Cilicia, whence he returned only on the eve of the Pharsalian campaign. — **eram . . . usus,** *had kept.*

214 3 **verecundia,** *modesty,* i.e. distrust of himself under the circumstances.

214 4 **vellem**: not subj. of indir. question, but informal indir. disc.; § 592, 2 (341, *c*); B. 323; G. 662; H. 649, ii (528, 1); D. 905.

214 5 **tantam mansuetudinem,** etc.: no doubt these words express the genuine and grateful surprise felt at Cæsar's clemency, so different from the conduct of former conquerors in civil wars (as Sulla, for example).

214 6 **rerum omnium,** *in every respect.*

214 13 (SECT. 2.) **in eadem causa**: Cicero also had been on Pompey's side.

214 15 **versari me**: this phrase belongs as well with **persuadere** as with **fas esse,** but its construction is determined by the latter.

214 21 (SECT. 3.) **in multis . . . in me ipso,** *in the case of many, and especially in my own.*

214 22 **paulo ante,** *just now.* — [in] **omnibus,** i.e. by pardoning Marcellus, whom he thought a most violent opponent, Cæsar had shown that his clemency would extend to all, however much they had opposed him.

214 26 **suspicionibus**: Cæsar is said to have suspected Marcellus of plotting his assassination (cf. sect. 21).

214 26 **ille,** i.e. Marcellus too.

Sects. 4–12. This pardon is the greatest of Cæsar's deeds. His other exploits were glorious victories: this is the conquest of himself. He shares this conquest with no one.

215 16 (SECT. 5.) **usurpare,** *dwell on.*

215 28 **et certe,** etc., *and it is certainly true that,* etc.

FIG. 49

215 30 (SECT. 6.) **Fortuna:** see Manil. Law, sect. 47.

215 32 (SECT. 7.) **hujus gloriae,** i.e. the glory of granting this pardon.

216 3 **centurio,** the infantry officer (see note on p. 83, l. 31).

216 4 **praefectus,** the commander of the auxiliary cavalry. So **cohors** and **turma** correspond to each other, as the infantry and cavalry divisions.

216 9 (SECT. 8.) **immanitate barbaras,** i.e. *barbarous and fierce:* his first conquests had subdued the Gauls, Germans, and Britons.

216 10 **locis infinitas:** Cæsar moved from Gaul, B.C. 49, into Italy, and the same year to Spain. In 48 he crossed over to Greece, and thence to Egypt; in 47 he carried on war in Asia Minor, and in 46 gained the crowning victory of Thapsus in Africa.

216 13 **animum vincere,** *to rule his spirit;* cf. Proverbs xvi, 32: "He that is slow to anger is better than the mighty; and he that ruleth his spirit than he that taketh a city."

216 14 **victoriam temperare,** *to control the passions of victory* (cf. sect. 9, p. 216, l. 27).

216 15 **nobilitate . . . praestantem**: this description is inserted to enhance the credit of Cæsar's act, inasmuch as the greater the adversary the more dangerous his restoration would seem.

216 17 **haec qui facit**: a slight break in the construction (anacoluthon); the proper predicate of the preceding infins. would be connected with them by *est;* the proper object of **facit** would be a result clause with *ut.* The effect of the Latin can be exactly reproduced in translation.

216 19 (Sect. 9.) **illae quidem**: the pronoun (as often in concessive sentences) is inserted only to carry **quidem,** adding nothing to the sense; § 298, *a* (195, *c*).

216 22 **nescio quo modo**: here (as often) with a slight tone of regret; cf. our colloquial "somehow or other."

216 23 **tubarum,** *of trumpets:* the *tuba* was a long, straight horn, used in infantry; the *lituus* a curved one, used in cavalry. The silver trumpets of the Temple at Jerusalem, represented in Fig. 49 as they appear on the Arch of Titus as carried in his triumph, show the form of the *tuba.*

Fig. 50

216 31 (Sect. 10.) **ut . . . velis**: for this rare constr., see § 571, *c* (332, *f*); cf. G. 553, 4; cf. H. 571, 2 (501, i, 2); D. 741, 825.

217 2 **studiis prosequemur**: the figure is that of a distinguished Roman escorted by a throng with enthusiastic acclamations (**studiis**).

217 4 **hujus curiae**: the old Curia Hostilia, on the north side of the *Comitium*, was destroyed by fire in the riots after the death of Clodius, B.C. 52 (see Milo, sect. 33); but was rebuilt by Faustus Sulla, son of the dictator.

217 6 **C. Marcelli**: cos. B.C. 50, cousin of M. Marcellus.

217 10 **suam**: § 301, *c* (196, *g*); B. 244, *a*, 4; G. 309, 2; H. 503, 4 (449, 2).

217 18 (Sect. 11.) **tropaeis et monumentis**: the *tropaea* were memorials of victory, consisting of armor of the conquered, arranged in human form, and either erected by itself (see Fig. 50, from a coin) or attached to some monument, as a column or arch. As to monuments, Cæsar did not live to carry out his plans fully; he built, however, a new enclosure for assemblies, the *Saepta Julia*, and laid out a new forum for courts of justice, the *Forum Julium*, north of the old Forum. — **adlatura sit**, though in form introduced by **ut**, is not the real result of **tanta est**, which should be some verb in sect. 12; this, however, by a change in the construction, is suppressed, and the sentence begins again with a future (**florescet**).

217 22 (SECT. 12.) **operibus**, dat.: § 381 (229); B. 188, 2, *d*; G. 345; H. 426, 2 (385, 2); D. 389.

217 23 **victores**, i.e. Cinna, Marius, and Sulla.

217 25 **perinde . . . atque**, *just as*.

217 28 **omnes**, *all of us* (as is shown by **sumus**).

217 29 **occidissemus**, *had fallen*: a rhetorical exaggeration for "had forfeited our lives."

Sects. 13–20. This pardon reaches far beyond Cæsar's other acts. Peace has always been his aim. His clemency in the hour of triumph contrasted with the fury of the Pompeians. Let him continue his noble moderation.

218 2 (SECT. 13.) **illa**, i.e. Pompey's.

218 7 **sibi**: see note on Cat. ii, sect. 17 (p. 120, l. 17).

218 8 **reddidit**, *restored*, by inspiring them with confidence that no vengeance would follow, so that they have returned to their homes.

218 9 **hostīs**, acc. plur.

218 15 (SECT. 14.) **flagitantium**: before the outbreak of the Civil War, Cæsar sent C. Curio (son of C. Curio, Verr. i, sect. 18) to Rome with offers of compromise, which were spurned by the Senate.

218 18 **hominem** (emphat.), *the man* (Pompey), not his measures. — **consilio**, *reasons*.

218 19 **grati animi**: at the time of Cicero's recall, Pompey interested himself to go in person to several of the Italian towns to encourage the general feeling in his favor, and so atoned in part for the tardiness of his support and his earlier hesitating, cold, and ungracious course.

218 23 (SECT. 15.) **integra re**, *before anything had been done* (i.e. before peace was broken).

218 24 **cum capitis mei periculo**: it is said that after Pompey's defeat the command was urged upon Cicero by Cato; and on his refusal to conduct the war, Sextus Pompey would have stabbed him unless Cato had interfered.

218 27 **statim censuerit**: Cicero was welcomed and kindly treated by Cæsar on his return to Italy, B.C. 47. The war was not finished till the next year, hence **incertus exitus**, etc.

218 29 **victor,** *when victorious* (opposed to **incertus**, etc.).

219 4 (SECT. 16.) **certorum hominum**: such senatorial leaders as Metellus, Scipio, and Dolabella. Cicero says, in a letter to M. Marius (Fam. vii, 3): "Excepting the chief and a few besides, the others — the leaders I mean — were so grasping in the campaign and so cruel in their talk, that I shuddered at the thought of victory. There was nothing good except the cause." And to Atticus (ix, 7), "It is their plan to stifle (*suffocare*) the city and Italy by famine, then ravage the fields, set fire, and not spare the money of the rich." Pompey, he says, would often say, *Sulla potuit: ego non potero?* (ib. ix, 10).

219 11 (SECT. 17.) **ut . . . debeat,** clause of result.

219 12 **excitaret**: more exactly **excitaturus fuerit**; cf. § 517, *d* (308, *d*, N.); B. 322; G. 597, R.[5], *a*; H. 541, N.[1] (496, N.[2]); cf. D. 797, *b*.

219 16 (SECT. 18.) **otiosis,** *the neutral.*

219 22 **contulisse ad,** *made all hope*, etc., *depend on*, etc.

219 26 (SECT. 19.) **est,** *comes.*

219 31 **quae,** *things which.* The Stoics held that virtue was the *summum bonum*, and Cicero here alludes to that doctrine.

220 3 **commodata,** *loaned.*

220 4 (SECT. 20.) **praesertim** belongs with **lapsis**.

220 5 **opinione,** *notion.*

220 6 **specie,** etc., i.e. with the idea of following the apparently established government (that of the Senate, which was on Pompey's side).

220 7 **si . . . timuerunt**: cf. § 572, *b*, N. (333, R.); the protasis is logically the subject of **est**.

220 8 **senserunt,** *found by experience.*

Sects. 21, 22. Cæsar has nothing to fear from Marcellus. All good citizens desire the safety of Cæsar, for the restoration of the state depends on him.

220 9 (SECT. 21.) **querelam,** etc., that the partisans of Pompey wished to kill him.

220 16 **de tuis,** i.e. his immediate companions; **qui unā,** those on the same side.

220 17 **qui fuerunt,** sc. *inimici.*

220 28 (SECT. 22.) **nihil . . . cogitans,** *inconsiderate.*

220 30 **equidem,** *for my part.*

220 31 **dumtaxat,** *merely* (i.e. even the ordinary chances of life, to say nothing of violence and plots).

Sects. 23–29. The wounds of war must be healed. Cæsar has a great task yet to perform. His work is not done till the state is restored: only then will his fame be secure.

221 8 (Sect. 23.) **constituenda judicia**, etc.: the short period of Cæsar's dictatorship was distinguished by a number of salutary enactments, almost equivalent to a complete revision of the constitution.

221 9 **propaganda suboles**: the waste of population by incessant wars had already begun to alarm the best minds of Rome. It was, in fact, the chief direct cause of the ruin of the Empire.

221 10 **diffluxerunt**, *have run wild* (like vines).

221 13 (Sect. 24.) **fuisset**, subj. of integral part.

221 15 **faceret**, in the same constr. as **perderet.** — **prohibuisset**, cont. to fact apod.; the prot. is implied in **togatus**.

221 16 **sananda**, *to be healed* (referring to the result); **mederi**, *to remedy* (referring to treatment).

221 22 **doctorum hominum**, *philosophers*.

221 25 **tum**, referring (as often) to the protasis which follows: § 512, *b* (304, *b*); G. 590, N.[1].

221 29 **hic**, *in these circumstances*.

222 1 (Sect. 26.) **immo vero**, *on the contrary*.

222 5 **futurus fuit**, *was to be*.

222 8 **si quidem**, *since in fact:* § 515, *a*, N. (306, *a*, N.); G. 595, R.[5]; H. 574, 1 (507, 3, N.[2]).

222 11 (Sect. 27.) **hic . . . actus**, as in a play; hence **elaborandum**, a word used of literary composition.

222 15 **dicito**, fut. as referring to the time designated by **tum**: § 449, 1 (269, *d*, 1); B. 281, 1, *a*; G. 268, 2; H. 560, 4 (487, 2 [1]); D. 690, *b*.

222 16 **diu**: § 33 (29, *c*); G. 20, iii; D. 68.

222 19 **angustiis**, *narrow bounds*.

222 24 (Sect. 28.) [*ut*] **inservias**: § 565 (331, *f*, R.); cf. B. 295, 8; cf. G. 553, R.[1]; cf. H. 564, ii, 1 (502, 1); D. 722.

222 25 **quae quidem**, i.e. **aeternitas**. — **quae miretur**, purpose clause; the subject is **vita**.

222 27 **certe**, *doubtless*.— **imperia**, etc., obj. of **audientes** and **legentes**.

222 29 **munera**, *gifts* to the people, such as monuments and spectacular performances.

223 2 (Sect. 29.) **sedem**, *abiding-place;* **domicilium**, *home*.

223 6 **requirent**, *will miss*.

223 7 **illud**, i.e. the war; **hoc**, i.e. the public safety.

223 8 **servi eis judicibus**, *pay regard to those judges*.

Sects. 30–34. The Civil War is finished. Boundless gratitude is due to Cæsar, not only for restoring Marcellus to his country but for all which that act implies.

223 13 (Sect. 30.) **non pertinebit,** *will have no concern for.* Such was the doctrine of the Epicureans, who believed in annihilation after death.

223 17 **obscuritas,** *uncertainty,* i.e. as to which side a good citizen ought to take.

223 20 **deceret,** *was becoming,* i.e. to their position and circumstances. A Senator, for example, however well affected to Cæsar, might have felt it his duty to side with his class (who were in general partisans of Pompey). Such conflicts of mind of course constantly arise in civil wars. — **liceret,** *was legal.* Both Cæsar and Pompey claimed to be acting under the laws.

223 20 (Sect. 31.) **perfuncta est,** *has done with.*

223 22 **inflammaret,** etc.: cf. sect. 16 and note (p. 219, l. 4).

223 24 **ab,** etc.: the first **ab** means *by*; the second, *from.*

224 1 (Sect. 32.) **sanitatis,** *a sound mind* (ordinary intelligence).

224 4 **haec** (with a gesture), *this glorious city.*

224 9 **oppositus,** *interposition,* literally plur.: § 100, *c* (75, *c*); B. 55, 4, *c*; G. 204, N.[5]; H. 138, 2 (130, 2); D. 126, *c.*

224 10 (Sect. 33.) **unde,** *with which* (in Latin the beginning is regarded as the source *from which*).

224 11 **agimus,** *express*; **habemus,** *feel.*

224 19 (Sect. 34.) **mea,** *on my part.*

224 22 **cum id . . . praestiterim,** *while I have fulfilled it.*

224 25 **me . . . conservato,** *while I have been preserved.*

224 27 **quod . . . non arbitrabar,** *which I thought no longer possible.*

ORATION FOR LIGARIUS

ARGUMENT

Chap. I. *Exordium* (sect. 1–sect. 2, l. 18). A strange charge is this against Ligarius, — that he was in Africa, — and he confesses it. — *Narratio* (sect. 2, ll. 19–26, sect. 3). Ligarius went to Africa in time of peace and remained there under Varus: this is all. — *Confirmatio.* 2, 3. No ground for accusation: he went to Africa before war broke out, and his remaining there was a plain necessity. Cicero himself is more guilty than he, and Tubero, the accuser, actually fought on the side of Pompey: yet both have been pardoned. — 4. But now Tubero seeks the life of Ligarius. — 5. Perhaps Tubero's intention is not bloodthirsty; but his action is inhuman. — 6. Cæsar has never regarded the Pompeians as criminals. — 7, 8. In connection with Africa, Tubero is less excusable than Ligarius; for Tubero went to Africa in Pompey's behalf. — 9. Tubero's fidelity to Pompey is praiseworthy in Cæsar's eyes. — 10, 11. He has been pardoned by Cæsar: why should not Ligarius be forgiven? Many friends desire his pardon. — 12 (sects. 34–36). His brothers have always been friendly to Cæsar. — *Peroratio.* 12 (sects. 37, 38). Let Cæsar show his customary clemency.

I. Exordium (§§ 1, 2, l. 18)

Sect. 1–sect. 2, l. 18. A strange charge is this, — that Ligarius was in Africa; and this charge is confessed: Ligarius must then depend on Cæsar's mercy only.

The first section is elaborately ironical: to have been in Africa was, of course, no crime, nor was the fact that Ligarius had been there unknown. The whole not merely leads up to Cicero's main contention (that the siding of Ligarius with the Pompeians was due to circumstances and not to hatred of Cæsar), but introduces his clever sarcasm on Tubero, himself an ex-Pompeian (sect. 2).

Page **226**. Line 2. (Sect. 1.) **propinquus**, *kinsman.* It is not known what was the relationship of Tubero to Cicero. — **Tubero**: Q. Ælius Tubero, the prosecutor, was the son of L. Ælius Tubero, the Pompeian commander, and was lying sick on board his father's ship at the time when Ligarius prevented the landing in Africa (see Introd., p. 225 of text). Cicero throughout the speech conveys the impression that personal resentment was at the bottom of Q. Tubero's action in opposing the pardon of Ligarius.

226 3 **Pansa**: C. Vibius, cos. B.C. 43 (see Phil. xiv), at this time a leading supporter of Cæsar. He was a petitioner for Ligarius.

226 5 **quo me vertam**, *which way to turn.*

226 10 **necessarius**: Cicero's *necessitudo* to Pansa appears to have consisted in their working together in behalf of Ligarius. — **ut . . . esset** (obj. of **fecerit**), *that it is no longer a new case.*

226 16 (Sect. 2.) **in ea parte**, i.e. the side of Pompey, on which the younger Tubero (the accuser) had been, though he had since become reconciled to Cæsar.

II. NARRATIO (§ 2, ll. 19–26, § 3)

Sects. 2 (ll. 19–26), 3. Ligarius went to Africa in time of peace; he remained there peaceably under Varus: these are all the facts in the case.

226 20 **Considio**: C. Considius Longus, a proprætor of Africa in B.C. 50, the year before the Civil War.

226 21 **sociis**: see note on Verres, sect. 13 (p. 32, l. 29).

226 22 **satis facere**, etc.: if a governor left his province before the expiration of his term, he could appoint any officer he chose to govern *pro praetore* in his place, and such a substitute exercised the *imperium* of his superior. It was usual, although not obligatory, to appoint the highest subordinate officer, the quæstor. Hence this apologetic expression of the orator: Ligarius, he says, was so highly esteemed both by the Roman residents and by the native provincials that Considius could do no less than appoint him.

226 27 (SECT. 3.) **qui erant in Africa**, i.e. the Roman citizens there.

226 28 **cupiditate inconsiderata**, *headlong partisanship.*

226 29 **salutis** and **studi** limit **ducem**. — **studi**, *partisan zeal.*

226 30 **ducem**, i.e. they wished to organize, at first to secure their own safety, and afterwards to aid the Pompeian party, and hence they desired a military leader. — **cum**: § 546, *a* (325, *b*); B. 288, 2; G. 581; H. 600, i (521, i); D. 751.

227 1 **implicari**, i.e. refused to commit himself to any such action.

227 2 **praetor**, i.e. as proprætor. — **obtinuerat**, *had held*, in some former year. Of course, therefore, he had no legitimate authority in Africa at the present time, for the *imperium* had to be conferred by a special and very definite act; hence the expression **si illud**, etc. (l. 4).

III. CONFIRMATIO (§§ 4–36)

Sects. 4, 5. No ground for accusation in the facts: Ligarius went to Africa before the war: his remaining there was a plain necessity. No enmity against Cæsar on his part.

227 7 (SECT. 4.) **qui cuperet**, *being one who wished.*

227 12 **in provincia pacatissima**: Africa was one of the earliest and most thoroughly conquered of the provinces. — **ita se gessit**, etc.: in contrast to others who welcomed a state of war to escape or hide the consequences of their acts of violence or oppression.

227 13 **pacem esse**, subject of **expediret**. — **profectio**, *his going there.*

227 19 (Sect. 5.) **quod**, *that during which* (a forced use of the acc. of duration of time).

227 21 **Uticae**: a Phœnician city in Africa, older than Carthage, under whose supremacy it was always restless. For this reason it helped Rome against Carthage, and was rewarded with the gift of territory. After Africa was made a Roman province, Utica was its capital.

Sects. 6–8. Cicero himself is more guilty than Ligarius; yet Cæsar has shown him nothing but favor.

228 4 (Sect. 6.) **occurrat**: indir. question depending on **reformidat.**

228 14 (Sect. 7.) **imperator**: after the news of Pompey's death (B.C. 48) Cæsar was made *dictator rei publicae constituendae*, at the same time receiving certain other special grants of power, and retaining the *imperium*, which he had now held uninterruptedly for twelve years. Hence the exaggerated expression **imperator unus**; for in the original sense of this title (see note on p. 252, l. 6) it could be borne by as many officers as was necessary. It was not until the spring of B.C. 45, some months after the delivery of this oration, that *Imperator* became the title of a new magistrate in whom the *imperium* was vested for his life, to be transmitted to his descendants. This was the commencement of the Empire, though the office was suspended from the death of Cæsar till it was revived by Augustus. From this time the old use of this title was rare.

228 15 **alterum**, *second.* Cicero was imperator by virtue of his provincial government in Cilicia.

228 17 **fascīs laureatos**: the *fasces* were wreathed with laurel when the commander, after a victory, was greeted as *imperator.* Cicero had aspired to the honor of a triumph for successes over some mountaineers in Cilicia, and therefore had not laid down his *imperium* at the time here referred to.

228 18 **reddere**, *restore.* This infin. represents a conative present having a future force; hence **dedisset** for fut. perf. of dir. disc.

228 20 (Sect. 8.) **ut**, *how.*

Sects. 9–16. Who, pray, is it that accuses Ligarius? It is Tubero, who actually took arms against Cæsar. Tubero has been pardoned: yet now he seeks the life of Ligarius. Perhaps his intention is not bloodthirsty; but his action is inhuman in trying to dissuade Cæsar from his habitual course of mercy.

228 27 (Sect. 9.) **fuisse**, subject of **esse.**

228 28 **nempe**, etc., *why! one who*, etc.

228 31 **in acie Pharsalica**: the decisive victory of Cæsar over Pompey, at Pharsalus in Thessaly, was gained August 9, B.C. 48.

228 32 **petebat**, *aimed at.* — **qui sensus**, *what were the sentiments*, etc.? A rhetorical way of asking him with which party he fought.

229 2 **optabas**, *pray for* (stronger than **cupiebas**).

229 5 (SECT. 10.) **hic**, i.e. Cæsar.

229 13 **ut tu vis**, *as you will have it.*

229 15 (SECT. 11.) **dicam** = *dicturus sum.*

229 25 (SECT. 12.) **eum dictatorem**, i.e. Sulla, who, as dictator, had had full judicial powers.

229 27 **praemiis . . . invitabat**: see note, Rosc. Am., sect. 6 (p. 4, l. 6).

229 28 **aliquot annis post**, *some years later.* Sulla had provided by law for the impunity of those who executed his proscriptions; but Cæsar, as *judex quaestionis de sicariis*, B.C. 64, took pains to secure the trial and conviction of more than one of these bloodhounds.

230 3 **generis ac familiae**, subjective gen.; **virtutis**, objective gen.

230 24 (SECT. 15.) **per te**, i.e. as contrasted with the bloodthirstiness of some of his followers.

230 26 **essent**: the prot. is **si . . . esset**, above.

230 27 **reperiantur**: the seq. of tenses is violated to avoid ambiguity; § 485, *i* (287, *h*, N.); B. 268, 7; G. 509, 1, N.; H. 543 (491); cf. D. 707; so **nolint** in l. 29.

231 5 (SECT. 16.) **alicujus**, *for any one.*

231 7 **diceres**: the prot. is implied in **tunc** (i.e. "if you were guarding Cæsar against being deceived"); § 521, *a* (310, *a*); B. 305, 1; G. 594, 3; H. 575, 9 (507, N.[7]); D. 802.

Sects. 17–19. Cæsar has never regarded his opponents in the Civil War as criminals.

231 12 (SECT. 17.) **aditus**, *approach* (i.e. to Cæsar in this case).

231 13 **velle**, etc., indir. disc. depending on the general idea of saying contained in the preceding sentence.

231 14 **de nullo alio**, etc.: i.e. first, why he selected Ligarius out of all Pompey's followers; second, how one who had committed precisely the same fault could have the audacity to bring the charge; and third, what new crime he had to accuse him of. The third point is expressed in the form of an indir. question; the other two are given as causes of the surprise.

231 18 **qui durius** (sc. *appellant*), *those who speak more harshly.*

231 26 (SECT. 18.) **fuerint**: § 440 (266, *c*); cf. B. 308; G. 264; H. 559, 3 (484, iii); D. 677.

231 30 **contumeliam**: Cicero describes as *ccntumelia* the efforts of Pompey and the Senate to check the growing power of Cæsar.

231 32 **pacem esse cupiebas**: it seems certain that Cæsar had, in his desire for peace, carried his offers of compromise as far as it was possible for him to do safely in his position.

232 1 **ut tibi . . . conveniret** (in appos. with **id**), *that you should come to an understanding.*

232 5 (SECT. 19.) **esses**, i.e. in the case supposed.

232 6 **secessionem**: Pompey and most of the Senate had retired at Cæsar's approach to the city, and escaped to Greece.

232 8 **utrisque cupientibus**, *where both wished.*

232 11 **eorum qui sequebantur**: almost the entire body of the Roman nobility followed Pompey.

Sects. 20–25. Tubero's conduct in the Civil War was less excusable than that of Ligarius: for Tubero went to Africa in Pompey's behalf, and, being refused a landing, actually went to Pompey's headquarters.

232 17 (SECT. 20.) **nostram**, i.e. mine and my client's.

232 19 **poteramusne**, sc. *non venire.*

232 26 (SECT. 21.) **Tuberonis sors**: in the assignment of the provinces.

232 28 **excusare**, *to excuse himself.*

232 30 **contubernales**: in Cicero's brief campaign in the Social War.

233 1 **quidam**, *some friend:* it is uncertain who.

233 4 (SECT. 22.) **amplissimi viri**, i.e. Pompey.

233 6 **occupatam**, i.e. by Attius Varus on behalf of Pompey.

233 8 **voluisse, voluisse, maluisse**, all have the clause **Africam . . . obtinere** depending on them, but it is expressed only with the second.

233 9 **natam ad bellum**: a map of the Mediterranean will show the formidable position of the province of Africa as against Italy.

233 11 **aliquem**, *some one else* (subject of **maluisse**).

233 13 (SECT. 23.) **querella**, i.e. "**recepti . . . sumus**," quoted directly.

233 15 **essetis**, sc. *recepti.* — **tradituri fuistis**, *were you going to surrender?* Essentially equiv. to *tradidissetis:* § 517, *d* (308, *d*); B. 304, 3, *b*; G. 597, R.[3], *a*; H. 583 (511, 2); D. 797, *b.*

233 19 **sors**: cf. Verr. i, sect. 21, and note (p. 36, l. 5).

233 20 **cujus . . . interfuit**, *for whose interest it was.*

233 21 **non . . . esset probata,** as being an act of treachery which Cæsar was too noble to approve.

233 25 (SECT. 24.) **veniebatis,** conative imperfect.

233 26 **maxime infestam:** King Juba of Numidia was a zealous adherent of Pompey, and Africa was the seat of the last struggle of the Senate against Cæsar.

233 27 **huic causae,** i.e. Cæsar's.

233 28 **aliena voluntas,** *estranged feeling.* — **conventus:** an association of the citizens of a province, possessing certain corporate powers.

234 1 (SECT. 25.) **nempe,** *naturally enough.*

234 2 **in societatem,** *to take a share in.*

234 4 **venissetis,** *you should have come* (not apod. but hortatory); **venistis** (emphatic), *you did come.*

234 7 **per me,** *for all me.*

234 10 **qui** (causal) **privaverit,** *in that he deprived you.*

Sects. 26–31. Tubero's fidelity to Pompey is praiseworthy in Cæsar's eyes. He has been received into favor. Why should not Ligarius also be pardoned?

234 13 (SECT. 26.) **quamvis . . . probarem,** *however much I might approve:* **probarem** is used instead of *probem* on account of the tense of **commemorarem** (cont. to fact). That **probarem** itself is not cont. to fact is shown by **ut probo.**

234 17 **quotus . . . quisque,** *how many* (see Vocab.).

234 18 **partibus,** *party.*

234 19 **crudelitate:** because the younger Tubero was sick at the time and needed to be put on shore.

234 20 **ad eos ipsos,** construed with **partibus:** § 280, *a* (182, *a*); B. 235, B, 2, *c*; G. 211, R.[1]; H. 389, I (636, iv, 4); D. 950, *f.*

234 23 (SECT. 27.) **ut . . . fuissent:** § 440 (266, *c*); cf. B. 308; G. 608; H. 586, ii (515, iii); D. 677.

234 24 **nequaquam fuerunt:** Varus was of an insignificant family, while the Tuberos were members of the nobility.

234 25 **justo,** *regular* (duly conferred).

234 27 **ad Caesarem,** sc. *venit.*

234 28 **causam,** *side.*

234 32 (SECT. 28.) **ejus,** i.e. Pompey's.

235 2 **bellis:** there is a gap here, which must have contained a thought like "Was there in your minds a zealous desire of victory?"

235 5 **cum videres,** second person of indef. subject in a general condition: § 518, *a* (309, *a*); cf. B. 302, 2; cf. G. 597, R.[3]; H. 578, 2 (508[5]); D. 800.

235 7 **esset,** subj. of characteristic; but for that it would be indic. (*erat*) by § 517, *b* (308, *b*); G. 599, R.[3]; H. 583 (511, N.[3]); D. 643, *a*.

235 8 **vicisses,** integral part (for fut. perf. *viceris*).

235 13 (Sect. 29.) **in illa causa,** i.e. in upholding the side of Pompey.

235 17 **ad unam summam,** *to one main point.*

235 19 **equidem** emphasizes **multas.**

235 20 (Sect. 30.) **tecum,** *in company with you.* Cæsar was hardly less distinguished as an orator than as a general and statesman.— **dum . . . tenuit**: for tense, see § 556 and *a* (276, *e* and N.); B. 293, *i*; G. 569, N.[1]; H. 533, 4 (467, 4, N.); D. 648, *a*, N.—**ratio honorum tuorum,** *the course of ambition* (lit. *the consideration of your* [series of] *offices*). The regular course of a Roman's ambition led him through the *cursus honorum*, i.e. from the quæstorship to the consulship. One of the chief means of advancing his political interests in this career was to act as advocate (*patronus*) in the Forum.—**in foro**: the Forum was the seat of the administration of justice.

235 22 **posthac,** sc. *fecerit.*

235 24 **dic** and **quaere** in effect form a protasis of which **taceo** is the apodosis,—*if you say*, etc., *I am silent:* § 521, *b* (310, *b*); B. 305, 2; G. 593, 4; H. 573, i (507, 1); D. 774, footnote, 802.

235 25 **quibus in praesidiis,** *in which army.*—**ne haec quidem,** i.e. the following.

235 26 **valerent,** *might prevail* (if I used them).

235 27 **bello oppressus,** *overtaken by the war.*

235 28 **in eo ipso,** i.e. in his conduct in the war to which he was forced.

235 30 **temere,** *thoughtlessly.*

235 31 **ignoscatur,** impersonal.—**impetravit,** sc. *veniam.*

235 32 **adroganter,** sc. *oro.*—**idem . . . qui,** *as you have*, etc. (lit. *the same one who have*).

236 1 (Sect. 31.) **mihi,** etc., i.e. I have been not only spared myself but am allowed to appear for another.

236 3 **studiis,** *zealous efforts.* The thought is that Cæsar is accustomed to decide such cases not with reference to any pleading or any wish to gratify his own friends but rather with reference to the character of the petitioners and their relation to the defendant.

236 6 **causas,** *the cause.*

236 7 **voltus**, the tears and lamentations by which it was customary to seek acquittal (see peroration of Defence of Milo). — **quam tuus necessarius**, *how closely connected with you.*

236 8 **quam illius**, opposed to **tuus**.

236 10 **fruuntur, concedas**: the indic. refers to individual cases; the subj. characterizes Cæsar himself, but the difference is slight.

236 13 **justissimum**, *best founded.*

Sects. 32–36. **Many friends desire the pardon of Ligarius. His brothers, who plead for him, have always been friendly to Cæsar.**

236 15 (SECT. 32.) **tu**, not expressed for emphasis but merely to carry the concessive **quidem**.

236 17 **Sabinos**: Ligarius was of Sabine origin, and many of his Sabine friends were present on this occasion.

236 18 **florem**, etc.: the Sabine territory among the mountains was still the home of a hardy and virtuous population.

236 19 **nosti**: during the First Civil War, Cæsar had found shelter from Sulla among these kindly mountaineers.

236 21 **squalorem**: it was the custom of the Romans to express their sympathy for one in danger by going into mourning, that is, by wearing ragged and mean apparel. When Cicero was threatened with exile some 20,000 of his friends are said to have appeared in this guise.

236 25 (SECT. 33.) **quodvis**, *any whatever* (emphatic).

236 28 **vox**, the expression which follows.

236 29 **vicit**, i.e. it was this sentiment of Cæsar, as opposed to the bloodthirstiness of the Pompeians, that won him the victory in the Civil War. — **nos**, i.e. the party of Pompey.

236 30 **nisi qui**, *except those who.*

237 4 **veste mutata**, *in mourning* (see note on p. 236, l. 21, above).

237 5 **tecum fuerunt**, *on your side*, i.e. as holding aloof from the other side. Being neutrals, they had been threatened by the Pompeians.

237 6 **non nulli**, *some of us.*

237 7 **tuis suos**, *to your friends their friends.*

237 12 (SECT. 34.) **fuerit futurus**: see note on p. 233, l. 15.

237 13 **conspirantem**, *harmonious* (breathing together); **conflatum**, *identical* (fused together).

237 15 **quidvis . . . quam ut**, *that* ANYTHING *would have happened before these brothers*, etc.

237 16 **ut . . . sequerentur**, subst. clause of result: § 571, *a* (332, *b*); B. 284, 4; G. 557, N.[2]; H. 570, 1 (502, 2); D. 733.

237 17 **tempestate,** *by stress of weather.*

237 19 **tamen,** *in spite of that.*

237 19 (SECT. 35.) **ierit,** etc. (concessive subj.), *suppose he did go.*

237 21 **hi . . . tui,** THESE *entreat you and they are yours.* — **equidem** sets off the implied subject *ego* against *tu*, below. — **cum interessem,** *having been concerned in.*

237 22 **quaestor urbanus,** *city treasurer* (see Introd., p. lix), in which capacity he appears to have done a service to Cæsar, who was then in Gaul.

237 28 (SECT. 36.) **nihil egit aliud,** *had no other aim.*

237 29 **haec,** *the present condition of things*, i.e. T. Ligarius could not have any interested motive in doing this favor, since he could not foresee how powerful Cæsar was to become. — **eum**: § 300, *b* (196, *a*, 2, N.); G. 521, N.[3]; H. 449, 1[3]; D. 522, N.

237 31 **officio,** *service* (to you).

237 32 **tot talibus,** *many and excellent as they are.*

238 2 **condonaveris**: *condonare* is to grant something for the sake of some one else.

IV. PERORATIO (§§ 37, 38)

Sects. 37, 38. Closing appeal to Cæsar to show his customary clemency.

238 3 (SECT. 37.) **de homine nobilissimo,** i.e. Marcellus.

238 4 **in curia,** before the Senate (see Introd. to Oration for Marcellus). — **foro**: Ligarius had been accused; hence the form of trial in the Forum.

238 10 **populare,** *popular*, but in a strictly political sense.

238 14 (SECT. 38.) **ut possis**: a subst. clause of result (see note on p. 237, l. 16), because an effect is implied in **habet**.

238 16 **postulet**: § 447, *a* (311, *a*, N.[3]); G. 459, R.; H. 552 (485); D. 819.

238 18 **tantum,** *so much only* (as often).

With the praise of Cæsar in the Orations for Marcellus and Ligarius compare the celebrated portrait of him in Cicero's Second Philippic, published shortly after Cæsar's death. This is interesting as the only extant testimony, publicly spoken at the time, of one who was at once contemporary, rival, and peer:

Fuit in illo ingenium, ratio, memoria, litterae, cura, cogitatio, diligentia. Res bello gesserat, quamvis rei publicae calamitosas, at tamen magnas.

Multos annos regnare meditatus, magno labore, multis periculis, quod cogitarat effecerat. Muneribus, monimentis, congiariis, epulis multitudinem imperitam delenierat: suos praemiis, adversarios clementiae specie devinxerat. Quid multa? attulerat jam liberae civitati, partim metu partim patientia, consuetudinem serviendi. Sed ex plurimis malis, quae ab illo rei publicae sunt inusta, hoc tamen boni est, quod didicit jam populus Romanus quantum cuique crederet, quibus se committeret, a quibus caveret.

THE FOURTEENTH PHILIPPIC

ARGUMENT

CHAPS. 1, 2. To return to the garb of peace while Brutus is not safe would be a mockery. His rescue has been the object from the beginning. — 3–5. Antony and his troops should be held as public enemies: their cruelties at Parma, etc.: the city itself has been allotted among them. Cicero would extend the time of rejoicing, and salute the commanders as *imperatores*, to which their deeds entitle them. — 6, 7. Absurd charge against Cicero of aiming at power. The career of honors is open and the people rate men according to their deserts. — 8. His former counsel, that Antony be declared a public enemy. This is implied in the proposed *supplicatio*. — 9, 10. Exploits and eulogy of Pansa, Hirtius, and Octavianus. — 11, 12. A *supplicatio* of fifty days is recommended for the three commanders. Eulogy of the soldiers, the living and the dead. Special tribute to the Martian Legion. — 13. Let us console the relatives of the slain and pay the promised reward to the families of the dead. — 14. Resolution of thanks and honor.

The Fourteenth Philippic consists of two parts, one argumentative and the other eulogistic. There is no lack of connection, however, for the argument is necessary as a basis for the eulogy. The substance of the speech may be stated in one sentence: "Antony is an enemy to the state (*hostis*); hence the victory of the consuls should receive the honors regularly awarded only to successes in foreign wars." The opening passage (sects. 1–5) is in form an objection to the proposed vote to lay aside the military garb; but it is in effect an *exordium*, since it serves to introduce Cicero's first proposition, — that Antony is a public enemy. This proposition is established in sects. 6–25, and the rest of the oration is a tribute of honor to the generals and their soldiers. The *sententia* with which the address concludes (sects. 36–38) sums up all that Cicero has said, and takes the place of the usual *peroratio.*

SECTS. 13–20 form a digression in which Cicero defends himself from certain attacks on the purity of his intentions. But this digression is closely connected on the one hand with the rejoicings over the victory and on the other with the necessity of declaring Antony a *hostis.*

Sects. 1–5. If D. Brutus were safe, we might well lay aside the military garb. But until his safety is assured such rejoicing would be a mockery. The war is not ended until he is relieved from siege.

PAGE **242**. LINE 1. (SECT. 1.) **si**, with **cognovissem** (l. 5), prot. cont. to fact, with **censerem** (l. 7) as its apod. — **ut**, correl. with **sic** (l. 3). — **ex litteris**, i.e. despatches from the seat of war.

FIG. 51

242 2 **hostium**, i.e. Antony's forces.

242 3 **id quod**, namely **D. Brutum egressum . . . esse** (l. 4).

242 4 **Brutum** : D. Brutus, one of Cæsar's murderers, had been assigned by him to the government of Cisalpine Gaul, and took possession of the province after Cæsar's death. In the summer Antony procured the passage of a law transferring this province to himself. Brutus, supported by the Senate, refused to give it up, and upon this issue hostilities broke out. Brutus was at this time besieged in Mutina (Modena), and the consuls, Hirtius and Pansa, had moved to raise the siege.

242 6 **ad saga**, etc., as we should say figuratively "to arms." The *sagum* (Fig. 51) was a simple woollen cloak, fastened over one shoulder with a clasp or buckle (*fibula*), while the *toga* had no fastening but was wound in elaborate folds about the body. It was put on instead of the *toga* (the garment of peace: see note on p. 125, l. 17) in the city when there was war near home, as a sign that the citizens were called to arms. — **issemus**, subj. of subord. clause in indir. disc. — **redeundum**, etc.: to return to the ordinary garb of peace, the *toga*, would, under the circumstances, be a sign of rejoicing.

242 8 **ea res**, i.e. the liberation of D. Brutus from siege.

242 10 **pugnae**: the victory of Hirtius and Pansa at Bononia (see Introd., p. 241 of text).

242 12 (SECT. 2.) **ista sententia**, *that proposition* (one proposed by the Senator P. Servilius, and opposed by Cicero in this oration).

242 15 **id agamus ut**, etc., *let us do so with the intention to retain it.*

242 16 **hoc**, referring to **discedere** (l. 18). The point is that it would not be pleasing to the gods for the citizens to assume the garb of rejoicing merely for a day, and then, since their main prayer had not been granted, to return *ad saga*.

242 21 (SECT. 3.) **redierimus**, sc. *ad vestitum*.

242 22 **ne . . . prodatur**, i.e. if they change their attire for this one day, it will appear that it was not on account of Brutus that the change was made, for he is not yet safe.

243 2 **tollite hanc**, *set aside this motive:* a kind of protasis; § 521, *b* (310, *b*); B. 305, 2; G. 593, 4; H. 560, 4, N. (487, 3); D. 774, footnote, 802.

243 3 **conservate**, etc., *maintain your dignity* (by sustaining Brutus).

243 7 (SECT. 4.) **legati**: this was in January. At the head of the embassy was the distinguished jurist, Ser. Sulpicius Galba, who died on the journey.

243 8 **hosti**, i.e. Antony. — **denuntiarent**, *order* (with threats).

243 10 **Hirtius**, the consul (see Introd., p. 241 of text). — **imbecil-litatem**, *infirm condition.* Cicero had said of him before: "How feeble and worn he was! But the infirmity of his body did not check the vigor of his soul."

243 12 **Caesar**, i.e. Octavianus.

243 13 **liberasset**: Octavianus had taken an active part in the autumn in thwarting Antony's plans.

243 15 **dolorem aliquem domesticum**, *some private grief*, i.e. for the death of Julius Cæsar, his adoptive father. It should be remembered that D. Brutus was one of the assassins of Cæsar.

243 15 (SECT. 5.) **quid . . . egit**, *what object had Pansa?* He had set out for Mutina some weeks after his colleague Hirtius.

243 17 **faciendis**, *procuring* (i.e. as presiding officer of the Senate).

243 21 **necessitati victus**, implying that the war brought distress in the provision market.

243 22 **quod**, i.e. the liberation of Brutus from siege.

243 24 **et** connects **rei** and **evento**.

243 25 **praeripuisse**, *seized prematurely*, if the news proved true; **contempsisse**, *scorned*, if it proved false.

Sects. 6–12. Antony should be declared a public enemy. His war against the state. His brother's cruelties at Parma. Honors should be voted to the generals who have defeated the enemies of the nation.

243 27 (Sect. 6.) **significatio vestra,** *the indication you have given* (i.e. by signs of approval).

243 29 **propraetore:** Octavianus, upon whom the Senate had specially conferred this rank early in January. He was left in sole command after the death of Hirtius and Pansa. — **si . . . ante,** *as soon as.*

243 30 **pertineant:** § 592, 3 (341, *d*); B. 323; G. 508, 3; H. 649, i (528, 1); D. 905.

243 31 **exercituumque:** this term is added because the legions contained only Romans, while the consular armies had also auxiliaries.

243 32 **duobus,** sc. *proeliis.* The battle was begun by Pansa, who was routed and mortally wounded, although the fatal character of his wound was not yet known at Rome; then the fortune of the day was retrieved by reinforcements led by Hirtius. Octavianus took no part in this engagement, but repulsed an attack upon the camp.

244 1 **hostium, civium:** Cicero's great point in the Philippics is to make out that Antony — like Catiline — is no citizen, but a public enemy. In the argument that follows he shows that the proposition of a *supplicatio* (see note, Cat. iii, sect. 15, p. 133, l. 19), which had never been decreed except for a victory over foreign enemies, endorses this view by treating Antony as a *hostis.* — **hostium, summa pietas; nefarium scelus, civium:** observe the chiastic order.

244 6 (Sect. 7.) **hostem:** the proposition seems to have studiously omitted calling Antony's troops *enemies:* this Cicero objects to. — **vero,** *forsooth,* marks the irony.

244 8 **civium:** if not *hostes,* they were, of course, *cives,* whom it would be impious to kill. — **improbis** (sc. *civibus*), *criminals.* — **inquit:** the mover of the proposition which Cicero is combating is supposed to retort that, though citizens, these are criminals, and that Cicero's sarcasm therefore misses fire.

244 9 **clarissimus vir:** P. Servilius Vatia, the proposer of the *supplicatio,* Cæsar's colleague in his second consulship, B.C. 48. — **quae,** etc.: i.e. these words are appropriate not to soldiers in arms against the state but to civil offenders.

244 15 (Sect. 8.) **bellum,** etc.: this is Cicero's statement of the real facts as opposed to his ironical suggestion in the preceding sentence. — **infert,** used of offensive war. — **quattuor consulibus,** i.e.

besides the consuls, the two consuls elect, Plancus and D. Brutus.—**unus**, i.e. Antony.

244 16 **gerit,** *is actually carrying on.*

244 18 **suis cladibus,** *the evils he himself threatens.*

244 19 **Dolabellae facinus**: Dolabella, Antony's colleague in the consulship, when on his way to the province of Syria, in February, 43, assaulted Smyrna by treachery, captured the proprætor of Asia, C. Trebonius (one of the conspirators against Cæsar), and put him to death with indignities and torture.

244 22 **hoc templo,** i.e. that of Jupiter Capitolinus, where the Senate was now met (cf. Cat. i, sect. 1 and note).

244 23 **Parmensium**: Parma had been captured by L. Antonius, and treated in the manner here described.

245 1 **L. Antonius,** the youngest brother of Mark Antony (cos. B.C. 41).

245 9 (Sect. 9.) **oblĭta,** from *oblino.*

245 10 **crudelitatem**: the cruelty of the Carthaginians was proverbial —at least among their enemies the Romans.

245 12 **capta, surrepta**: observe the antithesis. Violence which was excusable in the case of a city taken by storm was, Cicero implies, disgraceful in the case of one taken by treachery.

245 16 (Sect. 10.) **hujus urbis,** sc. *eum esse*: **urbis** limits **quid** in the same sense in which **coloniarum** limits **hostis.**—**explendas,** *replenishing.*

245 17 **latrocini,** *gang of robbers.*

245 18 **Saxa,** L. Decidius: a Celtiberian by birth, originally a land surveyor, a creature of Cæsar's and now of Antony's. The reference here is to a law of Antony, passed in the June preceding, for the establishment of colonies of veterans. In **peritus . . . decempeda** Cicero alludes to Saxa's humble origin and also implies that, in laying out confiscated territory, he habitually appropriated more than the forfeited area.

245 20 **rumoribus,** i.e. of the success of Antony's arms.

245 22 **larem**: the *lar familiaris* was the protector of the family, and especially of the hearth.

245 24 **a quibus,** *from whom* (not *by whom*).

245 29 (Sect. 11.) **decreverit,** *has moved.*

245 30 **omnino numerum,** *the total number.*

246 4 **cui,** interrogative.

246 5 **ut non,** etc., *without his being called.*

246 9 (Sect. 12.) **an si quis**, etc., equiv. to *or, when, if any one had*, etc., *the Senate would have called him imperator, shall we take away*, etc.? The Latin expresses the thought by two coördinate interrogative sentences, — **appellaret senatus** (with its protasis **si quis occidisset**) and **adimemus** (with its modifiers). In English it is more natural to make the first of these sentences subordinate. Cf. a similar construction in Manil. Law, sect. 58.

246 11 **quae increbuit**: in the later days of the republic the title of *imperator* and the honor of a triumph were granted on much slighter grounds than in earlier times. — **appellaret**, *would have styled* (imperf. because of repeated action).

246 13 **isti hostes domestici**, i.e. the partisans of Antony remaining in Rome.

246 18 **ovantem**: evidently some informal demonstration of joy on the part of the citizens is referred to, in which Cicero, as a well-known champion of the Senate, was escorted to the Capitol to give thanks to the gods. Strictly the *ovatio* was an inferior triumph, sometimes granted by the Senate in cases when the proportions or circumstances of the victory, or the rank of the commander, did not warrant the supreme honor of a triumph (see note on p. 70, l. 17). The general did not wear the purple embroidered robe or the laurel crown, but the ordinary *toga praetexta* and a wreath of myrtle. Moreover, he walked, or (in later times) rode on horseback, instead of riding in a chariot.

Sects. 13–21. Digression: Cicero defends himself against false charges and gives a history of the rumors circulated to his discredit. His tribute to his generous rivals of former days. The people know the purity of his sentiments. He has always opposed Antony.

246 22 (Sect. 13.) **meritis**, masculine gender.

246 26 **tu igitur**, sc. *gloriaris*. — **dixerit**, potential subjunctive.

246 29 **gratiam non referri**, *that a favor should not be returned.*

246 30 **impietatis**: the stories told charged Cicero with intended treason (see l. 10), which would be *impietas* against his *patria*.

246 32 (Sect. 14.) **Parilibus**: the *Parilia* or *Palilia* (April 21) was one of the most ancient Roman festivals, in honor of Pales, a goddess of flocks. This day was regarded as the anniversary of the founding of the city. — **qui dies**, etc., *which occur this very day.*

247 1 **cum fascibus descensurum**, i.e. was coming down to the Forum with the insignia of usurped power, as if to assume the throne. — **hoc esse conlatum**, *that this* [intention] *was attributed.*

247 3 **ne quid**: § 537, *a*, N. (319, *a*, N.); G. 553.

247 4 **ut**: if this word is retained, the expression is subj. of exclam.; § 462, *a* (332, *c*); G. 558; H. 559, 5 (486, ii, N.); D. 843, *a*; if omitted, a rhetorical question, § 444 (268); B. 277; G. 259; H. 557 (486, ii); D. 678. — **sustulerim** etc.: the tense is not in sequence with **exsisterem**, because Cicero's record is stated as a settled fact: B. 268, 7; D. 702, *a*.

247 5 **exsisterem**, etc., *should turn out of a sudden another Catiline*: imperf., as referring back to the time when his enemies said "*descendet*." — **quibus auspiciis**: the whole Roman polity was based on the assumed approval of the gods, secured in every case by auspices (*auspicia*) taken by the proper authority. Only magistrates had the right to take the auspices (see note, Cat. iv, sect. 2, p. 142, l. 4). The augur was not in any sense a magistrate, though he had the power of interpreting the auspices. Hence Cicero, though an augur, would be unable to take the first step to any usurpation of power. A technical obstacle like this would not stand long in the way of a modern usurper; but the stress here laid upon it illustrates the degree to which the peculiar formalism of the Roman religion had become worked into the Roman mind, and, further, the power that lay in this formalism to protect the institutions of the state.

FIG. 52

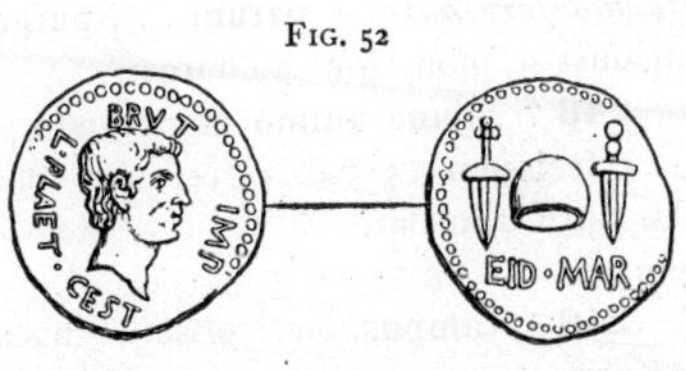

247 6 **augur**, *I, an augur* (emphatic): i.e. an augur would know his science too well for such an attempt. This was the latest of Cicero's official honors received ten years before, and he fully appreciated the dignity of the priestly craft.

247 7 **cui traderem**: as the usurped authority would be illegal in its inception, so it could not be legally transferred to any successor. — **quemquamne fuisse**: § 462 (274); B. 334; G. 534; H. 616, iii (539, iii); D. 843.

247 10 (SECT. 15.) **fama**, i.e. of Antony's success at Mutina.

247 12 **illam curiam**, i.e. the Pompeian: this was to the north of the Capitoline, and was the scene of Cæsar's death (hence the term **infelicem**). Fig. 52 shows the famous coin struck in commemoration of the murder of Cæsar. — **furiis suis**, *their own madmen*. The MSS. have *viribus* or *juris*: Klotz's conjecture *partibus* is adopted by Halm.

247 15 **ad me**, as being now the leading man in the state.

247 19 **quasi**, i.e. on the pretence that.

247 20 **tyrannum**: to the Romans *rex* and its Greek synonym *tyrannus* (*τύραννος*) meant a usurper or unconstitutional monarch against whom violence would be a virtue. A dictator, though his power was practically absolute, was not a *tyrannus*, since his office was held in accordance with the ancient laws of the commonwealth.

247 21 **quae** is object and **res** is subject of **patefecit**.

247 25 (SECT. 16.) **jam inde**, *ever since*.

247 27 **contionem**: see Introd. to notes on Manil. Law.

247 30 **declaravit**, not by a formal vote, of course, but by spontaneous cries.

247 32 **optatissimi nuntii**, etc., i.e. of Pansa's victory at Bononia.

248 3 **auxerit**, *added to my dignity*.

248 5 (SECT. 17.) **male mecum ageretur** (a common Latin idiom), *I should fare hard*. — **parum . . . purgatus**, i.e. if I needed any defence against so monstrous a charge.

248 7 **jejuno animo et angusto**, i.e. mean and small-souled. — **id . . . fecissem**: § 592, 3 (341, *d*); B. 323; G. 628; H. 649, i (528, 1); D. 905; translate, *to do as I had always done*, [namely to] *think*, etc.

248 9 **campus**, etc.: observe this ancient use of a figure still familiar to us.

248 10 **Crassus**, the great orator, who died B.C. 91 (Introd., p. xxxvii).

248 11 **utinam**, etc.: Cicero by this wish expresses his own sentiments of generous rivalry towards some of his great contemporaries, now dead, and in the same breath characterizes their feeling towards him as in like manner generous and noble. He is thinking of such great citizens as Lucullus, Hortensius, and Catulus.

248 12 **cum . . . cederem**, *when I myself was ready to yield to them*.

248 13 **principem**, *the first man in the state*. When a Roman had held the consulship there was no higher political office in his reach, but as a member of the Senate he retained a dignified and authoritative position in the public counsels. The emulation here referred to by Cicero (**contentione principatus**, l. 19) was for the first place among such men (hence **consularium** in l. 14). — **hoc vero tempore**, i.e. now, in the dearth of strong leading men like those just referred to.

248 15 **quo . . . dolore**, interrogative.

248 17 **sententiam moderari**, *govern their views*.

248 21 **cursus**, *speed*.

248 22 **tu**, though emphatic, does not here refer to a particular person: it merely addresses the whole opposing party as if it were a single individual. — **optime sentiam**: cf. **male sentire** (l. 15).

248 23 **ad me . . . fieri**, etc.: best rendered by changing the construction, — *all good citizens gathering about me.* This refers to such occasions as that of the *gratulatio* above (p. 246, l. 16).

248 24 **nollem**, *I should regret that* (i.e. I should be sorry if that were so): cf. § 442, *b* (267, *c*); B. 280, 2, *a*; G. 261, R.; D. 686, *a*.

248 27 **optatius**, i.e. than such a course of conduct on the part of the other side.

248 29 (SECT. 19.) **haec**, i.e. that *I* am the true champion of the people, and not those demagogues who are jealous of me. In this section Cicero makes an easy transition back to the subject which he was discussing when he began to digress (at sect. 13), — the necessity of declaring Antony a public enemy and of honoring the generals for defeating him.

249 1 **maxime**, sc. *de nobis*.

249 5 **XIII Kalendas Januarias** (December 20), the day when the third and fourth Philippics were spoken, — one in the Senate and one in the Forum, — declaring Antony a public enemy.

249 6 **ex Kalendis Januariis**, when, in the fifth Philippic, he urged that no negotiations should be had with Antony. The campaign against Antony may be said to have begun December 20 (see preceding note); but no active measures were taken until the new consuls entered upon their office on the first of January.

249 10 **meis sententiis**, i.e. it was in consequence of Cicero's expressed opinion in the Senate that negotiations with Antony were broken off. It was on the question of sending an embassy (see note, sect. 4, p. 243, l. 7) to him that Cicero delivered the fifth Philippic. The embassy was sent on January 1, but came to nothing, and the Senate then declared war.

249 11 **illum**, sc. *esse*.

249 12 **ut ego**, *just as I* [thought].

249 13 **huic**, etc. [but] *to this mere name*, etc.

249 14 (SECT. 21.) **P. Ventidium**, an officer of Antony's army. He afterwards gained some important successes over the Parthians, B.C. 38. — † **volusenum**: the manuscripts here are hopelessly corrupt.

249 16 **discessionem**, "*division*" (as in the English House of Commons); see general Introd., p. lvii. — **voluissent**: the presiding consuls could put a question to vote in the Senate or not at their discretion, since they alone were regarded as having the initiative in deliberations (see general Introd., p. lvii).

249 19 **licuit**, i.e. by the consuls (see last note).

249 21 **verbis notari**: spurious, and to be disregarded in translation.

Sects. 22–25. It is no longer possible to refuse to declare Antony an enemy: this is implied in the honors proposed for the generals.

249 23 (Sect. 22.) **sustulerunt**, i.e. refused to put that question.

249 27 **imprudens**, *without knowing it.*

249 30 (Sect. 23.) This and the following section give examples to prove Cicero's assertion that a *supplicatio* had never been decreed for victory in a civil war, that is, for victory over persons who were not *hostes.*

249 32 **bellum Octavianum**: see Cat. iii, sect. 24 (p. 137, l. 26) and note.

250 3 **Servili**: see note on p. 244, l. 9.

250 4 **conlega**, i.e. Julius Cæsar.

250 6 **de Alexandria**: for a victory over the Egyptians; **de Pharnace**, son of Mithridates, King of Pontus (both victories, B.C. 47).

250 12 (Sect. 24.) **ob conservationem**: see Cat. iii, sect. 15.

250 15 **Gabinium**: he had claimed a *supplicatio*, which the Senate steadily refused, for some successes against Arab marauders in Syria.

250 18 **re**, *in effect;* **verbo**, *in so many words.*

250 22 (Sect. 25.) **honoris amplissimi**, i.e. the consulship.

250 23 **alterum**, i.e. consul; **alterum**, i.e. imperator.

250 28 **a membris**, etc.: Antony would not only cut their throats but treat their bodies with indignity, — as was, in fact, afterwards done in the case of Cicero.

Sects. 26–28. Exploits of Pansa, Hirtius, and Octavianus.

250 30 (Sect. 26.) With this section the formal eulogy begins. Sect. 25 is a transition from the argumentative part of the oration to the laudatory portion.

250 31 **legione Martia**: this was one of two legions that had gone over from Antony to the Senate the November previous. The other was the **quarta**, mentioned below (p. 251, l. 11).

251 9 **alterum**, referring to the second alternative (**victoria se**, etc.), according to the favorite Latin chiastic order.

251 14 (Sect. 27.) **beneficia**, i.e. grants of money and assignments of land to Julius Cæsar's veterans. — **servassent**, *had saved*, i.e. had not, like some others, wasted their property and become reprobates (cf. Cat. ii, sect. 20).

251 15 **viginti cohortibus**, i.e. two legions.

251 18 **tribus**: in point of fact, Antony had only two legions engaged; but full particulars had not yet reached Rome, and Cicero appears to have thought that a third legion, the *Alauda*, which he had with him, took part in the fight.

251 19 **huic**, etc., dep. on **imminentis** (l. 21).

252 2 (SECT. 28.) **aetas**: Octavianus was now twenty years old, an age at which no person could regularly hold the *imperium*.

252 6 **ejus nominis**, *that title* (*imperator*). This, though connected with the *imperium*, was not conferred with that power, but followed some important success in the field, being given by acclamation of the soldiers.

252 9 **castra**, i.e. the camp of Hirtius.

Sects. 29–35. Devotion of the soldiers. Special tribute to the Martian Legion.

252 13 (SECT. 29.) **decerno**, *I propose*: note that this word often does not mean *decree*, but is used of a single Senator, — *vote* or *propose*. — **quinquaginta**, an unprecedented number. A ten days' *supplicatio* had been decreed for Pompey's victories in Africa, and fifteen for Cæsar's defeat of the Belgians.

252 16 **est**, *it is due to*. — **fidei . . . declarare**: § 343, *c* (214, *d*); B. 198, 2; G. 366, R.[2]; H. 447 (403); D. 330.

252 18 **bello confecto**: § 420 (255, *d*); B. 237, 2; G. 410; H. 489, 1 (431, 1); D. 484; notice the reference to future time.

252 21 **conjungi**, sc. *cum honore imperatorum*.

252 22 (SECT. 30.) **omnibus**, i.e. to all, both living and dead. To the living the full reward is due only on the completion of the war; to the dead, however, it can be paid at once by being given to their heirs (see the end of the decree, sect. 36).

252 24 **victoribus**, i.e. at the end of the campaign.

252 25 **quam . . . secuti sunt**, i.e. relying on which (the pledge of the Senate), they followed the cause.

252 26 **consili sui**, *their course* (i.e. their espousal of the cause of good order).

252 27 **quibus**, i.e. the living, whose silent presence is a reminder.

252 29 **senatus sapientis**: the Senate, as composed of the wisest citizens, would best appreciate the importance of encouraging patriotism.

253 2 (Sect. 31.) **occurrunt,** *suggest themselves.*

253 6 **placet . . . mihi,** *my proposition is* (an almost technical use of the phrase: see Vocab.).

253 9 **se abrupit**: cf. sect. 26.

253 10 **Albam,** sc. *Fucensem:* a town among the mountains, in the territory of the Marsi, which the Martian Legion took and held after revolting from Antony.

253 12 **desiderat,** *has lost.*

253 13 **in ipsa victoria,** *at the moment of victory.*

253 15 (Sect. 32.) **vos**: here he addresses the Martian Legion.

253 16 **idem deus**: Mars was not only the special patron god of Rome, but, being the father of Romulus, was regarded as the ancestor of the Roman race (hence **urbem genuisse**).

254 18 (Sect. 34.) **publice,** i.e. by way of public eulogy.

254 24 **bustis,** *burial-mounds.* The *bustum* was properly the heap of ashes left after the body had been consumed with the *rogus* (Fig.

Fig. 53

53); but the term was also applied to the mound erected on the spot where the body was burned. For an elaborate *bustum*, see the round tomb of Cæcilia Metella in the view of the Appian Way (text, p. 169).

Sects. 36–38. Formal resolution of thanks and honor.

255 6 (Sect. 36.) **sententia,** i.e. a formal proposition for a decree (analogous to "a motion reduced to writing" in a modern deliberative assembly). In the Roman Senate questions were proposed only by a magistrate; and this was done not in the form of a set motion, as with us, but the whole question was presented (*de re referre*) for discussion. The result of the deliberation might be several formal propositions for a decree, all, any, or none of which might be formally put to vote by the presiding officer. If one of these was carried, it would stand as the *senatus consultum.* (Cf. Introd., p. lvii, above). — **complectar**, i.e. my views on the whole question.

255 8 What follows is a somewhat rare example of a regular resolution of the Senate. The stately and formal character of the language is noteworthy. — **cum**, *whereas.*

255 15 **occidione occiderit**: notice the set phrase, not used in ordinary language. Translate, *cut to pieces with great slaughter.*

255 20 (SECT. 37.) **senatum . . . judicare**, indir. disc. depending on **censeo** (l. 7); in the decree it would be *senatus . . . judicat.*

255 25 **uti . . . constituat**: in the decree this would depend on some word of commanding (like *decernit*) in the heading; hence it stands unchanged in Cicero's indirect statement.

255 26 **alter ambove**: the *imperium* of the two consuls was absolutely equal, and the power of neither was impaired by the special assignment of any duty to the other. Any such special assignment of functions was only made by mutual consent, and either had a legal right to interfere in the other's province. Of course, however, any such interference was regarded as unwarranted, and in practice the two colleagues either took turns in the administration or agreed upon a division of functions between them.

255 28 **pulvinaria**: see note on Cat. iii, sect. 23 (p. 137, l. 14). A *supplicatio* was one of the few religious rites of the Romans in which the whole people took part. The proper temples were opened and the gods symbolically served with a feast (Fig. 37). The citizens repaired to these temples and paid their individual devotions to the gods in peculiar forms of humiliation not ordinarily observed in the public sacrifices.

255 29 (SECT. 38.) **senatum . . . soluturum**: here the statement returns to the form of the indir. disc., — in the decree, *senatus . . . solvet.*

255 33 **cum . . . caederent**, concessive.

256 5 **locandum . . . curent**: see note on Cat. iii, sect. 20 (p. 136, l. 8).

256 12 **si vivi vicissent**, *if they had survived their victory.*

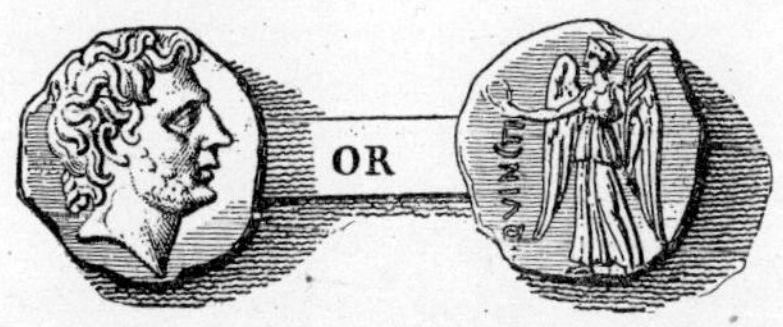

End of † Notes

a decree, as many [illegible] of which might be [illegible] the president [illegible] if one of these was [illegible] the [illegible] [illegible] [illegible] views on the [illegible] question.

255 [illegible] [illegible] a [illegible] even [illegible] [illegible] of the [illegible] [illegible] the language [illegible]

255 [illegible] **occidione occidit** [illegible] [illegible] ordinary language. [illegible]

255 [illegible] **(sane?)** [illegible] **(?)** [illegible] [illegible] [illegible]

255 [illegible] **ut** [illegible] [illegible] [illegible] some word [illegible] [illegible] [illegible]

255 [illegible] **alter ambove** [illegible] the two consuls was [illegible] equal, and the power of [illegible] [illegible] by the [illegible] assignment [illegible] [illegible] [illegible] right to interfere [illegible] such interference was regarded [illegible] two colleagues either took [illegible] [illegible] division of functions between them.

255 [illegible] **pulvinaria** [illegible] was one [illegible] the whole people [illegible] gods symbolically [illegible] these temples and [illegible] forms of [illegible]

255 [illegible] [illegible] [illegible] [illegible]

255 [illegible] **cum** [illegible] **(?) caderent** [illegible]

256 [illegible] **(?)** [illegible] [illegible]

256 [illegible] **vivi vicessent** [illegible]

VOCABULARY

A., **Aulus** (wh. see).

a. d., **ante diem** (wh. see).

ā, see **ab**.

ab (**ā**, **abs**), [reduced case of unc. stem, akin to Gr. ἀπό, Eng. *off*, *of*], adv. (only in comp.), and prep. with abl., *away from*, *from* (cf. **ex**, *out of*, and **de**, *down from*, *off from*). — Of place, with idea of motion, *from:* **rediens a cena.** — With expressions of measure, *off*, *away*, *at a distance of:* **procul a nobis**; **a senatorio gradu longe abesse.** — Of time, *from*, *since:* **a kal. Jan.** — Fig., *from* (with more or less idea of motion): **ab hoste defendere**; **ab auro manus cohibere**; **urbs ab armis conquiescere**; **ab eo metuere** (as in Eng.); **secerne te a bonis**; **a republica deficere.** — When the idea is slightly different in Eng.: **vacuus ab** (*destitute of*); **quaero a vobis** (*I ask you*); **a scelere abhorrere** (*be inconsistent with*); **postulare ab** (*ask of*); **a vobis contendere** (*urge upon*); **ab isto poenas repetere** (see **poena**). — Esp. with passives and words of similar import, *by* (cf. **accidere a Caesare**, *at the hands of*, showing the origin of this meaning). — Esp. also (prob. as the place whence the impression comes), *on the side of*, *on*, *at*, *on the part of:* **a tergo interclusus** (*in the rear*). — In comp., *away*, *off*, *apart.* — Also with negative force, *not*, *un-*.

abaliēnō̆, -āvī, -ātus, -āre, [ab-alieno], 1. v. a., (*put away to another*), *alienate.*

abdicō̆, -āvī, -ātus, -āre, [ab-dico], 1. v. a., (*assign away*). — With reflex., *abdicate:* **se praeturā** (*resign the prætorship*).

abdō̆, -didī, -ditus, -dere, [ab-do (*put*)], 3. v. a., *put away*, *remove*, *hide.* — With reflex., *conceal one's self*, *hide*, *bury one's self* (**se litteris**); **sol** (*hide its face* at sunset). — With **in** and acc. or abl., *hide in*, *withdraw to* (*take refuge among*), *withdraw and hide away.* — **abditus**, -a, -um, p.p., *hidden*, *remote*, *secluded.*

abdūcō̆, -dūxī, -ductus, -dūcere, [ab-duco], 3. v. a., *lead away*, *draw away*, *take away*, *lead off*, *carry away* (of persons or things which move of themselves).

abeō̆, -iī, -itūrus, īre, [ab-eo], irr. v. n., *go away*, *go off*, *retire*, *go* (out of sight or away): **abiit** (*he is gone*, without regard to cause or manner). — Fig., *pass*, *go by:* **abiit ille annus** (*passed away*).

aberrō̆, -āvī, -ātūrus, -āre, [ab-erro], 1. v. n., (*wander away* or *off*), *go astray*, *wander away.* — Fig., *go astray*, *deviate from:* **studia aberrantia a communi utilitate** (*at variance with*, *not in harmony with*).

abhorreō̆, -uī, no p.p., -ēre, [ab-horreo], 2. v. n., *shrink from.* — Less exactly and fig., *be at variance with*, *be inconsistent with, be averse from, be indisposed to:* **a tuo scelere; a meis moribus; a musarum honore; animi a causa** (*be estranged from*).

abiciō, -jēcī, -jectus, -icere, [**ab-jacio**], 3. v. a., *throw away, throw down, throw* (away from one's self). — Lit., **cadaver in publicum** (*cast forth*). — Esp. at one's feet as a suppliant, *prostrate, throw one's self.* — Fig., *cast aside:* **humanitatem.** — **abjectus**, -a, -um, p.p. as adj., *downcast, overwhelmed, abject, broken, worthless, fallen.*

abiēs, -ietis (-jetis), [?], F., *fir* or *spruce* (tree or wood), (prob. including all short-leaved coniferæ).

abjectus, see **abicio**.

abjiciō, see better spelling **abicio**.

abjūdicō, -āvī, -ātus, -āre, [**ab-judico**], 1. v. a., *adjudge away, take away* (by legal decision).

abjungō, -junxī, -junctus, -jungere, [**ab-jungo**], 3. v. a., *disjoin, detach.*

abnuō, -nuī, -nūtus, -nuitūrus, -nuere, [**ab-nuo**], 3. v. a. and n., (*refuse by a nod*). — Less exactly, *refuse, decline.*

abripiō, -ripuī, -reptus, -ripere, [**ab-rapio**], 3. v. a., *carry off* (with violence), *drag away, drag off.*

abrogō, -āvī, -ātus, -āre, [**ab-rogo**, in its political sense], 1. v. a., *pass a vote to annul,* or *take away:* **collegae magistratum** (*deprive of*).

abrumpō, -rūpī, -ruptus, -rumpere, [**ab-rumpo**], 3. v. a., *break off.* — With reflex., *break away, withdraw* (with violence).

abs, see **ab**.

abscīdō, -cīdī, -cīsus, -cīdere, [**abs-caedo**], 3. v. a., *cut off, lop off, tear off, tear away.*

abscondō, -didī, -ditus, -dere, [**abs-condo**], 3. v. a., *hide away.* — **absconditus**, -a, -um, p.p. as adj., *hidden, obscure, far to seek.*

absēns, see **absum**.

absimilis, -e, [**ab-similis**], adj., *unlike.*

absistō, -stitī, no p.p., -sistere, [**ab-sisto**], 3. v. n., *stand away, withdraw.* — Fig., *leave off, keep aloof.*

absolūtiō, -ōnis, [**ab-solutio**, cf. **absolvo**], F., (*a setting free*), *an acquittal.* — Also, *a completion.*

absolvō, -vī, -ūtus, -vere, [**ab-solvo**], 3. v. a., (*loosen*), *acquit.* — Also, *complete, perfect.*

abstergeō, -tersī, -tersus, -tergēre, [**abs-tergeo**], 2. v. a., *wipe off, wipe away:* **fletum.**

abstinentia, -ae, [**abstinent + ia**], F., *self-restraint* (abstaining from gratifying one's passions): **innocentia et abstinentia.**

abstineō, -tinuī, -tentus, -tinēre, [**abs-teneo**], 2. v. a. and n., *hold off:* **manus animosque** (*keep, withhold*).

abstrahō, -traxī, -tractus, -trahere, [**abs-traho**], 3. v. a., *drag off, drag away.* — Fig., *draw away.*

absum, -fuī (āfuī), -futūrus, -esse, [**ab-sum**], irr. v. n., *be away, be absent, be off* (at a distance). — Fig.: **tantum abes a perfectione; flagitium a corpore** (*not be found on*); **haec a meo sensu** (*be unperceived by*). — Esp. impersonally, *be so far from,* etc.: **tantum abest ut videar** (*so far am I from seeming*). — **absēns**, -ntis, p. as adj., *in one's absence.*

abundantia, -ae, [**abundant + ia**], F., *abundance.*

abundō, -āvī, -ātūrus, -āre, [†**ab-undŏ-**], 1. v. n., *overflow.* — Fig., *abound.* — Transf. (of the place, etc., containing the thing), ***be strong in, be rich in, abound in.***

abūtor, -ūsus, -ūtī, [ab-utor], 3. v. dep., *misuse, abuse, take advantage of* (by misuse).

āc, shorter form for **atque** (wh. see).

accēdō̆, -cēssī, -cēssūrus, -cēdere, [ad-cedo], 3. v. n., *move towards, draw near, approach, come up, come near, come* (to), *advance to, advance.* — Fig., *come to:* **huic causae** (*take up*); **litterarum lumen** (*shine upon*). — Esp., *be added*, where often an explanatory word is necessary in Eng: **illud nobis** (*we shall have also this advantage*); so with **quod** (*there is also the fact that, there is also the reason that*, or simply, *moreover, then again*).

accelerō̆ (**adc-**), -āvī, -ātus, -āre, [ad-celero], 1. v. a. and n., *hasten* (towards something).

accēssus, -ūs, [ad-†cessus, cf. **accedo**], M., *an approach.*

accidō̆, -cidī, no p.p., -cidere, [ad-cado], 3. v. n., *fall upon, fall:* **tela gravius** (*strike*). — Fig., *happen, occur, present itself, turn out, arise.* — Often euphemistically for death, defeat, etc.: **si quid ipsi** (*of conviction*).

accīdō̆, -cīdī, -cīsus, -cīdere, [ad-caedo], 3. v. a., *cut into, partly cut.*

accipiō̆, -cēpī, -ceptus, -cipere, [ad-capio], 3. v. a., *take, receive:* **bellum** (*take up*). — Less exactly, *receive, suffer, meet with, experience:* **injurias**; **dolorem.** — Fig., *accept, learn, hear, get, take.*

Accius (**Attius**), -ī, [?], M., a Roman family name. — Esp., *L. Accius*, a tragic poet, born B.C. 170.

accommodō̆, -āvī, -ātus, -āre, [ac-commodŏ-, or ad-commodo-], 1. v. a., *fit on, fit, put on, adjust.* — Fig., *adapt, suit, conform, accommodate* (**testis ad crimen**). — **accommodātus**, -a, -um, p.p., *fitted, adapted, well-suited.*

accubō̆, -āre, [ad-cubo], 1. v. n., *lie at, lie near.* — Esp., *recline* (at table).

accūrātē [old abl. of **accuratus**], adv., *with care, carefully.*

accūsātiō̆, -ōnis, [accusa + tio], F., *an accusation, a prosecution, an arraignment* (speech of prosecutor).

accūsātor, -tōris, [accusā + tor], M., *a prosecutor, an accuser, a conductor of a prosecution.*

accūsō̆, -āvī, -ātus, -āre, [ad-†causo (cf. **causor**)], 1. v. a., *accuse, blame, find fault with.* Esp., *conduct a prosecution against, prosecute, accuse, arraign, be prosecutor.*

ācer, -cris, -cre, [√AC (cf. **acus**), + **ris** (cf. **-rus** in **purus**)], adj., *sharp.* — Fig., *keen, active, violent, energetic, spirited, severe, harsh:* **homo**; **duces**; **familia**; **sententiae**; **supplicia**; **acri animo** (*with great spirit*).

acerbē [old abl. of **acerbus**], adv., *bitterly.* — Fig. (of the mind), *with bitterness, severely:* **ferre** (*suffer severely from*, etc.).

acerbitās, -tātis, [acerbŏ + **tas**], F., *bitterness.* — Fig., *harshness, severity, bitter feeling.* — Concrete in plur. (with change of point of view in Eng.), *sufferings.*

acerbus, -a, -um, [**acer** (treated as stem) + **bus** (cf. **superbus**)], adj., *bitter* (to the taste). — Fig. (to the mind), *bitter, hard to bear, cruel, harsh:* **res**; **supplicium.** — Transf. to the feeling subject, *bitter, violent:* **adversarius**; **animus**; **imploratio.**

ācerrimē (**ācerrumē**), superl. of **ācriter.**

acervus, -ī, [**acer** (as stem) + **vus** (cf. **torvus**)], M., (*pointed?*), *a heap, a pile.*

Achāïcus, -a, -um, [Gr. Ἀχαϊκός], adj., *of Achæa, Achæan,* — *Grecian.*

Achāïus (**Achājus**), -a, -um, [Gr Ἀχαῖος], adj. *Achæan.* — Fem. as subst., *Achæa,* a province of Greece. — Later, *Greece,* as a Roman province.

Achillēs, -is, (-eī, -ei, -ī), [Gr. Ἀχίλλης], M., *Achilles,* the hero of the Trojan war.

Achradīna, -ae, [Gr. Ἀχραδίνα], F., a part of the city of Syracuse.

aciēs, -ēī, [√AC + ies (cf. **series**)], F., *point, sharp edge, edge, sharpness of the edge, keen glance, glare:* **auctoritatis** (*edge,* fig.). — Esp., *line, battle line, array, army* (as in battle array, cf. **agmen**), *rank* (of an army in several ranks): **in acie cadere** (*in battle array*); **Pharsalica** (*battle*).

Acilius, -ī, [unc. stem + **ius**, prop. adj.], M., a Roman gentile name. — Esp. *M'. Acilius Glabrio,* who, as tribune of the people, carried a severe law against official extortion. — Hence, as adj., *Acilian* (**lex**).

acquiēscō, -ēvī, no p.p., -ēscere, [ad-quiesco], 3. v. n., *acquiesce.*

acquīrō, see **adquīrō**.

ācriter, [**acro** + **ter** (prob. neut. of **-terus** reduced)], adv., *sharply.* — Fig., *actively, sharply, violently, with spirit.*

acroāma, -atis, [Gr. ἀκρόαμα], N., *an entertainment* (musical or dramatical).

āctiō, -ōnis, [as if √AG + **tio**, prob. †acti + o], F., *a doing* (including all the performances expressed by **ago**). — Esp., *political action, official conduct:* **Lentuli consulis.** — Also, *a civil action, a prosecution:* **perduellionis.** — Also, *a pleading* (of a case), *a hearing* (changing the point of view).

āctor, -tōris, [√AG + **tor**], M., *a doer* (cf. **actio**). — Esp., *a pleader* (of a case, on the side of the plaintiff), *a prosecutor, an advocate* (of the plaintiff), *an attorney:* **actor hic defensorque causae meae.**

āctum, -ī, [n. p.p. of **ago**], N., *a proceeding* (official), *an act.*

āctus, -tūs, [√AG + **tus**], M., *a driving, a doing.* — Esp., *an act* (of a play).

acuō, -uī, -ūtus, -uere, [**acu-** (stem of **acus**)], 3. v. a., *sharpen.* — Fig., *irritate, excite, spur on.* — **acūtus**, -a, -um, p.p. as adj., *sharpened, sharp, acute.*

acus, -ūs, [√AC + **us**], F., *a needle.*

ad [?], adv. (only in comp.), and prep. with acc. With idea of motion, *to, towards, against.* — Where the idea of motion is more or less obliterated, *to, towards, for, at, on, against, in, in regard to.* — Of time, *till, at,* or *on:* **ad vesperam**; **quam ad diem** (*up to,* as a limit). — Esp., of place, *at* (not exactly *in* nor *on*), *around, near:* **ad Achillis tumulum** (*by*); **ad rhedam** (*around*); **ad curiam**; **quam ad summam** (*at the summit of which,* city); **ad inferos** (*in the world below*); **ad urbem** (*near the city,* of a commander with the imperium, who could not enter the walls); **ad populum** (*before the people,* of official action); **ad senatorem illum** (*at the house of,* etc.). — Also fig., *to, towards, for:* **fatale ad perniciem** (*fated for*); **ad quietem**; **ad judicandum severus** (*in*); **momentum ad suspicionem** (*cause for,* etc.); **ad laudem contendere** (*strive* *for*).—Esp. with gerund to denote purpose or tendency, *to*: **audax ad conandum** (*in*).—Also, *in respect to, in accordance with, at*: **praeclarus ad aspectum** (*in appearance*); **ad severitatem lenius** (*in respect to*); **ad libidinem** (*at*); **ad nutum**.—In comp. as adv., *to, in, by, towards*.

a. d., see **ante**.

adaequō̆, -āvī, -ātus, -āre, [**ad-aequo**], 1. v. a., *make equal to*: **cum virtute fortunam** (*match*).—More commonly neuter, *become equal to, equal*.

adamō̆, -āvī, -ātus, -āre, [**ad-amo**], 1. v. a., *fall in love with, take a fancy to, covet*.

adaugeō̆, -auxī, -auctus, -augēre, [**ad-augeo**], 2. v. a., *add to, increase*.

adc-, see **acc-**.

addīcō̆, -dīxī, -dictus, -dīcere, [**ad-dico**], 3. v. a., *adjudge, assign* (by legal decision).—**addictus**, -a, -um, p.p. as adj. and subst., *assigned* (to one in satisfaction of a debt), *bound, given over to, devoted*.

addictiō̆, -ōnis, [**ad-dictio**, cf. **addico**], F., *an adjudging, an assignment* (by legal decision).

addō̆, -didī, -ditus, -dere, [**ad-do**, *put* and *give*], 3. v. a., *give to*.—Also, *put to, add*.

addūcō̆, -dūxī, -ductus, -dūcere, [**ad-duco**], 3. v. a., *lead to, draw to, bring in* (of persons), *bring, draw in* (towards one), *drive, force*: **in eas oras exercitum**; **in judicium**; **in invidiam** (*bring, expose*); **in oblivionem** (*consign*); **in spem** (*raise*); **pretio adducta civitas**; **amore adducti** (*fascinated*).—Fig., *induce, persuade, drive, lead*.

1. **adeō̆**, -iī (-īvī), -itūrus, -īre, [**ad-eō̆**], irr. v. a. and n., *go to, visit, get at, come to, come up, go to* (a place), *get in* (to a place), *advance* (somewhere), *attack, approach* (speak with): with or without **ad** (*visit*).—Fig., *encounter, incur, go into, take*: **periculum**; **ad rem publicam** (*take part in*); **hereditates** (*take*).

2. **adeō** [**ad-eō**], adv., *to that point*.—Less exactly, *to that degree, so much, so*: **usque adeo** (*to that degree*).—Weakened, *in fact, at all, exactly*.—Esp. **atque adeo**, *and in fact, and even, or rather*.

adeps, -ipis, [?], comm., *fat*.—Plur., *corpulence* (of men).

adfabrē (**aff-**), [old abl. of **adfaber**], adv., *skilfully*.

adfectō̆ (**aff-**), -āvī, -ātus, -āre, [**ad-†facto**, cf. **adficio**], 1. v. a., (*make for*, cf. **proficiscor**), *aim at, pursue*: **iter** (*run a course*).

adferō̆ (**aff-**), -tulī, -lātus, -ferre, [**ad-fero**], irr. v. a., *bring to, bring*.—Fig., *cause, produce, bring forth, bring forward, allege, report, announce, bring about*: **moram**; **facultatis tantum** (*produce*); **lucem** (*cause to shine, bring*); **vim** (*apply, use*); **salutem**; **rei publicae motum**; **medicinam** (*apply*); **vim** (*offer*); **manus** (*lay upon*).

adficiō̆ (**aff-**), -fēcī, -fectus, -ficere, [**ad-facio**], 3. v. a., *do to, affect*: **quonam modo vos** (*treat*).—With acc. and abl., *affect with, inflict upon, produce in, cause to, visit with, fill with*: **praemiis** (*confer upon, honor with*); **populum laetitia** (*fill with*).—In passive, *suffer, receive, be in* (a condition), *be afflicted by, suffer from*: **calamitate**; **honore** (*receive*); **dolore** (*suffer*); **beneficiis** (*receive*); **turpitudine** (*incur*); **supplicio** (*be visited with*); **aetate adfectus**

(*worn*); **vitiis adfectus** (*possessed by*).

adfīgō, -fīxī, -fīxus, -fīgere, [**ad-figo**], 3. v. a., *fasten to, crucify.*

adfingō, -finxī, -fictus, -fingere, [**ad-fingo**], 3. v. a., *make up in addition, invent more, counterfeit besides.*

adfīnis, **-e**, [**ad-finis**], adj., *bordering on.* — Fig., *akin to* (by marriage). — Also, *implicated* (in anything): **culpae**. — As subst., *kinsman* (by marriage).

adfirmō, -āvī, -ātus, -āre, [**ad-firmo**], 1. v. a., *confirm, strengthen, corroborate.* — Hence, *declare, assert.*

adflictō (**aff-**), -āvī, -ātus, -āre, [**ad-flicto**, cf. **adfligo**], 1. v. a., *dash against, dash upon, dash to the ground.* — Hence, *overthrow, overwhelm, wreck.* — Fig., *afflict* (with disease), *prostrate.*

adflīgō (**aff-**), -flīxī, -flictus, -flīgere, [**ad-fligo**], 3. v. a., *dash upon.* — Hence, *overthrow, wreck, overturn:* **equestrem ordinem** (*ruin*); **consulare nomen; causam susceptam; Catilinam.** — **adflictus**, -a, -um, as adj., *cast down, broken, disheartened, laid prostrate, ruined* (**fortunae**), *overwhelmed.*

adfluō (**affl-**), -fluxī, no p.p., -fluere, [**ad-fluo**], 3. v. n., *flow to.* — Hence, with change of relation, *flow* (with anything), *abound in.* — **adfluēns**, p. as adj., *abounding in, full of, replete with:* **urbs studiis; unguentis** (**Gabinius**).

adgregō (**agg-**), -āvī, -ātus, -āre, [**ad-†grego**], 1. v. a., *unite together, assemble, gather together.*

adhaerēscō, -ere, [**ad-haeresco**, cf. **adhaereo**], 3. v. n., *adhere to, cling to.*

adhibeō, -uī, -itus, -ēre, [**ad-habeo**], 2. v. a., *have in.* — Hence, *call in, admit, bring with* (one). — Fig., *employ, use:* **vim** (*offer, use, employ*); **studium atque aures** (*afford, lend, furnish*); **orationem.**

adhūc [**ad-huc**], adv., *hitherto* (of place). — Of time, *up to this time, till now, to this day, thus far, hitherto, so far.*

adimō, -ēmī, -emptus, -imere, [**ad-emo**, *take*], 3. v. a., *take away* (the action regarded as done to somebody), *take from, deprive of, rob of, remove from* (a person).

adipiscor, -eptus, -ipiscī, [**ad-apiscor**], 3. v. dep., *obtain, secure, attain:* **gloriam** (*win, gain*).

aditus, -ūs, [**ad-itus**, cf. **adeo** (1)], M., *approach, arrival, coming, coming forward, access.* — Concretely, *an avenue* (of approach), *access* (excuse for approaching), *means of approach, means of access, way of approach* (in military sense), *entrance:* **laudis** (*road to glory*); **faciles aditus ad eum privatorum** (*access*); **omnium aditus tenebat.**

adjūmentum, -ī, [**ad-†jumentum**, cf. **adjuvo**], N., *aid, assistance:* **adjumento esse** (*be of assistance*). — Concretely, *an aid, a means* (of assistance).

adjungō, -junxī, -junctus, -jungere, [**ad-jungo**], 3. v. a., *join to, unite to, attach, unite with, add:* **divinitus adjuncta fortuna** (*with the addition of fortune from above*).

adjūtor, -tōris, [**ad-†jutor**, cf. **adjuvo**], M., *helper, assistant, abettor.*

adjūtrīx, -īcis, [**ad-†jutrix**, cf. **adjuvo**], F., *a helper* (female, or conceived as such in gender), *an assistant, an abettor, accomplice.*

adjuvō, -jūvī, -jūtus, -juvāre, [**ad-**

juvo], I. v. a., *assist, help, help on, aid, be of advantage, be an assistance to, give assistance:* **causam** (*support*).

adlēgō̆ (**all-**), -āvī, -ātus, -āre, [**ad-lego**], I. v. a., *commission* (for some purpose), *despatch, send* (as agents).

adliciō̆ (**all-**), -lēxī, -lectus, -licere, [**ad-lacio**], 3. v. a., *entice, allure, draw, persuade:* **ad misericordiam.**

adlinō̆ (**all-**), -lēvī, -litus, -linere, [**ad-lino**], 3. v. a., *besmear, smear on.*

adluō̆ (**all-**), -uī, no p.p., -luere, [**ad-luo**], 3. v. a., *wash* (as of the sea, etc.).

administer, -trī, [**ad-minister**], M., *a servant, an assistant, an abettor, a tool* (of persons): **scelerum.**

administra, -ae, [**ad-ministra**], F., *a servant* (female), *an assistant, a handmaid:* **virtutis.**

administrō̆, -āvī, -ātus, -āre, [**ad-ministrŏ-**], I. v. a. and n., *serve.*— Also, *manage, administer, carry on, conduct:* **bellum, rem publicam.**

admīrābilis, -e, [**ad-mirābilis**, cf. **admiror**], adj., *admirable, marvellous, astonishing.*

admīrātiō̆, -ōnis, [**ad-miratio**, cf. **admiror**], F., *admiration, wonder, surprise, astonishment:* **ipsius adventus admiratioque** (*his arrival and the marvel at the man himself*).

admīror, -ātus, -ārī, [**ad-miror**], I. v. dep., *be surprised, wonder at, admire.*— **admīrandus**, -a, -um, as adj., *surprising.*— **admīrātus**, -a, -um, p.p. in pres. sense, *being surprised.*

admittō̆, -mīsī, -missus, -mittere, [**ad-mitto**], 3. v. a., *let go to, admit, let go:* **in Tusculanum; ad consilium admittitur casus.**— Fig., *allow* (cf. **com-** and **permitto**): **in se facinus** (*commit a crime*); **dedecus** (*permit to be incurred*).— Also, without **in se**, *commit.*

admodum [**ad modum**], adv., *to a degree.*— Hence, *very, very much, greatly, exceedingly, so* (very) *much.*

admoneō̆, -uī, -itus, -ēre, [**admoneo**], 2. v. a., *warn, urge, remind.*

admonitus, -tūs, [**ad-monitus**, cf. **admoneo**], M., *a reminder, a warning, a suggestion.*

admoveō̆, -mōvī,-mōtus,-movēre, [**ad-moveo**], 2. v. a., *move to, approach.*— Less exactly, *apply:* **ignes ceterosque cruciatus.**

admurmurātiō̆, -ōnis, [**ad-murmuratio**], F., *a murmur* (at something), *murmurs of intelligence* (or approval or displeasure).

adnumerō̆ (**ann-**), -āvī, -ātus, -āre, [**ad-numero**], I. v. a., *count out to.*

adnuō̆ (**ann-**), -nuī, no perf. p., -nuere,[**ad-nuo**], 3. v. n., *nod to, nod assent.*— Less exactly, *assent.*

adolēscēns, see **adulescens.**

adolēscentia, see **adulescentia.**

adolēscō̆, -olēvī, -ultus, -olēscere, [**ad-olesco**], 3. v. n., *grow up* (to maturity), *mature.*— **adultus**, -a, -um, p.p. as adj., *grown up, mature.* — Fig., *full grown, full developed.*— See also **adulescens.**

adorior, -ortus, -orīrī, [**ad-orior**], 4. v. dep., (*rise up against*), *attack, assail.*

adornō̆, -āvī, -ātus, -āre, [**adorno**], I. v. a., *adorn, furnish, provide, fit out:* **maria classibus; hunc ad perficiendum** (*furnish with material*, etc.).

adparātus (**app-**), -tūs, [**ad-pa-**

ratus, cf. **adparo**], M., *preparation.* — Concretely, *preparations, equipments, furnishings.*

adpāreō (**app-**), -uī, -itūrus, -ēre, [**ad-pareo**], 2. v. n., *appear* (see **pareo**).

adparō (**app-**), -āvī, -ātus, -āre, [**ad-paro**], 1. v. a., (*get for some purpose?*), *prepare, arrange, make preparations for* (with a conception of the object from Eng.): **bellum**; **iter.** — **adparātus**, -a, -um, p.p. as adj., *prepared* (with effort), *splendid, magnificent, elaborate.*

adpellō (**app-**), -āvī, -ātus, -āre, [†**adpellŏ-** (**ad-pellŏ-**, akin to **pellō**)], 1. v. a., *accost, address, call to, appeal to, call upon:* **te nunc appello.** — Also, *call, name:* **quae appellatur Insula**; **sanctos poëtas.**

adpendō (**app-**), -pendī, -pēnsus, -pendere, [**ad-pendo**], 3. v. a., *weigh out to.*

adpetō (**app-**), -īvī, -ītus, -ere, [**ad-peto**], 3. v. a. and n., *seek to gain, desire, aim at:* **plus ornatus**; **regnum**; **inimicitias** (*voluntarily incur*); **vita ferro appetita** (*attempted*). — **adpetēns**, -entis, p. as adj., *desirous, eager for, covetous:* **gloriae.**

adpōnō (**app-**), -posuī, -positus, -pōnere, [**ad-pono**], 3. v. a., *place near, put to, fit.* — **appositus**, -a, -um, p.p. as adj., *suited, fitted.*

adportō (**app-**), -āvī, -ātus, -āre, [**ad-porto**], 1. v. a., *bring in, bring* (to some place).

adprobō (**app-**), -āvī, -ātus, -āre, [**ad-probo**], 1. v. a., *approve of, agree with* (an opinion or action).

adprōmittō (**app-**), -mīsī, -missus, -mittere, [**ad-promitto**], 3. v. a. and n., *promise in addition, promise as surety.*

adproperō (**app-**), -āvī, -ātus, -āre, [**ad-propero**], 1. v. a. and n., *hasten towards, hasten in, hurry up, hasten* (to something).

adpropinquō (**app-**), -āvī, no p.p., -āre, [**ad-propinquo**], 1. v. n., *approach, come nearer, come near, be at hand.*

adquirō (**acq-**), -quīsīvī, -quīsītus, -quīrere, [**ad-quaero**], 3. v. a. and n., (*get in addition*), *acquire, gain:* **adquirere ad fidem** (*gain in credit*).

adripiō (**arr-**), -ripuī, -reptus, -ripere, [**ad-rapio**], 3. v. a., *snatch up, seize, catch.*

adroganter (**arr-**), [**adrogant-** (stem of p. of **adrogo**) + **ter**], adv., *with presumption, presumingly, with insolence.*

adrogō (**arr-**), -āvī, -ātus, -āre, [**ad-rogo**], 1. v. a., (*ask in addition*), *claim, demand.* — **adrogāns**, -antis, p. as adj., *arrogant, presuming.*

adscendō (**asc-**), -scendī, -scēnsus, -scendere, [**ad-scando**], 3. v. a. and n., *climb up, climb, ascend, mount, rise:* **ad caelum.**

adscēnsus (**asc-**), -ūs, [**ad-†scansus**, cf. **ascendo**], M., *a climbing up, an ascent, a going up.* — Concretely, *a way up, a means of ascent.*

adscīscō (**asc-**), -scīvī, -scītus, -scīscere, [**ad-scisco**], 3. v. a., *attach* (by formal decree), *adopt.* — Less exactly, *attach to* (one's self), *unite with* (one's self).

adscrībō (**asc-**), -scrīpsī, -scrīptus, -scrībere, [**ad-scribo**], 3. v. a., *write down* (somewhere) *enroll, assign* (by enrolment): **civitatibus** (*enroll as citizens of*).

adsēnsiō (**ass-**), -ōnis, [**ad-sensio**, cf. **adsentior**], F., *assent.* — Concretely, *an expression of assent.*

adsentiō, -sēnsī, -sēnsus, -sentīre, also deponent. — **adsentior** (**ass-**),

-sēnsus, -sentīrī, [ad-sentio], 4. v. dep., *assent, give assent:* voluntatibus (*defer to*).

adsequor (ass-), -secūtus, -sequī, [ad-sequor], 3. v. dep., *follow after, overtake.* — Fig., *attain, secure, gain, accomplish* (as an end).

adservŏ (ass-), -āvī, -ātus, -āre, [ad-servo], I. v. a., *guard, keep, keep under guard:* hominem; tabulas.

adsīdŏ (ass-), -sēdī, -sessūrus, -sīdere, [ad-sīdo], 3. v. n. and a., *sit down* (near or by something).

adsiduē (ass-), [old abl. of **adsiduus**], adv., *diligently, constantly.*

adsiduitās (ass-), -tatis, [adsiduŏ + tas], F., *diligence, assiduity, constancy, unremitting effort:* molestiarum (*constant pressure*).

adsiduus (ass-), -a, -um, [ad-†siduus (√SED + uus, cf. **residuus**)], adj., (*sitting by*), *constant, continued, incessant, untiring, indefatigable:* adversarius; adsiduus in praediis (*constantly employed*).

adsīgnŏ (ass-), -āvī, -ātus, -āre, [ad-signo], I. v. a., *assign, attribute.*

adspectus (asp-), -tūs, [ad-†spectus, cf. **adspicio**], M., *a looking at, a sight, a view.* —Transf., *an appearance, an aspect, a view* (objectively).

adspernor, see better **aspernor**.

adspiciŏ (asp-), -spēxī, -spectus, -spicere, [ad-†specio], 3. v. a. and n., *look upon, look at, look, see:* altius (*look, aim*).

adstŏ (ast-), -stitī, no p.p., -stāre, [ad-sto], I. v. n., *stand by, stand near, stand* (by or near).

adsuēfaciŏ (ass-), -fēcī, -factus, -facere, [†adsuē- (unc. case, akin to **suesco**) -facio], 3. v. a., *accustom, train.* — Pass., *be accustomed.*

adsum, -fuī, -futūrus, -esse, [ad-sum], irr. v. n., *be near, be by, be present, be at hand, be there* (*here*), *appear, attend* (at a place): propter (*be near by*); animis (*be attentive*). — Esp., *be by to assist, assist, defend.* — Also, *be close by, impend.*

adtendŏ, see **attendŏ**.

adtineŏ, see **attineŏ**.

adtingŏ, see **attingŏ**.

adtribuŏ, see **attribuŏ**.

adulēscēns, -entis, [p. of **adolesco**], adj., *young.* — As noun, *a youth, young man.* — With proper names, *the younger* (**Jr.**, to distinguish one from his father).

adulēscentia, -ae, [adulescent- + ia], F., *youth.*

adulēscentulus, -ī, [adulescent- (as if adulescentŏ-) + lus], M., (often as adj.), *a mere boy, very young.*

adulter, -erī, [ad-†ulter, cf. **ulterior, ultra**, *one who roams abroad?*], M., *an adulterer, a paramour.*

adulterium, -ī, [adulter + ium], N., *adultery.*

advena, -ae, [ad-†vena (√VEN + a)], M., *a chance comer* (as opposed to a native), *a stranger, a visitor.*

adveniŏ, -vēnī, -ventūrus, -venīre, [ad-venio], 4. v. n., *come to, come, arrive:* Verri advenienti (*on his arrival*).

adventicius, -a, -um, [†adventicŏ (adventu- or ŏ + cus) + ius], adj., *coming by chance* (cf. **advena**), *foreign, external, additional* (to one's own resources).

adventus, -ūs, [ad-†ventus (cf. **advenio** and **eventus**)], M., *a coming, an arrival, an advent.*

adversārius, -a, -um, [adversŏ- (reduced) + arius, cf. **onerārius**], adj., (*turned towards*), *opposed.* — As noun, *an opponent, an adversary*

adversiō̆, -ōnis, [ad-†versiō-, cf. **adverto**], F., *a turning:* animi (*occupation, employment*).—See **animadversio**.

adversus, prep., see **adverto**.

advertō̆, -vertī, -versus, -vertere, [ad-verto], 3. v. a., *turn towards:* **animum** (*turn the attention, notice,* see **animadverto**), *turn against, turn* (to anything). — **adversus**, -a, -um, p.p. as adj., *in front, opposed, opposite, in opposition, adverse:* **proelium** (*unsuccessful*); **res adversae** (*adversity, want of success*). — **adversi** (*those in front*). — **adversus**, [petrified as adv. and prep., cf. **versus**], *against.*

advesperascit, -ere, [ad-vesperascit], 3. v. impers., *grow dark, approach evening.*

advocō̆, -āvī, -ātus, -āre, [advoco], 1. v. a., *call* (to one), *summon.* — **advocātus**, -ī, p.p. as subst., *a witness* (called in to some transaction as witness and adviser), *a supporter, a counsel* (assisting one in a suit but not a pleader, cf. **patronus**).

advolō̆, -āvī, -ātūrus, -āre, [advolo], 1. v. n., *fly to, fly at.* — Also, fig., *fly, rush.*

aedēs, -is, [√IDH (cf. **aestas**) + **es** (cf. **honos**) and **-is** (cf. **orbis**)], F., (*a fireplace* ?), *a temple* (a regular edifice, cf. **templum**, *a consecrated spot,* and **fanum**, *a shrine,* generally ancient). — Also (only in plur.), *a house, a dwelling.*

aedificātiō̆, -ōnis, [aedificā+tio], F., *building:* **portus in aedificatione aspectuque urbis inclusi** (*the plan, the site*).

aedificium, -ī, [†aedific- (cf. **artifex**) + **ium**], N., *a building.*

aedificō̆, -āvī, -ātus, -āre, [†aedific- (cf. **artifex**)], 1. v. a., *build* (of houses), *erect, construct.* — Less exactly, of ships.

aedīlis, -is, [aedi- (as stem of **aedes**) + lis], M., *belonging to a temple* ?, *an ædile,* an officer at Rome. There were two classes of these officers, — the Curule, who had charge of the public games and were important civil magistrates, and the Plebeian, who had the duties of police commissioners.

aedīlitās, -tātis, [**aedile** + **tas**], F., *ædileship* (the office of ædile).

Aegaeus, -a, -um, [Αἰγαῖος], adj., *Ægæan* (of the Ægæan Sea) : **mare** (*the Ægæan*).

aeger, -gra, -grum, [unc. root (? √IG, *shake*) + **rus**], adj., *sick, disabled.* — Also, fig., *suffering, afflicted, enfeebled.*

aegerrimē, superl. of **aegre**.

aegrē [abl. of **aeger**], adv., *feebly.* — Hence, *with difficulty, hardly, scarcely, unwillingly* (suffer from doing something).

Aegyptus, -ī, [Αἴγυπτος], F., *Egypt.*

Aelius, -ī, [?], M., a Roman gentile name (strictly an adj.). — Esp., *Q. Ælius,* cons. B.C. 148. — Plur., *the Ælii* (members of the gens).

Aelius, -a, -um, [properly same word as last], adj., *Ælian* (belonging to the Ælian gens). — Esp., *Ælian* (belonging to *Q. Ælius*) : **lex** (a law regulating the auspices of the comitia).

Aemilius, -ī, [?, aemulŏ- (reduced) + **ius**], M., a Roman gentile name. — Esp., *Marcus Æmilius Scaurus,* cons. B.C. 115.

aemulus, -a, -um, [?, cf. **aequus** ?], adj., *envious, rivalling, emulous.* — Masc. and fem. as subst., *a rival.*

aequābiliter, [aequābili + ter], adv., *uniformly, without distinction.*

aequālis, -e, [aequō + alis], adj., *equal, uniform.*

aequālitās, -tātis, F., *equality.*

aequāliter [aequali + ter (cf. **acriter**)], adv., *evenly, uniformly, equally, on an equality.*

aequē, [old abl. of **aequus**], adv., *equally, evenly, in the same way, as much, just* (as).

aequitās, -tātis, [aequō + tas], F., *evenness.* — Hence (cf. **aequus**), *fairness, justice.* — Esp., aequitas animi (*evenness of mind, contentment, resignation, equanimity*).

aequus, -a, -um, [?, perh. akin to **unus** (†oenos)], adj., *even, level, equal.* — Hence, *fair, just, equitable, right:* civitas aequissimo jure (*on a perfect equality as to rights*). — Esp., aequus animus (*equanimity, contentment, resignation*); aequo animo (*with composure*, with verb, *be resigned to, be satisfied to, be content to*); aequus animus est (*I am content, resigned*); aequo animo paratoque (*with resignation and composure*); aequo animo esse (*be undisturbed*).

aerārius, -a, -um, [aer- (as stem of **aes**) + arius (cf. **onerarius**)], adj., (*having to do with copper*). — **tribuni** (see that word). — N. as subst., *the treasury* (cf. **aes**).

aerumna, -ae, [?], F., *hardship, trouble, toil, suffering.*

aerumnōsus, -a, -um, [aerumna + osus], adj., *toilsome, painful, full of suffering, wretched.*

aes, aeris, [perh. akin to Eng. *iron*], N., *copper* (for the arts, or as money). — Hence, *money.* — Esp., alienum (*debt*, another man's money). — Also, *bronze* (of which copper is a chief ingredient), *a tablet* (of bronze, used for perpetuating official documents).

Aesculāpius, -ī, ['Ασκλήπιος], M., the god of medicine among the ancients.

aestās, -tātis, [stem akin to **aedes** + **tas**, or perh. **aestā-** (cf. **juventa**) + **tis** (cf. **virtus**)], F., (*heat*), *summer* (the season for military operations).

aestimō̆, -āvī, -ātus, -āre, [aestimŏ- (aes-tumus, tu in **tueor** ? + mus, cf. **aeditumus**)], I. v. a., *value, estimate, assess* (of damages, by a process regular in Roman law).

aestus, -tūs, [root of **aedes** + tus], M., *heat* (plur. in same sense): aestu febrique (*by the burning heat of fever*). — Hence, *boiling, tide.*

aetās, -tātis, [aevo- (stem of **aevum**) + tas], F., *age* (of old or young), *youth, old age, life:* aetate adfectus (*oppressed with years*); aetas atque robur (*youth and strength*); aetatem degere (*pass one's life*); nervos aetatis (*sinews of youth*); ab ineunte aetate (*from early manhood*); aetatis tempus (*time of life*). — Also, *age* (time, generation).

aetātula, -ae, [aetat + ula (as if aetato + la)], F., *youthful age, early years* (as a period of life).

aeternitās, -tātis, [aeternŏ + tas], F., *eternity, never-ending time, everlasting ages.*

aeternus, -a, -um, [aevo- (stem of **aevum**) + ternus (cf. **hesternus**)], adj., *eternal, lasting, never-ending, everlasting.*

Aetōlia, -ae, [Aetolă + ia, F. of -ius], F., a region of Greece north of the Gulf of Corinth, conquered by M. Fulvius Nobilior in B.C. 189.

Aetōlus, -a, -um, [Αἰτωλός], adj., *Ætolian* (of Ætolia). — Plur., *the Ætolians* (the people of the country).

aff-, see **adf-**.

Africānus, -a, -um, [**Africa** + **nus**], adj., *of Africa, African:* **bellum** (of various wars, esp. one fought by Pompey against Domitius, a partisan of Marius, in B.C. 81). — Esp., as surname of various Scipios, *Africanus.* — So, 1. C. Scipio Africanus the elder, procons. B.C. 210, the conqueror of Hannibal; and 2. his adopted grandson (son of Æmilius Paullus) cons. B.C. 147, the destroyer of Carthage and Numantia.

Africus, -a, -um, [Afrŏ- (stem of **Afer**) + **cus**], adj., *of Africa.* — **Africa**, F. as subst., the country of Africa. — Esp. in a limited sense, the Roman province of that name, including the territory of Carthage and the regions to the west.

āfuisse, āfutūrus, see **absum**.

Agathoclēs, -is, [Ἀγαθοκλῆς], M., a tyrant of Syracuse (born B.C. 361) who long waged an active warfare against Carthage.

age, see **ago**.

ager, agrī, [√AG (*drive*?) + **rus**, cf. Gr. ἀγρός, *acre*, M.], *land* (cultivated), *fields, country* (opposed to city), *territory* (country), *cultivated lands, fields* (as opposed to woods): **fusi per agros** (of rude men); **ubertas agrorum** (*of the land, of the soil*). — Esp., of the possession of a particular city, *land, territory, country.* A state in ancient times consisted of a fortified city or town (**urbs, oppidum**), the dwelling-place or refuge of all the citizens, and the lands cultivated by them around. Farms in the modern fashion were not common. — Cf. **per agros atque oppida civium Romanorum; ager Tauromenitanus; ager Picenus et Gallicus.**

agitō̆, -āvī, -ātus, -āre, [agitŏ- (as if stem of p.p. of **ago**)], 1. v. a., *drive, chase.* — Hence, *rouse, stir up, excite, vex, trouble.* — Fig., *turn over* (in mind), *propose, discuss, purpose.*

āgnōscō̆, -nōvī, -nitus, -nōscere, [**ad(g)nosco**], 3. v. a., *recognize* (in some relation to one's self, cf. **cognosco**), *recognize as one's own, claim, acknowledge.*

agō̆, ēgī, āctus, agere, [√AG], 3. v. a. and n., *drive* (apparently from behind, cf. **duco**, *lead*). — With a wide range of meaning, *do* (esp. of official business, cf. *conduct* and *carry on*), *act, treat, discuss, plead, manage, conduct, carry on, take part* (in any business), *deal with, take up, handle, take action.* — In many phrases: **cum aliquo benė [male] agere** (*treat one well* or *ill*); **secum praeclare agi** (*that he is lucky*); **mecum male agitur** (*I fare hardly*); **agam cum populo** (*lay before the people*, of magistrates, who had this right); **agam in magistratu** (*take up, deal with*); **non agam obscure** (*I will not treat the matter*, etc.); **sic tecum agam** (*address, deal with, plead with*); **ita quidam agebat** (*represent, urge, argue*); **agere causam** (*plead*); **ad agendum** (*to plead the case*); **res agetur** (*be treated*); **locus amplissimus ad agendum** (*for public business*); **aliquid agere** (*aim at something, work for something*); **id actum est** (*this is what was accomplished, this was the end and aim*); **quid agis?** (*what are you doing? what are you about? what are you aiming at?*); **quid gladius agebat?** (*what was it doing?*); **nihil agere** (*accomplish* *nothing*, also, *be idle, do nothing purposely*); **magnae res aguntur** (*great interests are at stake*); **quid agitur** (*what is the question?*); **res agitur** (*the question is*, also, *the case is tried, the cause is heard*); **de quo nunc agimus** (*is now in question*); **si moribus ageret** (*if he should make it a question of morals*); **actum est** (*it is all over with us*); **de vectigalibus agitur** (*the revenues are at stake*); **quid potest agi severius?** (*how can the case be conducted*, etc.); **quae tum agerentur** (*which were then under discussion, going on*); **negotium meum ago** (*attend to my own interests*); **festos dies** (*celebrate*); **triumphum** (*enjoy, celebrate*); **fundamenta** (*lay*); **gratias** (*render, pay, express*, cf. **habeo** and **refero**): **in crucem** (*drag, nail*); **age, age vero** (*come, come now, see, well*).

agrārii, -ōrum, [agrŏ-], M. plur., *agrarian partisans.*

agrestis, -e, [unc. stem (from agrŏ-) + tis (cf. **caelestis**)], adj., *of the fields, rustic.* — Plur., *rustics, farmers.* — Hence, *barbarous, rude, clownish, boorish.*

agricola, -ae, [agrŏ + cola, cf. **incola**], M., *a farmer.*

agricultūra (often as separate words), -ae, [agrŏ-**cultura** or agri **cultura**], F., *land tillage, farming.*

Ahāla, -ae, [?], M., a Roman family name. — Esp. *C. Servilius Ahala*, who, in B.C. 439, killed Sp. Mælius on account of his popularity and his good will to the lower classes, shown by gifts of grain.

Ājāx, -ācis, [Αἴας], M., *Ajax*, the name of two heroes of the Trojan war. — Esp., the more famous one, son of Oïleus, who contended with Ulysses for the arms of Achilles, and was the subject of many literary and artistic works. — Hence, of a statue of him, as we say "Powers' Eve."

ājō̆, [?], 3. def. v. n., *say, assert:* **aiunt** (*they say, they tell us*).

alacer, -cris, -cre, [?], adj., *active, eager, energetic, spirited.*

Alba, -ae, [F. of **albus**, *the white town*], F., the name of several cities in Italy. — Esp.: 1. *Alba Fucensis*, a city of the Marsi; 2. *Alba Longa*, the supposed mother city of Rome.

Albānus, -a, -um, [Alba + **nus**], adj., *of Alba, Alban.* — Neut. sing., **Albanum**, -ī, *an estate near Alba* (in which region many Romans had country-seats), *an Alban villa.*

alea, -ae, [?], F., *a die* (for playing). — Also, *dice* (as a game).

aleātor, -tōris, [alea + tor, cf. **viator**], M., *a dicer, a gamester.*

Alexander, -drī, [Ἀλέξανδρος], M., a common Greek name. — Esp., *Alexander the Great*, son of Philip of Macedon.

Alexandrīa (-ēa), -ae, [Ἀλεξάνδρεια], F., the name of several towns named for Alexander the Great. — Esp., the famous city built by Alexander on the coast of Egypt.

aliēnigena, -ae, [alienŏ-†gena (gen + a, cf. **incola**)], M., *a foreigner, foreign-born.*

aliēnō̆, -āvī, -ātus, -āre, [alienŏ-], 1. v. a., *make another's.* — Also, *make strange, estrange, alienate.*

aliēnus, -a, -um, [unc. stem akin to **alius** (prob. imitated from verb-stems of second conjugation) + **nus** (cf. **egenus**)], adj., *another's, of others, others', other people's:* **pecuniae; misericordia; in alieno** (*on another's land*). — Hence, *strange, foreign, estranged, unfavorable* (cf. **suus**), *foreign to the purpose:* tem-

pus; ejectus ad alienos (*strangers*); **iter** (*out of one's way*). — Superl., as noun, *a perfect stranger*.

aliquandō̆ [unc. form, cf. **quando** and **aliquis**], adv., *at some time*. — Emphatically, *at last* (at *some* time, though not before).

aliquantō, see **aliquantus**.

aliquantus, -a, -um, [**ali-** (reduced stem of **alius**) **-quantus** (cf. **aliquis**)], adj., *considerable*. — Neut., as noun, *a good deal, a considerable part*. — **aliquantō** (as abl. of measure), *by considerable, considerably*.

aliquis (**-quī**), -qua, -quid (quod), [**ali-** (reduced stem of **alius**) **-quis**], pron. (more forcible than **quis**; not definite, like **quidam**; not universal, like **quisquam**), *some, some or other, any*. — Emphatic, *some* (considerable), *any* (important). — As noun, *some one, any one, something, anything*. — Also, rarely, almost if not quite equal to **quis alius** (cf. derivation), *some other;* **abire in aliquas terras**, *I. Cat.* 8, 20.

aliquō [old dat. of **aliquis**], adv., *somewhither, somewhere* (in sense of whither).

aliquot [**ali-** (reduced stem of **alius**) **-quot**], pron. indecl., *several, some* (more than one, but not conceived as many), *several persons*.

aliquotiēns [**ali-** (reduced stem of **alius**) **-quotiens**], adv., *several times, a number of times*.

aliter [**ali-** (reduced stem of **alius**) + **ter** (cf. **acriter**)], adv., *otherwise, differently:* **longe aliter est** (*the case is far otherwise*).

aliunde [**ali-unde** (cf. **aliquis**)], adv., *from another quarter, from elsewhere, from some other quarter*.

alius, -a, -ud, [unc. root. (cf. *else*) + **ius** (√YA)], adj. pron., *another* (any one, not all), *other, different, else, another* (of the second of three or more). — Repeated (either in separate clauses or in same), *one . . . another, one another, one one* (thing) *. . . another another, some . . . others:* **alius alia causa illata** (*alleging different reasons*); **alius ex alio** (*from different*, etc., *one from one, another from another*); **alius atque** (see **atque**).

allātus, see **adfero**.

allēgō̆, see **adlego**.

alliciō̆, see **adlicio**.

allinō̆, see **adlino**.

Allobrox, -ogis, [Celtic], M., *one of the Allobroges*. — Plur., *the Allobroges* (the tribe of Gauls living in Dauphiny or Savoy, about the upper waters of the Rhone, subdued in B.C. 121 by Fabius Maximus).

alluō̆, see **adluo**.

alō̆, aluī, altus, alere, [√AL, cf. **adolesco**], 3. v. a., *cause to grow, feed, nurse, support* (supply with food), *foster, raise* (of animals). — Fig., *foster, foment, feed, increase:* **haec studia adulescentiam** (*are the food of*).

Alpēs, -ium, [√ALP (Celtic form of ALBH, cf. **albus**) + **is**], F. pl., *the Alps*, more or less loosely used of the whole mass of mountains between Italy (Cisalpine Gaul), Gaul, and Germany.

Alsiēnsis, -e, [**Alsio**+**ensis**], adj., *of Alsium*. — As subst., *a villa near Alsium* (a town on the coast of Etruria).

altāria, -ium, [?, **altŏ** + **aris**], N. pl., the temporary structure on the altar for burning the victim(?). — Less exactly, *an altar*.

altē [old abl. of **altus**], adv., *high,*

deeply, deep: **altius aspicere** (*look higher, look farther*).

alter, -era, -erum, [√AL- (in **alius**) + **ter** (for **-terus**, comparative suffix)], pron. adj., *the other* (of two), *one* (of two): **alter ambove** (*one or both*). — In plur., *the other party.* — Repeated (cf. **alius**), *one the other, one another* (of two), *one . . . the other.* — In plur., *one party . . . the other.* — Also, *the second, another* (the second of three): **centesima et altera** (*hundred and second*). — Also (esp. with negatives), *another* (beside one's self, where all are conceived as two parties, one's self and all the rest).

alternus, -a, -um, [**alter-** (as stem) + **nus**], adj., *alternate, reciprocal, mutual, alternating:* **versus** (*every second*).

alteruter [**alter-uter**, cf. **aliquis**], -tra, -trum, -trīus, pron. adj., *one of the two, one or the other.*

altus, -a, -um, [p.p. of **alo** as adj.], *high.* — From another point of view, *deep.* — Neut. as noun, *the sea, the deep:* **in alto** (*in deep water, on the sea*).

alumnus, -ī, [**alŏ-** (stem of **alŏ**) + **mnus** (cf. Gr. -μενος?), *the fostered*], M., *a foster child, a nursling.*

alveolus, -ī, [**alveŏ** + **lus**], M., *a little basin.* — Esp., *a dice box, the dice box* (as a symbol of gaming).

amāns, see **amo**.

amb- [akin to **ambo**, ἀμφὶ], prep. only in comp., *about.*

ambitiō, -ōnis, [**amb-†itio**, cf. **ambio**], F., (*a going round*). — Esp., to canvass for office, *a canvassing.* — Hence, *ambition.*

ambitus, -tūs, [**amb-itus**, cf. **ambio**], M., (*a going round*). — Esp., to canvass (cf. **ambitio**), but only of illegal means of canvassing, *bribery* (at elections), *unlawful canvassing:* **de ambitu** (*on a charge of* this crime).

ambō, -ae, -o, (-ōrum), [akin to **amb-**], num. adj., *both* (together, cf. **uterque**, *both* separately).

ambūrō, -ūssī, -ūstus, -ūrere [**amb-uro**], 3. v. a., *burn around, scorch, half burn.*

āmēns, -entis, [**ab-mens**], adj., (*having the mind away*), *mad, crazy, insane:* **audacissimus atque amentissimus** (*of the greatest recklessness and madness*).

āmentia, -ae, [**ament** + **ia**], F., *madness, frenzy,* (mad) *folly, insanity.*

Ameria, -ae, [?], F., an old city of Umbria, about fifty miles up the Tiber from Rome (now *Amelia*, but only a ruin).

Amerīnus, -a, -um, [**Ameria** (reduced) + **inus**], adj., *of Ameria.* — Plur. M., *the people of Ameria.*

amiciō, -icuī (-ixī), -ictus, -icīre, [**amb-jacio**], 4. v. a., *throw round* (of clothing), *wrap about.* — Also, with object of the person, *wrap, throw around, clothe* (with outside garments): **velis amicti non togis** (*clad, wrapped*).

amīcitia, -ae, [**amicŏ** + **tia**], F., *friendship, friendly relations, alliance* (opposed to **hospitium**, wh. see), *personal friendship.*

amīcus, -a, -um, [unc. stem from √AM (in **amo**) + **cus** (cf. **pudicus**, **posticus**)], adj., *friendly, well-disposed.* — As noun, M., *a friend, an ally.*

āmissus, p.p. of **amitto**.

Amīsus, -ī, [?], F., an important commercial city of Pontus, on the Sinus Amisenus, a bay of the Euxine.

āmittō̆, -mīsī, -missus, -mittere, [ab-mitto], 3. v. a., *let go* (away), *let slip*, *let pass*. — Hence, *lose* (esp. of military losses): **classes amissae et perditae** (*lost*, by negligence, and *ruined*, by misdoing).

amō̆, -āvī, -ātus, -āre, [?], 1. v. a. and n., *love;* **amans** (*fond*).

amoenitās, -tātis, [**amoenŏ** + **tas**], F., *beauty* (as of scenery and the like), *beautiful scenery*, *loveliness* (only of things pleasant to the eye).

amor, -ōris, [√AM (in **amo**) + **or** (for **-os**)], M., *love, affection.* — Also, toward things, *fondness for*, *delight in.*

amplē [old abl. of **amplus**], adv., *widely, largely.*—**amplius**, compar., *farther, more, longer:* **quid vis amplius** (in such cases it may be regarded either as adj. or adv., see **amplus**).

amplector, -plexus, -plectī, [**amb-plecto**], 3. v. dep., (*twine around*). — Hence, *embrace*, *hold in one's arms.* — Fig., *include, contain.* — Also, *favor, court the favor of.*

amplexor, -ātus, -ārī, [**amplexŏ-** (stem of p.p. of **amplector**)], 1. v. dep., *embrace.*

amplificō̆, -āvī, -ātus, -āre, [**amplificŏ-**], 1. v. a., *increase, enlarge, extend, heighten, magnify.*

amplitūdō̆, -inis, [**amplŏ**+**tudo**], F., *size, extent, greatness.* — Esp., of station or fame, *greatness, dignity, position, prominence.*

amplus, -a, -um, [?, perh. **amb** + stem akin to **plus, plenus**], adj. Of size and extent, lit. and fig., *large, wide, great, grand:* **curia**. — Esp., *prominent, of consequence, splendid, noble, distinguished, glorious:* **praemia** (*lavish, valuable*); **fortunae**; **patrui amplissimi** (*most distinguished*); **homo** (*great*); **amplum et praeclarum** (*a great and glorious thing*); **munus** (*noble*); **locus ad agendum** (*honorable*); **fructus** (*splendid, valuable*); **magnum aut amplum cogitare** (*have a great or noble thought*); **beneficia amplissima** (*highest*); **verba amplissima** (*strongest terms*); **laus amplior** (*higher*). — **amplius**, neut. comp. as noun or adverb (see **ample**)(cf. **plus**), *more, a greater number, further, besides.*

an [?], conj. introducing the second member of a double question, *or, or rather:* **ab eone an ab eis qui**, etc., **Gabinio anne Pompeio** (*or*). — Often with the first member only implied, *or*, (is it not so?) *or*, (as an impossible alternative) *or:* **utrum ... an** (*whether ... or*). — Esp., **haud scio an, nescio an**, *I know not but, I am inclined to think, it may be, probably, perhaps, very likely.* — **an vēro**, see **vero**.

anceps, -cipitis, [**amb-caput**], adj., (*having a head on both sides*), *double-headed.* — Less exactly, *twofold, double:* **contentio** (i.e., with two foes). — Hence, *doubtful:* **fortuna** (as looking both ways, and hence undecided).

ancilla, -ae, [**anculŏ-** (**ancŏ**+**lus**) + **la**], F., *a maid-servant, a handmaid.*

angiportus, -ūs (and -ī), [†**angŏ-** (√ANG + **us**) + **portus**], M., *a lane, a narrow alley.*

angō̆, anxī, no p.p., angere, [√ANG, cf. **anxius, angustus**], 3. v. a., *throttle.* — Fig., *distress, make anxious:* **vehementer angebar** (*I was much distressed*); **tot curis vigiliisque angi** (*distress one's self*).

anguis, -is, [√ANG (cf. **ango**) + **is**], M. and F., *a serpent.*

angulus, -ī, [†angŏ- (cf. **angiportus**) + **lus**], M., *a corner, an angle.*

angustiae,-ārum, [**angustŏ**+**ia**], F. plur., *narrows, straits:* **Ponti** (i.e., the Dardanelles). — Fig., *straits* (cf. slang expression "*in a tight place*"), *narrow bounds.*

angustus, -a, -um, [**angor** (for **angos**) + **tus**], adj., *narrow, confined:* **angustiora castra** (*less extensive*); **montes** (*confining, by which one is hemmed in*). — Fig., **animus** (*narrow, small*).

anhēlō, -āvī, -ātus, -āre, [**amb**?-**halo**], I. v. a. and n., *pant, breathe heavily, breathe* (with force).

anima, -ae, [**ani-** (treated as root, fr. √AN, *blow*) + **ma** (F. of **mus**), cf. **animus**], F., *breath.* — Hence, *soul, life:* **liberorum anima** (*the lives*). — Plur., *the soul* (of man, abstractly).

animadversiō, -ōnis, [**animŏ-** (?) **adversio** (cf. **animadverto**)], F., a *noticing, attention* (to a thing). — Hence, *punishment.*

animadvertō, -vertī, -versus, vertere (also **animum adverto** uncontracted), [**animum adverto**], 3. v. a., *turn the mind to, attend to:* **in aliquem** (*punish*, cf. the domestic "attend to"). — Less exactly, *observe, notice, learn.*

animōsus, -a, -um, [**animŏ** + **osus**], adj., *spirited, courageous.*

animus, -ī, [**ani-** (stem as root, fr. √AN, *blow*) + **mus** (cf. Gr. ἄνεμος, *wind*)], M., *breath, life, soul* (vital). — Usually (the above meanings being appropriated to **anima**, wh. see), *soul* (as thinking, feeling), *heart, mind, feelings, feeling, intellect* (but cf. **mens**), *spirit, passion, desire:* **concitatio animorum** (*feelings*); **animi ad causam excitati**; **animum vincere** (*passions*); **animorum motus** (*the activity of the intellect*); **magnus animus** (*a great soul*, a man of great soul); **animo meliore** (*better disposed*); **quo animum intendit** (*at what he is aiming*); **animis providere** (*anticipate*, provide in thought); **cerno animo** (*in my mind's eye*); **bono animo** (*with good intent*); **virtutes animi** (*moral virtues*). — Also (in a good sense, often in plur.), *spirit, constancy, courage, resolution:* **opes animique** (*resources* and *spirit*). — Also: **animus magnus** (*courage, magnanimity, lofty spirit*); **animi magnitudo** (*lofty spirit*). — Esp. (as directly opposed to **mens**, wh. see), *the moral powers, will, desires, affections*, etc., *the heart, the feelings, the disposition:* **animus et mens** (*heart and mind*); **ex animi mei sensu** (*the feelings of my heart*). — For **animus aequus**, see **aequus**; for **animum advertere**, see **animadverto**.

annālis, -e, [**annŏ** + **alis**], adj., *yearly.* — As noun (sc. **libri**), *annals* (books of history arranged in years), *history.*

Annius, -ī, [?], M., a Roman gentile name. — Esp.: 1. *T. Annius Milo*, a supporter of Cicero, defended by him in the oration *pro Milone;* 2. *Q. Annius Chilo*, a fellow-conspirator with Catiline.

anniversārius, -a, -um, [**anniversŏ** + **arius**], adj., *yearly, returning every year.*

annōna, -ae, [stem akin to **annus** + **na**, cf. **colonus**, **Pomona**], F., *grain crop* (of the year). — Hence, *grain market, price of grain:* **vilitas annonae** (*cheapness of grain*);

annonam levare (*relieve the market, lower the price of grain*).

annus, -ī, [?], M., *a year* (as a point of time, or as the course of the year, or as a period).

ānsa, -ae, [?], F., *a handle*.—Also, fig., **sermones ansas dabant** (*handles*, to get hold of).

ante [old **antid**, abl. of †anti- (cf. **post** and **postis**)], adv., *before* (of place and time), *in front, in advance, beforehand, first* (before something else): **ante quam** (*earlier than, before, until*, etc.); **paulo ante** (*a little while ago*); **multis ante annis** (*many years ago*); **jam ante** (*already before, already*).—Prep., *before* (of place or time), *in advance of, in front of*.—In dates: **ante diem** (a. d.) (*on* such a day *before*); **ante diem xii Kal. Nov.** (*Oct. 21st*).—In comp., *before* (of place, time, and succession).

anteā [ante eā (prob. abl. or instr., cf. **eā, quā**)], adv. (of time), *before, previously, once, formerly, hitherto, once*.

antecellō̆, -ere, no perf., no p.p., [ante-cello], 3. v. n., *surpass, excel*.

anteferō̆, -tulī, -lātus, -ferre, [ante-fero], irr. v. a., *place in advance, prefer*.—Pass., *be preferred, be the first, have the superiority*.

antelūcānus, -a, -um, [ante-luc + anus], adj., *before the light*: **cenae** (*late*, prolonged till dawn).

antepōnō̆, -posuī, -positus, -pōnere, [ante-pono], 3. v. a., *place in advance* (cf. **antefero**), *think of more importance, prefer, place before, value more highly*.

antequam, see **ante**.

antestor, -ātus, -ārī, [amb(?)-testor], 1. v. dep., *call to witness, appeal to*.

antevertō̆, -vertī, -versus, -vertere, [ante-verto], 3. v. a., *turn in front* (cf. **antepono**), *prefer*.—Also, *anticipate, get in advance of*.

Antiochīa (-ēa), -ae, ['Αντιόχεια], F. The name of several ancient cities of the East.—Esp., a city of Syria founded by the son of Antiochus.

Antiochus, -ī, ['Αντίοχος], M. The name of several Eastern potentates.—Esp., *Antiochus the Great*, king of Syria, who had a long contest with the Romans and their allies for supremacy in the East, but was conquered in B.C. 190 by the Scipios.

antīquitās, -tātis, [antiquŏ + tas], F., *antiquity, ancient times*.

antīquus, -a, -um, [†anti- (cf. **ante**) + **cus** (cf. **posticus**)], adj., *old* (existing from early times, not so much in reference to present age as to former origin, cf. **vetus**), *ancient*.—Less exactly, *former*: **status** (of a state that had existed only three years before, but was of great antiquity previous to that); **illa antiqua** (*those ancient examples*); **antiqui** (*the ancients*).—Hence, *of the old stamp, old-fashioned*: **homines** (of men still living).

Antōnius, -ī, [?], M., a Roman family name.—Esp.: 1. *Marcus* (Mark Antony), the famous triumvir; also, 2. his brother, *Lucius*, cons. B.C. 41.

ānulus (**ann-**), -ī, [anŏ + lus], M., *a ring*.

Ap., **Appius** (wh. see).

Āpennīnus, -ī, [Celtic], M., *the Apennines*, the great range of mountains which forms the backbone of Italy.

aperiō̆, -peruī, -pertus, -perīre,

[**ab-pario** (*get off*), cf. **operio**, *cover*], 4. v. a., *uncover, open.*— Fig., *disclose, open, lay bare, lay open.*— **apertus,** -a, -um, p.p. as adj., *open, exposed, uncovered, unobstructed, unprotected, without concealment.*

apertē [old abl. of **apertus**], adv., *openly, unreservedly, without concealment, plainly, clearly.*

Apīnius, -ī, [?], M., a Roman gentile name.—Esp., *P. Apinius*, a young man robbed by Clodius.

Apollō, -inis, [?], M., the son of Jupiter and Latona, and twin brother of Diana, god of the sun, of divination, of poetry and music, and president of the Muses. He was also god of archery, of pestilence, and, on the other hand, of healing. He is identified by Cæsar with some Celtic divinity.

apparātus, see **adparatus.**

appāreō̆, see **adpareo.**

apparō̆, see **adparo.**

appellō̆, see **adpello.**

appendō̆, see **adpendo.**

appetō̆, see **adpeto.**

Appius, -a, -um, [**Appius** decl. as adj.], adj., *Appian, of Appius.*— Esp., referring to *Appius Claudius Cæcus:* **via** (the road from Rome to Capua made by him); **Appia** (without **via** in same sense).

Appius, -ī, [?, prop. adj.], M., a Roman first name.—Esp.: 1. *Appius Claudius*, cons. B.C. 54; 2. *Appius Claudius*, nephew of P. Clodius, and one of Milo's accusers; 3. A brother of Clodius.

applicō̆, see **adplico.**

appōnō̆, see **adpono.**

apportō̆, see **adporto.**

approbō̆, see **adprobo.**

apprōmittō, see **adpromitto.**

approperō̆, see **adpropero.**

appropinquō̆, see **adpropinquo.**

aptus, -a, -um, [√AP (in **apiscor**) + **tus**], adj., (*fitted to*), *suited, adapted, fit, apt.*

apud [akin to **ab** and Gr. ἀπό], prep., *at, among, with, before, on one's part, in relation to* (a person), *in one's house* (*company, possession, among*): **apud Tenedum; adversarios** (i.e., *in their ranks*); **inlustre apud omnes nomen** (*with, among*); **apud vos in honore** (*with, among*); **populum Romanum et exteras nationes; apud Laecam** (*at the house of*).

Apulējus, -ī, [**Apulŏ** + **eius**?], M., a Roman gentile name.—Esp., *P. Apuleius*, a tribune of the people who supported the cause of the senate against Antony.

Apūlia, -ae, [**Apulŏ** + **ia**, F. of adj.], F., that part of Italy east of Campania and Samnium and north of Lucania, famous chiefly for its pastures.

aqua, -ae, [?], F., *water, a watercourse:* **aqua atque igni interdicere** (a form of banishment among the Romans).

aquila, -ae, [F. of **aquilus,** *dark gray*, perh. remotely akin to **aqua**], F., *an eagle.*—Esp., the standard of the Roman legion, consisting of an eagle on a staff.

āra, -ae, [?], F., *an altar.*

arātor, -tōris, [**arā** + **tor**], M., *a ploughman.*—Also, *a landholder* (a person who cultivated the public lands, paying tithes for the privilege).

arbiter, -trī, [**ad**-†**biter** (√BI, in **bito**, + **trus**, cf. **-trum**)], M., *a witness.*— Less exactly, *a referee, an arbitrator.*

arbitrātus, -tūs, [**arbitrā+tus**], M., *a decision:* **arbitratu ejus** (*at his bidding*).

arbitrium, -ī, [arbitrŏ + ium (cf. **judicium**)], N., *judgment, will, bidding, pleasure* (what one sees fit to do or have done).

arbitror, -ātus, -ārī, [arbitrŏ-], I. v. dep., *judge, think, suppose* (judge).

arbor, -oris, [?], F., *a tree.*

arca, -ae, [**arc-** (in **arceo**) + **a**], F., *a chest, a box, a cell.*

arcus, -ūs, [?], M., *a bow.*

arceō, arcuī, arctus, arcēre, [†arcŏ- (stem akin to **arca**)], 2. v. a., *confine.* — Hence, by a change of the point of view, *keep off, prevent, drive away:* **a templis homines** (*defend from*).

arcessō, -sīvī, -sītus, -sere, [akin to **accedo**, but the exact relation uncertain], 3. v. a., *summon, invite, send for* (persons), *call in.*

Archiās, -ae, [Ἀρχίας], M., a poet of Greek extraction, whose claim to citizenship Cicero defended in a famous oration.

Archimēdēs, **-is**, [Ἀρχιμήδης], M., the famous mathematician of Syracuse, by whose assistance that city was long defended against the Romans.

architectus, -ī, [prob. corruption of ἀρχιτεκτών], M., *an architect, a builder.*

ardeō, arsī, arsus, ardēre, [prob. **aridŏ-**, cf. **ardifer**], 2. v. n., *be hot, be in a blaze, be on fire.* — Fig., *be excited, be in a blaze, burn, flash fire* (of the eyes). — **ardēns**, -ntis, p., *red hot, blazing, flashing.*

ardor, -ōris, [√ARD (in **ardeo**) + **or**], M., *a blaze, heat, fire:* **caeli** (*a blazing sky*). — Fig., *fire, fury:* **animorum et armorum** (*fire of passion and fury of arms*); **animi** (*excitement*).

argentārius, -a, -um, [argentŏ + **arius**], adj. Fem., (sc. **res**), *money business, banking business.* — Masc., *a banker, a money-changer.*

argenteus, -a, -um, [**argentŏ** + **eus**], adj. *of silver, silver* (as adj.).

argentum, -ī, [akin to **arguo**, *the shining metal*], N., *silver* (the metal). — Also, of things made of the metal, *silverware, silver.*

argūmentor, -ātus, -ārī, [**argumentŏ-**], I. v. dep., *argue, reason.*

argūmentum, -ī, [argu- (as if stem of **arguo**) + **mentum**], N., *an argument, a proof* (drawn from reasoning, as opposed to witnesses), *an inference, a subject* (in art).

arguō, arguī, argūtus, arguere, [prob. † **argu-** (stem akin to **Argus** and **argentum**) + **io** (?)], 3. v. a., *make clear, prove.* — Esp., *accuse* (prove guilty), *charge.*

Arīcia, -ae, [?], F., a town of Latium on the Appian Way, at the foot of the Alban Mount (now *Riccia*). Near by was a famous temple of Diana.

āridus, -a, -um, [†arŏ- (cf. **areo**) + **dus**], adj., *dry.* — Less exactly, *meagre:* **victus.**

Ariobarzānēs, -is, [Persian], M., a name of several Persian monarchs. — Esp., a king of Cappadocia, established on his throne by the Romans, several times driven out by Mithridates and Tigranes, and finally restored by Pompey, B.C. 65.

Aristaeus, -ī, [Ἀρισταῖος], M., an old divinity of Greece, patron of pasturage, bee-keeping, and oil-culture; cf. Virg. *Georg.* IV. 315 *et seq.*

arma, -ōrum, [√AR (*fit*, cf. **ar-**

mus, *the shoulder-joint*) + mus], N. plur., *tools*, (esp.) *arms*, *equipment*. — Fig., *arms* (as symbol of war), *war*, *conflict*, *forces*: isdem in armis fui (*on the same side*, in a civil war); **tua quid arma voluerunt** (*your armed campaign*).

armātus, -a, -um, p.p. of **armo**.

Armenius, -a, -um, ['Αρμενία treated as adj.], adj., *of Armenia* (the whole country south of Pontus and Colchis, west of the Araxes and the Caspian mts., east of Cappadocia, north of the Niphates mts.).— Also, used of Lesser Armenia, the part west of the Euphrates.— Masc. plur., the inhabitants of the country.

armō̆, -āvī, -ātus, -āre, [armŏ- (stem of **arma**)], I. v. a., *equip*, *arm*. — Pass., in middle sense, *arm* (one's self). — **armātus**, -a, -um, p.p. as adj., *armed*, *in arms*, *equipped*.

arripiō̆, see **adripio**.

Arrius, -ī, [?], M., a Roman gentile name. — Esp., *Q. Arrius*, *a* friend of Cicero.

arroganter, see **adroganter**.

arrogō̆, see **adrogo**.

ars, artis, [√AR + tis (reduced)], F., *skill*, *art*. — Also, *a quality* (especially a good one). — Plur., *the arts*, *the useful arts*, *branches of learning*, *branches* (of learning, implied).

artifex, -icis, [arti-†fex (**fac** as stem)], M. and F., *an artist*.

artificium, -ī, [artific- (stem of **artifex**) + ium], N., *workmanship*, *skill* (of an artist), *a skilful contrivance*, *an artifice*, *a trick*. — Also, *a trade* (opposed to **ars**, *a higher art*). — Concretely, *a work of art*: opera **atque artificia**.

arx, arcis, [√ARC (in **arceo**, **arca**) + is (reduced)], F., *a stronghold*, *a fortress*, *a citadel*.

ascendō̆, see **adscendo**.

ascēnsus, see **adscensus**.

ascrībō̆, see **adscribo**.

Asia, -ae, ['Ασία], F., the country now called *Asia Minor*. — Esp., the Roman province of *Asia*, embracing Phrygia, Caria, Mysia, and Lydia.

Asiāticus, -a, -um, [Asia + ticus], adj., *of Asia*, *Asiatic*: **pecuniae** (*in Asia*, invested there).

aspectus, see **adspectus**.

asperē [old abl. of **asper**], adv., *roughly*.

aspernor, -ātus, -ārī, [†aspernŏ- (stem akin to **ab-spernŏ**)], I. v. dep., *spurn*.

aspiciō̆, see **adspicio**.

asportō̆, -āvī, -ātus, -āre, [abs-porto], I. v. a., *carry off*, *carry away*.

assiduē, see **adsidue**.

assiduitās, see **adsiduitas**.

assiduus, see **adsiduus**.

assuēfaciō̆, see **adsuefacio**.

astūtus, -a, -um, [astu + **tus**, cf. **barbatus**], adj., *cunning*, *crafty*, *astute*.

at [prob. form of **ad**], conj., *but*, *at least*. — See also **enim** and **vero**.

Athēnae, -ārum, ['Αθῆναι], F. pl., *Athens*.

Athēniēnsis, -e, [Athena + ensis], adj., *of Athens*, *Athenians*. — Plur., *the Athenians*.

Atilius, -ī, [?], M., a Roman gentile name. — Esp.: 1. *M. Atilius*, a Roman who, as judex, was found guilty of receiving bribes; 2. *Atilius Gavianus*, a tribune of the people at the time of Cicero's recall.

atque (āc), [ad-que], conj., *and* (generally introducing some more important idea), *and even*, *and especially*, *and further*, *and moreover*, *and now*.—Also, *as*, *than*: **par queta**

(*the same as*); **simul atque** (*as soon as*); **similis atque** (*just like*); aliter ac (*otherwise than, different from what*, etc.); contra atque (*different from*, etc.); atque adeo (*and even, and in fact, or rather*); pro eo ac (*according as*); perinde ac (*just as*).

atquī [at-qui (old abl. or instr.)], conj., (*but somehow* ?), *but yet, but, still, now.*

atrium, -ī, [?, atro + ium], N., *the atrium* (*the hall* of a Roman house). — Also, *a hall* (of a temple, prob. made in the fashion of a house).

atrōcitās, -tātis, [atroci- (as if stem of **atrox**) + tas], F., *cruelty*: **animi** (*savage disposition*). — Also, of things, *atrocity, enormity.*

atrōciter [atroci + ter], adv., *savagely, cruelly*: aliquid atrociter fieri (*some atrocious cruelty*); nimis atrociter minitans (*too violently*); atrociter ferre (*pass a cruel law*).

atrōx, -ōcis, [stem akin to **ater** + cus (cf. **colonus, aegrotus**, and **verax**)], adj., *savage, cruel*, — Also, of things, *atrocious, cruel, inhuman, monstrous.*

attendŏ̄ (**adt-**), -tendī, -tentus, -tendere, [ad-tendo], 3. v. a. and n., (*stretch towards*). — Esp., with **animum**, *turn the attention to, attend to, attend.* — Also, without **animum**, *attend, notice*: ecquid attendis (*are you paying any attention*); me tam diligenter (*listen to*); parum attenditis (*you are too careless*). — **attentus**, -a, -um, p.p. as adj., *attentive.*

attenuŏ̄ (**adt-**), -āvī, -ātus, -āre, [ad-tenuo], 1. v. a., *thin out.* — Fig., *lessen, diminish, reduce.*

attineŏ̄ (**adt-**), -tinuī, -tentus, -tinēre, [ad-teneo], 2. v. a. and n., *hold out towards.*—Esp., *reach, touch, have to do with, make a difference, be of importance.*

attingŏ̄ (**adt-**), -tigī, -tactus, -tingere, [ad-tango], 3. v. a. and n., *touch, reach, set foot on, have to do with, come in contact with*: **auctoritatem** (*aspire to*); **Cimbricas res** (*touch upon* in literary composition).

Attius, -ī, [Attŏ + ius], M., a Roman gentile name. — Esp., *P. Attius Varus*, prætor in Africa in the war between Cæsar and Pompey.

attribuŏ̄ (**adt-**), -buī, -būtus, -buere, [ad-tribuo], 3. v. a., *assign, appropriate.*

attulī, see **adfero**.

auctiŏ̄, -ōnis, [aug (as root) + **tio**], F., *an increase.* — Hence, (*a raising of bids*), *an auction.*

auctiōnārius, -a, -um, [auction + arius], adj., *of an auction, by auction*: **tabulae novae** (*liquidation by forced sale*).

auctor, -ōris, [√AUG (in **augeo**) + tor], M., *a voucher* (for any act or statement), *an authority, an adviser*: **sceleris** (*leader*); **auctor esse** (*approve, advise*); **auctore populo** (*with the approval of, supported by*); **pacis** (*counsellors*).

auctōritās, -tātis, [auctor- (as if i-stem) + tas], F., *influence, prestige, authority* (not political nor military, cf. **imperium** and **potestas**, but proceeding from official character). — Concretely, *an expression of opinion* (as an authority): **cum publicis auctoritatibus** (*with official expressions of opinion*, on the authority of the state or city); **summa cum auctoritate** (*with the greatest effect*); **circumstant te summae auctoritates** (*the strongest influences*); **auctoritates contrarias** (*weighty opinions*, etc.); **auctoritas et gratia**

(*prestige* from official character, and *influence* from private friendship and the like).—In technical phrase **senatus** (*the expressed opinion*, having no legal binding force, but carrying weight from its official character).

aucupor, -ātus, -ārī, [aucup-], 1. v. dep., *hunt birds*.—Fig., *search out, hunt for, watch for*.

audācia, -ae, [audac + ia], F., *daring, boldness, effrontery, recklessness, reckless daring, deeds of daring, desperate undertaking*.

audāx, -ācis, [audā- (as if stem of **audeo**) + **cus** (reduced)], adj., *daring* (in a bad sense), *reckless, bold, desperate*.

audeō, ausus, audēre, [prob. **avido-** (stem of **avidus**)], 2. v. a. and n., *dare, venture, risk, dare to try* (or *do*).—**ausus**, -a, -um, p.p. in pres. sense, *daring*.

audiō, -dīvī, -dītus, -dīre, [prob. akin to **auris**], 4. v. a., *hear, hear of, listen to*: **audita dico** (*what I have heard*); **multis audientibus** (*in the hearing of*, etc.).

auferō, abstulī, ablātus, auferre, [ab-fero], irr. v. a., *carry off, carry away, remove, take away*.

augeō, auxī, auctus, augēre, [√AUG (causative or fr. unc. noun-stem)], 2. v. a., *increase, magnify, enhance, add to* (something).—Pass., *be increased, increase*.

augur, -uris, [?, **avi** + unc. term.], M., *an augur* (one of the official soothsayers of the Roman state. They formed a college which decided all matters connected with the public auspices, and these auspices were very closely connected with the Roman polity; in fact, no important matter was ever begun without first consulting them).

augustus, -a, -um, [?, perh. †**augor-** (√AUG + **or**) + **tus**, but the meaning is somewhat inconsistent with this etym.], adj., *consecrated* (either by augury or perhaps with the same sense that lies in **auctor, auctoritas**), *venerable, august*.

Aulus, -ī, [?], M., a Roman prænomen.

Aurēlius, -ī, [for **Auselius**, akin to **aurum, Aurora**, and **uro**], M., a Roman gentile name.

Aurēlius, -a, -um, [same word as preceding, declined as adj.], adj., *of Aurelius, Aurelian*: **Forum Aurelium** (a market town on the *Aurelian Way* in Etruria, about 50 miles from Rome); **via** (the old *Aurelian Way*, the great military road leading from Rome along the coast of Etruria); **tribunal** (a raised judgment-seat near the east end of the Forum).

aureus, -a, -um, [aurŏ + **eus**], adj., *of gold, golden, gold*: **nomen** (*gilded*, the name Chrysogonus, *gold-born*).

auris, -is, [akin to *ear*, stem †**auri-** (cf. **audio**)], F., *an ear*: **adhibere** (*listening ears, attention*).

aurum, -ī, [akin to **uro**], N., *gold*.

auspicium, -ī, [auspic-ium], N., *an augury* (an observation of the **omens**), *auspices* (in the plural).

aut [?, but cf. **autem**], conj., *or* (regularly exclusive, cf. **vel**).—Repeated, *either . . . or*.

autem [?, akin to **aut**], conj., *but* (the weakest degree of opposition, cf. **sed**), *on the other hand, however, then again, now* (explanatory), *again, whereas* (in slight opposition to something preceding), *and even* (where *not only* has been implied before).

auxilium, -ī, [†**auxili-** (akin to

augeo, cf. **fusilis**) + **ium**], N., *assistance, aid, remedy, relief, help:* ferre (*to assist, to aid, to render assistance*); adventicia auxilia (*reinforcements*, etc.); omnium auxilia (*the aid of all*); summum omnium gentium (*source of help*); auxilia sociorum (*auxiliaries, reinforcements*, as opposed to the regular troops of the Romans).

avāritia, -ae, [avarŏ + tia], F., *greed, avarice, love of money, greed of gain.*

avārus, -a, -um, [†avā- (stem akin to **aveo**) + **rus** (cf. **gnarus**)], adj., *greedy of gain, miserly, avaricious:* homo avarissimus (*a man of the greatest greed, of the greatest avarice*).

aveō, -ēre, no perf., no p.p., [prob. †avŏ- (√AV + **us**)], 2. v. a., *desire, be eager.*

āversus, -a, -um, see **averto**.

āvertō, -vertī, -versus, -vertere, [ab-verto], 3. v. a., *turn aside, divert, turn away, avert:* mentem alicujus (*deter*).—**aversus**, -a, -um, p.p. as adj., *averse to, indisposed to.*

avidē [old abl. of **avidus**], adv., *greedily, eagerly, with eagerness, with avidity.*

avidus, -a, -um, [†avŏ- (cf. **aveo** and **avarus**) + **dus**], adj., *eager, desirous.*

avītus, -a, -um, [avŏ- (as if avi-) + **tus**], adj., *of one's grandfather, of one's ancestors, ancestral.*

āvocō, -āvī, -ātus, -āre, [ab-voco], 1. v. a., *call away, call off.*

avunculus, -ī, [avŏ- (as if avon-, or perh. through it as intermediate stem) + **culus**], M., *an uncle* (on the mother's side, cf. **patruus**).

avus, -ī, [perh. akin to **aveo**], M., *a grandfather.*

B.

bacchor, -ātus, -ārī, [**Bacchā-**], 1. v. dep., *join in a bacchanal orgy.*—Less exactly, *rave, run riot, revel.*

Baliāricus (**Bale-**), -a, -um, [Baleari + **cus**], adj., *of the Baleric isles.*—Esp., *Baliaricus*, as a Roman surname applied to Cæcilius Metellus, who conquered these islands (cf. **Africanus**).

balneum, -ī, (plur., -ae or -a), [corruption of βαλανεῖον], N. and F. *a bath.*— Plur., *public baths.*

barbaria, -ae, [barbarŏ + ia], F., *savageness.*—Also, *a barbarous nation* (cf. *heathendom*).

barbarus, -a, -um, [prob. from the inarticulate sound of foreign speech], adj., *strange, foreign, outlandish.*—Also, *savage, uncivilized, rude, barbarous, cruel.*—Plur., *barbarians, barbarous people.*

barbātus, -a, -um, [barba + **tus**, as if p.p. of denom. verb †barbo, cf. *bearded*], adj., *bearded.*—Esp. (of the old Romans), *bearded ancients, unshaven old worthies.*

bāsis, -is, (-eos), [βάσις], F., *a pedestal.*

beātus, -a, -um, [p.p. of **beo**], adj., *blessed, happy, fortunate.*—Esp. (in wealth), *rich, well-to-do.*

bellicōsus, -a, -um, [bellicŏ + osus], adj., *warlike.*

bellicus, -a, -um, [bellŏ + **cus**], adj., *of war, in war.*

bellō, -āvī, -ātus, -āre, [bellŏ-], 1. v. n., *fight, make war:* bellandi virtus (*excellence in war*).

bellum, -ī, [old **duellum**, from **duo**, *a strife between two*], N., *war* (as declared and regular; cf. latrocinium), *a war:* bellum inferre (*make war*, offensive); parare bellum (*make warlike preparations*).

bēlua, -ae, [?], F., *a wild beast.* —Fig., *a brute, a monster, a wild beast.*

bene [abl. of **bonus**], adv., *well:* bene gerere rem (*be successful in*, etc., see **gero**); ad res bene gerendas (*for success in great exploits*); bene sanum (*thoroughly sound*); bene sperare (*have good hope*).

beneficium, -ī, [beneficŏ- (reduced) + ium (but perh. bene-†ficium, cf. **officium**)], N., *well-doing, a service, a favor*, often rendered by Eng. plur., *services, favors shown, services rendered:* meo beneficio (*thanks to me*); in beneficiis (*among the beneficiaries*).—Esp., of the favors of the people as shown by election to office: vestrum jus beneficiumque (*your rights and favors conferred*); hoc beneficium populi Romani (*this favor shown me by the Roman people*).

beneficus, -a, -um, [bene + ficus (√FAC + us)], adj., *beneficent.*

benevolentia, -ae, [benevolent + ia], F., *good-will, kindness.*

benevolus, -a, -um, [bene-†volus (√VOL + us)], adj., *well-wishing, kindly.*

benīgnitās, -tātis, [benignŏ + tas], F., *kindness, favor.*

bestia, -ae, [?], F., *a brute* (as opposed to man, cf. **belua**, a *monster* or *ferocious beast*), *a beast.*

bibō, bibī, bibitus, bibere, [?, √PA reduplicated], 3. v. a. and n., *drink.*

biduum, -ī, [†dvi-duum (akin to **dies**)], N., *two days' time, two days.*

bīnī, -ae, -a, [†dvi + nus], adj. plur., *two each, two sets of, two* (of things in pairs or sets).

bipartītō [abl. of **bipartitus**], adv., *in two divisions.*

bis [for **dvis**, unc. case-form of **duo** (cf. **cis, uls**)], adv., *twice.*

Bīthȳnia, -ae, [Βιθυνία], F., part of Asia Minor on the Propontis.

blandus, -a, -um, [?], adj., *coaxing, persuasive, fascinating.*

bonitās, -tātis, [†bonŏ + tas], F., *goodness, kindness:* praediorum (*fertility*).

bonus, -a, -um, [?], adj., *good:* bona ratio cum perdita (*sound reason with desperate counsels*); bono animo esse (*to be well disposed*); optimum est (*it is best*); optimum judicium facere (*express so high an opinion*); **Bona Dea** (a goddess of Rome worshipped by women in secret); **Optimus Maximus**, official title of Jupiter.—Neut. as subst., *good, advantage:* tantum boni, (*such an advantage*).—Plur., *goods, property, estate.*—Masc. plur., *good men* (esp. of the better class of citizens), *honest men, good citizens.*

Bosporānus, -a, -um, [Bosporŏ + anus], adj., *of Bosporus.*—Plur., *the people of Bosporus.*

brevis, -e, [for †**bregus**, √BRAGH + us], adj., *short* (of space or time), *brief.*

brevitās, -tatis, [† brevi + tas], F., *shortness.*

breviter [† brevi + ter], adv., *briefly.*

Brocchus, -ī [?], M., Rom. name. —*Titus Brocchus*, an uncle of Ligarius.

Brundusīnus, -a, -um, [Brundusio + inus], adj., *of Brundusium.*—Plur., *the people of Brundusium.*

Brundusium (**Brundis**-), -ī, [?], N., a port of Apulia (*Brindisi*).

Brūtus, -ī, [**brutus**, *heavy*], M., a family name at Rome.—Esp.: 1. *Decimus Junius, Brutus Albinus*, a legatus of Cæsar. He distinguished himself in command of Cæsar's fleet off the coast of Gaul, and afterwards in the civil war on the side of Cæsar. But he joined the conspiracy against Cæsar with Marcus Brutus, and was one of Cæsar's assassins. He was afterwards killed in Gaul by order of Antony. 2. *Decimus Junius Brutus*, cons. B.C. 138, conqueror of Lusitania.

būcula, -ae, [bovi + **cula**], F., *a heifer.*

bulla, -ae, [?], F., *a bubble.* — Also, *a knob, a boss.*

bustum, -ī, [?, perh. n. p.p. of **buro** (cf. **comburo**)], N., *a tomb.*

C.

C, numeral for 100.

C., abbreviation for **Gajus**, usually called in English *Caius.*

cadāver, -eris, [?, unc. form akin to **cado**], N., *a corpse, a body* (dead).

cadō, cecidī, cāsūrus, cadere, [√CAD], 3. v. n., *fall, be killed.* — Fig., *happen, turn out, come to be.* — Also, *fail, cease, come to nought.*

Caecilia, -ae, [F. of following word], F., the name of several women of the gens *Cæcilia* (see following word). — Esp.: 1. *Cæcilia Metella*, a daughter of *Q. Cæcilius Metellus Baliaricus*, and wife of Appius Claudius Pulcher.

Caecilius, -ī, [?, **caeculŏ** + **ius**], M., a Roman gentile name. — Esp.: 1. *L. Cæcilius Rufus*, prætor B.C. 57, who was instrumental in procuring the return of Cicero.

caecus, -a, -um, [?], adj., *blind* (also fig.). — Also, *dark.* — Esp., *Cæcus* as a Roman name, see **Claudius.**

caedēs, -is, [†**caed** (as root of **caedo**) + **is**], F., *murder, massacre, slaughter, assassination, butchery, a deadly affray:* **maximam facere** (*commit wholesale murder*).

caedō, cecidī, caesus, caedere, [prob. causative of **cado**, cf. *fall, fell*], 3. v. a., *strike, strike down, beat* (as with rods), *beat* (as of an army), *fell* (of trees), *cut down, slay.*

Caelius, -ī, [?], M., a Roman gentile name. — Esp.: 1. *M. Cælius*, a tribune of the people B.C. 52, and a protégé of Cicero, who exerted himself in behalf of Milo; 2. *Q. Cælius Latiniensis*, a tribune of the people; 3. *T. Cælius*, a gentleman of Terracina, mysteriously assassinated.

caelum, -ī, [?], N., *the sky, the atmosphere, the air, the heavens, heaven* (as the abode of the gods): **in caelum tollere** (*extol to the skies*).

caementum, -ī, [**caed-** (as root of **caedo**) + **mentum**], N., *loose stones, rubble.*

caenum, -ī, [?], N., *mud.* — Applied to persons, *man of filth.*

caerimōnia, -ae, [?], F., *a ceremony, a rite.*

Caesar, -aris, [?], M., a family name in the gens Julia. — Esp.: 1. *C. Julius Cæsar*, the conqueror of Gaul; 2. *L. Julius Cæsar*, a kinsman of the former, acting as his legatus in Gaul; 3. *C. Cæsar*, a name given to Octavius (Augustus) as adopted son of No. 1.

Caesōnius, -ī, [?, cf. **Caesar**], M., a gentile name. — Esp., *M. Cæsonius*, a colleague of Cicero in the ædileship, and one of the judices in the case of Verres.

Cājēta, -ae, [?], F., a port on the coast of Italy (now *Gaëta*).

Cājus, see **Gajus.**

Cal., see **Calendae.**

calamistrātus, -a, -um, [calamistrŏ- (as if verb stem in **-ā**, cf. **barbatus**) + **tus**], adj., *with curled hair, crimped.*

calamitās, -tātis, [?], F., *disaster* (orig. to crops?), *defeat, misfortune* (also euphemistically for death), *ruin.*

calamitōsus, -a, -um, [calamitā-(ti?) + **osus**], adj., *unfortunate:* **res calamitosa est** (*a matter of misfortune*).

calceus, -ī, [calc + **eus**], M., *a shoe.*

Calendae, see **Kalendae.**

Calidius, -ī, [?, calidŏ + **ius**], M., a Roman gentile name.—Esp., *Q. Calidius,* a Roman ex-prætor, condemned for extortion.

callidus, -a, -um, [†callŏ- (cf. **callum**) + **dus**], adj., (*tough*?), *shrewd, cunning, skilful.*

calor, -ōris, [cal- (as root of **caleo**) + **or**], M., *heat.*

calumnia, -ae, [?, †calumnŏ- (cf. **alumnus**) + **ia**], F., *trickery* (orig. in an accusation), *falsity.*

calx, -cis, [?, cf. **calculus**], F., (M.?), *a stone.*—Esp., *lime.*

campus, -ī, [?], M., *a plain.*—Esp., the *Campus Martius* (the meeting-place of the Roman comitia, just outside the city proper, in the region now occupied by modern Rome).—Fig., *a field* (of activity).

candidātus, -a, -um, [candidŏ- (as if verb stem in **-ā**) + **tus** (cf. **barbatus**)], adj., *clad in white.*—Hence, *a candidate* (because these appeared in newly-whitened togas).

canis, canis, [?], M. and F., *a dog, a hound.*

canō, cecinī, cantus, canere, [√CAN], 3. v. a. and n., *sing, sound* (with voice or instrument).—Hence (because oracles and prophecies were in verse), *prophesy, foretell, predict, give warning beforehand.*

cantō, -āvī, -ātus, -āre, [cantŏ-], I. v. a. and n., *sing, play* (on an instrument).

cantus, -tūs, [√CAN + **tus**], M., *a song, a tune, singing, playing, music.*

capessō, -sīvī, -sītus, -sere, [akin to **capio** with unc. form], 3. v. a., *seize, take hold of:* **rem publicam** (*engage in politics*).

capillus, -ī, [adj. form akin to **caput**], M., *the hair* (collective).

capiō, cēpī, captus, capere, [√CAP], 3. v. a., *take, capture, take possession of, get, acquire, seize:* **arma** (*take up*); **urbes, legatos** (*take captive*); **consilium** (*adopt*); **magistratum** (*enter upon*); **vim** (*take up, adopt*); **fructus** (*reap*); **somnum** (*take, enjoy*); **mens aliquid** (*conceive*); **carcer aliquos** (*hold, contain*); **amentiam civitas** (*endure*); **vos oblivio** (*possess*); **captus equester ordo** (*taken captive*); **mente captus** (*stricken in mind, insane*).

capitālis, -e, [capit + **alis**], adj., (*relating to the head*), *chief, principal:* **hostis** (*deadly,* cf. "*arch enemy*").

Capitō, -ōnis, [capit + o], M., a Roman name (cf. **Naso, Cicero**).—Esp., *T. Roscius Capito,* an enemy of Sex. Roscius.

Capitōlīnus, -a, -um, [Capitoliŏ + **inus**], adj., *of the Capitol:* **clivus** (*the hill of the Capitol,* the road leading up from the Forum to the top of the Capitoline Hill): **cohortes** (*the guards of the Capitol*).

Capitōlium, -ī, [capit- (with unc. terminations and connection)],

N., *the Capitoline Hill.* — Also, *the Capitol,* the temple of Jupiter on this hill.

Cappadocia, -ae, [Καππαδοκία], F., one of the districts of Asia Minor, south of Pontus, west of the Euphrates, north of the Taurus range, and east of Phrygia.

Capua, -ae, [?], F., the chief city of Campania, famed for its wealth and luxury.

caput, capitis, [?], N., *the head.* — Hence, *life, existence* (as a citizen), *civil rights:* **judicium de capite** (*capital trial*). — Also, *chief point, source, fountain-head, highest point, climax:* **caput urbis** (*centre,* the senate-house).

Carbō̆, -ōnis, [?], M., (*coal*). — Also, as a Roman family name. — Esp.: 1. *C. Papirius Carbo,* cons. B.C. 82, the last leader of the Marian faction; 2. *C. Papirius Carbo,* tribune of the people B.C. 89, one of the proposers of the *Lex Plautia Papiria* in regard to Roman citizenship; 3. *C. Papirius Carbo,* tribune, B.C. 128, father of 2. and uncle of 1., a demagogue attached to the party of the Gracchi, but afterwards opposed to them.

carcer, -eris, [prob. borr. fr. Gr. κάρκαρον], M., *a prison, a gaol.*

careō̆, -uī, -itūrus, -ēre, [?], 2.v.n., *be without, go without, be deprived of, lose, deprive one's self of:* **aegrius** (*suffer from the want of*); **foro** (*stay away from*).

cāritās, -tātis, [carō̆ + tas], F., *dearness, preciousness, high price.* — Also, with change of point of view, *affection, fondness.*

carmen, -inis [?, akin to **cano**], N., *a song, a verse* (of poetry), *poetry.*

cārus, -a, -um, [?], adj., *dear, precious, valuable.*

Cassiānus, -a, -um, [†Cassiŏ- (reduced) + **ānus** (cf. **Romanus**)], adj., *of Cassius:* **illud Cassianum** (*that saying of Cassius*).

Cassius, -ī, [?], M., a Roman gentile name. — Esp.: 1. *L. Cassius Longinus Ravilla,* consul B.C. 127 (see **Cassianus**); 2. *L. Cassius Longinus,* one of the jurors in the case of Verres; 3. *C. Cassius Longinus,* another of the same family, who voted in favor of the Manilian law; 4. *L. Cassius,* one of the associates of Catiline.

castē [old abl. of **castus**], adv., *with purity, purely, virtuously.*

Castor, -oris, [Κάστωρ], M., the brother of Pollux, son of Jupiter and Leda, worshipped by the Greeks and Romans, with his brother, as a divinity. Their temple was in the forum: **ad Castoris** (*to the temple of Castor*).

castrēnsis, -e, [castrŏ + ensis], adj., *of the camp:* **latrocinium** (*armed, open,* as by a pitched camp instead of hidden crime).

castrum, -ī, [√SKAD? (*cover*) + **trum**], N., *a fortress.* — Plur., *a camp* (fortified, as was the manner of the Romans): **armis et castris dissidebamus** (*we were at variance in arms and in pitched battle*).

cāsus, -ūs, [√CAD + **tus**], M., (*what befalls*), *an accident, a chance* (good or bad), *a mischance, a misfortune:* **casus temporum** (*the exigencies of the times*); **casus humani** (*vicissitudes*); **casu** (*by chance, by accident, accidentally, as it happened*).

Catilīna, -ae, [?], M., a Roman family name. — Esp., *L. Sergius Catilina,* who was charged by Cicero with an attempt to burn the city and overthrow the government (see *Orations against Catiline*).

Catilīnārius, -a, -um, [**Catilina + arius**], adj., *of Catiline.*

Catō, -ōnis, [prob. **catŏ-** (stem of **catus**, cf. **Catulus**) + **o**], M., a Roman family name. — Esp.: 1. *M. Porcius Cato*, called *the Censor* (also *Sapiens*, *Major*, and *Orator*), of plebeian origin and a "novus homo," but a violent supporter of the old Roman aristocracy. He began his military service as early as 217 B.C., and only ended his political career at his death in B.C. 149, having been one of the most prominent men in the state during the whole of that interval. 2. *M. Porcius Cato*, grandson of the preceding, a friend of Sulla, and father of *Cato Uticensis*. 3. *M. Porcius Cato Uticensis*, son of the preceding, and nephew of M. Livius Drusus, famous for the constancy (perhaps obstinacy) of his character and for his death at Utica, which he sought with his own hands rather than submit to Cæsar. He was one of the judices in the case of Milo.

Catulus, -ī, [**catŏ + lus**, *little hound* (?), cf. **Cato**], M., a Roman family name. — Esp.: 1. *Q. Lutatius Catulus*, consul B.C. 78, one of the best and most eminent men of the aristocracy in the times following the retirement of Sulla. He was one of the opposers of the Manilian law. 2. *Q. Lutatius Catulus*, father of the preceding, consul B.C. 102 with Marius.

causa, -ae, [prob. akin to **caveo**], F., *a case* (at law), *a cause.* — Hence, *a side* (in a dispute), *a party, a case, a situation, a claim, a reason, a motive, a purpose.* — Esp., abl. **causā**, following a noun, *for the sake of, for:* **sua causa** (*for his sake*); **monumenti causa** (*for a monument*).

Causinius, -ī, [?], M., a Roman name. — Esp., *C. Causinius Schola*, a man of Interamna, a witness in the case of Milo.

cautē [old abl. of **cautus**], adv., *cautiously, with caution, carefully.*

cautiō, -ōnis [**cavi-** (as if stem of **caveo**) + **tio**], F., *taking care, caution, a security* (a means of taking care).

cautor, -tōris, [**cavi + tor**], M., *one who takes care, one who guards against, a security* (a person acting as such).

caveō, cāvī, cautus, cavēre, [?], 2. v. a. and n., *take security* (perh. orig. a legal word), *be on one's guard, guard against, take care, beware, look out for* (something so as to prevent it). — Esp., **cave** with subj. in prohibitions with or without **ne**, *do not, take care not to, see that you do not.* — **cautus**, -a, -um, p.p. as adj., *cautious, on one's guard.*

cēdō, cēssi, cēssūrus, cēdere, [?], 3. v. n., *make way* (giving place). — Esp., *give way, retreat, retire:* **possessione** (*yield the possession*). — Fig., *yield, give way, retire, allow, permit:* **temporibus rei publicae.**

celeber, -bris, -bre, [?], adj., *crowded, frequent, much frequented:* **locus** (*public*); **urbs** (*populous*); **gratulatio** (*very general*).—Hence, *famous.*

celebritās, -tātis, [**celebri+tas**], F., *numbers, frequency, a crowd, populousness, publicity.*—Hence (cf. **celeber**), *celebrity:* **famae** (*widely-extended fame*); **supremi diei** (*public ceremonies*, etc.).

celebrō̆, -āvī, -ātus, -āre, [celebri-], 1. v. a., *crowd, throng, frequent.* — Hence, *celebrate, talk of, spread abroad, noise abroad, extol, praise:* **festos dies; adventus; gloriam.**

celer, -eris, -ere, [√CEL (in **cello**) + **ris**], adj., *swift, quick, speedy, fast.*

celeritās, -tātis, [†celeri + tas], F., *swiftness, activity, speed, promptness:* **quae celeritas reditus** (*how speedy a return*).

celeriter [celeri + ter], adv., *quickly, speedily, rapidly, in haste, very soon, soon.*

cēlō̆, -āvī, -ātus, -āre, [?, akin to **clam** and **caligo**], 1. v. a., *conceal, hide.* — Pass., *pass unnoticed.*

cēna (**coe-**), -ae, [?], F., *a dinner* (the principal meal of the day, eaten at various times in the afternoon).

cēnō̆, -āvī, -ātus, -āre, [cena-], 1. v. n., *dine.* — **cēnātus**, -a, -um, p.p. in active sense, *having dined, after dinner.*

cēnseō̆, cēnsuī, cēnsus, cēnsēre, [?], 2. v. a., (perh. *fine*), *review* (of the censor), *assess, enrol* (as a citizen), *reckon, estimate.* — Less exactly, *give one's opinion, advise, decree* (of the Senate), *determine, think:* **censendi causa** (*for the census*, to be reviewed by the censor).

cēnsor, -ōris, [cen- or cent- (as root of **censeo**) + **tor**], M., *the censor* (the officer at Rome who enrolled and taxed the citizens): **proximis censoribus** (*at the last census*).

cēnsus, -ūs, [akin to **cēnseō̆**], M., *a numbering, a census, an enrolment* (of citizens by the censor).

centēsimus, -a, -um, [centŏ + **esimus**], adj., *the hundredth.*

centum, [?], indecl. num. adj., *one hundred.*

centuria, -ae, [centŏ- (or **centu-**) + unc. term.], F., *a hundred.* — Esp., *a century* (a division of the Roman people in their elective capacity as originally organized in an army, in which a century was half of a maniple).

centuriātus, -tūs, [centuriā + **tus**], M., *office of centurion, a centurionship.*

centuriō̆, -āvī, -ātus, -āre, [centuria-], 1. v. a., *divide into centuries.* — **centuriātus**, -a, -um, p.p. as adj., *divided into centuries.* — Esp., of the people: **comitia centuriata** (the chief election of the Roman people), see **comitia**.

centuriō̆, -ōnis, [centuria- (or kindred stem) + **o**], M., *a centurion* (a commander of one-half a maniple, answering nearly to a modern sergeant).

Cēpārius (**Cae-**), -ī, [cepa + **arius**, *onion-seller*], M., a Roman gentile name. — Esp., *M. Ceparius*, one of the Catilinarian conspirators.

Cerēs, -eris, [?, unc. root + **es**, *the beneficent?*], F., the goddess of grain among the Romans.

cernō̆, crēvī, crētus, cernere, [√CER], 3. v. a., *separate.* — Hence, *distinguish, see, behold, descry, perceive, discern.* — See also **certus**.

certāmen, -inis, [†certā- (in **certo**) + **men**], N., *a struggle, a contest, rivalry.*

certātim [certā + **tim** (as if acc. of †certatis, cf. **partim**)], adv., (*in a rivalry*), *eagerly.*

certē [old abl. of **certus**], adv., *certainly, surely, no doubt, at least* (surely what is mentioned, if nothing more).

certō [abl. of **certus**], adv., *with certainty:* **certo** scio (*I am perfectly sure, I am convinced, I am certain, I am well aware*).

certō̆, -āvī, -ātus, -āre, [certŏ-], 1. v. n. (and a.), *contend, struggle, vie* (with one in doing anything).

certus, -a, -um, p.p. of **cerno** as adj., *determined, fixed, certain* (of the thing as well as the person), *sure, established, tried, trustworthy, trusty, certain* (in its indefinite use as a pronoun), *some, a particular, a special, a certain:* **ratio** (*sound*); **mihi certum est** (*I am determined*).

cervīx, -īcis, [prob. akin to **cerebrum, cornu, cervus**], F., *the back of the neck, the neck, the shoulders* (the back just below the neck, esp. in plur): **molem a cervicibus depellere** (*throw off a weight from the shoulders*); **cervices dare** (*offer one's throat to be cut*, properly, lean forward to have one's head struck off, esp. in fig. sense); **furores a cervicibus repellere** (*repel a mad attack from one's throat*).

(**cēterus**), -ra, -rum, [√CE (in **ecce, hic**) + **terus** (cf. **alter**)], adj., *the other, the rest of* (cf. **alius**, *other*, not including all). — Plur., *the rest, the remaining, the others, every one else, everything else, others* (meaning all others).: **ad ceteras res** (*in every other respect*); **ceteris** (*the rest*) **opitulari et alios** (*others*, not all) **servare**; **cetera tua** (*your other deeds*).

Cethēgus, -ī, [?], M., a Roman family name. — Esp., *C. Cethegus*, one of the Catilinarian conspirators.

Chīlō̆, -ōnis, [?], M., a Roman family name. — Esp., *Q. Annius Chilo*, one of the Catilinarian conspirators.

Chius, -a, -um, [Χῖος], adj., *of Chios* (an island in the Ægean). — Plur., *the Chians* (the people of the isle).

Chrȳsogonus, -ī, [Χρυσόγονος], M., (*gold-born*), a favorite of Sulla, who enriched himself from the property of the proscribed.

cibus, -ī, [?], M., *food.*

Cicerō̆, -ōnis, [**cicer + o**, orig. a nickname, possibly from excrescences on the nose], M., a name of a Roman family from Arpinum. — Esp.: 1. *Marcus Tullius*, the great orator; 2. *Quintus* (*Tullius*), his brother.

Cilices, -cum, [Κίλικες], M. plur., the people of Cilicia.

Cilicia, -ae, [Κιλικία], F., the country of Asia Minor south of the Taurus, a favorite place of refuge for pirates.

Cimber, -brī, [?], M., used in the plural of the *Cimbri*, a German tribe of Jutland, conquered at Vercellæ by Marius and Catulus. — Also used as a Roman name, esp. *Gabinius Cimber*, one of the conspirators with Catiline.

Cimbricus, -a, -um, [Cimbrŏ + cus], adj., *of the Cimbri:* **res** (*the story of the Cimbri*, the history of their invasion and defeat).

cingō̆, cinxī, cinctus, cingere, [?], 3. v. a., *surround, encircle.*

cinis, cineris, [?], M. and F., *ashes.*

Cinna, -ae, [?], M., a Roman family name. — Esp., *L. Cornelius Cinna*, a colleague of Marius, and one of his adherents in the civil war with Sulla.

Cinnānus, -a, -um, [**Cinna + anus**], adj., *of Cinna:* **dies** (the day when Cinna slaughtered the adherents of the consul Octavius and re-established the party of Marius).

circum [acc. of **circus**, cf. **circa**], adv. and prep., *around, about:* **tribus** (*around, among*).

circumclūdō̆, -clūsī, -clūsus, -clūdere, [**circum-claudo**], 3. v. a., *enclose around, encircle, place a band around, shut in, hem in.*

circumdō̆, -dedī, -datus, -dare, [**circum-** 2. **do**], 1. v. a., *put around:* **ignes** (*set around*); **custodias** (*set*). — By a confusion of ideas, *surround, encircle.*

circumfundō̆, -fūdī, -fūsus, -fundere, [**circum-fundo**], 3. v. a., *pour around.* — Pass. (as reflexive), *pour in, rush around, rush in on all sides.* — Also (cf. **circumdo**), *surround:* **copiis circumfusus.**

circumscrībō̆, -scrīpsī, -scriptus, -scrībere, [**circum-scribo**], 3. v. a., *write around, draw around.* — Hence, *hold in check, limit, confine, cheat, defraud.*

circumscrīptor, -tōris, [**circum-scriptor**], M., *a cheat.*

circumsedeō̆, -sēdī, -sessus, -sedēre, [**circum-sedeo**], 2. v. a., *sit around, surround.* — Hence, *blockade, besiege.*

circumspiciō̆, -spēxī, -spectus, -spicere, [**circum-specio**], 3. v. a., *look about for.* — Fig., *think over, consider, cast about for, survey.*

circumstō̆, -stetī, no p.p., -stāre, [**circum-sto**], 1. v. a., *surround.*

circus, -ī, [prob. for †**cicrus** (unc. root + **rus**) cf. κύκλος], M., (*round?*), *a circus* (a building orig. oval, for races, etc.): **Flaminius** (*the Flaminian circus,* one of the most famous of these buildings, situated by the Campus Martius, near the Capitoline and the river; used for meetings of the people); **maximus** (*the Circus Maximus,* the largest and most important of these buildings, between the Palatine and the river).

cisium, -ī, [?, prob. a foreign word], N., *a chaise* (a light two-wheeled vehicle, something like a chaise without a top).

Cispius, -ī, [?], M., a Roman gentile name. — Esp., *M. Cispius,* a tribune of the people at the time of Cicero's return from exile.

cito [abl. of **citus**, p.p. of **cieo**], adv., *quickly.* — **citius**, comp., *sooner, rather.*

citō̆, -āvī, -ātus, -āre, [**citŏ-**], 1. v.a., *urge on, hurry, set in motion.* — Also, *summon, cite.*

citrō [dat. of **citer** (**ci** + **ter**)], adv., (*to this side*): **ultro citroque** (*this way and that, back and forth*).

cīvīlis, -e, [**civi** + **lis**], adj., *of a citizen* (or *citizens*), *civil, internal* (in reference to the state), *intestine:* **bellum** (*civil*); **causa** (*political*); **odium** (*partisan, political*); **jus** (*civil,* as opposed to natural).

cīvis, -is, [$\sqrt{}$CI (in **quies**) + **vis** (weakening of **-vus**)], C., *a citizen, a fellow-citizen.*

cīvitās, -tātis, [**civi** + **tas**], F., *the state of being a citizen, citizenship.* — Esp., *Roman citizenship, the Roman franchise.* — Less exactly, *a body of fellow-citizens, the citizens* (as a body), *one's fellow-citizens, a state* (composed of citizens), *a city* (abstractly, cf. **urbs**, *a city,* locally), *a nation, a tribe* (politically): **nomen civitatis** (*the name of citizen*); **fortunam hujus civitatis** (*of citizenship in this city*).

clādēs, -is, [?, perh. akin to κλάω], F., *a damage, a disaster, loss, destruction, ruin.* — Esp., in war, *defeat, disaster.*

clam [case of stem akin to **caligo**, etc.], adv. and prep., *secretly.*

clāmitō, -āvi, -ātus, -āre, [freq. of **clamo**, perh. †**clamita**-(cf. **nauta**)], I. v. a., *keep crying out, vociferate, cry out.*

clāmō, -āvī, -ātus, -āre, [stem akin to καλέω, perh. †**clama**- (cf. **fama**)], I. v. a. and n., *cry out, exclaim.*

clāmor, -ōris, [**clam** (as if root of **clamo**) + **or**], M., *a shouting, a shout, a cry, an outcry, clamor, shouts* (as if plur.).

clārus, -a, -um, [√CLA (in **clamo**) + **rus**], adj., *loud, distinct, bright, clear.* — Fig., *famous, distinguished, eminent, glorious.*

clāssis, -is, [√CLA (in **clamo**) + **tis**], F., (*a summoning*). — Less exactly, *the army* (called out, cf. **legio**, *a levy*). — Esp., *an army* (called out for duty at sea), *a fleet* (the most common later meaning), *naval forces.*

Claudius, -ī, [**claudŏ**+**ius** (prop. adj.)], M., a Roman gentile name. — Esp.: I. *Appius Claudius Caecus*, consul in B.C. 54; 2. *C. Claudius*, ædile B.C. 99.

claudō, clausī, clausus, claudere, [of unc. form, akin to **clavis**], 3. v. a., *close, shut, fasten, shut up* (of a prisoner), *confine.*

clāvus, -ī, [prob. √KLU (in **claudo**, increased) + **us**], M., *a nail.* — Also (cf. **clava**), *a tiller, a rudder, the helm.*

clēmēns, -entis, [perh. √CLA (in **clarus**) + **mens** (cf. **vehemens**)], adj., (*bright*?), *gentle* (of weather). — Fig., *gentle, kind, merciful, humane, gracious, kindly, clement.*

clēmenter [**clement**+**ter**], adv., *mercifully, graciously.*

clēmentia, -ae, [**clement** + **ia**], F., *kindness, gentleness, humanity, clemency.*

cliēns, -entis, [pres. p. of **clueo**], C., (*a hearer*), *a dependent, a vassal, a retainer.* (It was the custom at Rome for persons of humble origin to attach themselves to some prominent Roman in a kind of vassalage.)

clientēla, -ae, [client + ēla (imitating **suadela**, etc.)], F., *vassalage* (as condition of a **cliens**). — Also, *a relation of clientage, a connection with a client:* **pro clientelis** (*in place of clients*).

clīvus, -ī, [√CLI (in **clino**) + **vus**], M., *a slope, a declivity, an acclivity:* **Capitolinus** (*the road to the Capitol*, the street in Rome which ascended from the Forum to the Capitol).

cloāca, -ae, [akin to **cluo**, *cleanse*], F., *a sewer.*

Clōdiānus, -a, -um, [Clodiŏ + **anus**], adj., *of Clodius:* **crimen** (made by him); **leges** (passed by him).

Clōdius, -ī, [the popular form of **Claudius**], M., a Roman gentile name, belonging to the plebeian branch of the gens Claudia. — Esp., I. *P. Clodius*, a most bitter enemy of Cicero. He was killed in a fray by T. Annius Milo. 2. *C. Clodius*, another of the same family.

Cn., abbreviation for **Gnaeus** (cf. **C.** and **Cajus**).

Cnaeus, see **Gnaeus**.

Cnidius (**Gn**-), -a, -um, [Κνίδιος], adj., *of Cnidus.* — Masc. plur., *the people of Cnidus.*

Cnidus (**Gni**-), -ī, [Κνίδος], F., a city of Caria, famous for a statue of Venus.

coāctus, -a, -um, see **cogo**.

coaedificō, -āvi, -ātus, -āre, [**con**-

aedifico], 1. v. a., *build together, join* (in building), *build and join.*

coarguō, -uī, -ūtus, -uere, [**con-arguo**], 3. v. a., *prove, prove guilty, accuse.*

coemō, -ēmī, -emptus, -emere, [**con-emo**], 3. v. a., *buy up.*

coeō, -īvī, no p.p., -īre, [**con-eo**], irr. v. n., *come together, unite, form* (by uniting).

coepī, -isse, [**con-†api** (perf. of **†apo**, cf. **apiscor**)], def. v. a., (*have taken hold of*), *began, undertook, started:* **perge quo coepisti** (*have started*). — **coeptus**, -a, -um, p.p., used in same sense as active with passive infinitives.

coerceō, -ercuī, -ercitus, -ercēre, [**con-arceo**], 2. v. a., *confine, keep in check, put down, crush, coerce, repress.*

coetus, -tūs, [**con-itus**], M., *a meeting, an assembly* (not regularly convened, cf. **contio**), *an assemblage, a concourse.*

cōgitātē [old abl. of **cogitatus**], adv., *thoughtfully, purposely, designedly.*

cōgitātiō, -ōnis, [**cogitā + tio**], F., *thought, a design, a plan, an expectation, imagination, an idea.*

cōgitō, -āvī, -ātus, -āre, [**con-agito** (in sense of *revolve, discuss*)], 1. v. a., *consider, think over, think of.* — Esp. (as to some plan of action), *think about, discuss* (what to do), *have an idea of, intend, consider* (that something may happen), *expect* (contemplate the possibility): **cogitare ne** (*see that not, think how not, plan to prevent*); **nihil cogitare** (*have no thought, think of nothing*); **nihil cogitasse** (*never had a thought*); **hoc cogitat** (*has this idea*); **magnum aut amplum cogitare** (*have any great or noble idea*); **nihil cogitas** (*meditate nothing*); **cogitare de** (*think of, meditate, plan*); **ut exsilium cogites** (*dream of any exile*); **nihil esse a me nisi optime cogitatum** (*that I had had none but the best designs*); **cogitati furores** (*meditated, intended*); **cogitatum facinus** (*premeditated*).

cōgnātiō, -ōnis, [**con-(g)natio**], F., *connection by birth, kinship, kindred, relationship:* **non gratia non cognatione** (*not by influence of personal friends or powerful relations*).

cōgnitiō, -ōnis, [**con-(g)notio**, cf. **cognosco**], F., *learning, study, becoming acquainted with, examination, acquaintance.*

cōgnitor, -tōris, [**con-†(g)notor**, cf. **cognosco**], M., (*one who investigates?*), *an attorney.* — Less exactly, *a defender, a supporter, an advocate.* — Also, *one who is acquainted with* (a person), *a voucher, sponsor.*

cōgnōmen, -minis, [**con-(g)nomen**], N., *a name.* — Esp., the personal or family *last name, a sobriquet, a nickname.*

cōgnōscō, -gnōvī, -gnitus, -gnōscere, [**con(g)nosco**], 3. v. a., *learn, find out, find, become aware, become acquainted with, recognize, hear* (a thing read). — Esp., *investigate, inquire into, learn about, study, consider.* — In perfect tenses (cf. **nosco**), *know, be aware, be acquainted with:* **cognitum est** (*was known*); **causa cognita** (*upon a full investigation, after trial*); **spectatus et cognitus** (*tried and proved*); **cognoscendi consuetudo** (*of investigation*).

cōgō, coēgī, coāctus, cōgere, [**con-ago**], 3. v. a., *bring together, collect, assemble, get together.* — Esp., of money, *collect, exact.* — Hence, *force, compel, oblige:* **senatum** (*assemble,* of the consul, who could enforce attendance).

cohaereō̆, -haesī, -haesūrus, -haerēre, [**con-haereo**], 2. v. n., *cling together, cohere, be closely connected.*

cohibeō̆, -hibuī, -hibitus, -hibēre, [**con-habeo**], 2. v. a., *hold together, hold in check, restrain, keep* (from anything), *control.*

cohors, -hortis, [**con-†hortis** (reduced), akin to **hortus**], F., *an enclosure.* — Hence, *a body of troops, a cohort* (the tenth part of a legion, corresponding as a unit of formation to the company of modern tactics, and containing from 300 to 600 men). — Loosely, *soldiers, infantry, armed men.* — Also, any body of infantry or persons conceived as such, *a troop, a company, a band:* **praetoria** (*a body-guard,* attending the commander, originally **praetor**).

cohortātiō̆, -ōnis, [**con-hortatio** (cf. **cohortor**)], F., *an exhortation, an encouraging, encouragement.* — Esp. (to soldiers), *an address* (almost invariably a preliminary to an engagement).

cohortor, -ātus, -ārī, [**con-hortor**], 1. v. dep., *encourage, rally, exhort, address* (esp. of a commander).

collaudō̆, see **conlaudo**.

collectiō̆, see **conlectio**.

collēga, see **conlega**.

collēgium, see **conlegium**.

colligō̆, see **conligo**.

collīnus, -a, -um, [**colli + nus**], adj., *of the hill.* — Esp., of the tribe of that name, *the Collina* (a name of great antiquity and unc. meaning).

collocō̆, see **conloco**.

colloquor, see **conloquor**.

colluviō̆, see **conluviō̆**.

colō̆, coluī, cultus, colere, [√COL, cf. **inquilinus**], 3. v. a., *till, cultivate:* **agrum**; **studia**. — Also, *worship, reverence, court, show respect to, observe:* **delubra** (*worship at*).

colōnia, -ae, [**colonŏ + ia**], F., (*state of a colonist*). — Concretely, *a colony* (both of the establishment and the persons sent). The Roman colonists were and continued to be Roman citizens, and served as armed occupants of the soil where they were sent in the interests of the mother country (cf. **municipium**, a conquered city, partially incorporated into the Roman state).

colōnus, -ī, [verb stem akin to **colo + nus**, cf. **patronus**, **aegrotus**], M., *a farmer.* — Esp., *a colonist* (a Roman citizen to whom lands were granted away from the city), *a citizen of a colony.*

Colophōn, -ōnis, [Κολοφών], M., a town of Lydia, one of the seven that claimed Homer as their citizen.

Colophōnius, -a, -um, [**Colophon + ius**], adj., *of Colophon.* — Plur., *the people of Colophon.*

color, -ōris, [prob. akin to **caligo**, as opposed to *white*], M., *color, complexion.*

columen, -inis, [stem akin to **columna**, **incolumis** (?), **cello** (?, cf. **excelsus**) + **men** (cf. **crimen**)], N., *a pillar, a prop, a stay:* **reipublicae** (as in English).

columna, -ae, [stem akin to **columen + mna** (cf. **alumnus**)], F., *a column, a pillar.* — Esp., *the Column* (**moenia**, a pillar in the Forum on which notices of insolvency were posted).

coma, -ae, [κόμη], F., *hair* (on the head), *locks* (hair arranged or ornamented).

combūrō̆, -ussī, -ūstus, -ūrere, [con-†buro(?), relation to **uro** very uncertain, cf. **bustum**], 3. v. a., *burn up, consume.*

comes, -itis, [con-†mitis (√MA (in **meo**) + **tis**, cf. **semita**)], C., *a companion* (esp. an inferior as attendant or follower), *a follower, an adherent, an associate, an attendant.*

cōmissātiō̆, -ōnis, [**comissā** + **tio**], F., *a revel* (in the streets after a debauch).

comitātus, -tūs, [**comitā** + **tus**], M., *an accompanying, a company, a train, a following, followers, an escort.*

comitium, -ī, [?, perh. **comit-** (see **comes**) + **ium**, *the assemblage of followers* (cf. **servitium**)], N., a part of the Forum at Rome. — Plur., *the assembly* (of the people for voting), *an election.*

comitor, -ātus, -ārī, [**comit-**], 1. v. dep., *accompany.* — **comitātus**, -a, -um, p.p. in pres. sense, *accompanying;* pass. sense, *accompanied.*

commeātus, -tūs, [**con-meatus**, cf. **commeo**], M., *a going to and fro, an expedition* (back and forth), *a trip.* — Hence, *communications* (of an army), *communication* (generally). — So also, *supplies* (of an army), *provisions.*

commemorābilis, -e, [**con-memorabilis** (cf. **commemoro**)], adj., *noteworthy, notable, praiseworthy, remarkable.*

commemorātiō̆, -ōnis, [**con-memoratio** (cf. **commemoro**)], F., *a calling to mind, mention, commemoration* (calling to mind with respect), *a reminder, remembrance* (putting in Eng. the result for the process).

commemorō̆, -āvī, -ātus, -āre, [**con-memoro**], 1. v. a., *remind one of.* — Hence, *speak of, mention, state* (in a narrative): **judicia commemoranda** (*noteworthy*).

commendātiō̆, -ōnis, [**con-†mandatio** (cf. **commendo**)], F., *a recommendation.*

commendō̆, -āvī, -ātus, -āre, [**con-mando**], 1. v. a., *intrust, recommend, surrender, commend* (for help or protection).

commeō̆, -āvī, -ātūrus, -āre, [**con-meo**], 1. v. n., *go back and forth.* — With **ad**, *visit, resort to.*

commercium, -ī, [†**commerc** + **ium** (cf. **commercor**)], N., *commercial intercourse, trade, commerce, dealings* (in the way of trade).

commisceō̆, -scuī, -xtus (-stus), -scēre, [**con-misceo**], 2. v. a., *mingle, mix.*

committō̆, -mīsī, -missus, -mittere, [**con-mitto**], 3. v. a., (*let go* (send) *together* or *altogether*). — Hence, *join, unite, attach:* **proelium** (*engage, begin the engagement*). — Also, *entrust, trust:* **tabulas committere** (*put into the hands of*, etc.); **nihil his committere** (*place no confidence in*, etc.). — Also, *admit, allow* (to happen), *commit* (suffer to be done, cf. **admitto**), *perpetrate, do:* **committere ut posset** (*leave it possible*); **nihil committere** (*do nothing wrong*).

commodō̆, -āvī, -ātus, -āre, [**con-modŏ-**], 1. v. a., *adapt.* — Also (cf. **commodus**), *loan, lend.*

commodum, see **commodus**.

commodus, -a, -um, [**con-modus**, see A. & G., 168*d*], adj., (*having the same measure with*), *fitting, suitable, convenient, advantageous:* **commodissimum est** (*it is the best thing, most advantageous*). — **Neut.**

as subst., *convenience, comfort, advantage, interest:* commodo nostro (*at our convenience*); commoda quibus utimur (*blessings*).

commoneō̆, -monuī, -monitus, -monēre, [**con-moneo**], 2. v. a., *remind.*

commoror, -ātus, -ārī, [**con-moror**], 1. v. dep., *delay, stay, wait.*

commoveō̆, -mōvī, -mōtus, -movēre, [**con-moveo**], 2. v. a., *move, stir, agitate.* — With reflex., or in pass., *be moved, move* (intrans.), *stir.* — Fig., *disturb, agitate, affect, alarm, influence* (with idea of violent feeling), *move, trouble.*

commūnicō̆, -āvī, -ātus, -āre, [†**communicŏ-** (**communi** + **cus**)], 1. v. a., (*make common*), *share, communicate, consult* (with a person about a thing, and so make it common), *add* (a thing to another), *put in along with* (something else): **causam** (*confound* with that of another); **ratio cum illo communicatur** (*shared by him*).

commūniō̆, -ōnis, [**communi**+**o** (cf. **legio**)], F., *participation* (in common), *sharing:* **sanguinis** (*the ties of blood*).

commūnis, -e, [**con** + **munis** (cf. **munia**, *duties*)], adj., (*having shares together*), *common, general, in common:* **ex communi consensu** (*by general agreement*); **consilium** (*general plan, concerted action*); **jura** (*universal, natural*); **quid tam commune** (*universal*). — Neut. as subst., *a community, an association:* **a Cretensium communi** (*from the Cretans in common*).

commūniter [**communi** + **ter**], adv., *in common, in general.*

commūtābilis, -e, [**commutā** + **bilis**], adj., *changeable.*

commūtātiō̆, -ōnis, [**con-muta**+ **tio** (cf. **commuto**)], F., *change.*

commūtō̆, -āvī, -ātus, -āre, [**con-muto**], 1. v. a., *change, exchange.*

comparātiō̆, -ōnis, [**con-paratio** (cf. **comparo**)], F., *a comparison, a preparation.*

comparō̆, -āvī, -ātus, -āre, [**con-paro**], 1. v. a., *get ready, prepare, win, secure, procure, gain, get together, prepare for* (with a different view of the object in English), *arrange, establish, ordain* (of institutions): **insidias** (*lay*); **uxor se** (*get ready*). — Also (cf. **confero**), *compare* (possibly a different word).

compellō̆, -pulī, -pulsus, -pellere, [**con-pello**], 3. v. a., *drive together* (or *altogether*), *drive in, force, drive.*

comperendinō̆, -āvī, -ātus, -āre, [**conperendinŏ-**], 1. v. a. and n., *adjourn* (of a court). — Also, of one of the parties, *close the case* (so as to be ready for adjournment).

comperiō̆, -perī, -pertus, -perīre, [**con-pario**], 4. v. a., (*get together*), *find out* (by inquiry), *discover.*

competītor, -tōris, [**con-petitor**], M., *a competitor, a rival.*

complector, -plexus, -plectī, [**con-plector**], 3. v. dep., *embrace, include, enclose.* — Less exactly, *love, cherish:* **sententia** (*express concisely*).

compleō̆, -plēvī, -plētus, -plēre, [**con-pleo**], 2. v. a., *fill up, fill.* — With a different conception of the action from Eng., *cover, man* (of walls).

complexus, -ūs, [**con-**†**plexus** (cf. **complector**)], M., *an embrace.*

complūrēs, -plūra (-ia), [**con-plus**], adj. plur., *very many, a great many, a great number of.*

compōnō̆, -posuī, -positus, -pōnere, [**con-pono**], 3. v. a., *put to-*

gether.—Also, *settle, make a settlement.*—**compositus**, -a, -um, p.p. as adj., *settled, composed, arranged.*

comportō, -āvī, -ātus, -āre, [con-porto], I. v. a., *bring together.*

compos, -otis, [con-potis], adj., *in possession of:* **hujus urbis** (*a citizen*).

comprehendō, -hendī, -hēnsus, -hendere, [con-prehendo], 3. v. a., *seize, catch, take into custody, arrest, capture, grasp* (one by the hand or clothing).—Fig., *take, catch* (of fire), *firmly grasp* (of facts).

comprimō, -pressī, -pressus, -primere, [con-premo], 3. v. a., *press closely, crush, repress, foil, put down.*

comprobō, -āvī, -ātus, -āre, [con-probo], I. v. a., *approve, sanction, prove.*

cōnātus, -tūs, [conā- (stem of **conor**) + **tus**], M., *an attempt, an effort, an undertaking.*

concēdō, -cēssī, -cēssus, -cēdere, [con-cedo], 3. v. a. and n., *retire, go out of the way.*—Also, *give up* (a thing to one), *allow, grant, assign* (leave, where the rest is taken away), *permit, yield the palm* (to a superior), *yield, admit, concede.*

concelebrō, -āvī, -ātus, -āre, [con-celebro], I. v. a., *celebrate, attend in throngs.*

concertātiō, -ōnis, [con-certā + tio], F., *rivalry, contention.*

concertō, -āvī, -ātūrus, -āre, [con-certo], I. v. n., *contend.*

concidō, -cidī, -cāsūrus, -cidere, [con-cado], 3. v. n., *fall down, fall.*—Fig., *fail, be impaired, collapse.*

concīdō, -cīdī, -cīsus, -cīdere, [con-caedo], 3. v. a., *cut to pieces, cut down* (kill), *cut up, mangle.*

conciliātrīcula, -ae, [conciliatric + ula], F., *a little conciliator* (female or conceived as such), *an insinuating charmer, a flattering commendation.*

conciliō, -āvī, -ātus, -āre, [conciliŏ- (stem of **concilium**)], I. v. a., *bring together* (cf. **concilium**).—Hence, *win over* (originally by persuasion in council?), *secure* (even by force), *win, gain:* **feras inter sese** (*attach to each other*).

concilium, -ī, [con-†cilium (√CAL + **ium**, cf. **Calendae**)], N., *a meeting.*—Esp., *an assembly* (of war or state), *a council, a conference, a united body* (of merchants, farmers, or the like), *the people* (assembled in the **comitia tributa**).—Cf. **consilium**, which is often equivalent, but refers rather to the action or function than the body.

concipiō, -cēpī, -ceptus, -cipere, [con-capio], 3. v. a., *take up, take on, take in, get* (**maculam**), *incur* (**infamiam**).—Of the mind, *conceive, plan, devise.*

concitātiō, -ōnis, [con-citatio (cf. **concito**)], F., *excitement.*

concitō, -āvi, -ātus, -āre, [con-cito], I. v. a., *arouse, stir up, call out* (and so set in motion), *excite, agitate:* **mala** (*set in motion*).

conclāve, -is, [con-clavis], N., *a chamber* (originally locked).

conclūdō, -clūsī, -clūsus, -clūdere, [con-claudo], 3. v. a., *shut up, enclose.*—Also, *conclude, finish.*

concordia, -ae, [concord + ia], F., *harmony, concord, unanimity.*—Esp., *Concord* (worshipped as a goddess by the Romans, like many other qualities, and having a famous temple on the slope of the Capitoline looking towards the Forum).

concors, -ordis, [con-cor], adj., *harmonious:* **fratres** (*mutually affectionate*).

concupīscō̆, -īvī (-iī), -ītus, -īscere, [con-†cupisco], 3. v. a., *covet, desire earnestly, long for.*

concurrō̆, -currī (-cucurrī), -cursūrus, -currere, [con-curro], 3. v. n., *run together, rush up, rush in, rush* (advance), *flock to, hasten in:* **concursum** est (*there was a rush*).

concursō̆, -āvī, -ātūrus, -āre, [con-curso], 1. v. n., *rush to and fro, run about.*

concursus, -sūs, [con-cursus (cf. concurro)], M., *a rushing to and fro, a dashing together* (collision).— Esp., *a charge, onset, a crowd running, a crowd, a crowding together, a concourse, an assembling* (in a tumultuous manner), *an assembly.*

condemnō̆, -āvī, -ātus, -āre, [con-damno], 1. v. a., *condemn, find guilty.*—Less exactly, *condemn* (not in a court).

condiciō̆, -ōnis, [con-dicio (cf. condico)], F., *terms, condition, terms of agreement, terms* (of fighting), *state* (of slavery), *lot, situation, a bargain, position.*

conditiō̆, see **condicio**.

condō̆, -didī, -ditus, -dere, [con-do], 3. v. a., *put together, found, build.*— Also, *lay up, preserve* (cf. **condio**).

condōnātiō̆, -ōnis, [con-donatio (cf. **condono**)], F., *a giving up, a donation.*

condōnō̆, -āvī, -ātus, -āre, [con-dono], 1. v. a., *give up, pardon for the sake of.*

condūcō̆, -dūxī, -ductus, -dūcere, [con-duco], 3. v. a., *bring together, bring up* (soldiers).— Also, *hire.*

cōnfectiō̆, -ōnis, [con-factio (cf. **conficio**)], F., *a finishing.*

cōnferciō̆, -fersī, -fertus, -fercīre, [con-farcio], 4. v. a., *crowd together.* —**cōnfertus**, -a, -um, p.p. as adj. (both of the thing crowded and the place), *close, crowded, dense, closely crowded, in close order, in a solid body:* **confertus** cibo (*crammed with food*).

cōnferō̆, -tulī, -lātus, -ferre, [con-fero], irr. v. a., *bring together, get together, bring in, gather, collect.*— With or without **culpam**, *lay the blame on, charge, ascribe.*—With reflexive, *betake one's self, remove, take refuge, devote.*—So with other words, *remove, establish.*— Also, *postpone, delay, devote, confer, contribute, set, appoint, compare.*—Esp.: **signa** (*join battle* in a regular engagement); **pestem** (*bring upon, visit upon*); **spem** (*set upon* something); **orationem** (*direct* towards).

cōnfertus, -a, -um, p.p. of **confercio**.

cōnfessiō̆, -ōnis, [con-†fassio (cf. **confiteor**)], F., *a confession.*

cōnfestim [acc. of †con-festis (cf. **festino**)], adv., *in haste, immediately, at once.*

cōnficiō̆, -fēcī, -fectus, -ficere, [con-facio], 3. v. a., (*do up*), *accomplish, complete, finish up, carry out, finish, perform.*— Also, *make up, get together, write up* (of a document), *work up* (of skins tanned). — Also (cf. Eng. "done up"), *finish up, exhaust, wear out, kill.*

cōnfictiō̆, -ōnis, [con-fictio (cf. **confingo**)], F., *a making up, an invention.*

cōnfīdō̆, -fīsus sum, -fīdere, [con-fido], 3. v. n., *be confident, trust, trust to, have confidence in, rely on, feel assured.*—**cōnfīsus**, -a, -um, p.p. in active sense, *trusting in.*

cōnfingō̆, -finxī, -fictus, -fingere, [con-fingo], 3. v. a., *make up, manufacture, invent, imagine.*

cōnfirmō, -āvī, -ātus, -āre, [con-firmo], I. v. a., *strengthen.* — Fig., *strengthen, establish, encourage, confirm, re-establish, reassure.* — Hence (of things and statements), *confirm, declare, assert, assure* (one of a thing), *prove, support* (a statement): **Galliam praesidiis; causam auctoritatibus; audaciam; conjunctionem; imbecillitatem** (*give strength to*).

cōnfiteor, -fessus, -fitērī, [con-fateor], 2. v. dep., *confess, acknowledge, admit, make confession.*

cōnflagrō, -āvī, -ātus, -āre, [con-flagro], I. v. n., *be on fire, burn, be burned.*— Fig.: **invidia** (*be consumed by a fire of indignation*).

cōnflīgō, -flīxī, -flictus, -flīgere, [con-fligo], 3. v. a. and n., *dash against, contend, fight.*

cōnflō, -āvī, -ātus, -āre, [con-flo], I. v. a., *blow up* (of a fire). — Fig., *excite, kindle.* — Also, *fuse, melt.* — Hence (fig.), *get together, gather, fuse:* **injuria novo scelere conflata** (*got up, devised*).

cōnfluō, -fluxī, no p.p., -ere, [con-fluo], 3. v. n., *flow together.* — Less exactly (of persons), *flock together:* **portus** (*unite their waters*).

cōnformātiō, -ōnis, [con-formatio (cf. **conformo**)], F. (concretely), *form, conformation, structure, forming, training.*

cōnformō, -āvī, -ātus, -āre, [con-formo], I. v. a., *form, mould, train.*

cōnfringō, -frēgī, -fractus, -fringere [con-frango], 3. v. a., *break up, shatter.*

cōnfugiō, -fūgī, no p.p., -fugere, [con-fugio], 3. v. n., *flee, take refuge.*

congerō, -gessī, -gestus, -gerere, [con-gero], 3. v. a., *bring together, heap together, mass together, heap upon.*

congredior, -gressus, -gredī, [con-gradior], 3. v. dep., *come together.* — In peace, *unite with.* — Esp., in war, *come in contact with, engage, fight.*

congregō, -āvī, -ātus, -āre, [con-†grego (cf. **aggrego**)], I. v. a., *bring together, gather together, collect.* — With reflex. or in pass., *assemble, gather.*

congruō, -uī, no p.p., -uere, [?, congruŏ-(**con-grus**, cf. *flock together, herd together, dog one's footsteps, crane the neck*)], 3. v. n., *flock together* (cf. example below). — Hence, *harmonize, agree:* **multae causae convenisse unum in locum atque inter se congruere** (*combine*).

cōniciō (-jicio), -jēcī, -jectus, -icere [con-iacio], 3. v. a., *throw together, hurl, cast, discharge, aim:* **se conciere** (*rush*); **sortem** (*cast, draw*).—Less exactly, esp. in a military sense), *throw* (into prison), *put, place, station* (cf. military *throw* troops into, etc.), *force.* — Fig., *put together* (of ideas), *conjecture, guess:* **in noctem se conicere** (*rush out into the darkness, rush out at night*).

cōnīveō (**conn-**), -nīvī (-nixī), -nīvēre, no p.p., [con-niveo], 2. v. n., *wink,* (also fig. as in Eng.) *shut the eyes, connive.*

conjectūra, -ae, [con-iactura, cf. **conicio**], F., *a guess* ("putting two and two together"), *a conjecture, an inference.*

conjiciō, see **conicio.**

conjunctiō, -ōnis, [con-junctio (cf. **conjungo**)], F., *a uniting, a union, a connection.*

conjungō, -junxī, -junctus, -jungere, [con-jungo], 3. v. a., *unite, connect, fasten together.* — In pass., or with reflexive, *unite* (neuter), *con-*

nect one's self, join. — **conjunctus**, -a, -um, p.p. as adj., *united, closely connected, in conjunction with:* cum his (ludis) plebeios esse conjunctos (*follow immediately*); quod (bellum) reges (*unite to wage*).

conjunx, -jugis, [con-†jux(√JUG, as stem, with intrusive **n** from **jungo**)], C., *a spouse.* — Esp., F., *a wife.*

conjūrātiō, -ōnis, [con-juratio, (cf. **conjuro**)], F., *a conspiracy, a confederacy.*

conjūrātus, see **conjuro**.

conjūrō, -āvī, -ātus, -āre, [con-iuro], I. v. n., *swear together, take an oath* (together), *swear mutual oaths.* — Hence, *conspire.* — **conjūrātus**, p.p. as subst., *a conspirator.*

conlātus (**coll**-), -a, -um, p.p. of **confero**.

conlaudō (**coll**-), -āvī, -ātus, -āre, [con-laudo], I. v. a., *praise* (in set terms).

conlēctiō (**coll**-), -ōnis, [con-lectio], F., *a collecting, a gathering.*

conlēga (**coll**-), -ae, [con-†lega (√LEG + a)], M., *a colleague* (one of two or more persons holding an office with equal powers).

conlēgium (**coll**-), -ī, [con-legium (?), or conlega + ium], N., *a body of colleagues, a body* (composed of such persons). — Also, *a corporation, an organized body, a club, a guild.*

conligō (**coll**-), -lēgī, -lēctus, -ligere, [con-lego], 3. v. a., *gather, collect, acquire* (by accumulation). — With reflexive, *collect one's self, recover, gather:* naufragi conlecti (*picked up*).

conlocō (**coll**-), -āvī, -ātus, -āre [con-loco], I. v. a., *place, set, station* (of troops, etc.), *set up, lay:* insidias. — Esp. (with or without **nuptum**), *give in marriage, marry* (of a father or guardian). — Fig., *settle, place* (spem), *invest* (pecunias), *locate* (sedem).

conloquor (**coll**-), -locūtus, -loquī, [con-loquor], 3. v. dep., *confer, hold an interview* (or *parley*), *parley, converse.*

conluviō, -ōnis, [con-†luvio (akin to **luo**)], F., *wash, dregs.*

connīveō, see **coniveo**.

cōnor, -ātus, -ārī, [?, con- stem akin to **onus**], I. v. dep., *attempt, try, endeavor:* conatum (*an attempt*).

conqueror, -questus, -querī, [con-queror], 3. v. dep., *complain, make complaint.*

conquiēscō, -quiēvī, -quiētūrus, -quiēscere, [con-quiesco], 3. v. n., *rest, repose, find rest, be quiet, be idle.*

conquīsītor, -tōris, [con-quaesitor], M., *an investigator, a searcher, a detective.*

Cōnsānus, (**Comps**-), -a, -um, [Consa + anus], adj., *of Consa* (a city of the Hirpini). — Plur., *the people of Consa.*

cōnscelerātus, -a, -um, [con-sceleratus], adj., *accused, criminal.*

cōnscientia, -ae, [con-scientia, cf. **consciens**], F., *consciousness, privity, conscience, consciousness of guilt.*

cōnscius, -a, -um, [con-†scius, √SCI (in **scio**) + **us**], adj., *knowing* (with one's self or another), *conscious, privy, a witness, a confidant.*

cōnscrībō, -scrīpsī, -scrīptus, -scrībere, [con-scribo], 3. v. a., *write down.* — Esp., *enrol, conscribe, levy.* — Esp.: Patres conscripti (*senators, the senate*).

cōnsecrō, -āvī, -ātus, -āre, [con-sacro], I. v. a., *hallow, consecrate.* — **cōnsecrātus**, -a, -um, p.p. as adj., *consecrated, sacred, hallowed:* Aristaeus in templo (*worshipped*); viri ad immortalitatis et religionem et memoriam consecrantur (*are held in reverence*).

cōnsēnsiō̆, -ōnis, [con-†sensio, cf. **consentio**], F., *agreement, unanimity, conspiracy.*

cōnsēnsus, -sūs, [con-sensus, cf. **consentio**], M., *agreement, consent, harmonious* (or *concerted*) *action, unanimous action.*

cōnsentiō̆, -sēnsī, -sēnsūrus, -sentīre, [con-sentio], 4. v. n., *agree, conspire, make common cause, act with* (some one).

cōnsequor, -secūtu, -sequī, [con-sequor], 3. v. dep., *follow up, follow, overtake.* — Hence, *obtain, secure, attain, succeed in* (some purpose), *arrive at.* — Also, *follow close upon, succeed, ensue, result:* quaestum (*get*); *fructum* (*reap*).

cōnservātiō̆, -ōnis, [con-servatio (cf. **conservo**)], F., *preservation.*

cōnservātor, -tōris, [con-servator (cf. **conservo**)], M., *a preserver, a saviour.*

cōnservō̆, -āvī, -ātus, -āre, [con-servo], 1. v. a., *save, preserve, spare, keep.* — Also, *observe* (law, right), *regard.*

cōnsessus, -sūs, [con-sessus (cf. **consedeo**)], M., *a sitting together, a session, a body* (sitting together), *a bench* (of judges).

cōnsīderō̆, -āvī, -ātus, -āre, [?, poss. †considerŏ- (from adj. stem of which **sidus** is neut., cf. **desiderium**)], 1. v. a., *dwell upon, consider, contemplate.*

Cōnsidius, -ī, [con-†sidius (akin to **sedeo**)], M., a Roman name. — Esp., *C. Considius Longus* in Africa as propraetor B.C. 50.

cōnsīdō̆, -sēdī, -sessūrus, -sīdere, [con-sido], 3. v. n., *sit down* (in a place). — Less exactly, *take a position, halt, encamp, settle.*

cōnsilium, -ī, [con-†silium (cf. **consul**, akin to **salio**, in some earlier unc. meaning)], N., *deliberation.* — Esp., *wise counsel, advice, wisdom, prudence, discretion.* — Hence, *a plan, a counsel, design, purpose, course* (as design carried out), *measure, conduct, a policy, a stratagem.* — Esp., *a deliberative body* (more abstract and with more reference to the act or function of deliberating than **concilium**, which see), *a council, a body of counsellors, a bench* (of judges), *a panel* (of a jury), *a court* (consisting of a body of judices): casus ad consilium admittitur (*chance is not admitted to council*); privato consilio non publico (*as a private not a public measure, by private and not by official action*); partim consiliis partim studiis (*partly with policy, partly with political feeling*); publico consilio factum (*as a state measure*); uno consilio (*with one continuous purpose* or *policy*); consilium publicum (*council of state*, of the senate); ad consilium publicum rem deferre (*the established council of state*); non deest rei publicae consilium (*a plan of action settled by the council of state*); erat ei consilium ad facinus aptum (*power of planning*); consilio malitiae occurrere (*with wise measures*); aliquod commune consilium (*any consulting body*).

cōnsistō̆, -stitī, no p.p., -sistere, [con-sisto], 3. v. n., *take a stand, take a position, stand, keep one's position, form* (of troops). — In perf. tenses, *have a position, stand.* —

Hence, *stand still, stop, halt, make a stand, hold one's ground, run aground* (of ships), *remain, stay.*—With **in**, *occupy, rest on.*—Fig., *depend on, rest on.*

cōnsobrīnus, -ī, [con-sobrinus], M., *first cousin* (on the mother's side).—Less exactly, (any) *cousin german.*

cōnsōlātiō, -ōnis, [con-solatio (cf. **consolor**)], F., *consolation, solace.*—Also, as in Eng., *a means of consolation.*

cōnsōlor, -ātus, -ārī, [con-solor], 1. v. dep., *console.*—**cōnsōlātus**, -a, -um, p.p. as pres., *consoling.*

cōnsors, -sortis, [con-sors], adj., *associating, sharing, a sharer.*

cōnspectus, -tūs, [con-spectus, cf. **conspicio**], M., *sight, a view.*

cōnspiciō, -spēxi, -spectus, -spicere, [con-†specio], 3. v. a., *look upon, see.*

cōnspīrātiō, -ōnis, [con-spiratio (cf. **conspiro**)], F., *a conspiracy, a combination* (not in a bad sense).

cōnspīrō, -āvī, -ātus, -āre, [con-spiro], 1. v. n., *sound together.*—Fig., *harmonize.*—Also, *conspire, league together:* **consensus conspirans** (*a blended harmony*).

cōnstāns, -ntis, p. of **consto**, which see.

cōnstanter [constant + ter], adv., *consistently, uniformly, steadily, with constancy, firmly.*

cōnstantia, -ae, [constant + ia], F., *firmness, constancy, undaunted courage, strength of character.*

cōnstituō, -stituī, -stitūtus, -stituere, [con-statuo], 3. v. a. and n., *erect, set up, raise, put together, make up.*—Hence, *establish, station, arrange, form, draw up.*—Fig., *determine, appoint, agree upon, determine upon, ordain, fix, decide upon, establish a principle that,* etc.: **Jupiter constitutus** (*consecrated*); **colonias** (*plant*); **rationem salutis** (*base, found*); **spem** (*repose*); **suspicionem** (*make out*); **supplicium** (*decide upon, inflict*); **imperatorem** (*create, appoint*); **exercitum** (*set on foot*); **consulares ad caedem** (*destine, mark out*).

cōnstō, -stitī, -stātūrus, -stāre, [con-sto], 1. v. n., *stand together.*—Fig., *agree, be consistent* (esp. of accounts).—Hence, *be established, appear, be agreed upon, be evident.*—Also (from accounts), *cost.*—Also, *depend upon, consist, be composed.*—**cōnstāns**, -ntis, p. as adj., *consistent, steady, firm, steadfast.*

cōnstringō, -strinxī, -strictus, -stringere, [con-stringo], 3. v. a., *bind fast, hold fast bound, bind hand and foot, hold in check, restrain.*—In many fig. uses, the figure is retained in Latin where it can hardly be kept in English.

cōnsuēscō, -suēvī, -suētus, -suēscere, [con-suesco], 3. v. n., *become accustomed.*—In perf. tenses, *be accustomed, be wont.*—**cōnsuētus**, -a, -um, p.p., *accustomed, wont, used.*

cōnsuētūdō, -inis, [con-†suetudo (prob. †suetu + do, as in **gravēdo, libīdo**), cf. **consuesco**], F., *habit, custom, habits* (collectively), *manners, customs, precedent, ordinary method, habitual intercourse, intercourse:* **victus** (*customary mode of living*); **incommodorum** (*the habit of enduring,* etc.).

cōnsul, -ulis, [con-sul (cf. **praesul, exsul**), root of **salio** in some earlier unc. meaning], M., *a consul* (the title of the chief magistrate of Rome, cf. **consilium**).—With proper names in abl., the usual way of indicating dates: **M. Messala et M. Pisone consulibus** (*in the consulship of*, etc.); **se consule** (*in his consulship*, as a date or occasion); **pro consule** (see **proconsul**).

cōnsulāris, -e, [consul + aris], adj., *of a consul, of the consuls, consular.* — Esp. with **homo**, etc., or as subst., *an ex-consul.*

cōnsulātus, -tūs, [†consulā- (cf. **exsulo**) + **tus**], M., *consulship* (cf. **consul**), *the office of consul.*

cōnsulō, -suluī, -sultus, -sulere, [prob. **consul**, though poss. a kindred or independent verb], 3. v. a. and n., *deliberate, consult, take counsel, decide.* — With acc., *consult, take one's advice, ask the advice of.* — With dat., *take counsel for, consult the interests of, consult for the welfare of, look out for, do a service to.* — See also **consulto** and other participial forms.

cōnsultō [prob. like abl. absolute p.p. used impersonally, cf. **auspicato**], adv., *with deliberation, purposely, designedly.*

cōnsultum, -ī, [N. p.p. of **consulo**], N., *a decision, an order, a decree.* — Esp., **senatus consultum** (*an order of the senate*).

cōnsūmō, -sūmpsī, -sūmptus, -sūmere, [con-sumo], 3. v. a., (*take out of the general store*). — Hence, *waste, consume, destroy, spend, exhaust, use up.*

contāminō, -āvī, -ātus, -āre, [**contamin-** (stem of **con-†tāmen**, i.e. tag + **men**)], 1. v. a., *bring into contact, unite.* — Esp. with notion of contagion (cf. **contagio**), *contaminate.* — Hence, *defile, dishonor, disgrace.*

contegō, -tēxī, -tectus, -tegere, [con-tego], 3. v. a., *cover up, cover, bury.*

contemnō, -tempsī, -temptus, -temnere, [con-temno], 3. v. a., *despise, disregard, hold in contempt.* — **contemptus**, -a, -um, p.p. as adj., *despicable, contemptible.*

contendō, -tendī, -tentus, -tendere, [con-tendo], 3. v. n., *strain, struggle, strive, try, endeavor, exert one's self, attempt, be zealous.* — Esp., with verbs of motion, *press on, hasten.* — Also, *fight, contend, wage war.* — With **ad** and in like constructions, *press towards, hasten, march, start to go* (in haste). — With **ab**, *urge upon one, persuade, induce.* — Also, *compare, contrast.* — Absolutely, *maintain* (*that*, etc.), *contend* (in same sense).

contentiō, -ōnis, [con-†tentio, cf. **contendō**], F., *a strain, struggle, efforts.* — Esp., *contest, fighting.* — Also, *comparison* (cf. **contendo**).

contentus, -a, -um, p.p. of **contendo** and **contineo**.

conticēscō, -ticuī, no p.p., -ticēscere [con-†tacesco], 3. v. n., *become silent, cease to speak, be hushed.*

continēns, -entis, pres. p. of **contineo**, which see.

continenter [continent + ter], adv., *continually, without stopping, continuously.*

continentia, -ae, [continent + ia], F., *self-restraint.*

contineō, -tinuī, -tentus, -tinēre, [con-teneo], 2. v. a., *hold together, connect, contain, hold in.* — Hence, in many fig. meanings, *restrain, hold in check, keep* (within bounds), *hem in, retain* (in something). — Pass. or with reflex., *keep within, remain, be included in, be bounded, consist in* (be contained in), *depend upon.* — **continēns**, -entis, p. as adj., (*holding together*), *continual, contiguous,* *continuous.*— As subst., *the continuous land, the continent.*— Also, *restraining one's self, continent.*— **contentus**, -a, -um, p.p. as adj., *contented, content, satisfied.*

contingō̆, -tigī, -tactus, -tingere, [con-tango], 3. v. a. and n., *touch, reach, join.*— With dat. (expressed or implied), *happen, have the good fortune* (of the person).— Rarely in a general sense, *occur, be the case.*

continuō [abl. of **continuus**], adv., *immediately, straightway, forthwith.*

continuus, -a, -um, [con-†tenuus (√TEN in **teneo** + **uus**)], adj., *continuous, successive, in succession.*

contiō̆, -ōnis, [prob. for **conventio**], F., *an assembly.*— Esp., *the assembly* of the people convened by a magistrate for discussing any public matter, but not for voting (cf. **comitia**), or a like assembly of soldiers before their commander.— Less exactly, *a harangue* (on such an occasion), *an address:* **comes ad contionem** (*an associate to address the people*); **in contione** (*in harangues*).

contiōnātor, -tōris, [contionā + tor], M., *a haranguer, a demagogue.*

contiōnor, -ātus, -ārī, [contion-], 1. v. dep., *harangue, address* (an assembly or an army).

contrā [unc. case-form (instr.?) of †**conterus** (con + **terus**), cf. **superus, supra**], adv. and prep., *opposite, contrary to, against, in opposition, on the other hand, on the other side, to the contrary:* **contra atque** (*different from what*, etc., *contrary to what*, etc.).

contractiō̆, -ōnis, [con-tractio (cf. **contraho**)], F., *a drawing together, a contraction:* **frontis** (*a frown*).

contrahō̆, -traxī, -tractus, -trahere, [con-traho], 3. v. a., *draw together, draw in, bring together, gather together, contract, narrow, make smaller, bring into smaller compass:* **aes alienum** (*contract*); **amplius negoti** (*get one's self into*).

contrārius, -a, -um, [†conterŏ- (see **contra**) + **arius**], adj., *opposite* (lit. and fig.), *contrary, contradictory.*

contremiscō̆, -tremuī, no p.p., -tremiscere [con-tremisco], 3. v. n., *begin to tremble:* **fides virtusque** (*waver*).

contrōversia, -ae, [contro-versŏ + ia], F., *a turning against.*— Hence, *a controversy, a dispute:* **sine controversia** (*without question*).

contrūcīdō̆, -āvī, -ātus, -āre, [con-trucido], 1. v. a., *cut to pieces, slaughter, massacre.*— Less exactly, *tear in pieces* (**rem publicam**).

contubernālis, -is, [con-taberna + alis], M. and F., (prop. adj.), *a tent companion, a messmate.*

contumēlia, -ae, [?, cf. **tumeo**], F., *an insult, an affront, an outrage.*

convalēscō̆, -uī, no p.p., -ere, [con-valesco], 3. v. n., *get better.*

convehō̆, -vēxī, -vectus, -vehere, [con-veho], 3. v. a., *bring together.*

conveniō̆, -vēnī, -ventus, -venīre, [con-venio], 4. v. a. and n., *come together, meet, assemble, come in, arrive, agree upon, agree.*— With acc., *meet, come to.*— Also, of things, *be agreed upon, be fitting, be necessary* (in a loose sense in Eng.).— Esp. impers., *it is fitting, ought:* **qui convenit** (*how is it likely, how can it be*); **tibi cum sceleratis convenire**

(*you be on good terms with*, etc.); **in aliquem suspitio** (*can fall*).

conventiculum, -ī, [conventŏ + culum], N., *a little group*.

conventus, -tūs, [con-†ventus (cf. **convenio** and **adventus**)], M., *an assembly*, *a meeting*. — Esp., *an assize* (the regular assembly of Roman citizens in a provincial town on stated occasions, at which justice was dispensed), *an association of merchants* (in a province, who were united into a sort of guild).

conversus, -a, -um, p.p. of **converto**.

convertō, -verti, -versus, -vertere, [con-verto], 3. v. a., *turn about*, *turn*. — Fig., *divert*, *change*, *convert*, *appropriate*: **se convertere** (*turn*).

convīcium (convīt-), -ī, [†convic- (con-vox) + **ium**], N., *a wrangle*, *wrangling*.

convincō, -vīcī, -victus, -vincere, [con-vinco], 3. v. a., *prove*, *make good* (a charge, etc.): **avaritia convicta** (*found guilty of avarice*, changing the point of view for the Eng. idiom). — Also (as in Eng.), of the person, *convict*, *prove guilty*.

convīvium, -ī, [conviva + ium (cf. **collegium**)], N., *a living together*, *a banquet*, *a carousal*.

convocō, -āvī, -ātus, -āre, [convoco], I. v. a., *call together*, *summon*, *call* (a council or the like).

cōpia, -ae, [†copi- (con-ops) + **ia**, cf. **inopia**, **inops**], F., *abundance*, *plenty*, *supply* (both great and small), *quantity*, *number*. — Esp., *luxury* (abundance of everything). — plur. (esp. of forces), *forces*, *resources*, *supplies*, *armed forces*, *capital*: **dicendi** (*fluency*); **in dicendo** (*fulness of matter*).

cōpiōsē [old abl.], adv., *fully*.

cōpiōsus, -a, -um, [**copia** (reduced) + **osus**], adj., *well supplied*, *wealthy*, *full of resources*, *well to do*.

cōram [unc. case, formed from **con** and **os**], adv. and prep., *face to face*, *personally*, *present*, *in person*.

Corduba, -ae, [?], F., a city in Spain (*Cordova*).

Cōrfidius, -ī, [?], M., a Roman gentile name. — Esp., *L. Corfidius*, a friend of Ligarius.

Corinthius, -a, -um, [Κορίνθιος], adj., *of Corinth*, *Corinthian*. — Masc. plur., *the Corinthians*.

Corinthus, -ī, [Κόρινθος], F., *Corinth* (the famous city on the isthmus between Greece and the Peloponnesus, destroyed by Mummius, B.C. 146).

Cornēlius, -ī, [?], M., a famous Roman gentile name. — Esp.: 1. *Cornelius Cinna* (see **Cinna**); 2. *L. Cornelius Sulla* (see **Sulla**); 3. *L. Cornelius Lentulus* (see **Lentulus**).

Cornēlius, -a, -um, [same word as preceding], adj., *of Cornelius*. — Esp., *Cornelian* (of the laws passed by Sulla).

Cornificius, -ī, [†cornifico + **ius**], M., a Roman gentile name. — Esp., *Q. Cornificius*, one of the judices in the case against Verres.

Cornūtus, -ī, [cornu + **tus** (cf. **barbatus**)], M., a Roman family name: — Esp., *M. Cornutus*, prætor in B.C. 43.

corōna, -ae, [?], F., *a garland*. — Fig., *a circle* (*line*, of soldiers), *a circle of spectators*.

corpus, -oris, [unc. root + **us**], N., *the body*, *the person*, *the frame*: **petitionis corpore effugere** (*by dodging*, a gladiator's term).

corrigō (conr-), -rēxī, -rectus, -rigere, [**con-rego**], 3.v.a., (*straight-*

en), *correct, reform, amend:* **te corrigas** (*amend*, as if intrans.).

corripiō, -ripuī, -reptus, -ripere, [con-rapio], 3. v. a., *seize, seize upon, plunder.*

corrōborō, -āvī, -ātus, -āre, [con-†roboro (**robur**)], 1. v. a., *strengthen, confirm.*

corrumpō, -rūpī, -ruptus, -rumpere, [con-rumpo], 3. v. a., *spoil, ruin, tamper with* (of documents or of a court), *bribe* (of a court, etc.). — **corruptus**, -a, -um, p.p. as adj., *corrupt, profligate.*

corruō, -ruī, no p.p., -ruere, [con-ruo], 3. v. a. and n., *fall in ruins, fall.* — Also, *overthrow.*

corruptēla, -ae, [prob. **corruptō** + ela (cf. **querela**)], F., *means of seduction, an enticement, an allurement.*

corruptor, -tōris, [**con-ruptor** (cf. **corrumpo**)], M., *a corruptor, a seducer.*

cotīdiānus (**quot-**), -a, -um, [cotidie + **anus**], adj., *daily.*

cotīdiē (**quot-**), [quot-die, loc. of **dies**], adv., *daily, every day.*

Cotta, -ae, [?], M., a Roman family name.—Esp., *L. Aurelius Cotta*, consul B.C. 65, and later "Princeps Senatus."

Cottius, -ī, [?], M., the name of two Romans from Tauromenium, who were witnesses against Verres.

Cous, -a, -um, [Κῷος], adj., *of Cos* (the island in the Ægean).—Plur. M., *the Coans.*

crās, [?], adv., *to-morrow.*

Crassus, -ī, [**crassus**, *fat*], M., a Roman family name.—Esp.: 1. *Marcus* (*Licinius*) *Crassus*, consul with Pompey B.C. 55; one (with Cæsar and Pompey) of the combination called **the Triumvirate.** 2. *L. Licinius Crassus*, the great orator, censor B.C. 103. 3. *P. Licinius Crassus*, censor B.C. 89.

crātēra, -ae, [prob. from acc. of κρατήρ], F., *a vase* (for mixing wine, corresponding to "punch-bowl"), *a jar.*

crēber, -bra, -brum, [**crē-** (in **creo**) + **ber** (cf. **saluber**)], adj., *thick, close, numerous, frequent:* **sermo** (*general*).

crēbrō [prob. abl. of **creber**], adv., *frequently, constantly, in rapid succession, at short intervals.*

crēdibilis, -e, [**credi-** (as stem of **credo**) + **bilis**], adj., *to be believed, credible:* **non credibilis** (*impossible to believe*).

crēdō, crēdidī, crēditus, crēdere, [†cred (*faith*, of unc. formation) + do (*place*)], 3. v. a. and n., *trust, entrust, believe, suppose, believe in.* — Esp. parenthetically, **credo** (*I suppose*, ironical): **mihi crede** (*take my word for it, take my advice*).

cremō, -āvī, -ātus, -āre, [?], 1. v. a., *burn, consume* (esp. of the dead, perh. orig. only of flesh, cf. **cremor**).

creō, -āvī, -ātus, -āre, [unc. form., akin to **cresco**], 1. v. a., (*cause to grow*), *create, generate.* — Esp., *elect, choose.*

Creperējus, -ī, [?], M., a Roman gentile name.—Esp., *M. Crepereius*, a Roman knight, a judex in the case of Verres.

crepitus, -tūs, [**crepi-** (as stem of **crepo**) + **tus**], M., *a noise, a rattling, a sound.*

Crēs, Crētis, [Gr. Κρῆς], M., *a Cretan.*

crēscō, crēvī, crētus, crēscere, [stem **crē** (also in **creo**) with **-sco**], 3. v. n., *grow, increase, swell* (of a river), *be swelled, increase in influence* (of a man), *be increased.*

Crētēnsis, -e, [**Creta** + **ensis**], adj., *of Crete, Cretan.* — Masc. plur., *the Cretans.*

crīmen, -minis, [**crī-** (stem akin to **cerno**) + **men**], N., (*a decision*). — Less exactly, *a charge, a fault, a crime.*

crīminor, -ātus, -ārī, [**crimin-**], I. v. dep., *accuse, bring an accusation, charge, find fault with.*

crīminōsē [old abl. of **criminosus**], adv., *in the spirit of an accuser.*

crīminōsus, -a, -um, [**crimin** + **osus**], adj., *criminal, ground for an accusation.*

cruciātus, -tūs, [**cruciā-** (stem of **crucio**) + **tus**], M., *crucifying.* — Hence, *torture.* — With a change of relation, *suffering* (of the person tortured).

cruciō̆, -āvī, -ātus, -āre, [**cruc-** (as if **cruciŏ-**)], I. v. a., *crucify, torture.*

crūdēlis, -e, [**†crudē-** (in **crudesco**, akin to **crudus**) + **lis**, cf. **Aprīlis, edūlis, animālis**], adj., (*bloody?*), *cruel* (also of things suffered, as in Eng.).

crūdēlitās, -tātis, [**crudeli**+**tas**], F., *cruelty.*

crūdēliter [**crudeli** + **ter**], adv., *cruelly, with cruelty, harshly.*

cruentō̆, -āvī, -ātus, -āre, [**cruentō-**], I. v. a., *stain with blood.*

cruentus, -a, -um, [**cru-** (in **cruor**, **crudus**) + **entus** (cf. **tantus**)], adj., *bloody, blood-stained.*

cruor, -ōris, [**cru-** (in **crudus**) + **or**], M., *blood* (out of the body), *gore.*

crux, crucis, [?], F., *a cross* (the usual instrument for the punishment of slaves), *death on the cross.*

cubīle, -is, [**†cubī-** (stem akin to **cumbo**) + **lis** (cf. **crudelis**), N. of adj.], N., *a couch, a resting-place, a bed, a lair.*

cubō̆, -uī, -itum, -āre, [√CUB], I. v. n., *lie down, lie, lie asleep:* **cubitum ire** (*go to bed*).

cūleus (**cull-**), -ī, [κόλεος], M., *a sack.*

culpa, -ae, [?], F., *a fault, blame, guilt.*

cultūra, -ae, [**cultu** + **ra** (F. of **-rus**, cf. **figura**)], F., *cultivation, culture:* **agri cultura** or **agricultura** (*the cultivation of the soil*).

cum [?, another form of **con-**], prep., *with, along with, in company with, armed with.*

cum (**quom**), [case-form (prob. acc.) of **qui**], conj., *when, while, whenever.* — Often rendered by a different construction in Eng.: **cum mulier esset** (*being a woman*). — Of logical relations (usually with subj.), *when, while, since, inasmuch as, though, although.* — **cum . . . tum** *while . . . so also, not only . . . but especially, while . . . besides, not only . . . but also, not only . . . but as well, while . . . as well, while . . . so* (in particular), *both . . . and, as well . . . as;* **cum primum** (*as soon as, the first time*).

cumulātē [old abl. of **cumulatus**], adv., *in full measure, fully.*

cumulō̆, -āvī, -ātus, -āre, [**cumulŏ-**], I. v. a., *heap up, fill full, add to:* **alio scelere hoc scelus** (*add to this,* etc., *another,* etc.); **ea quae promisimus studiose cumulata reddemus** (*in the fullest measure*).

cumulus, -ī, [**†cumŏ-** (akin to κῦμα) + **lus**], M., (*the swelling heap*), *a heap.* — Hence, *the last stroke, the last touch* (added to something already complete), *an extra weight, an increase.*

cūnctus, -a, -um, [for **coniunctus**?], adj., *all* (together, in a mass):

Italia (*the whole of*, etc.); **urbs** (*the entire*).

cupidē [old abl. of **cupidus**], adv., *eagerly*, *zealously*, *earnestly*.

cupiditās, -tātis, [cupidŏ + **tas**], F., *desire*, *eagerness*, *greed*, *cupidity*, *greed of gain*, *selfish desire*.

cupīdō̆, -inis, [unc. form akin to **cupio**], F., *desire*.—Masc. (personified), *Cupid* (the god of desire).

cupidus, -a, -um, [noun stem akin to **cupio** + **dus**], adj., *eager*, *desirous*, *longing* (*for*), *fond of*, *ambitious* (*for*), *with a passion* (*for*), *overzealous*, *greedy*.

cupiō̆, -pīvī, -pītus, -pere, [partly root verb, partly from †**cupi-** (cf. **cupidus**)], 3. (and 4) v. a. and n., *be eager* (*for*), *be anxious*, *desire* (stronger than **volo**).—With dat., *wish well to*, *be zealous for*: quid **cupiebas**, **quid optabas** (*desire*, as a passive longing, *wish for*, as an active prayer or wish).

cūr (**quōr**), [perh. for **qua re**], adv., *why* (rel. and interr.).

cūra, -ae, [for †**cavira**, akin to **caveo**], F., *care*, *anxiety*, *attention*.

cūria, -ae, [prob. akin to **Quiris**], F., the meeting-place of the old aristocracy of Rome.—Hence, *a senate-house*.—Esp., the *curia Hostilia* on the Forum.

Cūriō̆, -ōnis, [**curia** + **o** (*priest of a curia*)], M., a Roman family name.—Esp., *C. Scribonius Curio*, a friend of Cicero and a supporter of the Manilian law.

cūriōsus, -a, -um, [†**curia** (cf. **incuria**)+**osus**], adj., *curious*, *prying*.

cūrō̆, -āvī, -ātus, -āre, [**cura**], I. v. a. and n., *take care*, *treat* (medically).—With gerundive, *cause* (to be done), *have* (done): **curare ut** (*see that*, *take care that*).

curriculum, -ī, [from unc. stem akin to **curro** and **currus**, cf. **vehiculum**], N., *a course*, *a running*.

currō̆, cucurrī, cursūrus, currere, [? for †**curso**], 3. v. n., *run*.

currus, -ūs, [√CUR (?) + **us**, cf. **curro**], M., *a chariot*.—Esp., *a triumphal chariot*.

cursō̆, -āvī, no p.p., -āre, [**cursŏ-**], I. v. n., *run*, *rush*, *hurry*.

cursus, -sūs, [√CUR (?) + **tus**, cf. **curro**], M., *a running*, *running*, *speed*, *a run* (in concrete sense), *a course* (space or direction run), *a voyage*, *a career*: **celeritas et cursus** (*activity*, as a quality, *speedy passage*, as the result accomplished); **cursus sceleris** (fig. as in English); **quemcunque fortuna dederit** (*whatever wanderings*); **orationis** (*flow*).

curūlis, -e, [prob. **curru** + **lis**], adj., (*of a chariot*?).—Esp., **sella curulis** (the ivory chair of magistrates at Rome).

custōdia, -ae, [**custod** + **ia**], F., *custody*, *guard* (state of being guarded).—Plur. (concretely), *guards*, *keepers*.

custōdiō̆, -īvī, (-iī,) -ītus, -īre, [**custod-** (as if **custodi-**)], 4. v. a. and abs. (as if n.), *guard*, *do guard duty*.

custōs, -tōdis, [unc. stem + **dis** (cf. **merces**, **palus**)], C., *a guard*, *a watchman*, *a keeper*, *a guardian*.

Cȳrus, -ī, [Κῦρος], M., a common name among the Greeks.—Esp., an architect or builder employed by Clodius.

Cȳzicēnus, -a, -um, [Κυζικηνός], adj., *of Cyzicum* (a city of Mysia, on the Propontis).—Plur., the people of the city.

D.

d., see **a. d.**

D [half of Φ, CIↃ = M], 500.

D., abbrev. for *Decimus.*

damnātiō, -ōnis, [damna+tio], F., *a finding guilty, a conviction.*

damnō, -āvī, -ātus, -āre, [damnŏ-], 1. v. a., (*fine*), *find guilty, condemn, convict.*

dē [unc. case-form of pron. stem DA (in **idem, dum**)], prep with abl., (*down*, only in comp. as adv.), *down from, off from, from, away from.* — Hence, qua de causa (*for which reason*); de aliquo mereor (*deserve well* or *ill of*, properly *win from*); de consilio (*by*, cf. **ex**); multa de nocte (*late at night*). — Esp. in partitive sense, *out of, of*: pauci de nostris. — Also (cf. Eng. *of*), *about, of* (about), *in regard to, concerning, for*: de regno desperare; nihil de bello timere (*have no fear of war*); contendere, dimicare (*about, for*); triumphare (*triumph over, triumph for a victory over*); quid de te futurum est (*what will become of you*); de majestate (*for*); de improviso (*of a sudden*); de industria (*on purpose*). — In comp., *down, off, away, through* (and be done with).

dea, -ae, [F. of **deus**], F., *a goddess.* — Esp., **Bona dea** (see **bona**).

dēbeō, -buī, -bitus, -bēre, [de-habeo], 2. v. a., (*have off of one's possessions*), *owe, be bound, ought, cannot help, should, be under obligation.* — Pass., *be due, be owing*: non debeo (*have no right*); omnia debere (*be bound to do everything*). — **dēbitus**, -a, -um, p.p. as adj., *due, deserved.*

dēbilis, -e, [de-habilis], adj., *weak, feeble, helpless, enfeebled.*

dēbilitō, -āvī, -ātus, -āre, [de-bili- (through intermediate stem)], 1. v. a., *cripple, weaken, enfeeble, break down* (in health, etc.). — Fig., *overcome, paralyze.*

dēcēdō, -cēssī, -cēssūrus, -cēdere, [de-cedo], 3. v. n., (*make way off*, cf. **cedo**), *retire, withdraw, withdraw from, shun.* — Esp. (from life), *die*: de officio (*sacrifice, abandon*); de jure (*yield, give up*).

decem [?], indecl. adj., *ten.*

December, -bris, -bre, [decem + unc. term, cf. **saluber**], adj., (*tenth*?). — Esp., *of December.*

decempeda, -ae, [decem-†peda (F. of †pedus?)], F., *a ten-foot pole, a measure* (of ten feet).

dēcernō, -crēvī, -crētus, -cernere, [de-cerno], 3. v. a. and n., (*decide off*, so as to clear away), *decide, determine, decree, order* (as a result of determination), *vote* (of a consulting body, or of a single member of it).

dēcerpō, -cerpsī, -cerptus, -cerpere, [de-carpo], 3. v. a., *pluck off.* — Fig., *detract, take away.*

dēcertō, -āvī, -ātus, -āre, [de-certo], 1. v. a. and n., *contend* (so as to close the contest), *decide the issue, try the issue* (of war), *carry on war, fight* (a general engagement): de fortunis decertari (*one's fortunes are at stake*).

dēcēssus, -sūs, [de-†cessus, cf. **decedo** and **incessus**], M., *withdrawal, departure.*

decet, -uit, no p.p., -ēre, [?, cf. **decus**], 2. v. impers., *it is fitting, it is becoming, it becomes.*

decimus (**decu-**), -a, -um, [stem of **decem** + **mus**], adj., *the tenth.* — Esp., *Decimus*, as a Roman prænomen. — Fem., **decuma** (sc. **pars**), *a tithe* (of the produce of land let by the state on shares).

dēclārō, -āvī, -ātus, -āre, [de-claro], I. v. a., (*clear off*), *make plain declare, show.*

dēclīnātiō, -ōnis, [declinā+tio], F., *a leaning, a side movement.*

dēclīnō, -āvī, -ātus, -āre, [de-clino], I. v. a. and n., *move aside, avoid* (as if by a deviation of the body), *elude, flinch.*

dēcoctor, -tōris, [de-coctor (cf. **decoquo**)], M., (*one who boils down*), *a spendthrift.*

decorō, -āvī, -ātus, -āre, [decor-], I. v. a., *adorn, embellish.* — Fig., *honor, praise.*

dēcrētum, -ī, [prop. N. of **decretus**], N., *a decree, a decision, resolution.*

decuma, see **decimus.**

decuria, -ae, [decem + unc. term. (cf. **centuria**)], F., *a decury* (a division of ten men of the original Roman heads of families, also more generally of cavalry and other bodies).

decuriō, -ōnis, [decuria+o], M., *a president of a decury, a decurion.* —Also, a member of the senate in a provincial town, *a provincial senator.*

decuriō, -āvī, -ātus, -āre, [decuria-], I. v. a., *divide into decuries.*

decus, -oris, [dec- (as root of **decet**) + us], N., *an ornament, an embellishment.* — Fig., *an honor.*

dēdecus, -oris, [de-decus], N., *a disgrace, dishonor, a stain.*

dēdicō, -āvī, -ātus, -āre, [de-dīco], I. v. a., *dedicate, devote.*

dēditiō, -ōnis, [de-datio, cf. **dedo**], F., *surrender:* spes deditionis (*hope that one's surrender would be received*).

dēdō, -didī, -ditus, -dere, [de-do], 3. v. a., *give over, surrender, give up.* — In pass. or with reflex., *surrender one's self, submit:* **aures** (*listen to*)

dēdūcō, -dūxī, -ductus, dūcere, [de-duco], 3. v. a., *lead down* or *off, lead away, withdraw, draw off* (praesidia), *take away* (of men), *bring away, lead* (from one place to another), *bring* (into a situation). — Fig., *induce, bring, lead.* — Esp. of ships, *launch* (draw down); of women, *marry* (used of the man); of things, *bring, draw, turn.* So, *raise* (a man to fortune): **rem huc** (*bring*); de fide (*seduce*); de sententia (*dissuade*); de lenitate (*drive*); coloniam (*plant*); servos ex Apennino (*bring down*).

dēfatīgātiō, see **defetigatio.**

dēfatigō, see **defetigo.**

dēfendō, -fendī, -fēnsus, -fendere, [de-fendo], 3. v. a., *ward off, defend one's self against.* — Also, with changed relation, *defend, protect, maintain* (a cause), *fight for.*

dēfēnsiō, -ōnis, [de-†fensio, cf. **defendo**], F., *a defence.*

dēfēnsor, -ōris, [de-†fensor, cf. **defendo**], M., *a defender:* **necis** (*a preventer*).

dēferō, -tulī, -lātus, -ferre, [de-fero], irr. v. a., *carry down, carry away, bring, land* (of ships). — Pass., *be borne down* or *on, drift* (of ships), *turn aside:* **delati in scrobes** (*falling*). — Fig., *confer upon, put in one's hands, report, lay before, devote:* nomen alicujus (*accuse one*); studium (*tender*).

dēfessus, -a, -um, p.p. of **defetiscor.**

dēfetīgātiō (dēfat-), -ōnis, [de-fatigatio], F., *exhaustion.*

dēfetīgātus, -a, -um, p.p. of **defetigo.**

dēfetīgō (dēfat-), **-āvī**, -ātus, -āre, [de-fatigo], 1. v. a., *wear out, exhaust, worry, tire out.*

dēfetiscor, -fessus, -fetiscī, [de-fatiscor], 3. v. dep., *crack open.* — — Fig., *become exhausted.* — **dēfessus**, -a, -um, p.p. as adj., *exhausted, worn out, wearied:* **accusatio** (*grown stale*).

dēficiō, -fēcī, -fectus, -ficere, [de-facio], 3. v. a. and n., *fail, fall away, revolt, fall off, abandon* (with **ab**).

dēfīgō, -fīxī, -fīxus, -fīgere, [de-figo], 3. v. a., *fix* (in or down), *plant, set, fasten, drive down:* **in oculis flagitia** (*set before*); **curas** (*devote*).

dēfīniō, -īvī, -ītus, -īre, [de-finio], 4. v. a., *set limits to, fix, appoint, limit, bring to a close, mark out.*

dēflagrō, -āvī, -ātus, -āre, [de-flagro], 1. v. n., *burn up, be consumed:* **imperium deflagratum** (*burned to the ground*).

dēfluō, -flūxī, -fluxūrus, -fluere, [de-fluo], 3. v. n., *flow down, flow apart, divide* (of a river), *fall away.*

dēfore, see **desum.**

dēformō, -āvī, -ātus, -āre, [de-formo], 1. v. a., *deform, disfigure.*

dēfungor, -functus, -fungī, [de-fungor], 3. v. dep., *perform, finish, be done with, get rid of.*

dēgō, dēgī, no p.p., dēgere, [de-ago], 3. v. a., *pass, spend.*

dēiciō (dējiciō), -jēcī, -jectus, -icere, [de-jacio], 3. v. a., *throw down, keep off, ward off, deprive, keep out* (one from a thing), *repel, eject, oust.*

dein [de-in (cf. **deinde**)], adv., *then, next.*

deinde [de-inde], adv., *from thence, then, after that, then again.*

dējiciō, see **deicio.**

dēlābor, -lāpsus, -lābī, [**de-labor**], 3. v. dep., *slip down, slip away:* **de caelo** (*fall, descend, come down*).

dēlectātiō, -ōnis, [delectā+tio], F., *delight, pleasure, enjoyment.*

dēlectō, -āvī, -ātus, -āre, [de-†lecto, cf. **delicio** and **allecto**], 1. v. a. and n., (*allure*), *delight, please, give pleasure to.* — Pass., *take delight, delight* (in a thing): **Graecos delectat** (*the Greeks take pleasure*).

dēlectus (dī-), -tūs, [de-lectus (cf. **deligo**)], M., *a choosing, an enrolment, a levy, a conscription.*

dēlēniō, -īvī (-iī), -ītus, -īre, [de-lenio], 4. v. a., *soothe, soften, pacify.*

dēleō, -lēvī, -lētus, -lēre, [de-†leo (akin to **lino**)], 2. v. a., (*smear out*), *blot out, wipe out* (of a disgrace). — Fig., *annihilate, destroy.*

dēlīberātiō, -ōnis, [deliberā + tio], F., *a deliberation, a discussion, a decision* (through deliberation).

dēlīberātor, -tōris, [deliberā + tor], M., *a deliberator.* — Used sarcastically of one who reserves his decision in order to be bribed.

dēlīberō, -āvi, -ātus, -āre, [de-libero], 1. v. a. and n., (*disentangle?*), *decide.* — Also, *discuss, deliberate, weigh.*

dēlicātus, -a, -um, [?, perh. p.p. of **†delico**, *wean*, (or *abandon*), cf. **delicus, deliculus**], adj., ("*cossetted*" ?), *pampered, luxurious.*

dēliciae, -ārum, [delicŏ- (cf. **deliculus**) + ia], F., plur., (*cossetting?*), *delights, allurements, luxurious pleasures.*

dēlictum, -ī, [N. p.p. of **delinquo**], N., (*something left undone*), *a failure, a fault, a wrong-doing, an offence.*

dēligō̆, -āvi, -ātus, -āre, [de-ligo], I. v. a., *bind down, fasten, bind, tie up* (to a stake).

dēligō̆, -lēgi, -lectus, -ligere, [de-lego], 3. v. a., *select, pick out, choose.*

dēlinquō̆, -līqui, -lictus, -linquere, [de-linquo], 3. v. n., *fail* (in one's duty), *do wrong:* quid deliqui (*what wrong have I done*, cognate acc.).

Dēlos, -ī, [Δῆλος], F., an island in the Ægean.

Delphicus, -a, -um, [Δελφικός], adj., *of Delphi* (the seat of the most famous worship of Apollo), *Delphic:* mensa (a table made in the form of a tripod).

dēlubrum, -ī, [de-†lubrum (√LU + brum)], N., *an expiatory shrine, a shrine* (cf. **aedes**, a temple generally; **templum**, a place consecrated by augury; **fanum**, an oracular (?) shrine).

dēlūdō̆, -lūsi, -lūsus, -lūdere, [de-ludo], 3. v. a. and n., *deceive, prevaricate.*

dēmēns, -entis, [de-mens (cf. amens)], adj., *mad, crazy, insane:* scelere demens (*maddened*, etc.).

dēmenter [dement + ter], adv., *madly, crazily, senselessly.*

dēmentia, -ae, [dement+ia], F., *madness, idiocy, utter folly.*

dēmergō̆, -mersi, -mersus, -mergere, [de-mergo], 3. v. a., *sink, drown, submerge, plunge.*

dēmigrō̆, -āvi, -ātūrus, -āre, [de-migro], I. v. n., *move away* (change residence), *move one's effects, move over.*

dēminuō̆, -ui, -ūtus, -uere, [de-minuo], 3. v. a. and n., *diminish, curtail, lessen, detract from:* ne quid de summa republica deminueretur (*that the supreme power in the state should suffer no diminution*).

dēminūtiō̆, -ōnis, [de-†minutio, cf. deminuo], F., *a diminution, a loss, a sacrifice* (of lives, etc.).

dēmittō̆, -mīsi, -missus, -mittere, [de-mitto], 3. v. a., *let go down* (cf. **mitto**), *let down, stick down.* — In pass. or with reflex., *let one's self down, descend, set one's self down.* — Fig., *despond* (se animo), *be discouraged.* — **dēmissus**, -a, -um, p.p. as adj., *low-hanging* (*bowed*, of the head), *downcast* (of a person).

dēmōnstrātiō̆, -ōnis, [demonstra + tio], F., *a pointing out, a showing, a manner of showing.*

dēmōnstrō̆, -āvi, -ātus, -āre, [de-monstro], I. v. a., *point out, show, state, indicate, mention.*

dēmoveō̆, -mōvi, -mōtus, -movēre, [de-moveo], 2. v. a., *remove, dislodge:* de sententia (*shake one in*, etc.).

dēmum [acc. of †**demus** (superl. of **de**), *nethermost, last*], adv., *at last, at length* (not before). — Hence, *only* (not till a certain point is reached, not until).

dēnegō̆, -āvi, -ātus, -āre, [de-nego], I. v. a. and n., *deny, refuse, say not.*

dēnī, -ae, -a, [for **decnī**, **decem** reduced + **nus**], adj. plur., *ten each, ten* (on each side), *ten* (in sets of ten).

dēnique [†denō- (de + **nus**, cf. **demum**) que], adv., *at last.* — Of order, *finally.* — Of preference, *at any rate* (if no better, etc.): tum denique (*not till then, then and then only*); hora decima denique (*not until*, etc.).

dēnotō̆, -āvi, -ātus, -āre, [de-noto], I. v. a., *mark out, mark, appoint.*

dēnūntiō̆, -āvi, -ātus, -āre, [de-nuntio], I. v. a., *announce* (with notion of threat), *declare, warn, order, command, give to understand, threaten one with.*

dēpeculātor, -tōris, [depeculātor, cf. **depeculor**], M., *an embezzler, a plunderer.*

dēpeculor, -ātus, -ārī, [de-peculor], I. v. dep., *embezzle, plunder, pillage, rifle.*

dēpellō̆, -pulī, -pulsus, -pellere, [de-pello], 3. v. a., *drive off, drive out, drive* (away), *dislodge, avert, repel, remove, ward off, save one's self from:* **molem** (*throw off*); **aliquem de spe** (*force*); **simulacra** (*throw down*).

dēpendō̆, -pendī, -pēnsus, -pendere, [de-pendo], 3. v. a. and n., *weigh out.* — Hence, *pay.*

dēpingō̆, -pinxi, -pictus, -pingere, [de-pingo], 3. v. a., *paint* (so as to make something), *depict, represent.*

dēplōrō̆, -āvī, -ātus, -āre, [de-ploro], I. v. a., *lament, bewail the loss of, mourn for.*

dēpōnō̆, -posuī, -positus, -pōnere, [de-pono], 3. v. a., *lay down, lay aside, deposit.* — Fig., *lose, abandon* (hope), *blot out* (memory), *resign.*

dēpopulātiō̆, -ōnis, [de-populatio, cf. **depopulor**], F., *a ravaging, a plundering.*

dēpopulor, -ātus, -ārī, [de-populor], I. v. dep., *ravage, lay waste, plunder.*

dēportō̆, -āvī, -ātus, -āre, [de-porto], I.v.a., *carry off, carry away, remove, bring off, bring home.*

dēposcō̆, -poposcī, no p.p., -poscere, [de-posco], 3. v. a., *demand, call for, claim, ask for.*

dēprāvō̆, -āvi, -ātus, -āre, [de-pravo], I. v. a., *distort.* — Fig., *corrupt, lead astray, pervert, tamper with.*

dēprecātor, -tōris, [de-precator, cf. **deprecor**], M., *a mediator* (to beg off something for somebody).

dēprecor, -ātus, -ārī, [de-precor], I. v. dep., *pray to avert something, pray* (with accessory notion of relief), *beg, beg off, pray for pardon, pray to be spared, resort to prayers, save one's self from by prayers, remove by prayers:* **quo deprecante** (*by whose mediation*); **ad deprecandum valebat** (*had the force of entreaties*).

dēprehendō̆, -hendī, -hēnsus, -hendere, [de-prehendo], 3. v. a., *capture, catch, seize, take possession of.* — As in Eng., *catch,* (*come upon*), *surprise, find, detect, discover:* **factum** (*find*, in the sense of catch one at something). — Fig., *grasp, comprehend, understand.*

dēprimō̆, -pressī, -pressus, -primere, [de-premo], 3. v. a., *press down, sink.*

dēprōmō̆, -prōmpsī, -prōmptus, -prōmere, [de-promo], 3. v. a., *draw out, appropriate.*

dēpūgnō̆, -āvī, -ātus, -āre, [de-pugno], I.v.n., *fight out* (decisively), *resist with arms* (so as to decide the issue).

dērelinquō̆, -līquī, -lictus, -linquere, [de-relinquo], 3. v. a., *leave behind, abandon.*

dērīvō̆, -āvī, -ātus, -āre, [perh. immediately fr. **de-rivus**, prob. through adj.-stem], I. v. a., *draw off* (water), *divert:* **crimen** (*shift upon another*).

dērogō̆, -āvī, -ātus, -āre, [de-rogo, in its political sense], I. v. a., *take away, withdraw.*

dēscendō̆, -scendī, -scēnsūrus, -scendere, [de-scando], 3.v.n., *climb down, descend.* — Fig., *resort to, have* *recourse to, adopt:* **ad accusandum** (*resort to a prosecution*). — Esp., *come down to the Forum* (from the hills on which the Romans lived, cf. "go down town.").

dēscrībō̆, -scripsī, -scriptus, -scrībere, [**de-scribo**], 3. v. a., *write down, set down* (in writing), *mark out, map out, describe, draw up* (**jus**), *reduce to a system.*

dēserō̆, -seruī, -sertus, -serere, [**de-sero**], 3. v. a., *disunite.* — Esp., *abandon, forsake, desert, give up, leave in the lurch.* — **dēsertus**, -a, -um, p.p. as adj., *deserted, solitary:* **vadimonia** (*forfeit*).

dēsiderium, -ī, [?, perh. †desiderŏ + **ium** (cf. **desidero**)], N., *longing for, desire* (of something lost), *grief for loss* (of anything).

dēsīderō̆, -āvī, -ātus, -āre, [?, perh. **desiderō̆**, cf. **considero**], I. v. a., *feel the want of, desire, miss, need, regret the loss of, lose* (of soldiers). — Pass., *be missing* (*be lost*): **desiderat neminem** (*has not lost a man*).

dēsidia, -ae, [**desid-** (stem of **deses**, **de-**√SED) + **ia**], F., *idleness, sloth.*

dēsignō̆, -āvī, -ātus, -āre, [**de-signo**], I. v. a., *mark out, indicate, mean, designate.* — **dēsignātus**, p.p. as adj., *elected, elect* (of officers not yet in office).

dēsiliō̆, -siluī, -sultus, -silīre, [**de-salio**], 4. v. n., *leap down, leap* (down), *jump overboard:* **de rheda** (*jump out, spring out*).

dēsinō̆, -sīvī (-siī), -situs, -sinere, [**de-sino**], 3. v. a. and n., *leave off, desist, cease.*

dēsistō̆, -stitī, -stitūrus, -sistere, [**de-sisto**], 3. v. n., *stand off, cease, stop, desist from, abandon.*

dēspērātiō̆, -ōnis, [**de-**†**speratio**, cf. **despero**], F., *despair, desperation.*

dēspērō̆, -āvī, -ātus, -āre, [**de-spero**], I. v. a. and n., *cease to hope, despair, despair of.* — **dēspērātus**, -a, -um, as passive, *despaired of.* — Also as adj., (*hopeless?*, perh. orig. *despaired of*), hence *desperate.* — **dēspērandus**, -a, -um, fut. p.p., *to be despaired of.*

dēspiciō̆, -spēxī, -spectus, -spicere, [**de-specio**], 3. v. a. and n., *look down, look down upon, look away.* — Fig. (cf. Eng. equivalent), *look down upon, despise, express one's contempt for.*

dēspicor, -ātus, -ārī, [**despicŏ-**], I. v. dep., *despise.* — **dēspicātus**, -a, -um, p.p. as pass., *despised, despicable.*

dēstringō̆, -strinxī, -strictus, -stringere, [**de-stringo**], 3. v. a., *strip off.* — Also (cf. **despolio**), *strip, draw* (of swords, stripping them of their scabbards).

dēsum, -fuī, -futūrus, -esse, [**de-sum**], irr. v. n., (*be away*), *be wanting, be lacking, fail.* — Esp., *fail to do one's duty by*, etc. — Often, *lack* (changing relation of subj. and following dat.), *be without, not have.*

dēterreō̆, -terruī, -territus, -terrēre, [**de-terreo**], 2. v. a., *frighten off, deter, prevent* (esp. by threats, but also generally).

dētestor, -ātus, -ārī, [**de-testor**], I. v. a., (*call the gods to witness to prevent something*), *entreat* (from a thing), *remove by protest* (call the gods to witness to avoid).

dētractō̆ (-**trectō̆**), -āvī, -ātus, -āre, [**de-tracto**], I. v. a., (*hold off from one's self*), *avoid, shun.*

dētrahō̆, -trāxī, -tractus, -trahere, [**de-traho**], 3. v. a., *drag off, tear* *off, snatch* (away). — With less violence, *take away, take off, withdraw* (with no violence at all).

dētrectō, see **detracto**.

dētrīmentum, -ī, [de-†trimentum (tri- in **tero** + **mentum**), cf. **detero**], N., (*a rubbing off*), *loss, harm, injury*. — Esp., *defeat, disaster*.

deus, -ī, [akin to **divus**, **Jovis**, **dies**], M., *a god*. — Also, in accordance with ancient ideas, of a statue, in adjurations: **di boni** (*good heavens*); **per deos immortales** (*for heaven's sake, heaven help us*).

dēvehō, -vēxī, -vectus, -vehere, [**de-veho**], 3. v. a., *carry away, bring* (away, e.g. on horseback), *bring down* (esp. by vessel).

dēvertō, -vertī, -versus, -vertere, [**de-verto**], 3. v. a. and n., *turn away, turn aside, turn off* (the road to stop by the way), *stop* (turning aside from the way).

dēvinciō, -vinxī, -vinctus, -vincīre, [**de-vincio**], 4. v. a., *bind down, bind, attach, firmly attach*.

dēvincō, -vīcī, -victus, -vincere, [**de-vinco**], 3. v. a., *conquer* (so as to prostrate), *subdue* (entirely).

dēvītō, -āvī, -ātus, -āre, [**de-vito**], 1. v. a., *avoid, shun, escape*.

dēvocō, -āvī, -ātus, -āre, [**devoco**], 1. v. a., *call down* (or *away*). — Esp., fig., *invite, bring*.

dēvorō, -āvī, -ātus, -āre, [**devoro**], 1. v. a., *swallow up, devour, gulp down*: **verbum** (*eagerly devour*).

dēvoveō, -vōvī, -vōtus, -vovēre, [**de-voveo**], 2. v. a., *vow* (away). — Less exactly, *devote, consecrate*.

dexter, -tera (-tra), -terum (-trum) [unc. stem (perh. akin to **digitus**?) + **terus**], adj., *right* (on the right hand). — **dextra**, F., (sc. **manus**), *the right hand* (esp. used as a pledge of faith, as with us).

Diāna, -ae, [prob. F. of **Janus** (cf. Διώνη)], F., a divinity of the Romans entirely identified with the Greek Artemis, the goddess of the chase and patroness of celibacy.

dīcō, dīxī, dictus, dīcere, [√DIC, in **dīco** and **-dicus**], 3. v. a. and n., (*point out*?, cf. Gr. δείκνυμι), *say, tell, speak, name, speak of, mention*. — Esp., with authority, *name, appoint, fix*: **jus** (*administer*, cf. **dīco**); **sententiam** (*give, express*). — Special uses: **dicunt** (*they say*); **causam dicere** (*plead one's cause*, hence *be tried, be brought to trial*); **facultas dicendi** (*power of oratory*); **dixi** (*I have done*); **incredibile dictu** (*incredible*); **quid dicam?** (*what shall I call it? why should I speak? what shall I say?*); **ad dicendum** (*for addressing the people*); **diem dicere** (*bring a charge*, before the people).

dictātor, -tōris, [**dictā+tor**], M., *a dictator* (a Roman magistrate appointed in times of danger by the highest existing officer, and possessing absolute power). — Also, a similar officer in a municipal town.

dictātūra, -ae, [**dictā + tura** (i.e. †**dictatu + ra**, cf. **figura**)], F., *the office of dictator, a dictatorship*.

dictiō, -ōnis, [**dic** (as root of **dico**) + **tio**], F., *a speaking, a pleading* (cf. **dico**): **causae** (*pleading one's cause, trial*); **juris** (*administration*).

dictitō, -āvī, no p.p., -āre, [akin to **dicto**, form unc., perh. †**dictita**- (**dictŏ + ta**)], 1. v. a., *repeat, keep saying*.

dictum, -ī, [N. p.p. of **dico** as

subst.], N., *a saying, an expression, words.*

diēs, -ēī, [prob. for **dives**, √DYU + **as**], M. (rarely F. in some uses), *a day* (in all Eng. senses). — Also, *time:* in dies (*from day to day*, with idea of increase or diminution); illis ipsis diebus (*at that very time*); noctes diesque (*night and day*); diem dicere (see **dico**).

differō, distulī, dīlātus, differre, [**dis-fero**], irr. v. a. and n., *bear apart, spread.* — Also, *postpone, defer, put off, differ.*

difficilis, -e, [**dis-facilis**], adj., *not easy, difficult.*

difficultās -tātis, [**difficili-** (weakened) + **tās**], F., *difficulty, trouble, difficult circumstances.*

diffīdō, -fīsus sum, -fīdere, [**dis-fido**], 3. v. n., *distrust, not have confidence* (*in*).

diffluō, -fluxī, no p.p., -fluere, [**dis-fluo**], 3. v. n., *flow apart, become loose, become lax, run wild.*

digitus, -ī, [?], M., *a finger.*

dīgnitās, -tātis, [**dignŏ** + **tas**], F., *worthiness, worth, dignity, prestige, position* (superior), *claims* (founded on worth), *advancement* (as the consequence of worthiness), *self-respect, the dignity of one's position.*

dīgnus, -a, -um, [?, perh. root of **dico** + **nus**], adj., *worthy, deserving.*

dījūdicō, -āvī, -ātus, -āre, [**dis-judico**], 1. v. a. and n., *decide* (between two).

dījunctiō, -ōnis, [**dis-junctio** (cf. **dijungo**)], F., *a separation.*

dījungō (**disj-**), -junxī, -junctus, -jungere, [**dis-jungo**], 3. v. a., *disjoin, separate, divide.*

dīlābor, -lāpsus, -lābī, [**dis-labor**], 3. v. dep., *glide apart, slip away, fall away.*

dīlacerō, -āvī, -ātus, -āre, [**di-lacero**], 1. v. a., *tear asunder, tear in pieces.*

dīlaniō, -āvī, -ātus, -āre, [**dis-lanio**], 1. v. a., *tear in pieces.*

dīlātiō, -ōnis, [**dis-latio**], F., *a postponement, an adjournment.*

dīlectus (**dēl-**), -tūs, [**dis-†lectus**, cf. **diligo**], M., *a choosing, a levy, a conscription.*

dīligēns, -entis, p. of **diligo**, as adj., *diligent, painstaking, careful.*

dīligenter [**diligent** + **ter**], adv., *carefully, with care, with exactness, exactly, with pains, scrupulously.*

dīligentia, -ae, [**diligent** + **ia**], F., *care, pains, painstaking, diligence:* remittere (*cease to take pains, take less care*).

dīligō, -lēxī, -lēctus, -ligere, [**dis-lego**], 3. v. a., (*choose out*), *love, be fond of.* — See also **diligens**.

dīlūcēscō, -lūxī, no p.p., -lūcēscere [**dis-lucesco**], 3. v. n., *grow light, dawn.* — Usually impersonal.

dīlūculum, -ī, [**di-†luculum** (**lucu** + **lus**)], N., *daybreak, dawn.*

dīluō, -luī, -lūtus, -luere, [**dis-luo**], 3. v. a. and n., *dissolve away, dissolve.* — Fig., *refute* (tech. term).

dīmicātiō, -ōnis, [**dimicā**+**tio**], F., *fighting, a contest, a struggle.*

dīmicō, -āvī, -ātūrus, -āre, [**dis-mico**], 1. v. n., (*brandish swords to decide a contest?*), *fight* (a decisive battle), *risk an engagement, contend.*

dīminuō, see **deminuo**.

dīmittō, -mīsī, -missus, -mittere, [**dis-mitto**], 3. v. a., *let go away, let slip, let pass, let go, give up, relinquish, abandon:* oppugnationem (*raise*); victoriam (*let go*, on purpose). — Also, *send in different directions, send about, despatch, detail, disband, dismiss, adjourn, discharge.*

dīreptiō, -ōnis, [dis-†raptio, cf. **diripio**], F., *plundering, plunder.*

dīreptor, -tōris, [dis-raptor, cf. **diripio**], M., *a robber, a plunderer.*

dīripiō, -ripuī, -reptus, -ripere, [dis-rapio], 3. v. a., *seize* (in different directions), *plunder, pillage.*

dis-, **dī-** (**dir-**), [akin to **duo**?], insep. prep. (adv.), in comp., *asunder, in different directions.* Cf. **discedo, discerno, dirimo, diffundo.**

Dīs, Dītis, [akin to **dives**, as the earth is the source of riches], M., *Pluto* (the god of the underworld, and so of death).

discēdō, -cēssī, -cēssūrus, -cēdere, [dis-cedo], 3. v. n., *withdraw, depart, retire, leave* (with **ab**), *go away.*

disceptātiō, -ōnis, [disceptā + tio], F., *a contest, a contention, a discussion.*

disceptātor, -tōris, [disceptā- (stem of **discepto**) + tor], M., *a judge, an arbiter.*

disceptō, -āvī, -ātus, -āre, [dis-capto], I. v. a., *discuss, consider and decide, decide.*

discernō, -crēvī, -crētus, -cernere, [dis-cerno], 3. v. a., *separate, distinguish.*

discēssiō, -ōnis, [dis-cessio, cf. **discedo**], F., *a departure, a withdrawal, a division* (as in Parliament), *a vote:* **contionis** (*a division of opinion in,* etc.); **discessionem facere** (*take a vote*).

discēssus, -sūs, [dis-†cessus, cf. **discedo**], M., *a departure, a withdrawal.*

discidium, -ī, [dis-†scidium ($\sqrt{}$SCID + ium)], N., *a separation, a dissension.*

disciplīna, -ae, [discipulŏ- (reduced) + ina, cf. **rapina**], F., (*pupilage*?), *discipline, instruction, training, a system* (of doctrine, etc.), *a course of instruction, education, a school* (fig. as in Eng.): **pueritiae disciplinae** (*the studies of childhood*); **navalis** (*skill,* as the result of discipline); **majorum** (*strict conduct*).

discipulus, -ī, [?, akin to **disco**], M., *a pupil.*

disclūdō, -clūsī, -clūsus, -clūdere, [dis-claudo], 3. v. a., *shut apart, keep apart, separate, divide.*

discō, -didicī, discitūrus, discere, [for †**dicsco** ($\sqrt{}$DIC+sco)], 3. v. a. and n., *learn.*

discolor, -ōris, [dis-color], adj., *particolored, different-colored.*

discordia, -ae, [discord + ia, cf. **concors**], F., *dissension, discord, disagreement.*

discrīmen, -inis, [dis-crimen, cf. **discerno**], N., *a separation, a decision.* Hence, *a moment of decision, a crisis, critical condition, danger, peril, a critical moment, a turning-point of one's fortunes.*

disjungō, -junxī, -junctus, -jungere, [dis-jungo], 3. v. a., *disunite, separate:* **disjunctissimus** (*very far distant, very widely separated*).

dispergō, -spersī, -spersus, -spergere, [dis-spargo], 3. v. a., *scatter, disperse, separate.*

dispersē [old abl. of **dispersus**], adv., *in different places, separately.*

dispertiō, -īvī, (-iī), -ītus, -īre, also **dispertior**, as dep., [dis-partio], 4. v. a. and dep., *divide, distribute.*

displiceō, -uī, -itus, -ēre, [displaceo], 2. v. n., *displease, be unsatisfactory, be disliked by.*

disputō, -āvī, -ātus, -āre, [disputo], I. v. n. and a., *discuss* (cf. **puto**), *argue.*

dissēminō, -āvī, -ātus, -āre, [**dis-semino**], I. v. a., *scatter, sow widely, spread, disseminate.*

dissēnsiō, -ōnis, [**dis-†sensio** (cf. **dissentio**)], F., *difference of opinion, disagreement, dissension.*

dissentiō, -sēnsī, -sēnsūrus, -sentīre, [**dis-sentio**], 4. v. n., *differ in opinion, dissent, differ, be at variance.*

dissideō, -sēdī, no p.p., -sidēre, [**dis-sedeo**], 2. v. n., *sit apart.* — Hence, *disagree, have a dissension.*

dissimilis, -e, [**dis-similis**], adj., *unlike, different, various.*

dissimilitūdō, -inis, [**dissimili+tudo**], F., *unlikeness, unlike nature, different nature.*

dissimulō, -āvī, -ātus, -āre, [**dis-simulo**], I. v. a. and n., (*pretend something is not*), *conceal* (what is), *dissemble, conceal the fact that, pretend not to.*

dissipō, -āvī, -ātus, -āre, [**dis-†supo**, *throw*], I. v. a., *scatter, disperse, strew, spread abroad:* **dissipatos congregarunt** (*the scattered people*).

dissolūtiō, -ōnis, [**dis-solutio**, cf. **dissolvo**], F., *a dissolving, abolition.*

dissolvō, -solvī, -solūtus, -solvere, [**dis-solvo**], 3. v. a., *unloose, relax, separate.* — **dissolūtus**, -a, -um, p.p. as adj., *lax, unrestrained, arbitrary* (as unrestrained by considerations of policy or mercy).

distineō, -tinuī, -tentus, -tinēre, [**dis-teneo**], 2. v. a., *keep apart, hold asunder, keep from uniting, cut off* (in military sense), *isolate, distract.*

distrahō, -trāxī, -trāctus, -trahere [**dis-traho**], 3. v. a., *drag asunder, tear asunder, separate.*— Hence, *distract, divide:* **distractae sententiae** (*widely divergent*).

distribuō, -buī, -būtus, -buere, [**dis-tribuo**], 3. v. a., *assign* (to several), *distribute, diviae.*

distringō, -strinxī, -strictus, -stringere, [**dis-stringo**], 3. v. a., *stretch apart, distract, engage, occupy.*

disturbō, -āvī, -ātus, -āre, [**dis-turbo**], I. v. a., *drive away in confusion:* **contionem** (*break up*).

dītissimus, -a, -um, superl. of **dives**.

diū, [prob. acc. of stem akin to **dies**], adv., *for a time, a long time, for some time, long:* **tam diu** (*so long*); **quam diu** (*how long, as long*); **diutius** (*any longer*).

diurnus, -a, -um, [**†dius-** (akin to **diu** and **dies**) + **nus**], adj., *of the day, daily* (as opposed to nightly): **fur** (*by night*).

dius [akin to **divus**], M., only in nom. in phrase **me dius fidius** (*Heaven help me, as sure as I live, good heavens!*).

diūturnitās, -tātis, [**diuturno + tas**], F., *length of time, long continuance, length* (in time).

diūturnus, -a, -um, [**diu+turnus**, cf. **hesternus**], adj., *long continued, long* (in time); **minus diuturna vita** (*shorter*).

dīvellō, -vellī, -vulsus, -vellere, [**dis-vello**], 3. v. a., *tear apart, rend asunder, tear* (from).

dīversus, -a, -um, p.p. of **diverto**.

dīvertō, -vertī, -versus, -vertere, [**dis-verto**], 3. v. a. and n., *turn aside* (or *apart*), *separate.* — **dīversus**, -a, -um, p.p. as adj., *separate, distant, diverse, different, various.*

dīves, -itis, [?], adj., *rich.*

dīvidō, -vīsī, -vīsus, -videre, [**dis-†vido**, √VIDH(?), cf. **viduus**], 3. v. a., *divide, separate, distribute.* — **dīvīsus**, -a, -um, p.p. as adj., *divided.*

dīvīnitus, [divinŏ + tus, cf. **caelitus**], adv., *from heaven, divinely, providentially, by the gods.*

dīvīnō, -āvī, -ātus, -āre, [divinŏ-], 1. v. a., *prophesy, conjecture, foresee, imagine* (as likely to happen).

dīvīnus, -a, -um, [divŏ- (as if divi) + nus], adj., *of the gods, divine, providential, superhuman, more than human, transcendent, godlike:* res divinae (*religious institutions*).

dīvīsor, -sōris, [dis-†visor, cf. **divido**], M., *a distributer, a distributing agent, an agent* (for bribery).

dīvitiae, -ārum, [divit + ia], F. plur., *wealth, riches.*

1. **dō**, dedī, datus, dare, [√DA, cf. δίδωμι], 1. v. a., *give, bestow, grant, furnish, vouchsafe, present, offer:* excusationem (*afford*); cognitorem (*furnish, bring forward*) literas (*write*). — See also **opera**.

2. **do** [√DHA, *place*, cf. τίθημι], confounded with 1. **do**, but appearing in comp., *place, put.*

doceō, docuī, doctus, docēre, [unc. formation akin to **dico** and **disco**], 2. v. a., *teach, show, inform, represent, state.* — **doctus**, -a, -um, p.p. as adj., *learned, educated, cultivated, skilful.*

docilitās, -tātis, [docili + tas], F., *teachableness, aptness, capability* (of learning).

doctrīna, -ae, [doctor + ina (cf. **medicina**)], F., *teaching, systematic instruction, education, training, study* (changing the point of view), *learning.*

documentum, -ī, [docu- (?) (as stem of **doceo**) + **mentum**], N., *a means of teaching, a proof, a warning, an example.*

Dolābella, -ae, [dolabra + la, "*little hatchet*"], M. (orig. F.), a Roman family name.—Esp.: 1. *Cn. Dolabella*, in command of Cilicia in B.C. 80, under whom Verres was "legatus"; 2. *P. Cornelius Dolabella*, Cicero's son-in-law, who was Antony's colleague in the consulship, B.C. 44.

doleō, doluī, dolitūrus, dolēre, [perh. dolŏ- (stem of **dolus**)], 2 v. n., *feel pain, suffer.* — Esp. mentally, *be pained, grieved.*

dolor, -ōris, [dol- (as root of **doleo**) + or], M., *pain* (physical or mental), *suffering, distress, indignation, chagrin, vexation, sense of injury:* magno dolore ferre (*be very indignant, feel much chagrin*); magno esse dolori (*to be a great annoyance* or *sorrow*); dolor et crepitus plagarum (*cries of pain*, etc.).

domesticus, -a, -um, [domŏ- (as if domes-, cf. **modestus**) + ticus], adj., (*of the house*), *of one's home, one's own, at home.* — Hence, *domestic, internal, intestine, within the state* or *city, private:* dolor (*personal*); usus (*at one's house*).

domicilium, -ī, [perh. domŏ + †cilium (fr. root of **colo**)], N., *an abode, a house, a dwelling-place, a house* (as a permanent home), *a residence* (in a legal sense): imperi (*seat*).

domina, -ae, [F. of **dominus**], F., *a mistress.*

dominātio, -ōnis, [dominā + tio], F., *mastery, control, tyranny, power,* (illegal or abnormal).

dominor, -ātus, -ārī, [dominŏ-], 1. v. dep., *be master, rule, lord it over, tyrannize, dominate.*

dominus, -ī, [†domŏ- (*ruling*, cf. Gr. -δαμος) + **nus**], M., *a master, an owner:* esse (*have control*).

Domitius, -ī, [domitŏ- (reduced) + **ius**], M., a Roman gentile name. — Esp., *Lucius Domitius Ahenobarbus*, consul in B.C. 54.

domitor, -tōris, [domi- (as stem of **domo**) + **tor**], M., *a tamer, a queller.*

domō̆, **-ui**, **-itus**, **-āre**, [†domŏ- (cf. **dominus**)], **I.v.a.**, *tame, quell, subdue, master.*

domus, -ī (-ūs), [√DOM (*build*?) + **us** (-**os** and -**us**)], F., *a house, a home, a house* (*a family*): **domi** (*at home*); **domum** (*home, to one's home*); **domo** (*from home*); **domo exire** (*go away, emigrate*).

dōnātiō̆, -ōnis, [**donā** + **tio**], F., *a gift, a donation, a giving away.*

dōnō̆, -āvi, -ātus, -āre, [donŏ-], **I.** v. a., *present, give* (as a gift). — Also, *honor with a gift, present* (one with a thing); **civitate aliquem donare** (*honor one with*, etc., *give one the rights of citizenship*).

dōnum, -ī, [√DA + **nus**], N., *a gift.*

dormiō̆, -īvi (-ii), -ītum (supine), [prob. from noun stem], 4. v. n. *sleep.*

Drūsus, -ī, [?], M., a Roman family name.— Esp., *M. Livius Drusus*, tribune B.C. 91, who attempted some reform in favor of the Italians. He was assassinated by his opponents.

dubitātiō̆, -ōnis, [dubitā- (stem of **dubito**) + **tio**], F., *doubt, hesitation, question.*

dubitō̆, -āvi, -ātūrus, -āre, [†dubitŏ- (partic. of lost verb **dubo**?, cf. **dubius**)], I. v. n., *doubt, have doubt, be in doubt, feel doubtful.* — Also (absolutely, or with inf., rarely **quin**), *hesitate, feel hesitation, vacillate.*

dubius, -a, -um, [†dubŏ- (duŏ + bus, cf. **superbus** and **dubito**) + **ius**], adj., *doubtful:* **est dubium** (*there is doubt, it is doubtful*).

ducentī, -ae, -a, [duŏ-centi (plur. of **centum**)], adj., *two hundred.*

dūcō̆, dūxī, ductus, dūcere, [√DUC (in **dux**)], 3. v. a., *lead, draw, bring* (of living things), *conduct, drag.* — Esp. of a general, *lead, march.* — With (or without) **in matrimonium**, *marry* (of the man). — Fig., *prolong, drag out, attract.* — As mercantile word, and so fig., *reckon, consider, regard:* **rationem** (*take account*, also in fig. sense); **spiritum** (*draw breath*); **causa ducitur** (*springs*); **pueros** (*have with one*); **parietem** (*make, carry, run*).

ductus, -tūs, [√DUC + **tus**], M., *lead, command:* **suo ductu** (*in actual command*, opposed to acting by a subordinate).

dūdum, see **jamdudum**.

duint, see **do**.

dulcēdō̆, -dinis, [**dulci** + **edo**], F., *sweetness, charm.*

dulcis, -e, [?], adj., *sweet* (also fig.): **aqua** (*fresh*).

dum [pron. √DA, prob. acc., cf. **tum**], conj. (orig. adv.), *at that time.* — Also, *while, so long as.* — Hence, *till, until:* **dummodo**, or separate (*only so long, provided*). — With negatives, *yet, as yet:* **tam diu dum** (*so long as*).

dummodō̆, see **dum**.

dumtaxat [dum taxat], adv., *only, merely, at any rate.*

duō̆, -ae, -ō̆, [dual, of stem †dvŏ-, cf. **bis**], adj., *two.*

duodecim [**duo-decem**], indecl. adj., *twelve.*

duodecimus, -a, -um, [duo-decimus], adj., *twelfth.*

duplicō, -āvī, -ātus, -āre, [duplic-], 1. v. a., *double, increase twofold.*

dūrē [old abl. of **durus**], adv., *hardly, harshly.*

dūrus, -a, -um, [?], adj., *hard.*— Fig., *hard, severe, difficult, harsh, rough.*

duumvirātus, -tūs, [duumvir+atus, cf. **senatus**], M., *the office of duumvir* (a magistrate of provincial towns corresponding to the consuls).

dux, ducis, [√DUC as stem], M. and F., *a leader, a guide, a commander:* Pompeio duce (*under the command of,* etc.); ducibus dis (*under the guidance of,* etc.).

E.

ē, see **ex**.

eā [instr. or abl. of **is**], adv., *this way, that way, thus, there.*

ēbriōsus, -a, -um, [ebriŏ+osus], adj., *given to drinking, a toper.*

ebrius, -a, -um, [?], adj., *drunk.*

ebur, -oris, [prob. Phœnician?], N., *ivory.*

ecce, [en-ce, cf. **hic**], interj., *lo, behold.*

ecf-, see **eff-**.

ecquis (-**quī**), -qua, -quid (-quod), [en-quis], interrog. pron., *is* (*does,* etc.) *any one? any* (in an interrog. sentence).— Esp., **ecquid**, n. acc. as adv., *at all.*

eculeus (**equu-**), -ī, [equo+leus], M., *a little horse.*— Esp., as an instrument of torture, *the horse.*

ēdīcō, -dīxī, -dictus, -dīcere, [ex-dico], 3. v. a., *issue an edict, proclaim, order.*

ēdictum, -ī, [n. p.p. of **edico**], N., *an edict, an order, a proclamation:* **edictum praetoris** (*an order of court, an execution*).

ēdō, -didī, -ditus, -dere, [ex-do], 3. v. a., *put forth, give forth, publish.*— Also, *raise up.*— **ēditus**, -a, -um, p.p. as adj., *elevated, raised, high, lofty.*

ēdoceō, -docuī, -doctus, -docēre, [ex-doceo], 2. v. a., *show forth, explain, inform.*

ēducātiō, -ōnis, [educā+tio], F., *rearing, training, education.*

ēducō, -āvī, -ātus, -āre [†educ- (cf. **redux**)], 1. v. a., *rear, train, bring up.*

ēdūcō, -dūxī, -ductus, -dūcere, [ex-duco], 3. v. a., *lead out, lead forth, draw* (a sword), *bring out, march out* (an army), *take out.*

effēminō (**ecf-**), -āvī, -ātus, -āre, [ex-†femino, or perhaps †effeminŏ- (or -i), in either case from **femina**], 1. v. a., *make into a woman.*—Less exactly, (*make like a woman*), *enervate, weaken.*— **effēminātus**, -a, -um, p.p. as adj., *effeminate, unmanly.*

efferō (**ecf-**), extulī, ēlātus, efferre, [ex-fero], irr. v. a., *carry out, bring out, carry away.*—Less exactly and fig., *spread abroad, make known, publish abroad, puff up, elate* (cf. Eng. "carried away").— Also (cf. **edo**), *raise up, extol, praise.*

efficiō (**ecf-**), -fēcī, -fectus, -ficere, [ex-facio], 3. v. a., *make out, make, enable, accomplish, cause, produce, cause to be, make into, make out, bring about.*—Esp. with **ut** or **ne**, *bring it about that, cause* (*to be,* or *not to be*), *make* (a thing to be, etc.).

effigiēs (**ecf-**), -ēī, [ex-†figies (√FIG+ies)], F., *an image, a statue, a portrait, a representation, a counterfeit presentment.*

effingō (**ecf-**), -finxi, -fictus, -fingere, [**ex-fingo**], 3. v. a., *wipe up, mould, form.*

efflāgitō (**ecf-**), -āvī, -ātus, -āre, [**ex-flagito**], 1. v. a., *demand earnestly, clamor for, importunately demand.*

efflō (**ecf-**), -flāvī, -flātus, -flāre, [**ex-flo**], 1. v. a. and n., *blow out, breathe forth:* **animam efflans**(*drawing the last breath, breathing one's last*).

effrēnātē [old abl. of **effrenatus**], adv., *without restraint.*

effrēnātiō (**ecf-**), -ōnis, [**effrenā + tio**], F., *unbridled impulse.*

effrēnō (**ecf-**), -āvī, -ātus, -āre, [**effrenŏ-**], 1. v. a., *unbridle, let loose.* — Esp., **effrēnātus**, -a, -um, p.p. as adj., *unbridled, unrestrained.*

effugiō (**ecf-**) -fūgī, -fugitūrus, -fugere, [**ex-fugio**], 3. v. a. and n., *escape, flee* (absolutely), *fly from, get rid of, avoid.*

effugium (**ecf-**), -ī, [**ex-†fugium**, cf. **effugio** and **refugium**], N., *a way of escape, an escape.*

effundō (**ecf-**), -fūdī, -fūsus, -fundere [**ex-fundo**], 3. v. a., *pour out, shed:* spiritum (*breathe out*).

effūsē (**ecf-**) [old abl. of **effusus**], adv., *profusely.*

egēns, pres. p. of **egeo**.

egeō, eguī, no p.p., egēre, [**†egŏ-** (cf. **indigus**)], 2. v. n., *want, need, lack, be in want.* — **egēns**, -entis, pres. p. as adj., *needy, destitute, beggarly.*

egestās, -tātis, [unc. stem (perh. **egent-**) + **tas**], F., *poverty, destitution, want, need.*

egō, meī, [cf. Eng. *I*], pron., *I* (*me*, etc.). — **egomet**, see **-met**. — Plur., **nos**, *we, us*, etc. — Often of one person, *I.*

ēgredior, -gressus, -gredī, [**ex-gradior**], 3. v. dep., *march out, go out, move beyond.*

ēgregiē [old abl. of **egregius**], adv., *remarkably, finely, extremely well.*

ēgregius, -a, -um, [**†egrege-** (cf. **exlex**) + **ius**], adj., *out of the common, remarkable, superior, excellent, uncommon, special, noble, very fine.*

ēiciō, -jēcī, -jectus, -icere, [**ex-jacio**], 3. v. a., *cast out, drive out, expel, cast up* (cf. **edo**). — With reflex., *rush out, rush, hasten away.* — Fig., *disperse, oust, turn out.* — **ējectus**, -a, -um, p.p. as adj., *cast up on shore, cast away, shipwrecked.*

ējectus, -a, -um, p.p. of **eicio**.

ējiciō, see **eicio**.

ējusmodī (often written separately) [**eius modi**], as adj. phrase, *of this kind, of such a kind, such, of a kind, of such a nature, in such a state.*

ēlābor, -lāpsus, -lābī, [**ex-labor**], 3. v. dep., *slip out, escape, slip.*

ēlabōrō, -āvī, -ātus, -āre, [**ex-laboro**], 1. v. a. and n., *accomplish by toil, work out, effect, strive diligently, spend one's efforts.* — **ēlabōrātus**, -a, -um, p.p. as adj., *wrought out, highly wrought.*

ēlegāns, -antis, [pres. p. of **†elego** (cf. **relego**)], adj., *fastidious, choice, dainty, nice.* — Transf., *fine, choice, elegant.*

elephantus, -ī, [Gr. acc. ἐλέφαντα, declined], M., *an elephant.*

ēliciō, -licuī, -licitus, -licere, [**ex-lacio**], 3. v. a., *entice out, draw out.*

ēligō, -lēgī, -lēctus, -ligere, [**ex-lego**], 3. v. a., *pick out, select, choose:* — **ēlēctus**, -a, -um, p.p. as adj., *picked* (troops).

ēloquentia, -ae, [**eloquent+ia**], F., *eloquence.*

ēlūdō, -lūsī, -lūsus, -lūdere, [**ex-ludo**], 3. v. a. and n., *play out, end* (one's play).—Also "*play off,*" *parry* (a thrust), *avoid, elude.* — Fig., *mock, befool, fool, deceive, make sport of, baffle.* — Absolutely, *play one's game freely* (dodging all opposition).

ēluō, -luī, -lūtus, -luere, [**ex-luo**], 3. v. a., *wash away, wash out, wash off.*

ēmānō, -āvī, -ātūrus, -āre, [**ex-mano**], 1. v. n., *flow out.* — Fig., *spread abroad, leak out, get abroad.*

ēmentior, -ītus, -īrī, [**ex-mentior**], 4. v. dep., *get up a falsehood, forge a lie.*

ēmergō, -mersī, -mersus, -mergere, [**ex-mergo**], 3. v. a. and n., *rise* (*from under water*). — Fig. (of analogous situations), *rise, come out of, emerge, get one's head above water.* — **ēmersus**, -a, -um, p.p. in act. sense, *emerging, having emerged.*

ēmigrō, -āvī, -ātūrus, -āre, [**ex-migro**], 1. v. n., *remove* (permanently), *emigrate.* — With **domo** (in same sense).

ēmineō, -nuī, no p.p., -nēre, [**ex-mineo**], 2. v. n., *stand out, project.* — Fig., *radiate* (from), *appear* (in): **ex ore crudelitas** (cf. the vulgar "stick out").

ēmittō, -mīsī, -missus, -mittere, [**ex-mitto**], 3. v. a., *let go, drop, send out, throw, hurl, discharge.* — Pass., or with reflex., *rush out:* **ex urbe vel ejecimus** (*expel*, as by force); **vel emisimus** (*send out*, as by a mere order).

emō, ēmī, emptus, emere, [√EM?, orig., *take*], 3. v. a., (*take*, only in compounds). — Esp., *buy* (cf. Eng. *sell*, orig. *give*), *purchase:* **intercessio empta** (*bribed*).

ēmolumentum, -ī, [**ex-molimentum**, cf. **emolior**?], N., *gain, advantage.*

ēmorior, -mori, (-morīrī), -mortuus, [**ex-morior**], 3. (cf. inf.) v. dep., *die off, die.*

emptiō, -ōnis, [√EM + **tio**], F., *a buying, a purchase.*

emptor, -tōris, [√EM+**tor**], M., *a buyer.*

ēnarrō, -āvī, -ātus, -āre, [**ex-narro**], 1. v. a., *tell, relate, recount.*

enim [prob. e (in **en**, **ecce**) + **nam**], adv., *really.* — Esp., as explanatory, *for, but, now:* **neque enim** (*for of course . . . not*); **at enim** (*but you say*, of an objection); **et enim** (*for . . . you see, for naturally, for you know*).

ēnītor, -nīsus (-nīxus), -nītī, [**ex-nitor**], 3. v. dep., *struggle out* (or *up*), *struggle, strive, exert one's self.*

Ennius, -ī, [?], M., a Roman gentile name. — Only of *Q. Ennius*, the father of Roman poetry, born B.C. 240.

ēnumerō, -āvī, -ātus, -āre, [**ex-numero**], 1. v. a., *count up.*

eō, īvī (iī), itum, īre, [√I, cf. Gr. εἶμι, for AYAMI], irr. v. n., *go, pass, march:* **ad saga ire** (*put on the garb of war*, cf. "go into mourning").

eō [old dat. of **is**], adv., *thither, there* (in sense of *thither*). — Often translated by more def. expressions in Eng., *to the place* (where, etc.), *on them* (*it, him*, etc.).

eō (abl.), see **is**.

eōdem [old dat. of **idem**, cf. **eo**, *thither*], adv., *to the same place, in the same place* (cf. **eo**), *there also:* **eodem convenire** (*to the same place*); **eodem penetrare** (*there also*).

Ephesius, -a, -um, [Ἐφέσιος], adj., *of Ephesus* (a famous city of

Asia Minor, famous for its temple of Artemis (Diana)). — Masc. plur., *the Ephesians.*

epigramma, -atis, [ἐπίγραμμα], N., *an epigram.*

epistula (**epistola**), -ae, [ἐπιστολή], F., *a letter.*

epulor, -ātus, -ārī, [epulŏ-], I. v. dep., *feast, banquet, revel.*

epulum, -ī (-ae, -ārum), [?], N. and F., *a feast, a banquet.*

eques, -itis, [equŏ + tis (reduced)], M., *a horseman, a rider.* — Plur., *cavalry.* — Esp. (as orig. serving on horseback), *a knight* (one of the moneyed class at Rome, next in rank to the senate).

equester, -tris, -tre, [equit+tris], adj., *of knights, of cavalry, equestrian.*

equidem [e (in **en**, **ecce**) -quidem], adv., (particle of asseveration), *surely, at least, to be sure.* — Often untranslatable in Eng. except by emphasis, change of order of words, or some similar device. — Usually only with the first person, *I for my part, I certainly:* **dixi equidem modo** (*why! I said just now*); **laudabam equidem** (*I praised to be sure*).

equitātus, -tūs, [equitā + tus], M., *cavalry, horse* (troops serving on horseback).

equitō, -āvī, -ātum, -āre, [equit-], I. v. n., *ride, serve in the cavalry.*

equus, -ī, [√AK + vus, *swift*], M., *a horse.*

ergā [prob. instr. of same stem as **ergo**], prep., *towards* (of feeling and conduct), *in behalf of:* **benevolentia erga aliquem.**

ergō (-ŏ rarely) [unc. form, perh. dat., cf. **erga**], adv. with gen., *for the sake of.* — Alone, *therefore, then.*

ērigō, -rēxī, -rectus, -rigere, [ex-rego], 3. v. a., *set up straight* (cf. **rego**), *raise up.* — Fig., *rouse up, restore.* — With reflex., *get up.* — **ērectus**, -a, -um, p.p. as adj., *high, high and straight, roused.*

ēripiō, -ripuī, -reptus, -ripere, [ex-rapio], 3. v. a., *snatch away, tear, wrest* (a thing from), *deprive* (one of a thing, changing the relation in Eng.), *relieve, rescue, save, extort, rob, take from:* **ereptam vitam negligetis** (*the taking of life*); **pudicitiam** (*violate*); **se eripere ne**, etc. (*save one's self from*, etc.).

errātum, -ī, [n. p.p. of **erro**], N., *an error, a mistake.*

errō, -āvī, -ātūrus, -āre, [?], I. v. n., *wander, go astray, err, be mistaken, make a mistake.*

error, -ōris, [†err- (as if root of **erro**) + **or**], M., *an error, a mistake.*

Erūcius, -ī, [eruca (?) + ius], M., a Roman gentile name. — Only of the prosecutor against Sex. Roscius.

ēructō, -āvī, -ātus, -āre, [ē-ructo], I. v. a., *belch forth* (lit. and fig.).

ērudiō, -ivī (-iī), -ītus, -īre, [ex-rudio (**rudi-**, from training in fencing, cf. **rudimentum**)], 4. v. a., *train, instruct, educate.* — **ērudītus**, -a, -um, p.p. as adj., *learned, highly educated:* **homo** (*man of learning*).

ērumpō, -rūpī, -ruptus, -rumpere, [ex-rumpo], 3. v. a. and n., *burst out, sally out, make a sally, break forth* (with violence), *break out* (of *unexpected events*).

escendō, -scendī, -scēnsus, -scendere, [ex-scando], 3. v. n. (and a.), *climb up, ascend, go up.*

et [akin to Gr. ἔτι], conj., *and, even, also:* **et ... et** (*both ... and*).

etenim, see **enim**.

etiam [et jam], conj., *even now, still, even yet, even, also:* **quin etiam**

(*nay, even*); **etiam atque etiam** (*again and again*); **etiam si** (*even if, although*).

etiam si, see **etiam**.

Etrūria, -ae, [†**Etrus** + **ia** (cf. **Etruscus**)], F., the country of central Italy north of the Tiber and west of the Apennines.

Etruscus, -a, -um, [†**Etrus**+**cus** (cf. **Etruria**)], adj., *of Etruria, Etruscan, Etrurian.* — Masc. plur., *Etruscans.*

etsī [**et si**], conj., *even if, although, though.*

ēvādō̆, -vāsī, -vāsūrus, -vādere, [**ex-vado**], 3. v. n., *escape, get away.*

ēvellō̆, -vellī (-vulsī), -vulsus, -vellere, [**ex-vello**], 3. v. a., *tear out.*

ēventus, -tūs, [cf. **evenio**], M., *an event, an accident.*

ēversor, -sōris, [**ex-versor**, cf. **everto**], M., *an overturner.*

ēvertō̆, -vertī, -versus, -vertere, [**ex-verto**], 3. v. a., *overturn, overthrow, utterly destroy, cut down.*

ēvocātor, -tōris, [**ex-vocator**, cf. **evoco**], M., *one who calls forth, a rallier* (**servorum**).

ēvocō̆, -āvī, -ātus, -āre, [**ex-voco**], 1. v. a., *call out, call forth, summon, challenge, carry away, invite.* — **ēvocātus**, -a, -um, p.p. as adj. and subst., *veteran* (of soldiers who have served their time and are only called out in emergencies), *veterans* (almost equal *volunteers*).

ēvolō̆, -āvī, -ātūrus, -āre, [**ex-volo**], 1. v. n., *fly out, rush out.*

ēvomō̆, -uī, -itus, -ere, [**ex-vomo**], 3. v. a., *vomit out, vent, throw off, throw out.*

ex (**ē**) [?], adv. (in comp.) and prep., *out of* (cf. **ab**, *away from*), *out.* — Less exactly, *from* (lit. and fig.), *of* (made of): **ex alacri erat humilis** (*from being*, etc.). — Hence, *after.* — Also, *on account of, by means of, in pursuance of, in accordance with, according to.* — Also, *above* (raised from). — Also (cf. **ab**), *in, on*: **una ex parte** (*on one side*); **e re publica** (*for the advantage of the state*); **ex caede vivunt** (*on, upon*); **ex aliqua parte** (*in some measure*).

exaggerō̆, -āvī, -ātus, -āre, [**ex-aggero**], 1. v. a., *heap up, enlarge.*

exāminō̆, -āvī, -ātus, -āre, [**ex-amin-** (stem of **examen**, *tongue of the balance*)], 1. v. a., *weigh.*

exanimō̆, -āvī, -ātus, -āre, 1.v.a., *deprive of breath* (*life*), *kill.* — Less exactly, *half kill, prostrate* (with grief, etc.). — **exanimātus**, -a, -um, p.p. as adj., *out of breath, exhausted, half dead* (with fright, etc.), *overwhelmed.*

exardēscō̆, -arsī, no p.p. -ardēscere, [**ex-ardesco**], 3. v. n., *blaze up.* — Fig., *become enraged, become excited, burst forth.*

exaudiō̆, -īvī, -ītus, -īre, [**ex-audio**], 4. v. a., *hear* (from a distance), *overhear.*

excēdō̆, -cēssī, -cēssūrus, -cēdere, [**ex-cedo**], 3. v. n., *go out, leave* (with abl.), *withdraw, retire, depart*: **ex pueris** (*outgrow one's boyhood*).

excellēns, see **excello**.

excellō̆, (-celluī), -celsus, -cellere, [**ex-†cello**], 3. v. a. and n., *raise.* — Also, *rise, be superior, excel.* — **excellēns**, -entis, pres. p. as adj., *superior, prominent, remarkable.* — **excelsus**, -a, -um, p.p. as adj., *high, elevated, lofty, commanding*: **in excelso** (*in a lofty position, high up*).

excidō̆, -cidī, no p.p., -cidere, [**ex-cado**], 3. v. n., *fall out, fall.*

excīdō̆, -cīdī, -cīsus, -cīdere, [ex-

caedo], 3. v. a., *cut out, cut off, break down, raze.*

excipiō, -cēpī, -ceptus, -cipere, [**ex-capio**], 3. v. a., *take off, take up, pick up, receive, catch, take in.* — Hence, *follow, come after, come next.* — Also, *take out, reserve, except.*

excitō, -āvī, -ātus, -āre, [**ex-cito**, cf. **excieo**], 1. v. a., *call out, rouse, stimulate, induce.* — Also, *call up* (esp. from the dead), *raise, stir up, kindle, set in motion.*

exclāmō, -āvīs, -ātus, -āre, [**ex-clamo**], 1. v. a. and n., *cry out.*

exclūdō, -clūsī, -clūsus, -clūdere, [**ex-claudo**], 3. v. a., *shut out, cut off* (from doing a thing), *prevent.*

excōgitō, -āvī, -ātus, -āre, [**ex-cogito**], 1. v. a., *think out, devise, invent.*

excolō, -coluī, -cultus, -colere, [**ex-colo**], 3. v. a., *cultivate* (to some effect), *train.*

excruciō, -āvī, -ātus, -āre, [**ex-crucio**], 1. v. a., *torture, torment.*

excubiae, -ārum, [†**excubŏ**+**ia**], F. plur., *a watch, sentinels, watchmen, pickets.*

excursiō, -ōnis, [**ex-cursio**, cf. **excurro**], F., *a sally, a raid, an incursion.*

excūsātiō, -ōnis, [**ex-**†**causatio**, cf. **excuso**], F., *an excuse.*

excūsō, -āvī, -ātus, -āre, [**ex-**†**causo**], 1. v. a. and n., *give as an excuse, make an excuse, excuse one's self.* — Also (with change of relation), *excuse, exculpate.*

exemplum, -ī, [**ex-**†**emplum**, √EM (in **emo**) + **lus** (cf. **querulus**), with parasitic **p**], N., (*something taken out*), *a sample, a copy, a specimen, a precedent, an example, an illustration:* **crudelissimis exemplis** (*in the most cruel manner*).

exeō, -īvī (-iī), -itum, -īre, [**ex-eo**], irr. v. n., *go forth, go out, emigrate, march out, remove, depart, come out, get abroad, be drawn* (of lots).

exerceō, -ercuī, -ercitus, -ercēre, [**ex-arceo**], 2. v. a., *train, practise, exercise, harass, fatigue:* **vectigalia** (*collect*); **judicium** (*preside over*).

exercitātiō, -ōnis, [**exercitā-** (stem of **exercito**) + **tio**], F., *practice, exercise, training:* **virtutis** (*opportunity for the practice of*, etc.).

exercitō, -āvī, -ātus, -āre, [**exercitŏ-**, cf. **exerceo**], 1. v. a., *train, practise.* — **exercitātus**, -a, -um, p.p. as adj., *trained.* — Superl., *very well trained.*

exercitus, -tūs, [as if **ex-**†**arcitus**, cf. **exerceo**], M., (*a training*). — Concretely, (*a body trained* or *in training*), *an army* (large or small, acting independently), *a force.*

exhauriō, -hausī, -haustus, -haurīre, [**ex-haurio**], 4. v. a., *drain off.* — Less exactly, *carry off, get rid of.*

exhibeō, -hibuī, -hibitus, -hibēre, [**ex-habeo**], 2. v. a., *hold out, show, exhibit.*

exigō, -ēgī, -āctus, -igere, [**ex-ago**], 3. v. a., (*lead out*), *pass, spend, finish, complete.* — Also, *collect, exact.* — Esp., **exacta vigilia**, etc. (*at the end of*).

exiguus, -a, -um, [**ex-**†**aguus** (√AG + **uus**), cf. **exigo**], adj., (*exact?*), *narrow, scanty, small, meagre.*

eximiē [old abl. of **eximius**], adv., *especially, peculiarly, particularly.*

eximius, -a, -um, [**ex-**†**emius** (√EM + **ius**), cf. **eximo**], adj., (*taken out*), *exceptional, remarkable, very high, very great, most admirable, very valuable.*

eximō, -ēmī, -emptus, -imere, [ex-emo], 3. v. a., *take out* (*off*), *take off.*

exīstīmātiō, -ōnis, [ex-aestimatio, cf. **existimo**], F., *estimate, opinion, public opinion,* less exactly, *expectation.* — From the other side, *reputation, repute.*

exīstimātor, -toris, [ex-aestimator, cf. **existimo**], M., *an appraiser, a judge:* **injustus existimator rerum** (*unjust in his opinion of affairs*).

exīstimō, -āvī, -ātus, āre, [ex-aestimo], I. v. a. and n., *estimate, believe, think, suppose, imagine, regard, esteem, deem, judge:* **male,** *think ill of, have a poor opinion of.*

exitiōsus, -a, -um, [exitiŏ+**osus**], adj., *destructive, ruinous, pernicious.*

exitium, -ī, [exitu + **ium**, perh. **ex** + †**itium** (cf. **officium**)], N., *extinction, destruction, ruin, mischief.*

exitus, -tūs, [ex-itus, cf. **exeo**], M., (*a going out*), *a passage* (out, concretely). — Hence, *an end, the last part:* **quem habere exitum** (*what is the result of,* etc.). — Fig., *a result, a turn* (of fortune), *an issue, an event.*

exolētus, -a, -um, [p.p. of **exolesco**, as adj.], *adult.* — As subst., *a creature of lust.*

exoptō, -āvī, -ātus, -āre, [ex-opto], I. v. a., *desire earnestly, long for.*

exorior, -ortus, -orīrī, [**ex-orior**], 3. (and 4.) v. dep., *rise up.*

exornō, -āvī, -ātus, -āre, [**ex-orno**], I. v. a., *array, adorn, fit out, embellish.*

exōrō, -āvī, -ātus, -āre, [**ex-oro**], I. v. a. and n., *entreat* (and prevail).

exorsus, -sūs, [ex-†**orsus**, cf. **exordior**], M., *a beginning.*

expectō and compounds of **ex** with **s-**, see exs-.

expediō, -īvī, -ītus, -īre, [prob. †**expedi-** (stem of adj. from **ex-pes**)], 4. v. a. and n., *disentangle, disencumber, set free* (cf. **impedio**). — Less exactly and fig., *set in order, get ready, arrange, station* (of troops): **salutem** (*secure*). — Also, *be of advantage.* — **expedītus**, -a, -um, p.p. as adj., *unincumbered, easy* (**iter**), *not difficult, quick, active.*

expellō, -pulī, -pulsus, -pellere, [**ex-pello**], 3. v. a., *drive out, banish, expel.*

experior, -pertus, -perīrī, [**ex**-†**perior**, pass. of **pario**, cf. **opperior**], 4. v. dep., (*get for one's self?*), *experience, try, find* (*by experience*).

expers, -pertis, [**ex-pars**], adj., *without a share, without, destitute:* **sensus** (*out of sympathy with*).

expetō, -īvī (-iī), -ītus, -ere, [**ex-peto**], 3. v. a., *seek for, desire, earnestly ask for, try to secure:* **poenas** (*inflict*).

expīlō, -āvī, -ātus, -āre, [**ex-pilo**], I. v. a., *rob.* — Also, *plunder, steal.*

expiō, -āvī, -ātus, -āre, [**ex-pio**], I.v.a., *purify, expiate.* — Transferred to the signs of divine wrath, *expiate.*

expleō, -plēvī, -plētus, -plēre, [**ex-pleo**], 2. v. a., *fill out, fill up, make up, satisfy, satiate, fill the measure of.*

explicō, -uī (-āvī), -itus (-ātus), -āre, [**ex-plico**], I. v. a., *unfold, set forth.* — Also (unfold something out of entanglement), *disentangle, set free.* — So esp. in argument.

explōrō, -āvī, -ātus, -āre, [**ex-ploro**, prob. *search* by calling or crying], I. v. a., *investigate, explore, search, examine, reconnoitre.* — **explōrātus**, -a, -um, p.p., *assured, certain.*

expōnō, -posuī, -positus, -pōnere,

[**ex-pono**], 3. v. a., *place out, set out:* **exercitum** (*disembark,* also *draw up, array*). — Fig., *set forth* (in speech), *expose.*

exportō̆, -āvī, -ātus, -āre, [**ex-porto**], 1. v. a., *carry out, carry away, export.*

exposcō̆, -poposcī, no p.p., -poscere, [**ex-posco**], 3. v. a., *demand* (with eagerness).

exprimō̆, -pressī, -pressus, -primere, [**ex-premo**], 3. v. a., *press out, force out, elicit, get out* (of anything). — Hence, *represent:* **vestigia expressa** (*well marked*).

exprōmō̆, -prōmpsī, -prōmptus, -prōmere, [**ex-promo**], 3. v. a., *deal out, bring out, display.*

expūgnātiō̆, -ōnis, [**ex-pugnātio**, cf. **expugno**], F., *a storming* (of a city), *taking* (of a city by storm).

expūgnō̆, -āvī, -ātus, -āre, [**ex-pugno**], 1. v. a., *take* (by storm), *capture* (by storming a city, also fig.).

exquīrō̆, -sīvī, -sītus, -rere, [**ex-quaero**], 3. v. a., *search out.*

exsanguis, -e, [**ex-sanguis**], adj., (*with the blood out*), *bloodless, nerveless, feeble, lifeless.*

exscindō̆, -scidī, -scissus, -scindere, [**ex-scindo**], 3. v. a., *cut down, tear down, break down, destroy, overthrow.*

exsecrātiō̆, -ōnis, [**ex-sacratio**], F., *a curse, an oath* (ratified by an imprecation), *an imprecation.*

exsequiae, -ārum, [†**exsequŏ** + **ia**, cf. **pedisequus**], F. plur., (*a following out*). — Esp. to the grave, *a funeral, funeral rites.*

exsiliō̆, -siluī, no p.p., -silīre, [**ex-salio**], 4. v. n., *spring up, jump up.*

exsilium (**exil-**), -ī, [**exsul** + **ium**], N., *exile.*

exsistō̆, -stitī, -stitūrus (?), -sistere, [**ex-sisto**], 3. v. n., *stand out, rise up, come out, ensue, break out, grow out, arise, come forward, show itself, be shown, appear, be performed* (*perpetrated, committed*), *turn out, be the result, be, exist.*

exsolvō̆, -solvī, -solūtus, -solvere, [**ex-solvo**], 3. v. a., *unloose, acquit.*

exspectātiō̆ (**exp-**), -ōnis, [**exspectatio**, cf. **expecto**], F., *a waiting for, expectation, anticipation.*

exspectō̆ (**exp-**), -āvī, -ātus, -āre, [**ex-specto**], 1. v. a. and n., *look out for, wait for, wait, wait to see* (**si**, *whether*, etc.), *expect, anticipate, be in expectation.*

exspoliō̆, -āvī, -ātus, -āre, [**ex-spolio**], 1. v. a., *strip off.* — Also, *strip of* (cf. **despolio**). — Fig., *deprive, rob* (*of*, abl.).

exstinctor (**extinc-**), -tōris, [**exstinctor**, cf. **exstinguo**], M., *a destroyer, a suppresser.*

exstinguō̆ (**ext-**), -stinxī, -stinctus, -stinguere, [**ex-stinguo**], 3. v. a., (*punch out,* as a fire in the woods?), *extinguish* (lit. and fig.), *destroy, put an end to, stamp out, blot out.*

exstō̆, -stitī, -stātūrus (?), -stāre, [**ex-sto**], 1. v. n., *stand out, be preserved.*

exstructiō̆, -ōnis, [**ex-structio**, cf. **exstruo**], F., *a building up, a structure.*

exstruō̆, -strūxī, -structus, -struere, [**ex-struo**], 3. v. a., *heap up, build up, pile up, construct, erect.*

exsul (**exul**), -ulis, [**ex-**√SAL (of **salio**, cf. **praesul**) as stem, with some lost connection of meaning, cf. **consul**], C., *an exile.*

exsulō̆ (**exulō̆**), -āvī, no p.p., -āre, [**exsul**], 1. v. n., *be an exile, be in exile.*

exsultō (**exult-**), -āvī, no p.p., -āre, [**ex-salto**, cf. **exsilio**], 1. v. n., (*dance with joy*, as in a war dance trampling on a prostrate foe, cf. *Mil.* 21), *exult, rejoice.*

extenuō, -āvī, -ātus, -āre, [**ex-tenuo**], 1. v. a., *extenuate, disparage, diminish, belittle.*

exter, -tera, -terum, [**ex+terus** (reduced)], adj., *outer, outside, foreign.* — **extrēmus**, -a, -um, superl., *farthest, extreme, last:* **in extrema oratione** (*at the end of*, etc., and often in this sense); **ad extremum** (*till the last, at last, finally*); **in extrema India** (*in farthest India*); **in extremis atque ultimis gentibus** (*farthest* in distance, and *last* in reckoning); **extremum summumque supplicium** (*the utmost and most extreme severity of punishment*); **fuit illud extremum** (*the last thing to be thought of*); **comites** (*farthest behind*).

exterminō, -āvī, -ātus, -āre, [**ex-terminŏ-**], 1. v. a., *drive beyond the bounds, banish, get out of the way, expel, drive into exile.*

externus, -a, -um, [**exter-** (as stem of **exter**) + **nus**], adj., *outside, external, foreign, abroad.*

extimēscō, -timuī, no p.p., -timēscere, [**ex-timesco**], 3. v. a., *dread, fear:* **vultu** (*show terror*).

extollō, -tollere, [**ex-tollo**], 3.v.a., *raise up.*

extorqueō, -torsī, -tortus, -torquēre, [**ex-torqueo**], 2. v. a., *wrench from, wrest from, force from.*

extrā [abl. or instr. (?) of **exter**, cf. **supra**], adv. and prep., *outside, out of, outside of.*

extrahō, -trāxī, -trāctus, -trahere, [**ex-traho**], 3. v. a., *drag out, draw out, draw* (from).

exuō, -uī, -ūtus, -uere, [**ex-†uo** (of unc. meaning, cf. **induo**)], 3.v.a., *throw off, strip off, cast aside.*

exūrō, -ūssī, -ūstus, -ūrere, [**ex-uro**], 3. v. a., *burn up, burn down, burn to the ground.*

exuviae, -ārum, [exuŏ- (cf. **exuō**) + **ia**], F. plur., *spoils, cast-off clothes, trophies* (as beaks of ships stripped off).

F.

Fabiānus, -a, -um, [**Fabio + anus**], adj., *of Fabius.* — Esp., **fornix Fabianus** (*the arch of Fabius*, which stood at the easterly end of the Forum).

Fabricius, -ī, [†fabricŏ + **ius**], M., a Roman gentile name. — Esp., *Q. Fabricius*, a tribune of the people the year of Cicero's recall.

fābula, -ae, [**fā** (as stem of **for**) + **bula** (F. of **bulum**)], F., *a myth, a story, a play.*

facētē [old abl. of **facetus**], adv., *wittily, facetiously, humorously, cunningly, neatly.*

facilis, -e, [†facŏ- (cf. **beneficus**) + **lis**], adj., *easy* (to do, cf. **habilis**), *convenient, without difficulty, easy* (generally). — **facile**, N. as adv., *easily, conveniently, without difficulty, plainly, readily:* **facile primus** (*without question*, etc.).

facilitās, -tātis, [**facili+tas**], F., *facility, ease, easy manners, courtesy.*

facinorōsus, -a, -um, [**facinor+osus**], adj., *criminal.*

facinus, -oris, [**†facin-** (as if root of **†facino**, longer form of **facio**, cf. **prodino**) + **us**], N., *a deed* (of any kind), *an action.* — Esp. (as in English), *a deed* (of crime), *a misdeed, a crime, guilt* (referring to some particular act), *criminal conduct:* alius (*degree of guilt*).

faciō, fēci, factus, facere, [√FAC (DHA + K) + io (YA)], irr. v. a. and n., *make, do, act, commit.* — Used in a great variety of senses, as in Eng., and in many where we use a more special word: **insidias** (*lay*); **consulem** (*elect*); **verbum** (*speak, utter*); **gratulationem** (*offer*); **vota** (*offer*); **ludos** (*celebrate, hold*); **manu factus** (*wrought*, etc.); **ita factus** (*formed, fashioned, of such a character*); **sumptum** (*incur*); **judicia** (*hold*, as trials or courts, *express, give, render*, as decisions); **auctoritatem** (*give*); **fidem** (*produce, gain*); **potestatem** (*give, offer*); **reliquum facere** (*leave*); **proelium** (*fight*); **missa facere** (*let go*); **comitia** (*hold*); **strepitum** (*raise*). — Esp. with clause of result, *cause* (to), *do* (omitting in Eng. the connective *that*, and expressing the thing done in the indicative), *see to it that, take care that.* — So: **facit ut videamini** (*makes you appear*); **facio ut deferrem** (*allow myself to*, etc.); **fac veniat** (*let*, etc.). — So in pass., *be done, be caused, happen, result, ensue, occur, turn out, be, become:* **aliquid atrocitatis fieri** (*some atrocity be committed*); **fit obviam** (*come to meet, meet, happen to meet*); **si quid eo factum esset** (*if anything should happen to*, etc.); **ut fit** (*as usually happens*); **fit dominus** (*makes himself master*). — Often with two accs. (or with adj. corresponding to second acc.), *make, render.* — **factum**, -ī, N. of p.p., half noun and half participle, and to be translated by either, *act, thing done, action*, etc. — **fīō**, **fierī**, as passive in all senses.

factum, see **facio**.

facultās, -tātis, [facul (for **facili**, cf. **simul**) + **tas**], F., *ease, facility.* — So, *chance, power, opportunity, privilege:* **facultas ingeni** (*intellectual power, form of genius*); **oratio et facultas** (*power of oratory*); **manendi nulla facultas** (*no possibility*).

faenerātor (**fēn-**), -tōris, [**faenerā** + **tor**], M., *a usurer.*

Faesulae, -ārum, [prob. Etrusc., though the form is Roman], F. plur., an old Etruscan city north of the Arno, colonized by Sulla (*Fiesole*).

Faesulānus, -a, -um, [**Faesula**+ **nus**], adj., *of Fiesole.*

falcārius, -a, -um, [**falc**+**arius**], adj., *belonging to a scythe* or *sickle.* — Masc., *a scythemaker:* **inter falcarios** (*in the scythemakers' quarter*, cutlers' street).

Falcidius, -ī, [?, †**falcidŏ**-(**falc**+ **dus**) + **ius**], M., a Roman gentile name. — Only, *C. Falcidius*, a tribune of the people.

fallāx, -ācis, [**fall-** (as if root of **fallo**) + **ax**], adj., *deceitful, treacherous, fallacious.*

fallō, fefellī, falsus, fallere, [? SPHAL, *trip up*], 3. v. a. and n., *deceive, escape* (*one's notice*), *disappoint:* **num me fefellit** (*was I mistaken in*, etc., and often in that sense). — **falsus**, -a, -um, p.p., *deceived.* — Also (transferred to things), *false, unfounded:* **laus** (*undeserved*). — Abl. as adv., *falsely.*

falsō see **fallo**.

falsus, see **fallo**.

falx, -lcis, [?], F., *a scythe, sickle*, or *billhook* (including many instruments with curved blades), *a knife* (with a curved blade, used by gladiators).

fāma, -ae, [√FA (in **for**) + MA], F., *speech, common talk, reputation, fame.* — Concretely, *a rumor, a story.*

famēs, -is, [?], F., *hunger, starvation:* fame necatus (*starved to death*).

familia, -ae, (-ās), [famulŏ- (reduced, cf. **famul**) + **ia**], F., *a collection of attendants, a household* (including children), *slaves, a gang of slaves.* — Also, *a family* (in our sense). — **mater familias**, see **mater**.

familiāris, -e, [prob. familiā + **ris**, but treated as **famili+aris** (cf. **alaris, animalis**)], adj., *of the household, friendly, intimate:* **res** (*estate, property,* also, *domestic life, household affairs*). — Esp. as subst. (though compared), *a friend, an intimate friend.*

familiāritās, -tātis, [**familiari + tas**], F., *intimacy* (*with,* genitive), *a relation of intimacy.*

familiāriter [familiari + **ter**], adv., *familiarly, intimately.*

fānum, -ī, [?, √FA + **nus**, perh. orig. *consecrated,* cf. **effatus**], N., *a shrine* (cf. **aedes**), *a temple* (esp. a foreign one, **templum** being a word of Roman augury).

fās [√FA (in **for**) + **as**], indecl. N., *right* (in conscience, or by divine law), *permitted, allowed.* — Esp. with negatives expressed or implied.

fascis, -is, [?, cf. **fascia**], M., *a bundle.* — Esp., in plur., *the fasces,* the bundle of rods with an axe, carried by the lictor before the higher magistrates.

fastīdiō, -īvī (-iī), -ītus, -īre, [†fastidi- (cf. **fastiditas**)], 4. v. a. and n., *disdain, be disgusted, take offence.*

fāstus, -a, -um, [**fas + tus**], adj., *secular* (of days when the courts, etc., could rightly be held). — In plur. as subst., *the fasti* (the list of such days), *the calendar.* — Also, *the list of consuls* (originally kept in the calendar).

fātālis, -e, [**fatŏ+alis**], adj., *fated, fatal, designed by fate.*

fateor, fassus, fatērī, [prob. **fatŏ-**], 2. v. dep., *confess, acknowledge, admit.*

fātum, -ī, [N. of **fatus**, p.p. of **for**], N., (*what is spoken,* cf. **fas**), *destiny, fate, lot, a fatality.* — Hence, *ruin, death, destruction:* **fata Sibyllina** (*the Sibylline books*).

faucēs, -ium, [?], F. plur. (also **fauce**, sing.), *the gullet, the throat.* — Hence, of animals, *the jaws* (with a slightly different fig. from the Eng.). — So of any narrow entrance, *a pass:* **fauces Etruriae** (*the gates*).

fautor, -tōris, [**fav-** (as if root of **faveo**) + **tor**], M., *a favorer, a partisan, a supporter.*

faux, see **fauces**.

faveō, fāvī, fautūrus, favēre, [?], 2. v. n., *favor, be well disposed towards.*

Favōnius, -ī, [†favonŏ- (cf. **colonus**) + **ius**], M., *the west wind.* —Also, a Roman gentile name. — Esp., *M. Favonius,* a friend of Cato of Utica, and a violent opponent of Clodius. He was afterwards one of the assassins of Cæsar.

fax, facis, [?], F., *a torch, a firebrand, fire, a blazing fire* (in the sky): **omnes faces invidiae subicere** (*use every means to kindle the flame of hatred*).

febris, -is, [for **†fervris** (poss. **†fervis**), **ferv + ris** (or **-is**)], F., *fever.*

Februārius, -a, -um, [**februō** + **arius**], adj., *of February.*

fēlīcitās, -tātis, [felic- (as if **felici**) + **tas**], F., *good fortune, good luck, lucky star.* — Plur. in same sense. — Esp., *Good Fortune,* worshipped as a divinity by the Romans.

fēlīciter [felic- (as if felici-) + **ter**], adv., *happily, successfully.*

fēlix, -īcis, [akin to **feo**], adj., *fruitful, fortunate.*

fēmina, -ae, [fe (stem of **feo**) + **mina**], F., *a woman, a female.*

fēnerātor, see **faen-**.

fera, see **ferus**.

ferē [?, abl. of stem †**ferŏ-** (akin to **fero**, cf. **Lucifer**)], adv., *almost, about.* — Also, *almost always, generally, usually, for the most part.* — With negatives, *hardly:* nemo fere (*hardly anybody*).

feritās, -tātis, [**ferŏ** + **tas**], F., *wildness, barbarous condition.*

ferō, tulī, lātus (for tlātus), ferre, [√BHAR, *bear,* and √TOL (TLA) in **tollo**], irr. v. a. and n., *bear, carry, bring, endure, tolerate, stand, withstand, carry off, take, receive, win.* — Often in a loose sense, translated by various special words in Eng., *commit, offer,* etc. — With reflex. or in pass., *rush, pass, proceed, roll* (of a river). — With advs. indicating manner of receiving anything, *suffer, bear, take it, feel:* indigne (*feel indignant*); moleste (*take it hard, be annoyed by,* etc.); graviter (*be annoyed, be vexed, take it ill*). — Esp., of report, *say, report.* — Also, of laws, *propose* (to the people), *carry, decide, propose a law, pass a law, bring an accusation* (before the people): **vestra voluntas** (*decide, turn that way*); **quaestionem** (*vote*); **ita natura rerum** (*decree*). — Also, **facinus prae se** (*boast, vaunt*).

ferōcitās, -tātis, [feroc- (as if **feroci-**) + **tas**], F., *fierceness, savage cruelty.*

ferrāmentum, -ī, [as if **ferrā-** (stem of verb from **ferrum**) + **mentum**], N., *a tool* (of iron), *a weapon.*

ferreus, -a, -um, [**ferrŏ** + **eus** (-YAS)], adj., *of iron, iron* (made of iron). — Fig., *iron-hearted.*

ferrum, -ī, [?], N., *iron, steel, the sword* (as a symbol of war).

fertilis, -e, [prob. †**fertŏ-** (**fer** + **tus**, cf. **fero**) + **lis**], adj., *fertile, fruitful, productive.*

ferus, -a, -um, [√FER (DHVAR, *rush*)+**us**, cf. *deer*], adj., *wild, cruel, ferocious.* — Fem. as subst., *a wild beast, game.*

fēstīnātiō, -ōnis, [**festinā**+**tio**], F., *haste.*

fēstus, -a, -um, [unc. root (cf. **feriae**) + **tus**], adj., *festive, festival.*

fidēlis, -e, [**fidē-** (stem of **fides**) + **lis**], adj., *faithful.*

fidēs, -eī, [√FID (BHID, *bind*) + **es**], F., *a promise, a pledge.* — Also, *good faith, fidelity, honesty.* — Transf., *confidence, faith* (in), *credit;* **fidem facere** (*gain credence, produce confidence*). — Esp. of promised protection, *protection, dependence, alliance.* — Also, *credit* (in a mercantile sense).

fidius (but only in nom.) [?, **fidŏ** + **ius**], M., (*of good faith?*). — Only in **me dius fidius** (sc. **adjuvet**), *on my faith, as sure as I live, by Heaven.*

fīdō, fīsus sum, fīdere, [√FID, increased], 3. v. n., *trust, have confidence.*

fīdūcia, -ae, [†**fiduc-** (†**fidu**+**cus**) + **ia** (cf. **audacia**)], F., *confidence, confident reliance.* — Also, *ground of confidence.*

fīdus, -a, -um, [**fid** (in **fido**) + **us**], adj., *faithful.*

fīgō, fīxī, fīxus, fīgere, [√FIG?], 3. v. a., *fasten* (by insertion in something), *fix, nail:* **crucem** (*plant*); **mucronem** (*plunge*). — Also fig., **memoria mentibus fixa.**

figūra, -ae, [†figu- (√FIG, in **fingo**, + **us**) + **ra**, F. of **rus**], F., *shape, form.*

fīlia, -ae, [F. of **filius**], F., *a daughter.*

fīlius, -ī, [?], M., *a son.*

fingō, finxī, fictus, fingere, [√FIG, cf. **figura**], 3. v. a., *mould.* — Fig., *invent, contrive, pretend, imagine, devise:* **fingite animis** (*imagine*). — **fictus**, -a, -um, p.p. as adj., *false, trumped up, fictitious, imaginary.*

fīnis, -is, [?], M., *a limit, an end:* **quem ad finem** (*how far*); **usque ad eum finem dum**, etc. (*even up to the very moment when*). — Plur., *limits, boundaries, borders, territories, country.*

fīnitimus (-**tumus**), -a, -um, [**fini**+**timus**, cf. **maritimus**], adj., *on the borders, neighboring, adjacent, neighbors* (*of*). — Plur. as subst., *neighbors.*

fīō, see **facio**.

firmāmentum, -ī, [**firmā**+**mentum**], N., *support.* — Fig., *a bulwark, a corner-stone:* **ceterorum ordinum.**

firmō, -āvī, -ātus, -āre, [firmŏ-], 1. v. a., *make strong, strengthen, fortify, put in a state of defence.*

firmus, -a, -um, [√DHAR+**mus**], adj., *strong* (for resistance), *firm, steady.*

fiscus, -ī [?], M., *a wicker basket* (used for carrying money), *a money-bag* (to imitate the figure in Eng.).

Flaccus, -ī, [**flaccus**, flabby], M., a Roman family name. — Esp., *L. Valerius Flaccus*, **cons.** with Marius B.C. 100, and afterwards killed by Fimbria in the East.

flāgitiōsē [old abl. of **flagitiosus**], adv., *shamefully, disgracefully* (with the added idea of criminality).

flāgitiōsus, -a, -um, [**flagitiŏ** + **osus**], adj., *shamefully criminal, infamous, disgraceful, scandalous.*

flāgitium, -ī, [†**flagitŏ**+**ium**, cf. **flagitō**], N., (*a crime of passion*?), *a disgraceful crime, a burning shame, an enormity.*

flāgitō, -āvī, -ātus, -āre, [as if †flagitŏ-, p.p. of †**flago**, *burn*? (cf. φλέγω), akin to **flagrum**], 1. v. a., *ask* (in heat?), *demand earnestly, importune, insist upon, call for:* **severitatem** (*cry for*); **flagitans senatus** (*importunate*); **pacem flagitans** (*being importunate for*).

flagrō, -āvī, -ātūrus, -āre, [**flagrŏ**-, in an earlier sense of *a burn*?], 1. v. n., *burn, blaze, consume, be on fire.* — Also fig. as in Eng., *be in a blaze of, be consumed in a fire of:* **invidia**; **infamia.**

flāmen, -inis, [prob. flag (cf. **flagro**) + **men**], M., (*the kindler* of sacrificial fires?), *a priest* (of a particular divinity).

Flāminīnus, -ī, [Flaminiŏ + **inus**], M., a Roman family name. — Esp., *T. Quinctius Flamininus*, who defeated Philip of Macedonia at Cynoscephalæ, B.C. 197.

Flāminius, -ī, [**flamin**+**ius**], M., a Roman gentile name. — Esp., *Q. Flaminius*, cons. B.C. 223. — Also, as adj., *Flaminian* (of this Flaminius); **circus** (the circus built by him as censor, B.C. 220).

flamma, -ae, [√FLAG + **ma**], F., *flame, fire, conflagration.*

flectō, flēxī, flexus, flectere, [?],

3. v. a., *bend, turn.* — Fig., *change, affect, draw* (from a course), *change the minds of,* etc.

fleō, flēvī, flētus, flēre, [?], 2. v. a. and n., *weep:* **flens** (*in tears*).

flētus, -tūs, [fle- (stem of **fleo** as root) + **tus**], M., *weeping, lamentation, tears.*

flexibilis, -e, [flexŏ- (as stem of **flexus**)+**bilis**], adj., *flexible, changeable.*

flōrēns, see **floreo**.

flōreō, -uī, no p.p., -ēre, [flor-], 2. v. n., *blossom, bloom.* — Fig., *be prosperous, flourish, be in power:* **accessus** (*be brilliant*). — **flōrēns**, -entis, p. as adj., *flourishing, prosperous, brilliant, highly favored, eminent* (for wealth and the like), *successful.*

flōrēscō, flōruī, no p.p., flōrēscere, [flore- (as stem of **floreo**) + sco], 3. v. n., *flourish, grow bright.*

flōs, flōris, [?], M., *a flower.* — Fig., *the flower* (of troops).

fluctuō, -āvī, no p.p., -āre, [fluctu-], 1. v. n., *float, drift, be tossed on the waves.*

fluctus, -tūs, [√FLU(G) (in **fluo**, cf. **fluxi**) + **tus**], M., *a wave* (also fig.), *waves* (collectively).

fluitō, -āvī, no p.p., -āre, [†fluitŏ- (as if stem of p.p. of **fluo**, cf. **agito**)], 1. v. n., *float, drift.*

flūmen, -inis, [√FLU(G) (in **fluo**, cf. **frumentum**)+**men**], N., *a river.* — Fig., *flow.*

fluō, flūxī, fluxus (fluxūrus, fluctūrus, fluitūrus), fluere, [√FLU(G), cf. **fruor**], 3. v. n., *flow.*

focus, -ī, [fov (as root of **foveo**) + **cus**], M., *a brazier* (a fixed or movable hearth, with coals for heating or cooking), *a hearth.* — Fig. (as a symbol of home), *hearth, fireside.*

foederātus, -a, -um, [p.p. of **foedero**], adj., *federate, allied* (by treaty on equal terms). — Masc. pl., *allies.*

foedus, -eris, [√FID (in **fides**, cf. **fīdus**) + us], N., *a treaty, an alliance, a bond* (of any similar kind), *conditions* (of a treaty), *a compact, an agreement* (of a serious or solemn sort).

foedus, -a, -um, [?], adj., *foul, unseemly, horrible, vile, dreadful.*

fōns, fontis, [?], M., *a fountain, a spring.* — Fig., *a source, a fountain.*

forās [acc. plur. of **†fora**], adv., (*to the doors*), *outdoors, abroad* (as end of motion). — Fig., *forth, out, away.*

fore, see **sum**.

forēnsis, -e, [forŏ+**ensis**], adj., *of the Forum, in the Forum* (cf. various meanings of **forum**). — Also, *every day, ordinary, of daily life.*

forīs, [abl. plur. of **†fora**, cf. **foras**], adv., *out of doors* (as place where), *abroad, outside.*

forma, -ae, [√DHAR (in **firmus**) +**ma**], F., *shape, form, features, the person, an effigy, a likeness, an image.*

formīdō, -inis, [prob. **formidŏ-** (cf. **formidō**) + **o** (cf. **cupido**), akin to **formus**? (from the hot flash of fear)], F., *fear, dread, terror, alarm.*

formīdolōsus, -a, -um, [†formidolŏ- (formidŏ+lus?) +**osus**], adj., *formidable, alarming.*

fornix, -icis, [fornŏ- (cf. **fornax**) + cus (? reduced)], M., (*the arch of an oven?*), *an arch.*

fors, fortis, [√FER + **tis** (reduced)], F., *chance.* — **forte**, abl. as adv., *by chance, perchance, accidentally, as it happened, perhaps.*

forsitan [**fors sit an,** *it may be a chance whether*], adv., *perhaps, it may be, possibly.*

fortasse [?, forte + unc. form, perh. **sis** (**si vis**)], adv., *perhaps, possibly, it may be.*

forte, see **fors.**

fortis, -e, [for †**forctis,** akin to **firmus**], adj., *strong, sturdy, gallant, staunch, brave, dauntless, undaunted, able:* **vir** (*a man of courage, a man of constancy,* and the like); **sententia** (*firm*).

fortiter [forti+ter], adv., *bravely, stoutly, undauntedly, with courage, with constancy, with firmness.*

fortitūdō, -inis, [forti + tudo], F., *strength, courage, bravery, fortitude, steadiness, firmness.*

fortūna, -ae, [†**fortu-** (for+tu, cf. **fors**) + na, F. of **-nus**], F., *fortune, chance, fate.* — Esp., *good fortune.* — Plur., *fortunes, property, fortune, wealth.* — Esp., *Fortune* (worshipped as a goddess by the Romans).

fortūnātus, -a, -um, [p.p. of **fortuno**], adj., *fortunate, blessed.*

forum, -ī, [akin to **foras** and **foro**], N., (*an open place*), *a forum, a market-place.* — Esp., *the Forum* (the great market-place of Rome, used also for all public purposes). — Esp., as a symbol of law and justice, *the forum.* — See also **Aurelius.**

fragilis, -e, [†**fragŏ-** (cf. **foederifragus**) + **lis**], adj., *brittle.* — Fig., *delicate, sensitive, tender.*

fragilitās, -tātis, [**fragili+tas**], F., *brittleness, frailty.*

fragmentum, -ī, [√FRAG (in **frango**) + **mentum**], N., *a broken piece, a fragment.*

frangō, frēgī, fractus, frangere, [√FRAG], 3. v. a., *break* (as a solid body). — Esp. of ships, *wreck.* — Fig., *break down, crush, break the force of, exhaust.*

frāter, -tris, [prob. √FER + **ter,** cf. **pater**], M., *a brother.*

frāternē [old abl. of **fraternus**], adv., *like a brother, fraternally.*

frāternus, -a, -um, [frater + **nus**], adj., *of a brother, fraternal.*

fraudātiō, -ōnis, [**fraudā+tio**], F., *cheating.*

fraudō, -āvī, -ātus, -āre, [**fraud-**], 1. v. a., *cheat, defraud.*

fraus, fraudis, [?, akin to **frustra**], F., *loss.* — Hence, *treachery, deceit, wickedness.*

fremitus, -tūs, [**fremi-** (stem of **fremo**) + **tus**], M., *a murmur, a confused noise, a din.*

frēnō (**frae-**), -āvī, -ātus, -āre, [**frenō-**], 1. v. a., *bridle, curb.* — Also fig.

frēnum (**frae-**), -ī, [root or verb stem akin to **firmus** + **num**], N., *a bridle.*

frequēns, -entis, [orig. pres. p. akin to **farcio**], adj., *crowded, numerous, in great numbers:* **conspectus vester** (*your crowded assemblage*); **senatus** (*full*). — Also of time, as if adv., *frequently.*

frequenter [**frequent+ter**], adv., *in great numbers, populously.* — Also, of time, *frequently.*

frequentia, -ae, [**frequent+ia**], F., *a throng, a crowd, a multitude, numbers* (as great numbers); **senatus** (*a full meeting of,* etc).

frequentō, -āvī, -ātus, -āre, [**frequent-**], 1. v. a. and n., *assemble in great numbers, celebrate, resort to, visit.*

frētus, -a, -um, [root akin to **firmus** + **tus**], adj., *relying on, confident in* (on account of).

fretus, -tūs, [?], M., and **fretum,** -ī, [?], N., *a strait.* — Esp., *the Strait* (of Messina, between Sicily and the mainland).

frīgus, -oris, [√FRIG (in **frigeo**, etc.) + **us**], N., *cold*. — Plur., *cold* (cold "snaps," frosts).

frōns, frontis, [?, akin to *brow*], F., *brow, face, forehead.*

fructuōsus, -a, -um, [**fructu + osus**], adj., *fruitful, fertile.*

fructus, -tūs, [√FRU(G) + **tus**], M., *enjoyment, fruition.* — Hence, (*what one enjoys*), *fruit* (of the earth, or of any kind of labor), *produce, crops, income, advantages, emolument, reward:* **fructui esse** (*to be an advantage, to be beneficial, to be profitable*).

frūgālitās, -tātis, [**frugali+tas**], F., *economy, frugality.*

frūmentārius, -a, -um, [**frumentŏ-** (reduced) + **arius**], adj., *of grain:* **res** (*grain supply, provisions, grain*); **inopia** (*scarcity of grain*). — See also **subsidia**.

frūmentum, -ī, [√FRU (G) + **mentum**], N., *grain* (cf. **fructus**).

fruor, fructus (fruitūrus, fruī, [√FRU (G), cf. **fruges**], 3. v. dep., *enjoy, reap the benefit* (*fruit*) *of.*

frūstrā [abl. or instr. of stem akin to **fraus**], adv., *to no purpose, without effect, vainly.*

frūx, frūgis, [√FRU(G) in **fruor**, as stem], F., *fruit* (not only in the modern sense, but also all "fruits of the earth"), *grain, crops.*

Fūfius, -a, -um, [?], adj. — Masc., as a Roman gentile name. — Also, as adj., *Fufian* (belonging to one of that gens). — Esp., **lex Fufia** (a law in regard to the auspices at elections, giving power to certain magistrates to stop the proceedings).

fuga, -ae, [√FUG + **a**], F., *flight.*

fugiō̆, fūgī, fugitūrus, fugere, [√FUG (in **fuga**)], 3. v. a. and n., *fly, fly from.* — Fig., *shun, avoid.* — Also, *escape the notice of, escape* (in same sense).

fugitīvus, -a, -um, [**fugi-** (stem of **fugio**?) + **tivus**], adj., *runaway.* — As subst., *a runaway slave.*

fugitō̆, -āvī, -ātūrus, -āre, [**fugi-** (as stem of **fugio**) + **to**, but cf. **agito**], 1. v. a. and n., *fly, flee from, avoid.*

fulgeō̆, fulsī, no p.p., fulgēre, [?], 2. v. n., *shine* (also fig.).

fulmen, -inis [**fulg-** (in **fulgeo**) + **men**], N., *a thunderbolt, a lightning flash, lightning.*

Fulvius, -ī, [**fulvŏ + ius**], M., a Roman gentile name. — Esp.: 1. *M. Fulvius Flaccus*, a partisan of the Gracchi, slain by Opimius; 2. *M. Fulvius Nobilior*, cons. B.C. 189, who subdued Ætolia.

fūmō̆, -āvī, -ātus, -āre, [**fumŏ-**], 1. v. n., *smoke* (also fig.).

fūmus, -ī, [√FU (DHU) + **mus**, akin to *dust*], M., *smoke.*

fundāmentum, -ī, [**fundā + mentum**], N., *a foundation.*

funditus [**fundŏ+tus**, cf. **divinitus**], adv., *from the foundation, utterly, completely.*

fundō̆, -āvī, -ātus, -āre, [**fundŏ-**], 1. v. a., *found, lay the foundations of.*

fundō̆, fūdī, fūsus, fundere, [√FUD], 3. v. a., *pour.* — Less exactly, *scatter.* — Esp. of battle, *put to rout, rout.*

fundus, -ī, [akin to *bottom*], M., *the bottom* (of anything). — Also (cf. real-estate), *an estate, a farm* (including house and land).

fūnestō̆, -āvī, -ātus, -āre, [**funestŏ-**], 1. v. a., *pollute* (orig. by a death or the like?), *desecrate:* **urbem** (as orig. consecrated to the gods).

fūnestus, -a, -um, [**funes** (old

stem of **funus**)+**tus**], adj., (*fraught with death?*), *deadly, fatal.*— Also (cf. **funesto**), *polluted* (orig. by a death?), *ill-omened.*

fungor, functus, fungī, [?], 3. v. dep., *perform* (with abl.).

fūnis, -is, [?], M., *a rope.*

fūnus, -eris, [unc. root (akin to Gr. φόνος) + **us**], N., (*murder?*), *death, a funeral.*

fūr, fūris, [√FER?, cf. Gr. φώρ], M. and F., *a thief.*

Furfānius, -ī, [?], M., a Roman gentile name.—Esp., *T. Furfanius*, a man robbed by Clodius.

furia, -ae, [†furŏ- (cf. **furo**) + **ia**], F., *madness, insanity.*—Often in the plur. in same sense.—Esp. personified (representing the madness of a guilty conscience), *a Fury* (also used of persons), *an avenging Fury.*—Hence, *a madman.*

furibundus, -a, -um, [perh. **furi-** (as stem of **furo**)+**bundus**, but after the analogy of †**furŏ** + **bŏ** + **on** + **dus**], adj., *raving, going mad, crazy.*

furiōsus, -a, -um, [†furŏ- (perh. **furia**) + **osus**], adj., *mad, crazy, insane.*

Fūrius, -ī, [perh. †furŏ- (cf. **furia**) + **ius**], M., a Roman gentile name.—Esp., *P. Furius*, one of the conspirators with Catiline.

furō̆, -ui, no p.p., -ere, [?, cf. **furor**], 3. v. n., *rave, be mad, be crazy.*

furor, -ōris, [√FUR (cf. **furo**) +**or**], M., *madness, frenzy, fury.*

fūrtim [**fur** + **tim**, cf. **statim**], adv., *by stealth, stealthily, secretly.*

fūrtum, -ī, [as if p.p. of verb akin to **fur**, *thief* (cf. **furtim**)], N., *theft, a theft.*

fuscus, -a, -um, [perh. for †**furscus**, cf. **furvus** and *brown*], adj., *dark, tawny.*

fustis, -is, [?], M., *a club.*

G.

Gabīnius, -ī, [Gabinŏ- (cf. **Gabii**) + **ius**], M., a Roman gentile name.—Esp.: 1. *Aulus Gabinius*, consul with Lucius Piso in B.C. 58, the proposer of the two laws giving Pompey command in the East; 2. *Cimber Gabinius*, one of the conspirators with Catiline.

Gabīnius, -a, -um, [preceding word as adj.], adj., *of Gabinius* (esp. the one first mentioned), *Gabinian.*

Gājus (**Cājus, C.**), -ī, [?], M., a Roman prænomen.

Galba, -ae, [Celtic, meaning *fat*], M., a Gallic and Roman family name.

Gallia, -ae, [F. of adj. in **-ius**, Gallo+**ius**], F., *Gaul*, including all the country bounded by the Po, the Alps, the Rhine, the ocean, the Pyrenees, and the Mediterranean, thus occupying all northern Italy, France, and Belgium.

Gallicānus, -a, -um, [**Gallicŏ** + **anus**], adj., *Gallic.*

Gallicus, -a, -um, [**Gallŏ**+**cus**], adj., *of the Gauls, Gallic*: **ager Gallicus** (*the Gallic territory* in Cisalpine Gaul, taken from the Gauls by the Romans).

Gallus, -a, -um, [Celtic], adj., *of Gaul, Gallic.*— As subst., *a Gaul, the Gauls.*—Also, as a Roman family name (see **Sergius**).

gānea, -ae, [?], F., *a low tavern, a brothel.*

gāneō̆, -ōnis, [prob. **ganea**+**o**], M., *a profligate, a spendthrift.*

gaudeō̆, gāvisus, gaudēre, [†gavidŏ- (?, cf. **audeo**)], 2. v. n., *be delighted, rejoice.*

gaudium, -ī, [†**gavidŏ**+**ium**, cf. **gaudeo**], N., *joy* (expressed), *re-*

joicing, an expression of joy. (Cf. **laetitia,** *inward joy,* but see Milo xxviii. 77.)

Gāviānus, -a, -um, [Gaviŏ + anus], adj., *of Gavius.* — Esp., *Gavianus* as a Roman family name, see **Atilius.**

gāvīsus, see **gaudeo.**

Gāvius, -ī, [?, cf. **gaudium**], M., a Roman family name. — Esp., *P. Gavius,* a Roman citizen crucified by Verres.

gāza, -ae, [Pers. through γάζα], F., *treasure.*

gelidus, -a, -um, [gelu + dus], adj., *icy, cold.*

gemitus, -tūs, [gemi- (as stem of **gemo**) + tus], M., *a groan, groaning, an outcry.*

gemō̆, -uī, no p.p., -ere, [?, cf. γέμω], 3. v. a. and n., *groan, cry out* (in pain).

gener, -erī, [?], M., *a son-in-law.*

gēns, gentis, [√GEN + tis (reduced)], F., *a tribe, a clan, a people, a nation:* jus gentium (*the law of nations, universal law* as opposed to the **jus civile** of any one nation); **ubinam gentium?** (*where in the world?*).

genus, -eris, [√GEN + us], N., *a generation, a race, a family* (*stock*), *a nation, a tribe.* — Less exactly, *a kind, a sort, a class.* — Also, abstractly, *kind, character, nature, method, way, manner, sort of things, class of things.*

Germānī, see **Germanus.**

Germānia, -ae, [F. of adj. in -ius, cf. **Gallia**], F., *Germany,* the whole country between the Rhine, the Danube, the Vistula, and the sea.

germānitās, -tātis, [germanŏ + tas], F., *brotherhood.*

Germānus, -a, -um, [?], adj., *German* (of the country of Germany or its people). — Plur., *the Germans.*

germānus, -a, -um, [?], adj., *of full blood, own* (brother or sister, etc.).

gerō̆, gessī, gestus, gerere, [√GES, of unc. kin.], 3. v. a., *carry* (indicating a more lively action than **fero**), *carry on, manage, wage* (war), *hold* (a magistracy), *do* (any business). — Pass., *be done, go on* (of operations): **rem** (*operate successfully* or otherwise, *carry on operations, succeed well* or *ill*); **res gestae** (*exploits, operations, a campaign*); **se gerere** (*conduct one's self, act*); **rem publicam** (*manage affairs of state*); **magistratum** (*perform the duties of, act as* a magistrate or the like); **in rebus gerendis** (*in action, in the management of affairs*); **in ipsa re gerenda** (*while engaged in,* etc.); **in gestis rebus** (*in exploits actually performed*); **gesta** (*acts*).

gestiō̆, -īvī (-iī), no p.p., -īre, [†gesti- (ges + tis), cf. **gestus**], 4. v. a. and n. (express joy or longing by action), *exult, rejoice.* — Also, *yearn, long.*

gīgnō̆, genuī, genitus, gīgnere, [√GEN, redupl.], 3. v. a., *beget, produce.*

Glabriō̆, -ōnis, [†glabriŏ + o], M., a Roman family name. — Esp., *M. Glabrio,* the prætor who presided at the trial of Verres.

gladiātor, -tōris, [gladiā + tor], M., (*a swordsman*), *a gladiator.* — Less exactly, *a ruffian, a cut-throat.*

gladiātōrius, -a, -um, [gladiator + ius], adj., *gladiatorial.*

gladius, -ī, [?], M., *a sword.*

glaeba (glē-), -ae, [?], F., *a clod* (of earth), *a lump.*

Glaucia, -ae, [?], M., a Roman family name. — Esp., *C. Servilius Glaucia*, a demagogue killed by Marius, B.C. 100.

glōria, -ae, [?, for †**clovosia**, cf. **inclutus**], F., *fame, glory.*

glōrior, -atus, -ārī, [gloria-], 1. v. dep., *glory in, boast of.*

glōriōsē [old abl. of **gloriosus**], adv., *boastfully, exultingly.*

glōriōsus,-a,-um,[gloria + osus], adj., *glorious.* — Also, *boastful.*

Gnaeus, (**Cnējus**, **Cn.**), -ī, [akin to **gnavus**], M., a Roman prænomen.

gnāvus, -a, -um, [√GNA, in **nosco**], adj., (*wise*), *active, energetic, diligent.*

Gorgōn, -onis, [Γόργω], F., *a Gorgon* (a fabulous monster, whose sight turned everything to stone).

Gracchus, -ī, [?], M., a Roman family name. — Esp.: 1. *Tiberius Sempronius Gracchus*, the great popular reformer, tribune, B.C. 133; 2. *C. Sempronius Gracchus*, brother of the preceding, tribune, B.C. 121.

gradus, -ūs, [grad + us], M., *a step, a grade* (in a series), *rank, position.*

Graecia, -ae, [Graecŏ + ia, F. of -ius], F., *Greece.*

Graeculus, -ī, [Graecŏ + lus], M., *an affected Greek, a petty Greek, a Greekling.*

Graecus, -a, -um, [Gr. Γραικός], adj., *of the Greeks, Greek, Grecian, of Greece.* — As subst., *a Greek, the Greeks.* Cf. **Germanus** for relation to **Graecia**.

grāmineus, -a, -um, [gramin + eus], adj., *of grass:* **hasta** (*a spear of grass*, probably bamboo or cane of great size, kept in a temple in the hands of a divinity).

grandis, -e, [?], adj., *tall, large* (by growth, cf. **magnus**, generally): **pecunia**) *a large sum of*, etc.).

grātia, -ae, [gratŏ + ia], F., (*gratefulness*, in all Eng. senses). — On one side (feeling grateful), *gratitude, thanks* (esp. in plur.). — On the other side (the being agreeable), *influence* (cf. **auctoritas**, official prestige), *favor, popularity.* — Phrases: **agere gratias**, *return thanks, render thanks;* **habere gratiam** (or **gratias**), *feel thankful, feel gratitude, be grateful;* **referre gratiam**, *make a grateful return, repay a favor, requite reward;* **auctoritate et gratia**, *political and personal influence.* — **grātiā**, abl. following a genitive, *for the sake of, to.*

grātiōsus, -a, -um, [gratia + osus], adj., *influential, popular.*

Grātius, -ī, [grato + ius], M., a Roman gentile name. — Esp., the accuser against Archias.

grātuītō [abl. of **gratuitus**], adv., *gratuitously, voluntarily.*

grātulātiō,-ōnis,[gratulā + tio], F., *a congratulation* (of others or one's self), *rejoicing, a vote of thanks.*

grātulor, -ātus, -ārī, [†gratulŏ- (gratŏ + lus)], 1. v. dep., *congratulate:* **felicitati** (*congratulate one's self for*, etc.).

grātus, -a, -um, [p.p. of lost verb], adj., *pleasing, grateful, agreeable:* **gratum facere** (*do a favor*). — Also, *pleased, grateful* (cf. **gratia**), *appreciative.*

gravis, -e, [for †**garvis**, for †**garus**, cf. Gr. βαρύς], adj., *heavy.* — Fig., *serious, severe, hard, weighty, of weight, dignified, strong, deep, potent, grave:* **legatio**; **infamia**; **vir**; **bellum**; **opinio**; **offensio**; **auctor**; **senatus**; **consultum**; **consilium**; **judicium**; **morbus**.

gravitās, -tātis, [gravi + tas], F., *weight.*—Fig., *importance, power, weight, force, force of character, seriousness.*

graviter [gravi + ter], adv., *heavily, with great weight, forcibly, with force.*—Fig., *severely, seriously:* **graviter ferre** (*take to heart, be indignant at, suffer from*); **desiderata** (*earnestly*); **suspectus** (*grievously*).

gravō̆, -āvī, -ātus, -āre, [gravi-], I. v. a., *weigh down, burden.*— Pass. as dep., *be vexed, be indignant, be reluctant.*

grex, gregis, [?], M. (and F.), *a herd, a flock.*— Less exactly, *a horde, a crowd, a band, a throng, a train, a troop.*

gubernāculum (-**clum**), -ī, [gubernā + culum], N., *the helm, the rudder.*— Often in plur., because anciently there were two.

gubernātiō̆, -ōnis, [gubernā + tio], F., *steering, navigation.*

gubernātor, -tōris, [gubernā + tor], M., *a pilot, a helmsman.*

gubernō̆, -āvī, -ātus, -āre, [κυβερνῶ], I. v. a. and n., *steer, pilot, manage, direct.*—Esp., of the "ship of state."

gustō̆, -āvī, -ātus, -āre, [†gustŏ- (stem akin to **gustus**, Gr. γεύω, Eng. *choose*)], I. v. a., *taste, eat.*

gymnasium, -ī, [γυμνάσιον], N., *a gymnasium.*

H.

H., see **H. S.**

habeō̆, habuī, habitus, habēre, [?, †habŏ- (cf. **habilis**)], 2. v. a. and n., *have, hold, keep, occupy, possess.*—In various uses where we have a somewhat different conception: **senatum** (*hold*); **comitia** (*hold*); **contionem** (*hold an assembly, make an address*); **honores** (*render*); **conjurationem** (*form*); **hominem clausum** (*keep*); **dilectum** (*hold, make*); **sic habetote** (*think thus*); **quid aliud habet in se** (*what else is there in*, etc.); **alienum animum** (*have*); **ita se res habet** (*this is the case*); **Italiam tutam** (*possess in safety, keep safe*).—Esp. with p.p. as a sort of continued perfect (whence the perf. of modern languages), *have, hold, keep.*—Esp., **rationem habere**, *keep an account, take an account of, have regard for, consider, regard, act in view of;* **satis habere** (*be satisfied, be content*).

habitō̆, -āvi, -ātus, -āre, [habitŏ-], I. v. a. and n., *live, dwell, inhabit, have one's abode.*

habitus, -tūs, [habi- (as stem of **habeo**) + tus], M., (*the act of holding*), *condition, character* (way of holding one's self), *nature.*

haereō̆, haesī, haesūrus, haerēre, [?, for **haeseo**], 2. v. n., *get caught, stick, cling fast, cling, hang about* or *upon, be fastened.*

haesitō̆, -āvī, -ātūrus, -āre, [†haesitŏ- (cf. **agito**)], I. v. n., *be caught, hesitate.*

Hannibal, -alis, [Phœnician], M., the great general of the Carthaginians in the Second Punic war.

haruspex, -icis, [unc. stem-†**spex**, cf. **auspex**], M. and F., *a soothsayer, a diviner.*

hasta, -ae, [?, perh. akin to prehendo], F., *a spear, a shaft.*— See also **gramineus**.

haud [?], adv., *not* (modifying a single word, cf. **non**); **haud dubitans** (*without hesitation*).

hauriō̆, hausī, haustus, haurīre,

[? for **hausio**], 4. v. a., *drain, draw, drink, imbibe.*

hebēscō̆,-ere,[hebē+sco], 3.v.n., *grow dull, be blunted.*

Hēraclīa (-**clēa**), -ae, [Ἡρά-κλεια], F., the name of several ancient cities (*city of Hercules*).—Esp., *Heraclea*, a Greek city of Lucania.

Hēracliēnsis, -e, [Heraclia + ensis], adj., *of Heraclea.*—Plur., *the people of Heraclea.*

Hērculēs, -is, [Ἡρακλῆς], M., the great divinity, son of Jupiter and Alcmena, originally of Phœnician origin, who presided especially over journeys and adventures. — Voc., *Heavens!*

hērēditās, -tātis, [hered- (as if heredi-) + tas], F., *inheritance, an inheritance.*

Hērennius, -ī, [?], M., a Roman gentile name.—Esp., *C. Herennius*, a senator convicted of embezzlement.

hērēs, -ēdis, [?], M. and F., *an heir, an heiress.*

hesternus, -a, -um, [hesi- (heri-) + **ternus**, cf. **diuturnus**], adj., *of yesterday, yesterday's, yesterday* (as if adv.); **hesterno die** (*yesterday*).

heus, [?], interj., *look you, here! ho!*

hībernō̆, -āvī, -ātūrus, -āre, [hibernŏ-], 1. v. n., *pass the winter, winter:* **quem ad modum milites** (*conduct themselves in winter quarters*).

hībernus, -a, -um,[hiem+ernus, cf. **nocturnus**], adj., *of winter, winter* (as adj.).—Neut. pl. (sc. **castra**), *winter quarters, a winter encampment.*

hīc [†hi- (loc. of hi-c) ce], adv., *here* (cf. **hĭ̄c**), *in this place, there* (of a place just mentioned), *on this occasion, now, on this point.*

hĭ̄c, haec, hŏ̄c, hūjus, [**hi-** (pron. stem) + **ce**, cf. **ecce, cetera**], pron., (pointing to something near the speaker in *place, time,* or *interest*), *this, these, he, they, this man* (*woman* or *thing*), *the present, like this.*—Referring to things before mentioned (but with more emphasis than **is**), *this, these*, etc.—Less commonly, of what follows, *the following, as follows, these.*—Often with a gesture, *this, this here present, the one before me, my client:* **horum omnium** (*all these here present*); **pater hujusce** (*of the one here, of my client*).—Esp., **hoc est** (*that is to say*); **huic imperio** (*this of ours*); **per hosce annos** (*these last years*); **his paucis diebus** (*within a few days*).—**hōc**, neut. abl., used adverbially, *in this respect, on this account, by so much:* **hoc magis** (*all the more*).—Often **hic . . . ille**, *the one . . . the other, this* (near by) . . . *the other* (farther off), *this last* (nearer on the page) . . . *the other, the latter . . . the former.*—**hūjus modi**, see **modus**.

hīcine [hic (**hice**) ne], adv., *here* (in emphatic question).

hiemps (-**ems**), -emis, [akin to χείμων], F., *winter.*

Hierō̆, -ōnis, [Ἱέρων], M., the name of several kings of Syracuse.—Esp., *Hiero II.*, the son of Hierocles, in the third century B.C., just before the Second Punic war.

hinc [†him (loc. of **hic**, cf. **interim**) + ce], adv., *from here, hence.*—Also (cf. **ab** and **ex**), *on this side, here:* **hinc . . . hinc** (*on this side . . . on that*).

Hirtius, -ī, [hirtŏ + ius], M., a Roman gentile name.—Esp., *Aulus Hirtius*, cons. B.C. 43, in the struggle against Mark Antony.

Hispānia, -ae, [Hispanŏ + **ia** (F. of **-ius**)], F. (of adj., cf. **Gallia**), *Spain*. — Plur., the two provinces.

Hispāniēnsis, -e, [Hispania + ensis], adj., *of Spain*, *Spanish*.

Hispānus, -a, -um, [?], adj., *Spanish*.

hodiē [ho (abl. of **hi-c**, wh. see) die], adv., *to-day*, *now*.

hodiernus, -a, -um, [hodie + er-nus], adj., *of to-day*, *to-day's*: **hodiernus dies** (*to-day*, *this day*).

Homērus, -ī, [Ὅμηρος], M., *Homer*.

homŏ̄, -inis, [prob. **humŏ** + o], C., *a human being* (cf. **vir**, *a man*, as a male), *a man* (including women). — Sometimes, since **vir** is the complimentary word, implying contempt, etc., *fellow*, *creature*, *person*.

honestās, -tātis, [†honos (stem of **honor** as adj.)], F., *honor*, *respectability*, *honorable position*.

honestē [old abl. of **honestus**], adv., *honorably*, *decently*, *with honor*, *with decency*.

honestŏ̄, -āvī, -ātus, -āre, [**honestŏ-**], I. v. a., *make honorable*, *honor*: **se** (*gain honor*); **currum** (*adorn* as a captive).

honestus, -a, -um, [honos (orig. stem of **honor**) + **tus**], adj., *esteemed*, *honored*, *respected*, *worthy*, *honorable*, *respectable*, *creditable*. — Very often as an epithet of the middle class, cf. **splendidus** (used in reference to success and fortune), **ornatus**, **amplus** (used of dignitaries).

honor (**honōs**), -ōris, [M. of adj. (cf. **honestas**), unc. root + **or** (orig. **-os**, cf. -ης)], M., *honor*, *a mark of honor*, *a source of honor*, *an honor*. — Esp. of honors conferred by the people, a post of *honor*, *an office*, *a dignity*, *a high position*. — Phrases: **in honore**, **quanto honore esse** (*be honored*); **gradus honoris**, **honorum** (*advancement*); **honoris causa** (*with due respect*, an apology for mentioning a person's name).

honōrificentissimus, superl. of following.

honōrificus, -a, -um, [**honor-** (as if **honori**) + **ficus**], adj., *honorable*, *in honorable terms*.

hōra, -ae, [ὥρα, orig. season?], F., *an hour*. The Roman hours, being reckoned from sunrise to sunset, were not of equal length at all times of the year, but were always so many twelfths of the solar day.

Horātius, -ī, [?], M., a Roman gentile name. — Esp., *M. Horatius*, the victor in the triple combat with the Curiatii, who was tried for killing his sister.

horreŏ̄, horruī, no p.p., horrēre, [†horrŏ- (√HORR, orig. **hors**) + **us**, prob. used orig. of the sensation called "goose pimples," where the hair seems to stand on end. In Sk. the root is used of intense delight, which is sometimes accompanied by the same sensation], 2. v. n. and a., *bristle* (see above). — Hence, *shudder at*, *dread*.

horribilis, -e, [**horrŏ-** (as if stem of **horreo**, but prob. stem of †**horrus**, see above) + **bilis**], adj., *to be shuddered at*, *frightful*, *dreadful*.

horridus, -a, -um, [†horrŏ- (wh. **horreo**) + **dus**], adj., *horrible*, *dreadful*.

hortātus, -tūs, [**hortā** + **tus**], M., *admonition*, *encouragement*, *exhortation*.

Hortēnsius, -ī, [prob. **hortensi** + **ius**], M., a Roman gentile name. — Esp., *Q. Hortensius Hortalus*, the great orator, contemporary and rival of Cicero.

hortor, -tātus, -tārī, [for **horitor**, freq. of old †**horior**], I. v. dep., *encourage, urge on, urge, address.* — Less exactly, of things, *urge, move, prompt.*

hortus, -ī, [?], M., *a garden.*

hospes, -itis, [prob. GHAS-PATIS, orig. *host* (*lord of eating*)], M., *a host.* — Also, *a guest, a stranger, a visitor.* — Hence, *a guest friend* (in the peculiar relation of **hospitium**, which was a kind of hereditary friendship between persons of different countries, not personal, but of a family or state), *a friend* (of the kind above mentioned): familiaris et hospes (*a personal and family friend*).

hospitium, -ī, [hospit + ium], N., *the relation of host* (or *guest*). — Hence (cf. **hospes**), *friendship, a friendly relation, a relation of friendship.*

hostīlis, -e, [hosti + lis], adj., *hostile, of the enemy.*

hostis, -is [prob. √GHAS + **tis**], M. and F., (*a stranger*, cf. **hospes**), *an enemy* (of the state, cf. **inimicus**), *a public enemy.* — Coll., *the enemy.* — Rarely, *an enemy* (in a general sense), *a bitter enemy.*

H S. [prob. for IIs (**duo semis**, 2½ asses)], a sign for **sestertii, sestertium**, or **sestertia.**

hūc, [hō (dat. of hi-c) -ce], adv., *hither, here* (in sense of hither), *to this* (*place*, and the like, cf. **eo**), *to this point.*

hūcine [†hoce (cf. **huc**) -ne], adv., *hither*, etc., as interrogative.

hūjus modī, see **modus.**

hūmānitās, -tātis, [humanŏ + **tas**], F., *humanity* (as opposed to brutishness), *civilization, cultivation, refinement, courtesy, human feeling, culture.*

hūmānus, -a, -um, [stem akin to **homo** and **humus** (?) + **nus**], adj., *human, of man, civilized, cultivated, refined.*

humerus, see **umerus.**

humilis, -e, [humŏ + lis], adj., *low, shallow* (cf. **altus**, *deep*).—Fig., *low, humble, poor, humbled, abased, of low origin, obscure, mean.*

humilitās, -tātis, [humili + tas], F., *lowness, shallowness.*—Fig., *humble position.*

humus, -ī, [?, cf. χαμαί], F., *the ground:* humi (*on the ground*).

I.

Ĭacchus, -ī, [Ἴακχος], M., *Bacchus.*

Iālysus, -ī, [Ἰάλυσος], M., the eponymous divinity of the city of *Ialysus* in Rhodes.

ibĭ [old case-form of **is** (cf. **tibi**)], adv., *there* (in place before mentioned or indicated by a relative), *thereupon, then.*

ibīdem [ibi-dem, cf. **idem**], adv., *in the same place, there also.*

ĭcŏ, īcī, ictus, ĭcere, [?], 3. v. a., *strike.*—Esp. of treaties (prob. from the killing of a sacrificial victim), *strike, make, solemnize.*

ictus, -tūs, [√IC + **tus**], M., *a blow, a stroke, a thrust.*

idcircō [id (n. acc. of **is**) + **circo** (case-form of same stem as **circa, circum**)], adv., *for that reason, therefore, on this account.*

īdem, eadem, idem, (**is-dem**, cf. **dum**], adj. pron., *the same:* — Often as subst., *the same thing* (*things*), *the same man, the same.* — Often represented by an adverb, *at the same time, also, as well.*

identidem [prob. **idem-†tadem**

(case-form of √TA, in **tam** + **dem**)], adv., *repeatedly, again and again.*

ideō [id eo, *this for this reason*], adv., *therefore, for this reason.*

idōneus, -a, -um, [?, akin to **idem**?], adj., *fit, suitable, adapted, deserving.*

Īdūs, -uum, [?, perh. akin to **aestus**], F. plur., *the Ides* (a day of the lunar month falling at the full moon, conventionally on the 15th of March, May, July, October, and the 13th of the other months, and used by the Romans to reckon dates).

igitur [prob. for **agitur**, *the point aimed at is*], conj., *therefore, then, now, you see.*

īgnārus, -a, -um, [in-gnarus], adj., *ignorant, not knowing, without knowledge:* ignarus rerum (*without knowledge of affairs, inexperienced*).

īgnāvia, -ae, [ignavŏ + ia], F., *shiftlessness, cowardice.*

īgnāvus, -a, -um, [in-(g)navus], adj., *shiftless, cowardly.*

īgnis, -is, [?, same word as Sk. agnis, *the god of fire*], M., *fire, flame.*

īgnōbilis, -e, [in-(g)nobilis], adj., *not famous, obscure.*

īgnōminia, -ae, [†ignomin- (in-(g)nomen) + ia], F., *want of fame, disgrace.*—Almost concretely, *a disgraceful defeat, a disgraceful blemish.*

īgnōrātiō, -ōnis, [ignorā + tio], F., *ignorance.*

īgnōrō, -āvī, -ātus, -āre, [ignarŏ], I. v. a., *fail to notice, not know, be ignorant of.*—Pass., *be unobserved, be unknown:* non ignorans (*not unaware of*).

īgnōscō, -nōvī, -nōtus, -nōscere, [in- (unc. which meaning) (g)nosco], 3. v. n. and a., *pardon.*

īgnōtus, -a, -um, [in-(g)notus], adj., *unknown, strange.*

Ilias, -ados, [Ἰλιάς], F., *the Iliad.*

illātus, see **inlatus**.

ille, -a, -ud, [old **ollus**, fr. √AN + lus (?)], pron., *that* (of something remote, cf. **hic**).—Often as subst. (opposed to some other emphatic word), *he, she, it, they:* **hic ... ille** (*this ... that, the other, the latter ... the former, he ... the other*).—Often of what follows (cf. **hic**), *this, these,* etc.—Of what is famous or well known, *the, the great, the famous,* etc.—Phrases: **hic ille est** (*he is the one*); **ille ferreus** (*such a,* etc.); **ille consul** (*that kind of a consul*).—Sometimes untranslatable, appended merely for emphasis, and accompanied by **quidem**.

illecebra, see **inlecebra**.

illinc, [illim-ce], adv., *thence, from there.*—Also (cf. **ex** and **ab**), *on that side, there, on one side.*

illūc [illo-ce], adv., *thither, there* (in the sense of thither).

illūcēscō, see **inlucesco**.

illustris, see **inlustris**.

illustrō, see **inlustro**.

Illyricus, -a, -um, [Illyriŏ + cus], adj., *of Illyria, Illyrian:* **mare** (a part of the Adriatic).

imāgō, -inis, [akin to **imitor**], F., *an image, an effigy, a statue, a portrait, a representation, a picture* (in the imagination), *an ideal picture.*—Esp. of the wax masks kept by the Romans of their dead ancestors, and used in funeral processions.

imbēcillitās (**inb-**), -tātis, (imbecillŏ + tas], F., *weakness, feebleness:* **animi** (*feebleness of purpose, pusillanimity*).

imbēcillus (**inb-**), -a, -um, [?, in-bacillum, *leaning on a staff*?], adj., *weak, feeble.*

imber, imbris, [?, cf. Gr. ὄμβρος], M., *a rain-storm, a rain.*

imberbis (**inb-**), -e, [in-barba], adj., *beardless.*

imbibō̆, -bibi, no p.p., -bibere, [in-bibo], 3. v. a., *drink in.* — Less exactly, *take in, imbibe.*

imbuō̆ (**inb-**), -bui, -būtus, -buere, [?, in-†buo?, cf. **bibo**], 3. v. a., *moisten, stain* (also fig.); non instituti sed imbuti (*not having learned, but drunken in*).

imitātiō̆, -ōnis, [imitā+tio], F., *an imitation.*

imitātor, -toris, [imitā + tor], M., *an imitator, a copier.*

imitor, -ātus, -ārī, [†imitŏ-, p.p. of †imō̆ (cf. **imago**)], I. v. dep., *imitate, copy.*

immānis (**inm-**), -e, [in-†manus (*good*)?], adj., ("uncanny"?), *monstrous, huge, enormous, wild, savage.* — Also, *barbarous, inhuman, brutal.*

immānitās, -tātis, [immani + tas], F., *barbarity, ferocity, brutality, monstrosity.*

immātūrus, -a, -um, [in-maturus], adj., *unripe, immature, premature.*

immineō̆ (**inm-**), no perf., no p.p., -minēre, [in-mineo], 2.v.n., *overhang, project.* — Fig., *threaten, impend.*

imminuō̆ (**inm-**), -uī, -ūtus, -uere, [in-minuo], 3. v. a., *diminish, impair, infringe, reduce, weaken.*

immittō̆ (**inm-**), -mīsi, -missus, -mittere, [in-mitto], 3. v. a., *let in, let down* (into), *insert, throw* (upon), *let loose, set on* (gladiatores).

immō̆ (**imō̆**) [?, abl. of †immus (in+mus, cf. **summus**, **demum**)], adv., (*in the lowest degree?*), *nay, nay rather, nay more.* — Phrase: immo vero (*nay on the contrary, nay rather, nay even*).

immoderātus (**inm-**), -a, -um, [in-moderatus], adj., *unrestrained, excessive, beyond bounds, violent.*

immortālis (**inm-**), -e, [in-mortalis], adj., *immortal, eternal.* — As equivalent to an adv., *eternally.*

immortālitās (**inm-**), -tātis, [immortali + tas], F., *immortality.*

imparātus (**inp-**), -a, -um, [inparatus], adj., *unprepared, not ready.*

impedīmentum (**inp-**), -ī, [impedī + mentum], N., *a hindrance:* esse impedimento (*be a hindrance, hinder*). — Esp. in plur., *baggage, a baggage train, a heavy train.*

impediō̆ (**inp-**), -īvī, -ītus, -īre, [†imped- (in-pes, as if **impedi-**)], 4. v. a., *entangle, hamper, interfere with.* — Fig., *hinder, embarrass, impede, hinder in the exercise of.* — **impedītus**, -a, -um, p.p., *hampered, entangled, occupied, difficult, impassable:* nullo impediente (*with no one to hinder*).

impellō̆ (**inp-**), -pulī, -pulsus, -pellere, [in-pello], 3. v. a., *drive on.* — Fig., *instigate, urge on, force, drive.*

impendeō̆ (**inp-**), -ēre, [in-pendeo], 2. v. n., *overhang, hang over, threaten, impend.*

imperātor, -tōris, [imperā+tor], M., *a commander* (in chief), *a general:* Jupiter Imperator (*Jupiter, the Supreme Ruler*); dux et imperator (*leader*, in actual command, and *commander*, in chief).

imperātōrius, -a, -um, [imperator+ius], adj., *of a commander, of a general.*

imperītus (**inp-**), -a, -um, [inperitus], adj., *ignorant, unacquainted with, unversed in, inexperienced.*

imperium, -ī, [†imperŏ- (whence **impero**, cf. **opiparus**) + **ium**], N., *command, supreme authority, control, supremacy, supreme power, power* (military), *rule, sway* (both sing. and plur.), *dominion, empire, rule, sway.* — Concretely, *an order, orders, a command, a position of command:* imperium et potestas (*military and civil power, power and authority*).

imperō̆, -āvī, -ātus, -āre, [†imperŏ- (in-†parus, cf. **opiparus**)], I. v. a. and n., *demand* (*make requisition for*, prob. orig. meaning), *require* (in same sense). — Hence, *order* (in military sense), *rule, command, give orders:* me imperante (*at my command*); Lucullo imperante (*under L.'s command*).

impertiō̆ (**inp-**), -īvī (-iī), -ītus, -īre, [in-partio, cf. **partior**], 4.v.a., *impart, share* (with one), *give, confer, attribute, assign, bestow.*

impetrō̆, -āvī, -ātus, -āre, [in-patro], I. v. a., *accomplish* (anything by a request), *succeed in* (obtaining), *obtain* (*a request*), *secure* (a thing); impetro a (*prevail upon, persuade*); impetro ut, etc. (*obtain a request, be allowed to*, etc., *succeed in having*).

impetus, tūs, [in-†petus (√PET + us), cf. **impeto**], M., *a rush, an attack, an onset, a charge, an assault, violence, vehemence, fury:* facere (*make an inroad, charge*, or *invasion, invade*); is impetus (*such fury*, etc.); gladiorum (*armed onset*).

impietās, -tātis, [in-pietas], F., *impiety.*

impius, -a, -um, [in-pius], adj., *impious* (offending divine law).

impleō̆, -ēvī, -ētus, -ēre, [in-†pleo], 2. v. a., *fill.*

implicō̆, -āvī (-uī), -ātus (-itus), -āre, [in-plico], I. v. a., *entangle, interweave, entwine, bind up, closely connect.*

implōrātiō̆, -ōnis, [implorā + tio], F., *an entreaty.*

implōrō̆, -āvī, -ātus, -āre, [in-ploro], I. v. a. and n., *implore, beseech.*

impōnō̆, -posuī, -positus, -pōnere, [in-pono], 3. v. a., *place upon, mount* (men on horses), *place, impose* (fig.), *saddle upon, fasten upon.*

importō̆, -āvi, -ātus, -āre, [in-porto], I. v. a., *bring upon, import.*

importūnus, -a, -um, [in-†portunus (*without a harbor*?, cf. **Portunus**)], adj., *unsuitable, untimely.* — Also (cf. **incommodus**), *cruel, unrelenting, unfeeling, reckless, inhuman.*

imprīmīs, [in primis, and often separate], adv., *among the first, especially, particularly* (*more than anything else*).

imprimō̆, -pressī, -pressus, -primere, [in-premo], 3. v. a., *impress.*

improbē, adv., *wickedly.*

improbitās, -tātis, [improbŏ + tas, cf. **probitas**], F., *wickedness, want of integrity, improbity, want of honesty, rascality, want of principle.*

improbō̆, -āvī, -ātus, -āre, [improbŏ-], I. v. a., (*hold as bad*?, cf. **probo**), *disapprove, blame, censure.*

improbus, -a, -um, [in-probus], adj., *inferior.* — Hence, *bad, unprincipled, wicked, rascally, dishonest.* — As subst., *a rascal*, etc.

imprōvidus, -a, -um, [in-providus], adj., *improvident, imprudent, thoughtless, unthinking.*

imprōvīsus, -a, -um, [in-provisus], adj., *unforeseen:* improviso (de improviso) (*on a sudden, unexpectedly, unawares*).

imprūdēns, -entis, [in-prudens], adj., *not expecting, incautious, unsuspecting, off one's guard, unguarded, not being aware:* aliquo imprudente (*without one's knowledge*).

imprūdentia, -ae, [imprudent+ia], F., *ignorance, want of consideration, want of forethought, thoughtlessness, inattention.*

impūbēs, -eris (-is), [in-pubes], adj., *beardless, immature, a mere boy.*

impudēns, -entis, [in-†pudens], adj., *shameless, impudent.*

impudenter [impudent + ter], adv., *shamelessly, with impudence.*

impudentia, -ae, [impudent + ia], F., *shamelessness, impudence, want of shame.*

impudīcus, -a, -um, [in-pudicus], adj., *shameless, indecent, unchaste, immodest.*

impūne [N. of **impunis** (in-poena, weakened and decl. as adj.)], adv., *with impunity.*

impūnitās, -tātis, [impuni+tas], F., *freedom from punishment, impunity.*

impūnītus, -a, -um, [in-punitus], adj., *unpunished, unchecked* (by punishment).

impūrus, -a, -um, [in-purus], adj., *impure, rascally, vile, dishonest, unprincipled.*

īmus, -a, -um, sup. of **inferus**.

1. **in-** [cf. Gr. α-, αν-, Eng. *un-*], neg. particle, only in composition.

2. **in** [?, cf. Gr. ἀνὰ, Eng. *on;* cf. also **inde**], prep. *a.* With acc., of motion, having its terminus within or on (cf. **ad**, with terminus at or near), *into, upon, within, to, against, among.* — Of time, *for, to, till.* — Fig., without actual motion, but only direction, *to, towards, against, upon, over.* — Often where Eng. has a different conception, *in, on:* **in locum alicujus** (*in one's place*). — In adverbial expressions where no motion appears, *in, according to, with, to:* **mirum in modum** (cf. **quem ad modum**); **in eam sententiam** (*to this purport*); **in speciem** (*with the appearance*); **in altitudinem** (*in height*, cf. *to the height of*). — Esp., **in potestatem esse** (*in the power*, etc., a confusion of two constructions). — *b.* With abl., of rest (lit. and fig.), *in, on, among, within, at:* **in tanta propinquitate** (*under circumstances of, in a case of*). — Often, *in the case of, in the matter of, in respect to:* **in eo** (*in his case, in regard to him, on that point, at that*). — Esp., **in odio esse** (*be hated*, and the like). — In comp. as adv., *in, upon, towards*, and the like.

inānis, -e, [?], adj., *empty, unoccupied.* — Fig., *empty, vain, idle.*

inaudītus, -a, -um, [in-auditus], adj., *unheard of.*

inaurātus, -a, -um, adj., *gilded.*

incautus, -a, -um, [in-cautus], adj., *incautious, off one's guard, imprudent, thoughtless.*

incēdō, -cēssi, -cēssūrus, -cēdere, [in-cedo], 3. v. n., *proceed, walk:* **quam taeter incedebat** (*what a villanous spectacle as he walked*).

incendium, -i, [in-†candium, cf. **incendo**], N., *a burning, a fire, a conflagration.* — In plur., *the burning*, etc., of buildings, each one being conceived as a separate burning, as is usual in Latin.

incendō, -cendī, -cēnsus, -cendere, [in-†cando, cf. **candeo**], 3.v.a., *set fire to, burn.* — Fig., *rouse, excite, fire, inflame.*

incēnsiō, -ōnis, [in-†censio, cf. **incendo**], F., *a burning.*

inceptum, -ī, [p.p. of **incipio**], N., *an undertaking.*

incertus, -a, -um, [in-certus], adj., *uncertain, dubious, untrustworthy:* itinera (*obscure, blind*).

incēssus, -ūs, [in-†cessus, cf. **incedo**], M., *a walk, a gait, the bearing* (of one in walking).

incestus, -a, -um, [in-castus], adj., *unchaste, impure, incestuous.*

incestus, -tūs, [in-†castus, noun akin to **castus**], M., *incest.*

inchoō, see **incoho**.

incidō, -cidī, -cāsūrus, -cidere, [in-cado], 3. v. n., *fall upon, fall* (in any direction). — Less exactly and fig., *fall in with, fall into, happen upon, meet, occur, happen.*

incīdō, -cīdī, -cīsus, -cīdere, [in-caedo], 3. v. a., *cut into, cut, engrave:* leges (i.e., engrave for publication).

incipiō, -cēpī, -ceptus, -cipere, [in-capio], 3. v. a. and n., *begin, undertake.*

incitāmentum, -ī, [incitā+mentum], N., *an incentive.*

incitō, -āvī, -ātus, -āre, [in-cito], I. v. a., *set in motion* (in some particular direction) (lit. and fig.), *urge on, drive, impel, excite, incite, rouse.*

inclīnātiō, -ōnis, [inclinā+tio], F., *a leaning, an inclination, a tendency.*

inclīnō, -āvī, -ātus, -āre, [in-clino], I. v. a. and n., *lean, turn, bend.*

inclūdō, -clūsī, -clūsus, -clūdere, [in-claudo], 3. v. a., *shut up, enclose, include.* — **inclūsus**, -a, -um, p.p. as adj., *secret, hidden.*

incōgnitus, -a, -um, [in-cognitus], adj., *unexamined, unheard, unknown.*

incohō (inchoō), -āvī, -ātus, -āre, [?], I. v. a., *begin, commence.*

incola, -ae, [in-†cola, cf. **agricola**], M. and F., *an inhabitant, a resident* (not a citizen).

incolō, -coluī, no p.p., -colere, [in-colo], 3. v. a. and n., *inhabit, live, dwell.*

incolumis, -e, [?, akin to **columna**], adj., *safe, unhurt, uninjured, unharmed, preserved* (in the possession of) *one's power:* quibus incolumibus (*with whose preservation*); quamdiu incolumis fuit (*as long as he was in good fortune*).

incommodus, -a, -um, [in-commodus], adj., *inconvenient, unfortunate.* — Esp., **incommodum**, N. as subst., *disadvantage, misfortune* (euphemism for *defeat, loss, disaster*), *harm.*

incōnsīderātus, -a, -um, [in-consideratus], adj., *ill-considered, inconsiderate.*

incorruptē [old abl. of **incorruptus**], adv., *without bias.*

incorruptus, -a, -um, [in-corruptus], adj., *unspoiled, unbribed, free from bias.*

incrēbrēscō (-bēscō), -bruī (-buī), -brēscere (-bēscere) [in-crebresco], 3. v. n., *thicken, grow frequent:* consuetudo (*spread, become common*).

incrēdibilis, -e, [in-credibilis], adj., *incredible, marvellous, extraordinary.*

increpō, -crepuī (-āvī), -crepitus, -crepāre, [in-crepo], I. v. n. (and a.), *make a noise, sound, rattle:* quicquid increpuerit (*whatever noise is heard*).

incultus, -a, -um, [in-cultus], adj., *uncultivated, uncouth.*

incumbō, -cubuī, no p.p., -cumbere, [in-cumbo], 3. v. n. (and a.), *lie upon.* — Hence, *bend one's energies.*

incūnābula, -ōrum, [in-cunabula], N. plur., *swaddling clothes* (in which anciently the infant was wound up into a tight little bundle). — Hence, *the cradle* (as a symbol of infancy).

incurrŏ, -cucurrī, (-currī), -cursus, -currere, [in-curro], 3. v. a. and n., *run upon, rush at, make an assault:* in navem (*assail*).

indāgŏ, -āvī, -ātus, -āre, [†indagŏ-, cf. **indago** (-inis)], 1. v. a., *track, chase, pursue, trace out, investigate.*

inde [†im (loc. of **is**, cf. **interim**, **hinc**) -de (form akin to -dem, dum, cf. **indu**, old form of **in**)], adv., *from there, thence, from the place* (which, etc.), *from that point.*

indemnātus, -a, -um, [in-damnatus], adj., *uncondemned.*

index, -icis, [in-†dex (√DIC as stem, cf. **judex**)], M. or F., *an informer, an accuser* (appearing as witness).

India, -ae, ['Ινδία], F., all the country, vaguely conceived, beyond Sogdiana, Bactriana, and Asia, including modern India.

indicium -ī, [indic+ium], N., *information, evidence* (making known a crime), *an indication, a proof:* per indicium (*through an informer*).

indicŏ, -āvī, -ātus, -āre, [indic-], 1. v. a., *point out, inform, make known, show, discover* (as an informer), *betray, disclose, give information, inform against.*

indīcŏ, -dīxī, -dictus, -dīcere, [in-dico], 3. v. a., *order, proclaim, appoint:* bellum (*declare*).

1. **indictus**, -a, -um, p.p. of **indico**.

2. **indictus**, -a, -um, [1. **in-dictus**], adj., *unpleaded, untried, unheard:* **indicta causa** (*without a trial*).

indidem [inde-dem, cf. **idem**], adv., *from the same place:* **indidem Ameria** (*there from Ameria*).

indīgnē [old abl. of **indignus**], adv., *unworthily, shamefully* (unworthily of one's self or of the circumstances): **indigne fero** (*take it as a shame*).

indīgnus, -a, -um, [1. in-dignus], adj., *unworthy, shameful, undeserved.* — As subst., *a shame, an outrage.*

indomitus, -a, -um, [in-domitus], adj., *unconquered, indomitable, uncontrolled.*

indūcŏ, -dūxī, -ductus, -dūcere, [in-duco], 3. v. a., *draw on, bring in, introduce.* — Also, *lead on.* — Hence, *induce, instigate, impel.*

industria, -ae, [?], F., *diligence, painstaking, industry:* **de industria** (*on purpose*).

industrius, -a, -um, [?], adj., *industrious, diligent, painstaking.*

ineŏ, -īvī, (-iī), -itus, -īre, [in-eo], irr. v. a., *enter upon, go into.* — Fig., *adopt, make, begin, gain, secure.* — Esp.: **iniens aetas** or **adulescentia** (*early youth*); **ineunte vere** (*at the beginning of spring*).

inermis, -e (-us, etc.), [in-arma], adj., *unarmed, defenceless.*

iners, -ertis, [in-ars], adj., *shiftless, cowardly, sluggish, unmanly.*

inertia, -ae, [inert+ia], F., *shiftlessness, cowardice, slothfulness.*

inexpiābilis, -e, [in-expiabilis], adj., *inexpiable.* — Also, *irreconcilable.*

īnfāmia, -ae, [infami + ia], F., *dishonor, disgrace.*

īnfāmis, -e, adj., *infamous.*

īnfāns, -antis, [in-fans], M. and F., *an infant child, a child, an infant.*

īnfēlīx, -īcis, [**in-felix**], adj., *unfortunate, unlucky, unhappy, wretched, boding ill, ill-omened, ill-fated, ill-starred.*

īnferō̆, -tulī, -lātus, -ferre, [**in-fero**], irr. v. a., *bring in, import, carry in, introduce, put upon:* **bellum** (*make, declare*, of offensive war); **signa** (*advance*). — Fig., *cause, inflict, commit, create, cause:* **spem** (*inspire*); **causam** (*adduce, allege, assign, fasten upon*); **vim et manus** (*lay upon*); **ignes** (*set*); **vim** (*use*); **signis inferendis** (*by a hostile attack*).

īnferus, -a, -um, [unc. stem (akin to Sk. **adhas**, *down*) + **rus** (cf. **superus**)], adj., *low.* — Superl., **īnfimus** (**-umus**), **īmus**, *lowest, the bottom of, at the bottom:* **infimi** (*the lowest, the meanest*). — Esp.: **ab inferis** (*from the world below*); **ad (apud) inferos** (*in the world below*).

īnfestus, -a, -um, [**in-festus**, fr. **fendo**], adj., *hostile, in hostile array, pernicious.* — Also, *in danger.*

īnfidēlis, -e, [1. **in-fidelis**], adj., *unfaithful, wavering in faith, faithless.*

īnfidēlitās, -tātis, [**infideli**+**tas**], F., *unfaithfulness, infidelity, treachery.*

īnfimus, see **inferus**.

īnfīnītus, -a, -um, [**in-finitus**], adj., *unbounded, countless, endless, numberless, infinite, unlimited.*

īnfirmitās, -tātis, [**infirmŏ**+**tas**], F., *feebleness, unsteadiness, inconstancy.*

īnfirmō̆, -āvī, -ātus, -āre, [**infirmŏ-**], 1. v. a., *weaken, invalidate.*

īnfirmus, -a, -um, [**in-firmus**] adj., *weak, feeble, helpless.*

īnfitiātor, -tōris, [**infitiā** + **tor**], M., *a denier.* — Esp. of debts, *a slow debtor.*

īnfitior (**infic-**), -ātus, -ārī, [**infitia-**, stem of **infitiae** (**in** + stem akin to **fateor**)], 1. v. dep., *deny.*

īnflammō̆, -āvī, -ātus, -āre, [**in-flammo**], 1. v. a., *set on fire.* — Fig., *fire, inflame, incense, kindle, infuriate.*

īnflō̆, -āvī, -ātus, -āre, [**in-flo**], 1. v. a., *blow upon, blow up.* — Fig., *inspire, puff up.*

īnformō̆, -āvī, -ātus, -āre, [**informo**], 1. v. a., *form, train.*

īnfringō̆, -frēgī, -fractus, -fringere, [**in-frango**], 3. v. a., *break down, destroy.*

īnfumus, see **inferus**.

ingemīscō̆, -gemuī, no p.p., -gemiscere, [**in-gemisco**], 3. v. n., *groan.*

ingenerō̆, -āvī, -ātus, -āre, [**ingenero**], 1. v. a., *implant.* — **ingenerātus**, *inborn.*

ingenium, -ī, [**in-†genium**, cf. **genius**], N., *inborn nature, character, nature.* — Hence, *mental power, genius, intellect.*

ingēns, -entis, [**in-gens**, *not belonging to the kind* (?)], adj., *huge, enormous, very large.*

ingenuus, -a, -um, [**in-†genuus**, cf. **genuinus**], adj. (*born in the state or family, native*?), *freeborn.* — As subst., *a free person.*

ingrātus, -a, -um, [**in-gratus**], adj., *ungrateful* (in both Eng. senses), *unpleasing.*

ingravēscō̆, -escere, [**in-gravesco**], 3. v. n., *become heavier, grow serious, grow worse.*

ingredior, -gressus, -gredī, [**in-gradior**], 3. v. dep., *march into, enter, march in, go upon, go, enter upon:* **navem** (*go on board*).

ingressus, -ūs, [in-gressus, cf. **ingredior**], M., *an entrance.*

inhaereō, -haesī, -haesūrus, -haerēre, [in-haereo], 2.v.n., *fasten itself to, cling to, be fastened upon.*

inhibeō, -hibuī, -hibitus, -hibēre, [in-habeo], 2. v. a., *hold in, restrain.*

inhiō, -āvī, no p.p., -āre, [in-hio], 1. v. n. and a., *gape at:* uberibus (*hold the open mouth to*).

inhūmānus, -a, -um, [in-humanus], adj., *inhuman, cruel.*

inhumātus, -a, -um, [in-humatus], adj., *unburied.*

inibī [in-ibi], adv., *therein.* — Less exactly, *just there, just on the point of being done.*

īniciō (**injiciō**), -jēcī, -jectus, -icere, [in-jacio], 3. v. a., *throw into, throw upon.* — Less exactly, *place in, put on, bring upon.* — Fig., *inspire, cause.*

inimīcitia, -ae, [inimicŏ + tia], F., *enmity, hatred, a grudge, a feud, a quarrel, a cause of enmity.*

inimīcus, -a, -um, [1. in-amicus], adj., *unfriendly, hostile.* — As subst., *an enemy* (personal, or not in war, cf. **hostis**, *an enemy of the state*, or *an enemy at war*), *a rival, an opponent.*

inīquitās, -tātis, [iniquŏ + tas], F., *inequality, irregularity, unevenness.* — Fig., *unfairness, injustice, iniquity:* temporum (*unfavorable nature*).

inīquus, -a, -um, [in-aequus], adj., *uneven.* — Fig., *unjust* (of persons and things), *unfair, unfavorable, disadvantageous.*

initiō, -āvī, -ātus, -āre, [initiŏ-], 1. v. a., *initiate, consecrate.*

initium, -ī, [in-†itium (itŏ + ium), cf. **ineo**], N., *a beginning, the first of, a commencement, a preface, a first attempt* or *event.*

injūrātus, -a, -um, [in-**juratus**], adj., *unsworn, not on oath.*

injūria, -ae, [in-jus + ia, cf. **injurius**], F., *injustice, outrage, wrong, violence* (as opposed to right), *abuse.* — Abl., **injūriā** (*unjustly, wrongfully*).

injūriōsē [old abl. of **injuriosus**], adv., *with outrage, abusively.*

injūstus, -a, -um, [in-justus], adj., *unjust.*

inlātus, -a, -um, p.p. of **infero.**

inlecebra (**ill-**), -ae, [inlice- (as if stem of **inlicio**) + bra, cf. **latebra**], F., *an enticement, a blandishment, an allurement.*

inlūcēscō (**ill-**), -lūxī, no p.p., -lucescere, [in-lucesco], 3.v.n., *shine upon, shine, arise* (of the sun, etc.).

illustris (**-ill**), -e, [in-lustrŏ- (or kindred stem, cf. **lustrō**, *light*, conn. unc. with **lustrum**)], adj., *bright, splendid, brilliant, illustrious, conspicuous.*

inlustrō, -āvī, -ātus, -āre, [in-lustrŏ-, *bright*, see preceding word], 1. v. a., *illuminate, light up, bring to light.*

innāscor, -nātus, -nāscī, [in-nascor], 3. v. dep., *grow in, spring up in.* — Fig., *be inspired, be excited.* — **innātus**, p.p., *natural, innate, inborn:* innata libertas (*inborn spirit of liberty*).

innocēns, -entis, [in-nocens (pres. p. of **noceo**)], adj., *harmless, guiltless, blameless, innocent, free from guilt* (or *corruption*), *doing no wrong.* — As subst., *an innocent man*, etc., *the innocent.*

innocentia, -ae, [innocent+ia], F., *blamelessness, innocence, blameless conduct* (esp. in office).

innumerābilis, -e, [in-numerabilis], adj., *countless, innumerable,* *numberless:* **innumerabiles pecuniae** (*countless sums of money*).

inopia, -ae, [**inop+ia**], F., *scarcity, dearth, destitution, want, privation, want of supplies:* **inopia omnium rerum** (*every privation, utter destitution*).

inops, -opis, [**in-ops**], adj., *poor, destitute, in poverty.*

inōrātus, -a, -um, [**in-oratus**], adj., *unpleaded:* **re inorata** (*without a hearing*, changing the point of view).

inquam (**inquiō̆**), [?], v. def., *say, said I:* **inquam** (*said I*); **inquit** (*he says, said he*).

inquīrō̆, -quīsīvī, -quīsītus, -quīrere, [**in-quaero**], 3. v. a. and n., *enquire, investigate, make investigations.*

inquīsītor, -tōris, [**in-quaesitor**, cf. **inquiro**], M., *an investigator, a detective.*

inrēpō̆ (**irr-**), -rēpsī, -reptūrus, -rēpere, [**in-repo**], 3. v. n., *creep in, find one's way in, get in* (surreptitiously).

inrētiō̆ (**irr-**), -īvī (-iī), -ītus, -īre, [†**inreti-** (**in-rete**)], 4. v. a., *ensnare, entangle.*

inrītō̆ (**irr-**), -āvī, -ātus, -āre, [†**in-ritō-** (of unc. kin.)], 1. v. a., *irritate, excite, provoke, arouse:* **vi** (*wantonly assail*).

inrogō̆ (**irr-**), -āvī, -ātus, -āre, [**in-rogo**], 1. v. a., (*propose a law against*), *propose* (a law or fine against any one): **multam** (*move, propose*, of an accusation before the people for a fine).

inrumpō̆ (**irr-**), -rūpī, -ruptus, -rumpere, [**in-rumpo**], 3. v. a. and n., *break in, break down, break in upon, burst in:* **in nostrum fletum** (*break in upon and interrupt*).

inruō̆ (**irr-**), -ruī, no p.p., -ruere, [**in-ruo**], 3.v.n., *rush in, rush upon:* **in aliquem** (*assail*); **in odium** (*force one's self needlessly*).

inruptiō (**irr-**), -ōnis, [**in-†ruptio**, cf. **inrumpo**], F., *an inroad, an attack, an invasion, an incursion, a raid.*

īnsānia, -ae, [**insanŏ + ia**], F., *insanity, madness, a craze:* **populares insaniae** (*mad outbreaks of the people*).

īnsāniō̆, -īvī (-iī), no p.p., -īre, [**insanŏ-**, as if **insani-**], 4. v. n., *rave, be insane, be mad.*

īnsānus, -a, -um, [**in-sanus**], adj., (*unsound*). — Esp. in mind, *insane, crazy, mad.* — Also of things, *crazy:* **substructiones** (as indicating a craze).

īnsciēns, -entis, [**in-sciens**], adj., *not knowing, ignorant.* — Often rendered by adv., etc., *unawares, without one's knowledge.*

īnscientia, -ae, [**inscient + ia**], F., *ignorance, want of knowledge.*

īnscītia, -ae, [**inscito + ia**], F., *ignorance, stupidity.*

īnscrībō̆, -scrīpsī, -scrīptus, -scrībere, [**in-scribo**], 3. v. a., *write upon, inscribe.*

īnsector, -ātus, -ārī, [**in-sector**], 1. v. dep., *pursue, follow up, inveigh against.*

īnsepultus, -a, -um, [**in-sepultus**], adj., *unburied:* **cujus furiae insepulti** (*of whose unburied corpse*).

īnsequor, -secūtus, -sequī, [**in-sequor**], 3. v. dep., *follow up, pursue, attack, assail, harass, hunt down.* — Also, *follow, ensue.*

īnserviō̆, -īvī (-iī), no p.p., -īre, [**in-servio**], 4. v. n., *be a slave to, yield to, follow the dictates of, devote one's self to.*

īnsideō̆, -sēdī, -sessus, -sidēre, [**in-**

sedeo], 2. v. n. (and a.), *sit upon, cling to, lie, reside, lurk in.*

īnsidiae, -ārum, [†**insid**- (cf. **praeses**) + **ia**], F. plur., *an ambush, an ambuscade, a stratagem, a trick, a plot, a trap, treachery*: per insidias (*with deception, treacherously*, cf. **per**).

īnsidiātor, -tōris, [**insidiā**+**tor**], M., *a plotter, a secret assassin, one in ambush, a lier in wait, a treacherous assailant*: **nullus insidiator viae** (*no one in ambush on the way*).

īnsidior, -ātus, -ārī, [**insidiā**-], 1. v. dep., *lie in wait, make treacherous attacks, plot against, treacherously assail.*

īnsidiōsē [old abl. of **insidiosus**], adv., *treacherously.*

īnsidiōsus, -a, -um, [**insidia** + **osus**], adj., *treacherous.*

īnsīdō, -sēdī, no p.p., -sīdere, [**in-sido**], 3. v. n. (and a.), *sit upon, seat one's self, sink in, settle upon, fasten itself upon, become settled in*: **macula** (*sink in, become fixed in*).

īnsignis, -e, [**insignŏ**-, decl. as adj.], adj., *marked, memorable, conspicuous, signal.* — **īnsigne**, N. as subst., *signal, sign, decoration* (of soldiers), *a mark, a symbol, insignia.*

īnsimulō, -āvī, -ātus, -āre, [**in-simulo**], 1. v. a., *charge, accuse.*

īnsolēns, -entis, [**in-solens**], adj., *unwonted, arrogant, insolent.*

īnsolenter [**insolent**+**ter**], adv., *in an unusual manner, insultingly.*

īnsolentia, -ae, [**insolent** + **ia**], F., *insolence, arrogance.*

īnsolitus, -a, -um, [**in-solitus**], adj., *unwonted, unaccustomed.*

īnspectō, -āvī, -ātus, -āre, [**in-specto**], 1. v. a. and n., *look upon, look on*: **inspectantibus nobis** (*before our eyes*).

īnspērāns, -antis, [**in-sperans**], adj., *unexpecting, not hoping, contrary to one's expectations.*

īnspērātus, -a, -um, [**in-speratus**], adj., *unhoped for, unexpected, unlooked for.*

īnstaurō, -āvī, -ātus, -āre, [**in-†stauro**, cf. **restauro**], 1. v. a., *renew, restore, repeat.*

īnstituō, -uī, -ūtus, -uere, [**in-statuo**], 3. v. a. and n., *set up, set in order, array.* — Also, *provide, procure, get ready, plan.* — Also, *set about, undertake, instruct, begin to practise, start, set out, begin, adopt* (a plan, etc.), *resolve, determine, set on foot.* — Also, *teach, train, habituate, instruct.* — Esp., **ab instituto cursu** (*from one's intended course*).

īnstitūtum, -ī, [N. p.p. of **instituo**], N., *a habit, a practice, an institution, a custom.*

īnstō, -stitī, -stātūrus, -stāre, [**in-sto**], 1. v. n., *be at hand, be close at hand, press on, be pressing.* — Fig., *threaten, impend, menace.*

īnstrūmentum, -ī, [**instru** + **mentum**], N., *furniture, equipment, tools and stores* (of soldiers), *a means, stock* (of a shopkeeper), *stock in trade, means of subsistence*: **tribunatus** (*means of carrying on*).

īnstruō, -strūxī, -structus, -struere, [**in-struo**], 3. v. a., *build, fit up, array, draw up* (of troops), *furnish, equip.*

īnsula, -ae, [akin to **in-salio**?], F., *an island.* — Esp., *the Island* (a part of Syracuse).

īnsultō, -āvī, -ātūrus, -āre, [**in-salto**], 1. v. n., *leap upon, dance upon, trample on, trample under foot, insult, commit outrages, run riot, outrage, insult.*

īnsum, -fuī, -futūrus, -esse, [**in**-

sum], irr. v. n., *be in, exist in, be present, be found.*

īnsuō, -suī, -sūtus, -suere, [**in-suo**], 3. v. a., *sew up in, sew up.*

integer, -gra, -grum, [in-†teger (√TAG, in **tango**, + **rus**)], adj., *untouched, unimpaired, unwearied, undiminished, uninjured, unbroken, entire, pure, fresh* (as subst., *fresh troops*), *inviolate.* — Esp., *undecided, not entered upon* (of business): **re integra** (*anew, afresh, before anything is done, before being committed to any course of action*); **id integrum** (*an open question*). — Also, (*untainted,*) *upright, honest, honorable, unimpeachable.*

integrē [old abl. of **integer**], adv., *honestly, honorably.*

integritās, -tātis, [**integro**+**tas**], F., *honesty, integrity, blameless conduct, uprightness.*

intellegō (**-ligō**), -lēxī, -lēctus, -legere, [**inter-lego**], 3. v. a. and n., (*pick out* [*distinguish*] *between*), *learn, know, notice, observe, find out, discover, see plainly, be aware, observe, understand, be able to see, have intelligence, be a connoisseur.*

intendō, -tendī, -tentus, -tendere, [**in-tendo**], 3. v. a. and n., *stretch, strain, direct, aim* (both active and neuter): **arcum** (*aim*); **actionem** (*bring*); **animum** (*have in mind, direct one's thoughts*).

intentō, -āvī, -ātus, -āre, [**in-tento**], 1. v. a., *strain, brandish.*

inter [**in** + **ter**, cf. **alter**], prep. (adv. in comp.), *between, among:* **inter falcarios** (*in the street of*); **constat inter omnes** (*by all*); **inter latera** (*about*). — Of time, *within, for:* **inter decem annos** (*within ten years, for the last ten years*). — Often in a reciprocal sense: **inter se** (*among themselves, with, to, from, at,* etc., *each other*); **diversi inter se** (*different*); **confligunt inter se** (*against each other*).

Interamna, -ae, [**inter-amnis** (or stem akin)], F., a town in Umbria ninety miles from Rome (*Terni*).

Interamnās, -ātis, [**Interamna**+**tis**], adj., *of Interamna.*

intercēdō, -cēssī, -cēssūrus, -cēdere, [**inter-cedo**], 3. v. n., *come between, go between, lie between, intervene, exist between, occur between, be, pass* (of time). — Esp. of the tribunes, *veto, stay proceedings.*

intercēssiō, -ōnis, [**inter-cessio**, cf. **intercedo**], F., *a veto* (cf. **intercedo**).

intercēssor, -ōris, [**inter-cessor**], M., (*one who comes between*), *a surety.* — Esp., *a vetoing tribune* (cf. **intercedo**).

interclūdō, -clūsī, -clūsus, -clūdere, [**inter-claudo**], 3. v. a., *cut off, shut off, block* (roads), *put a stop to.*

interdum [**inter dum** (orig. acc.)], adv., *for a time, sometimes.*

intereā [**inter ea** (prob. abl.)], adv., *meanwhile, in the mean time, meantime.*

intereō, -īvī (-iī), -itūrus, -īre, [**inter-eo** (*go into pieces*?, cf. **interficio**)], irr. v. n., *perish, die, be killed, be destroyed.*

interfātiō, -ōnis, [**inter-†fatio** (**fa** + **tio**)], F., *an interruption.*

interfector, -tōris, [**inter-factor**, cf. **interficio**], M., *a slayer, a murderer.*

interficiō, -fēcī, -fectus, -ficere, [**inter-facio**], 3. v. a., (*cut to pieces*, cf. **intereo**), *slay, kill, put to death, destroy.*

intericiō (**-jicio**), -jēcī, -jectus, -icere, [**inter-jacio**], 3. v. a., *throw* *in* (between).—Pass., *lie between, intervene:* **tempore interjecto** (*after an interval,* etc.).

interim [perh. loc. of †**interus** (cf. **inter, interior**), but cf. **interea, interibi**], adv., *meanwhile, in the mean time.*

interimō̆, -ēmī, -emptus, -imere, [**inter-emo**], 3. v. a., *kill* (cf. **interficio**), *slay, destroy, put to death.*—Less exactly, *overwhelm.*

interior, -us, [comp. of †**interus** (in-terus, cf. **alter**)], adj., *inner, interior, farther in, more inland.*—Superl., **intimus** (-**tumus**), -a, -um, [**in + timus**], *inmost, most secret.*—As subst., *an intimate friend.*

interitus, -tūs, [**inter-itus**, cf. **intereo**], M., *death, murder* (changing the point of view), *destruction, overthrow.*

interjiciō̆, see **intericio**.

intermortuus, -a, -um, [**inter-mortuus**], adj., *faint, half dead, lifeless, still-born.*

internecīnus, see **internecivus**.

interneciō̆, -ōnis, [**inter-†necio**, same root as **neco**], F., *extermination, annihilation.*

internecīvus (-**cīnus**), -a, -um, [**inter-†necivus**], adj., *utterly destructive:* **bellum** (*of extermination*).—Also, **internicīvus**.

interpellō̆, -āvī, -ātus, -āre, [**inter-†pello**, cf. **appello**, -āre], I. v. a., *interrupt, interfere with.*

interpōnō̆, -posuī, -positus, -pōnere, [**inter-pono**], 3. v. a., *place in between* (lit. and fig.), *interpose, introduce, allege* (an excuse to break off something), *thrust in, force in, put in:* **diebus interpositis** (*after an interval,* etc.); **se** (*act as go-between*).

interpres, -pretis, [**inter-†pres** (akin to **pretium**?)], C., *a middleman, a mediator, an interpreter, an agent* (for bribery).

interrogō̆, -āvī, -ātus, -āre, [**inter-rogo**], I. v. a., (*ask at intervals*), *question, interrogate, ask, put questions.*

intersum, -fuī, -futūrus, -esse, [**inter-sum**], irr. v. n., *be between, be among, be in, be engaged in, be present:* **nox interest** (*there is an interval of a night*); **rei** (*be engaged in, take part in*).—Esp. in third person, *it is of importance, it interests, it concerns:* **nihil interest** (*there is no difference,* also, *it makes no difference, it is of no importance*); **hoc interest** (*there is this difference*); **quid mea interest?** (*what is for my interest?*); **quid interest?** (*what is the difference?*).

intervallum, -ī, [**inter-vallus**, distance between stakes in a rampart], N., *distance* (between two things), *distance apart, interval* (of space or time), *space, time:* **longo intervallo** (*after a long interval, after a considerable time*).

interventus, -tūs, [**inter-†ventus**, cf. **eventus** and **intervenio**], M., *a coming* (to interrupt something), *a coming in, an intervention.*

intestīnus, -a, -um, [?, perh. **intus+tinus**], adj., *internal, intestine:* **pernicies** (i.e., *within the vitals of the state*).

intimus, see **interior**.

intolerābilis, -e, [**in-tolerabilis**], adj., *intolerable, unendurable, not to be borne.*

intolerandus, -a, -um, [**in-tolerandus**], adj., *not to be borne, unendurable.*

intrā [instr. (?) of †**interus**, cf.

inter and **extra**], adv. and prep., *into, within, inside.*

intrōdūcō, -dūxī, -ductus, -dūcere, [**intro-duco**], 3. v. a., *lead in, bring in, march in* (troops), *introduce.*

introitus, -tūs, [**intro-itus**], M., *an entrance, an approach* (means of entrance), *a way of entrance:* Ponti (*mouth*, i.e., the straits). — Fig., *a door* (as a way of entrance), *an opening.*

intueor, -tuitus (-tūtus), -tuērī, [**in-tueor**], 2. v. dep., *gaze upon, gaze at, cast one's eyes upon, look upon, behold, look at, contemplate, study.*

intus [**in** + **tus** (an abl. ending, cf. **divinitus**)], adv., *within.*

inultus, -a, -um, [**in-ultus**], adj., *unavenged, unpunished.*

inūrō, -ūssī, -ustus, -ūrere, [**in-uro**], 3. v. a., *burn in, brand.* — Fig., *fix indelibly.*

inūsitātus, -a, -um, [**in-usitatus**], adj., *unwonted, unaccustomed, unusual.*

inūtilis, -e, [**in-utilis**], adj., *of no use, unserviceable.* — In a pregnant sense, *unfavorable* (positively disadvantageous), *prejudicial.*

invādō, -vāsī, -vāsūrus, -vādere, [**in-vado**], 3. v. n., *rush in, attack, assail, make an attack, make a rush, make a charge.*

invehō, -vēxī, -vectus, -vehere, [**in-veho**], 3. v. a., *carry in, carry against.* — Pass. as dep., *be borne, ride, sail in, assail* (ride against), *inveigh.*

inveniō, -vēnī, -ventus, -venīre, [**in-venio**], 4. v. a., *find* (come upon, cf. **reperio**, *find by search*), *learn, discover, meet with, invent, chance to have, originate.*

inventor, -tōris, [**in-†ventor**, cf. **invenio**], M., *a discoverer, an inventor, an originator.*

investīgō, -āvī, -ātus, -āre, [**investigo**], 1. v. a. and n., *trace out, investigate.*

inveterāscō, -rāvī, -rātūrus, -rāscere, [**in-veterasco**], 3. v. n., *grow old, become established, become fastened in* or *on, become rooted, become deeply seated* or *ingrained.*

invictus, -a, -um, [**in-victus**], adj., *unconquered.* — Also, *unconquerable, invincible.*

invideō, -vīdī, -vīsus, -vidēre, [**invideo**, cf. **invidus**], 2. v. n. and a., *envy, be jealous of, grudge, be envious.*

invidia, -ae, [**invidŏ** + **ia**], F., *envy, odium, jealousy, hatred, unpopularity.*

invidiōsē [old abl. of **invidiosus**], adv., *in a manner to excite odium.*

invidiōsus, -a, -um, [**invidia** + **osus**,] adj., *causing odium:* mihi est invidiosum (*it is a ground of odium*).

invidus, -a, -um, [**in-†vidus** (√VID + **us**, wh. **video**)], adj., *envious, jealous, ill-disposed, hostile, grudging.*

invigilō, -āvī, no p.p., -āre, [**invigilo**], 1. v. n., (*lie awake for*), *watch over, care for.*

inviolātus, -a, -um, [**in-violatus**], adj., *inviolate, unharmed, uninjured.* — Also (cf. **invictus**), *inviolable:* **inviolata amicitia** (*without violating friendship*).

invīsus, -a, -um, [p.p. of **invideo**], as adj., *hateful, odious, displeasing.*

invītō, -āvī, -ātus, -āre, [?], 1. v. a., *invite.*

invītus, -a, -um, [?], adj., *un-*

willing.—Often rendered as adv., *against one's will, unwillingly.*

ipse, -a, -um, [**is-potis**(?)], intens. pron., *self, very, himself,* etc. (as opp. to some one else, cf. **sui**, reflex. referring to the subject) *he,* etc. (emph.), *he himself,* etc.: **tu ipse** (*you yourself*); **ipsius virtus** (*his own,* etc.); **id ipsum** (*that very thing*); **ad ipsum fornicem** (*just at,* etc.); **illis ipsis diebus** (*just at that very time*); **in his ipsis** (*even in these*); **Kalendis ipsis** (*just at,* etc.); **ante ipsum sacrarium** (*just exactly before,* etc.).

īra, -ae, [?], F., *anger, wrath, resentment, rage.*

īrācundia, -ae, [**iracundŏ+ia**], F., *wrath* (as a permanent quality, cf. **ira**, a temporary feeling), *irascibility, anger.*

īrācundus, -a, -um, [**ira + cundus**], adj., *of a violent temper, passionate, irascible, wrathful, resentful, embittered.*

īrāscor, īrātus, īrāscī, [†**īrā+sco**], 3. v. dep., *get angry, be angry.*—**īrātus**, -a, -um, p.p. as adj., *angry, in anger.*

irr-, see **inr-**.

is, ea, id, [pron. √I], pron., *this* (less emph. than **hic**), *that* (unemph.), *these, those,* etc., *the, a, he, she, it, such, one, the man:* **id quod** (*which,* omitting the demonstrative); **atque is** (*and that too*); **in eo** (*in that matter*); **ex eo genere qui** (*of the kind,* etc.); **vacuus ab eis qui defenderent** (*of men to,* etc.); **vos qui ... ei** (*you who ... you*); **neque enim is es,** etc. (*such a man,* etc.); **pro eo ac mereor** (*in proportion to what,* etc.); **is constitutus ex marmore** (*his statue*), etc.; **id aetatis filii** (*of that age,* etc.).—Abl., N., **eō**, *the* (old Eng. instrumental), *so much, on that account, therefore:* **eo magis** (*all the more*); **eo atrocior** (*so much the more cruel*).—See also **ejusmodi**.

iste, -a, -ud, [**is-te** (cf. **tum, tantus,** etc.)], pron., *that, these, those,* etc.—Esp. associated with the second person, with adversaries and opponents, *that* (*you speak of*), *he* (*your client*), *those men* (*my opponents*), *that* (*of yours*), *that* (*by you*).

ita [√I+ta (instr.(?) of √TA)], adv., *so, in such a way, under such circumstances, in this way, thus, as follows;* often with limiting force, *so* (only): **ut ... ita, ita ... ut** (*in proportion as, as*); **ita dictitat** (*this*).

Ītalia, -ae, [†**Italŏ-** (reduced) + **ia** (F. of **-ius**)], F., *Italy.*

Ītalicus, -a, -um, [**Italŏ + cus**], adj., *Italian:* **bellum** (*the Italic* or *Social war,* B.C. 90).

itaque [**ita que**], adv., *and so, accordingly, therefore.*

item [√I-tem (acc.?, cf. **idem**)], adv., *in like manner, so also, in the same way, also, likewise.*

iter, itineris, [stem fr. √I (*go*) + unc. term.], N., *a road, a march, a way, a route, a course, a journey.*

iterum [√I + **terus**, cf. **alter**], adv., *a second time, again:* **semel atque iterum, iterum et saepius** (*again and again*).

J.

jaceō, -cuī, -citūrus, -cēre, [†**jacŏ-**, cf. **jaculum**], 2. v. n., *lie, lie dead, lie low, lie prostrate, be overthrown, fall to the ground.*

jaciō, jēcī, jāctus, jacere, [?, cf. **jaceo**], 3. v. a., *throw, hurl, cast, throw out, bandy about.*—Esp. of foundations, *lay.*

jactō, -āvī, -ātus, -āre, [**jactŏ-**],

1. v. a., (freq. of **jacio**), *toss, toss about, bandy about* (of talk); **se jactare** (*insolently display itself, swagger, show one's arrogance* or *insolence*), *show oneself off.*

jactūra, -ae, [jactu + **ra** (F. of **rus**)], F., *a throwing away, a loss, a sacrifice* (of men in war), *expense, largesse, lavish expenditure.*

jactus, -tūs, [√JAC + **tus**], M., *a throw:* **fulminum** (*hurling, flash, stroke*).

jam [acc. of pron. √YA], adv., *now* (of progressive time, cf. **nunc**, emphatic and instantaneous), *by this time, at last, already, at length, still:* non jam (*no longer, not any more,* etc.); nunquam jam (*never more, never again*); jam nemo (*at last no one*); jam ante, jam antea (*already before, already, before, also before, even before*).— Of future time, *presently, by and by.* — Phrases, jam vero (*now furthermore, then again, but:* or com. partic. of transition); jam dudum, jam pridem (*now for some time, long ago*); nunc jam (*now at last, now*).

Jāniculum, -ī, [Janŏ + culum], N., *the Janiculine Hill.*

jānua, -ae, [?, akin to **Janus**], F., *a door.* — Fig., *gate.*

Jānuārius, -a, -um, [?, janua + arius], adj., *of January.*

jējūnus, -a, -um, [?], adj., *fasting.* — Fig., *meagre, poor, humble.*

jubeō, jūssī, jūssus, jubēre, [prob. jus-habeo, cf. **praebeo**], 2. v. a., *order, command, bid.*

jūcunditās, -tātis, [jucundo + tas], F., *pleasantness, pleasure, charm.*

jūcundus, -a, -um, [?, perh. for **juvicundus**, akin to **juvo**], adj., *pleasant, agreeable.*

jūdex, -icis, [jus-†dex (√DIC as stem)], M. and F., *a judge, an arbiter.* — Esp. in Roman jurisprudence, *a juryman* (half judge and half juryman, who decided Roman law cases), *a judge:* judices (*gentlemen,* i.e., of the jury).

jūdiciālis, -e, [judiciŏ + alis], adj., *judicial, of courts.*

jūdicium, -ī, [judic + ium], N., *a judgment* (judicial), *a trial, a verdict, a prosecution.* — As each trial made a court, *a court, a panel of jurors, a bench of judges, the administration of justice, the judiciary, the judicial power.*— Also, *an expression of opinion* (generally official), *an opinion, a judgment, a decision.*

jūdicō, -āvī, -ātus, -āre, [judic-], 1. v. a., *formally decide, decide, judge, be a juror, adjudge, think, consider, hold an opinion:* **equester ordo** (*hold the judiciary*); **subtiliter** (*be a connoisseur*); **de ingeniis** (*criticize, estimate*); **magna in hoc vis judicatur** (*is held to be,* etc.).

jugulō, -āvī, -ātus, -āre, [jugulŏ-], 1. v. a., *cut the throat of, murder, assassinate, strangle* (figuratively), *put to death.*

jugulum, -ī, [jugŏ+**lum**], N., (*a little yoke,* the collar-bones), *the throat, the neck.*

Jūlius, -ī, [?], M., a Roman gentile name. — Esp., *L. Julius Cæsar,* censor, B.C. 89.

jungō, junxī, junctus, jungere, [√JUG], 3. v. a., *join, unite, attach, attach together.* — In pass. or with reflex., *unite with, attach one's self.*

Jūniānus, -a, -um, [Juniŏ + **anus**], adj., *of Junius:* **consilium** (a jury of which one *Junius* was presiding prætor, and which had notoriously been bribed).

Jūnius, -a, -um, [?, perh. akin to **juvenis**], adj., *of June.*

Jūpiter (**Jūpp**-), Jovis, [**Jovis-Pater**], M., the god of the visible heavens and the atmosphere, who was regarded as the supreme divinity of the Romans, *Jupiter, Jove.* — Identified with the Greek *Ζεύς*, hence with the adjective **Olympius**.

jūrō̆, -āvi, -ātus, -āre, [**jur**- (stem of **jus**)], I. v. n., *swear, take an oath.* — **jūrātus**, -a, -um, p.p. in active sense, *sworn, on oath.*

jūs, jūris, [for †**javus**, √YU (akin to √JUG) + **us**], N., *justice, right, rights* (collectively), *rights over* (anything, *claims*), *law:* **communia jura** (*common rights of man*); **hoc juris constituere** (*establish this as law*); **jure** (*with right, justly*); **praecipuo jure** (*with special justice*); **suo jure** (*with perfect right*); **optimo jure** (*with perfect justice*).

jūsjūrandum, jūrisjūrandī, [see the two words], N., *an oath.*

jūssū [abl. of †**jussus**], used as adv., *by order:* **meo jussu** (*by my orders*).

jūstē [old abl. of **justus**], adv., *justly.*

jūstitia, -ae, [**justo**+**tia**], F., *justice* (just behavior), *sense of justice.*

jūstus, -a, -um, [**jus** + **tus**], adj., *just, lawful, reasonable.*— Also, *complete, perfect, regular:* **omnia justa solvere** (*all due rites*).

juvenis, -e, [?], adj., *young.* — As subst., *a young man* (not over 45), *a youth.*

juventūs, -tūtis, [**juven** (orig. stem of **juvenis**) + **tus**], F., *youth.* — Concretely, *the youth, young men, the young.*

juvō̆, jūvī, jūtus, **juvāre**, [?], I. v. a., *help, aid, assist.*

K.

Kal., abbrev. for **Kalendae** and its cases (wh. see).

Kalendae (**Cal**-), -ārum, [F. pl. of †**calendus**, p. of verb akin to **calo**], F. plur., *the Calends* (the first day of the Roman month, when, as it would seem, the times of the moon were *announced* to the assembled people): **pridie Kalendas Januarias** (i.e., *Dec. 31st*).

Karthāginiēnsis (**Car**-), -e, adj., *Carthaginian.* — Plur. as subst., *the Carthaginians.*

Karthāgō̆ (**Car**-), -inis, [Punic, *new city*], F., *Carthage.*

L.

L., abbrev. for **Lucius**.

L (ↆ), [a corrupt form of the Greek letter ψ (prop. χ), originally used for 50, and retained in the later notation], a sign for *fifty.*

labefaciō̆, -fēci, -factus, -facere, [unc. stem (akin to **labor**) -**facio**], 3. v. a., *shake, cause to totter.*

labefactō̆, -āvi, -ātus, -ārē, [**labe**- (cf. **labefacio**) -**facto**], I. v. a., *shake, cause to totter, weaken, undermine, overthrow, shatter, annul, invalidate, disturb.*

lābēs, -is, [**lab** (in **lābor**) + **es**], F., *a fall, ruin, a plague* (fig.), *a pest.* — Also, *a disgrace, a shame.*

labō̆, -āvi, no p p., -āre, [?, akin to **lābor**], I. v. n., *totter, waver, give way.*

lābor, lāpsus, lābī, [?, akin to **labo**], 3. v. dep., *slide, fall, slip, err, be imprudent.*

labor, -ōris, [√RABH + **or** (for

-**os**)], M., *toil, exertion* (in its disagreeable aspect), *labor* (as painful), *trouble*.

labōriōsus, -a, -um, [**labor** + **osus**], adj., *toilsome, laborious*.

labōrō̆, -āvī, -ātus, -āre, [**labor**-], 1. v. n., *toil, exert one's self.* — Also, *suffer, labor, be hard pressed, be in trouble, trouble one's self, care.* — With neut. pron., *labor about, attend to, busy one's self with.*

lacerō̆, -āvī, -ātus, -āre, [**lacerŏ**-], 1. v. a., *mangle, lacerate, tear.*

lacessō̆, -cessīvī, -cessītus, -cessere, [stem akin to **lacio** + unc. term.], 3. v. a., *irritate, provoke.* — Esp., *attack, harass, assail, skirmish with.*

lacrima, -ae, [†**dakru**- (cf. Gr. δάκρυ) + **ma**], F., *a tear.*

lacrimō̆, -āvī, -ātus, -āre, [**lacrima**], 1. v. n. and a., *weep, weep for.*

lacteō̆, -ēre, [**lact**-], 2. v. n., *suck.* — Esp., **lactēns**, p., *sucking, nursing, a suckling, a nursling.*

lacus, -ūs, [?, cf. **lacer**, **lacuna**], M., *a reservoir, a lake.*

Laeca, -ae, [?], M., a Roman family name. — Esp., *M. Laeca*, a partisan of Catiline.

laedō̆, laesī, laesus, laedere, [perh. for **lavido**, √LU (increased) + **do** (cf. **tendo**)], 3. v. a., *wound, injure.* — Fig., esp., *break* (one's word, etc.), *violate, hurt, disparage, thwart, injure.*

Laelius, -ī, [?], M., a Roman gentile name. — Esp., *C. Lælius*, the friend of the younger Africanus.

Laenius, -ī, [?], M., a Roman gentile name. — Esp., *M. Lænius Flaccus*, a knight of Brundisium, a friend of Cicero, and one of his supporters in his exile.

laetitia, -ae, [**laetŏ** + **tia**], F., *joy, gladness* (cf. **laetus**).

laetor, -ātus, -ārī, [**laetŏ**-], 1. v. dep., *rejoice* (cf. **laetus**), *be glad, take delight*: **illud laetandum est** (*this is a cause of rejoicing*).

laetus, -a, -um, [unc. root (perh. akin to *glad*) + **tus**], adj., *joyful* (of the inner feeling), *rejoicing*: **me domus laetissima accepit** (*with the greatest joy*).

lāmentātiō̆, -ōnis, [**lamentā** + **tio**], F., *lamentation.*

lāmentor, -ātus, -ārī, [**lamento**-], 1. v. dep., *lament, bewail.*

lāmentum, -ī, [?, perh. √LU + **mentum**, cf. **laedo**], N., *a lamentation.*

lāmina, -ae, [?, perh. √LU + **mina**], F., *a scale* (of metal), *a plate* (esp. heated, used for torture).

languidus, -a, -um, [†**languŏ**- (whence **langueo**) + **dus**], adj., *spiritless, listless, languid, stupid, sleepy, dozy*: **languidior** (*less active*).

lanista, -ae, [?], M., *a trainer* (of gladiators).

Lānuvīnus, -a, -um, [**Lanuviŏ** + **inus**], adj., *of Lanuvium.* — Plur. M., *the people of Lanuvium.*

Lānuvium, -ī, [?], N., a town of Latium, twenty miles from Rome on the Appian Way, famous for its worship of Juno Sospita.

lapidātiō̆, -ōnis, [**lapidā** + **tio**] F., *a stoning, throwing stones.*

lapis, -idis, [?], M., *a stone.*

laqueus, -ī, [√LAC (in **lacio**) + **eus** (? -AYAS)], M., *a slip-noose, a snare.* — Fig., *the meshes* (of the law, etc.).

Lār, Laris, [?], M., *a household divinity*: **Lar familiaris** (*household gods*, as a symbol of **home**), *home, hearth and home.*

largē [old abl. of **largus**], adv., *copiously, generously, lavishly.*

largior, -ītus, -īrī, [largŏ-], 4. v. dep., *give lavishly, bestow upon, supply with, lavish upon, grant.* — Also, *give bribes, give presents.*

largītiō, -ōnis, [largī- (stem of **largior**) + **tio**], F., *lavish giving, bribery.*

largītor, -tōris, [largī+**tor**], M., *a lavish giver, a briber, a spendthrift.*

lātē [old abl. of **latus**], adv., *widely, broadly:* longe lateque (*far and wide*).

latebra, -ae, [**latē** + **bra**], F., *a hiding-place.*

lateō, latuī, no p.p., latēre, [?], 2. v. n., *lie concealed, lurk, be concealed, pass unnoticed, lie hid, work secretly.*

Latiāris (-ālis), -e, [**Latiŏ** + **aris**], adj., *of Latium:* Jupiter Latiaris (the Jupiter worshipped on the Alban mount as the tutelar divinity of the old Latin union).

Latīniēnsis, -e, [**Latinŏ** (?) + ensis), adj., *of Latium, Latin.* — Esp. as Roman proper name, *Q. Cælius Latiniensis,* a tribune of the people.

Latīnus, -a, -um, [**Latiŏ**+**inus**], adj., *Latin.*

Latium, -ī, [prob. **latŏ** + **ium**, N. of **-ius**, the *flat land*?], N., the country between the Apennines, the Tiber, and the Tuscan Sea, now *the Campagna.*

lātor, -tōris, [(**t**)**la** + **tor**], M., *a bearer, a proposer* (of a law, cf. **fero**).

latrō, -ōnis, [prob. stem borrowed fr. Greek + **o**], M., *a mercenary* (?), *a robber, a marauder.*

latrōcinium, -ī, [†**latrocinŏ** + **ium**, cf. **ratiocinor**], N., *freebooting, robbery, brigandage, marauding, a band of marauders, a marauding expedition* (opposed to **bellum**, q. v.).

latrōcinor, -ātus, -ārī, [†**latrocinŏ**-, cf. **latrocinium**], I. v. dep., *be a freebooter, act as a marauder:* latrocinans (*as a marauder*).

lātus, -a, -um, [prob. for †**platus**, cf. Gr. πλατὺς], adj., *broad, wide, extensive.*

latus, lateris, [prob. **latŏ** + **rus** (reduced)], N., *the side* (of the body). — Also, generally, *a side, a flank, an end* (of a hill).

lātus, -a, -um, [for **tlatus**, √TLA (cf. **tollo**, **tuli**) + **tus**], p.p. of **fero**.

laudātiō, -ōnis, [**laudā**+**tio**], F., *a eulogy, a funeral oration.*

laudātor, -tōris, [**laudā** + **tor**], M., *a eulogizer, an extoller.*

laudō, -āvī, -ātus, -āre, [**laud**-], I. v. a., *praise, commend, approve, eulogize, applaud.*

laureātus, -a, -um, [**laurea** + **tus**, cf. **robustus**], adj., *laurelled, crowned with laurel.*

laus, laudis, [?], F., *praise, credit, renown, reputation, glory, merit* (thing deserving praise), *excellence:* **in hac laude industriae** (*in gaining this credit by,* etc.); **fructum istum laudis** (*the gaining of that credit*).

lautumiae (lāto-, lātu-), -ārum, [λατομία], F. plur., *a stone-quarry.*

lectulus, -ī, [**lectŏ** + **lus**], M., *a couch, a sofa, a bed.*

lectus, -ī, [?], M., *a bed, a couch.*

lectus, -a, -um, p.p. of **lego**, wh. see.

lēgātiō, -ōnis, [**legā** + **tio**], F., (*a sending* or *commission*), *an embassy, an embassy* (message of ambassadors), *the office of legatus:* **qua in legatione** (*in which office*); **jus**

legationis (*the rights of ambassadors*).

lēgātus, -i, [prop. p.p. of **lēgo**], M., *an ambassador.*—Also, *a lieutenant, a legatus.* To a Roman commander were assigned (**legare**) one or more subordinate officers capable of taking command in his absence or engaging in independent operations under his general direction. These were the **legati**, and with the quæstor composed a kind of staff.

legiō̆, -ōnis, [√LEG + io], F., (*a levy*); hence, *a legion* (originally the whole levy, later the unit of army organization, numbering from 3000 to 6000 men, divided into ten cohorts).

lēgitimus, -a, -um, [leg (as if **legi**) + **timus**], adj., *lawful, legal, of law, according to law, at law.*

lēgō̆, -āvi, -ātus, -āre, [†**lega-** (cf. **collega**)], I. v. a., *despatch, commission, commission as legatus, choose as legatus, assign* (as legatus).

legō̆, lēgi, lectus, legere, [cf. Gr. λέγω], 3. v. a. and n., *choose, collect, pick out.*—Hence, *read, read of.*—**lectus**, -a, -um, p.p. as adj., *choice, esteemed, superior.*

lēniō̆, -ivi (-ii), -itus, -ire, [**leni-**], 4. v. a., *soothe, mitigate.*

lēnis, -e, [?], adj., *gentle, lenient, mild.*

lēnitās, -tātis, [leni + **tas**], F., *gentleness, leniency.*

lēniter [leni+**ter**], adv., *gently.*

lēnō̆, -ōnis, [?, leni + **o**], M., *a pander, a pimp, go-between.*

lēnōcinium, -i, [†lenocinŏ- (cf. **lenocinor**) + **ium**], N., *pandering.*

lentē [old abl. of **lentus**], adv., *slowly.*

Lentulus, -i, [lentŏ + **lus**], M., a Roman family name.—Esp.: 1. *Cn. Cornelius Lentulus Clodianus*, cons. B.C. 72; 2. *P. Cornelius Lentulus Sura*, cons. B.C. 71, one of the Catilinarian conspirators; 3. *L. Lentulus*, an unknown prætor; 4. *P. Cornelius Lentulus Spinther*, cons. B.C. 57, a supporter of Cicero; 5. The son of No. 4, of the same name.

lentus, -a, -um, [len (cf. **lenis**) + **tus**], adj., *flexible.*—Also, *slow.*

lepidus, -a, -um, [†lepŏ- (cf. **lepor**) + **dus**], M., *graceful.*—As a Roman family name.—Esp.: 1. *M'. Æmilius Lepidus*, cons. B.C. 66; 2. *M. Æmilius Lepidus*, cons. B.C. 78, killed in a quarrel with his colleague, Q. Catulus; 3. Son of the preceding, of the same name, the famous triumvir whose house was robbed by the partisans of Clodius.

levis, -e, [for †**leghvis**, √LAGH + **us** (with inserted **i**, cf. **brevis**), cf. Gr. ἐλαχύς, Eng. *light*], adj., *light, slight, trivial, unimportant, of no weight.*—Also (cf. **gravis**), *inconstant, fickle, wanting in character, worthless, unprincipled.*

levitās, -tātis, [levi + **tas**], F., *lightness.*—Also (cf. **levis**), *inconstancy, fickleness, want of principle, unsteadiness.*

leviter [levi + **ter**], adv., *lightly, slightly:* **ut levissime dicam** (*to say the least*).

levō̆, -āvi, -ātus, -āre, [levi- (as if levŏ-)], I. v. a., *lighten.*—Hence, *free from a burden, relieve, alleviate, lessen:* **annonam** (*relieve the market, lessen the price of grain*).

lēx, lēgis, [√LEG (in **lego**)], F., *a statute, a law, a condition.*

libellus, -i, [librŏ + **lus**], M., *a little book, a list, a paper.*

libēns (**lub-**), see **libet**.

libenter [libent+ter], adv., *willingly, gladly, with pleasure.* — With verb, *be glad to*, etc.: libentissime audire (*most like to hear*).

1. **līber**, -bera, -berum, [†libŏ- (whence **libet**) + **rus** (reduced)], adj., *free* (of persons and things), *unrestricted, undisturbed, unincumbered, independent.*

liber, libri, [?], M., *bark* (of a tree). — Hence, *a book.*

2. **Līber**, -erī, [same word as 1. **liber**, connection uncertain], M., an Italian deity of agriculture. — Hence identified with *Bacchus.*

Lībera, -ae, [F. of preceding word], F., an Italian goddess identified with *Proserpine* (cf. Κόρη).

līberālis, -e, [1. liber + alis], adj., *of a freeman, generous, liberal, noble* (studia).

līberālitās, -tātis, [liberali + tas], F., *generosity.*

līberāliter [liberali+ter], adv., *generously, kindly* (respondit).

līberātiō, -ōnis, [liberā + tio], F., *a setting free, a freeing, acquittal.*

līberātor, -tōris, [liberā + tor], M., *a deliverer, a liberator.*

līberē [old abl. of **liber**], adv., *freely, without restraint, with freedom.*

līberī, -ōrum, [prob. M. plur. of **liber**, *the free members of the household*], M. plur., *children.* — Sometimes even of one.

līberō, -āvī, -ātus, -āre, [liberŏ-], 1. v. a., *free, set free, relieve* (from some bond), *absolve, acquit:* liberatur Milo non profectus esse (*is acquitted of having*, etc).

lībertās, -tātis, [liberŏ- (reduced) + **tas**], F., *liberty, freedom, independence.* — Hence, *Liberty* (personified and worshipped as a divinity).

lībertīnus, -ī, [libertŏ + **inus**], M., *a freedman* (as a member of a class, cf. **libertus**). Also as adj.

lībertus, -ī, [liberŏ- (reduced) + tus], M., *a freedman* (in reference to his former master, cf. **lībertinus**).

libet (**lub-**), -uit (**libitum est**), -ēre, [?, cf. **liber**], 2. v. impers., *it pleases, one desires, one is pleased to.* — **libēns**, -entis, p., *glad, pleased, gladly, with pleasure, with good will.*

libīdinōsē (**lub-**) [old abl. of **libidinosus**], adv., *arbitrarily, lawlessly, licentiously.*

libīdinōsus (**lub-**), -a, -um, [libidin + **osus**], adj., *arbitrary, lawless, licentious.*

libīdō (**lub-**), -inis, [akin to **libet**, cf. **cupido**], F., *lawlessness, licentiousness, caprice, lust, desire, lawless fancy, arbitrary conduct, wantonness.*

librārium, -ī, [libro + **arium**] (N. of **librārius**), N., *a bookcase.*

licentia, -ae, [licent + **ia**], F., *license, lawlessness.*

licet, licuit (licitum est), licēre, [†licŏ-, cf. **delicus, reliquus**], 2. v. impers., *it is lawful, it is allowed, one may, one is allowed, one is permitted.* — **licet**, *although, though.*

Licinius, -ī, [licinŏ + ius], M., a Roman gentile name. — Esp.: 1. *A. Licinius Archias*, the poet defended by Cicero; 2. *Licinius*, an obscure restaurant-keeper. Cf. **Lucullus.**

lictor, -tōris [?, perh. √LAC + tor], M., *a lictor* (the attendant of the higher Roman magistrates).

Ligārius, -i, [?], M., a Roman gentile name. — Esp., *Q. Ligarius*, an officer in Pompey's army in Africa, defended by Cicero before Cæsar.

lignum, -ī, [?], N., *wood, a log.*

līmen, -inis, [akin to **limus**, **ob-**

liquus], N., (*a crosspiece*), *a threshold, a lintel:* **omnis aditus et limen** (*all approach and entrance*).

lingua, -ae, [?], F., *a tongue.* — Hence, *a language.*

linter (**lunt**-), -tris, [?], F. (and M.), *a skiff.*

līnum, -ī, [prob. borr. fr. Gr. λῖνον], N., *flax.* — Hence, *a thread.*

liquefaciō, -fēcī, -factus, -facere, [lique- (stem akin to **liqueo**) -facio], 3. v. a., *liquefy, melt.*

līquidō [abl. of **liquidus**], as adv., *clearly, plainly, with truth, with a clear conscience.*

līs, lītis, [for †**stlis**, √STLA + tis (reduced)?, cf. **locus** and Eng. *strife*], F., *a suit at law, a lawsuit.* — Also, *the amount in dispute, damages.*

lītera (**litt**-), -ae, [?, akin to **lino**], F., *a letter* (of the alphabet). — Plur., *letters, writing, an alphabet, a letter* (an epistle), *literature, a document.*

līterātus (**litt**-), -a, -um, [litera + tus], adj., *educated, cultivated.*

litūra, -ae, [†litu- (li in **lino** + tu) + **ra**], F., *an erasure.*

locō, -āvī, -ātus, -āre, [locŏ-], 1. v. a., *place, station.* — Hence, *let, make a contract, contract for.*

Locrēnsis, -e, [Locri + ensis], adj., *of Locri* (a Greek city of Italy near Rhegium). — Plur., *the people of Locri.*

locuplēs, -plētis, [?, loco-ples (ple + **tus**, reduced)], adj., (*with full coffers?*), *rich, wealthy, responsible.*

locuplētō, -āvī, -ātus, -āre, [locuplet-], 1. v. a., *enrich.*

locus, -ī, [for †**stlocus**, √STLA + **cus**], M. (sing.), N. (generally pl.), *a place, a spot, a position, a region* (esp. in plur.), *a point, the ground* (in military language), *space, extent* (of space), *room.* — Fig., *position, a station, rank, a point, place* (*light, position, character*), *an opportunity, a chance, condition, state of things, an occasion, point* (in argument).

longē [old abl. of **longus**], adv., *far, too far, absent, far away, distant.*

longinquitās, -tātis, [longinquŏ + tas], F., *distance.*

longinquus, -a, -um, [case-form of **longus** (perh. loc.) + **cus**], adj., *long* (of time and space), *distant, long-continued.*

longiusculus, -a, -um, [longior + **culus**], adj., *rather long, a little longer.*

longus, -a, -um, [?], adj., *long* (of space and time), *far, distant:* **longum est commemorare** (*it is too long to*, etc., *it would take too long to*, etc.); **ne longum sit** (*not to be too long*).

loquor, locūtus, loquī, [?], 3. v. dep., *speak, talk, converse, express one's self, say* (with neuter pron.): **auctoritas loquentium** (*in words*).

lubet, see **libet**.

lubīdō, see **libido**.

Luccējus, -ī, [?], M., an Italian gentile name. — Esp., *Q. Lucceius*, a banker at Rhegium.

lūceō, lūxī, no p.p., lūcēre, [luc- (stem of **lux**)], 2. v. n., *shine, beam.* — Fig., *be clear, be obvious, be conspicuous.*

luctuōsus, -a, -um, [luctu+osus], adj., *full of grief, sorrowful, distressing.*

luctus, -tūs, [lug+**tus**], M., *grief, sorrow, mourning.*

Lūcullus, -ī, [?], M., a Roman family name. — Esp.: 1. *L. Licinius Lucullus*, the able general of the third Mithridatic war; 2. *M. Licinius Lucullus*, brother of the preceding. The whole family was rich and cultivated.

lūcus, -ī, [prob. √LUC (in **lux**) + **us**], M., (*an open grove*, as opposed to the forest), *a grove* (commonly sacred).

lūdificātiō, -ōnis, [ludificā + tio], F., *derision, mockery.*

lūdus, -ī, [?], M., *play, sport.* — Also, *a school, a training-school.* — Plur., *games* (Roman festivals).

lūgeō, lūxī, lūxūrus, lūgēre, [†lugŏ-, cf. **lugeo** and λοιγός], 2. v. a. and n., *mourn, bewail, lament.*

lūmen, -inis, [√LUC + men], N., *a light* (also fig.): **ipsa lumina** (*the brightest lights.*)

lunter, see **linter.**

luō, luī, luitūrus, luere, [√LU, cf. λύω], 3. v. a., *loose.* — Esp., *pay, suffer* (a penalty), *atone for* (a fault).

lupa, -ae, [?, cf. λύκος], F., a *she-wolf.* — Also, *a prostitute.*

lupīnus, -a, -um, [lupŏ + **inus**], adj., *of a wolf, of the wolf* (the nurse of Romulus and Remus).

lustrō, -āvī, -ātus, -āre, [lustrŏ-], I. v. a., *purify.* — Hence, *go over* (for purification), *pass over.*

lustrum, -ī, [unc. form from √LU + **trum**, cf. **monstrum**], N., *a slough.* — Hence, *a brothel.* — Hence in pl., *debauchery.*

lutum, -ī, [√LU + **tum**, N. of -**tus**], N., ("*the wash*"), *mud, mire.*

lūx, lūcis, [√LUC (in **luceo**) as stem], F., *light, light of the sun, sunlight, open light, daylight:* **ante lucem** (*before daybreak*).

luxuria, -ae (also -iēs, -iēī), [†luxūrŏ- (**luxu** + **rus**) + **ia**], F., *luxury, riotous living, fast livers* (cf. **juventus**, *the youth*).

luxuriēs, -ēī, see **luxuria.**

M.

M., abbreviation of **Marcus.**

M [corruption of CIↃ (orig. Φ) through influence of **mille**], 1000.

M'., abbreviation for **Manius.**

Macedonia, -ae, [Μακεδονία], F., the country originally bounded by Thessaly and Epirus, Thrace, Pæonia, and Illyria; finally conquered by T. Quinctius Flamininus, B.C. 197.

Macedonicus, -a, -um, [Μακεδονικός], adj., *Macedonian.*

māchinātor, -tōris, [machinā + **tor**], M., *a contriver, a manager.*

māchinor, -ātus, -ārī, [machina-], I. v. dep., *contrive, invent, engineer, plot.*

mactō, -āvī, -ātus, -āre, [mactŏ-], I. v. a., *sacrifice, slaughter, punish, pursue* (with punishment).

macula, -ae, [?], F., *a spot, a stain.*

maculō, -āvī, -ātus, -āre, [macula-], I. v. a., *stain, pollute.*

madefaciō, -fēcī, -factus, -facere, [made- (stem akin to **madeo**) + facio], 3. v. a., *moisten, wet.*

Maelius (**Mēlius**), -ī, [?], M., a Roman gentile name. — Esp., *Sp. Maelius*, a Roman, killed, B.C. 439, by Servilius Ahala, on the charge of aiming at regal power.

maereō (**moer-**), no perf., no p.p., -ēre, [†maerŏ-, cf. **maestus**], 2. v. a. and n., *mourn, grieve, be in sorrow, grieve for, mourn for.*

maeror (**moe-**), -ōris, [maes (cf. **maestus**) + **or**], M., *grief, sorrow, sadness.*

maestitia (**moes-**), -ae, [maestŏ + **tia**], F., *sadness, sorrow.*

maestus (**moe-**), -a, -um, [√MIS? (in **miser**) + **tus**], p.p. of **maereo** as adj., *sad, sorrowful.*

magis [√MAG (in **magnus**) + **ius** (N. comp. suffix)], adv., *more, rather, more than usual, better.* — See also **maxime**.

magister, -trī, [magis + **ter**, cf. **alter**], M., *a master, an instructor, a teacher.*

magistra, -ae, [F. of preceding], F., *a mistress, a teacher* (female, or conceived as such).

magistrātus, -tūs, [magistrā- (as if stem of †**magistro**) + **tus**], M., *a magistracy* (office of a magistrate). — Concretely, *a magistrate* (cf. "the powers that be").

māgnificē [old abl. of **magnificus**], adv., *magnificently, handsomely, finely.*

māgnificus, -a, -um, [magnŏ-†ficus (√FAC + **us**)], adj., *splendid, grand, magnificent.*

māgnitūdō, -dinis, [magnŏ + **tudo**], F., *greatness, great size, size, extent, stature, great extent, enormity, great amount, importance:* animi magnitudo (*lofty spirit, nobleness of soul*).

māgnopere, see **opus**.

māgnus, -a, -um, [√MAG (*increase*) + **nus**, cf. **magis**], adj., *great* (in any sense, of size, quantity, or degree), *large, extensive, important, serious, deep* (ignominia), *violent* (minas), *loud* (clamor), *rich* (fructus), *powerful* (subsidium): magni habere (*to value highly, make much account of*); magni interest (*it is of great importance*); magnum et sanctum (*a great and sacred thing*); magnum et amplum cogitare (*have great and lofty ideas*). — See also **Magnus**. — **mājor**, comparative, in usual sense. — Also, **mājor** (with or without **natu**), *elder, older.* — In plur. as subst., *elders, ancestors:* pecunia major (*a greater amount of money*). — **maximus**, superl., *largest, very large, greatest, very great, very loud, most important,* etc. — See also **Maximus**.

Māgnus, -ī, [magnus], M., a Roman name.

mājestās, -tātis, [majos- (orig. stem of **major**) + **tas**], F., (*superiority*), *majesty, dignity.* — Esp. (for majestas deminuta), *treason.*

mājor, see **magnus**.

male [old abl. of **malus**], adv., *badly, ill, not well, hardly:* loqui (*abusively*); existimare (*ill, evil*).

maledictum, -ī, [male dictum], N., *an insult* (in words), *abuse.*

maleficium, -ī, [maleficŏ+**ium**], N., *harm, mischief, a crime, a misdeed.*

malitia, -ae, [malŏ + **tia**], F., *wickedness, trickery.*

malitiōsē [old abl. of **malitiosus**], adv., *by trickery.*

malleolus, -ī, [malleŏ+**lus**], M., (*a hammer*), *a grenade, a fire-dart.*

Mallius, -ī, [?], M., a Roman gentile name. — Esp., *Mallius Glaucia,* a friend of T. Roscius. — See also **Manlius**.

mālō, māluī, no p.p., mālle, [mage- (for **magis**) volo], irr. v. a. and n., *wish more, wish rather, prefer, will,* etc., *rather, choose rather.*

malus, -a, -um, [?], adj., *bad* (in all senses), *ill, wretched.* — **pējor**, comp. — **pessimus**, superl. — **malum**, N. as subst., *mischief, evil, harm, misfortune, trouble:* malus civis (*dangerous, pernicious*).

Mamertīnus, -a, -um, [Mamert +**inus**, *of Mars*], adj., *Mamertine* (belonging to a body of mercenary troops who seized the city of Messina). — Plur., *the Mamertines* (the inhabitants of the city captured by these adventurers).

manceps, -ipis, [manu-†ceps, cf. **princeps**], M., *a purchaser.*

mancus, -a, -um, [?], adj., *maimed, crippled.*

mandātum, -ī, [N. p.p. of **mando**], N., *a trust* (given to one), *instructions* (given), *a message* (given).

mandō, -āvi, -ātus, -āre, [?, †mandŏ- (manu-do)], 1. v. a., *put into one's hands, entrust, instruct* (*give instructions to*), *commit, consign, confer* (**honores, imperia**), *order, command:* **ea animis** (*let sink*, etc.).

māně [abl. of †**manis** (?, ma + nis, cf. **matuta, maturus**)], adv., *in the morning, early in the morning.*

maneō, mānsi, mānsūrus, manēre, [unc. stem akin to Gr. μένω], 2. v. n., *stay, remain, stay at home, continue, last, persist in, abide by.*

manicātus, -a, -um, [manica + tus], adj., *long-sleeved, with sleeves.*

manifēstō [abl. of **manifestus**], adv., *in the act, red-handed, clearly, obviously.*

manifēstus, -a, -um, [manufestus, cf. **infestus**, *caught by laying on the hand?*], adj., *caught in the act, proved by direct evidence* (as opposed to circumstantial evidence), *overt, clear, manifest, audacious, rampant:* **audacia** (*unblushing*, as not attempting concealment).

Mānīlius, -ī, [?], M., a Roman gentile name. — Esp., *C. Manilius*, a tribune of the people, B.C. 66, who proposed the law giving Pompey command in the East.

Mānius, -ī, [mane(?) + ius], M., a Roman prænomen.

Manliānus, -a, -um, [Manlio + anus], adj., *of Manlius.*

Manlius, -ī, [?], M., a Roman gentile name. — Esp.: 1. *Q. Manlius*, a juror in the case of Verres; 2. *C. Manlius* (*Mallius*), one of Catiline's accomplices.

mānō, -āvi, no p.p., -āre, [?], 1. v. n., *flow, spread.*

mānsuētē [old abl. of **mansuetus**], adv., *mildly, kindly.*

mānsuētūdō, -inis, [manu-†suetudo], F., *mildness, gentleness.*

mānsuētus, -a, -um, [manu-suetus], adj., (*wonted to the hand*), *tame, gentle, kind.*

manubiae, -ārum, [?, akin to **manus**], F. plur., *money derived from booty, booty.*

manūmittō (also separate), -mīsī, -missus, -mittere, [manu-mitto], 3. v. a., (*let go from one's hand*), *manumit, free.*

manus, -ūs, [?], F., *the hand, violence.* — Also (cf. **manipulus**), *a company, a band, a troop.* — Also, *handwriting:* **in manibus habere** (*have on hand, have*); **manu factum** (*wrought by art*). — Cf. also **manumittere**.

Mārcellus, -ī, [Marculŏ- (Marco + lus) + lus], M., (*the little hammer?*), a Roman family name. — Esp.: 1. *M. Claudius Marcellus*, the conqueror of Syracuse, B.C. 212; 2. *M. Claudius Marcellus*, an unworthy member of the same great family; 3. *M. Claudius Marcellus*, cons. B.C. 51, defended by Cicero before Cæsar; 4. *C. Claudius Marcellus*, cons. B.C. 50, cousin of the preceding.

Marcius (**Martius**?), -ī, [?, Mart + ius?], M., a Roman gentile name. — Esp., *C. Marcius*, a Roman knight.

Mārcus, -ī, [?, √MAR (in **morior**, etc.) + **cus**, *the hammer?, the warrior?*], M., a Roman prænomen.

mare, -is, [?], N., *the sea, a sea:* **terra marique** (*on land and sea*).

maritimus (-**tumus**), -a, -um, [**mari** + **timus**, cf. **finitimus**], adj., *of the sea, sea-, maritime, naval, on the sea.*

Marius, -ī, [?], M., a Roman gentile name. — Esp., *C. Marius,* the opponent of Sulla and the champion of the popular against the aristocratic party. He conquered the Cimbri and Teutones (B.C. 101) and freed Rome from the fear of a Northern invasion. In his sixth consulship, B.C. 100, he killed the demagogues Saturninus and Glaucia: **Mario consule et Catulo** (B.C. 102).

marmor, -oris, [?, perh. √MAR reduplicated], N., *marble.*

marmoreus, -a, -um, [**marmor** + **eus**], adj., *of marble, marble.*

Mars, Martis, [?, perh. √MAR (in **morior**) + tis, *the slayer,* but more probably of wolves than of men in battle], M., *Mars,* originally probably a god of husbandry defending the sheep, but afterwards identified with the Greek Ἄρης and worshipped as the god of war: **Mars communis** (*the favor of the god of war*); **Martis vis** (*the violence of war*).

Martius, -a, -um, [**Mart** + **ius**], adj., *of Mars.* — **Martia,** the title of a legion active in the struggle against Antony.

Massilia, -ae, [?], F., *Marseilles.*

Massiliēnsis, -e, [**Massilia** + **ensis**], adj., *of Marseilles.* — Plur., *the people of Marseilles.*

māter, -tris, [?, prob. √MA (*create*) + **ter**], F., *a mother, a matron.*

māter familiās [see the words], F., *a matron.*

māteria, -ae (-ēs, -ēī), [?, prob. **mater** + **ia** (F. of -**ius**)], F., *wood* (cut, for material), *timber* (cf. **lignum,** *wood for fuel*). — Fig., *source, instrument.*

māternus, -a, -um, [**mater**+**nus**], adj., *maternal, of one's mother.*

mātūrē [old abl. of **maturus**], adv., *early, speedily.*

mātūritās, -tātis, [**maturo**+**tas**], F., *maturity, full development.*

mātūrō, -āvi, -ātus, -āre, [**maturŏ-**], I. v. a. and n., *hasten, make haste, anticipate, forestall.*

mātūrus, -a, -um, [†**matu-** (√MA, in **mane,** + **tus**) + **rus**], adj., *early.* — Also (by unc. conn. of ideas), *ripe, mature.*

maximē, see **magis.**

maximus, see **magnus.**

Maximus, -ī, [sup. of **magnus,** as subst.], M., a Roman family name.

Mēdēa, -ae, [Μήδεια], F., the daughter of Æetes, king of Colchis, who eloped with Jason. She is often represented in works of art.

medeor, no p.p., -ērī, [†**medŏ-** (whence **medicus, remedium**), root unc., cf. Gr. μανθάνω, but also **meditor**], 2. v. dep., *attend* (as a physician), *heal.* — Fig., *remedy, relieve, cure, treat, apply a remedy.*

medicinus, -a, -um, [**medicŏ** + **inus**], adj., *medical.* — Esp., **medicīna** (sc. **ars**), *medicine, the art of healing, a remedy.*

mediocris, -cre, [**mediŏ** + **cris,** cf. **ludicer**], adj., *middling, moderate, ordinary, tolerable, within bounds, small, trifling, slight.*

mediocriter [**mediocri** + **ter**], adv., *moderately, slightly, somewhat.*

meditor, -ātus, -ārī, [†**meditŏ-** (as if p.p. of **medeor**)], I. v. dep., (*practise?*), *dwell upon* (in thought), *think of, meditate.* — **meditātus,** -a, -um, p.p. in pass. sense, *practised.*

medius, -a, -um, [√MED (cf. Eng. *mid*) + **ius**], adj., *the middle of* (as noun in Eng.), *mid-*: in medio and in medium (*abroad, in public, to public notice, to light, before the world, before you,* etc.); ex media morte (*from the jaws of death, from instant death*); de medio (*out of the way*).

meherculē (**meherclē, meherculēs**, also separate) [me hercules (juvet)], adverbial exclam., *bless you! bless me! upon my word, good Heavens! as sure as I live, as I live,* and the like.

melior, see **bonus**.

membrum, -i, [?, prob. formed with suffix **-rum** (N. of **-rus**)], N., *a limb, a part of the body.*

meminī, -isse, [perf. of √MAN, in **mens**, etc.], def. verb a., *remember, bear in mind, keep in mind.*

Memmius, -ī, [?], M., a Roman gentile name.—Esp., *C. Memmius,* a worthy Roman, murdered at the instigation of Saturninus and Glaucia.

memor, -oris, [prob. √SMAR reduplicated], adj., *remembering, mindful.*

memoria, -ae, [memor + ia], F., (*mindfulness*), *memory, recollection, remembrance, power of memory*: memoria retinere (*remember*); memoriam prodere (*hand down the memory,* of something); memoriam deponere (*cease to remember*); memoriae proditum (*handed down by tradition*); dignum memoria (*worthy of remembrance*); post hominum memoriam (*since the memory of man, within the,* etc.); litterarum (*testimony*); publica (*record*).

mendācium, -i, [mendac+ium], N., *falsehood, a falsehood.*

mendīcitās, -tātis, [mendicŏ + tas], F., *beggary.*

mēns, mentis, [√MAN + **tis** (reduced)], F., *a thought, the intellect* (as opposed to the moral powers, cf. **animus**), *the mind, a state of mind, a change of mind, a purpose*: mentes animique (*minds and hearts*); oculis mentibusque (*eyes and thoughts*); venit in mentem (*it occurs to one*).

mēnsa, -ae, [?], F., *a table.*

mēnsis, -is, [unc. form fr. √MA (cf. Gr. μήν, moon, month)], M., *a month.*

mentiō, -ōnis, [as if √MAN (in **memini**) + tio (prob. **menti-** (stem of **mens**) + o)], F., *mention.*

mentior, -itus, -īri, [**menti-** (stem of **mens**)], 4. v. dep., *lie, speak falsely.*

mercātor, -tōris, [†**mercā**+**tor**], M., *a trader* (who carries his own wares abroad).

mercēnārius (**mercennarius**), -a, -um, [stem akin to **merces** + arius], adj., *hired, mercenary, hireling, paid.*

mercēs, -ēdis, [†**mercē** (akin to **merx**) + **dus** (reduced)], F., *hire, pay, wages, reward.*

mereor, -itus, -ērī, (also **mereo**, active), [†**merŏ-** (akin to Gr. μείρομαι)], 2. v. dep., *win, deserve, gain.* —Also (from earning pay), *serve*: quid merere ut, etc. (*take to,* etc.); bene meriti cives (*deserving*); bene mereri de, etc. (*deserve well of,* etc., *serve well*).—**meritus**, -a, -um, p.p. in pass. sense, *deserved.*

meretrīcius, -a, -um, [**meretric** +**ius**], adj., *of a harlot, meretricious.*

meritō, see **meritum**.

meritum, -ī, [N. of p.p. of **mereo**], N., *desert, service.*—**meritō** (abl. as adv.), *deservedly.*

merx, mercis, [√MERC + **is**, cf. **merces**], F., *merchandise, wares.*

Messāla, -ae, [?], M., a Roman family name. — Esp.: 1. *M. Valerius Messala*, cons. B.C. 61, with Marcus Piso; 2. Another of the same name, cons. B.C. 53.

Messāna, -ae, [Μεσσήνη], F., a city on the east coast of Sicily, opposite the extremity of Italy (*Messina*).

-met, [unc. form of pron. √MA], intens. pron., *self* (appended to pronoun for emphasis), often untranslatable.

mētātor, -tōris, [**metā**+**tor**], M., *a measurer, a surveyor.*

Metellus, -ī, [?], M., a Roman family name. — Esp.; 1. *Q. Cæcilius Metellus Nepos*, brother of Cæcilia (which see) and father of Celer (3) and Nepos; 2. *M. Metellus*, prætor, B.C. 69, the brother of *Q. Metellus Creticus* (3); 3. *Q. Metellus Creticus*, cons. 69; 4. *L. Metellus*, proprætor in Sicily, B.C. 70; 5. *Q. Metellus Celer*, prætor, B.C. 63, consul, B.C. 60, son of (1); 6. *Q. Metellus Baliaricus*, cons. B.C. 123; 7. *Q. Metellus Numidicus*, cons. B.C. 109, cousin of (6); 8. *Q. Metellus Pius*, prætor, B.C. 89, son of (7); 9. *Q. Metellus Nepos*, cons. B.C. 98, son of (6).

metō, messuī, messus, metere, [?], 3. v. a., *cut, reap, gather.*

metuō, -uī, -ūtus, -uere, [**metu-**], 3. v. a. and n., *fear:* **aliquid** (*have any fear*).

metus, -tūs, [unc. root (perh. √MA, *think*) + **tus**], M., *fear, anxiety* (about). — Often superfluous with other words of fearing: **metu territare** (*terrify*). — Esp.: **hoc metu** (*fear of this*).

meus, -a, -um, [√MA (in **me**) + **ius**], adj. pron., *my, mine, my own:* **meo jure** (*with perfect right*).

mīles, -itis, [unc. stem akin to **mille** as root + **tis** (reduced)], M. and F., *a soldier, a common soldier* (as opposed to officers), *a legionary soldier* (*heavy infantry*, as opposed to other arms of the service). — Collectively, *the soldiers, the soldiery.*

mīlitāris, -e, [**milit** + **aris**], adj., *of the soldiers, military:* **signa** (*battle-standards*); **res militaris** (*military affairs, war, the art of war*); **usus militaris** (*experience in war*); **virtus** (*of a soldier, soldierly*).

mīlitia, -ae, [**milit**+**ia**], F., *military service, service* (in the army).

mīlle, ind. **mīlia**, -ium, [akin to **miles**], adj. (rarely subst.) in sing., subst. in plur., *a thousand:* **mille passuum** (*a thousand paces, a mile*).

mīlliēs (**mīliēns**) [**mille**+**iens**], adv., *a thousand times.*

Milō, -ōnis, [Μίλων], M., a famous athlete of Crotona. — Also used as a family name by T. Annius, which see.

minae, -ārum, [√MIN + **a**], F. plur., (*projections*?), *threats, threatening words.*

Minerva, -ae, [prob. √MAN (in **mens**) + unc. term], F., the goddess of intelligence and skill among the Romans. — Also identified with *Pallas Athene*, and so more or less associated with war.

minimē [old abl. of **minimus**], adv., *in the smallest degree, least, very little, not at all, by no means:* **minime vero** (*not in the least*).

minimus, -a, -um, [lost stem (wh. **minuo**) + **imus** (cf. **infimus**)], adj., superl. of **parvus**, *smallest, least.* — Neut. as subst. and adv., *the least, least, very little.*

minister, -trī, [**minos** (**minor**)

+ **ter**], M., *a servant, an assistant, a minister, a tool, an instrument.*

minitor, -ātus, -ārī, [†**minitō-**, as if p.p of **minor**, cf. **agito**], 1 v. dep., *threaten, threaten vengeance, threaten danger:* **quam illi minitantur** (*with which they threaten him*).

minor, -ātus, -ārī, [**mina** (stem of **minae**)], 1. v. dep., *threaten, threaten with danger.*

minor, -us, [lost stem (cf. **minimus**) + **ior** (compar. ending)], adj., *smaller, less.*—Neut. as subst. and adv., *less, not much, not very, not so much, not so:* **quo minus** (*the less, that . . . not*); **si minus** (*if not so much, if not*).—See also **minimus** and **minime.**

Minturnae, -ārum, [?, cf. **Juturna**], F. plur., a city on the borders of Latium and Campania.

Minucius (**Minut-**) -ī, [perh. akin to **minus**], M., a Roman gentile name.—One of the *gens*, of unknown prænomen, is characterized by Cicero as a profligate.

minuō, -uī, -ūtus, -uere, [†**minu-** (cf. **minus**)], 3. v. a. and n., *lessen, weaken, diminish.*

minus, see **minor.**

mīrificē [old abl. of **mirificus**], adv., *marvellously, prodigiously.*

mīror, -ātus, -ārī, [**mirō-**], 1. v. dep., *wonder, wonder at, be surprised, admire.*—**mīrātus**, -a, -um, p.p. in pres. sense, *surprised.*—**mīrandus**, -a, -um, *marvellous.*

mīrus, -a, -um, [?, √SMI (cf. *smile*) + **rus**], adj., *surprising, marvellous, wonderful.*—See also **nimirum.**

misceō, miscuī, mixtus (mistus), miscēre, [†**miscō-** (cf. **promiscus, miscellus**)], 2. v. a., *mix, mingle, compose of* (a mixture), *get up* (a disturbance), *plan* or *make a disturbance, make confusion.*—**mixtus** (**mistus**), -a, -um, p.p., *made up of, a mixture of, heterogeneous.*

Mīsēnum, -ī, [Μισηνόν], N., a town in Campania, on a promontory of the same name (cf. Virg. *Æn.* vi. 234).

miser, -era, -erum, [√MIS (cf. **maereo**) + **rus**], adj., *wretched, pitiable, miserable, poor, unfortunate, in misery:* **ille miser** (*the wretched man*); **isti miseri** (*these poor creatures*).

miserābilis, -e, [**miserā**+**bilis**], adj., *pitiable, wretched, miserable.*

miserandus, see **miseror.**

misereō, -uī, -itus, -ēre, usually **misereor**, dep., [**miser**], 2. v. a. and dep., *pity, show pity.*—Esp., **miseret**, etc., impersonal (*it pities one,* etc.), *one pities.*

miseria, -ae, [**miserŏ** + **ia**], F., *wretchedness, misery.*

misericordia, -ae, [**misericord** + **ia**], F., *mercy, pity, clemency, compassion.*

misericors, -cordis, [**miserŏ-cor**, declined as adj., cf. **concors**], adj., *merciful, pitying, compassionate.*

miseror, -ātus, -ārī, [†**miserŏ-**], 1. v. dep., *bewail, complain of.*—**miserandus**, -a, -um, fut. p. in pass. sense, *to be pitied, pitiable.*

Mithradātēs (-**idātēs**), -is (also -ī), [Μιθριδάτης], M., a name of several Eastern kings.—Esp., *Mithridates VI.*, called the Great, king of Pontus, the adversary of the Romans in the Mithridatic wars, from B.C. 88 to B.C. 61.

Mithradāticus (-**idāticus**), -a, -um, [Greek], adj., *of Mithridates, Mithridatic.*

mītis, -e, [?], adj., (*soft?*), *mild, gentle, compassionate.*

mittō̆, misī, missus, mittere, [?], 3. v. a., *let go* (cf. **omitto**), *send, despatch, discharge, shoot.* — Also, *pass over, omit, say nothing of:* haec missa facio (*I pass these by*). — Esp., manu mittere (*emancipate, set free*).

moderātē [old abl. of **moderatus**], adv., *with self-control, with moderation.*

moderātiō̆, -ōnis, [moderā+tio], F., *control, regulation.* — Esp., *self-control, moderation, consideration* (in refraining from something).

moderor, -ātus, -ārī, [†modes- (see **modestus**, and cf. **genus**, **genero**)], 1. v. dep., *control, regulate, restrain.* — **moderātus**, -a, -um, p.p. in pass. sense, *moderated, self-controlled, well balanced, well governed.*

modestia, -ae, [modestŏ + ia], F., *moderation, self-control, subordination* (of soldiers).

modestus, -a, -um, [†modes- (cf. **moderor**) + **tus**], adj., *self-controlled, well balanced, well regulated.*

modo [abl. of **modus**], adv., (*with measure?*), *only, merely, just, even, just now, lately:* non . . . modo (*not only, not merely, to say nothing of, I do not say,* etc.); qui modo (*provided he,* etc., *if only he,* etc.).

modus, -ī, [mod (as root, cf. **moderor**) + **us**], M., *measure, quantity, a limit, moderation, bounds.* — Hence, *manner, fashion, style, kind:* hujus modi (*of this kind, like this*); ejus modi (*of such a kind, such*). — So other similar expressions: quo modo (*how, as*).

moenia, -ium, [√MI (*distribute?*) + **nis** (cf. **communis**) (orig. shares of work done by citizens?)], N. plur., *fortifications, walls* (of a city, cf. paries): **eisdem moenibus** (*the walls of the same city*).

moereō̆, see **maereo**.

moeror, see **maeror**.

moestitia, see **maestitia**.

moestus, see **maestus**.

mōlēs, -is, [?, cf. **molestus**], F., *a mass, weight, a burden, a pile, a structure.* — Esp., *a dike, a dam.*

molestē [old abl. of **molestus**], adv., *heavily, severely:* moleste ferre (*take hard, be vexed at, be offended, be displeased, be annoyed*).

molestia, -ae, [molestŏ+ia], F., *annoyance, trouble.*

molestus, -a, -um, [moles+tus], adj., *burdensome, annoying, troublesome, disagreeable, unpleasing.*

mōlior, -ītus, -īrī, [moli- (as stem of **moles**], 4. v. dep., (*lift, struggle with a mass*), *struggle, pile up, exert one's self, plan, contrive, attempt, strive to accomplish.*

mollis, -e, [?], adj., *soft, tender.* — Fig., *weak, feeble, not hard, not firm, sensitive, delicate, gentle.*

mōmentum -ī, [movi- (as stem of **moveo**) + **mentum**], N., *means of motion, cause of motion.* — Fig., *weight, importance, influence:* **habere** (*be of importance, be effectual, be efficacious*).

moneō̆, -uī, -itus, -ēre, [causative of √MAN (in **memini**) or denominative fr. a kindred stem], 2. v. a., *remind, warn, advise, urge.*

monitum, -ī, [p.p. of **moneo**], N., *a warning, an admonition.*

mōns, montis, [√MAN (in **mineo**) + **tis** (reduced)], M., *a mountain.*

mōnstrum, -ī, [mon- (as if root of **moneo**) + **trum**, with **s** of uncertain origin, cf. **lustrum**], N., (*a means of warning*), *a prodigy, a monster.*

monumentum (monimen-), -ī, [moni- (as if stem of **moneo**) + **mentum**], N., *a reminder, a monument, a memorial, a record.*

mora, -ae, [prob. root of **memor** (SMAR?) + **a**], F., (*thought?*), *hesitation, a delay, grounds of delay, reason for delay, a reprieve, a postponement.*

mōrātus, -a, -um, [mos + **atus**, cf. **senatus**], adj., *with institutions* (good or bad): **bene** (*well regulated*).

morbus, -ī, [√MAR (in **morior**) + **bus** (cf. **turba**)], M., *sickness, illness.*

morior, mortuus (moritūrus), morī (morīrī), [√MAR (cf. **mors**), but prob. in part denominative], 3. v. dep., *die.* — **mortuus**, -a, -um, p.p., *dead, in one's grave.*

mors, mortis, [√MAR + **tis**], F., *death.* — Also, *a dead body.*

mortālis, -e, [morti- (reduced) + **alis**], adj., *mortal, of mortals.*

mortuus, -a, -um, p.p. of **morior.**

mōs, mōris, [?], M., *a custom, customs, a practice, a usage, a way* (of acting), *an institution, a precedent.* — Plur., *customs, habits, character* (as consisting of habits, cf. **ingenium** and **indoles**, of native qualities); **imperitus morum** (*of the ways of men*); **mos majorum** (*the custom, institutions,* or *precedents of our ancestors*); **O mores!** (*what a state of things!*).

mōtus, -a, -um, p.p. of **moveo.**

mōtus, -tūs, [movi- (as stem of **moveo**) + **tus**], M., *a movement, a disturbance, an uprising, commotion, activity, change:* **terrae motus** (*an earthquake*).

moveō, mōvī, mōtus, movēre, [?, prob. denominative], 2. v. a., *set in motion, move, stir, influence, affect, have an effect upon, dislodge* (in military language), *cause emotion in, shake.*

mucrō, -ōnis, [?], M., *a point of a sword, a point, a blade, a dagger.*

mulcō, -āvī, -ātus, -āre, [?, cf. **mulceo**?], I. v. a., (*soften?*), *roughly handle, maltreat.*

mulcta, see **multa.**

mulctō, see **multo.**

muliebris, -e, [mulier+**bris**, cf. **salubris**], adj., *womanly, a woman's, effeminate.*

mulier, -eris, [?], F., *a woman.* — Of an effeminate man, *a mere woman.*

muliercula, -ae, [mulier+**cula**], F., *a little woman.* — Hence with notion of affection, compassion, or contempt, *a favorite woman, a mistress, a helpless woman, a poor woman.*

multa, -ae, [prob. **mulc** (in **mulceo**) + **ta** (F. of -**tus**)], F., *a fine.*

multitūdō, -dinis, [multŏ + **tudo**], F., *a great number, great numbers, number* (generally). — Esp., *the multitude, the common people, a mob, a crowd:* **tanta multitudo** (*so great numbers, this great multitude*).

multō, see **multus.**

multō (mulctō), -āvī, -ātus, -āre, [multa-, for **mulcto**, freq. of **mulceo**], I. v. a., *punish* (by fine), *deprive* (one of a thing as a punishment), *punish* (generally).

multum, see **multus.**

multus, -a, -um, [?, perh. root of **mille, miles**, + **tus**], adj., *much, many, numerous:* **multo die** (*late in the day*); **ad multam noctem** (*till late at night*); **multa de nocte** (*early in the morning, long before* *day*); **satis multa verba facere** (*a sufficient number of*, etc., *enough*); **multa committere** (*commit many crimes*). — **multum**, neut. as subst. and adv., *much.* — Also, plur., **multa**, *much.* — Abl., **multo**, *much, far, by far:* **multo facilius.** — Compar., **plūs,** plūris, N. subst. and adv., *more;* plur. as adj., *more, much, very.* — As subst., *more, many, several, many things, much.* — Superl., **plūrimus,** -a, -um, *most, very many, very much:* **quam plurimi** (*as many as possible*); **plurimum posse** (*have most power, be very strong* or *influential, have great ability*); **plurimum valere** (*have very great weight*).

Mulvius (Mil-), -ī, [?], M. of adj., *Mulvian:* **pons** (a bridge across the Tiber near Rome).

mūniceps, -cipis, [**muni-** (cf. **moenia**), -ceps (√CAP as stem)], M. and F., (*one who takes his share of public duties*), *a citizen of a municipal town, a fellow-citizen* (of such a town).

mūnicipium, -ī, [**municip** + **ium**], N., (*a collection of citizens*, cf. **municeps**). — Esp., *a free town* (of citizens enjoying civil rights, though not always full Roman citizens), *a municipality* (perhaps including several towns, but under one government).

mūniō̆, -īvī (-iī), -ītus, -īre, [**muni-** (stem of **moenia**)], 4. v. a. and n., *fortify.* — Less exactly, *protect, defend, furnish* (by way of protection). — Esp. (prob. original meaning), *make* (by embankment), *build, pave:* **castra; iter.**

mūnītiō̆, -ōnis, [**munī** + **tio**], F., *fortification* (abstractly). — Concretely, *a fortification, works, fortifications, defences, engineering* (of a dam).

mūnītō̆, -āvī, -ātus, -āre, [**munitŏ-**], I. v. a., *fortify, make* (a way), *pave* (fig.): **quam viam munitet** (*whither he is paving the way*).

mūnītus,-a,-um,[p.p. of **munio**], as adj., *well fortified, strongly fortified, strong, well defended, well protected.*

mūnus, -eris, [**mun** (as if root of **moenia**) + **us,** orig. *share* (cf. **moenia**)], N., *a duty, a service, a function, a task, an office.* — Also, (*a contribution*), *a tribute, a gift, a present.* — Esp., *a show* (of gladiators, in a manner a gift of the presiding officer).

Mūrēna, -ae, [**murena,** *lamprey*), M., a Roman family name. — Esp., *L. Licinius Murena*, who acted as proprætor against Mithridates without success, and was recalled by Sulla.

mūrus, -ī, [?] M., *a wall* (of defence in itself considered, cf. **moenia,** *defences,* and **paries,** *a house wall*).

Mūsa, -ae, [Μοῦσα], F., *a muse.* — Plur., *the Muses* (as patrons of literature).

mūtātiō̆, -ōnis, [**mutā** + **tio**], F., *a change:* **vestis** (*putting on mourning*).

Mutina, -ae, [?], F., a town in Cisalpine Gaul, famous in the war between Antony and the senatorial party in B.C. 43 (now *Modena*).

mūtō̆, -āvi, -ātus, -āre, [prob. same as **moto,** for †movitŏ-], I.v.a., *change, change for the better* (*remedy*), *alter:* **vestem** (*put on mourning*): **veste mutata esse** (*appear in mourning*).

mūtus, -a, -um, [?, cf. **musso**], adj., *dumb, mute, voiceless, silent.*

myoparō̆, -ōnis, [μυοπάρων], M., *a cutter* (?, a light piratical vessel).

Myrōn (**Myrō**), -ōnis, [Greek], M., a celebrated Attic sculptor of the fifth century B.C.

mystagōgus, -ī, [μυσταγωγός], M., *a hierophant, a custodian* (one who shows sacred objects in a temple).

Mytilēnaeus, -a, -um, [Μυτιληναῖος], adj., *of Mitylene.*

Mytilēnē, -ēs (-ae, -ārum), [Gr.], F., a famous city of Lesbos.

N.

nae, see **ne**.

nam [case-form of √NA, cf. **tam**, **quam**], conj., *now* (introducing explanatory matter), *for.*

nanciscor, nactus (nanctus), -ciscī, [√NAC, cf. **nactus**], 3. v. dep., *find, get, procure, light upon, get hold of, obtain.*

nārrō, -āvī, -ātus, -āre, [for **gnarigo**, fr. †gnarigŏ-(gnarŏ-†agus, cf. **navigo**)], I. v. a., *make known, tell, relate, recount.*—Absolutely, *tell the story.*

nāscor, nātus, nāscī, [√GNA, cf. **gigno**], 3. v. dep., *be born, arise, be produced, spring up, be raised:* **non scripta sed nata lex** (*natural, born with us*); **ei qui nascentur** (*those who shall come hereafter*); **Africa nata ad**, etc. (*made by nature*); **conjuratio nascens** (*at its birth*).—Participle sometimes spelled **gnatus**.

Nāsīca, -ae, [nasŏ + ica (F. of -**icus**)], M., a Roman family name.—Esp., *P. Cornelius Scipio Nasica Serapio*, cons. B.C. 138, who led the attack by which Tiberius Gracchus was killed.

nātālis, -e, [**natu**- (or natŏ-) + **alis**], adj., *of one's birth:* **dies** (*birthday*).

nātiō, -ōnis, [√GNA + **tio**, perh. through noun-stem, cf. **ratio**], F., (*a birth*), *a race, a nation, a tribe, a clan.*

nātūra, -ae, [natu + **ra** (F. of -**rus**)], F., (*birth*), *nature, natural character, character:* **naturam explere** (*the demands of nature*); **habitus naturae** (*natural endowments*); **natura rerum** (*Nature*, as ruler of the world, *the universe*); **naturā** (*by nature, naturally*).

nātūrālis, -e, [**natura**+**lis** (perh. -**alis**)], adj., *natural, of nature:* **jus naturale** (*natural law, the law of nature*, as opposed to civil law).

nātus, -tūs, [√GNA + **tus**], M., *birth:* **majores natu** (*elders*).

naufragium, -ī, [naufragŏ + **ium**], N., *a shipwreck.*

naufragus, -a, -um, [navi-†fragus (frag + **us**)], adj., *shipwrecked, of broken fortunes, ruined; wrecked and ruined man, castaway.*

nauta, -ae, [perh. Gr. ναύτης], M., *a sailor, a boatman.*

nauticus, -a, -um, [**nauta**+**cus**], adj., *of a sailor* (or *sailors*), *naval.*

nāvālis, -e, [navi- (reduced) + **alis**], adj., *of ships, naval, maritime.*

nāviculārius, -ī, [**navicula** + **arius**], M., *a shipmaster.*

nāvigātiō, -ōnis, [**navigā**+**tio**], F., *a sailing, a voyage, travelling by sea, a trip* (by sea): **mercatorum** (*voyages*).

nāvigium, -ī, [†navigŏ- (?, navi + †**agus**) + **ium**], N., *a vessel* (generally), "*a craft,*" *a boat.*

nāvigō, -āvī, -ātus, -āre, [†navigŏ- (see **navigium**)], I. v. n., *sail, make voyages, take a voyage, sail the sea.*

nāvis, -is, [√(S)NU (increased),

with added **i**, cf. Gr. **ναῦς**], F., *a ship, a vessel, a boat, a galley.*

1. **nē** (**nae**) [√NA, of unc. relation to the others], adv., *surely, I am sure, most assuredly.*

2. **nē** [√NA, unc. case-form], conj., *lest, that . . . not, not to* (do anything), *from* (doing anything), *so that . . . not, for fear that, from* (doing anything). — After expressions of fear and danger, *that, lest.* With indep. subj. as a prohibition, *do not, let not,* etc. — With **quidem**, *not even, not . . . either, nor . . . either.* — Esp., **videre ne**, *see to it that not, take care lest, see whether . . . not.* See also **nequis**.

-ne (enclitic) [prob. same as **nē**, orig. = **nonne**], conj., *not?* (as a question, cf. **nonne**), *whether, did* (as question in Eng.), *do,* etc. — See also **necne**.

Neāpolis, -is, [**Νεάπολις**], F., a part of the city of Syracuse. — Also, other cities of Italy and Greece.

Neāpolitānus, -a, -um, [**Neapoli** + **tanus**], adj., *of Neapolis* (in Campania), *Neapolitan.* — Masc. plur., *the Neapolitans.*

nebulō, -ōnis, [**nebula** + **o**], M., (*a man of no substance*), *a worthless fellow, scamp, trickster, knave.*

nec, see **neque**.

necēssārius, -a, -um, [†**necessŏ**- (reduced) + **arius**], adj., (*closely bound?*), *necessary, pressing, unavoidable, absolutely necessary, needful, indispensable.* — Also, as subst., *a connection* (a person bound by any tie), *a close friend, a friend.* — Abl. as adv., **necēssāriō**, *of necessity, necessarily, unavoidably.*

necēsse [?, **ne-cessŏ-**], indecl. adj., *necessary, unavoidable.* — With **est**, *it is necessary, it is unavoidable, one must, one cannot but, one must inevitably.*

necēssitās, -tātis, [†**necessŏ** + **tas**], F., *necessity, constraint, compulsion, exigency.*

necēssitūdō, -dinis, [†**necessŏ** + **tudo**], F., *close connection* (cf. **necessarius**), *intimacy* (*close relations*), *a bond, a relation* (which creates a bond of union).

necne [**nec ne**], conj., *or not* (in double questions).

necŏ, -āvi (-uī), -ātus (-tus), -āre, [**nec-** (stem of **nex**)], 1. v. a., *put to death, kill, murder* (in cold blood): **fame** (*starve to death*).

nefandus, -a, -um, [**ne-fandus**], adj., *unspeakable, infamous, detestable, abominable.*

nefāriē [old abl. of **nefarius**], adv., *infamously, wickedly, abominably.*

nefārius, -a, -um, [**nefas** + **ius**], adj., *wicked, infamous, abominable.*

nefās [**ne-fas**], N. indecl., *a crime* (against divine law), *an impiety, a sacrilege.*

neglegenter (**necle-**, **negli-**) [**neglegent** + **ter**], adv., *carelessly, negligently.*

neglegŏ (**neclegŏ**, **negligŏ**), -lēxī, -lectus, -legere, [**nec** (= **ne**) -**lego**], 3. v. a., *not regard, disregard, neglect, leave unavenged, leave unpunished, care nothing for, abandon, sacrifice.*

negŏ, -āvi, -ātus, -āre, [?, poss. **ne-aio**], 1. v. a. and n., *say no, say . . . not, refuse.*

negōtiātor, -tōris, [**negotiā** + **tor**], M., *a merchant.* — Esp., *a money-lender, a capitalist.* Cf. **mercator**, *a trader* who goes with his wares.

negōtior, -ātus, -ārī, [**negotiŏ-**], 1. v. dep., *do business.* — Esp., *be a* *merchant, be a banker* (cf. **negotium**).

negōtium, -ī, [nec-otium], N., *business, occupation, undertaking.* — Less definitely, *a matter, a thing, an affair, a business* (as in Eng.), *an enterprise, one's affairs;* **meum negotium agere** (*attend to my own interests*). — Also, *difficulty, trouble.*

nēmō̆, †nēminis, [ne-homo], C., *no one, nobody.* — Almost as adj., *no.* — Esp., **non nemo**, *one and another, one or two, one or more.*

nempe [nam-†pe, cf. **quippe**], conj., *to wit, namely, precisely, why! now, you see, you know, of course.*

nemus, -oris, [√NEM + **us**, cf. νέμω], N., (*pasture?*), *a grove* (prob. open, affording pasture). — Esp., *a sacred grove.*

nepōs, -ōtis, [?], M., *a grandson.* — Also, *a spendthrift* (orig. a spoiled pet of his grandfather).

Nepōs, -ōtis, [same word as preceding], M., a Roman family name, see **Metellus**.

nēquam [prob **ne-quam** (*how*), cf. **nequaquam**], indecl. adj., *worthless* (opposed to **frugi**), *good for nothing, shiftless.*

nēquandō̆, see **ne** and **quandō̆**.

nēquāquam [ne-quaquam (cf. **eā, quā**)], adv., *in no way, by no means, not at all.*

neque (**nec**) [ne-que], adv., *and not, nor:* **neque . . . neque** (*neither . . . nor*). — See also **enim**.

nē . . . quidem, see **ne**.

nēquī(d)quam (**nēquic-**), [ne . . . qui(d)quam], adv., *to no purpose, in vain, not without reason.*

nēquior, nequissimus, comp. and superl. of **nequam**.

nēquis (**-quī**), -qua, -quid (-quod), [**ne-quis**], indef. pron., *that no one,* etc., and in all the dependent uses of **ne**: **ut nequis** (*that no one*).

nēquitia, -ae, [nequi- (as if stem of **nequam** or **nequis**) + tia], F., *worthlessness, shiftlessness, feebleness* (in action).

nervus, -ī, [prob. for †**nevrus**, cf. Gr. νεῦρον], M., *a sinew.* — Fig., in pl., *strength, vigor, sinews* (as in Eng.).

nēsciō̆, -scīvī (-iī), -scītus, -scīre, [**ne-scio**], 4. v. a., *not know, be unaware.* — Phrases: **nescio an**, *I know not but, I am inclined to think, very likely;* **nescio quis**, etc., *some one, I know not who* (almost as indef. pron.), *some, some uncertain, some obscure;* **illud nescio quid praeclarum**, *that inexplicable something pre-eminent,* etc.: **nescio quo modo**, *somehow or other, I know not how* (parenthetical), *mysteriously, curiously enough.*

neuter, -tra, -trum, [**ne-uter**], pron., *neither.* — Plur., *neither party, neither side.*

nēve (**neu**) [ne-ve], conj., *or not, and not, nor.*

nex, necis, [?], F., *death, murder, assassination.*

nihilum, -ī, [ne-hilum?], N. and (**nihil**) indecl., *nothing, none:* **nihil respondere** (*make no answer*). — **nihilō**, abl. as adv., *none, no.* — **nihil**, acc. as adv., *not at all, no, not:* **nihil valet** (*has no weight,* etc.); **nihil interest** (*it makes no difference*); **nonnihil** (*somewhat, a little*).

Nīlus, -ī, [Νεῖλος], M., *the Nile,* the great river of Egypt.

nīmīrum [ni (= **ne**) **mirum**], adv., (*no wonder*), *doubtless, of course, that is to say, unquestionably, no doubt* (half ironical), *I suppose, forsooth.*

nimis [prob. comparative], adv.,

too, too much, over much: **nimis urgeo** (*too closely*).

nimius, -a, -um, [**nimi-** (?, stem of positive of **nimis**) + **ius**], adj., *too much, too great, excessive.* — **nimium**, N. as adv., *too, too much.*

Ninnius, -ī, [?], M., a Roman gentile name. — Esp., a tribune of the people, who proposed the law for Cicero's return.

nisĭ [ne-si], conj., (*not . . . if*), *unless, except:* **nisi si** (*except in case, unless*).

niteō, no perf., no p.p., -ēre, [prob. †nitŏ, cf. **nitidus**], 2. v. n., *shine, glisten.*

nitidus, -a, -um, [†nitŏ + **dus**], adj., *shining, glistening, sleek.*

nītor, nīsus (nīxus), nītī, [prob. **genu**], 3. v. dep., (*strain* with the knee against something), *struggle, strive, exert one's self, rely upon, depend, rest.*

nix, nivis, [?], F., *snow.*

nōbilis, -e, [as if (g)no (root of **nosco**) + **bilis**], adj., *famous, noble, well-born* (cf. "notable").

nōbilitās, -tātis, [**nobili** + **tas**], F., *nobility, fame.* — Concretely, *the nobility, the nobles.*

nocēns, see **noceo**.

noceō, -uī, nocitūrus, nocēre, [akin to **nex**], 2. v. n., *do harm to, injure, harm, harass.* — **nocēns**, -entis, pres. p. as adj., *hurtful, guilty* (of some harm).

noctū [abl. of †**noctus** (noc (cf. **noceo**?) + **tus**)], as adv., *by night, in the night.*

nocturnus, -a, -um, [perh. **noctu** + **urnus**, cf. **diuturnus**], adj., *of the night, nightly, nocturnal, in the night, by night:* **nocturno tempore** (*in the night*).

nōlō, nōluī, nōlle, [**ne-volo**], irr. v. a. and n., *not wish, be unwilling, wish not, not like to have, will not* (*would not*, etc). — Esp. with inf. as (polite) imperative, *do not, do not think of* (doing, etc.). — Also, **nōllem** (*I should hope not, I should be sorry*).

nōmen, -minis, [√(G)NO (root of **nosco**) + **men**], N., *a name* (what one is known by), *name* (fame, prestige). — As a name represents an account, *an account* (à compte), *an item* (of an account): **meo nomine** (*on my account*); **eo nomine** (on *that account*); **classium nomine** (*under pretence*, etc.).

nōminātim, [acc. of real or supposed †**nominatis** (**nominā**+**tis**)], adv., *by name* (individually), *especially.*

nōminō, -āvī, -ātus, -āre, [**nomin-**], I. v. a., *name, mention, call by name, call:* **nominari volunt** (*to have their names mentioned*).

nōn [**ne-oenum** (**unum**)], adv., *no, not:* **non est dubium** (*there is no doubt*); **non mediocriter** (*in no small degree*); **non poteram non** (*I could not but*, etc.).

Nōnae, see **nonus**.

nōndum, see **dum**.

nōnne [non ne], adv., *is not? does not?* etc.

nōnnēmō, see **nemo**.

nōnnihil, see **nihil**.

nōnnullus, see **nullus**.

nōnnunquam, see **nunquam**.

nōnus, -a, -um, [**novem** + **nus**], num. adj., *the ninth.* — Esp., **Nōnae**, F. plur., *the Nones* (the ninth day, according to Roman reckoning, before the Ides, falling either on the fifth or seventh, see **Idus**).

nōs, see **ego**.

nōscō, nōvī, nōtus, nōscere,

[√(G)NO], 3. v. a., *learn, become acquainted with.* — In perfect tenses, *know, be acquainted with:* sciunt ei qui me norunt (*they know who are acquainted with me*); nec novi nec scio (*I don't know* the law before mentioned, *nor do I know* the fact). — **nōtus**, -a, -um, p.p. as adj., *known, familiar, well-known.*

noster, -tra, -trum, [prob. **nos** (plur. nom.) + **ter**], adj. pron., *our, ours, of ours, of us.* — Often of one person, *my, mine, of mine.*

nota, -ae, [√GNO + **ta** (F. of -tus?)], F., *a mark, a brand, a stain.*

notō̆, -āvī, -ātus, -āre, [nota-], I. v. a., *mark, designate, brand, stigmatize.*

novem, [?], indecl. num. adj., *nine.*

Novembris, -e, [novem + bris, cf. **salubris**], adj., *of November.*

novicius, -a, -um, [novŏ+icius], adj., *fresh, raw, untrained.*

novus, -a, -um, [?, cf. Eng. *new*], adj., *new, novel, fresh, unprecedented, strange:* **res novae** (*a change of government, resolution*).

nox, noctis, [akin to **noceo**], F., *night.*

noxia, -ae, [√NOC (in **noceo**) + unc. term.], F., *crime, guilt.*

nūdius [**num** (?) **-dius** (dies)], undeclined, only in nom. with **tertius**, *now the third day, three days ago.*

nūdō̆, -āvi, -ātus, -āre, [nudŏ-], I. v. a., *lay bare, strip, expose.* — Less exactly, *clear, rob, despoil, strip* (as in Eng.): **nudavit se** (*stripped off his clothing*).

nūdus, -a, -um, [?, root (akin to *naked*) + **dus**], adj., *naked, bare, unprotected, exposed.* — Hence, *stripped, robbed, destitute.*

nūgae, -ārum, [?], F. plur., *trifles, follies.* — Esp. of persons, *a man of follies, a frivolous person.*

nullus, -a, -um, [ne-ullus], adj., *not . . . any, not any, no, none of:* **quae nulla** (*none of which*). — Often equivalent to an adverb, *not, not at all.* — **nōnnullus**, *some.* — As subst., *some, some persons.*

num [pron. √NA, cf. **tum**], adv., interrog. part., suggesting a negative answer, *does, is,* etc., *it is not, is it?* and the like: **num dubitasti** (*did you hesitate?*). — In indirect questions, *whether, if.*

Numantia, -ae, [?], F., a city of Spain, captured by Scipio in B.C. 133.

nūmen, -inis, [√NU (in **nuo**) + **men**], N., (*a nod*), *will.* — Hence, *divinity, power* (of a divinity).

numerō̆, -āvi, -ātus, -āre, [numerŏ-], I. v. a., *count, account, regard.*

numerus, -ī, [†numo- (cf. **nummus**, **Numa**, Gr. νόμος) + **rus**], M., *a number, number:* **in hostium numero** (*as,* etc.); **ullo in numero** (*at all as,* etc.).

Numidicus, -a, -um, [**Numida**+**cus**], adj., *Numidian* (of Numidia, long an independent state west of the territory of Carthage). — Esp. as a name of *Q. Cæcilius Metellus,* see **Metellus**, No. 7.

Numitōrius, -ī, [**Numitor**+**ius**], M., a Roman gentile name. — Esp., *C. Numitorius,* a Roman knight, one of the witnesses against Verres.

nūmmus (**nūmus**), -ī, [akin to **numerus**, Gr. νόμος], M., *a coin.* — Esp. for **nummus sestertius**, *a sesterce* (see **sestertius**).

numquam, see **nunquam**.

numquis (**-quī**), -qua, -quid (-quod), [**num-quis**], indef. interrog. pron., *is* (etc.) *any one?* with all senses of **num**, see **quis**.

nunc [**num-ce**, cf. **hic**], adv., *now* (emphatic, as an instantaneous *now*, cf. **jam**, unemphatic and continuous): etiam nunc (*even now, even then, still*). — Esp. opposed to a false condition, *now, as it is*.

nunquam (**numquam**) [**ne-unquam**], adv., *never*.

nūntiō, -āvī, -ātus, -āre, [**nuntiŏ-**], 1. v. a., *send news, report, make known*.

nūntius, -ī, [†**novent-** (p. of †**noveo**, *be new*) + **ius**], M., (*a newcomer*), *a messenger*. — Hence, *news, a messenger*: **nuntium mittere** (*send word*).

nūper [for **novi-per**, cf. **parumper**], adv., *lately, recently, not long ago, just now*.

nuptiae, -ārum, [**nupta** + **ius**], F. plur., *a wedding, a marriage*.

nūtus, -tūs, [prob. **nui** (as stem of **nuo**) + **tus**], M., *a nod, a sign*: **ad nutum** (*at one's beck, at one's command*); **nutu** (*at the command, by the will*).

nympha, -ae, [Gr. νύμφη], F., (*a bride*). — Also, *a nymph* (a goddess of nature occupying some special locality, as a tree, or stream, or the like). — These goddesses were worshipped collectively at Rome.

O.

Ō, interj., *oh!*: **O tempora!** (*what times!*).

ob [unc. case-form akin to Gr. ἐπί], prep. (adv. in composition), (*near*), *against*: ob oculos (*before my eyes*). — Hence, *on account of, for*: ob eam rem (*for this reason, on this account*). — In comp., *towards, to, against*.

obdūcō, -dūxi, -ductus, -dūcere, [**ob-duco**], 3. v. a., *lead towards, lead against, draw over*.

obdūrēscō, -dūruī, no p.p., -dūrēscere, [**ob-duresco**], 3. v. n., *harden over, become hardened*.

obēdiō, see **oboedio**.

obeō, -īvī (-iī), -itus, -īre, [**ob-eo**], irr. v. a., *go to, go about, attend to, go over, visit*: **facinus** (*commit*); **locum tempusque** (*be present at*).

obferō, see **offero**.

obfundō, see **offundo**.

ōbiciō (**objic-**), -jēcī, -jectus, -icere, [**ob-jacio**], 3. v. a., *throw against, throw in the way, throw up, set up, expose*. — Hence, *cast in one's teeth, reproach one with*.

oblectāmentum, -ī, [**oblectā** + **mentum**], N., *diversion, enjoyment, a source of amusement*.

oblectō, -āvī, -ātus, -āre, [**ob-†lecto**, cf. **lacio**], 1. v. a., *give pleasure to, delight*.

obligō, -āvī, -ātus, -āre, [**ob-ligo**], 1. v. a., *bind up, hamper, bind, mortgage*. — **obligātus**, -a, -um, p.p., *bound, under obligation*.

oblinō, -lēvi, -litus, -linere, [**ob-lino**], 3. v. a., *smear*. — Fig., *besmear, bedaub, stain*.

oblīviō, -ōnis, [**ob-†livio**, cf. **obliviscor**], F., *forgetfulness, oblivion*.

oblīvīscor, -litus, -līviscī, [**ob-†liviō**, cf. **liveo**], 3. v. dep., (*grow dark against?*), *forget, cease to think of*. — **oblītus**, -a, -um, p.p., *forgetting, forgetful, unmindful*.

obmūtēscō, -mūtuī, no p.p., -mūtēscere, [**ob-†mutesco**, cf. **mutus**], 3. v. n., *become silent, be dumb*.

obnūntiō, -āvī, -ātus, -āre, [**ob-nuntio**], 1. v. n., *announce* (in opposition). — Esp., *announce unfavorable omens, stay proceedings by omens, hinder by omens*.

oboediō (**obēdio**), -īvī (-iī), -ītum (N.), -īre, [ob-audio], 4. v. n., *give ear to.* — Hence, *give heed to, obey, be obedient, be submissive.*

oborior, -ortus, -orīrī, [ob-orior], 4. (3.) v. dep., *rise before, rise over.*

obruō, -ruī, -rutus, -ruere, [ob-ruo], 3. v. a., *bury, overwhelm* (with something thrown on), *cover.* — Also, *overthrow, ruin.*

obscūrē [old abl. of **obscurus**], adv., *obscurely, darkly, covertly.*

obscūritās, -tātis, [obscurŏ+**tas**], F., *darkness, obscurity, uncertainty.*

obscūrō, -āvī, -ātus, -āre, [ob-scurŏ-], 1. v. a., *dim, darken, obscure, hide, conceal.*

obscūrus, -a, -um, [ob-†scurus, √SCU+**rus**, cf. **scutum**], adj., *dark, dim, secret, covert, disguised, hidden, obscure, unknown:* **non est obscurum** (*it is no secret*).

obsecrō, -āvī, -ātus, -āre, [manufactured from **ob sacrum** (*near* or *by some sacred object*)], 1. v. a., *adjure, entreat.*

obsecundō, -āvī, no p.p., -āre, [**ob-secundo**], 1. v. n., *show obedience, yield to one's wishes.*

observō, -āvi, -ātus, -āre, [**ob-servo**], 1. v. a., (*be on the watch towards?*), *guard, maintain, keep.* — Also, *be on the watch for, watch for, watch, lie in wait for.*

obses, -idis, [ob-†ses, cf. **praeses** and **obsidio**], C., (*a person under guard*), *a hostage.* — Less exactly, *a pledge, a security.*

obsideō, -sēdī, -sessus, -sidēre, [ob-sedeo], 2. v. a., (*sit down against*), *blockade, beset, besiege.* — Also, *block, hinder, lie in wait for, watch for.*

obsidiō, -ōnis, [obsidiŏ-? (reduced)+**o**], F., *a siege* (cf. **obsessio**), *a blockade.* — Also, *the art of siege.*

obsignō, -āvī, -ātus, -āre, [**ob-signo**], 1. v. a., *seal up, seal.* — Hence, *sign as a witness, witness.*

obsistō, -stitī, no p.p., -sistere, [ob-sisto], 3. v. n., *withstand resist, contend against.*

obsolēscō, -ēvī, -ētus, -ēscere, [**obs-olesco**], 3. v. n., *grow old, become obsolete, get out of date, get stale.*

obstipēscō (**obstu-**), -uī, no p.p., -ēscere, [ob-stipesco], 3. v. n., *become stupefied, be thunderstruck, be amazed:* **sic obstipuerant** (*they were so thunderstruck*).

obstō, -stitī, -stātūrus, -stāre, [ob-sto], 1. v. n., *withstand, stand in one's way, resist, injure, hurt.*

obstrepō, -uī, -itūrus, -ere, [ob-strepo], 3. v. n. and a., *drown* (one noise by another), *overwhelm by a din.*

obstructiō, -ōnis, [**ob-structio**, cf. **obstruo**], F., *a barricade, an obstruction, a covering.*

obstupefaciō, -fēcī, -factus, -facere, [ob-stupefacio], 3. v. a., *daze, stupefy.* — **obstupefactus**, -a, -um, p.p., *taken aback, dumbfounded.*

obstupēscō, see **obstipescō**.

obsum, -fuī, -futūrus, -esse, [**ob-sum**], irr. v. n., *be in the way, hinder, injure, be disadvantageous.*

obtegō, -tēxī, -tectus, -tegere, [ob-tego], 3. v. a., *cover up, protect.*

obtemperō, -āvī, -ātūrus, -āre, [**ob-tempero**], 1. v. n., (*conform to*), *comply with, submit to, yield to, comply.*

obtestor, -ātus, -ārī, [**ob-testor**], 1. v. dep., *implore* (calling something to witness), *beseech, entreat.*

obtineō, -tinuī, -tentus, -tinēre, [**ob-teneo**], 2. v. a., *hold* (against something or somebody), *retain, maintain, occupy, possess, get* (by lot), *hold* (by lot, as a magistrate). — Also, *maintain, prove, make good.*

obtingō, -tigī, no p.p., -tingere, [**ob-tango**], 3. v. a. and n., *touch upon.* — Esp., *fall to one's lot, fall to one, happen* (esp. as euphemism for death or disaster).

obtrectō, -āvī, -ātus, -āre, [**ob-tracto**], 1. v. a. and n., (*handle roughly*?), *disparage, speak ill of.*

obtulī, perf. of **offero**.

obviam [**ob viam**], adv., *in the way of, to meet* (any one): **obviam fieri** (*come to meet, fall in one's way, meet*).

obvius, -a, -um, [**ob-via**, declined as adj.], adj., *in the way of*: **obvius** esse (*meet*).

occāsiō, -ōnis, [**ob-†casio**, cf. **occido**], F., *an opportunity, a chance.*

occāsus, -sūs, [**ob-casus**, cf. **occido**], M., *a falling, a fall, a setting* (of the sun).

occidēns, see **occido**.

occīdiō, -ōnis, [perh. directly from **occīdo**, after analogy of **legio**, etc.], F., *slaughter, great slaughter.*

occidō, -cidī, -cāsūrus, -cidere, [**ob-cado**], 3. v. n., *fall, set, be slain.* — **occidēns**, -entis, p., *setting*, as subst., *the west.*

occīdō, -cīdī, -cīsus, -cīdere, [**ob-caedo**], 3. v. a., *kill, massacre, slay.*

occlūdō, -clūsī, -clūsus, -clūdere, [**ob-claudo**], 3. v. a., *shut up, close.*

occultātor, -tōris, [**occultā+tor**], M., *a concealer, a harborer.*

occultē [old abl. of **occultus**], adv., *secretly, privately, with secrecy.*

occultō, -āvī, -ātus, -āre, [**occultō-**], 1. v. a., *conceal, hide.*

occultus, -a, -um, [p.p. of **occulo**], as adj., *concealed, secret, hidden.*

occupātiō, -ōnis, [**occupā+tio**], F., *occupation* (engagement in business), *business, affairs* (of business), *being engaged.*

occupō, -āvī, -ātus, -āre, [**†occupŏ-** or **†occup-** (cf. **auceps**), **ob** and stem akin to **capio**], 1. v. a., *seize, take possession of, seize upon, occupy* (only in military sense). — **occupātus**, -a, -um, p.p., as adj., *engaged, occupied, employed.*

occurrō, -currī (-cucurrī?), -cursūrus, -currere, [**ob-curro**], 3. v. n., *run to meet, meet, come upon, find, fall in with, go about* (a thing), *withstand, occur* (to one's mind), *suggest itself.*

occursātiō, -ōnis, [**occursā + tio**], F., *a coming to meet, a sally, an attack, a greeting* (running to meet one with acclamation).

Ōceanus, -ī, [Gr. Ὠκεανός], M., *the ocean* (with or without **mare**).

Ocriculānus, -a, -um, [**Ocriculŏ + anus**], adj., *of Ocriculum* (a town of Umbria on the Tiber).

Octāviānus, -a, -um, [**Octaviŏ + anus**], adj., *of Octavius.*

Octāvius, -ī, [**octavŏ + ius**], M., a Roman gentile name. — Esp., *Cn. Octavius*, cons. B.C. 87 with Cinna, and killed as a partisan of the nobility by the partisans of Marius. Others of the same family not named by Cicero were famous.

octāvus, -a, -um, [**octo + vus** (cf. Gr. ὄγδοϝος?), perh. **†octau+us**], adj., *eighth.*

octingentī, -ae, -a, [stem akin to **octo + centum**], num. adj., *eight hundred.*

octō [?], num. adj., *eight.*

octōdecim [**octo-decem**], num. adj., *eighteen.*

octōgintā [**octo+?**], adj., *eighty.*

octōnī, -ae, -a, [**octo+nus**], adj., *eight at a time, eight* (at a time).

oculus, -ī, [†ocŏ (cf. *eye*) + **lus**], M., *the eye.*

ōdi, -ōdisse, [perf. of lost verb (with pres. sense), akin to **odium**], irr. v. a., *hate, detest.*

odiōsus, -a, -um, [odiŏ + **osus**], adj., *hateful, troublesome, unrelenting.*

odium, -ī, [√VADH (*spurn*) + **ium**], N., *hatred, odium, hate, detestation.*—Plur., *hate* (of several cases).—Of persons, *the hatred, the detestation:* odio esse (*to be hated*).

odor, -ōris, [√OD (ὄζω) + **or**], M., *an odor, fragrance* (**legum**, adding, *as it were*, to make the fig. tolerable in Eng.).

offendō (**obf-**), -fendī, -fēnsus, -fendere, [ob-fendo], 3. v. a. and n., *strike against, stumble, stumble upon, light upon, go wrong, commit an offence, take offence, offend, hurt* (the feelings), *give offence to.*—**offēnsus**, -a, -um, p.p., *offensive.*

offēnsiō (**obf-**), -ōnis, [ob-†fensio, cf. **offendo**], F., (*a striking against*), *a stumbling, an offence, a giving offence, dislike, a disaster, a defeat.*

offerō (**obf-**), obtulī, oblātus, offerre, [ob-fero], irr. v. a., *bring to, offer, furnish, afford, expose:* se (*present*); **mortem alicui** (*cause the death of,* etc.).

officiō (**obf-**), -fēcī, -fectūs, -ficere, [ob-facio], 3. v. a., *work against, obstruct, hinder, stand in the way of.*

officiōsus (**obf-**), -a, -um, [officiŏ+osus], adj., *dutiful, in discharge of one's duty, conscientious* (in the discharge of one's duty), *serviceable.*

officium (**obf-**), -ī, [as if (prob. really) †officŏ- (cf. **beneficus**) + **ium**], N., (*a doing for one?*), *a service, a duty, kind offices* (either sing. or plur.), *dutiful conduct, faithfulness to duty.*

offundō (**obf-**), -fūdī, -fūsus, -fundere, [ob-fundo], 3. v. a., *pour over.*—Also, *fill, pervade.*

oleum, -ī, [?, cf. **oliva**, ἔλαιον], N., *oil.*

ōlim [loc. (?) of **ollus**, old form of **ille**], adv., (*at that time*), *once, formerly.*

Olympius, -a, -um, [Gr. Ὀλύμπιος], adj., *of Olympus* (the fabled abode of the gods), *Olympian.*

ōmen, -inis, [?, but cf. old form **osmen**, and **oscines**], N., *an omen.*

omittō, -mīsī, -missus, -mittere, [ob-mitto], 3. v. a., *let go by, pass over, leave unsaid, leave out, omit, say nothing of, abandon, cease.*

omninō [abl. of †**omnīnus** (omni + nus)], adv., *altogether, entirely, on the whole, only, utterly, in all, at all, any way, only just, whatever* (with negatives).

omnis, -e, [?], adj., *all, the whole of* (as divisible or divided, cf. **totus** as indivisible or not divided).—In sing., *all, every* (without emphasis on the individuals, cf. **quisque**, *each*, emphatically).—Esp.: **omnibus horis** (*every hour*); **omnia** (*everything*).

onus, -eris, [unc. root + **us**], N., *a burden, a load, a freight, a cargo.*—Abstr., *weight.*

opera, -ae, [oper- (as stem of **opus**) + **a** (F. of -**us**)], F., *work, services, help, pains, attention, assistance:* **operam dare** (*devote one's self, exert one's self, take pains, try, take care*).—Esp.: **opera sua** (*by his own efforts*); **operam consumere** (*waste one's labor, waste one's time*); **operae pretium est** (*it is worth while*).—Plur., *laborers.*

operārius, -ī, [**opera** + **arius**], M. (of adj.), *a day laborer.*

operiō̆, -peruī, -pertus, -perīre, [ob-pario, cf. **aperio**], 4. v. a., *cover up, cover.*

Opīmius, -ī, [opimŏ + **ius**], M., a Roman gentile name.—Esp., *L. Opimius,* cons. B.C. 121, the champion of the senate against C. Gracchus, in the fight in which the latter was killed.

opīmus, -a, -um, [?], adj., *fat, rich, fertile.*

opīniō̆, -ōnis, [opinŏ- (cf. **necopinus**) + **o**], F., *a notion, an expectation, an idea, a reputation, an opinion* (not well founded, cf. **sententia**), *fancy, a good opinion* (of any one): **latius opinione** (*more widely than is thought*); **mortis** (*a false idea of one's death*).

opīnor, -ātus, -ārī, [opinŏ-, cf. **necopinus**], 1. v. dep., *have an idea* (not well founded or not sure), *fancy, suppose, think* (parenth. in its less def. meaning), *imagine.* — Cf. the use of such phrases as *I fancy, reckon, guess, take it, should say.*

opitulor, -ātus, -ārī, [opitulŏ- (opi-tulus, from √TUL, in **tuli**, + **us**)], 1. v. dep., *assist, aid, succor, give help.*

oportet, -uit, no p.p., -ēre, [noun-stem from **ob** and stem akin to **porto**, cf. **opportunus**], 2. v. imp., *it behooves, it ought, one is to, one must.*

oppetō̆, -īvī (-iī), -ītus, -ere, [ob-peto], 3. v. a., *encounter, meet.*

oppidum, -ī, [ob-†pedum (*a plain*?, cf. Gr. πέδον)], N., (the fortified place which, according to ancient usage, commanded the territories of a little state), *a stronghold, a town* (usually fortified).

oppōnō̆, -posuī, -positus, -pōnere, [ob-pono], 3. v. a., *set against, oppose* (something to something else). —**oppositus**, -a, -um, p.p. as adj., *opposed, lying in the way, opposite, adverse.*

opportūnitās, -tātis, [opportunŏ + **tas**], F., *timeliness, fitness* (of time or circumstance), *good luck* (in time or circumstance), *convenience, advantage.*

opportūnus, -a, -um, [ob-portunus, cf. **importunus** and **Portunus**], adj., (*coming to harbor*?), *opportune, advantageous, lucky, timely, valuable* (under the circumstances).

oppositus, -tūs, [ob-†positus, cf. **oppono**], M., *a setting against, an interposition.*

opprimō̆, -pressī, -pressus, -primere, [ob-premo], 3. v. a., (*press against*), *overwhelm, crush, overpower, overtake* (*surprise*), *hold in check.*

oppūgnātiō̆, -ōnis, [oppugnā + **tio**], F., *a siege* (of actual operations, cf. **obsidio**, *blockade*), *besieging, an attack* (in a formal manner against a defended position).

oppūgnō̆, -āvī, -ātus, -āre, [ob-pugno], 1. v. a., *attack* (formally, but without blockade), *lay siege to, carry on a siege, assail* (a defended position).—Fig., *attack, assail.*

ops, opis, [?], F., *help, aid, succor, means, protection.*—Plur., *resources, power, wealth, means.*

optābilis, -e, [optā+**bilis**], adj., *desirable, to be wished for.*

optimās (**optu-**), -ātis, [optimŏ + **as** (cf. **Arpinas**)], adj., *of the best.*—Esp. plur., *the optimates* (the better classes, or aristocracy, at Rome, including all who held opinions opposed to the common people).

optimē, see **bene**.

optimus, -a, -um, [op (cf. **ops**?) + **timus** (cf. **finitimus**)], superl. of **bonus**, which see.

optŏ, -āvī, -ātus, -āre, [†optŏ- (√OP + **tus**, cf. Gr. ὄψομαι)], I. v. a., *choose, desire, wish* (urgently), *pray for, hope and pray for, hope for.* — **optātus**, -a, -um, p.p. as adj., *wished for, desired, desirable.*

opus, operis, [√OP + **us**], N., *work, labor* (as skilful or accomplishing its purpose, cf. **labor**, as tiresome). — In military sense, *a work, works, fortifications.* — Also, as in English, of civil structures, etc., *work, works, a work* (as of art), *a work of skill* (cf. **artificium**, *a work of art*), *workmanship*: **opere et manu factus** (*by handiwork*). — In abl., **quanto- (tanto-, magno-, nimio-) opere**. — Often together, **quantopere**, etc., *how much, so much, much, greatly, too much, how, so, too.*

opus [same word as preceding], N. indecl., *need, necessary*: **opus properato** (*need of haste*).

ōra, -ae, [?], F., *a shore, a coast.*

ōrātiŏ, -ōnis, [orā + **tio**], F., *speech, words, talk, address, discourse, argument, matter for a discourse, power of oratory, a branch of a discourse.*

ōrātor, -tōris, [orā + **tor**], M., *a speaker, an ambassador, an orator.*

orbis, -is, [?], M., *a circle* (a circular plane): **orbis terrarum** (*the circle of lands, the whole world*).

ordior, orsus, ordīrī, [†ordi- (cf. **ordo**)], 4. v. dep., *begin, start.*

ordŏ, -inis, [akin to **ordior**], M., *a series, a row, a tier, a rank* (of soldiers), *a grade* (of centurions, as commanding special "ordines" of soldiers, also the *centurions* themselves), *an arrangement, an order* (esp. of citizens), *a body* (consisting of such an order), *a class* (of citizens).

orior, ortus, orīrī, [?], 3. (and 4.) v. n., *arise, spring up, spring.* — **oriēns**, -entis, p. as subst., *the east.*

ornāmentum, -ī, [ornā + **mentum**], N., *an adornment, a decoration, an ornament, an equipment, an honor* (an addition to one's dignity), *a source of dignity.*

ornātē [old abl. of **ornatus**], adv., *ornately*: **gravius atque ornatius** (*with more weight and eloquence*).

ornātus, -tūs, [ornā + **tus**], M., *adornment, ornament, ornaments* (collectively).

ornŏ, -āvī, -ātus, -āre, [unc. noun-stem], I. v. a., *adorn, equip, furnish, increase* (by way of adornment), *honor, add honor to.* — **ornātus**, -a, -um, p.p. as adj., *furnished, well-equipped, well-furnished, decorated, finely adorned, well to do, prosperous, highly honored.*

ōrŏ, -āvī, -ātus, -āre, [or- (as stem of **os**)], I. v. a. and n., *speak.* — Esp., *pray, entreat, beg.*

ortus, -tūs, [√OR (in **orior**) + **tus**], M., *a rising*: **solis** (*sunrise, the East*).

ōs, ōris, [?], N., *the mouth, the face, the countenance*: **Ponti** (*the mouth, the entrance*); **in ore omnium** (*in the mouths, on the lips*).

os, ossis, [prob. reduced from †**ostis**, cf. Gr. ὀστέον], N., *a bone.*

ōscitŏ, -āvī, no p.p., and **ōscitor**, -ārī, [perh. **os cito**], I. v. n. and dep., *yawn.*

ostendŏ, -tendī, -tentus, -tendere, [**obs-tendo**], 3. v. a., (*stretch towards*), *present, show, point out, make known,* *state, declare, indicate, exhibit, display.* — Pass., *appear, show itself.*

ostentō, -āvī, -ātus, -āre, [ostentŏ-], 1. v. a., *display, exhibit:* se (*make a display*).

Ōstiēnsis, -e, [Ostiă+ensis], adj., *of Ostia* (the port of Rome at the mouth of the Tiber), *at Ostia.*

ōstium, -ī, [akin to **os**], N., *the mouth:* Oceani (*the straits*, i.e., of Gibraltar). Also, *a door.*

ōtiōsus, -a, -um, [otiŏ + **osus**], adj., *at leisure, quiet, peaceful, peaceable, undisturbed, inactive.*

ōtium, -ī, [?], N., *repose, inactivity, quiet* (freedom from disturbance), *ease, peace.*

ovō, no p., -ātūrus, -āre, [?], 1. v. n., *rejoice.* — Esp., **ovāns**, -antis, p., *triumphant in an ovation* (the lesser triumph, but also used figuratively). [Possibly the technical meaning is the original one.]

P.

P., abbreviation for **Publius.**

pacīscō, -ere, and **paciscor**, pactus, pacisci, [paci- (as stem of **păco**) + sco], 3. v. a. and dep., *bargain.* — Esp., **pactus**, -a, -um, p.p., *agreed upon, settled, arranged.* — See also **pactum.**

pācō, -āvī, -ātus, -āre, [pac- (in **pax**)], 1. v. a., *pacify, subdue.* — **pācātus**, -a, -um, p.p. as adj., *peaceable, quiet, subject* (as reduced to peace), *submissive, entirely conquered:* civitas male pacata (*hardly reduced to submission, still rebellious*).

Pacōnius, -ī, [?, cf. **păco**], M., a Roman gentile name. — Esp., *M. Paconius*, a Roman knight.

pactum, -ī, [p.p. of **paciscor**, **pango**?], N., (*a thing agreed*), *an agreement, an arrangement.* — Hence, *a method, a way* (of doing anything). — Esp. abl., *in . . . way:* quo pacto (*in what way, how*); isto pacto (*after that fashion, to that degree*); nescio quo pacto (*somehow or other, strangely enough*); nullo pacto (*in no way, under no circumstances*).

Paeān, -ānis, [Gr. Παιάν], M., *the Healer*, a name of Apollo, as god of healing.

paene [?], adv., *almost, nearly, all but.*

paenitet (**poenitet**), -uit, -ēre, [†poenitŏ- (perh. p.p. of verb akin to **punio**)], 2. v. a. (impers.), *it repents* (one), *one repents, one regrets:* me paenitebit (*I shall regret*).

paenula (**pēn-**), -ae, [?], F., *a cloak* (probably like a poncho, sometimes also with a hood, at any rate put on over the head and worn in travelling or in rough weather).

paenulātus (**pēn-**), -a, -um, [paenula+tus, cf. **robustus**], adj., *wrapped in a cloak.*

Palacīnus? (**Palatīnus**?), -a, -um, [?], adj. only with **balneae**, a place of uncertain position.

palam [unc. case-form, cf. **clam**], adv., *openly, publicly, without concealment.*

Palātium (**Pāl-**), -ī, [palatŏ- (the arched roof of the mouth) + ium], N., (*the round hill*?), *the Palatine* (the hill of Rome which was the original site of the city).

Palladium, -ī, [Παλλάδιον], N., (*the little Pallas*), *the Palladium* (the little image of Pallas Athene, on which depended the safety of Troy, and which was carried off by Ulysses and Diomedes). — Hence, *a palladium* (any object of like importance).

palma, -ae, [borrowed from Gr. παλάμη], F., *the palm* (of the hand). — Also, *a palm branch, a palm* (esp. as symbol of victory), *a victory* (cf. "laurels" in Eng).

palūs, -ūdis, [?], F., *a marsh.*

Pamphȳlia, -ae, [Gr. Παμφυλία], F., the country on the south coast of Asia Minor, between Lycia and Cilicia, not included in the province of Asia Minor.

Panhormus (Panormus), -ī, [Πάνορμος], F., *Panormus*, the city on the north coast of Sicily, now *Palermo*, famous for its harbor.

Pānsa, -ae, [?], M., a Roman family name. — Esp., *C. Vibius Pansa*, one of the partisans of Cæsar, who was consul, B.C. 43, and was active in the fight against Mark Antony.

Papīrius (old **Papīsius**), -ī, [cf. **Papius**], M., a Roman gentile name. — Esp., *M. Papirius Maso*, killed by Clodius in a fight in the Appian Way.

Pāpius, -a, -um, [**Papa** (or -ŏ) + **ius**], adj., (*of Papa* or *Papus*). — Masc., as a Roman gentile name. — Also, *of Papius* (esp. of *C. Papius*, tribune, B.C. 65, proposer of a law in regard to Roman citizenship).

pār, paris, [perh. akin to **paro**, **pario** (through the idea of barter or exchange)], adj., *equal, alike, like.* — Esp., *on a par with, equal in power, a match for, adequate to, sufficient for.*

Paralus, -ī, [Gr. Πάραλος], M., an Athenian hero, after whom one of the sacred galleys was named.

parātē [old abl. of **paratus**], adv., *with preparation.*

parātus, see **paro**.

parcō̆, peperci (parsī), parsūrus (parcitūrus), parcere, [akin to **parcus** (√PAR + **cus**, *acquisitive*, and so *frugal*?)], 3. v. n., *spare, be considerate for.*

parēns, -entis, [√PAR (in **pario**) + ens (cf. Gr. τεκών)], C., *a parent, a father.*

pāreō̆, pāruī, pāritūrus, pārēre, [parŏ- (cf. **opiparus**)], 2. v. n., (*be prepared*), *appear, obey, follow, yield, consult* (utilitati).

paries, -ietis (-jetis), [akin to περί?], M., *a wall* (of a house or the like, cf. **murus**).

Parīlia (Palīlia), -ium [**Pali** + **ilis**], N. plur. (of **Palilis**), *the feast of Pales* (a divinity of shepherds). It was held April 21.

Parinus, -a, -um, an uncertain word in Mss. of Verres, v. 57.

pariō̆, peperī, partus (paritūrus), parere, [√PAR, *procure* (perh. orig. by barter, cf. **par**)], 3. v. a., *procure, acquire, secure, win.* — Esp., *produce, give birth to* (of the mother).

Parma, -ae, [?], F., a town of Cisalpine Gaul. It was treacherously taken by Antony, and its people barbarously treated.

Parmēnsis, -e, [**Parma**+**ensis**], adj., *of Parma.* — Plur. as subst., *the people of Parma.*

parō̆, -āvī, -ātus, -āre, [parŏ-, cf. **opiparus** and **pareo**], 1. v. a., *procure, provide, prepare, get ready, get ready for* (bellum, used concretely for the means of war), *secure, arrange, engage.* — **parātus**, -a, -um, p.p. as adj., *ready, prepared, well prepared, skilful, well equipped.* animo parato (*with resolution*).

parricīda, -ae, [patri- (as stem of pater) †cida (caed+a, cf. **homicida**)?], M. and F., *a parricide.*

parricīdium, -ī, [parricida + ium], N., *parricide.*—Less exactly, *murder:* patriae (as the parent of her citizens).

pars, partis, [√PAR + tis (reduced), akin to **portio**, and perh. to **par** (cf. also **pario**)], F., (*a dividing*), *a portion, a part, a share, a side, a party* (also plur.), *a branch, a role* (in a play).—Esp. in adverbial phrases, *direction, way, degree:* **in omnes partes** (*in all directions, in all ways*); **in utraque parte** (*on both sides*); **in bonam partem** (*in good part*); **in utramque partem** (*in both directions, both ways*); **ad aliquam mei partem** (*to some part of my existence, to me in some respect*).—See also **partim**.

parsimōnia (parci-), -ae, [parco- (as stem of **parcus**) or parsŏ- (stem of **parsus**) + **monia**, cf. **sanctimonia**], F., *frugality, parsimony.*

particeps, -cipis, [parti-†ceps (√CAP as stem, cf. **princeps**)], adj., *participant, taking part.*—As subst., *a sharer, a participant, a participator, an associate.*

partim [old acc. of **pars**], adv., *partly, in part.*—Esp., partim . . . partim, *some . . . others, partly . . . partly;* quas partim . . . partim (*some of which . . . others*).

partiō̆, -īvī (-iī), -ītus, -īre, and **partior**, -ītus, -īrī, [parti-], 4. v. a. and dep., *divide:* **partitis temporibus** (*alternately*).

partītiō̆, -ōnis, [partī (stem of **partior**) + **tio**], F., *a division, a partition.*

partus, -tūs, [√PAR (in **pario**) + **tus**], M., *a birth, the production of offspring.*

parum [akin to **parvus**, perh. for **parvum**], adv., *not very, not much, not sufficiently, too little, ill:* parum amplus (*too small*).

parvulus, -a, -um, [parvŏ+**lus**], adj., *small, slight, insignificant, little.*

parvus, -a, -um, [perh. for †**paurus**, cf. **paucus**, and Gr. παῦρος], adj., *small, slight, little, trifling:* Romulus parvus (*as a child*); parvi ducere (*of little account*); parvi refert (*it makes little difference, it matters little*); parvi animi esse (*mean-spirited, unambitious, unaspiring*).

pāscō̆, pāvī, pāstus, pascere, [√PA (?) + **sco**], 3. v. n. and a., *feed, fatten.*

passus, -sūs, [√PAD (in **pando**) + **tus**], M., (*a spreading of the legs*), *a stride, a step, a pace* (esp. as a measure, about five Roman feet): mille passuum (a Roman *mile*, five thousand feet).

pāstiō̆, -ōnis, [pas (as if root of **pasco**) + **tio**], F., *pasturing, feeding, pasturage.*

pāstor, -tōris, [pas (as if root of **pasco**) + **tor**], M., *a shepherd, a herdsman* (a slave occupied in pasturing).

patefaciō̆, -fēcī, -factus, -facere, [noun-stem akin to **pateo** + **facio**], 3. v. a., *lay open, open, lay bare, disclose, discover, make known, show clearly.*

pateō̆, -uī, no p.p., -ēre, [†patŏ- (noun-stem akin to Gr. πετάννυμαι)], 2. v. n., *be extended, lie open, spread, extend, be wide, be open, be exposed, be uncovered, be obvious, be patent.*—**patēns**, -entis, p. as adj., *open, exposed.*

pater, -tris, [√PA (in **pasco**?) + **ter**], M., *a father.*—Plur., *ancestors, senators, the senate:* **patres conscripti** (*senators, gentlemen of the* *senate, conscript fathers?*); **pater familias** (*a householder*).

paternus, -a, -um, [pater+**nus**], adj., *of a father, paternal, of one's father, of one's fathers.*

patientia, -ae, [patient + **ia**], F., *patience, endurance, forbearance, long-suffering.*

Patina, -ae, [patina], M., a Roman family name.—Only, *T. Patina*, a friend of Clodius.

patior, passus, patī, [?], 3. v. dep., *suffer, endure, bear, put up with, tolerate, allow, permit.*—**patiēns**, -entis, p. as adj., *patient, long-suffering.*

patria, see **patrius**.

patricius, -a, -um, [patricŏ + **ius**], adj., (*of the senate*, the original nobility of Rome as opposed to the plebs, cf. **pater**), *patrician* (of this nobility). — Less exactly, *noble* (of the later nobility). — Plur., *the nobles* (not necessarily the original patricians).

patrimōnium, -ī, [patri- (as if stem of **pater**) + **monium** (i.e., mŏ + **on** + ium)], N., *a paternal estate, a patrimony, an inheritance, an ancestral estate.*

patrius, -a, -um, [pater + **ius**], adj., *of a father, ancestral, of one's fathers, paternal* — Esp., **patria**, F., *one's fatherland, native country, country, native city.*

patrōnus, -ī, [†patrō- (as if stem of †**patroo**, cf. **colōnus, aegrōtus**) + **nus**], M., *a patron, a protector, an advocate.*

patruus, -ī, [pat(e)r+**vus**?], M., *an uncle* (on the father's side, cf. **avunculus**, on the mother's).

paucus, -a, -um, [√PAU- (cf. **paulus** and **parvus**) + **cus**], adj., almost always in plur., *few, a few, some few* (but with implied *only* in a semi-negative sense): **pauca dicere** (*a few words, briefly*).

paulīsper [paulis (abl. plur. of **paulus**?) -**per**], adv., *a little while, for a short time.*

paululum [acc. of **paululus**], as adv., *a very little.*

paulus, -a, -um, [pau (cf. **paucus**) + lus (= **rus**?)], adj., *little, slight, small, insignificant.* — Esp., **paulum**, N., as subst. and adv., *a little, little, slightly.* — **paulō**, abl. as adv., *a little, slightly, little:* paulo ante (*a little while ago, just now*).

Paulus, -ī, [paulus], M., a Roman family name. — Esp.: 1. *L. Æmilius Paulus*, who conquered Perses of Macedonia, B.C. 168; 2. *L. Æmilius Paulus* (of the family of the Lepidi), prætor, B.C. 53, a partisan of the nobility.

pāx, pācis, [√PAC, as stem], F., (*a treaty*?), *peace:* **pace alicujus** (*by permission of*, etc., *if one will allow*, an apology for some expression or statement): **pace tua, patria, dixerim** (*pardon me, my country, if I say it*).

peccātum, -ī, [N. of p.p. of **pecco**], N., *a fault, a wrong, a misdeed, an offence.*

peccŏ, -āvī, -ātūrus, -āre, [?], 1. v. n., *go wrong, commit a fault, do wrong, err.*

pectŏ, pexī (-uī), pexus (pectitus), pectere, [√PEC + to, cf. **necto**], 3. v. a., *comb:* **pexo capillo** (*with well-combed locks*).

pectus, -oris, [perh. pect (as root of **pecto**) + **us**, from the rounded shape of the breast, cf. **pectinatus**], N., *the breast.* — Fig., *the heart, the mind.*

pecuārius, -a, -um, [pecu+**arius**],

adj., *of cattle*. — Masc., *a grazier*. — Fem., *pasturage, grazing*.

pecūlātus, -tūs, [peculā + **tus**], M., *embezzlement*.

pecūnia, -ae, [†pecunŏ- (pecu + **nus**, cf. **Vacuna**) + **ia**], F., *money* (originally cattle), *wealth, capital, an amount of money, a sum of money*: **ratio pecuniarum** (*the matter of finance*).

pecūniōsus, -a, -um, [**pecunia** + **osus**], adj., *rich*.

pecus, -udis, [**pecu** + **dus** (reduced)], F., *a domestic animal* (cf. **pecus**, -oris, *a herd* or flock), *a brute* (as opposed to man), *a dumb beast*.

pedester, -tris, -tre, [pedit+**tris**], adj., *of infantry, of persons on foot*: **copiae** (*foot, infantry*).

pedetemptim (**-tentim**) [**pede** †**temptim** (cf. **sensim**)], adv. (*feeling one's way with the feet*), *cautiously, gradually*.

pējor, see **malus**.

pējus, see **male**.

pellō̆, pepulī, pulsus, pellere, [?], 3. v. a., *strike, beat, drive, defeat, repulse, drive out*.

Penātēs, -ium, [penā- (cf. **penator** and **penus**) + **tis** (reduced, cf. **Arpinas**)], M. plur., (presiding over the household supplies?), *the household gods* (usually with **Di**), *the Penates* (the tutelary divinities of the household and of the city as a household). — Esp. as a symbol for the home.

pendeō̆, pependī, no p.p., pendēre, [†pendŏ- (cf. **altipendus**)], 2. v. n., *hang, depend*.

pendō̆, pependī, pēnsus, pendere, [?], 3. v. a., *hang, weigh, weigh out, decide*. — Hence (since money was earlier weighed, not counted), *pay, pay out*. — Esp. with words of punishment, *pay* (a penalty), *suffer* (punishment, cf. **dare** and **capere**).

penes [prob. acc. of stem in -**us** akin to **penitus**], prep., *in the power of, in the control of*.

penetrō̆, -āvī, -ātus, -āre, [†penetrŏ-, from **pene-** (in **penitus**, etc.) + **terus** (cf. **inter, intrō̆**)], 1. v. a. and n., (*go in deeper*), *enter, penetrate, force one's way in*.

penitus [stem akin to **penes**, **penus**, etc., + **tus**, cf. **divinitus**], adv., *far within, deeply, entirely, utterly, deep within*.

pēnsitō̆, -āvī, -ātus, -āre, [†pensitŏ- (as if p.p. of **penso**, cf. **dictito**)], 1. v. a., *weigh*. — Hence, *pay* (cf. **pendo**).

1. **per** [unc. case-form of stem akin to Gr. περί], adv. (in composition) and prep., *through*. — Fig., *through, by means of* (cf. **ab**, *by*, directly), *by the agency of*: **per me**, etc. (*by myself, without other aid*); **per se** (*of itself*). — Often accompanied by the idea of hindrance: **per anni tempus potuit** (*the time of the year would allow*); **per vos licere** (*you do not prevent, you allow, so far as you are concerned*, etc.); **per aetatem non audere** (*on account of*). — Of time, *through, for*: **per triennium**. — In adjurations, *by, for the sake of*.

2. **per** [perh. a different case of same stem as 1. **per**], adv. in comp., *very, exceedingly*.

peradulēscēns, -entis, [?, 2. per-adulescens], adj., *very young*.

peragō̆, -ēgī, -āctus, -agere, [1. **per-ago**], 3. v. a., *conduct through, finish, accomplish, carry through*.

peragrō̆, -āvī, -ātus, -āre, [1. **per-agro**], 1. v. a. and n., *traverse, travel over, go over, travel*. — Fig., *spread*.

perangustus, -a, -um, [2. per-angustus], adj., *very narrow.*

perbrevis, -e, [2. per-brevis], adj., *very short, very brief.*

percallēscō̆, -uī, no p.p., -ēscere, [2. per-callesco], 3. v. n., *become thoroughly hardened.*

percellō̆, -culī, -culsus, -cellere, [per-†cello (cf. **celer**)], 3. v. a., *knock over, strike down, overturn, dash to the ground.*

percipiō̆, -cēpī, -ceptus, -cipere, [1. per-capio], 3. v. a., *take in* (completely), *learn, acquire, hear.* — Esp. of harvests, *gather.* — Hence, fig., *reap, win, gain* (but in Latin the figure is retained).

percitus, -a, -um, [p.p. of **percieo**], as adj., *excited, incensed.*

percommodē [2. per-commode], adv., *very conveniently, very opportunely.*

percrēbrēscō̆ (-**bēscō̆**), -bruī (-buī), no p.p., -brēscere (-bēscere), [2. per-crebresco], 3. v. n., *become very frequent, become very common, spread very widely.*

percutiō̆, -cussī, -cussus, -cutere, [1. per-quatio], 3. v. a. and n., *hit, strike, run through, stab, strike a blow.* — Fig., *strike with fear.*

perdō̆, perdidī, perditus, perdere, [1. per-do], 3. v. a., *destroy* (cf. **interficio**), *ruin, lose.* — **perditus**, -a, -um, p.p. as adj., *ruined, desperate, abandoned, lost, overwhelmed.*

perdūcō̆, -dūxī, -ductus, -dūcere, [1. per-duco], 3. v. a., *lead through, lead along, bring over, carry along, introduce.*

perduellio, -ōnis, [perduelli+o], F., *treason* (technical, and not strictly conforming to either our high or petit treason).

peregrīnor, -ātus, -ārī, [peregrinŏ-] 1. v. dep., *travel abroad* (also fig., **studia**); also, *be abroad* (out of sight or hearing).

peregrīnus, -a, -um, [peregro + inus], adj., *foreign, outlandish.*

perennis, -e [1. per-annus (weakened)], adj., (lasting for the year?), *perennial, unfailing, eternal.*

pereō̆, -iī (-īvī), -itūrus, -īre, [1. per-eo], irr. v. n., *perish, be killed, die, be lost.*

perexiguus, -a, -um, [2. per-exiguus], adj., *very small, very short.*

perfacilis, -e, [2. per-facilis], adj., *very easy.* — Neut. as adv., *very easily.*

perfectiō̆, -ōnis, [1. per-factio, cf. **perficio**], F., *the accomplishment, the completion.*

perferō̆, -tulī, -lātus, -ferre, [1. per-fero], irr. v. a., *carry through* (or *over*), *bring over, bring, bear, carry.* — Also, *bear through* (to the end), *endure, suffer, submit to.*

perficiō̆, -fēcī, -fectus, -ficere, [1. per-facio], 3. v. a., *accomplish, effect, complete, finish, make* (complete). — With **ut** (**uti**), *bring it about, succeed in* (doing or having done or getting done), *accomplish, make* (some one do something or the like).

perfidia, -ae, [perfidŏ + ia], F., *perfidy, treachery, faithlessness.*

perfringō̆, -frēgī, -fractus, -fringere, [1. per-frango], 3. v. a., *break through, break down, break the barriers of.*

perfruor, -fructus (-fruitus), -fruī, [1. per-fruor], 3. v. dep., *enjoy to the full, enjoy without alloy, continue to enjoy, enjoy.*

perfugiō̆, -fūgī, no p.p., -fugere, [1. per-fugio], 3. v. n., *run away,* *flee* (to a place), *escape to, take refuge in* (ad portum).

perfugium, -ī, [1. per-†fugium, cf. **refugium**], N., *a place of refuge, refuge.*

perfungor, -functus, -fungī, [1. per-fungor], 3. v. dep., *fulfil, perform* (to the end). — Hence, *have done with, finish* (and get rid of).

pergō̆, perrēxī, perrectus (?), pergere, [1. per-rego], 3. v. n., (*keep one's direction?*), *keep on, continue to advance, advance, go on, proceed.*

perhorrēscō̆, -horruī, no p.p., horrēscere, [1. per-horresco], 3. v. n. and a., *shudder all over, shudder at.*

perīclitor, -ātus, -ārī, [†periclitŏ- (as if p.p. of **periculor**)], 1. v. dep., *try, make a trial, be exposed, be put in peril, imperil.*

perīclum, see **periculum**.

perīculōsē [old abl. of **periculosus**], adv., *with peril.*

perīculōsus, -a, -um, [periculŏ +osus], adj., *dangerous, perilous, hazardous, full of danger.*

perīculum (-**clum**), -ī, [†perī- (cf. **experior**) + **culum**], N., *a trial.* — Hence, *peril, danger, risk.* — Esp. of the defendant in a prosecution, *jeopardy, prosecution* (in reference to the accused), *defence, trial* (in court), *accusation.*

perimō̆, -ēmī, -emptus, -imere, [1. per-emo (*take*)], 3. v. a., *destroy, put an end to.*

perinde, [1. per-inde], adv., (*straight through?*), *just, exactly.*

perinīquus, -a, -um, [2. per-iniquus], adj., *very unfair, very unjust.*

perītus, -a, -um, [†perī- (cf. **experior**) + **tus**], p.p. as adj., (*tried*), *experienced, skilled, skilful, of great experience.*

perjūrium, -ī, [prob. †perjus, adj., from **per** (perh. a diff. case from 1 and 2) **jus**, + **ium** (cf. **injurius**). But possibly these are all abnormal formations], N., *perjury, false swearing*

permāgnus, -a, -um, [2. per-magnus], adj., *very great, very large.*

permaneō̆, -mānsī, -mānsūrus, -manēre, [1. per-maneo], 2. v. n., *remain* (to the end), *continue, hold out, persist, stay.*

permittō̆, -mīsī, -missus, -mittere, [1. per-mitto], 3. v. a., (*give over*), *grant, allow, give up, entrust, hand over, put into the hands of.*

permodestus, -a, -um, [2. per-modestus], adj., *excessively modest.*

permoveō̆, -mōvī, -mōtus, -movēre, [1. per-moveo], 2. v. a., *move* (thoroughly), *influence, affect.* — **permōtus**, -a, -um, p.p., *much affected, influenced, overcome.*

permultus, -a, -um, [2. per-multus], adj., *very much, very many, a great many:* **permultum valere** (*be very strong*).

permūtātiō̆, -ōnis, [permutā + tio], F., *a change:* **rerum** (*revolution, upheaval*).

perniciēs, -ēī, [?, akin to **nex**], F., *destruction, ruin, injury, harm, mischief, a plague* (used of Verres).

perniciōsus, -a, -um, [pernicie+osus], adj., *destructive, ruinous, mischievous.*

pernōbilis, -e, [2. per-nobilis], adj., *very noble, most noble, very famous.*

pernoctō̆, -āvī, -ātus, -āre, [1. per-nocto], 1. v. n. (and a.), *pass the night.*

perōrō̆, -āvī, -ātus, -āre, [1. per-oro], 1. v. a. and n., *finish arguing, conclude* (a case).

perparvus, -a, -um, [2. **per-parvus**], adj., *very small, very little.*

perpaucus, -a, -um, [2. per-paucus], adj. — Plur., *very few, but very few, only a very few.*

perpetior, -pessus, -petī, [1. **per-patior**], 3. v. dep., *suffer, endure.*

perpetuus, -a, -um, [1. **per-†petuus** ($\surd$PET + **vus**)], adj., (*keeping on through*), *continuing, continual, continued, continuous, without interruption, lasting, permanent, everlasting:* **in perpetuum** (*for ever*).

perpolītus, -a, -um, [p.p. of **perpolio**], as adj., *refined, highly cultivated.*

perārrō [2. **per-raro**], adv., *very rarely, almost never.*

Persa (**Persēs**), -ae, [Gr. Πέρσης], M., *a Persian.* — Plur., *the Persians.*

persaepe [2. **per-saepe**], adv., *very often, many times.*

persapienter [2. **per-sapienter**], adv., *very wisely, with great wisdom.*

perscrībō, -scrīpsi, -scrīptus, -scrībere, [1. **per-scribo**], 3. v. a., *write out.*

persequor, -secūtus, -sequī, [1. **per-sequor**], 3. v. dep., *follow up, pursue.* — Hence, *avenge, punish.* — Also, *follow out* (a series of points), *take up* (in detail).

Persēs (**Persa**), -ae, [Gr. Πέρσης], M., (cf. **Persa**, the same word), king of Macedonia, son of Philip V. He was conquered in the third Macedonian war by Æmilius Paulus.

persevērantia, -ae, [perseverant + ia], F., *persistence, perseverance.*

persolvō, -solvī, -solūtus, -solvere, [per-solvo], 3. v. a., *pay in full, pay:* poenas (*pay, suffer*).

persōna, -ae, [1. **per-†sona**, cf. **dissonus**], F., *a mask.* — Hence, *a part, a role, a character, a personage, a party* (in a suit).

perspiciō, -spēxī, -spectus, -spicere, [1. **per-†specio**], 3. v. a., *see through, see, inspect, examine.* — Also, *see thoroughly.* — Fig., *see clearly, see, understand, learn, observe, find, discover.*

perspicuē [old abl. of **perspicuus**], adv., *clearly, plainly.*

perspicuus, -a, -um, [1. **per-†specuus** ($\surd$SPEC + **vus**, cf. **conspicuus**)], adj., *obvious, plain, clear.*

persuādeō, -suāsī, -suāsus, -suādēre, [1. **per-suadeo**], 2. v. n. (and a.), *persuade, induce.*

pertenuis, -e, [2. **per-tenuis**], adj., *very thin, very slight.*

perterreō, -terruī, -territus, -terrēre, [1. **per-terreo**], 2. v. a., *terrify, alarm.*

pertimēscō, -timuī, no p.p., -timēscere, [1. **per-timē + sco**], 3. v. a. and n., *fear much, fear greatly, dread, be alarmed.*

pertinācia, -ae, [pertinac + ia], F., *obstinacy* (in a bad sense, cf. **constantia**, *firmness*).

pertināx, -ācis, [1. **per-tenax**, cf. **pertineo**], adj., *pertinacious, obstinate.*

pertineō, -tinuī, no p.p., -tinēre, [1. **per-teneo**], 3. v. n., (*hold a course towards*), *tend, extend.* — Fig., *have to do with, concern, tend:* **ad quem maleficium** (*belongs, whose is,* etc.); **ad te non pertinere** (*to have no concern for you*).

perturbō, -āvī, -ātus, -āre, [1. **perturbo**], 1. v. a., *disturb, throw into confusion, confuse, throw into disorder, alarm, terrify, agitate, make anxious:* **turbata tempora** (*times of disorder*).

pervādō, -vāsī, -vāsus, -vādere,

[1. **per-vado**], 3. v. n. and a., (*proceed to*), *reach, spread to, extend to, enter, fill* (of an idea).

pervagor, -ātus, -ārī, [1. **per-vagor**], 1. v. dep., *roam, scatter, diffuse itself.* — So, **pervagātus**, -a, -um, p.p., *wide-spread.*

perveniō, -vēnī, -ventum (N. imp.), -venīre, [1. **per-venio**], 4. v. n., (*come through to*), *arrive at, get as far as, reach, come, arrive*: **ad eum locum** (*come to this point*); **regnum** (*come, fall*); **ad laudem** (*attain, equal*).

pervolgō (-vulgō), -āvī, -ātus, -āre, [per-volgo], 1. v. a., *spread abroad*: **pervolgatus honos** (*trite, common*).

pervolō, -āvī, -ātūrus, -āre, [1. per-volo], 1. v. n., *fly through, fly over, hurry over.*

pēs, pedis, [√PAD as stem], M., *the foot.* — Also, as a measure, *a foot.*

pessimē, superl. of **male**, wh. see.

pestifer, -era, -erum, [pesti-†fer, cf. **Lucifer**], adj., *pestilent.*

pestis, -tis, [?, perh. **pes** (in **pessum, pessimus**) + **tis**], F., *plague, pestilence.* — Esp. fig. of persons and things, *a plague, a pest, a bane, a scourge, a curse, a cursed thing.* — Less exactly, *ruin, destruction*: **una reipublicae pestis** (*convulsion*).

Petīlius, -ī, [petilŏ (akin to **peto**) + **ius**], M., a Roman gentile name. — Esp., *Q. Petilius*, one of the jury in the case against Milo.

petītiō, -ōnis, [petī- (as a stem of **peto**) + **tio**], F., *a thrust, an attack.* — Also, *a seeking, a canvass* (for office, cf. **peto**), *a campaign* (in politics).

petō, petīvī, petītus, petere, [√PAT], 3. v. a. and n., (*fall?, fly?*), *aim at, attack, make for, try to get, be aimed at, seek, go to get, go to.* — Hence, *ask, request, look for, get.* — Esp. of office, *be a candidate for.*

petulantia, -ae, [**petulant+ia**], F., *wantonness, impudence.*

Pharnacēs, -is, [Gr. Φαρνάκης], M., a son of Mithridates, king of Pontus, conquered by Cæsar, B.C. 47.

Pharsālia, -ae, [**Pharsalŏ+ia**], F., the region about Pharsalus in Thessaly, where the decisive battle between Cæsar and Pompey was fought, B.C. 48.

Pharsālicus, -a, -um, [**Pharsalŏ + cus**], adj., *of Pharsalia.*

Philippus, -ī, [Gr. Φίλιππος], M., a common Greek and Roman proper name. — Esp.: 1. *Philip V.*, king of Macedonia, defeated at Cynoscephalae, B.C. 197; 2. *L. Philippus*, cons. B.C. 91.

philosophus, -ī, [φιλόσοφος], M., *a philosopher.*

Pīcēnus, -a, -um, [**†pice-** (as a kindred stem to **picus**) + **nus**], adj., (*of the woodpecker?*). — Also, *of Picenum* (a region in eastern Italy, north of Rome). — **Pīcēnum**, N., the region itself.

pictor, -tōris, [√PIG + **tor**], M., *a painter.*

pictūra, -ae, [**†pictu** (√PIG + **tus**) + **ra**, cf. **figura**], F., *painting, a painting.*

piē [old abl. of **pius**], adv., *dutifully, religiously, with dutiful affection.*

pietās, -tātis, [**piŏ+tas**], F., *filial affection, affection* (for the gods or one's country, etc.), *patriotism, religion* (as a sentiment), *piety, dutiful affection.*

pīgnerō, -āvī, -ātus, -āre, [pigner-], 1. v. a., *pledge.* — Pass. as dep., *take as a pledge, claim as one's own.*

pīgnus, -oris (-eris), [**†pign-** (as

stem of **pango** or †**pagino**) + **us**, cf. **facinus**], N., *a pledge, a security.* — Fig., *a hostage* (reipublicae).

pila, -ae, [?, but cf. **pello**], F., *a ball, ball* (as a game).

pīlum, -ī, [?], N., *a pestle.* — Also, *a javelin* (the peculiar weapon of the Roman legion, with a heavy shaft 2 or 3 in. thick and 4 ft. long, and an iron head, making a missile more than 6 ft. long, and weighing over 10 lbs.).

pingō, pinxī, pictus, pingere, [√PIG, cf. Gr. ποίκιλος], 3. v. n., (daub with a greasy substance?), *paint.*

pinguis, -e, [?, possibly **ping-** (as root of **pingo**) + **us** (with inserted **i** as in **levis**, cf. the early methods of painting with wax)], adj., *fat.* — Hence, *stupid, clumsy, coarse.*

pīrāta, -ae, [Gr. πειρατής, *an adventurer*], M., *a sea-rover* (perhaps like the ancient Northmen, cf. **praedo**, *a pirate*, more in the modern sense), *a corsair, a freebooter, a pirate* (without the above distinction).

piscis, -is, [?], M., *a fish.* — Collectively, *fish.*

Pīsō, -ōnis, [pisŏ + o], M., (a man with a wart like a pea?, cf. **Cicero**), a Roman family name. — Esp., *L. Calpurnius Piso Cæsonius*, father-in-law of Cæsar, cons. B.C. 58 with Gabinius.

Pius, -ī, [pius], M., a name of Q. Metellus, given him for his dutiful conduct to his father.

placeō, -uī, itus, -ēre, [†placŏ- (cf. **Viriplaca, placo**, and **placidus**)], 2. v. n., *please, be agreeable.* — Esp. in third person, *it pleases* (one), *one likes, one approves, it is thought best, one thinks best, one determines, it is one's pleasure, one's vote is.*

plācō, -āvī, -ātus, -āre, [†placa- (cf. **Viriplaca**)?, or **placŏ-** (cf. **placidus**)], 1. v. a., *pacify, appease, reconcile, win one's favor.*

plāga, -ae, [√PLAG (in **plango**) + **a**], F., *a blow, a stroke, a lash, a stripe.*

plānē [old abl. of **planus**], adv., *flatly, clearly, plainly, distinctly, utterly, absolutely.*

plānus, -a, -um, [unc. root + **nus**], adj., *flat, level.* — Fig., *plain, clear.*

plēbējus, -a, -um, [plebe + ius], adj., *of the common people, plebeian:* ludi (a festival held Nov. 16, 17, and 18, under the direction of the plebeian ædiles, in honor of some uncertain advancement of the plebs); purpura (a dark, dull red of a poorer quality than that worn by the magistrates and senators).

plēbs (plēbēs), -is (-ēī), [plē- (in **plenus**) + unc. term., cf. πλῆθος], F., *the plebs, the common people* (as opposed to the upper classes at Rome), *the populace, the people, the commons.*

plēnus, -a, -um, [plē- (in †**pleo**) + nus], adj., *full:* **plena consensionis** (*in perfect agreement*).

plērumque, see **plerusque**.

plērusque, -aque, -umque, [√PLE (in **pleo**) + **rus** + **que** (cf. **-pletus, plenus**)], adj. only in plur., *most of, very many.* — Acc. sing. as adv., **plērumque**, *generally, usually, for the most part, very often.*

Plōtius, -ī, [?, **Plautŏ**+**ius**], M., a Roman gentile name. — Esp., *L. Plotius*, a Roman teacher of rhetoric.

Plōtius, -a, -um, [same word as preceding], adj., *of Plotius, Plotian:* **lex** (a law of M. Plotius or Plautius Silvanus in relation to assault and battery or breach of the peace).

plūrimus, see **multus**.

plūs, see **multus**.

poena, -ae, [perh. †povi- (√PU) + na (cf. **punio**)], F., *a penalty*.— Hence, *a punishment* (see **persolvo**, **repeto**, **constituo**).

poenio, see **punio**.

poenitet, see **paenitet**.

poenitor, see **punitor**.

Poenus, -a, -um, [borrowed from a stem akin to Gr. Φοινίκεος], adj., *Carthaginian*.— Plur. as noun.

poēta, -ae, [Gr. ποιητής], M., *a poet*.

poliŏ, -īvī (-iī), -ītus, -īre, [?], 4. v. a., *smooth*, *polish* (also fig.).— Also, *adorn*, *beautify*.

polliceor, -licitus, -licērī, [†por- (= Gr. πρός, cf. **portendo**) -liceor], 2. v. dep., *offer*, *promise* (voluntarily, cf. **promitto**, by request, etc.), *make an offer*, *propose*.

polluo, -uī, -ūtus, -uere, [†por-luo], 3. v. a., (*stain as by water*?), *pollute*, *defile*, *desecrate*, *violate*.

pompa, -ae, [Gr. πομπή], F., *a procession* (esp. of a funeral).

Pompējus, -ī, [†pompe- (dialectic form of **quinque**) + **ius**], M., a Roman gentile or family name.— Esp., *Cneius Pompeius*, the great rival of Cæsar.

Pompējus, -a, -um, [same word as preceding], as adj., *of Pompey*: **via** Pompeja (a street at Syracuse).

Pomptīnus (**Pont**-), -ī, [cf. **Pompejus**], M., a Roman family name.— Esp., *C. Pomptinus*, prætor, B.C. 63.

pondus, -eris, [√PEND (in **pendo**) + **us**], N., *weight*.

pōnŏ, posuī, positus, pōnere, [prob. †**por-sino** (cf. **polliceor**)], 3. v. a., *lay down*, *place*, *put*, *set*, *class*, *set before*, *station*, *lay*.— Fig., *place*, *lay*, *make depend on*, *base*, *rest*, *found*.— **positus**, -a, -um, p.p., *situated*, *lying*, *depending on*, *dependent upon*.

pōns, pontis, [?], M., *a bridge*.

pontifex, -icis, [in form **ponti-** (stem of **pons**) †**fex** (√FAC as stem); connection uncertain, but perhaps from railings in temples, etc.], M., *a pontifex* (a kind of high priest, of which several formed a board, having in charge most religious matters): **maximus** (the chief of these).

Pontus, -ī, [Gr. Πόντος], M., the ancient name of the Black Sea.— Less exactly, of the region around. — Esp., *Pontus*, the kingdom of Mithridates, on the south-eastern shore of the sea.

popa, -ae [?], M., *an inferior priest*.

Popilius, -ī, [?, cf. **popa**], M., a Roman gentile name.— Esp., *C. Popilius*, a senator, convicted of receiving money illegally.

popīna, -ae, [**popa** + **ina**, (F. of -**inus**), *butcher's shop*?], F., *a tavern* (of a low order), *a cookshop*, *a brothel*.

populāris, -e, [**populŏ** + **aris**], adj., *of the* (*a*) *people*, *of the populace*, *popular*.— Esp., *popular* (favoring the people), *democratic*.

populor, -ātus, -ārī, [populŏ-], 1. v. dep., (*strip* of people?, cf. Eng. *skin*, *shell*, *bark a tree*), *ravage*, *devastate*.— **populātus**, -a, -um, p.p. as pass., *ravaged*, *devastated*.

populus, -ī, [√PAL? (in **pleo**) reduplicated + **us**], M., (*the full number*, *the mass*), *a people* (in its collective capacity), *the people* (the state), *a nation*, *a tribe* (as opposed to individuals): **populus Romanus** (the official designation of the Roman state). — Esp., *the people* (as distinguished from the higher classes, no longer opposed to **plebs**), *the citizens* (including all).

Porcius, -ī, [†Porcŏ- (**porcus**) + **ius**], M., a Roman gentile name. — Esp.: 1. *M. Porcius Cato*, the Censor, ædile, B.C. 199; 2. *M. Porcius Læca*, tribune, B.C. 199.

Porcius, -a, -um, [same word as preceding], adj., *of Porcius* (one of the two above mentioned), *Porcian*: **lex** (*a law* by one of the above, securing the freedom of Roman citizens from stripes and death except by judgment of their peers).

porrigō̆, -rēxī, -rectus, -rigere, [†**por**- (cf. **polliceor**) -**rego**], 3. v. a., *stretch forth, hold out to one, put in one's hand.*

porrō̆ [?, akin to †**por** (cf. **porrigo**)], adv., *furthermore, further, moreover, then again.*

porta, -ae, [√POR (cf. Gr. πόρος) + **ta**], F., (*way of traffic*?), *a gate.*

portentum, -ī, [p.p. of **portendo**], N., *a portent.* — Hence, *a monster, a prodigy* (of crime or the like).

porticus, -ūs, [**porta** + **cus**, the declens. prob. a blunder, cf. **senati**, etc.], F., *a colonnade, a portico, an arcade.*

portō̆, -āvī, -ātus, -āre, [**porta**-?], 1. v. a., *carry* (perh. orig. by way of traffic), *bring.*

portus, -tūs, [√POR (cf. **porta**) + **tus**], M., (*a place of access*), *a harbor, a haven, a port*: **ex portu** (*from customs*).

poscō̆, poposcī, no p.p., poscere, [perh. akin to **prex**], 3. v. a., *demand* (with some idea of claim, stronger than **peto**, weaker than **flagito**), *require, claim, call for, ask for.*

possessiō̆, -ōnis, [†**por**-†**sessio** (cf. **obsessio**)], F., *possession, occupation.* — Concretely (as in Eng.), *possessions, lands* (possessed), *estates*: **de possessione detrahere** (*lands in possession*); **libertatis** (*enjoyment*).

possideō̆, -sēdī, -sessus, -sidēre, [†**por-sedeo**], 2. v. a., (*settle farther on*?), *occupy, possess, hold possession of, enjoy.*

possum, potuī, posse, [**pote** (for **potis**) -**sum**], irr. v. n., *be able, can* (etc.), *be strong, have power, have weight, can do*, etc.: **plurimum potest** (*is very strong, is very able, has the greatest advantage*); **si fieri potest** (*if it is possible*); **neque potest is**, etc. (*it is impossible that he*, changing construction to keep emphasis).

post [?, prob. abl. of stem akin to **postis** (cf. **ante, antes**, *rows*, and **antae**, *pilasters*)], adv. and prep., *behind, after, later than, afterwards, later, since*: **post diem tertium** (*three days after*); **post memoriam hominum** (*since*); **post conditam Messanam** (*since the building of*, etc.). — **post quam**, see **postquam**.

posteā [**post ea** (prob. abl. or instr.)], adv., *afterwards, later, hereafter, by and by.* — **posteā quam**, see **posteaquam**.

posteāquam (often separate) [**postea quam**], conjunctive adv., (*later than*), *after* (only with clause).

posteritās, -tātis, [**posterŏ**+**tas**], F., *aftertimes, future ages*: **in posteritatem** (*for the future, in the future, hereafter*).

posterus, -a, -um, [**post**- (or stem akin) + **rus** (orig. compar., cf. **superus**)], adj., *the next, later*: **posteri** (*posterity*); **postero die** (*the next* *day*); **in posterum** (*for the future*). — **postrēmus**, -a, -um, superl., *last, the lowest.* — **postrēmō**, abl., *lastly, finally.*

posthāc [post hac (prob. abl. or instr.)], adv., *hereafter.*

postquam [post quam], conjunctive adv., (*later than*), *after.*

postrēmō, see **posterus.**

postrēmus, see **posterus.**

postrīdiē [†posteri (loc. of **posterus**) -die], adv., *the next day.*

postulātiō, -ōnis, [postulā+tio], F., *a demand, a request.*

postulō, -āvī, -ātus, -āre, [?], 1. v. a., *claim* (with idea of right, less urgent than **posco**), *ask, request, require, call for, demand, expect:* postulante nescio quo (*at somebody or other's request*); nullo postulante (*without any one's asking it*).

potēns, -entis, [p. of **possum** as adj.], adj., *powerful, influential, of influence:* potentiores (*men of influence*).

potentia, -ae, [potent + ia], F., *power* (political influence), *authority* (not official or legal), *domination, domineering.*

potestās, -tātis, [potent + tas], F., *power* (official, cf. **potentia**, and civil, not military, cf. **imperium**), *office, authority, power* (generally), *control, ability, opportunity, chance, permission* (from a different point of view), *privilege:* imperium et potestas (*military and civil power, power and authority*); praedonum (*the power, the hands*).

potior, potītus, potīrī, [poti-, cf. **potis**], 4. v. dep., *become master of, possess one's self of, get the control of:* rerum (*gain supreme control*).

potior, -us, -ōris, [compar. of **potis**], adj., *preferable.* — **potius**, acc. as adv., *rather.* — **potissimum**, acc. of superl. as adv., *rather than any one* (*anything*) *else, particularly, especially, most of all, by preference* (over all others), *better than any other, best.*

pōtus, -a, -um, [p.p. of **†poo**, cf. **potio**], p.p., *having drunken, full of wine.*

prae [unc. case-form of same stem as **pro**], adv. (in composition) and prep., *before, in comparison with.* — Esp. with words implying hindrance, *for, on account of* (some obstacle). — In composition, *before others, very, before, at the head of.*

praebeō, praebuī, praebitus, praebēre, [prae-habeo], 2. v. a., (*hold before one*), *offer, present, furnish, afford:* **crudelitati sanguis praebitus** (*sacrificed*). — With reflex., *show, display, act* (in any manner).

praeceps, -cipitis, [prae-caput], adj., *head-first, headlong, in haste, hasty, inconsiderate, driven headlong.*

praeceptum, -ī, [p.p. of **praecipio**], N., *an instruction, an order, a precept, instruction* (in plur.).

praecipiō, -cēpī, -ceptus, -cipere, [prae-capio], 3. v. a. and n., *take beforehand, anticipate.* — Also, *order, give instructions, give directions.*

praecipuē [old abl. of **praecipuus**], adv., *especially.*

praecipuus, -a, -um, [prae-†capuus ($\surd$CAP + **vus**)], adj., (*taking the first place*), *special, particularly great:* **hoc praecipuum** (*this special advantage*).

praeclārē [old abl. of **praeclarus**], adv., *nobly, gloriously, finely, in a fine condition, handsomely, very well.*

praeclārus, -a, -um, [**prae-clarus**], adj., *very noble, glorious, very famous, excellent, magnificent, preëminent, very fine, very beautiful, very striking, splendid:* **omnia praeclara sentire** (*have all the noblest sentiments*, etc.).

praeclūdō, -clūsī, -clūsus, -clūdere, [**prae-claudo**], 3. v. a., (*close some one* or *something in front*), *shut off, barricade, cut off.*

praecō, -ōnis, [?], M., *a herald.*

praecōnius, -a, -um, [**praecon+ius**], adj., *of a herald.*—Neut. as subst., *heralding.*

praecurrō, -cucurrī (-currī), -cursūrus, -currere, [**prae-curro**], 3.v.n. and a., *run on before, hasten on before, hasten in advance, hurry on before, outrun, outstrip.*

praeda, -ae, [prob. **prae-†hida** (root of **-hendo+a**)], F., *booty, prey, plunder.*

praedātor, -tōris, [**praedā+tor**], M., *a plunderer, a robber.*

praedicātiō, -ōnis, [**praedicā + tio**], F., *a proclaiming, an assertion, a statement, commendation, celebrity* (talk of people about one).

praedīcō, -dīxī, -dictus, -dīcere, [**prae-dico**], 3. v. a., *foretell, prophesy, tell beforehand, state first.*

praedicō, -āvī, -ātus, -āre, [**†praedicō-** (or similar stem from **prae** with √DIC, before the world or one's self, cf. **praedīco**, before the event)], 1. v. a. and n., *make known* (before one), *proclaim, describe, boast, vaunt one's self, celebrate, report, say, tell us, state, declare:* **praedicari de se volunt** (*to be talked about*).

praeditus, -a, -um, [**prae-datus**, cf. **praebeo**], p.p., *endowed, furnished, supplied, possessing, enjoying.*

praedium, -ī, [**praed-** (**praes**) + **ium**], N., *an estate* (orig. as a security).

praedō, -ōnis, [**praeda + o**], M., *a robber, a freebooter, a pirate* (cf. **pirata**).

praeeō, -īvī (-iī), no p.p., -īre, [**prae-eo**], irr. v. n. and a., *go before, precede.*—Esp. of formulas, *dictate.*—Hence, *prescribe, dictate* (generally).

praefectūra, -ae, [**praefec-** (as stem of **praeficio**) + **tura**, cf. **pictura**], F., *the office of præfectus* (see next word), *a prefecture*(?).—Also, the city governed by a prefect, *a prefecture* (as opposed to **municipium** and **colonia**, wh. see).

praefectus, -ī, [p.p. of **praeficio**, as subst.], M., *a captain* (of auxiliary troops).—Also, *a governor* (sent from Rome to govern a city of the allies).

praeferō, -tulī, -lātus, -ferre, [**prae-fero**], irr. v. a., *place before, hand to, place in one's hands, esteem above, prefer to* (with dat. or **quam**).

praeficiō, -fēcī, -fectus, -ficere, [**prae-facio**], 3. v. a., *put before, place in command of, set over.*

praefīniō, -īvī (-iī), -ītus, -īre, [**prae-finio**], 4. v. a., (*set a limit before*), *limit, fix* (as a limit).

praemittō, -mīsī, -missus, -mittere, [**prae-mitto**], 3. v. a., *send forward, send on.*

praemium, -ī, [?, perh. **prae-†emium** (√EM, in **emo**, + **ium**)], (taken before the general distribution or disposal of booty?), N., *a reward, a prize.*

praemoneō, -uī, -itus, -ēre, [**praemoneo**], 2. v. a., *warn beforehand, forewarn.*

Praeneste, -is, [?], N. and F., a city of Latium about twenty miles from Rome, strongly fortified, now *Palestrina*.

praeparō̆, -āvī, -ātus, -āre, [prae-paro], 1. v. a., *prepare beforehand, provide for, provide, prepare.*

praepōnō̆, -posuī, -positus, -pōnere, [prae-pono], 3. v. a., *put in command, put in charge, place over:* **praepositus est** (*presides over*).

praeripiō̆, -ripuī, -reptus, -ripere, [prae-rapio], 3. v. a., *snatch away, seize in advance, forestall.*

praerogātivus, -a, -um, [prae-rogā + tivus], adj., (*asked first*), *voting first.* — Fem. as subst., *the first century* (in voting). — Hence, *a decisive vote* (given first and so an omen of the result), *an indication, an earnest.*

praescrībō̆, -scrīpsī, -scrīptus, -scrībere, [prae-scribo], 3. v. a., (*write down beforehand*), *prescribe, order, direct, ordain:* **hoc beluis natura** (*impress upon*).

praesēns, -entis, p. of **praesum**.

praesentia, -ae, [praesent+ia], F., *presence, the present moment:* **in praesentia** (*for the moment, at the moment*).

praesentiō̆, -sēnsī, -sēnsus, -sentīre, [prae-sentio], 4. v. a., *see beforehand, find out in time, find out* (beforehand), *look forward to.*

praesertim [as if acc. of †**praesertis** (√SER, in **sero**, + tis)], adv., (*at the head of the row?*), *especially, particularly.*

praesideō̆, -sēdī, no p.p., -sidēre, [prae-sedeo], 2. v. n. (and a.), (*sit in front of*), *preside over, guard.*

praesidium, -ī, [prae-†sidium (√SED + ium), cf. **obsidium**], N., (*a sitting down before*), *a guard, a garrison, a force* (detached for occupation or guard), *an armed force, a defence.* — Fig., *protection, assistance, support, a defence, a safeguard, a bulwark, a stronghold, a reliance.*

praestābilis, -e, [praestā+bilis], adj., *excellent, desirable.*

praestāns, see **praesto**.

praestō [?, perh. "praesto," *I am here* (as if quoted)], adv., *on hand, ready, waiting for:* **praesto esse** (*be waiting for, meet*).

praestō̆, -stitī, -stātus, (-stitus), -stāre, [prae-sto], 1. v. a. and n., *stand before, be at the head, excel, be superior:* **praestat** (*it is better*). — Also, causatively, (*bring before*), *furnish, display, give assurance of, vouch for, maintain, assure, make good.* — Esp. with pred. acc., *guarantee, insure, maintain.* — **praestāns**, -antis, p. as adj., *excellent, superior, surpassing.*

praestōlor, -ātus, -ārī, [?, but cf. **stolidus** and **stolo**], 1. v. dep., *wait for, attend upon.*

praesum, -fuī, -esse, [prae-sum], irr. v. n., *be in front, be at the head of, be in command, preside over, command* (an army, etc.). — **praesēns**, -entis, p., *present, immediate, in person, here present, present in person, with immediate action, acting directly, direct* (of the interposition of the gods): **animus** (*ready*, or together, *presence of mind*).

praeter [compar. of **prae** (cf. **inter**)], adv. and prep., *along by, past, beyond.* — Fig., *except, beside, contrary to, more than, beyond.*

praetereā [praeter-ea (abl.?)], adv., *furthermore, besides, and besides, and also:* **nemo praeterea** (*no one else*); **neque praeterea quicquam** (*and nothing else*).

praetereō̆, -iī, -itus, -īre, [praeter-eo], irr. v. a. and n., *go by, pass by,* *pass over, overlook.* — **praeteritus**, -a, -um, p.p. as adj., *past.* — Esp. N. plur., **praeterita**, *the past* (cf. "bygones").

praetermittō, -mīsī, -missus, -mittere, [**praeter-mitto**], 3. v. a., *let go by, let slip, omit, neglect, pass over.*

praeterquam [praeter-quam], conjunctive adv., *except, further than.*

praetervectiō, -ōnis, [praeter-vectio], F., *a sailing by, a course* (where one sails by).

praetextātus, -a, -um, [**praetexta + tus**], adj., *clad in the prætexta, in one's childhood.*

praetextus, -a, -um, [p.p. of **praetexo**], p.p., *bordered:* **in praetexta** (the bordered toga worn by children and magistrates, a symbol for *childhood*).

praetor, -tōris, [**prae-†itor** (√I + **tor**)], M., (*a leader*), *a commander.* — Esp., *a prætor,* one of a class of magistrates at Rome. In early times two had judicial powers, and the others regular commands abroad. Later, all, during their year of office, had judicial powers, but, like the consuls (who were originally called prætors), they had a year abroad as proprætors: **urbanus** (the judge of the court for cases between citizens).

praetōrius, -a, -um, [praetor + **ius**], adj., *of a prætor* (in all its senses): **praetoria cohors** (*the body guard,* of the commander, see **praetor**); **comitia** (*for the election of prætors*); **homo** (*an ex-prætor*). — **praetōrium**, N., *the general's tent, headquarters, the prætor's house.*

praetūra, -ae, [**prae-†itura**? (**itu + ra**, cf. **pictura**)], F., (*a going before*), *the office of prætor, the prætorship.*

prandeō, prandī, prānsus, prandēre, [?], 2. v. n., *breakfast.* — Esp. **prānsus**, p.p., *satiated.*

prāvitās, -tātis, [**pravŏ+tas**], F., (*crookedness*). — Hence, *wickedness, depravity, evil intent.*

prāvus, -a, -um, [?], adj., *crooked.* — Hence, *perverse, vicious.*

precor, -ātus, -ārī, [prec-], 1. v. dep., *pray, supplicate, entreat.*

premō, pressī, pressus, premere, [?], 3. v. a., *press, burden, press hard, harass, overwhelm, oppress.*

pretium, -ī, [?, cf. Gr. πρίαμαι], N., *a price, money, value, a bribe:* **in pretio esse** (*to be highly esteemed*); **operae pretium** (*worth one's while*).

†prex, †precis, [?], F., *a prayer.*

prīdem [prae (or stem akin) -dem (cf. **idem**)], adv., *for some time:* **jam pridem** (*long ago, for some time, for a long time*).

prīdiē [pri- (prae or case of same stem) die (loc. of **dies**)], adv., *the day before.* — Esp. in dates, **prīdiē Kalendas**, the day before the Calends, etc.

Prīlius (**Prē-**), -ī, [?, M. of adj.], M., with **lacus**, *a lake* in Etruria (*Castiglione*).

prīmārius, -a, -um, [**primŏ + arius**], adj., *of the first, superior, excellent, of the first class.*

prīmus, -a, -um, see **prior**.

prīnceps, -ipis, [**primŏ-ceps** (√CAP as stem, cf. **manceps**)], adj., M. and F., *first, chief, a man of the first rank, a chief, a chief man, a principal man, a leader, a prime mover:* **princeps esse** and the like (*take the lead*).

prīncipātus, -tūs, [**princip + atus**, cf. **senatus**], M., *the first place, the position of leader, the preeminence.*

prīncipium, -ī, [**princip + ium**],

N., *a beginning*: **principio** (*in the first place*).

prior, -us, [stem akin to **pro**+**ior**], compar., *former, before*: **nox** (*last night, night before last*). — Neut. **prius** as adv., *before, earlier, first*. — Esp. with **quam**, *before, first . . . before, sooner . . . than*. — Superl., **prīmus**, -a, -um, [prae (?) + **mus** (cf. **summus**)], *first, of the first class, superior*: **decem primi** (*the ten select men*, a board of ten magistrates in many ancient cities); **in primis** (see **imprimis**). — Acc. N. (as adv.), **prīmum**, *in the first place* (opp. to **tum, deinde**), *first, the first time*: **cum primum** (*when first, as soon as*); **ut primum** (*as soon as*). — Abl. N., **prīmo** (as adv.), *at first* (opp. to **postea**, etc.).

prīstinus, -a, -um, [prius-tinus, cf. **diutinus**], adj., *former* (previously existing), *old, of old, oldtime, time-honored*.

prius, see **prior**.

priusquam, see **prior**.

prīvātus, p.p. of **privo**, which see.

prīvō̆, -āvī, -ātus, -āre, [privŏ-], I. v. a., (*set apart*?), *deprive*. — Esp., **prīvātus**, -a, -um, p.p. as adj., (*set apart* from the general community), *private, separate, individual, domestic* (as opposed to public). — Masc. as subst., *a private citizen, a private individual, an individual*.

prō, interj., *oh! ah! alas!*

prō [for **prōd**, abl. of stem akin to **prae, prior**, etc.], adv. (in comp.) and prep., *in front of, before* (in place, time, or circumstance). — Hence, *in place of, for, on behalf of, in return for, in view of, on account of, in proportion to, in accordance with, according to*. — Esp. with names of officers, *as, acting as, ex-*. — Often rendered by transference, *proconsul, proprætor*. — In comp. as adv., *before, forth, away, for, down* (as falling forward).

proavus, -ī, [pro-avus], M., *a great-grandfather*.

probē [old abl. of **probus**], adv., *honestly, virtuously, with integrity, well, very well*.

probitās, -tātis, [probŏ + **tas**], F., *honesty, integrity*.

probō̆, -āvī, -ātus, -āre, [probŏ-], I. v. a., *make good, find good, approve, prove, show, make clear, be satisfied with, make acceptable*, (pass., *be acceptable*). — Esp., **probātus**, -a, -um, p.p. as adj., *approved, acceptable, esteemed*.

probus, -a, -um, [pro + **bus**, cf. **morbus**], adj., *superior* (perh. mercantile word), *excellent, good, honest*.

procella, -ae, [pro-†cella, akin to **cello**], F., *a tearing, rushing storm, a tempest, a storm, a hurricane*.

prōcēssiō̆, -ōnis, [pro-cessio, cf. **procedo**], F., *an advance*.

prōcrāstinō̆, -āvī, -ātus, -āre, [procrastinŏ- (as if, perh. really, pro-crastino)], I. v. a., *put off till to-morrow, postpone, procrastinate*.

prōcreō̆, -āvī, -ātus, -āre, [pro-creo], I. v. a., *generate, produce, give birth to*: **procreatus** (*born*).

procul [?, †procŏ- (pro+cus, cf. **reciprocus**) + **lus** (reduced, cf. **simul**)], adv., *at a distance* (not necessarily great), *away, far away*.

prōcūrātiō̆, -ōnis, [procurā + **tio**], F., *a caring for, management, superintendence*.

prōcūrātor, -tōris, [procurā + **tor**], M., *a manager, a steward*.

prōdeō̆, -īvī (-iī), -itūrus, -īre,

[prod-eo], irr. v. n., *go forth, appear abroad, appear* (in the streets).

prōdigium, -ī, [†prodigŏ (prodicus?) + ium], N., *an omen, a portent.*— Hence, *a prodigy, a monster.*

prōdigus, -a, -um, [prod-†agus (√AG + us, cf. **agilis** and Gr. λοχαγός)], adj., *wasteful* (cf. **prodigo**), *prodigal, a spendthrift.*

prōditor, -tōris, [pro-dator (cf. **prodo**)], M., *a betrayer, a traitor.*

prōdō, -didī, -ditus, -dere, [pro-do], 3. v. a., *give* or *put forth, give away, betray.* — Also, *publish, appoint, hand down, transmit.*

prōdūcō, -dūxī, -ductus, -dūcere, [pro-duco], 3. v. a., *lead forth, bring out, produce, bring forward, introduce.*

proelium, -ī, [?], N., *a battle, a fight.*

profānus, -a, -um, [pro-fanum, decl. as adj.], adj., (*outside the temple*), *not sacred, secular, common.*

profectiō, -ōnis, [pro-factio, cf. **proficiscor**], F., *a departure, a starting, a setting out.*

profectō [pro-facto], adv., (*for a fact*), *certainly, surely, doubtless, undoubtedly, no doubt, I'm sure.*

prōferō, -tulī, -lātus, -ferre, [pro-fero], irr. v. a., *bring forth, carry forward, bring out, publish, bring forward, introduce, produce, adduce.*

prōfessiō, -ōnis, [pro-†fassio, cf. **profiteor**], F., *a declaration.*

prōficiō, -fēcī, -fectum (N.), -ficere, [pro-facio], 3. v. n., *go forward, gain, make progress.*

proficiscor, -fectus, -ficiscī, [pro-†faciscor (**facio**)], 3. v. dep., *set out, start, depart, proceed, begin, arise:* ratio profecta (*proceeding*).

profiteor, -fessus, -fitērī, [pro-fateor], 2. v. dep., *profess, declare, offer, proffer, promise, make a declaration.*

prōflīgō, -āvī, -ātus, -āre, [pro-fligo], 1. v. a., *dash down, overwhelm, lay prostrate, prostrate.*— Esp., **prōflīgātus**, -a, -um, *abandoned, corrupt, unprincipled, profligate.*

profugiō, -fūgī, -fugitūrus, -fugere, [pro-fugio], 3. v. n., *flee away, escape, flee, take to flight.*

prōfundō, -fūdī, -fūsus, -fundere, [pro-fundo], 3. v. a., *pour forth, pour out, shed, waste.*

profundus, -a, -um, [pro-fundus], adj., *deep.*— Neut. as subst., *an abyss.*

prōgredior, -gressus, -gredī, [pro-gradior], 3. v. dep., *advance, proceed, go:* nihil progreditur (*takes no step*): quo tandem progressurus (*how far he would go*); quem in locum progressus (*how far you have gone, how much you are implicated*).

prohibeō, -uī, -itus, -ēre, [pro-habeo], 2. v. a., *hold off, hinder, forbid, prevent, shut out, cut off.*— With a change of relation, *keep* (from some calamity, etc.), *protect, guard.*

prōiciō (**jiciō**), -jēcī, -jectus, -icere, [pro-jacio], 3. v. a., *cast forth, throw away, expose:* foras (*throw out, get rid of*); insula projecta est (*projects, runs out*).

proinde [pro-inde], adv., (*and so on?*), *just the same, just.*— Also, *therefore, hence:* proinde quasi (*just as if forsooth*, ironical).

prōlātō, -āvī, -ātus, -āre, [pro-latŏ-], 1. v. a. and n., *extend, put off, shillyshally, procrastinate.*

prōmissum, -ī, [p.p. of **promitto**], N., *a promise.*

prōmptus, -a, -um, [p.p. of **promo**], as adj., (*taken out of the gen-*

eral store), *on hand, ready, active.*

prōmulgō, -āvī, -ātus, -āre, [?, prob. promulgŏ- (pro-mulgus, akin to **mulgeo, multo**)], 1. v. a. and n., (*post a fine*?), *give notice of* (as a law), *publish.* — Absolutely, *give notice of a bill.*

prōnūntiō, -āvī, -ātus, -āre, [pronuntio], 1. v. a., *proclaim, publish, declare, speak out.*

prŏpāgō, -āvī, -ātus, -āre, [propagŏ- (stem of **propagus**), or kindred stem], 1. v. a., (*peg down*, of plants, *propagate by layers*), *propagate, extend, prolong, preserve:* **subolem** (*rear*).

prope [pro-†pe (cf. **quippe**)], adv. and prep., *near, nearly, almost.* — Comp. **propius**, superl. **proximē**, as prep.: **proxime deos** (*very near the gods*).

propemodum [prope modum], adv., (often separate), *nearly, very nearly, pretty nearly:* **prope modum errare** (*come near making a mistake*).

properō, -āvī, -ātus, -āre, [properŏ-], 1. v. a. and n., *hasten:* **properato opus est** (*there is need of haste*).

propinquus, -a, -um, [case of prope+cus (cf. **longinquus**)], adj., *near.* — Esp., *nearly related, related.* — As subst., *a relative, a kinsman.*

propior, -us, [comp. of stem of **prope**], adj., *nearer, closer.*—Superl., **proximus**, -a, -um, [†procŏ+timus, cf. **reciprocus**], *nearest, very near, last, next, following.* — As subst., *a relative.* — In plur., *those nearest one, one's kindred.*

prōpōnō, -posuī, -positus, -pōnere, [pro-pono], 3. v. a., *place before, set before, set forth, set up, propose, purpose, imagine, conceive, set before as a model, offer, offer for sale, threaten, determine upon, present, bring forward:* **mihi erat propositum** (*my purpose was*).

prōpraetor, -tōris, [pro-praetor (corrupted from **pro praetore** and declined)], M., *a proprætor* (one holding over in a province after the year of his prætorship).

propriē [old abl. of **proprius**], adv., *properly, peculiarly, strictly, solely.*

proprius, -a, -um, [?, perh. akin to **prope**], adj., *one's own, peculiar, characteristic, indefeasible, permanent, appropriate, proper.* — Often rendered by an adv., *peculiarly:* **proprius est** (*peculiarly belongs*); **noster proprius** (*peculiarly ours*); **populi Romani** (*the peculiar characteristic of*, etc.).

propter [prope+**ter**, cf. **aliter**], adv. and prep., *near, near at hand.* — Hence, *on account of, on behalf of, for the sake of, by means of, through* (the agency of).

propterea, adv., *on this account.*

prŏpudium, -ī, [pro-†pudium (†pudŏ-, cf. **pudet**, + **ium**), cf. **repudium**], N., *shameful conduct, a disgrace.* — Also, of persons, *a disgrace* (one who causes shame).

prōpūgnāculum, -ī, [propugnā + culum], N., *a defence, a bulwark, outworks.*

prōpūgnātor, -tōris, [pro-pugnator], M., *a champion.*

prōpulsō, -āvī, -ātus, -āre, [propulso, cf. **propello**], 1. v. a., *repel, ward off, avert:* **vim a vita** (*defend one's life against*, etc.).

prōripiō, -ripuī, -reptus, -ripere, [pro-rapio], 3. v. a., *snatch away, drag forth, drag off.*

prōscrībō̆, -scrīpsī, -scrīptus, -scrībere, [pro-scribo], 3. v. a., *advertise, publish* (in writing). — Esp., *proscribe* (in a list of persons forfeiting their estates), *outlaw*.

prōscrīptiō̆, -ōnis, [pro-scriptio, cf. **proscribo**], F., *an advertising, a sale* (on execution).—Hence, *a proscription, outlawry, forfeiture of goods.*

prōsequor, -secūtus, -sequī, [pro-sequor], 3. v. dep., *follow forth, accompany out, escort, honor, pay respect.*

prosperē [old abl. of **prosperus**], adv., *successfully, prosperously, with success.*

prōspiciō̆, -spēxī, -spectus, -spicere, [pro-†specio], 3. v. a. and n., *look forward, see afar, look out for, provide for.*

prōsternō̆, -strāvī, -strātus, -sternere, [pro-sterno], 3. v. a., *lay low, overwhelm, destroy, overthrow, lay prostrate, prostrate.*

prōsum, prōfui, prōfutūrus, prōdesse, [pro-sum], irr. v. a., *be of advantage, profit, do good, avail, benefit.*

prōtrahō̆, -trāxī, -tractūs, -trahere, [pro-traho], 3. v. a., *drag forth, drag out.*

prōvidentia, -ae, [provident + ia], F., *foresight.* — Hence, *forethought, precautions.*

prōvideō̆, -vīdī, -vīsus, -vidēre, [pro-video], 2. v. a. and n., *provide for, foresee, see beforehand, take care, make provision, provide, arrange beforehand, use precaution, take pains* (to accomplish something), *guard against, provide for the future.*

prōvincia, -ae, [†provincŏ- (provincus, vinc- as root of **vinco** + **us**) + **ia**], F., (office of one extending the frontier by conquest in the field), *office* (of a commander or governor), *a province* (in general), *a function.* — Transferred, *a province* (governed by a Roman magistrate).

prōvinciālis, -e, [provincia + lis], adj., *of a province, in the provinces, in a province, provincial.*

prōvocō̆, -āvī, -ātus, -āre, [provoco], 1. v. a. and n., *call forth, rouse, provoke.*

proximē, see **prope**.

proximus, see **propior**.

prūdēns, -entis, [providens], adj., *far-seeing, wise, prudent:* **parum prudens** (*too indiscreet, too careless*); **prudens atque sciens** (*knowingly and with one's eyes open,* an old formula).

prūdentia, -ae, [prudent + ia], F., *foresight, discretion, wisdom, prudence.*

pruīna, -ae, [?], F., *hoarfrost, frost.*

Prytanēum, (-**īum**), -i, [Πρυτανεῖον], N., *a city-hall* (a public building in a Greek city, where the magistrates (πρυτάνεις) met and lived at the public expense, and where public guests were entertained).

pūbēs (**pūber**), -eris, [?], adj., *adult.* — As subst., *adults* (collectively), *grown men, young men of age, able-bodied men.*

publicānus, -a, -um, [publicŏ + anus], adj., *connected with the revenue* (**publicum**). — Esp. as subst., M., *a farmer of the revenue.*

publicātiō̆, -ōnis, [publicā+tio], F., *a confiscation* (taking private property into the **publicum**).

publicē [old abl. of **publicus**], adv., *publicly, in the name of the state, as a state, on behalf of the* *state, officially:* **tumultus** (*of the people, general*).

Publicius, -ī, [**publicŏ+ius**], M., a Roman gentile name. — Esp., an obscure Roman in the Catilinarian conspiracy.

publicŏ, -āvī, -ātus, -āre, [publicŏ-], I. v. a., (*make belong to the public*), *confiscate*.

publicus, -a, -um, [**populŏ+cus**], adj., *of the people* (as a state), *of the state, public, official* (as opposed to individual). — In many phrases, esp. **res publica**, *the commonwealth, the public business, politics, control of the state, form of government, the affairs of state, the interests of the state;* **consilium**, *a state measure, the council of state, the official council;* **publico consilio**, *officially, as a state measure;* **consensus**, *the general agreement, the united voice of the people;* **litterae**, *official communications, despatches;* **tabulae**, *public* or *official records*. — **publicum**, N., *the public revenue*. — Also, *the streets, public appearance* (going abroad, as opposed to seclusion), *the sight of the people*.

Publius, -ī, [prob. **populŏ** + **ius**, cf. **publicus**], M., a Roman prænomen.

pudet, puduit (puditum est), pudēre, [?, cf. **propudium**], 2. v. impers., (*it shames*), *one is* (etc.) *ashamed* (translating the accusative as subject).

pudīcitia, -ae, [**pudicŏ+tia**], F., *chastity, modesty* (as a quality, cf. **pudor**, modesty in general or as a feeling).

pudor, -ōris, [√PUD (in **pudet**) + **or**], M., *shame, a sense of shame, sense of honor, modesty, self-respect*.

puer, -ī, [?], M., *a boy*. — Plur., *boys, children* (of either sex): **ex pueris** (*from childhood*). — Also, *a slave*.

puerīlis, -e, [**puerŏ-** (reduced) + **ilis**], adj., *of a child:* **aetas** (*of childhood*).

pueritia, -ae, [**puerŏ** + **tia**], F., *boyhood, childhood*.

pūgna, -ae, [√PUG (in **pungo**) + **na**], F., *a fight* (less formal than **proelium**).

pūgnŏ, -āvī, -ātus, -āre, [**pugna-**], I. v. n., *fight, engage*. — Fig., *fight, contend*. — Often impers. in pass., **pūgnātum est**, etc., *an engagement took place, they fought, the fighting continued, the battle was fought:* **hostes pugnantes** (*while fighting, in battle*); **pugnari videre** (*to see a fight going on*).

pulcher, -chra, -chrum, [?], adj., *beautiful, handsome, fine, attractive*. — Less exactly, *glorious, noble*.

pulchrē [old abl. of **pulcher**], adv., *beautifully, honorably, successfully*.

pulchritūdŏ, -inis, [**pulchrŏ** + **tudo**], F., *beauty:* **haec pulchritudo** (*all this beauty*).

pulsus, p.p. of **pello**.

pulvīnar, -āris, [**pulvinŏ+aris**], N., *a couch of the gods* (where the images of the gods were feasted on solemn occasions).

punctum, -ī, [p.p. of **pungo**], N., *a prick, a point*. — Hence, *an instant* (temporis).

pungŏ, pupugī, punctus, pungere, [√PUG, cf. **pugnus**], 3. v. a., *punch, stab, pierce, prick*.

Pūnicus, -a, -um, [**Poenŏ+cus**], adj., *Carthaginian, Punic:* **bellum** (of the wars with Carthage).

pūniŏ (**poenio**), īvī (-iī), -ītus, -īre, [**poena-** or kindred **-i** stem, cf. **im-**

punis], 4. v. a., *punish.* — Also passive as deponent in same sense.

pūnītor (**poen-**), -tōris, [punī + tor], M., *a punisher, an avenger.*

purgō̆, -āvī, -ātus, -āre, [†purigŏ- (purŏ + †agus, cf. **prodigus**)], I. v. a., *clean, cleanse, clear.* — Fig., *excuse, exonerate, free from suspicion, exculpate, absolve.*

purpura, -ae, [Gr. πορφύρα], F., *purple* (the dye, really a dark red). — Also, *purple cloth, purple garments, purple* (in the same sense).

purpurātus, -a, -um, [purpura + **tus**], adj., *clad in purple.* — Masc. as subst., *a courtier, a prime minister.*

pūrus, -a, -um, [√PU (*clean*) + **rus**, cf. **plerus**], adj., *clean, pure, unsullied, unstained.* — Also fig.: **mens** (*honest, pure, unselfish*).

puteal, -ālis, [puteŏ + **alis**], N., *a well-curb.* — Esp., the *Puteal Libonis*, an enclosure in the Forum like a well-curb. The vicinity served as a kind of Exchange.

putō̆, -āvī, -ātus, -āre, [putŏ- (stem of **putus**, *clean*)], I. v. a., *clean up, clear up.* — Esp.: **rationes** (*clear up accounts*).—Hence, *reckon, think, suppose, imagine.*

Pyrrhus, -ī, [Gr. Πύῤῥος], M., a common Greek name. — Esp., the king of Epirus, who invaded Italy in B.C. 280.

Q.

Q., abbrev. for **Quintus**.

quā [abl. or instr.(?) of **qui**], rel. adv., *by which* (way), *where.*

quadrāgintā [quadra (akin to **quattuor**) + **ginta** (?)], indecl. num. adj., *forty.*

quadriduum, -ī, [quadra-†duum (akin to **dies**)], N., *four days' time.*

quadringentī, -ae, -a, [unc. form (akin to **quattuor**) + **genti** (for **centi**)], num. adj., *four hundred.*

quadringentiēns (-**iēs**) [cf. **totiens**], num. adv., *four hundred times.* — Hence (sc. **centena millia**), *forty million.*

quaerō̆, quaesīvī, quaesītus, quaerere, [?, with **r** for original **s**], 3. v. a. and n., *search for, seek for, look for, inquire about, inquire, ask, try to get, get, find, desire, investigate, conduct investigations, preside over trials, hold an investigation, be president of a court:* **ex eis quaeritur** (*they are examined*); **quid quaeris amplius?** (*what more do you want?*); **invidia quaeritur** (*one tries to excite odium*); **in quaerendo** (*in* or *on investigation*).

quaesitor, -tōris, [**quaesī-** (as stem of **quaero**, in 4th conj.) + **tor**], M., *an investigator.*— Esp., *a president* (of a court, who conducted the trial).

quaesō̆ (orig. form of **quaero**, petrified in a particular sense), only pres. stem, 3. v. a. and n., *beg, pray:* **quaeso** (*I beg you, pray tell me*).

quaestiō̆, -ōnis, [**quaes** (as root of **quaero**) + **tio**], F., *an investigation, an examination* (of a case, or of witnesses, especially by torture), *a trial, a court, a question* (on trial).

quaestor, -tōris, [**quaes-** (as root of **quaero**) + **tor**], M., (*investigator,* or *acquirer,* perh. both), *a quæstor,* a class of officers at Rome or on the staff of a commander, who had charge of money affairs and public records. They also had charge of some investigations, and perhaps originally collected fines and the like: **pro quaestore** (*acting quæstor*).

quaestōrius, -a, -um, [**quaestor**

+ **ius**], adj., *of a quæstor, of one's quæstorship.*

quaestuōsus, -a, -um, [**quaestu + osus**], adj., *lucrative.*

quaestūra, -ae, [**quaestu + ra**, cf. **figura**], F., (*investigation* or *acquisition*, cf. **quaestor**), *a quæstorship, the office of quæstor.*

quaestus, -tūs, [**quaes** (as root of **quaero**) + **tus**], M., *acquisition, gain, profit, business* (for profit), *earnings:* **pecuniam in quaestu relinquere** (*profitably employed*, at interest or used in business).

quālis, -e, [**quŏ-** (stem of **quis**) +**alis**]. ***a.*** Interr. adj., *of what sort? of what nature? what kind of a? what sort of?* **quae qualia sint** (*the character of which*, etc.).—***b.*** Rel. adj., *of which sort, as* (correl. with **talis**), *such as* (with **talis** omitted).

quam [case-form of **quis** and **qui**, cf. **tam, nam**], adv. and conj. ***a.*** Interrog., *how? how much?* — ***b.*** Rel., *as, as . . . as, than:* **malle quam** (*rather than*).—Often with superlatives, *as much as possible, the utmost:* **quam maximas** (*the greatest possible*); **quam maxime** (*very much*).—See also **postquam, priusquam**, which are often separated, but are best represented in Eng. together.

quamdiū [**quam diu**], adv., see the parts, *how long, as long, as long as.*

quam ob rem (often found together), adv. phrase: 1. Interrog., *why?*— 2. Relative, *on which account, for which reason.*

quamquam (**quanquam**) [**quam quam**, cf. **quisquis**], rel. adv., (*however*), *although, though.*—Often corrective, *though, yet* (where Eng. takes a diff. view), *yet after all.*

quamvīs [**quam vis**], adv., *as you please, however, no matter how.* —Also, *however much, although.*

quandŏ [**quam** + unc. case-form akin to **de**], adv. ***a.*** Indef., *at any time:* **si quando** (*if ever, whenever*). —***b.*** Interrog., *when?*—***c.*** Relative, *when.*

quandŏquidem (often separate) [**quando quidem**], phrase as adv., (*when at least?*), *since.*

quantō, see **quantus**.

quantopere, see **opus**.

quantus, -a, -um, [prob. for **ka-** (root of **qua**) + **vant** + **us**], adj. ***a.*** Interrog., *how great? how much? what?*— ***b.*** Relative, *as great, as much, as* (corr. to **tantus**), *as great . . . as* (with **tantus** omitted), *such . . . as, however great, however much.* —**quantum**, N. acc. as adv., *how much* (see above), *as.*—**quantō**, N. abl., *as, as much . . . as.*

quantuscumque, quanta-, quantum-, [**quantus-cumque**], rel. adj., *however great.*

quāpropter [**qua** (abl. or instr. of **qui**) -**propter**], adv., *on which account, wherefore, therefore.*

quārē [**qua-re**], adv., rel. and interrog., *by which thing, wherefore, therefore, on account of which* (circumstance, etc.), *why.*—The relative and interrogative senses are not always distinguishable.

quartus, -a, -um, [**quattuor-** (reduced) + **tus**], adj., *fourth:* **quartus decimus** (*fourteenth*).

quasĭ [**quam** (or **quā**)-**si**], conj., *as if:* **quasi vero** (*as if forsooth*, ironical).—Also, *about, say, a kind of, as it were, like.*

quassŏ, -āvi, -ātūs, -āre, [**quassŏ-**], I. v. a., *shake violently, shatter.*

quātenus [**qua tenus**], adv., *how far, how long.*

quattuor [?, reduced pl.], indecl. num. adj., *four.*

-que (always appended to the word or to some part of the phrase which it connects) [unc. case-form of **qui**], conj., *and.* — Sometimes connecting the particular to the general, *and in general, and other.*

quem ad modum, phrase as adv., *how, just as, as.*

queō, -īvī (-iī), -ītus, -īre, [?], 4. irr. v. n., *be able, can.*

querēla, -ae, [unc. stem (akin to **queror**) + la, cf. **candela**], F., *a complaint, a cause of complaint.*

querimōnia, -ae, [†querŏ- (cf. **querulus**) + monia (cf. **parcimonia**)], F., *a complaining, a complaint.*

queror, questus, querī, [?, with **r** for original **s**], 3. v. dep., *complain, make a complaint, complain of, find fault, find fault with, bewail.*

quī, quae, quod, cūjus, [prob. quŏ- + i (demonstrative)], rel. pron., *who, which, that.* — Often where a demonstrative is used in Eng., *this, that.* — Often implying an antecedent, *he who*, etc., *whoever, whatever, one who, a thing which.* — Often expressing some relation otherwise denoted in English, *in that, as, to,* see grammar. — **quō**, abl. of degree of difference, *the* (more, less, etc.). — See also **quis**, **quod**, *a.* **quo**, *b.* **quo**, *c.* **quo**.

quī [old abl. or instr. of **quis**], adv., *how?*

quia [?, case-form of **qui**, perh. neuter plural of **i**-stem], conj., *because, inasmuch as.*

quīcumque (**quīcunque**), quae-, quod-, [qui-cumque (cf. **quisque**)], indef. rel., *whoever, whichever, whatever, every possible, all who,* etc.

quīdam, quae-, quod- (quid-), [**qui-dam** (case of √DA, cf. **nam**, **tam**)], indef. pron., *a* (possibly known, but not identified), *one, some, a certain, certain, a kind of* (referred to as belonging to the class but not exactly the thing spoken of) : **divino quodam spiritu** (*a kind of divine,* etc.); **alia quaedam** (*a somewhat different*). — Often as subst., *a man, something, a thing,* etc.

quidem [unc. case-form of **qui** + dem (from √DA, cf. **tandem**, **idem**)], conj., giving emphasis to a word or strength to an assertion, but with no regular English equivalent, *certainly, most certainly, and certainly, at least, at any rate, assuredly, I'm sure, let me say, I may say, by the way, you know.* — Often only concessive, followed by an adversative, *to be sure, doubtless, no doubt.* — Often emphasizing a single word : **mea quidem sententia** (*in my opinion*); **mihi quidem ipsi** (*for my own part*); **quae quidem** (*and these things*); **nam e lege quidem** (*for by law*). — Esp. : **si quidem** (*if really, since*); **ne . . . quidem** (*not even, not . . . either*).

quiēs, -ētis, [quiē (stem of **quiesco**, etc.) + tis (reduced)], F., *rest, sleep, repose.*

quiēscō, -ēvī, -ētus, -ēscere, [†quie- (cf. old abl. **quie**) + **sco**, cf. **quies**], 3. v. n., *go to rest, rest, sleep, be quiet, do nothing, keep quiet:* **quiescens** (*while at rest, asleep*). — **quiētus**, -a, -um, p.p. as adj., *quiet, at rest, at peace, undisturbed, in quiet, inactive, untroubled, calm.*

quīlibet, quae-, quod-, [qui-libet], indef. pron., *who you please, any one whatever, what you please,* etc. : **alius quilibet** (*any other you please, any one whatever*).

quin [**qui** (abl. or instr. of **qui**) +**ne**], conj., interrog., *how not? nay, why!* and relative, *by which not:* **quin etiam** (*nay even, in fact*).— After negative verbs of hindrance and doubt, *so but what, but what, but that, that, from* (doing a thing), *to* (do a thing): **non dubito quin** (*I doubt not that,* also rarely, *do not hesitate to*); **nemo est quin** (*there is no one but,* etc.); **non fuit recusandum quin,** etc. (*it was not to be avoided that*); **ne se quidem servare potuit quin** (*without,* etc.); **non quin** (*not that . . . not, not but what*); **quin sic attendite** (*come,* etc.).

quīnam, see **quisnam.**

quindecim [quinque-decem], indecl. num. adj., *fifteen.*

quingentī, -ae, -a, [quinque-centum], num. adj., *five hundred.*

quinquāgintā [quinque + unc. stem], indecl., *fifty.*

quinque[?], indecl. num. adj., *five.*

quintus, -a, -um, [quinque+tus], adj., *fifth, V.*— Esp. as a Roman prænomen (orig. the fifth-born?), *Q.*

Quintus, -ī, see **quintus.**

quippe [quid (?) + pe, cf. **nempe**], adv., (prob. *what in truth!*), *truly, of course, no doubt.*—Often ironical, *forsooth.*

Quiris, -ītis, [?, perh. **Curi** + **tis**, but in the orig. meaning of the name of the town, cf. **curia**], M., *a Roman citizen.*— Plur., *fellow-citizens* (addressed by a Roman).

quis (**quī**), quae, quid (quod), cūjus, [stem **quī**- and **quŏ**]. ***a***. Interrog. pron., *who, which, what.*— As adj. (**qui** and **quod**), *what sort of, what:* **qui esset ignorabas** (*what he was,* etc.).—Esp. neuter nom. and acc., *what, why:* **quid est quod** (*why is it that,* what is there as to which); **quid, quid quod, quid vero** (*what! tell me, moreover, and again, then again*); **quid tibi obsto** (*wherein*); **quid oppugnas** (*why*); **quid si** (*what if, how if*).—***b***. Indef., *one, any one, any thing, some, some one.* —See **nequis, numquis, ecquis.**

quisnam (**quī**-), quae-, quid-(quod-), [**quis-nam**], interrog. pron., *who, pray? who?* (with emphasis), *what* (in the world)? *what?*

quispiam, quae-, quid- (quod-), cūjus-, [**quis-piam** (**pe-jam**, cf. **quippe**, **nempe**)], indef. pron., *any, any one, any thing, some one* (perhaps).

quisquam, quae-, quid- (quic-), cūjus-, [**quis-quam**], indef. pron. used substantively (cf. **ullus**), only with negatives and words implying a negative, making a universal negative, *any one, any thing, any man:* **taetrior quam quisquam**, etc. (*than,* etc., implying a negative idea); **quam diu quisquam** (*as long as any one,* i.e., until nobody); **neque servus quisquam neque liber** (*no one, either slave or freeman*); **neque vir bonus quisquam** (*no honest man*).

quisque, quae-, quid- (quod-), cūjus-, [**quis-que**], indef. pron. (distributive universal), *each, each one, each man, every, all* (individually). — Esp. with superlatives, implying that things are taken in the order of their quality: **nobilissimus quisque** (*all the noblest,* one after the other in the order of their nobility); **primo quoque tempore** (*the very first opportunity*).—With two superlatives, often with **ut** and **ita**, a proportion is indicated, *in proportion as . . . so, the more . . . the more, most . . . the most, the most . . . most.*—Esp. with **unus**, *each one, each.*

quisquis, quaequae, quidquid (quicquid), cūjuscūjus, [**quis,** doubled], indef. rel. pron., *whoever, whatever, every one who, all who:* **quoquo modo** (*however, in any case*).

quīvīs, quae-, quid- (quod-), cūjus-, [**qui-vis**], indef. pron., *who you please, any one, any whatever* (affirmative), *any* (whatever), *any possible, any man* (no matter who).

a. **quō**, abl. of degree of difference, see **qui**.

b. **quō** [abl. of cause, etc.], as conj., *by which, on which account, wherefore.* — Esp. with negatives, *not that, not as if.* — Also, *in order that* (esp. with comparatives), *that.* — Esp., **quōminus**, *that not, so that not.*

c. **quō** [old dat. of **qui**], adv. *a.* Interrog., *whither? how far?* **quo usque** (*how long? how far? to what extent?*). — *b.* Relative, *whither, where* (in sense of whither), *into which, as far as* (i.e., to what end): **quo intendit** (*what he is aiming at*); **habere quo** (*have a place to go to,* or the like). — See also **quoad**.

quoad [quo ad], conj., (*up to which point*), *as far as, until, as long as:* **quoad longissime** (*just as far as*).

quōcumque (**-cunque**) [quocumque], adv., *whithersoever, wherever, whichever way.*

quod [N. of **qui**], conj., (*as to which*), *because, inasmuch as, in that, as for the fact that, the fact that, that, as for* (with clause expressing the action): **quod si** (*now if, but if*); quod **sciam** (*so far as I know*).

quom, see **cum**.

quōminus, see *b.* **quo**.

quōmodŏ, see **quis** and **modus**.

quondam [**quom** (**cum**) **-dam** (√DA, cf. **tam**)], adv., *once, formerly.*

quoniam [quom (cum) -jam], conj., (*when now*), *inasmuch as, since, as.*

quoque [?], conj., following the word it affects, (*by all means?*), *also, too, as well, even.* Cf. **etiam** (usually preceding).

quot [quŏ + **ti** (unc. form from √TA, cf. **tam**?)], pron. indecl. *a.* Interrog., *how many?* — *b.* Relative, *as many, as many as* (with implied antecedent).

quotannīs, often separate, [quotannis], adv., (*as many years as there are*), *every year, yearly.*

quotīdiānus (**cotīd-**), -a, -um, [quotidie (reduced) + **anus**], adj., *daily.*

quotīdiē (**cotīd-**), [**quot dies** (in unc. form)], adv., *daily.*

quotiēns (**quotiēs**) [**quot**+**iens**, cf. **quinquiens**], adv. *a.* Interrog., *how often? how many times?* — *b.* Relative, *as often, as often as* (with implied antecedent).

quotiēscunque (**quotiēnscumque**) [quotiens-cumque], adv., *however often, just as often as, every time that.*

quotus, -a, -um, [**quo-** (stem of **qui**) + **tus**, cf. **quintus**], adj., *which in number* (cf. fifth). — Esp., **quotus quisque,** *how many* (*every* "how manieth"), *what proportion of* (men).

quousque, see *c.* **quo** and **usque**.

quōvīs [*c.* quo vis], adv., *whither you please, anywhere* (cf. **quivis**).

quum, late spelling for **cum**, which see.

R.

rādīx, -īcis, [?], F., *a root.* — Plur., *the roots* (of a tree), *the foot* (of a mountain). — Fig., *stock, stem.*

Raecius, -ī, [?], M., a Roman gentile name. — Only *L. Ræcius,* a knight in business at Palermo.

raeda, -arius, see **rhe-.**

rapīna, -ae, [†rapi- (stem akin to **rapio**) + **na** (F. of **-nus**)], F., *plunder, robbery, rapine.*

rapiō̆, rapuī, raptus, rapere, [cf. **rapidus**, Gr. ἁρπάζω], 3. v. a. and n., *seize, drag off, drag.* — Less exactly, *hurry on, hurry.* — Pass., *hurry.*

raptō̆, -āvī, -ātus, -āre, [**raptŏ-**], I. v. a., *drag away, drag as a captive, abuse, maltreat.*

rārō̆ [abl. of **rarus**], adv., *rarely.*

ratiō̆, -ōnis, [†**rati-** (ra, in **reor,** + ti) + o], F., *a reckoning, an account.* — A mercantile word shading off in many directions like Eng. *business* and *affair.* — Esp. with **habeo** or **duco** (cf. *account*), *take account of, have regard to, take into consideration.* — Less exactly, *a calculation, a plan, a design, a plan of action, a method, an arrangement, a way, a course, a means, business, business relations, a consideration* (a thing to be considered), *manner*. qua ratione (*on what principle, in what way, how*); salutis (*plan, hope*); criminum (*nature*); omni ratione (*in every way, by every means*); eadem ratione (*of the same tenor*); fori et judici (*the business,* what is to be done there); ratio pecuniarum (*money affairs, state of the finances*); vitae rationes (*plans, plan*); studiorum (*course*); ratio honorum (*the course of ambition*); commoda ac rationes (*plans of life, interests*); in dissimili ratione (*in different directions*). — More remotely, *science, art, a system, reason, a course of reasoning, sound reason, a view, theoretical knowledge:* bona ratio (*sound principles*); facti et consili (*rationale, principles*).

ratiōcinor, -ātus, -ārī, [†**ratiocinŏ-** (**ration** + **cinus**, cf. **sermocinor**)], I. v. dep., *reckon, reason, calculate.*

re-, red-, [abl. of unc. stem, perh. akin to **-rus**], insep. prep., *back, again, away, out, un-.* — Esp. implying a giving or taking something which is due, or which creates an obligation by the taking, see **recipio.**

rea, -ae, [F. of **reus**], F., *a defendant* (female, or conceived as such).

Reātīnus, -a, -um, [**Reati+nus**], adj., *of Reate* (a town of the Sabines about forty miles north-east of Rome).

recēdō̆, -cessī, -cessūrus, -cēdere, [**re-cedo**], 3. v. n., *make way back, retire, withdraw:* **recessum est** (recessimus) **ab armis** (*the war ceased, we laid down our arms*).

recēns, -entis, [prob. p. of lost verb †**receo** (formed from **recŏ-**, cf. **recipero**)], adj., (?, *just coming back?*), *new, fresh, late, still fresh, still recent.*

recēnsiō̆, -ōnis, [**re-censio**, cf. **recenseo**], F., *the census* (as taken and recorded).

receptor, -tōris, [**re-captor**, cf. **recipio**], M., *a receiver.* — Fig., *a haunt.*

receptrīx, -īcis, [F. of preceding], F., *a receiver* (female).

recēssus, -sūs, [**re-†cessus** (cf. **recedo**)], M., *a retreat, a recess* (a place that withdraws).

recidō̆, -cidī, -cāsūrus, -cidere, [**re-cado**], 3. v. n., *fall again, fall back, fall upon, fall away, fall, be reduced.*

reciperō̆, see **recupero**.

recipiō̆, -cēpi, -ceptus, -cipere, [**re-capio**], 3. v. a., *take back, get back, recover, take in, receive, admit, take upon* (one's self), *take up, undertake, promise.* — With reflexive, *retreat, fly, return, retire, get off, withdraw, resort.*

recitō̆, -āvi, -ātus, -āre, [**re-cito**], 1. v. a., *read* (aloud).

reclāmitō̆, no perf., no p.p., -āre, [**re-clamito**], 1.v.n., *cry out against.*

reclāmō̆, -āvī, -ātus (impers.), -āre, [**re-clamo**], 1. v. n. (and a.), *cry out against* (a thing).

recōgnōscō̆, -nōvi, -nitus, -nōscere, [**re-cognosco**], 3. v. a., *review, go over again, recognize.*

recolō̆, -coluī, -cultus, -colere, [**re-colo**], 3. v. a., *cultivate again.* — Less exactly, *renew, review.*

reconciliātiō̆, -ōnis, [**reconciliā** + **tio**], F., *reconciliation, renewal* (concordiae).

reconciliō̆, -āvī, -ātus, -āre, [**re-concilio**], 1. v. a., *reconcile, regain, win anew, restore* (gratiam).

recondō̆, -didī, -ditus, -dere, [**re-condo**], 3. v. a., *put away again, put away, sheathe* (a sword). — **reconditus**, -a, -um, p.p., *concealed, laid away, hidden, secret.*

recordātiō̆, -ōnis, [**recordā**+**tio**], F., *a recalling to mind, a recollection.*

recordor, -ātus, -āri, [†**record-** (cf. **concors**), but perhaps made immediately from **re** and **cor** on analogy of **concors**], 1. v. dep., *recall to mind* (**cor**), *recollect, remember* (of a single act of memory, cf. **memini**, which is more permanent), *recall.*

recreō̆, -āvī, -ātus, -āre, [**re-creo**], 1. v. a., *re-create.* — Hence, *revive, restore, refresh, recover* (esp. with reflex. or in passive).

rectē [old abl. of **rectus**], adv., *rightly, properly, truly, with justice:* **recte factum** (*a right action, a good deed, a noble action*).

rectus, see **rego**.

recuperō̆ (-**ciperō̆**), -āvī, -ātus, -āre, [†**reciperŏ-**, from **recŏ-** (cf. **recens**, **reciprocus**) + **parus** (cf. **opiparus**)], 1. v. a., *get back, recover, regain.*

recurrō̆, -currī, no p.p., -currere, [**re-curro**], 3. v. n., *run back.* — Fig., *return, revert.*

recūsātiō̆, -ōnis, [**recusā** + **tio**], F., *a refusal.*

recūsō̆, -āvī, -ātus, -āre, [**re**-†**causo** (cf. **excuso**)], 1. v. a. and n., (*give an excuse for drawing back*), *refuse, reject, repudiate, object, object to:* **de transferendis judiciis** (*object to*, etc.); **quin** (*refuse to*); **quominus** (*refuse to*); **periculum** (*refuse to incur*); **non fuit recusandum** (*it was to be expected, it was not to be avoided*).

redāctus, -a, -um, [p.p. of **redigo**], as adj., *brought back, reduced.*

redarguō̆, -uī, -ūtus, -uere, [**red-arguo**], 3. v. a. and n., *disprove.*

reddō̆, -didī, -ditus, -dere, [**re-(red-)do**], 3. v. a., *give back, restore, repay, pay* (something due, cf. **re**), *render, return:* **bene reddita vita** (*a life nobly lost*). — Hence (as taking a thing and restoring in another condition), *render, make, cause to be.*

redemptiō̆, -ōnis, [**red-emptio**, cf. **redimo**], F., *a buying up, a purchase, a bargain for, a contract for.*

redemptus, -a, -um, p.p. of **redimo**.

redeō, -iī (-īvī), -itūrus, -īre, [re- (red-)eo], irr. v. n., *go back, return, come back, be returned, be entered* (in a record), *be restored.*

redimiō, -īvī (-iī), -ītus, -īre, [?, prob. denom.], 4. v. a., *bind up, wreathe.*

redimō, -ēmī, -emptus, -imere, [re- (red-) emo], 3. v. a., *buy back, redeem, purchase, buy.* Esp., *contract for, bid for* (on contract), *farm, lease.*

reditus, -tūs, [re- (red-) †itus], M., *a return.*

redoleō, -oluī, no p.p., -olēre, [red-oleo], 2. v. a. and n., *smell, smell of, be exhaled* (of the odor itself).

redūcō, -dūxī, -ductus, -dūcere, [re-duco], 3. v. a., *lead back, bring back, draw back, escort back.*

redundō, -āvī, -ātus, -āre, [red-undo], 1. v. n., *flow back, overflow.* — Also, *overflow with, flow* (with), *reek* (with blood): **acervis et sanguine** (*be filled with*). — Fig., *spring up, flow, cover* (as with a flood).

reduvia, -ae, [red + unc. stem, cf. **exuviae**], F., *a hang-nail.*

redux, -ucis, [re-dux], adj., *leading back.* — Also passive, *returning, restored* (to one's city, etc.).

refellō, -fellī, no p.p., -fellere, [re-fallo], 3. v. a., *refute.*

referciō, -fersī, -fertus, -fercīre, [re-farcio], 4. v. a., *stuff up, stuff, cram full, cram, crowd full, crowd.*

referō, -tulī, -lātus, -ferre, [re-fero], irr. v. a., *bring back, return, bring* (where something belongs), *report, record* (as an account), *set down* (in a record or to an account). — Esp.: **ad senatum** (or absolutely), *lay before* (the senate for action), *consult* (*the senate*), *propose;* **de re publica** (*consult the senate in regard to*, etc.); **gratiam** (*make a return, repay, show one's gratitude*).

rēfert, -tulit, no p.p., -ferre, [res or rē(?)fert], irr. v. impers. (cf. **e re** and **natura fert**), *it is one's interest, it is important, it makes a difference, it is of account.*

reficiō, -fēcī, -fectus, -ficere, [re-facio], irr. v. a., *repair, refresh, recruit, relieve, revive.*

reformīdō, no perf., no p.p., -āre, [re-formido], 1. v. a. and n., *dread, shrink from:* **non reformido** (*be free from alarm*).

refrīgerō, -āvī, -ātus, -āre, [re-frigero], 1. v. a., *chill, cool down.*

refugiō, -fūgī, -fugitūrus, -fugere, [re-fugio], 3. v. n. and a., *run away, escape, avoid.* — Fig., *recoil, shrink from.*

refūtō, -āvī, -ātus, -āre, [re-†futo, cf. **confuto**], 1. v. a., *check, repel.* — Hence, *refute, disprove.*

rēgālis, -e, [rēg + alis], adj., *of* or *like a king:* **nomen** (*of king*).

rēgia, see **regius**.

rēgiē [old abl. of **regius**], adv., *royally, in a regal manner, tyrannically* (like a **rex**).

regiō, -ōnis, [√REG + **io**, but cf. **ratio**], F., *direction.* — Hence, *a direction, a line, position, place, a part* (of the country, etc.), *a boundary, a region, a country, a district* (esp. in plur.): **regio atque ora maritima** (*maritime region and coast*). — In plur., *bounds, boundaries, limits, regions, a country, a quarter.*

Rēgium, **-īnī**, see **Rhē-**.

rēgius, -a, -um, [rēg + ius], adj., *of a king, regal, royal, of the king.* — Esp., **rēgia** (sc. **domus**), *a palace, the palace* (*the Regia*, the ancient house of Numa, on the Forum, kept for religious purposes).

rēgnō̆, -āvī, -ātūrus, -āre, [regnŏ-], 1. v. n., *rule, be in power, be a king, hold a regal power.*

rēgnum, -ī, [√REG + **num** (N. of -nus)], N., *a kingdom, royal power, regal power, a throne, tyranny.* — Plur., *the royal power* (of several cases), *thrones.*

regō̆, rēxī, rectus, regere, [same root as **rex**], 3. v. a., *direct, manage, rule, have control of, control.* — Esp., **rectus**, -a, -um, p.p., (*directed*), *straight, right, just:* **rectā** (*straightway*), *directly.*

regredior, -gressus, -gredī, [re-gradior], 3. v. dep., *go back, return.*

rēiciō̆ (**rējiciō̆**), -jēcī, -jectus, -icere, [re-jacio], 3. v. a., *throw back, hurl back, drive back, throw off, throw away, drive off, repel, spurn.* — Fig., *repel, reject, put away:* **judices** (*challenge*).

rējectiō̆, -ōnis, [re-jactio, cf. **reicio**], F., *a throwing away.* — Esp., *a challenge* (of jurymen), *empanelling.*

relaxō̆, -āvī, -ātus, -āre, [re-laxo], 1. v. a., *relax.*

relēgō, -āvī, -ātus, -āre, [re-lēgo], 1. v. a., *remove, separate, banish, exile.*

relevō̆, -āvī, -ātus, -āre, [re-levo], 1. v. a., *raise up again, lift up.* — Fig., *relieve.*

religiō̆, -ōnis, [?, re-legio (cf. **relego**)], F., (the original meaning uncertain, see Cic. *N. D.*, 2, 28), *a religious scruple, a religious observance, the service of the gods, a superstition, a superstitious terror, religion, sacredness, sanctity* (changing the point of view), *religious reverence, religious duty.* — Esp., *regard for an oath, conscientiousness, the sanctity of an oath.* — Plur., *sacred objects, sanctuaries, affairs of religion, religion* (abstractly).

religiōsē [old abl. of **religiosus**], adv., *scrupulously, conscientiously, with regard to one's oath.*

religiōsus, -a, -um, [perh. religion- (more prob. †religiŏ-) + **osus**], adj., *religious* (with much **religio** in its several senses), *conscientious* (with regard for an oath). — Also (in the other sense of **religio**), *sacred, holy, revered, held in religious reverence, venerated, venerable.*

relinquō̆, -līquī, -lictus, -linquere, [re-linquo], 3. v. a., *leave behind, leave, abandon, leave out, omit, leave alone, leave undone, leave unavenged, disregard.*

reliquus, -a, -um, [re-†liquus (√LIQ + **us**)], adj., *left, remaining, the rest of, the rest, the other, other* (meaning all other), *the others, all other, future* (of time, *remaining*), *subsequent, after, intervening* (before some other time): **res** (*which remain for the future, future*); **reliquus est** (*is left, remains,* etc.); **reliqua** (*the future*); **nihil reliqui** (*nothing left*); **nihil** (**reliquum**) **reliqui fecere** (*leave nothing*).

remaneō̆, -mānsī, -mānsūrus, -manēre, [re-maneo], 2. v. n., *remain behind, remain, stay, reside, be, continue, last.*

remānsiō̆, -ōnis, [re-mansio, cf. **remaneo**], F., *a remaining.*

rēmex, -igis, [remŏ- with unc. term. (perh. †agus)], M., *an oarsman, a rower.*

reminiscor, -miniscī, [re-†miniscor (√MAN, in **memini**, + **isco**)], 3. v. dep., *remember, bear in mind.*

remissiō̆, -ōnis, [re-missio, cf.

remitto], F., *a sending back, a relaxation, a diminution, a remission.*

remittō, -misī, -missus, -mittere, [re-mitto], 3. v. a., *let go back, send back, throw back.* — Fig., *relax, remit, give up.* — **remissus**, -a, -um, p.p. as adj., *slack, lax, remiss.*

remoror, -ātus, -ārī, [re-moror], 1. v. dep., *stay behind, delay* (act. and intr.), *retard:* aliquem poena (*keep one waiting, give one a respite*).

removeō, -mōvī, -mōtus, -movēre, [re-moveo], 2. v. a., *move back, move away, send away, remove, draw away, get out of the way, separate, leave out of the question:* poenam (*set aside, take off, remove*); remoto Catilina (*with C. out of the way*); remotus (*remote, far removed, apart*).

rēmus, -ī, [?], M., *an oar.*

renovō, -āvī, -ātus, -āre, [re-novo], 1. v. a., *renew.*

renūntiō, -āvī, -ātus, -āre, [re-nuntio], 1. v. a., *bring back word, bring news, report, proclaim.* — Also, *renounce, abandon.*

repellō, -pulī, -pulsus, -pellere, [re-pello], 3. v. a., *drive back, repel, repulse, ward off, avert:* te a consulatu (*foil your attempt to gain,* etc.); furores a cervicibus (*defend one's throat from,* etc., *rescue one's life from,* etc.).

repente [abl. of **repens**?], adv., (creeping on so as to appear suddenly?), *suddenly.*

repentīnō, see **repentinus.**

repentīnus, -a, -um, [repent + inus], adj., *sudden, hasty, unexpected:* speculator (*transient, non-resident*); pecuniae (*suddenly acquired*). — **repentīnō**, abl. as adv., *suddenly.*

reperiō, repperī, repertus, reperīre, [re-(red-)pario], 4. v. a., *find out, discover, find* (by inquiry, cf. **invenio**, accidentally, and **comperio**, in reference to the complete result), *learn.*

repetō, -petīvī, -petītus, -petere, [re-peto], 3. v. a., *try to get back, demand back, ask for, try again, look back* (at something past), *claim* (as one's due): **poenam, poenas** (*demand* a penalty, *inflict* punishment, *wreak* vengeance). — Esp. of money got by extortion, *demand* (restitution). — Hence, **repetundae** (with or without **pecuniae**), *the suit for extortion* (a process used against any official for property unlawfully acquired in his office), *extortion* (where the suit is implied in other words).

repleō, -plēvī, -plētus, -plēre, [re-pleo], 2. v. a., *fill up, supply.* — **replētus**, -a, -um, p.p., *full, crowded.*

reportō, -āvī, -ātus, -āre, [re-porto], 1. v. a., *carry back, bring back.*

reposcō, -poscere, [re-posco], 3. v. a., *demand back, demand* (something due).

reprehendō, -hendī, -hēnsus, -hendere, [re-prehendo], 3. v. a. and n., *drag back, seize hold of, find fault with, blame, censure, find fault, object.*

reprehēnsiō, -ōnis, [re-prehensio, cf. **reprehendo**], F., *a finding fault, censure, criticism.*

repressor, -ōris, [re-pressor, cf. **reprimo**], M., *a restrainer.*

reprimō, -pressī, -pressus, -primere, [re-premo], 3. v. a., *check, thwart, foil:* reprimi sed non comprimi (*put back but not put down*).

repudiō, -āvī, -ātus, -āre, [re-pudiŏ-], 1. v. a., (*spurn with a* *stroke*, cf. **tripudium**), *spurn*, *refuse*, *reject*.

repūgnō, -āvī, -ātus, -āre, [re-pugno], 1. v. n., *resist*. — Fig., *be in opposition*.

reputō, -āvī, -ātus, -āre, [re-puto], 1. v. a., *reckon up*, *think over*.

requiēs, -ētis (-ēī), [re-quies], F., *rest*, *repose*.

requiēscō, -ēvī, -ētus, -ēscere, [re-quiesco], 3. v. n., *rest*, *repose*.

requīrō, -quīsīvī, -quīsītus, -quīrere, [re-quaero], 3. v. a. and n., *search out*, *enquire for*. — Hence, *ask*, *ask for*, *request*, *require*, *demand*, *need*, *miss*, *be in want of*.

rēs, reī, [akin to **reor**], F., *property*(?), *business*, *an affair*, *a matter*, *a thing* (in the most general sense). — Hence determined by the context, *a fact*, *an occurrence*, *an event*, *a case*, *an action*, *an act*, *a measure*, *an object* (aimed at), *one's interest*, *an art*, *a science*, *a point*, *a lawsuit*, *a case* (at law). — Esp. where no word corresponding to the English idea exists in Latin: **res quae exportantur** (*exports*). — Often where a pronoun is avoided: **qua in re** (*in what*, *in which*); **eam in rem** (*for that*); **ei quoque rei** (*for this also*). — Esp. of public matters, with **publica** (also without), see **publicus**: **res maximae** (*power*, *glory*, *career*); **novae res** (*revolution*, *a change of government*); **summa potestas omnium rerum** (*of the whole state*). — Also, **rem**, **res gerere** (*perform exploits*, *carry on war*, *act*, *operate*, *conduct affairs*); **res populi Romani** (*deeds*, *exploits*, *history*, *career*); **res gestae** (*exploits*, *acts*); **ipsa res** (*the case itself*, *the circumstances of the case*, *the facts*); **re vera** (*in fact*); **re** (*by actions*, as opposed to words, *in fact*): **in suam rem convertit** (*to his own use*); **haec acta res est** (*this was the object aimed at*, *this is what was accomplished*); **res omnis tecum erit** (*all my business will be*, etc., *I shall have only to deal with you*, etc.); **in rebus judicandis** (*in trials*); **ob rem judicandam** (*for deciding a case*); **res magnae aguntur** (*great interests*, etc.); **multarum rerum societas** (*many associations*); **res militaris** (*the art of war*, *war*); **privatarum rerum decus** (*private conduct*); **ita se res habet** (*the case is such*, *it is so*).

rescindō, -scidī, -scissus, -scindere, [re-scindo], 3. v. a., *cut away*, *tear down*, *break down*, *destroy*. — Hence, *rescind*, *annul*.

resecō, -uī, -tus, -āre, [re-seco], 1. v. a., *cut off*, *cut away*.

reservō, -āvī, -ātus, -āre, [re-servo], 1. v. a., *keep back*, *reserve*, *hold in reserve*, *keep*.

resideō, -sēdī, no p.p., -sidēre, [re-sedeo], 2. v. n., *sit back*, *sit down*, *remain behind*, *remain*, *rest*, *stop*.

resīgnō, -āvī, -ātus, -āre, [re-signo], 1. v. a., *unseal*, *annul*, *destroy*.

resistō, -stitī, no p.p., -sistere, [re-sisto], 3. v. n., *stand back*, *stop*, *remain*, *survive*, *withstand*, *make a stand*, *resist*.

respiciō, -spēxī, -spectus, -spicere, [re-†specio], 3. v. a. and n., *look back*, *look back at*, *look behind one*, *see behind one*, *review*.

respīrō, -āvī, -ātus, -āre, [re-spiro], 1. v. a. and n., *breathe out*, *exhale*, *breathe again*, *breathe*, *draw one's breath*.

respondeō, -spondī, -spōnsūrus, -spondēre, [re-spondeo], 2. v. n.

reply, answer, make an answering argument or *reply*; esp. of an oracle or seer. — Fig., *correspond, match.*

respōnsum, -ī, [N. p.p. of **respondeo**], N., *a reply, a response.* — Plur., *a reply* (of several parts), *advice.*

rēspublica, see **res** and **publicus**.

respuō̆, -spuī, no p.p., -spuere, [re-spuo], 3. v. a., *spit out.* — Fig., *spurn, reject.*

restinguō̆, -stinxī, -stinctus, -stinguere, [re-stinguo], 3. v. a., *extinguish.* — Less exactly, *destroy, annihilate.*

restituō̆, -stituī, -stitūtus, -stituere, [re-statuo], 3. v. a., *set up again, replace, restore, make anew, re-establish, revive, recall* (one from exile).

restitūtor, -tōris, [restitu- (as stem of **restituo**) + tor], M., *a restorer.*

restō̆, -stitī (in common with **resisto**), no p.p., -stāre, [re-sto], 1. v.n., *remain, be left.*

retardō, -āvī, -ātus, -āre, [re-tardo], 1. v. a. and n., *retard, check, delay, keep back*: **non sopita sed retardata consuetudo** (*not put to sleep but dozing*, or *not lost but relaxed*, abandoning the figure of dullness, cf. **tardus**).

reticentia, -ae, [reticent + ia], F., *silence.*

reticeō̆, -uī, no p.p., -ēre, [re-taceo], 2. v. n. and a., *keep silence, be silent, say nothing.*

retineō̆, -tinuī, -tentus, -tinēre, [re-teneo], 2. v. a., *hold back, restrain* (**quin**, *from* doing something), *detain, retain, preserve, keep, maintain* (by not losing): **jura** (*observe, maintain*); **id memoria** (*keep, bear in mind*).

retorqueō̆, -torsī, -tortus, -torquēre, [re-torqueo], 2. v. a., *twist back, hurl back, roll back, turn back.*

retractātiō̆, -ōnis, [retractā + tio], F., *a drawing back*: **sine ulla retractatione** (*without any shrinking or hesitation*).

retrahō̆, -trāxī, -tractus, -trahere, [re-traho], 3. v. a., *drag back, bring back* (a person), *draw away.*

retundō̆, -tudī, -tūsus, -tundere, [re-tundo], 3. v. a., *beat back, blunt, turn the edge of.*

reus, -ī, [rē (as stem of **res**) + ius], M., (*with a case in court*), *a party* (to a case). — Esp., *a defendant, an accused person, the accused.* — Often to be rendered by a phrase, *under accusation*: **reum facere** (*bring to trial*).

revellō̆, -vellī, -vulsus, -vellere, [re-vello], 3. v. a., *tear away, pull away, pull off.*

revertō̆, -vertī, -versus, -vertere, [re-verto], 3. v. n., act. in perf. tenses, *return* (turn about and go back, cf. **redeo**, *get back, come back*). — Pass. as deponent in pres. tenses, *return, go back, revert.*

revincō̆, -vīcī, -victus, -vincere, [re-vinco], 3. v. a. and n., *subdue.* — Fig., *refute, confute, put in the wrong.*

revīvīscō̆ (**-escō̆**), -vīxī, no p.p., -vīviscere, [re-vivisco], 3. v. n., *come to life again, revive.*

revocō̆, -āvī, -ātus, -āre, [re-voco], 1. v. a., *call back* (either from or to something), *call away, call off, recall, draw back, withdraw, try to withdraw, restore* (call back to).

rēx, rēgis, [√REG as stem], M., *a king* (esp. in a bad sense, as a tyrant).

rhēda (**raeda, rēda**), -ae, [perh.

Celtic or Oscan form akin to **rota**], F., *a wagon* (with four wheels).

rhēdārius (**rēd-, raed-**), -ī, [rheda + arius], M., *driver* of rheda.

Rhēgīnī (**Rēg-**), -ōrum, [Rhegio- + īnus], M., plu., *people of Rhegium.*

Rhēgium (**Rēg-**), -ī, [Gr. Ῥήγιον], N., a city of Bruttium (*Reggio*).

Rhēnus, -ī, [?] M., *the Rhine.*

Rhodius, -a, -um, [Rhodŏ+ius], adj., *of Rhodes.* — Plur., the *Rhodians, the people of Rhodes.*

Rhodus, -ī, [Gr. Ῥόδος], F., *Rhodes,* an island off the coast of Asia Minor, famous for its commerce and navigation.

rīdiculus, -a, -um, [†ridŏ- (wh. **rideo**) + **culus**, cf. **molliculus**], adj., *laughable, ridiculous, absurd.*

rīpa, -ae, [?], F., *a bank.*

rīvus, -ī, [akin to Gr. ῥέω], M., *a brook, a stream* (not so large as **flumen**).

rōbur, -oris, [?], N., *oak, tough wood.* — Fig., *strength* (as resisting, cf. **vis**), *vigor, endurance, vitality.* — Esp., *the flower, the strength.*

rōbustus, -a, -um, [robos- (orig. stem of **robur**) + **tus**], adj., *endowed with strength, vigorous, strong.*

rogātiō, -ōnis, [rogā + tio], F., *an asking, a request.* — Esp., (*an asking of the people in assembly*), *a bill, a law* (as proposed but not yet enacted).

rogātus, -tūs [rogā+**tus**], M., *a request.*

rogō̆, -āvī, -ātus, -āre, [?], I. v. a. and n., *ask, request, ask for.* — Esp., *ask of the people, propose* (a law, etc.), *pass* (a bill, as the result of the asking).

Rōma, -ae, [?, perh. akin to Gr. ῥέω, *the river city*], F., *Rome.*

Rōmānus, -a, -um, [**Roma**+**nus**], adj., *Roman.* — As subst., *a Roman:* ludi **Romani** (also **magni**?, a great festival of the Romans, beginning Sept. 4, and lasting some fifteen days).

Rōmilius (also **Rōmuleus**), -a, -um, [Romulŏ + **ius**], adj., *of Romulus, Romilian.* — Esp., **Romilia**, F., as the name of one of the tribes of Rome, *Romilian* (sc. tribe).

Rōmulus, -ī, [prob. manufactured from **Roma**], M., the eponymous hero, the founder of Rome. — Also of a statue of him as an infant.

Roscius, -ī, [?], M., a Roman family name. — Esp.: 1. *Sex. Roscius* of Ameria, killed in the Sullan proscription; 2. Another of the same name, the person defended against the charge of this murder in one of Cicero's orations; 3. *Q. Roscius Gallus,* a famous actor and friend of Cicero, also defended by him in an extant oration; 4. *T. Roscius Capito,* a kinsman of *Sex. Roscius;* 5. *T. Roscius Magnus,* another kinsman of the same.

rostrum, -ī, [√ROD- (in **rodo**) + **trum**], N., *a beak.* — Esp. of a ship, *the beak, the ram* (used as in modern naval fighting). — Esp., **rostra**, plur. *the rostra* or *rostrum,* a stage in the Forum from which the people were addressed, ornamented with the beaks of ships.

Rudiae, -ārum, [?], F. plur., a town of Calabria, where the poet Ennius was born.

Rudīnus, -a, -um, [**Rudia**+**inus**], adj., *of Rudiae.*

rudis, -e, [?], adj., *rude, rough* — Fig., *uneducated, unpolished, ignorant.*

Rūfiō̆, -ōnis, [†Rufiŏ + o], M. a slave's name.

Rūfus, -ī, [prob. dialectic form of **rubus**, *red*], M., a Roman surname.

ruīna, -ae, [prob. †ruŏ- (√RU, in **ruo**) + **na** (F. of -nus), cf. **rues**, **ruidus**], F., *a falling, an undermining.* — Fig., *a downfall, a crash, a ruin.*

rūmor, -ōris, [**rum** (cf. **rumito**, as if root) + **or**], M., *a rumor, a story* (confused report), *report, reputation* (talk about one).

rumpō, rūpī, ruptus, rumpere, [√RUP (in **rupes**?)], 3. v. a., *break* (as a door, cf. **frango**, as a stick), *burst.*

ruō, ruī, rutus (ruitūrus), ruere, [√RU (cf. **ruina**)], 3. v. a. and n., *cause to fall, fall, go to ruin, be ruined, go to destruction.* — Also (cf. *fall upon*), *rush headlong, rush.*

rūrsus [for **reversus**, petrified as adv., cf. **versus**], adv., *back again, back, again, on the other hand.*

rūs, rūris, [?], N., *the country*: **ruri** (*in the country*).

rūsticor, -ātus, -ārī, [rusticŏ-], I. v. dep., *go to the country.*

rūsticus, -a, -um, [**rus** + **ticus**], adj., *rural, rustic, country.* — Masc. as subst., *a countryman, a rustic.*

S.

Sabīnus, -a, -um, [unc. stem (cf. **sabulum**, *sand*) + **inus**], M., *Sabine.* — Plur. M., *the Sabines.*

sacer, sacra, sacrum, [√SAC (in **sancio**) + **rus**], adj., *sacred.* — Neut. plur., *sacred rites, sacred objects, things sacred.*

sacerdōs, -dōtis, [**sacrŏ-dos** (√DA + **tis**)], M. and F., (*arranger of sacred rites?*), *a priest.*

sacrāmentum, -ī, [**sacrā+mentum**], N., *a deposit* (to secure an oath, orig. in a bargain), *an oath.* — Hence, *a suit at law* (of a peculiar form in use at Rome).

sacrārium, -ī, [N. of **sacrarius** (sacrŏ + **arius**)], N., *a shrine.*

sacrificium, -ī, [†sacrificŏ- (sacrŏ-†**facus**, cf. **beneficus**) + **ium**], N., *a sacrifice.*

sacrō, -āvī, -ātus, -āre, [sacrŏ-], I. v. a., *consecrate*: **leges sacratae** (*inviolable*).

sacrōsanctus, -a, -um, (sometimes separate), [**sacrō sanctus**], adj., *hallowed by religious rites, sacred, inviolable.*

saeculum (**sēculum**, **saeclum**), -ī, [prob. **secŏ-** (or other stem akin to **secus**, *sex*) + **lum** (cf. *Lucr.* 4, 1223, no doubt √SA in **sero**)], N., *a generation* (orig. a family of offspring), *an age.* — Esp. of *future ages.*

saepe [N. of †**saepis** (perh. same as **saepes**)], adv., *often*: **minime saepe** (*most rarely*). — **saepius**, compar., *many times, repeatedly, again and again, so many times*: semel et saepius (*once and again*); **iterum et saepius** (*many many times*).

saepiō (**sēp-**), -sī (-iī), -tus, -īre, [**saepi-** (cf. **saepes**, **saepe**)], 4. v. a., *hedge in, enclose, surround, protect.*

saeptum (**sēp-**), -ī, [N. p.p. of **saepio**], N., *an enclosure, a railing* (esp. of the voting places at Rome).

sagātus, -a, -um, [**sagŏ+atus**], adj., *clad in the sagum, in the garb of war, in arms.*

sagāx, -ācis, [**sag** (root of **sagio**) + **ax**], adj., *keen-scented, acute.*

sagīnō, -āvī, -ātus, -āre, [**sagina-**], I. v. a., *fatten, feed.* — Pass., *gorge one's self, fatten* (one's self).

sagum, -ī, [prob. borrowed], N., *a military cloak* (of coarse wool): ad saga ire (*put on the garb of war*, as was done at Rome in times of public danger); **sumere saga** (same meaning).

Salaminii, -ōrum, [**Salamin + ius**], M. plur., *the people of Salamis* (the island off Attica, famous for the battle with the Persians, B.C. 480).

saltem, [?], adv., *at least, at any rate.*

saltō, -āvī, -ātus, -āre, [as if **saltŏ**- after analogy of **rapto**, etc.], I. v. n., *dance, leap.*

saltus, -tūs, [?, perh. √SAL (in **salio**) + **tus**], M., *a wooded height, a glade, a pass* (in the mountains), *a pasture.*

salūs, -ūtis, [**salvŏ**(?) + **tis** (cf. **virtus, Carmentis**)], F., *health, well-being, welfare, safety, preservation, relief, deliverance, life* (as saved or lost), *escape* (safety in danger), *acquittal* (on a trial, the regular word), *restoration* (to citizenship): **ratio salutis** (*means of safety, chances of acquittal*). — As a divinity, *Health* (implying also deliverance), who had a temple at Rome.

salūtāris, -e, [**salut+aris**], adj., *healthful, wholesome, beneficial, salutary, saving:* **civis** (*valuable*, as aiding the welfare of the state); **salutaribus rebus tuis** (*prosperous*, not only for himself, but for the state).

salūtō, -āvī, -ātus, -āre, [**salut-**], I. v. a., *salute* (wishing **salus** to one, cf. **salve**). — Esp., *visit, call upon*, a regular morning custom among the Romans.

salvus, -a, -um, [√SAR (SAL) + **rus**, cf. ὅλος], adj., *safe, whole, sound, saved, unharmed, uninjured.* — In many phrases: **nisi te salvo**, etc. (*unless all is well with you*); **salvus esse** (*survive, avoid ruin, flourish*); **salva urbe** (*so long as the city stands, in the city still standing*); **salva republica** (*without detriment to*); **salvos praestare** (*guarantee the safety of*).

Samos (-**us**), -ī, [Gr. Σάμος], F., a famous city on an island of the same name off the coast of Ionia.

sanciō, sanxī, sanctus (-ītus), sancīre, [√SAC (in **sacer**)], 4. v. a., *bind* (in some religious manner), *make sacred, solemnly establish* (by law), *ordain.* — **sanctus**, -a, -um, p.p. as adj., *holy, sacred, solemn, inviolable, pure, venerable, inviolate, revered, conscientious.*

sanctē [old abl. of **sanctus**], adv., *piously, conscientiously.*

sanctitās, -tātis, [**sanctŏ + tas**], F., *sacredness, sanctity, inviolability.* Also, *piety, purity, conscientiousness.*

sanctus, see **sancio**.

sānē [old abl. of **sanus**], adv., *soundly, discreetly.* — Usually, as weakened particle, *no doubt, without question, certainly.* — Oftener giving a light tone to the idea, *by all means, at any rate, I'm sure, enough, if you like:* **sane ne haec quidem mihi res placebat** (*very much*); **sane benevolo animo** (*I'm sure*); **Siculi sane liberi** (*pretty independent*); **dicatur sane** (*if he likes*); **sane varius** (*motley enough*); **pereant sane** (*for all me*); **fines exigui sane** (*none too wide*); **quaesierit sane** (*if you like*); **augeamus sane** (*by all means*).

sanguis (-**en**), -inis, [?], M., *blood* (as the vital fluid, generally in the body, cf. **cruor**), *the life-blood* (also as just shed). — So also, *bloodshed, blood, murder.*

sānitās, -tātis, [**sanŏ + tas**], F.,

soundness, sound mind, ordinary discretion.

sānŏ̄, -āvī, -ātus, -āre, [**sanŏ-**], **I. v. a.**, *make sound, make good, repair, cure, heal.*

sānus, -a, -um, [√SA- (akin to **salvus**) + **nus**], adj., *sound* (in body or mind), *sane, discreet:* **bene sanus** (*really wise*).

sapiēns, -entis, [p. of **sapio**], as adj., *wise, discreet, of discretion.* — Esp. as subst., *a philosopher.*

sapienter [sapient + **ter**], adv., *wisely, with wisdom.*

sapientia, -ae, [**sapient+ia**], F., *wisdom.*

sapiŏ̄, -iī (-īvī), no p.p., -ere, [?, √SAP (akin to Gr. σοφός)], 3. v. a. and n., *taste* (actively or passively). — Hence, *be wise, have intelligence.*

Sapphō, -ūs, [Gr. Σαπφώ], F., the famous poetess of Mytilene in Lesbos. — Of a famous statue of her at Syracuse, stolen by Verres.

Sardinia, -ae, [?], F., the island still called by that name in the Tuscan Sea.

satelles, -itis, [?], M. or F., *an attendant, a tool, a minister, a minion.*

satietās, -tātis, [†satiŏ- (cf. **satiŏ̄**) + **tas** (cf. **pietas**)], F., *satiety, appetite* (as satisfied).

satiŏ̄, -āvī, -ātus, -āre, [†satiŏ- (akin to **satis**), cf. **satietas**], I.v.a., *satiate, satisfy, sate, glut, feast.*

satis [?], adv., *enough, sufficiently, adequately.* — Often with partitive, equivalent to a noun or adj., *enough, sufficient:* **satis late** (*pretty widely*); **satis habere** (*consider sufficient, be satisfied*); **satis facere**, see below.

satisfaciŏ̄, -fēcī, -factūrus, -facere, [**satis facio**], irr. v. n., *do enough for, satisfy.*

satius [prob. compar. of **satis**], adj. and adv., *better, preferable.*

Sāturnālia, -ium and -iōrum, [**Saturnŏ + alis**], N. plur., *the Saturnalia*, the great feast of Saturn in December, beginning the 17th, during which the freedom of the golden age was imitated by all classes.

Sāturnīnus, -ī, [prob. **Saturniŏ + inus**], M., a Roman family name. — Esp., *L. Appuleius Saturninus*, killed as a demagogue by Marius, B.C. 100.

Satyrus, -ī, [Gr. Σάτυρος], M., *a satyr*, a half-human deity of the forests, personating the vital force of nature, a frequent subject for works of art.

saucius, -a, -um, [?], adj., *wounded.*

Saxa, -ae, [?], M., a Roman family name. — Esp., *L. Decidius Saxa*, a friend of Antony.

saxum, -ī, [?], N., *a rock.*

scaena (scē-), -ae, [Gr. σκήνη], F., (*a bower*), *a stage* (from the arched proscenium and background).

scaenicus (scē-), -a, -um, [**scaena + cus**], adj., *of the stage, scenic.*

Scaevola, -ae, [**scaevŏ + la**, sc. **manus**], M., a Roman family name. — Esp., *P. Mucius Scævola*, cons. B.C. 133.

scālae, -ārum, [√SCAD (in **scando**) + **la**], F. plur., *a flight of stairs, stairs, steps.*

Scantia, -ae, [?], F., a Roman woman of the gens of that name, in some way wronged by Clodius.

Scaurus, -ī, [scaurus, "club-foot"], M., a Roman family name. — Esp., *M. Æmilius Scaurus*, cons. 116, long famous as princeps senatus, cons. a second time, and censor. He was father-in-law of M'. Glabrio.

scelerātē [old abl. of **sceleratus**], adv., *criminally, wickedly, impiously.*

scelerātus, -a, -um, [as if (perh. really) p.p. of **scelero** (*stain with crime*?)], adj., *villanous, accursed.* — As subst., *a scoundrel, a villain.*

scelestus, -a, -um, [scelus+tus], adj., (of acts), *criminal, impious, wicked* (cf. **sceleratus**, of persons).

scelus, -eris, [?, cf. Gr. σκέλος, perh. orig. "*crookedness*," cf. **pravus** and *wrong*], N., *crime, villany, wickedness, a heinous crime:* **tantum scelus** (*such monstrous wickedness*).

scēna, see **scaena**.

scēnicus, see **scaenicus**.

Schola, -ae, [schola], M., a Roman name, see **Causinius**.

.**scientia**, -ae, [scient + ia], F., *knowledge, acquaintance with* (thing in the genitive, or clause).

scilicet [prob. sci (imperative) licet], adv., *you may know, of course, that is to say, in fact.* — Often ironical, *forsooth.*

sciō̆, scīvī, scītus, scīre, [?], 4.v.a., (*separate*?), *distinguish, know* (a fact, cf. **nosco**), *be aware:* **certo scio** (*I am very sure*); **scitote** (*you must know, be assured, you may be sure*). — **sciēns**, -entis, p. as adj., *having knowledge, well-informed, experienced, skilful:* **prudens et sciens** (*with full knowledge, and with one's eyes open*); **nec imperante nec sciente nec praesente domino** (*without the order or knowledge or presence of*, etc.).

Scīpiō̆, -ōnis, [**scipio**, *staff*], M., a Roman family name. — Esp.: 1. See **Africanus**; 2. See **Nasica**; 3. *P.* (*Cornelius*) *Scipio* (*Nasica*), an influential, but not famous, member of the family, active on the side of Sex. Roscius.

sciscitor, -ātus, -ārī, [as if sciscito-, p.p. of **scisco**], 1. v. dep., *learn, ask, examine, make enquiries.*

scortum, -ī, [?], N., *a hide.* — Also, *a harlot, a debauchee.*

scrība, -ae, [√SCRIB + **a**], M., *a clerk.*

scrībō̆, scrīpsī, scriptus, scrībere, [?], 3. v. a. and n., *write, give an account* (in writing), *inscribe, set down, draw up* (of a law), *write about, compose, record, appoint* (in a written instrument), *make* (in writing).

scriptor, -tōris, [√SCRIB + **tor**], M., *a writer, an author.*

scriptūra, -ae, [√SCRIB + **tura**, but cf. **pictura**], F., *a writing.* — Also (from the registering of the number of cattle pastured on the public lands), *the public pastures, the pasture tax.*

scrūtor, -ātus, -ārī, [**scruta**, *rubbish*], 1. v. dep., *rummage, search, pry into.*

scūtum, -ī, [?], N., *a shield*, of the Roman legion, made of wood, convex, oblong (2½ by 4 ft.), covered with leather.

Scyllaeus, -a, -um, [Gr. Σκυλλαῖος], adj., *of Scylla* (the famous rock in the Strait of Messina on the Italian side, corresponding to Charybdis on the side of Sicily, dangerous to mariners), *Scyllæan.*

sē- (**sēd**-) [same word as **sed**(?)], insep. prep., *apart, aside, away*, etc.

sēcēdō̆, -cēssī, -cēssum (impers.), -cēdere, [se-cedo], 3. v. n., *withdraw, retire, go away.*

sēcernō̆, -crēvī, -crētus, -cernere, [se-cerno], 3. v. a., *separate.* — Less exactly, *distinguish.* — Also, *set aside, reject.*

sēcēssiō, -ōnis, [**se-cessio**, cf. **se-cedo**], F., *a withdrawal, a secession* (a withdrawal for political reasons).

sēcius, see **secus**.

secō, secuī, sectus, secāre, [prob. causative of √SEC], I. v. a., *cut, reap*. — There is possibly another meaning, *follow*.

sector, -tōris, [√SEC (*follow* or *cut*?, possibly two words) + **tor**], M., *a cutter*. — Also, *a purchaser of confiscated estates* (or of booty taken in war): **de manibus sectorum** (of the confiscation, *harpies*); **sectores ac sicarii** (*sharpers and cut-throats*).

sector, -ātus, -ārī, [prob. **secta**- (√SEQU + **ta**, cf. **moneta**)], I. v. dep., *pursue, chase after, be in one's train*.

secundum, see **secundus**.

secundus, -a, -um, [part. in -dus, of **sequor**], adj., *following*. — Hence, *second*. — Also (as not opposing), *favorable, successful*: **res secundae** (*prosperity*). — Neut. acc. as prep., *along, in the direction of, in accordance with, after*.

secūris, -is, [√SEC + unc. term.], F., *an axe*. — Esp., *the axe of the lictor* (as a symbol of the power of life and death): **duodecim secures** (i.e., two prætors).

secus [√SEQ (in **sequor**) + unc. term.], adv., (*inferior*), *otherwise, less*. — Compar., **sēcius** (**sētius**), *less*: **nihilo secius** (*none the less, nevertheless*).

sed [abl. of unc. stem, cf. **re**], conj., (*apart*) (cf. **seditio** and **securus**), *but* (stronger than **autem** or **at**).

sedeō, sēdī, sessum (sup.), sedēre, [†sedō- (√SED + **us**, cf. **domiseda** and **sedo**)], 2. v. n., *sit, sit still, remain seated, sit* (here, there, etc.), *sit by*: **ad portas imperator** (*be in arms, be*).

sēdēs, -is, [√SED + **es** (M. and F. term. corresponding to N. **-us**)], F., *a seat*. — Hence, *an abode* (both in sing. and plur.), *an abiding-place, a place of abode, a home, a seat* (fig.).

sēditiō, -ōnis, [sed-†itio (√I + tio)], F., *a secession, a mutiny, an uprising, a civil disturbance, an insurrection, a riot*.

sēditiōsē [old abl. of **seditiosus**], adv., *treasonably, with seditious purpose, to excite a riot*.

sēditiōsus, -a, -um, [**sedition** + osus (poss. as if †sēditiō + **osus**, cf. **initium**)], adj., *seditious, factious*.

sēdō, -āvī, -ātus, -āre, [causative of √SED, or perhaps denominative of sedō-, cf. **domiseda**], I. v. a., *settle, quiet, allay, appease, repress, check, stop*.

sēdulitās, -tātis, [sedulō + **tas**], F., *assiduity, diligent attention, zeal, earnest endeavor, painstaking*.

seges, -etis, [unc. stem (cf. **seco**?) + **tis**], F., *a crop of grain* (growing), *a field* (of grain): **seges ac materiam gloriae** (*the fertile source and raw material*).

sēgnis, -e, [?], adj., *slow, inactive*. — **sēgnior** (*less active*).

sēgniter [**segni** + **ter**], adv., *slowly, sluggishly*: **nihilo segnius** (*no less energetically*).

sēgregō, -āvī, -ātus, -āre, [segreg- (**se-grex**, *apart from the herd*)], I. v. a., *separate, exclude*.

sējungō, -junxī, -junctus, -jungere, [**se-jungo**], 3. v. a., *disjoin, separate*.

sella, -ae, [√SED + **la**, cf. Gr. ἕδρα], F., *a seat, a bench, a stool, a work-bench* (probably only a stool);

curulis (*the curule chair*, a camp-stool with ivory legs, used by magistrates).

semel [prob. N. of adj., akin to **similis**], adv., *once, once only*: **semel et saepius** (*more than once, again and again*); **ut semel** (*when once, as soon as*).

sēmen, -inis, [√SE (in **sero**) + **men**], N., *seed*. — Also, figuratively.

sēminārium, -ī, [semin+arius], N. (of adj.), *a nursery*. — Also figuratively.

sēmiūstulātus (**semūs-**), -a, -um, [p.p. of **semiustulo**], as adj., *half-burned*.

semper [†semŏ-(?) (in **semel**) -**per** (cf. **parumper**)], adv., *through all time, all the time, always, every time*.

sempiternus, -a, -um, [**semper** (weakened, for a stem) + **ternus**, cf. **hesternus**], adj., *eternal, forever*.

Semprōnius, -a, -um, [?], adj., *of the gens Sempronia* (itself the fem. of the adj.). — Esp. of *C. Sempronius Gracchus* (see **Gracchus**): **lex Sempronia** (*Sempronian law*, of Gracchus, securing the rights of Roman citizens).

senātor, -tōris, [†**senā-** (as if verb-stem akin to **senex**, perh. really so, cf. **senatus**) + **tor**], M., (*an elder*). — Hence, *a senator* (esp. of Rome), *a member of the Senate*.

senātōrius, -a, -um, [**senator** + **ius**], adj., *of the senators, of the Senate, of a senator, senatorial*.

senātus, -tūs, [†**senā-** (as if, perh. really, verb-stem akin to **senex**)], M., *a senate* (council of old men). — Esp., *the Senate* (of Rome, the great body of nobles acting as an administrative council). (The word expresses the body as an order in the state, or as a council, and also a meeting of the body.)

senātūs cōnsultum, see the separate parts of the phrase.

senectūs, -tūtis, [**senec** (as stem of **senex**) + **tus**, cf. **virtus**], F., *age* (advanced), *old age, riper years* (not necessarily age in Eng. sense).

senex [**seni** (stem of oblique cases) + **cus** (reduced)], **senis** [?, cf. *seneschal*], adj. (only M.), *old*. — Esp. as subst., *an old man* (above forty-five), *the elder* (of two of the same name), *senior*.

senīlis, -e, [**seni-** (see **senex**) + **lis** (or -ilis)], adj., *of an old man*: **corpus** (*aged*).

senium, -ī, [**seni-** (see **senex**) + **ium**], N., *age* (as a decline), *senility*. — Less exactly, *weakness, sadness, torpor*.

sēnsim [as if acc. of †**sensis**, verbal of **sentio**, cf. **partim**], adv., (*perceptibly*). — Hence (cf. **subito** and **repente**, its opposites), *gradually, by degrees*.

sēnsus, -ūs, [**sent-** (as root of **sentio**) + **tus**], M., *feeling* (as belonging to humanity, etc.), *sensation, a feeling, feelings* (in both sing. and plur.), *the senses* (in both sing. and plur.), *consciousness, the power of sense, a sentiment* (a way of feeling). — Hence, *a sense, a meaning*.

sententia, -ae, [†**sentent-** (p. of simpler pres. of **sentio**) + **ia**], F., (*feeling, thinking*). — Hence, *a way of thinking, an opinion, a view, a determination, a sentiment, a feeling, a purpose, a design*. — Esp., officially, *a judgment, an opinion, a sentence, a vote, a decision, an expression of opinion, a ballot* (a written expression of opinion). — Esp.: **verba atque sententiae** (*words and *ideas* or *expressions*); **divisa est sententia** (*the vote was divided*); **in eandem sententiam** (*to the same purport*); **de sententia amicorum** (*by the advice*, etc.); **in eadem sententia** (*of the same mind*). — **sententiae**, plur., *a verdict, votes of a jury.*

sentīna, -ae, [?], F., *bilge water.* — Fig., *the dregs, a cesspool.*

sentiō, sēnsī, sēnsus, sentīre, [?], 4. v. a., *perceive* (by the senses), *feel, know, see, think* (of an opinion made up), *learn about, learn, find* (by experience). — Hence, *hold an opinion, take sides, side, hold a view* (of some kind): cf. **sententia.** — Also absolutely, *possess sensation, feel.*

sēparō, -āvī, -ātus, -āre, [se-(sed-) paro], 1. v. a., (*get apart?*), *separate.* — Esp. p.p., **sēparātus**, -a, -um, as adj., *separate.*

sepeliō, -īvī (-iī), sepultus, -īre, [?], 4. v. a., *bury.* — Less exactly and fig., *put to rest, destroy, end, ruin, bury in ruins.*

sēpēs, see **saepes.**

sēpiō, see **saepio.**

Sēplăsia, -ae, [?], F., a place in Capua where ointments (i.e., perfumes) were sold.

septem [?, cf. *seven*], indecl. num. adj., *seven.*

Septimius, -ī, [septimŏ + ius], M., a Roman gentile name, cf. **Octavius.** — Esp., *P. Septimius*, an obscure senator, condemned for extortion.

septimus, -a, -um, [septem + mus, cf. **primus**], adj., *the seventh.*

sēptum, see **saeptum.**

sepulcrum (**sepulchrum**), -ī, [†sepul (as if root of **sepelio**, or a kindred stem) + **crum** (cf. **lavacrum**)], N., *a tomb, a grave, a burial place.*

sepultūra, -ae, [†sepultu (sepel, in **sepelio**, prob. compound, + **tus**) + **ra** (F. of **-rus**)], F., *burial, burying, burial rites, funeral rites* (even in cremation).

sequester, -tris, [akin to **sequor**, prob. †sequit- (cf. **comes, eques**) + **tris** (cf. **equester**)], M., (a depositary in a suit at law of the property in dispute). — Less exactly, *a depositary* (of money for bribery).

sequor, secūtus, sequī, [√SEQU], 3. v. dep., *follow, accompany.* — Fig., *follow the dictates of, obey, be guided by, follow, adopt* (an opinion), *side with, aim at.*

Sergius, -ī, [perh. Sabine], M., a Roman gentile name, see **Catilina.** — Also, *T. Sergius Gallus* (perh. **Sextius** or **Sestius**), an unknown person who had an estate at Bovillæ.

sermō, -ōnis, [√SER (in **sero**, *twine*) + **mo** (prob. -mŏ+o)], M., (*series?*). — Hence, *conversation* (continuous series of speech), *talk, intercourse, conversation with, common talk, speech.* — Also, *language.*

sērō [abl. of **serus**], adv., *too late.* — Comp., **sērius**, *too late.*

serpō, serpsī, no p.p., serpere, [√SERP, cf. ἕρπω], 3. v. n., *creep.* — Fig., *wind its way, spread.*

Sertōriānus, -a, -um, [Sertorio + anus], adj., *of Sertorius*, esp. the one mentioned below.

Sertōrius, -ī, [sertor(?) + ius], M., (*garland-maker?*), a Roman gentile name. — Esp., *Q. Sertorius*, a partisan of Marius, who held a command in Spain against the party of Sulla from B.C. 80 to B.C. 72.

sertum, -ī, [p.p. of **sero**, *twine*], N., *a garland, a wreath.*

sērus, -a, -um, [perh. akin to **sero**], adj., *late, long delayed.*

servīlis, -e, [**servi** (as if stem of **servus** or akin, cf. **servio**) + **lis**], adj., *of slaves, of a slave, servile:* in **servilem modum** (*like slaves*); **bellum** (*the servile war*, the revolt of the slaves under Spartacus in B.C. 73).

Servīlius, -ī, [**servili** + **ius**], M., a Roman gentile name. — Esp.: 1. *P. Servilius Vatia Isanicus*, cons. B.C. 79; 2. *C. Servilius Ahala*, see **Ahala**; 3. *C. Servilius Glaucia*, see **Glaucia**; 4. *P. Servilius Vatia*, son of 1, cons. B.C. 48 with Cæsar.

serviō, -iī (-īvī), -ītūrus, -īre, [**servi-** (as if stem of **servus** or akin, cf. **servilis**)], 4. v. n., *be a slave* (to some one or something), *be in subjection.* — Less exactly, *devote one's self to, cater to, be influenced by, consult for, be subservient to, do a service to.*

servitium, -ī, [**servŏ**+**tium** (cf. **amicitia**)], N., (*slavery*). — Hence (cf. **juventus**), *a body of slaves, slaves* (esp. in plural).

servitūs, -tūtis, [as if †**servitu** (**servŏ** + **tus**) + **tis**, cf. **iuventus**, **sementis**, perh. immediately **servŏ** + **tus**, **-tutis**], F., *slavery, servitude.*

Servius, -ī, [**servŏ** + **ius**], M., a Roman prænomen.

servō, -āvī, -ātus, -āre, [**servŏ-**], 1. v. a., *watch, guard, keep, preserve, maintain.* — Esp. in language of augury, *watch* (for omens): **de caelo** (*see an omen*, a process used to stop proceedings by one colleague against another).

servolus (-**ulus**), -ī, [**servŏ** + **lus**], M., *a little slave, a slave* (with a suggestion of disparagement).

servus, -ī, [unc. root (√SER, *bind*?) + **vus**], M., *a slave.*

sēsē, see **sui**.

sestertius, -ī, [**semis-tertius** (two whole ones and) *the third a half*?], M. of adj. (with **nummus**), *two and a half asses, a sesterce* (a sum of money, about five cents).

Sestius (**Sext-**), -ī, M., a Roman gentile name. — Esp., *P. Sestius*, a Roman defended by Cicero in an oration still extant.

sētius, see **secus**.

seu, see **sive**.

sevērē [old abl. of **severus**], adv., *with strictness, with severity, harshly.*

sevēritās, -tātis, [**severŏ** + **tas**], F., *strictness, harshness, severity.*

sevērus, -a, -um, [?], adj., *stern, strict, severe, harsh.*

Sex., abbreviation for **Sextus**.

sexāgintā [**sex** + unc. term., cf. Gr. ἑξήκοντα], indecl. num. adj., *sixty.*

sextīlis, -e, [**sextŏ** + **ilis**], adj., (*of the sixth*). — Hence, *of August.*

Sextius, see **Sestius**.

sextus, -a, -um, [**sex**+**tus**], adj., *sixth.*

Sextus, -ī, M., preceding as proper name (orig. *the sixth-born*).

sī [locative, prob. akin to **sē**], conj., (*in this way, in this case, so*, cf. **sic**), *if, in case, on condition that, supposing.* — Esp., *to see if, whether.* — See also **si quis**.

Sibyllīnus, -a, -um, [**Sibylla** + **inus**], adj., *of the Sibyl, Sibylline:* **fata** (*the Sibylline books*, a collection of prophecies held in great veneration at Rome).

sīc [**si-ce**, cf. **hic**], adv., *so, in this manner, in such a manner, in this way, thus:* **sic . . . ut** (*so . . . that, so well . . . that*); **sic accepimus** (*this*). — **sīcutī**, **sīcut**, as conj., *just as, just as if, as.*

sīca, -ae, [prob. akin to **seco**], F., *a dagger.*

sīcārius, -ī, [**sica+arius**], M., *an assassin, a cut-throat, a hired ruffian* (one who commits murder for money).

Sicilia, -ae, [Gr. Σικελία], F., *Sicily.*

Siciliēnsis, -e, [Sicilia + ensis], adj., *of Sicily, Sicilian.* — As subst., *a Sicilian.*

Siculus, -a, -um, [Gr. Σικελός], adj., *Sicilian, of Sicily.* — Plur. as subst., *the Sicilians.*

sīcut (sīcutī), see **sic**.

Sigēum, -ī, [Gr. Σίγειον], N., a promontory near Troy, where was the supposed tomb of Achilles.

signifer, -ferī, [signo-fer (√FER + us)], M., *a standard-bearer.*

sīgnificātiō, -ōnis, [significā + tio], F., *a making of signs, a signal, a sign, an intimation, a warning, an indication, signal.*

sīgnificō, -āvī, -ātus, -āre, [†significŏ- (signŏ-ficus)], 1. v. n. and a., *make signs, indicate, make known, spread news, give an intimation, give information, intimate, hint at, give an indication, show signs of.*

sīgnum, -ī, [unc. root + **num** (N. of -**nus**)], N., (orig. *a cut tally-mark?, a device*), *a sign, a mark, a signal.* — Esp., *a standard* (for military purposes, carried by each body of men, consisting of some device in metal on a pole). — So often, **signa militaria** (to distinguish this meaning). — In phrases: **conlatis signis** (*in a regular battle*); **signis inferendis** (*in battle array, with an armed force*); see military expressions in Vocab. to Cæsar. — Also, *a statue, a seal, a constellation.*

Silaniōn (-iō), -ōnis, [?], M., a famous Greek sculptor of the time of Alexander the Great.

Sīlānus, -ī, [?], M., a Roman family name. — Esp., *D. Junius Silanus*, cons. B.C. 62, who voted in the Senate for the death of the Catilinarian conspirators.

silentium, -ī, [silent + ium], N., *silence, quiet.* — **silentiō**, abl., *in silence, silently.*

sileō, -uī, no p.p., -ēre, [?], 2. v. n. and a., *be silent, say nothing, be silent about, pass over in silence.*

silva, -ae, [?], F., *a forest, woods, forests.* — Plur. in same sense.

Silvānus, -ī, [silva + nus], M., (*of the woods*). — A Roman family name. — Esp., *M. Plautius Silvanus*, tribune, B.C. 89, author of the Plautian Papirian law, see **Plotius**.

silvester (-**tris**), -tris, -tre, [**silva**- (as if silves-, cf. **palustris**) + **tris**], adj., *woody, wooded.*

similis, -e, [†simŏ- (cf. **simplex, semper, simitu**) + lis], adj., *like, similar, almost equal.*

similiter [simili + **ter**], adv., *in like manner, likewise, in like degree, in the same way.*

similitūdō, -inis, [simili+**tudo**], F., *likeness, resemblance* (*to*, genitive).

simplex, -icis, [sim- (in **similis**, etc.), -plex (√PLIC, as stem)], adj., *simple, without complication.*

simpliciter [simplici- (as stem of **simplex**) + **ter**], adv., *simply, with simplicity.*

simul [N. of **similis**, cf. **facul**], adv., *at the same time, as soon as:* simul atque (*as soon as*).

simulācrum, -ī, [simulā+**crum**], N., *an image, a statue, a representation, a likeness.*

simulātiō, -ōnis, [**simulā** + tio], F., *a pretence, a show.*

simulō, -āvī, -ātus, -āre, [**simili**- (as if, perh. orig., †simulŏ)], 1. v. a., *pretend, make a show of* (something).

simultās, -tātis, [simili- (cf. **simul) + tas]**, F., (*likeness?, equality?*), *rivalry.* — Hence, *a grudge, a quarrel, an enmity.*

sīn [si-ne], conj., (*if not*), *but if.*

sincērus, -a, -um, [?], adj., *pure, unmixed, unadulterated, uncontaminated.*

sine [?], prep., *without, free from.*

singulāris, -e, [**singulō + aris**], adj., *solitary, single.* — Hence, *unique, peculiar, special, extraordinary, unparalleled, unequalled, marvellous.*

singulī, -ae, -a, [sim- (in **similis**) + unc. term.], adj., *one at a time, single, each, one by one, several* (*severally*), *every, individually, separately.*

sinō, sīvi, situs, sinere, [√SI (of unc. meaning)], 3. v. a., (*lay down*, cf. **pono**), *leave.* — Hence, *permit, allow, suffer.* — In orig. meaning, **situs**, *lying:* **quantum est situm in nobis** (*so far as in me lies*).

Sinōpē, -ēs, [Gr. Σινώπη], F., a city in Paphlagonia.

sinus, -ūs, [?], M., *a fold.* — Hence, *a bay, an inlet.* — Esp., *a fold* (of the toga across the bosom), *the bosom.*

sī quandō, *if ever, whenever.* — Cf. **si** and **quando**.

sī quidem, *if at least, in so far as, since.* — Cf. **si** and **quidem**.

sī quis, see **si** and **quis**.

sīs [**si vis**], phrase, *if you please, will you:* **cave sis** (*look out now*).

sistō, stitī, status, sistere, [√STA, reduplicated], 3. v. a. and n., *place, set, stand, stop.* — **status**, -a, -um, p.p., *set, appointed.*

sitis, -is, [?], F., *thirst.*

situs, -tūs, [√SI (in **sino**) + **tus**], M., (*a laying, a leaving*), *situation, position.*

sīve, seu, [**si-ve**], conj., *if either, or if:* **sive . . . sive** (*either . . . or whether . . . or*).

Smyrnaeus, -a, -um, [Gr. Σμυρναῖος], adj., *of Smyrna* (a city of Ionia in Asia Minor). — Plur., *the people of Smyrna.*

sobrius, -a, -um, [?, cf. **ebrius**] adj., *sober.*

socer, -erī, [?], M., *a father-in-law.*

socia, -ae, [F. of **socius**], F., *a sharer, an associate.*

societās, -tātis, [**sociō + tas**], F. *a sharing, an alliance, an association, a partnership.* — Esp., *a joint-stock company* (for great enterprises, as in modern times), *a company.* **multarum rerum societas** (*many associations*); **in societatem venire, se offerre** (*to share*, etc.).

socius, -ī, [√SEQU + **ius**], M., *a companion, an ally, a sharer, an associate, a partner.*

sodālis, -is, [?], M. and F., *a companion, a comrade, a crony, a boon companion.*

sōl, sōlis, [?], M., *the sun.* — See also **oriens, occidens**, and **ortus**.

sōlācium, see **solatium**.

sōlātium (**sōlāc-**), -ī, [**solatō + ium**], N., *a consolation, a solace.*

sōlennis, see **sollemnis**.

soleō, solitus sum, solēre, [?], 2. v. n., *be wont, be accustomed, do commonly* (with Eng. verb, as in context), *be in the habit*, etc., *use* (*to*, etc.): **sic fieri solet** (*is commonly the case*); **sicut poëtae solent** (*as is the habit of poets*).

sōlitūdō, -inis, [**solō + tudo**], F., *loneliness.* — Hence, *a wilderness, a desert, solitude, seclusion, a lonely place.*

sōllemnis (**sōlen-, sōllen-**), -e, [†sollus- (*every*) **annus**], adj., *annual, yearly, stated, established.* —

Hence, (established by religious sanction), *solemn, religious, sacred.*

sollicitātiō̆, -ōnis, [sollicitā + tio], F., (actively), *a tampering with.* — Also, (passively), *anxiety.*

sollicitō̆, -āvī, -ātus, -āre, [sollicitŏ-], 1. v. a. and n., *stir up, rouse, instigate, make overtures to, tamper with, approach* (with money, etc.), *offer bribes to.* — Also, *disturb, make anxious, trouble.*

sollicitūdō̆, -inis, [as if, perh. really, †sollicitu- (stem akin to **sollicitus**) + do], F., *anxiety, solicitude.*

sollicitus, -a, -um, [†sollŏ-citus, *wholly roused*], adj., *agitated, anxious, uneasy, troubled.*

sōlum, see **solus**.

solum, -ī, [?], N., *the soil, the foundation.*

sōlus, -a, -um, [?], adj., *alone, only, the only.* — **sōlum**, N. as adv., *alone, only.*

solūtiō̆, -ōnis, [solvi- (as stem of **solvo**) + **tio**, cf. **solutus**], F., *a setting free.* — Esp. (cf. **solvo**), *a payment, payment.*

solūtus, -a, -um, p.p. of **solvo**.

solvō̆, solvī, solūtus, solvere, [prob. **se-luo**], 3. v. a., *unbind, loose.* — Fig., *set free, exempt, acquit, absolve.* — Also, *pay* (release an obligation), *perform* (a due). — Esp., **solūtus**, -a, -um, p.p., *set free, unrestrained, unembarrassed, remiss.*

somnus, -ī, [somp- (as if root of **sopio**, etc., with intrusive **n**, as in **pingo**) + **nus**], M., *sleep, slumber.*

sonō̆, -uī, -ātūrus, -āre, [partly **sonŏ-**, partly root verb], 1. v. n. and a., *sound.* — With cognate acc., *sound with, have a sound* (of a certain character), *sound:* **pingue quiddam** (*sound somewhat coarse*).

sonus, -ī, [√SON + **us**], M., *a sound.*

sōpiō̆, -īvī (-iī), -ītus, -īre, [causative of √SOP (cf. **somnus**), or denominative of kindred stem], 4. v. a., *put to sleep:* **sopita consuetudo** (*put to sleep, asleep*).

sordēs, -is, [√SORD- (cf. *swart*) + **es**], F., *dirt, filth.* — Fig., *meanness, dirty tricks, mean dishonesty.* — Also, *wretchedness* (of apparel in mourning), *dust and ashes* (?).

sordidātus, -a, -um, [sordidŏ + atus, cf. **candidatus**, perh. real p.p.], adj., *filthy.* — Esp. of clothes, (in mourning and otherwise), *clad in mourning* (cf. "in sackcloth and ashes").

soror, -ōris, [?, cf. *sister*], F., *a sister:* **soror ex matre** (*a half-sister*).

sors, sortis, [perh. √SER (in **sero**) + **tis**, but the orig. sense is unc.], F., *a lot* (for divination), *a designation by lot, a choice by lot, a drawing* (of a jury), *an allotment.*

sortior, -ītus, -īrī, [sorti-], 4. v. dep., *cast lots, draw lots, draw a jury* (by lot). — Hence, *obtain by lot.*

sortītiō̆, -ōnis, [sortī + tio], F., *a drawing by lot, an allotment, a division by lot, a drawing* (of a jury by lot).

sortītus, -tūs, [sortī + **tus**], M., *an allotment, an assignment* (by lot).

Sp., abbreviation for **Spurius**.

spargō̆, sparsī, sparsus, spargere, [√SPARG], 3. v. a., *scatter, fling about.* — Fig., *spread, extend.*

Spartacus, -ī, [?], M., a famous gladiator, who roused a servile war in Italy, B.C. 73.

spatium, -ī, [?], N., *space, extent, a space, a distance.* — Transf., *time, space of time, lapse of time, a period.*

speciēs, -iēī, [√SPEC + **ies** (akin

to **-ia)**], F., (*a sight*, prob. both act. and pass.). — Passively, *a sight, a show, an appearance, a spectacle*, (*a splendid action*).

spectāculum, -ī, [spectā + culum], N., *a sight, a show, a spectacle.*

spectō, -āvi, -ātus, -āre, [spectŏ-], 1. v. a. and n., *look at, regard, gaze upon, have regard to, look towards, aim at, be aimed at, tend.* — **spectātus**, p.p. as adj., *tried, proved, esteemed, estimable.*

specula, -ae, [†speca- (√SPEC+a, cf. **conspicor**) + la], F., *a watch-tower, a lookout:* **in speculis** (*on the lookout*).

speculātor, -tōris, [speculā + tor], M., *a spy, a scout.*

speculor, -ātus, -ārī, [speculŏ-], 1. v. dep., *spy, reconnoitre, watch:* speculandi causa (*as a spy*).

spērō, -āvī, -ātus, -āre, [spes- (prob. orig. stem of **spes**) with **r** for **s**], 1. v. a. and n., *hope, hope for, expect, have hope for:* **bene sperare** (*have good hope*).

spēs, -eī, [?], F., *hope, expectation, hopes.*

spīritus, -tūs, [spiri- (as stem of **spiro**) + **tus**], M., *breath, the air we breathe.* — Also, *spirit, inspiration.* — Hence in plur., *pride, arrogance.*

spīrō, -āvī, -ātūrus, -āre, [?], 1. v. n. and a., *breathe, blow:* **spirante republica** (*still breathing*); **spirans** (*alive*).

splendidus, -a, -um, [prob. †splendŏ+dus, cf. **splendeo, splendico**], adj., *bright, shining, brilliant:* **causa splendidior fiet** (*gain in lustre*). — Esp. as epithet of the middle class, *distinguished* (by wealth and character, cf. **amplus**), *conspicuous, prominent.*

splendor, -ōris, [**splend** (as if root of **splendeo**) + **or** (for **-os**)], M., *brilliancy, lustre.* — Hence, *prominence, brilliant position, brilliant character.*

spoliātiō, -ōnis, [spoliā + tio], F., *a despoiling, a robbery, spoliation, unlawful deprivation.*

spoliō, -āvi, -ātus, -āre, [**spoliŏ-**], 1. v. a. and n., *despoil, strip.* — Fig., *rob, deprive, despoil, plunder.* — Absolutely, *despoil one's enemy, take the spoil.*

spolium, -ī, [unc., cf. Gr. σκῦλον], N., (*hide*?). — Hence, *spoil* (of a slain enemy, also fig.).

spondeō, spopondī, spōnsus, spondēre, [prob. formed from borrowed Gr. σπονδή, *league*], 2. v. a. and n., *promise* (solemnly), *pledge one's self.*

spongia, -ae, [Gr. σπογγιά], F., *a sponge* (used, as now, for cleaning).

spontis (gen.), **sponte** (abl.), [prob. akin to **spondeo**], F., only with pers. pron. or (poetic) genitive, *of one's own accord, voluntarily.*

spurcō, -āvī, -ātus, -āre, [**spurcŏ-**], 1. v. a., *defile.*

Spurius, -ī, [**spurius**, *bastard*], M., a Roman prænomen.

squāleō, -uī, no p.p., -ēre, [†**squale-** (cf. **squales, squalidus**)], 2. v. n., *be filthy.* — Esp. of mourning (cf. **sordidus**), *be in mourning, be in sorrow* (in the garb of sorrow).

squālor, -ōris, [squal- (as root of **squaleo**) + **or** (for **-os**)], M., *squalor.* — Esp. for mourning, *mourning, wretched apparel.*

stabiliō, -īvī (-iī), -ītus, -īre, [**stabili-**], 4. v. a., *make firm, establish, secure, firmly establish.*

stabilis, -e, [√STA + **bilis**, perh. through intermediate stem], adj., *standing firmly, stable, enduring.* —

Fig., *constant, consistent, unwavering.*

stabilitās, -tātis, [**stabili** + **tas**], F., *steadiness, firmness, firm foundations.*

Statilius, -ī, [akin to **sto**], M., a Roman gentile name.—Esp., *L. Statilius*, one of the Catilinarian conspirators.

statim [acc. of †**statis** (**sta** + **tis**)], adv., (*as one stands, on the spot*), *at once, forthwith, immediately.*

Stator, -tōris, [√STA + **tor**], M., *the Stayer*, a name of Jove as stayer of flight; also, *the Stay, Supporter.*

statua, -ae, [**statu** + **a** (or **-va**)], F., *a statue* (usually of men, cf. **signum**, effigies of gods as well).

statuō, -uī, -ūtus, -uere, [**statu-**], 3. v. a., *set up.*—Hence, *establish, resolve upon, determine, decide, consider, make up one's mind, take measures, set up as, regard as:* **modum** (*set a limit*); **aliquid severe** (*take any severe measures*); **in aliquem** (*deal with one*).

status, -tūs, [√STA + **tus**], M., (*a standing* or *setting up*), *a position, a condition, a state.*

status, -a, -um, see **sisto**.

sternō, strāvi, strātus, sternere, [√STER, cf. **strages**], 3. v. a., *scatter, strew.*—Hence, *lay low, prostrate:* **stratus** (*prostrate, lying low, grovelling*).

stimulus, -ī, [†**stigmŏ-** (√STIG + **mus**) + **lus**], M., *a goad, a spur.* Fig., *a stimulus, a spur, an incentive.*

stīpendiārius, -a, -um, [**stipendiŏ** + **arius**], adj., *tributary, under tribute, subject to tribute* (paying a fixed sum, cf. **vectigalis**).

stīpendium, -ī, [**stipi-** and **stem** akin to **pendo** (perh. †**pendus**, cf. **pendulus**) + **ium**], N., *a tribute.*—Also, *pay* (for military service), *service, a campaign* (as served and paid for).

stīpō, -āvī, -ātus, -āre, [†**stipŏ-** (cf. **obstipus**), akin to **stipes**], 1. v. a., *crowd.*—Hence, *surround with a crowd, surround.*

stirps, stirpis, [?], M. and F., *a stock.*—Fig., *a race, a stock, the root* (**malorum**).

stō, steti, statūrus, stāre, [√STA], 1. v. n., (active meanings usually referred to **sisto**, the reduplicated form), *stand, stand up:* **stans** (*standing*, not overthrown).

strepitus, -tūs, [**strepi-** (as stem of **strepo**) + **tus**], M., *a noise, a rattling, a murmur* (of approval or otherwise), *a din.*

studeō, studuī, no p.p., studēre, [†**studŏ-** (or †**studa-**), cf. **studium**], 2. v. n., *be eager for* or *to, be devoted to, pay attention to, attend to, desire, be bent on* (doing something), *aim at, be anxious* (to, etc.).

studiōsē [old abl. of **studiosus**], adv., *eagerly, with care, with pains.*

studiōsus, -a, -um, [**studiŏ** + **osus**], adj., *zealous, fond of, devoted.*

studium, -ī, [prob. †**studŏ** + **ium**, cf. **studeo**], N., *eagerness, zeal, interest, desire, devotion, fondness* (for a thing), *enthusiasm.*—Hence, *a pursuit* (to which one is devoted), *a profession, an occupation, a taste* (for anything), *a study.*—Esp., *a party, partisan zeal, party feeling, partisan favor:* **in eo studio partium** (*in favor of that party*); **consilia studia** (*measures and party spirit*); **studiis prosequemur** (*acclamations*).

stultē [**stultus**] adv., *foolishly.*

stultitia, -ae, [**stultŏ** + **tia**], F., *folly, stupidity.*

stultus, -a, -um [**stul** (in **stolidus**) + **tus**], adj., (stupefied?), *foolish, stupid, silly.* — Often rendered by a noun, *a fool, utter folly*, etc.

stuprum, -ī, [perh. akin to **stupeo**], N., *rape, lewdness, debauchery.*

suādeō, suāsī, suāsus, suādēre, [causative of √SVAD, cf. **suavis**, but perh. partly denom., cf. **suadus**], 2. v. n. and a., (*make agreeable to*?), *advise, persuade* (without effect, cf. **persuadeo**), *convince.* — Esp. of laws, *favor, support.*

suāvis, -e, [√SVAD + **us**, cf. **levis**], adj., *sweet, agreeable, pleasant.*

sub (in comp. **subs**), [unc. case, prob. abl. (cf. **subs**) akin to **super**], adv. (in comp.) and prep. ***a.*** With abl. (of rest in a place), *under.* — Also, *just by.* — ***b.*** With acc. (of motion towards a place), *under, close to.* — Of time, *just at, just before.* — ***c.*** In comp., *under, up* (from under), *away* (from beneath), *secretly* (underhand), *in succession, a little, slightly.*

subāctus, -a, -um, p.p. of **subigo**.

subc-, see **succ-**.

subeō, -iī, -itus, -īre, [**sub-eo**], irr. v. a., *go under, undergo, encounter.*

subf-, see **suff-**.

subhorridus, -a, -um, [**sub-horridus**], adj., *rather rough.*

sūbiciō (**subji-**), -jēcī, -jectus, -icere, [**sub-jacio**], 3. v. a., *throw under, place below, place under, subject, expose to.* — Esp. of fire, *set, use to light.* — Also, *palm off upon, forge* (of wills). — Also, *throw up, hand up.*

subigō, -ēgī, -āctus, -igere, [**sub-ago**], 3. v. a., *bring under, subject, subdue, crush.*

subitō, see **subitus**.

subitus, -a, -um, [p.p. of **subeo**] adj., (*coming up secretly from under*) *sudden, suddenly* (as if adv. taken with the verb), *quick, hasty.* — **subitō**, abl. as adv., *suddenly, of a sudden, all at once.*

subjector, -tōris, [as if **sub-†jactor**, cf. **subicio**], M., *a forger.*

subjiciō, see **subicio**.

sublātus, -a, -um, [**sub-(t)latus**] p.p. of **tollo**.

sublevō, -āvī, -ātus, -āre, [**sub levo**], 1. v. a., *lighten up, lighten relieve, raise, raise up, assist, render assistance.*

subolēs (**sob-**), -is, [**sub-†oles** (√OL+es, cf. **olesco**)], F., *offspring*

subp-, see **supp-**.

subsellium, -ī, [**sub-†sellium** (**sella** + **ium**)], N., *a bench, a seat* (esp. in the senate house or court).

subsidium, -ī, [**sub-†sedium** (√SED + **ium**)], N., (*a sitting in reserve*), *a reserve, a reinforcement, help, relief, support, assistance, means, resources, a source of supplies* (of any kind): **patriae** (*stay*).

subsīdō, -sēdī, -sessūrus, -sīdere, [**sub-sido**], 3. v. n., *sit down, remain behind, stop, stay.*

subsortior, -ītus, -īrī, [**sub-sortior**], 4. v. dep., *draw in place of some one, have a substitute* (drawn by lot).

substructiō, -ōnis, [**sub-structio**, cf. **substruo**], F., *a foundation, a substruction.*

subsum, -fuī, -futūrus, -esse, [**sub-sum**], irr. v. n., *be under, be underneath, be near, be close by* (a certain distance off), *be near at hand, approach.*

subterfugiō, -fūgī, no p.p., -fugere, [**subter-fugio**], 3. v. n. and a., *escape* (from under something that impends).

subtīlis, -e, [akin to **sub** and **tela**], adj., *fine, subtle.*

subtīliter [subtili + ter], adv., *finely, acutely:* judicare (*be a shrewd judge*).

suburbānus, -a, -um, [sub-urbe + anus], adj., *suburban.* — Esp. N. as subst., *a suburban estate, a villa.*

succēdō̆, -cēssī, -cēssūrus, -cēdere, [sub-cedo], 3. v. n., *come up, advance, come in place of, succeed to, take the place of, come next.* — Also, *be successful, prosper.*

succēnseō̆, see **suscenseo**.

succurrō̆, -currī, -cursūrus, -currere, [sub-curro], 3. v. n., *rush to support, rush to one's rescue, relieve, succor.*

sufferō̆, sustulī, sublātus (referred to **tollo**), sufferre, [sub-fero], irr. v. a., *bear, suffer.*

suffrāgātiō̆, -ōnis, [suffragā + tio], F., *a support* (for an office). — Less exactly, *a recommendation, a supporter.*

suffrāgātor, -tōris, [suffragā + tor], M., *a supporter* (for an office).

suffrāgium, -ī, [sub-†fragium, i.e. prob. suffragŏ + ium (cf. **suffragor** and **suffringo**)], N., (*a pastern bone*, cf. **suffrago**; or a *potsherd*, cf. Gr. ὄστρακον; either used as a ballot), *a ballot, vote.*

suī (prop. gen. N. of **suus**), sibī, sē, [√SVA], pron. reflexive, *himself,* etc. — Often to be translated by the personal, *he, she, it,* etc., also *each other.* — Esp.: **inter se** (*from, with, by,* etc., *each other*); **per se** (*of himself,* etc., without outside influence or excitement); **ipse per se** (*in and of himself*).

Sulla, -ae, [?], M., a Roman family name. — Esp., *Lucius Cornelius Sulla,* the great partisan of the nobility, and opponent of Marius, called the Dictator Sulla.

Sulpicius, -ī, [?], M., a Roman gentile name. — Esp.: 1. *P. Sulpicius Galba,* prob. ædile, B.C. 69, one of the jury against Verres; 2. *C. Sulpicius Galba,* prætor, B.C. 63; 3. *P. Sulpicius Rufus,* tribune, B.C. 88, a partisan of Marius.

sum, fuī, futūrus, esse, [√AS, cf. *am, is,*], irr. v. n., *be* (exist). — Also, with weakened force, *be* (as a mere copula). — With many renderings according to the context: **est de proscriptione** (*relates to*); **est in lege** (*is prescribed*); **est alicui** (*one has*); **quid alicui cum aliquo est?** (*what has one to do with?* etc.); **quid de aliquo futurum est?** (*what will become of?*); **qui nunc sunt** (*now living*); **quae est civium** (*consists of*); **est alicujus** (*it is one's part, it is one's place, it belongs to one,* and the like); **meliore esse sensu** (*to have,* etc.); **esse veste mutata** (*to put on mourning*); **esse cum telo** (*to go armed*); **fuerat ille annus** (*had passed*); **esto** (*be it so, well*); **fore uti** (*that the result will be*).

summa, -ae, [F. of **summus** as noun], F., (*the top*), *the highest place, the sum, the total, the main part:* **belli** (*the general management, the chief control*); **ad unam summam referri** (*be set down to one account*).

summus, see **superus**.

sūmō̆, sūmpsī, sūmptus, -sūmere, [sub-emo (*take*)], 3. v. a., *take away, take, get, assume:* **supplicium** (*inflict,* cf. **capere**); **laborem** (*spend*); **arma** (*take up*); **mihi** (*take upon*); **exempla** (*draw*); sus-

cepto bello (*when the war was begun*); **saga** (*put on*); **nullis armis sumptis** (*when there was no war*).

sūmptuōsē [old abl. of **sumptuosus**], adv., *expensively, extravagantly*: **sumptuosius** (*with too much magnificence*).

sūmptuōsus, -a, -um, [sumptu+osus], adj., *expensive, costly*.

sūmptus, -tūs, [sub-†emptus, cf. **sumo**], M., (*a taking out of the stock on hand*), *expense*: **sumptibus** (*extravagant expenditure, extravagance*).

superbē [old abl. of **superbus**], adv., *haughtily, arrogantly, with arrogance, with insolence*.

superbus, -a, -um, [super+bus, cf. **morbus**], adj., *arrogant, haughty, proud, insolent*.

supercilium, -ī, [super-cilium, (*eyelid*)], N., *eyebrow, brow* (as expressing emotions).

superior, see **superus**.

superō, -āvī, -ātus, -āre, [superŏ-], I. v. a. and n., *overtop*. — Hence, *get the upper hand of, overcome, conquer, defeat, be superior to, prevail, overmatch, survive* (**vita**), *surpass*.

supersum, -fuī, -futūrus, -esse, [super-sum], irr. v. n., *be over and above, remain, survive*: **satietati** (*remain in excess of*).

superus, -a, -um, [†supe- (stem akin to **sub**, perh. same) + **rus** (cf. **inferus**)], adj., *higher, being above*. — Compar., **superior**, *higher, upper, preceding* (of time), *past, before, superior, earlier, former, elder*: **superiora illa** (*those former acts*); **superior esse** (*have the advantage*). — Superl., **suprēmus** [supra-(?) + imus(?)], *highest, last*: **dies** (*last*, of a funeral). — Also, **summus** [sup + mus], *highest, the highest part of, the top of*. — Fig., *greatest, most important, very great, most perfect, perfect, supreme, most violent, preeminent, in the highest degree, most severe, of the utmost importance*: **summa omnia** (*all the highest qualities*); **summa hieme** (*the depth of winter*); **tempus** (*most critical*); **vir** (*very superior*); **quattuor aut summum quinque** (*at the most*); **summa respublica** (*the highest interests of the state, the general welfare of the state*).

suppeditō, -āvī, -ātus, -āre, [?, cf. **suppeto**], I. v. n. and a., *suffice*. — Also, *supply*.

suppetō, -petīvī, -petītūrus, -petere, [sub-peto], 3. v. n., (?, but cf. **sufficio** and **subvenio**), *be on hand, be supplied, be to be found*: **suppetit nobis** (*we have a store*).

supplex, -icis, [sub-†plex(√PLIC as stem, cf. **duplex**)], M. and F., *a suppliant*.

supplicātiō, -ōnis, [supplicā + tio], F., *a supplication*. — Esp., *a thanksgiving* (prayer to the gods upon any signal success, decreed by the senate).

supplicium, -ī, [supplic- (stem of **supplex**) + ium], N., (*a kneeling*). — Hence, *a supplication*. — Also, *a punishment* (usually of death).

supplicō, -āvī, -ātus, -āre, [supplic-], I. v. a. and n., *supplicate, entreat, pray for mercy*.

suppōnō, -posuī, -positus, -pōnere, [sub-pono], 3. v. a., *put under, fraudulently introduce, introduce under cover of something*.

suprā [instr. (?) of **superus**], adv. and prep., *above, before*.

suprēmus, see **superus**.

surgō, surrēxī, surrectus, surgere,

[**sub-rego**], 3. v. a. and n., *raise.* — Also, *rise.*

surripiō (**subr-**), -ripuī, -reptus, -ripere, [**sub-rapio**], 3. v. a. (and n.), *snatch privately, steal, take by treachery.*

suscēnseō (**succ-**), -cēnsuī, -cēnsūrus, -cēnsēre, [**subs-(sub-)censeo**], 2. v. n., *be incensed, be slightly angry, be offended.*

suscipiō, -cēpī, -ceptus, -cipere, [**subs-capio**], 3. v. a., *take up, take upon one's self* (voluntarily, cf. **recipio**, as a duty), *engage in, adopt, take in hand, undertake.* — Also, *undergo, suffer, experience* (of feelings), *bring upon one's self.*

suspiciō, -spēxī, -spectus, -spicere, [**sub-specio**], 3. v. a. and n., *look up, look up at, look askance at.* — Hence, *suspect:* **suspectus** (*an object of suspicion*).

suspiciō (**-spītiō**), -ōnis, [**sub-†specio**, cf. **suspicio**, **-ere**], F., *suspicion.*

suspiciōsē (**suspīt-**), [old abl. of **suspiciosus**], adv., *in a way to excite suspicion.*

suspiciōsus (**suspīt-**), -a, -um, [prob. †**suspiciŏ-** (**sub-†specium**, cf. **extispicium**) + **osus**], adj., *suspicious.*

suspicor, -ātus, -ārī, [†**suspic-** (cf. **auspex**)], 1. v. dep., *suspect, have a suspicion.*

sustentō, -āvī, -ātus, -āre, [**subs-tento** (cf. **sustineo**)], 1. v. a. and n., *maintain, sustain, hold out, endure, support:* **sustentando** (*by patience*).

sustineō, -tinuī, -tentus, -tinēre, [**subs-teneo**], 2. v. a. and n., *hold up under, withstand, endure, hold out, sustain, support, bear, stop.*

suus, -a, -um, [√SVA (in **se**) + **ius**], poss. pron. (referring back to subject), *his, hers, its, theirs,* etc. — Sometimes emphatic, *his own,* etc. — Often without subst., **suī**, M. plur., *his* (*their*) *men, countrymen, friends,* etc.; **sua**, N. plur., *his* (*their*) *possessions, property,* etc.: **omnia sua** (*all he had*).

symphōniacus, -a, -um, [Gr. συμφωνιακός], adj., *musical:* **pueri** (*musicians*).

Syrācūsae, -ārum, [Gr. Συράκυσαι], F. plur., *Syracuse,* the famous city in Sicily.

Syrācūsānus, -a, -um, [**Syracusa** + **anus**], adj., *of Syracuse, Syracusan.* — Plur. M., *the people of Syracuse, the Syracusans.*

Syria, -ae, [Gr. Συρία], F., the country lying at the eastern end of the Mediterranean.

T.

T., abbrev. for **Titus**.

tabella, -ae, [**tabula** + **la**], F., (*a little board*), *a tablet, a ballot.* — In plur., *tablets* (as two were used together), *a document, a letter, a writing.*

taberna, -ae, [?, cf. **tabella**], F., *a hut* (of boards), *a booth, a shop.*

tābēscō, -buī, no p.p., -bēscere, [**tabē** (in **tabeo**) + **sco**], 3. v. n., *waste away, pine.*

tabula, -ae, [†**tabŏ-** (√TA + **bus**?, cf. **taberna**) + **la**], F., *a board.* — Hence, *a record* (written on a board covered with wax), *a list, a document.* — Also, *a panel* (on which pictures were painted), *a picture, a painting:* **novae tabulae** (*a reduction of debts, a settlement of debts* by legislation); **duodecim tabulae** (*the laws of the Twelve Tables,* the earliest collection of Roman laws).

tabulārius, **-a**, **-um**, [**tabula** + **arius** (-rius?)], adj., (*of records*, etc., see **tabula**). — Esp., N., *a record office, a registry, archives.*

taceō, tacuī, tacitus, tacēre, [†**tacŏ**-(√TAC + **us**)], 2. v. a. and n., *be silent, be silent about, keep secret, keep silence, conceal, say nothing* (*about*). — **tacitus**, p.p. as adj., *silent, silently, in silence.* — **illis tacentibus** (*with their connivance*).

tacitē [old abl. of **tacitus**], adv., *silently, in silence.*

taciturnitās, -tātis, [**taciturnŏ** + **tas**], F., *silence.*

taciturnus, -a, -um, [**tacitŏ** + **urnus**, cf. **diurnus**], adj., *silent* (as a personal quality), *taciturn.*

taedet, -uit (pertaesum est), -ēre, [†**taedŏ**-(cf. **taedium**, **taedulum**)], 2. v. imp., *it disgusts:* **aliquem** (*one is disgusted*).

taeter (**tēter**), -tra, -trum, [akin to **taedet**?], adj., *disgusting, horrible, loathsome, foul, abominable, shameful.*

tālāris, -e, [**talŏ**+**aris**], adj., *of the ankles.*— Esp. with **tunica**, *reaching to the heels* (a sign of dandyism, cf. the modern "box-coat."

tālis, -e, [√TA + **alis**], adj. pron., *such, so great.*

tam [unc. case √TA (cf. **quam**, **nam**)], adv., *so* (as indicated in the context), *so much.* — Often equal to *this, that,* etc.

tamen [unc. case-form of √TA (locat.?, cf. Sk. **tasmin**?)], adv., (introducing a thought opposed to some preceding concession expressed or implied), *yet, nevertheless, still, however, for all that, notwithstanding, after all, at least.*

tametsī [**tam**? (but cf. **tamen-etsi**) -**etsi**], adv., (*still although*, anticipating the thought to which **tam** properly belongs), *although, though, after all.*

tamquam, see **tanquam**.

tandem [**tam-dem**, cf. **idem**], adv., (*just so, even so*?), *at last, finally.* — In questions, to add emphasis, *pray, tell me,* or translated only by emphasis: **quo tandem**? (*where in the world?*).

tangō, tetigī, tactus, tangere, [√TAG], 3. v. a., *touch, border on, be close to, reach, find.* — Esp. of lightning. — **tactus** (**de caelo**), *struck* (*by lightning*).

tanquam (**tamquam**) [**tam quam**], adv., *as much as, as, just as, like, just like.* — Also, *just as if, as if.*

tantō, see **tantus**.

tantopere, see **opus**.

tantulus, -a, -um, [**tantŏ** + **lus**], adj., *so small, so little, so trifling:* **tantulo** (*at so small a price*).

tantum, see **tantus**.

tantummodo [**tantum modo**], adv., (*so much only*), *only, merely, only just.*

tantus, -a, -um, [prob. √TA + VANT + **us**], adj., *so much, so great, so important, so large, this great, that great, great, like this, like that, such* (of magnitude): **tanti est** (*is of so much importance, is of so much weight, it is worth the price, it is worth while*); **tanta gratulatio** (*so warm*); **tantum civium** (*so many citizens*); **in tantum aes alienum** (*so deeply in debt*); **pro tantis rebus** (*for such important*, etc.). — Also, *so much* (and no more), *only so much.* — **tantum**, N. as adv., *only, merely.* — **tantō**, abl., *so much.*

tardē [old abl. of **tardus**], adv., *slowly, tardily, with delay, late.*

tarditās, -tātis, [**tardŏ**+**tas**], F., *slowness, delay.*

tardō, -āvī, -ātus, -āre, [**tardŏ-**], 1. v. a., *retard, check, hinder, delay.*

tardus, -a, -um, [?], adj., *slow.*

Tarentīnī, -ōrum, [**Tarento + inus**], M. plur., *the people of Tarentum* (an old Greek city on the Gulf of Tarentum), *the Tarentines.*

Tarracīnēnsis, -e, [**Tarracina + ensis**], adj., *of Tarracina* (a city of the Volsci on the borders of Latium). — As subst., *a man of Tarracina.*

Tauromenītānus, -a, -um, [**Tauromeniŏ + tanus** (i.e., Gr. Ταυρομενίτης+**anus**)], adj., *of Tauromenium* (a city on the eastern coast of Sicily, now *Taormina*).

taurus, -ī, [perh. √STAV- + **rus**, akin to *steer*], M., *a bull.*

tectum, -ī, [p.p. of **tego**], N., *a roof, a house, a dwelling.*

tegō, tēxī, tectus, tegere, [√TEG], 3. v. a., *cover, thatch, hide, protect:* **nocte tectus** (*under cover of night*).

tēlum, -ī, [?], N., *a weapon* (of offence), *a missile, a javelin.* — Also, *a weapon* (generally), *a deadly weapon:* **cum telo** (*armed*).

Temenītēs, -īs, [Greek], M., an epithet of Apollo at Syracuse.

temerārius, -a, -um, [†**temerŏ + arius**], adj., *reckless, rash, hasty.*

temere [old abl. of †**temerus**], adv., *blindly, without reason, without cause.* — Hence, *recklessly, hastily.*

temeritās, -tātis, [†**temerŏ-** (perhaps akin to **temulentus**) + **tas**], F., *blindness, thoughtlessness, recklessness, heedlessness, hasty temper.*

temperantia, -ae, [**temperant- + ia**], F., *self-control, prudence.*

temperō, -āvī, -ātus, -āre, [**temper-** (stem of **tempus**)], 1. v. a., (*divide*), *mix properly.* — Hence, *control, control one's self, refrain, moderate.*

tempestās, -tātis, [**tempes-** (stem of **tempus**) + **tas**], F., *a season, weather.*—Esp., *bad weather, a storm, a tempest.* — Also fig., *a storm, a blast.*

tempestīvus, -a, -um, [**tempestŏ-** (cf. **intempestus**) + **ivus**], adj., *early, timely, seasonable, suitable:* **convivium** (*a daylight banquet*).

templum, -ī, [akin to **tempus**, prob. †**temŏ-** (√TEM + **us**) + **lum**, cf. Gr. τέμενος], N., (in augury), *a consecrated spot, a temple.*

temptō (**tentō**), -āvī, -ātus, -āre, [**tentŏ-**, p.p. of **teneo**], 1. v. a., *handle.* — Hence, *try, make attempts upon, attack, assail, sound* (try a man's sentiments), *attempt.*

tempus, -oris, [√TEM (*cut*, with root determinative or accidental p) + **us**], N., (*a cutting*). — Esp., *a division of time, a time, the times, time* (in general), *a season, an occasion, an exigency, an emergency, a crisis, circumstances, a necessity* (of the time), *needs, the times, the circumstances of the time:* **omni tempore** (*at all times*); **ante tempus** (*before the time, prematurely*); **meum tempus** (*my appointed time*); **summo tempore reipublicae** (*the most important crisis*); **procella temporis** (*the storm of the times*); **O tempora!** (*what a time!*); **ex tempore** (*on the spur of the moment*); **cederem tempori** (*to the exigencies of the time*); **motus communium temporum** (*the general disturbance of the times*); **uno tempore** (*at one and the same time, at once*).

tēmulentus, -a, -um, [†**temŏ-** (?, cf. **abstemius**) + **lentus**], adj., *drunken, in a tipsy state.*

tendō, tetendī, tēnsus (tentus), tendere, [√TEN + do (of unc. origin)], 3. v. a., *stretch, stretch out.*

tenebrae, -ārum, [?, perh. akin to **temere**], F. plur., *darkness, obscurity.*

Tenedos (-**us**), -ī, [Gr. Τένεδος], F., an island in the Ægean, near Troy.

teneō, tenuī, tentus, tenēre [†tenŏ-(√TEN + **us**)], 2. v. a., *hold, hold fast, hold on to, retain, keep, possess, occupy, hold bound, bind:* **circuitus milia** (*occupy, extend*). — Also, *restrain, detain, understand, get at:* **legibus** (*bind*). — Pass., *be caught, be in custody, be detected, be possessed* (by a feeling).

tener, -era, -erum, [√TEN + **rus**], adj., (*stretched, thin*), *delicate, tender, young, sensitive.*

tentō, see **temptō**.

tenuis, -e, [√TEN + **us**, with accidental **i**, cf. **gravis**], adj., *thin, delicate, feeble, meagre, poor, slight, humble* (in position), *insignificant.*

tenuiter [**tenui** + **ter**], adv., *thinly, slightly.*

ter [prob. mutilated case of **tres**], adv., *three times.*

tergiversātiō, -ōnis, [**tergiversā** + **tio**], F., *shuffling, a subterfuge, a false pretence.*

tergum, -ī, [?], N., *the back:* **a tergo** (*in the rear, behind one*).

terminō, -āvī, -ātus, -āre, [**terminŏ**-], 1. v. a., *bound, limit, end, finish, set* (limits).

terminus, -ī, [√TER (?, cf. **trans**) + **minus** (cf. Gr. -μενος)], M., *a boundary, a limit.*

terra, -ae, [√TERS (?) + **a**, cf. **torreo**], F., (*the dry land*), *the earth, the land.* — Also, *a land, a region.* — Also, *the ground.* — Plur., *the world:* **orbis terrarum** (*the whole world*); **terra marique** (*on land and sea*).

terreō, terruī, territus, terrēre, [†**terrŏ**-(?)], 2. v. a., *frighten, alarm, terrify.*

terrestris, -e, [**terra**- (as if **terret**-, cf. **equestris**) + **tris**], adj., *of the land, earthly* (as opposed to heavenly).

terribilis, -e, [**terri**- (as if stem of **terreo**) + **bilis**], adj., *dreadful, terrible.*

terror, -ōris, [**terr** (as if root of **terreo**) + **or**], M., *fright, alarm, terror, dread, panic.*

tertius, -a, -um, [prob. **tri**+**tius**], adj., *third* (in order).

testāmentum, -ī, [**testā** + **mentum**], N., *a will.*

testimōnium, -ī, [**testi** + **monium**], N., *proof, evidence, testimony, a testimonial.*

testis, -is, [?], C., *a witness.*

testor, -ātus, -ārī, [**testi**-], 1. v. dep., *call to witness, appeal to, assert* (solemnly). — **testātus**, p.p. in pass. sense, *proved, substantiated.*

tetrarchēs, -ae, [Gr. τετράρχης], M., *a tetrarch, a prince.*

Teutones, -um, (**Teutonī**, -ōrum), [Teutonic], M. plur., a great German people in Jutland who overran Gaul in B.C. 113 along with the Cimbri. They were defeated by Marius in B.C. 102 at Aquæ Sextiæ (*Aix*).

theātrum, -ī, [Gr. θέατρον], N., *a theatre.*

Themistoclēs, -ī (-is), [Greek], M., a famous Athenian commander in the time of the Persian war, the founder of the Athenian naval power.

Theophanēs, -is, [Greek], M., a Greek historian of Mytilene, who wrote the exploits of Pompey.

Thespiae, -ārum, [Gr. Θεσπιαί], F. plur., a city of Bœotia.

Thespiēnsis, -e, [Thespia + ensis], adj., *of Thespiæ.* — Plur., *the people of Thespiæ.*

Thraex (**Thrēx**, **Thrāx**), -cis, [Gr. Θρᾷξ], adj., *Thracian.* — As subst., *a Thracian.*

Ti., abbrev. for **Tiberius**.

Tiberīnus, -a, -um, [Tiberi + inus], adj., *of the Tiber.*

Tiberis, -is, [?], M., *the Tiber.*

Tigrānēs, -is, [Persian, through Greek], M., king of Armenia, son-in-law of Mithridates.

timeō̆, -uī, no p.p., -ēre, [†timŏ- (cf. **timidus**)], 2. v. a. and n., *be afraid, fear, be alarmed.* — With dat., *be anxious for, be anxious about:* **nihil** (*have nothing to fear, be in no danger*); **non timere** (*be free from fear, be without fear*).

timidē [old abl. of **timidus**], adv., *with timidity:* **non timide** (*fearlessly*).

timiditās, -tātis, [timidŏ + tas], F., *timidity, faint-heartedness.* — Plur. same (of several cases).

timidus, -a, -um, [†timŏ- (cf. **timeo**)], adj., *cowardly, timid.*

timor, -ōris, [tim- (as root of **timeo**) + or], M., *alarm, fear, apprehension.*

tīrō̆, -ōnis, [?], M., *a raw recruit, a beginner, a tiro.*

Titus, -ī, [?], M., a Roman prænomen.

toga, -ae, [√TEG + a], F., *a toga* (the voluminous wrap worn by the Romans in their civil life): **ad togas redire** (*resume the toga*, as in peace); **virilis** (*the virile toga, the garb of manhood*); **praetexta** (*the toga prætexta, the garb of childhood, the robe of office*, see **praetextus**). — Hence, *civil life* (as opposed to war).

togātus, -a, -um, [toga + tus], adj., *clad in the toga* (as an emblem of citizenship or of peace). — Hence, *unarmed, in the garb of peace, in peace:* **mihi togato contigit** (*a civil magistrate*); **togati** (*peaceable citizens*).

tolerābilis, -e, [tolerā + bilis], adj., *endurable, tolerable.*

tolerō̆, -āvī, -ātus, -āre, [†toler- (√TOL + us)], 1. v. a. and n., (*raise up*), *bear, endure, hold out.* — **tolerandus**, -a, -um, as adj., *endurable, tolerable.*

tollō̆, sustulī, sublātus, tollere, [√TOL (with YA)], 3. v. a., *raise, carry, elevate, extol:* **in crucem** (*hang, nail*). — Hence, *carry off, remove, take away, destroy, put an end to, abolish, banish, get out of the way, put to death.*

Tongilius, -ī, [?], M., a Roman gentile name. — Only an obscure friend of Catiline.

tormentum, -ī, [√TORQU + mentum], N., (*means of twisting*), *torture, the rack.* — Also, *an engine* (for throwing missiles by twisted ropes). — Hence, *a shot from an engine, a missile.*

Torquātus, -ī, [torqui + atus], M., (*wearing a collar*), a Roman family name. — Esp., *L. Manlius Torquatus*, cons. B.C. 70.

tortor, -tōris, [√TORQ (in **torqueo**) + tor], M., *a torturer.*

tot [√TA (in **tam**, etc.) + ti], indecl. adj., *so many.*

totiēns (**totiēs**) [tot + iens], adv., *so many times, so often.*

tōtus, -a, -um, [√TA + tus], adj., *the whole, the whole of, all* (as entire), *entire.* — Often translated by an adverb, *entirely, throughout, wholly.*

tractō̆, -āvī, -ātus, -āre, [**tractŏ-**], 1. v. a., *handle, treat, conduct, manage:* **in periculis tractatus** (*engaged in, exercised in, drawn into*).

trādō̆, -didī, -ditus, -dere, [**trans-do**], 3. v. a., *hand over, give up, give over, deliver up, surrender.*—Also, *pass along, hand down, teach, communicate.*

trādūcō̆, see **transduco**.

trāductiō̆ (**trans-**), -ōnis, [**transductio**, cf. **transduco**], F., *a transfer.*

tragoedia, -ae, [Gr. τραγοιδία], F., *tragedy.*—Fig. (in plur.), *a commotion, a "to-do."*

trahō̆, trāxī, tractus, trahere, [√TRAH (for †TRAGH)], 3. v. a., *drag, drag along, drag in, draw.*—Fig., *captivate, drag out, protract.*

tranquillitās, -tātis, [**tranquillŏ + tas**], F., *stillness, calm, fair weather, a quiet state, a peaceable condition, tranquillity, peace.*

tranquillus, -a, -um, [prob. akin to **trans** and connected with navigation], adj., *calm, quiet, peaceable, undisturbed.*

trāns [?, akin to **terminus, terebra**], adv. (in comp.) and prep., *across, over.*—Hence, *on the other side of:* **ripam** (*on the bank opposite*).—In comp., *over, across, through.*

Trānsalpīnus, -a, -um, [**trans-Alpes + inus**], adj., *Transalpine* (beyond the Alps from Rome).

trānscendō̆, -scendī, -scēnsūrus, -scendere [**trans-scando**], 3. v. a., *climb across, cross* (mountains).

trānsdūcō̆ (**trādūcō̆**), -dūxī, -ductus, -dūcere, [**trans-duco**], 3. v. a., *lead over* (with two accusatives), *lead across, bring over, lead through, transport, draw over, win over, transfer.*

trānseō̆, -iī, -itus, -īre, [**trans-eo**], irr. v. a. and n., *go across, cross, pass over, go over, pass through, pass, migrate, pass by.*

trānsferō̆, -tulī, -lātus, -ferre, [**trans-fero**], irr. v. a., *carry over, transfer, change the place of, take* (and put somewhere else): **sese in proximum annum** (*transfer his canvass,* etc.).

trānsigō̆, -ēgī, -āctus, -igere, [**trans-ago**], 3. v. a., *carry through, accomplish, manage, do, finish, carry out.*

trānsmarīnus, -a, -um, [**trans-mare + inus**], adj., *across the sea, foreign.*

trānsmittō̆, -mīsī, -missus, -mittere, [**trans-mitto**], 3. v. a., *send over, send across; pass over, cross.*—Fig., *transfer, devote, give over, hand over, entrust.*

trānsversus (**-vorsus**), -a, -um, [p.p. of **transverto**], as adj., *across, athwart, transverse, cross.*

Tremellius, -ī, [?], M., a Roman gentile name.—Esp., *Cn. Tremellius,* one of the jury against Verres.

tremō̆, -uī, no p.p., -ere, [√TREM?, cf. Gr. τρέμω], 3. v. n., *tremble, waver.*

trēs, tria, [stem **tri-**], plur. num. adj., *three.*

tribūnal, -ālis, [**tribunŏ + alis**], N., (*place of a tribune,* in some early sense of the word), *a tribunal* (a raised platform where magistrates sat or generals addressed their troops).

tribūnātus, -tūs, [**tribunŏ + atus**, cf. **consulatus**], M., *a tribuneship, the office of tribune.*

tribūnicius (**-itius**), -a, -um, [**tribunŏ + cius** (**-tius**)], adj., *of a* *tribune, of the tribunes* (esp. of the people), *tribunicial.*

tribūnus, -ī, [**tribu-nus**], M., (*a chief of a tribe*).— With or without **plebis**, *a tribune* (one of several magistrates elected in the assembly of the plebs voting by tribes, to watch over the interests of the commons).— With **militum** or **militaris**, *a tribune of the soldiers, a military tribune* (one of six officers of each legion who had charge of the internal administration of the legion, and were also employed in various staff duties by the commander).— With **aerarius**, *a dean of a tribe* (?, one of certain officers of the treasury, orig. no doubt presiding officers of the tribes at Rome), *a treasury warden* (?), *a tribunus ærarius.*

tribuō, -uī, -ūtus, -uere, [**tribu-**], 3. v. a., (*distribute by tribes*), *distribute.*— Hence, *grant, render, pay, assign, attribute, pay a tribute* (of respect, etc.), *confer, give, bestow.*

tribus, -ūs, [**tri** (cf. **tres**) + unc. term. (perh. akin to **fui**?)], F., (a third part?), *a tribe* (a division, originally local, of the Roman people), *a ward* (?).

tribūtum, -ī, [N. p.p. of **tribuo**], N., *a tribute* (a stated sum, cf. **vectigal**).

triciēns (**-iēs**) [**triginta+iens**], num. adj., *thirty times:* **H. S. triciens** (sc. **centena milia**, *three million sesterces*).

trīduum, -ī, [**tri** + stem akin to **dies**, cf. **biduum**], N., *three days' time, three days.*

triennium, -ī, [**trienni** (**triannus**) + **ium**], N., *three years' time, three years.*

tripudiō, -āvī, no p.p., -āre, [**tripudiŏ-**], 1. v. n., *dance* (in a solemn rite).— Less exactly, *dance for joy.*

tristis, -e, [unc. root + **tis**], adj., *sad, gloomy, dejected, stern.*— Also as bringing sadness, *melancholy, unfortunate, sad* (as in Eng.): **litera** (*dismal, cruel,* of the vote for conviction).

triumphō, -āvī, -ātus, -āre, [**triumphŏ-**], 1. v. n. and a., *have a triumph, enjoy a triumph, triumph* (also fig.): **triumphans** (*in a triumphal procession, in triumph*).

triumphus, -ī, [prob. Gr. θρίαμβος, a hymn in honor of Bacchus, perh. a name of the god], M., *a triumph* (the entry of a general returning after a victory, celebrated with sacred rites).— Also, less exactly, almost as in Eng. even, but with a livelier figure.

tropaeum (**troph-**), -ī, [Gr. τρόπαιον], N., *a trophy.*

trucīdō, -āvī, -ātus, -āre, [?, akin to **trux**], 1. v. a., *butcher, slaughter in cold blood, massacre, cut down without mercy, slay without mercy.*

truculentus, -a, -um, [**truc-** (as if **trucu-**) + **lentus**], adj., *grim, savage, morose, churlish.*

tū, tuī, [√TVA], plur. **vōs** [√VA], pron. 2d person, *you* (sing.), *you* (plur.), *yourself.*— Esp., **tibi**, in a loose connection with the sentence, *for you* (as in Eng.), often untranslatable.— **tūte**, *you yourself, you.*

tuba, -ae, [?], F., *a trumpet* (a straight instrument for infantry).

Tūberō, -ōnis, [**tuber** + **o**], M., a Roman family name.— Esp.: 1. *L. Ælius Tubero,* a distinguished jurist, a legatus of Q. Cicero in Asia; 2. *Q. Ælius Tubero,* son of 1, complainant against Ligarius.

tueor, tūtus (tuitus), tuērī, [?],

2. v. dep., *watch, guard, protect, defend.* — Also, *preserve, maintain, keep, care for.*

Tullius, -ī, [Tullŏ + ius], M., a Roman gentile name. — Esp., *M. Tullius Cicero*, see **Cicero**.

Tullus, -ī, [?], M., a Roman family name. — Esp., *L. Volcatius Tullus*, cons. B.C. 66.

tum [prob. acc. of √TA], adv., *then* (at a time indicated by the context), *at that time, in that case:* **cum . . . tum**, see **cum**; **tum vero** (*then*, with emphasis, of the decisive point of a narrative or of an important condition); **tum maxime** (*just then, but especially*); **tum . . . cum** (*at a time when, when*) : **quid tum?** (*what then?*).

tumultus, -tūs, [tumulŏ- (perh. reduced) + **tus**], M., (*a swelling, an uprising?*), *an uproar, confusion, a commotion.* — Esp., *an uprising, a commotion* (of a revolt, or a war not regularly declared) : **servilis** (*the servile war*, see **servilis**).

tumulus, -ī, [†tumŏ- (wh. **tumeo**) + **lus**], M., (*a swelling?*), *a hill, a mound.* — Hence, *a tomb.*

tunc [tum-ce, cf. **hic**], adj., *just then, then, by and by* (with **cum**), *in that case.*

tunica, -ae, [?], F., *a tunic* (the Roman undergarment, like a loose shirt, but usually of wool).

turba, -ae, [√TUR (cf. **turma** and Gr. θόρυβος) + **ba** (cf. **morbus** and Gr. τύρβη)], F., *a throng* (as in confused motion, cf. **turbo**, -inis), *a crowd, a mob, a riot.*

turbulentus, -a, -um, [turba (as if **turbŏ**, perh. really) + **lentus**], adj., *disorderly, disorganized, boisterous, stormy.*

turma, -ae, [√TUR (cf. **turba**, **turbo**) + **ma**], F., (*a throng?*), *a squadron* (of horse, consisting of thirty men), *a troop of cavalry.*

turpis, -e, [?], adj., *ugly* (in appearance). — Hence, *unbecoming, disgraceful, base, scandalous, vile.*

turpiter [**turpi** + **ter**], adv., *dishonorably, with dishonor.*

turpitūdō, -inis, [**turpi** + **tudo**], F., *baseness, base conduct, turpitude.* — Hence, *disgrace, dishonor, infamy.*

Tusculānus, -a, -um, [Tusculŏ + **anus**], adj., *of Tusculum* (a town of Latium). — Esp. N., *a villa at Tusculum, a Tusculum villa.*

tūte, see **tu**.

tūtō, see **tutus**.

tūtor, -ātus, -ārī, [**tutŏ-**], I. v. dep., *guard, defend, protect.*

tūtus, -a, -um, [p.p. of **tueor**], as adj., *protected, safe, secure, well fortified:* **victis nihil tutum** (*no safety for the conquered*). — **tūtō**, abl. as adv., *in safety, safely.*

tuus, -a, -um, [√TVA + **ius**], adj. pron., *your, yours, of yours:* **omnes tui** (*all your friends*).

Tycha, -ae, [Gr. Τύχη], F., a part of the city of Syracuse, so called from a temple of Fortune in the neighborhood.

tyrannus, -ī, [Gr. τύραννος], M., *a tyrant* (a usurping king), *a tyrant* (generally, in the modern sense).

U.

ūber, -eris, [perh. orig. subst., cf. Gr. οὖθαρ and **vetus**], adj., *fertile, rich, productive.*

ūber, -eris, [?, cf. Gr. οὖθαρ], N., *a pap, a dug, a breast.*

ūbertās, -tātis, [**uber** + **tas**], F., *fertility, productiveness.*

ubĭ [supposed to be **quo** + **bi**,

dat. of **quŏ-**], adv., interrog., and rel., *where, in which, wherein:* **ibi ubi** (*in the place where*). — Also, of time, *when:* **ubi primum** (*as soon as*). — Without antecedent, *a place where.*

ubĭnam [ubi-nam], interrog. adv., *where in the world? where?* (emphatic).

ubīque [ubi-que, cf. **quisque**], adv., *everywhere.*

ulciscor, ultus, ulcisci, [?], 3. v. dep., *punish* (an injury, or the doer), *avenge* (an injury or the person wronged).

ullus, -a, -um; gen. -ĭus, [unŏ + lus], adj., *a single* (with negatives), *any.* — As subst. (less common), *anybody.*

ulterior, -us, [comp. of †ulterŏ-, cf. **ultra**], adj., *farther.* — Superl., **ultimus**, -a, -um, [ul (cf. **uls**) + **timus** (cf. **intimus**)], *farthest, most remote, last.*

ultor, -tōris, [√ULC (in **ulciscor**) + tor], M., *an avenger.*

ultrā [unc. case, perh. instr. of **†ulter**], adv. and prep., *beyond.*

ultrō [dat. of **†ulter(us)**], adv., *to the farther side, beyond:* ultro citroque (*this way and that, back and forth*). — Esp. beyond what is expected or required, *voluntarily, without provocation:* bellum inferre (*make an offensive war, make war without provocation*).

Umbrēnus, -ī, [?, akin to **Umbria**], M., a Roman family name. — Only *P. Umbrenus*, a freedman in the Catilinarian conspiracy.

umerus (**humerus**), -ī, [?, cf. Gr. ὦμος], M., *the shoulder.*

umquam, see **unquam**.

ūnā [instr. (or abl.?) of **unus**], adv., *together, along, along with one, with* (any one), *also.*

unde [supposed to be for **†cunde** (**cum**, cf. **unquam**, + de, cf. **inde**)], rel. and interrog. adv., *whence, from which, where:* unde dare (*through whom*, as a banker from whom money is drawn).

undecimus, -a, -um, [**unus-decimus**], adj., *eleventh.*

undēquinquāgēsimus, -a, -um, [undequinquaginta + **esimus**], num. adj., *the forty-ninth.*

undique [unde-que, cf. **quisque**], adv., *from every side, from all quarters.* — Also (cf. **ab**), *on every side.*

unguentum, -ī, [akin to **ungo**, exact form unc.], N., *an ointment, a perfume* (as the perfumes were used in oils instead of spirits).

ūnicē [old abl. of **unicus**], adv., *especially.*

ūnicus, -a, -um, [unŏ + cus], adj., *sole, only, unique.*

ūniversus, -a, -um, [unŏ-versus], adj., *all together, all* (in a mass), *entire, in a body, in general, united, taken together.*

unquam (**umquam**), [supposed to be for cum-quam (cf. **quisquam**)], adv., (with negatives, cf. **quando**, **aliquando**), *ever:* neque . . . unquam (*and never*).

ūnus, -a, -um; gen. -ĭus, [?, old **oenus**], adj., *one, a single, the same, one only, only, alone:* **unus quisque** (*each one*).

urbānus, -a, -um, [urbi- (reduced) + **anus**], adj., *of a city.* — Esp., *of the city* (Rome), *in the city:* **praetor** (the officer who had jurisdiction of suits between citizens); **praetura** (*city prætorship*, the office of this magistrate); **praedo juris urbani** (*the plunderer of the rights of citizens*, of malfeasance in the above office); **quaestor** (*city*, as opposed to those who were on the staff of some commander); **opes** (*domestic*, *in the city*, as opposed to provinces); **lites** (*quarrels between citizens*, settled in courts of law).

urbs, urbis, [?], F., *a city.* — Esp., *the city* (Rome): **ad urbem** (*near the city*).

urgeō (urgueō), ursī, no p.p., urgēre, [√VARG, cf. **vulgus**], 2. v. a. and n., *press, press hard, urge, press closely, beset, burden, be urgent.*

ūsitor, -ātus, -āri, [†usitō- (as if p.p. of †**uso**), freq. of **utor**, cf. **dictito**], I. v. dep., *practise.* — **ūsitātus**, -a, -um, p.p. in passive sense, *used, practised, customary, much practised, usual.*

usquam [unc. case of quŏ- (cf. **usque**)-quam], adv., *anywhere* (with negatives).

usque [unc. case of **quŏ** (cf. **ubi** and **usquam**) -que (cf. **quisque**)], adv., (*everywhere*), *all the way, even to, all the time, till, even till, even to that degree, to that degree:* **usque ad eum finem** (*even up to*, etc.); **quo usque?** (*to what point? how far?*); **usque eo** (*to that degree, so*).

ūstor, -tōris, [√US (of **uro**) + **tor**], M., (*a burner*). — Esp., *an attendant at a funeral pile.*

ūsūra, -ae, [usu + ra, cf. **pictura**], F., *use, enjoyment.* — Esp., *use* (of money). — Hence, *interest, interest on a debt.*

ūsūrpātiō, -ōnis, [**usurpā+tio**], F., *a taking by use, a using:* **civitatis** (*claim*).

ūsūrpō, -āvi, -ātus, -āre, [†usurpŏ- (usu-†**rapus**, √RAP + us, cf. **bustirapus**)], I.v.a., (*appropriate*), *make use of, employ, use, practise, speak of, talk of.*

ūsus, -ūs, [√UT (in **utor**) + **tus**], M., *use, experience, exercise, practice, intimacy.* — Hence, *advantage, service.* — Esp.: **usus est**, *it is necessary, there is need.*

ut (**utī**) [supposed to be for **quoti** (quo + **ti**?)], adv. and conj. *a*. Interrog., *how?* **videre ut** (*see how*). — *b*. Rel., *as, so as, when, whenever, inasmuch as:* **ut primum** (*when first, as soon as*). — Esp. with subj. (expressing purpose or result), *that, in order that, to, so that, so as to, as to.* — Often with object clause, compressed in Eng. into some other form of speech. — Esp.: **id facere ut**, *do this* (*to wit*, without "that"), *see to it that, take care that;* **faciam hoc ut utar** (*I will do this, use*, etc.); **committere ut mutetur** (*allow to be*); **ut non trahant** (*so but what they*, etc., *without dragging*); **vereri ut** (*fear that not*). — Also, *though, although.*

uter, -tra, -trum; gen. -trīus [quŏ (cf. **ubi**) + **terus** (reduced), cf. **alter**], adj. *a*. Interrog., *which* (of two): **uter utri** (*which to the other*). — *b*. Relative, *whichever* (of two), *the one who* (of two). — Neut., **utrum**, adv., (*which of the two*), *whether.*

uterque, utra-, utrum-, utrīus-, [**uter-que**, cf. **quisque**], adj., *both, each* (of two). — Plur., of sets: **utraque castra** (*both camps*); **utrique** (*both classes, both parties*).

utervīs, utra-, utrum-, [**uter vis**], adj., *which you please* (of two), *either of the two, either.*

utī, see **ut**.

Utica, -ae, [?], F., a town in Africa near Carthage, capital of the Roman province.

ūtilis, -e, [†uti- (stem akin to **utor**) + **lis**], adj., *useful, of use,* *advantageous, of advantage:* **utile est** (*it is a benefit*).

ūtilitās, -tātis, [**utili + tas**], F., *advantage, profit, expediency, advantages* (things valuable, both in sing. and plur.).

utinam [**uti-nam**, cf. **quisnam**], adv., (how, pray?), *would that, Oh that, I wish.*

ūtor, ūsus, ūtī, [?, old **oetor**, (akin to **aveo**?)], 3. v. dep., *avail one's self of, use, exercise, practise, enjoy, adopt, employ, have* (in sense of enjoy), *possess, show* (qualities which one exercises), *occupy* (a town), *navigate* (a sea), *be intimate with:* **testibus** (*present*); **proeliis** (*fight*); **studiis** (*pursue*); **qua usus est plurimum** (*whose especial friendship he had enjoyed*). — Esp. with two nouns, or a noun and adj., *employ as, find in one, find one.*

utrum, see **uter**.

uxor, -ōris, [?], F., *a wife.*

V.

vacillō, -āvī, no p.p., -āre, [?], 1. v. n., *totter, waver, stagger.*

vacō, -āvī, -ātūrus, -āre, [prob. †**vacŏ-** (cf. **vacuus** and **Vacūna**)], 1. v. n., *be vacant, be free from, be unoccupied, lie waste.*

vacuēfaciō, -fēcī, -factus, -facere, [†**vacue-** (stem akin to **vacuus**) -**facio**], 3. v. a., *make vacant, vacate.*

vacuus, -a, -um, [prob. √VAC (cf. **vaco**) + **vus**], adj., *free, unoccupied, vacant, destitute of* (**ab** or abl.), *free from:* **gladius vagina** (*stripped of, out of*).

vadimōnium, -ī, [**vad-** (as if **vadi**) + **monium**, cf. **testimonium**], N., *bail, security, a surety.*

vāgīna, -ae, [?], F., *a sheath, a scabbard.*

vagor, -ātus, -ārī, [**vagŏ-**], 1. v. dep., *roam about, wander:* **nomen** (*spread abroad*).

vagus, -a, -um, [√VAG(?) + **us**], adj., *roving, fickle.*

valde [old abl. of **validus**], adv., *strongly, thoroughly, much.*

valeō, valuī, valitūrus, valēre, [?, prob. denominative, cf. **validus**], 2. v. n., *be strong, have weight, have influence, be powerful, assail.*—Often with N. pron. or adj. as cogn. acc.: **plurimum valet** (*be very strong, have great weight, have great influence*); **valere ad** (*be strong enough to, have power to, amount to*); **mihi valet ad gloriam** (*count to me for,* etc.); **ad laudem doctrina valuit** (*be sufficient for*); **poëta natura valet** (*has his power from nature*); **auspicia** (*be in force, have effect*). — Esp. (in imp. or subj.) as a parting wish, *farewell, prosper.* — **valēns**, p. as adj., *strong, vigorous, stout.*

Valerius, -ī, [akin to **valeo**], M., a Roman gentile name. — Esp.: 1. *L. Valerius Flaccus,* cons. B.C. 100; 2. Another of the same name, interrex, B.C. 82, by whom the law was brought forward, which made Sulla perpetual dictator.

Valerius, -a, -um, [same word as preceding], adj., *of Valerius* (esp. No. 2), *Valerian.*

valētūdō, -inis, [**valetu-** (**vale+tus**) + **do**], F., *health* (good or bad). — Esp., *ill health.*

vallō, -āvī, -ātus, -āre, [**vallŏ-**], 1. v. a., *intrench, fortify.*

valva, -ae, [?], F., *a fold of a door.* — Usually plur., *folding-doors, doors.*

vānus, -a, -um, [√VAC (in **vaco**) + **nus**], adj., *empty.* — Hence, *unfounded, false.*

varietās, -tātis, [**variŏ+tas**], F., *diversity, variety, variation.*

variō, -āvi, -ātus, -āre, [**variŏ-**], I. v. a. and n., *vary, change.* — **variātus**, -a, -um, p.p., *varied, varying, diverse.*

varius, -a, -um, [prob. akin to **vārus**], adj., *various, diverse.*

Vārus, -ī, [**varus**, *knock-kneed*], M., a Roman family name. — Esp., *P. Attius Varus*, proprætor in Africa, B.C. 50 (?).

vās, vāsis, plur. -a, -ōrum, [?], N., *a vessel.* — Hence, *a utensil* (of any kind, for household or camp use).

vās, vadis, [√VADH, cf. *wedding*], M., (*a pledge*), *security* (a person going bail), *a voucher, bail.*

vastātiō, -ōnis, [**vasta+tio**], F., *devastation* (the act), *laying waste.*

vastitās, -tātis, [**vastŏ + tas**] F., *desolation* (the state), *devastation.*

vastō, -āvi, -ātus, -āre, [**vastŏ-**], I. v. a., *lay waste, devastate, ravage.*

vastus, -a, -um, [?], adj., *waste, desolate, vacant.*

vātēs, -is, [?], M. or F., *a soothsayer, a seer.*

vāticinor, -ātus, -ārī, [**vaticinŏ-** (**vati + cinus**, cf. **ratiocinor**)], I. v. dep., *prophesy.* — Hence, *rave* (from the wildness of prophecy).

-ve [?, cf. Sk. **va**], conj. enclitic, *or* (less exclusive than **aut**).

vectīgal, -ālis, [N. of **vectigalis**], N., *a tax* (in kind, or depending on products, cf. **tributum**), *a revenue.*

vectīgālis, -e, [†**vectigŏ-** (**vecti + igus**, cf. **castigo**) + **alis**], adj., (*of a toll-gatherer*, †**vectigus**, perh. orig. of tolls for transportation), *of the revenue.* — Esp., *paying taxes, a tax-payer, tributary.*

vector, -tōris, [√VAGH+**tor**], M., *a carrier.* — Also (cf. **vehor**), *a passenger.*

vehemēns, -entis, [?, prob. akin to **veho**], adj., *violent, impetuous, forcible, active.*

vehementer [**vehement + ter**], adv., *violently, severely, strongly, hotly, exceedingly, very much, urgently, earnestly.*

vehiculum, -ī, [perh. **vehi** (as stem of **veho**) + **culum**, but as if †**vehicŏ + lum**], N., *a vehicle, a carriage.*

vehō, vēxī, vectus, vehere, [√VAGH], 3, v. a., *carry.* — Pass., *ride.*

vel [prob. imperative of **volo**], conj., *or* (less exclusive than **aut**): vel . . . vel (*either . . . or*). — Also, *even* (*if you like*?), often emphasizing superlatives (*the very*).

vēlōx, -ōcis, [stem akin to **volo** (cf. **colonus**) + **cus** (reduced?)], adj., *swift.*

vēlum, -ī, [?, cf. **vexillum**], N., *a curtain, a veil.* — Also, *a sail.*

velut (**velutī**) [**vel-ut**], adv., (*even as*), *just as*: **velut si** (*just as if*).

vēna, -ae, [?], F., *a vein, an artery* (also fig.).

venditiō, -ōnis, [**venum-datio**, cf. **vendo**], F., *a sale.*

venditō, -āvi, -ātus, -āre, [**venditŏ-**], I. v. a., *try to sell, offer for sale, offer to sell, recommend.*

vendō, -didī, -ditus, -dere, [**venum do**], 3. v. a., *put to sale, sell.*

venēficus, -a, -um, [†**vene-** (stem akin to **venenum**) **-ficus**], adj., *poisonous.* — Masc. as subst., *a poisoner.*

venēnum, **-ī**, [†**venē-** (of unc. origin) + **num** (cf. **egenus**)], N., *a drug.* — Esp., *a poison.*

vēneo, -īvi (-ii), -itūrus, -īre, [**venum eo**], 4. v. n., *go to sale* (cf. **pereo**), *be sold.*

veneror, -ātus, -ārī, [**vener-** (stem of **Venus**)], I. v. dep., (sometimes **venero**, act.), (*seek favor?*), *worship, reverence, supplicate.*

venia, -ae, [?], F., *indulgence, favor, pardon, a privilege* (as accorded or asked).

veniō, vēnī, ventūrus, venire, [for **gvenio**, √GAM], 4. v. n., *come, go, fall* (into the hands of); **in discrimen venire** (*incur the danger*); **tibi legis in mentem veniat** (*call to mind, remember*).

Ventidius, -ī, [?], M., a Roman gentile name. — Esp., *P. Ventidius Bassus*, an officer and partisan of Antony.

ventus, -ī, [?], M., *the wind.*

Venus, -eris, [√VAN(?) + **us**, cf. **venustas, veneror**], F., (perh. orig. N.), *grace*(?). — Esp., personified, *Venus*, as goddess of love, identified with the Greek Aphrodite.

venustās, -tātis, [**venus** + **tas**], F., *grace.*

vēr, vēris, [prob. √VAS, for †**vasar**, cf. Gr. ἔαρ], N., *the spring.*

†**verber**, -eris, [?], N. (usually plur.), *stripes, blows, lashes, flogging.*

verberō, -āvī, -ātus, -āre, [**verber-**], I. v. a., *whip, scourge, beat, flog.*

verbum, -ī, [?, cf. **morbus**], N., *a word, an expression.* — Esp.: **verbum, verba facere** (*say much* or *little, say anything, speak*); **his verbis** (*in these words, in this form*); **verbis amplissimis** (*the strongest terms*); **verbo** (*in words, in form*); **verbi causa** (*for example*).

vērē [old abl. of **verus**], adv., *with truth* (cf. **vero**, *in truth*, etc.), *truly, rightly, justly, honestly, really, with justice.*

verēcundia, -ae, [**verecundŏ** + **ia**], F., *modesty.*

vereor, -itus, -ērī, [prob. †**verŏ-** (akin to *wary*)], 2. v. dep., *fear, be afraid, respect.* — **veritus**, p.p. in pres. sense, *fearing.*

vērisimilis (often separate), -e, [**veri similis**], adj., (*like the truth*), *probable, likely.*

vēritās, -tātis, [**verŏ** + **tas**], F., *truth.*

vērō [abl. of **vērus**], adv., *in truth, in fact.* — With weakened force, *but, however, on the other hand, now, and.* — Often untranslatable, expressing an intensive (emphatic) opposition, or pointing to the main time, circumstance, fact, or agent in a narrative: **tum vero** (*then*); **nunc vero** (*but now, and now, now*); **quasi vero** (*as if, forsooth*); **an vero** (*or is it possible that? or tell me*); **jam vero** (*now finally, but further*); **immo vero** (*nay in fact*); **deum vero nullum violavit** (*and as to divinities*, etc.); **quid vero?** (*and then finally, and further*); **est vero** (*it is you see, it is in fact*); **ego vero** (*why I in fact, for my part I*); **at vero** (*but then, but on the other hand, but*); **minime vero** (*no, not in the least*); **si vero** (*if however, if now*).

Verrēs, -is, [**verres**, *boar*], M., a Roman family name. — Only *C. Cornelius Verres*, proprætor in Sicily in B.C. 73 and after, accused of extortion in the famous orations against Verres.

versiculus, -ī, [**versu** + **culus**], M., *a short line, a verse.*

versō, -āvī, -ātus, -āre, [**versŏ-**], 1. v. a., *turn* (this way and that), *deal with* (some one or some thing). — Esp. in pass. as dep., *turn one's self, engage in, be busy, be, live, exist, be employed, show itself, appear, conduct one's self, be found, find itself, be used, be engaged, be at work, be concerned:* **in severitate** (*show, exhibit, act with*); **versatus** (*experienced, practised*); **bellum in multa varietate versatum** (*carried on in a great variety of circumstances*).

versus, -a, -um, p.p. of **verto**.

versus (**versum**), [orig. p.p. of **verto**], adv. and prep., *towards, in the direction of.*

versus, -ūs, [√VERT + **tus**], M., *a turning.* — Esp., *a verse* (of poetry, where the rhythm turns and begins anew), *a line.* — Plur., *poetry, verse.*

vertō, vertī, versus, vertere, [√VERT], 3. v. a. and n., *turn.* — Pass. and with reflex., *turn, revolve, depend.*

vērum [N. of **verus**], adv., *but.*

vērumtamen [verum tamen], adv., *but still.*

vērus, -a, -um, [?, √VER (in **vereor**) + **us**], adj., (?, *seen, visible*), *true, real, well grounded.* — Neut. as subst., *the truth:* **repperit esse vera** (*found the truth to be*). — Also, *just, right.* — See also **vero** and **verum**: **verius** (*nearer the truth*); **re vera** (*in fact, in reality, in truth*); **sententia** (*sound*).

vesper, -erī (-eris), [?, cf. Gr. Ἕσπερος], M., *the evening:* **vesperi** (loc., *in the evening*).

vespera, -ae, [?, cf. **vesper**], F., *the evening:* **ad vesperam** (*at evening, by evening*).

Vesta, -ae, [√VAS (**in uro**) + **ta**, cf. Gr. Ἑστία], F., the goddess of the household fire, the same as Gr. Ἑστία.

Vestālis, -e, [**Vesta** + **lis**], adj., *of Vesta:* **virgines** (*the Vestal virgins*, who preserved the sacred fire of Vesta, and were held in special reverence).

vester, -tra, -trum, [**ves** + **ter** (**us**)], adj. pron., *your, yours:* **conspectus** (*of you*).

vestibulum, -ī, [?, prob. **vestabulum** (orig. *farm-yard?*)], N., *a vestibule* (an open space in front of a house-door). — Fig., *a gateway, a doorway, an entrance, the doors.*

vestīgium, -ī, [†**vestigŏ-** (cf. **vestigō**) + **ium**], N., *the footstep, the footprint, a track.* — Esp.: **e vestigio** (*forthwith*, from one's tracks?); **eodem vestigio** (*in the same spot*); **in illo vestigio temporis** (*at that instant of time*). — Hence, fig., *a trace, an indication.* — Plur., *ruins* (*traces* where a thing once was), *relics, remains.*

vestīmentum, -ī, [**vesti** + **mentum**], N., *clothing.*

vestiō, -īvī (-iī), -ītus, -īre, [**vesti-**], 4. v. a., *clothe, cover.* — Pass., *clothe one's self with* (with thing in abl.), *wear.*

vestis, -is, [√VAS (*clothe*) + **tis**], F., *clothing, garments, dress.*

vestītus, -tūs, [**vestī** + **tus**], M., *clothing, garments, dress:* **ad suum vestitum redire** (*ordinary clothing*).

veterānus, -a, -um, [**veterā-** (as if stem of **vetero**) + **nus**], adj., *veteran* (long in service).

vetō, vetuī, vetitus, vetāre, [stem akin to **vetus**, cf. **antiquo**], 1. v. a., *forbid.*

vetus, -eris, [?, cf. Gr. ἔτος], adj., *old, former*: milites (*old soldiers, veterans*); homines (*of experience, also of antiquity*).

vetustās, -tātis, [**vetus-tas**], F., *age, antiquity, former ages, long continuance, future ages, time* (long continued, either future or past).

vexātiō, -ōnis, [**vexā + tio**], F., *persecution, harassing, outrage.*

vexātor, -tōris, [**vexā + tor**], M., *a troubler, a persecutor, a pursuer, a disturber.*

vexō, -āvi, -ātus, -āre, [†**vexō**- (as if p.p. of **veho**)], I. v a., (*carry this way and that*), *vex, harass, annoy, commit depredations on, overrun* (a country), *ravage* (lands), *plunder, worry, persecute.*

via, -ae, [for **veha**? (**veh + a**)], F., *a road, a way, a route, a street.* — Fig., *a course, a way.*

viātor, -tōris, [†**viā**- (as stem of †**vio**) + **tor**], M., *a traveller.*

Vibiēnus, -ī, [**Vibiō + enus**], M., a Roman family name. — Esp., *C. Vibienus*, a Roman senator killed in a riot.

vibrō, -āvi, -ātus, -āre, [?], I. v. a. and n., *to shake, to brandish.*

vīcātim [**vicō + atim**], adv., *by wards, by districts.*

vīcēsimus (**-ēnsimus**), -a, -um, [**viginti + ensimus**], adj., *twentieth.*

vīcīnitās, -tātis, [**vicino + tas**], F., *neighborhood, vicinity.*

vīcīnus, -a, -um, [**vicō + inus**], adj., (belonging to the same vicus?), *near.* — As subst., *a neighbor.*

vicissim [acc. adv. akin to **vicis**], adv., *in turn, by turns.*

vicissitūdō, -inis, [†**vicissi**- (in **vicissim**) + **tudo**], F., *a change, a vicissitude, a succession* (of changing events).

victima, -ae, [akin to **vinco**, perh. going back to the sacrifice of prisoners], F., *a victim* (sacrificed).

victor, -tōris, [√VIC (in **vinco**) + **tor**], M., *a victor.* — Often as adj., *victorious*, cf. **victrix**.

victōria, -ae, [**victor + ia**], F., *victory, success* (in war), *a triumph* (in the modern sense, cf. **triumphus**, the honor): **in ipsa victoria** (*at the moment of victory*). — Esp., *Victory*, worshipped as a divinity by the Romans: **ludi victoriae** (a festival established by Sulla in honor of his victory, held October 27 to November 1).

victrix, -icis, [√VIC (in **vinco**) + **trix**], F., *a victor* (female, or conceived as such). — As adj., *victorious.*

victus, -tūs, [√VIG(?) (cf. **vixi**) + **tus**], M., *living, life.* — Also, *means of living, food:* **necessitates victus** (*the necessaries of life*); **in victu arido** (*a dry and meagre way of life or style of living*). — Esp.: **consuetudines victus** (*the intimacy of daily life*).

vīcus, -ī, [√VIC (*enter*?) + **us**, cf. Gr. οἶκος], M., (*a dwelling*), *a village* (a collection of dwellings). — In cities, *a quarter* (more than a block, cf. **insula**), *a row* (of houses), *a street* (the houses on both sides).

vidēlicet [**vide** (imper. of **video**) **licet**], adv., (*see you may, one may see*), *of course, doubtless, no doubt.* — Often ironical, *forsooth, I suppose, no doubt, you see, of course.*

videō, vīdī, vīsus, vidēre, [√VID, perh. through a noun-stem (cf. **invidus**)], 2. v. a., *see, examine* (reconnoitre), *observe, notice, take care* (see that). — In pass., *be seen, seem,*

seem best. — Esp.: **ea cernimus quae videmus** (*we distinguish what we see*); **plus videre** (*have a keener insight*).

vigeō, no perf., no p.p., vigēre, [?, prob. †vigŏ- (√VIG+us, cf. **vigil**)], 2. v. n., *be strong, be active, have life, flourish.*

vigilia, -ae, [vigil + ia], F., *waking, wakefulness, watching.* — Esp. in plur., *vigils, sleepless nights.* — Also (in plur.), *watches, sentinels, watchmen.* — From military use, *a watch* (one of the four divisions into which the night was divided).

vigilō, -āvi, -ātus, -āre, [vigil], 1. v. n. (and a.), *watch, lie awake, watch by night, keep awake, be up* (*not sleep*). — Fig., *be on the watch, be watchful, be vigilant, watch, look out for.* — Esp., **vigilāns**, p. as adj., *wakeful, watchful, vigilant, on the watch, careful, active, wide awake.*

vīgintī [dvi- (stem of **duo**) + form akin to **centum** (perh. the same)], num. adj., indecl., *twenty.*

vīlis, -e, [?], adj., *cheap, of little value, worthless.*

vīlitās, -tātis, [vili + tas], F., *cheapness, low price.*

villa, -ae, [?], F., *a farm-house, a country house, a villa.*

vinciō, vinxī, vinctus, vincīre, [perh. akin to **vinco**], 4. v. a., *bind, fetter, put in chains, restrain.*

vinclum, see **vinculum**.

vincō, vīcī, victus, vincere, [√VIC], 3. v. a. and n., *conquer, defeat, prevail, be victorious, prevail over, overcome, surpass, outdo.*

vinculum (**vinclum**), -ī, [†vincŏ- (stem akin to **vincio**, perh. primitive of it) + **lum** (N. of **-lus**)], N., *a chain.* — Plur., *chains, imprisonment, prison.* — Fig., *a bond, a connection.*

vindex, -icis, [some forms of **vis** and **dico**, perh. wrongly formed like **judex**], M. and F., *a claimant.* — Hence, from technical use in law, *a protector, a defender, an avenger.*

vindiciae, -ārum, [vindic + ia], F. plur., *a claim* (technical in law), *an action* (of a peculiar sort).

vindicō, -āvī, -ātus, -āre, [vindic-], 1. v. a., *claim, claim one's rights against, defend* (cf. **Galliam in libertatem**, *establish the liberty of*, a phrase derived from the formal defence of freedom in a Roman court), *rescue.* — Also, *punish, avenge, seek redress for, seek redress.*

vīnum, -ī, [?, cf. Gr. *οἶνος*], N., *wine.*

violō, -āvī, -ātus, -āre, [?], 1. v. a., *abuse, violate* (a sacred object), *profane, injure* (a thing held sacred), *outrage*: **si quid violatum est** (*any profanation done*).

vir, viri, [?], M., *a man, a husband.*

vīrēs, see **vis**.

virga, -ae, F., *a twig, a rod.* — Plur., *flogging, stripes.*

virgō, -inis, [?], F., *a maiden, a maid, a virgin, a girl.* — Esp., *a vestal virgin* (see **Vestalis**).

virīlis, -e, [virŏ + ilis], adj., *manly, of a man*: **toga** (*the garb of manhood*, the pure white toga assumed by Romans as a sign of manhood and citizenship).

virtūs, -tūtis, [virŏ- (reduced) + tus], F., *manliness, valor, prowess, courage.* — Also, *merit* (generally), *noble conduct, virtue.* — Plur., *virtues, merits, good qualities.* — Also, *a sense of virtue, a love of virtue.*

vīs, vīs (?), [?], F., *force, might, power, violence, energy, vigor, severity, a quantity, a supply*: **vim et manus** (*violent hands*). — Also, *force, effect, validity.* — Technically, *breach of the peace, violence* (for which a special remedy at law was established). — Plur., *strength, force, powers, bodily vigor.*

viscus, -eris, also plur. **viscera,** -um, [?], N., *the soft parts of the body, the flesh, the entrails.* — Fig., *the vitals, the bowels, the entrails.*

vīsō̆, vīsī, vīsus, vīsere, [prob. old desiderative of **video**], 3. v. a. and n., (*desire to see*), *go to see, visit, see* (in reference to a sight or spectacle).

vīta, -ae, [root of **vivo** + **ta**], F., *life, the course of life.*

vitium, -ī, [?], N., *a flaw, a blemish, a defect, a fault, a vice.*

vītō̆, -āvī, -ātus, -āre, [?, **vita**-?], I. v. a., (*escape with life, live through*?), *escape, avoid, dodge, shun.*

vituperātiō̆, -ōnis, [vituperā + tio], F., *abuse, fault-finding, an accusation, a charge.*

vituperō̆, -āvī, -ātus, -āre, [†vituperŏ- (vitiŏ + †parus, cf. **opiparus**)], I. v. a., *censure, find fault with.*

vīvō̆, vīxī, victus, vīvere, [√VIG (**vigor**?), cf. **victus**], 3. v. n., *live, pass one's life.*

vīvus, -a, -um, [√VIG(?) + **us**], adj., *alive, living.*

vix [poss. √VIC (in **vinco**)], adv., *with difficulty, hardly, hardly ever.* — Also, of time, *hardly* (... *when*): vixdum coetu dimisso (*when* ... *scarcely yet, almost before,* etc.).

vocō̆, -āvī, -ātus, -āre, [voc- (stem of **vox**)], I. v. a., *call by name, call, summon, invite.* — With **in, ad,** *summon to, invite to, bring* (*into*), *attempt to bring* (*into*): in integritatem spe (*attribute virtue to one in hope*).

Volāterrae, -ārum, [?], F. plur., a town of Etruria (*Volterra*).

volgāris (**vulg-**), -e, [volgŏ + aris], adj., *common, ordinary.*

volgō, see **volgus.**

volgus (**vulgus**), -ī, [√VOLG + us], N., *the crowd, the common people, the mass:* in volgus emanare (*get abroad, spread abroad*). — **volgō,** abl. as adv., *commonly, generally, ordinarily, everywhere.*

volitō̆, -āvī, no p.p., -āre, [as if volitŏ-, p.p. of **volo**, cf. **agito**], I. v. n., *flit about, hover about.*

volnerō̆ (**vul-**), -āvī, -ātus, -āre, [volner-], I. v. a., *wound, inflict a wound.* — Also fig., *wound, harm, offend.*

volnus (**vulnus**), -eris, [prob. akin to **vello**], N., *a wound.*

volō̆, voluī, velle, [√VOL], irr. v. a. and n., *wish, be willing, want, desire, choose to have, choose, would like, mean, signify.* — With perf. part., *desire to have, desire to.*

Volturcius (**Vult-**), -ī, [?], M., one of the conspirators with Catiline.

voltus (**vul-**), -tūs, [√VOL + tus], M., *expression* (of countenance), *the countenance, the look, the face, the expression of countenance, the mien.*

volūbilis, -e, [prob. **volvi-** (as stem of **volvo**) + **bilis**], adj., *whirling.* — Fig., *changeable, inconstant.*

voluntārius, -a, -um, [volent + **arius**], adj., *voluntary.* — As subst., *a volunteer.*

voluntās, -tātis, [volent + **tas**], F., *willingness, will, good-will, desire, approval, consent, an inclination, a wish, a purpose, plans, desires, a disposition.*

voluptās, -tātis, [volup- (akin to **volo**) + **tas**], F., *sensual pleasure, pleasure,* (*a sensation of pleasure*), *enjoyment.*

†**Volusēnus**, -ī, [?, cf. **Volusius**], M., a tribune of the soldiers in Cæsar's army in Gaul. In Phil. xiv. 7, the reading is uncertain, and the passage is obscure.

volūtŏ̄, -āvī, -ātus, -āre, [**volutŏ-**], 1. v. a. and n., *roll, grovel.*

vōsmet [**vos-met** (akin to **me**)], intensive of **vos**, *you yourselves, you* (emphatic).

vōtīvus, -a, -um, [**votŏ** + **ivus** (cf. **captivus**)], adj., *votive:* ludi (a festival held in pursuance of some vow).

vōtum, -ī, [N. p.p. of **voveo**], N., *a vow, a prayer.*

voveŏ̄, vōvī, vōtus, vovēre, [?], 2. v. a. and n., *vow, make a vow.*

vōx, vōcis, [√VOC as stem], F., *a voice, a word, an expression, a shout.* —Collectively, *cries, words, talk.*

vulgāris, see **volgaris**.

vulgō, see **volgo**.

vulgus, see **volgus**.

vulnerŏ̄, see **volnero**.

vulnus, see **volnus**.

vultus, see **voltus**.